ÉDITION SPÉCIALE  40e ANNIVERSAIRE

LE GUIDE DE L'AUTO 2006

Rédacteur en chef
Denis Duquet
Journalistes et photographes:
Marc Bouchard, Didier Constant, Jacques Duval, Guy Desjardins, Gabriel Gélinas,
Bertrand Godin, Robert Jetté, Carl Nadeau, Alain Morin, Caroline Proulx
Fondateur du Guide de l'auto:
Jacques Duval
Conception et production
L'équipe de LC Média Inc
Coordination éditoriale
Alain Morin
Révision et correction:
Hélène Paraire
Administration et ventes:
Frédéric Couture, Marcel Couture, Jean Lemieux

4105, Boul Matte, bureau G,
Brossard Qc J4Y 2P4
Tél.: 450-444-5773

Site internet: www.leguidedelauto.net

Catalogage avant publication de Bibliothèque et Archives Canada

Vedette principale au titre:
Le Guide de l'auto
Annuel.
ISSN 0315-9205
ISBN 2-89568-274-7
1. Automobiles - Achat - Canada. I. Duquet, Denis.

HD9710.A2D8 629.222'029'71 C86-030714-X

Les Éditions du Trécarré reconnaissent l'aide financière du gouvernement du Canada par l'entremise du Programme d'aide au développement de l'industrie de l'édition (PADIÉ) pour ses activités d'édition.

ISBN 2-89568-274-7

Dépôt légal - 2005
Bibliothèque nationale du Québec

Imprimé au Canada

Éditions du Trécarré
7, chemin Bates, Outremont (Québec) H2V 4V7 Canada

DENIS **DUQUET**

GABRIEL **GÉLINAS**

BERTRAND **GODIN**

CAROLINE **PROULX**

ÉDITION SPÉCIALE 

40e ANNIVERSAIRE

LE GUIDE DE L'AUTO 2006

ÉDITIONS DU TRÉCARRÉ

Le Guide de l'auto tient à remercier les personnes et les organisations dont les noms suivent et qui ont apporté leur précieuse collaboration à la réalisation de l'édition 2006.

Martine Bélanger
Nadia Bergeron
Claudie-Anne Brien
Didier Constant
Nadia Duchesneau
Simon Fortin
Christine Giard
Pascal Gosselin
Veronique Lauzon
Noémie Pagé
Julie Tremblay
L'équipe des Éditions du Trécarré
L'équipe de Québécor World St-Jean Inc.

PARTICIPANTS AUX MATCHS COMPARATIFS :
Jacques Béliveau, Bruno Borduas, Marc Bouchard, Guy Desjardins, Daniel Duquet, Denis Duquet, Simon Fortin, Yvan Fournier, Robert Jetté, Gabriel Gélinas, Alain Morin, Costa Mouzouris, Carl Nadeau, Caroline Proulx, Roger Robidoux

Les voitures mises à l'essai par l'équipe du Guide de l'Auto ont utilisé de l'essence Ultramar. Nos sincères remerciements.

POUR LEUR COLLABORATIONS, MERCI À :
Bob Austin (Rolls Royce), Barbara Barrett (Jaguar, Land Rover), LouAnn Barrette (Daimler-Chrysler Canada), Denis Bellemare (Mercedes-Benz du Canada), Umberto Bonfa (Saleen Canada), Paul Boyer (Des Sources Chrysler), Jo Anne Caza (Mercedes-Benz/Maybach/Smart), Nicole Chambers (Subaru Canada), Mario Cloutier (Volkswagen Canada), John Crawford (Bentley Motors), Alexandra Cyghal (Aston Martin, Jaguar, Land Rover Canada), Sophie Desmarais (Nissan Canada), Sandy DiFelice (Honda Canada), Alain Desrochers (Mazda Canada), Gaven Dumont (Suzuki), Susan Elliott (Nissan Canada), Richard Gaglewicz (Décarie Motors), Jacques Guertin (Sanair), Rania Guirguis (Mazda Canada), Cristina Guizzardi (Lamborghini), Chad Heard (Volvo Canada), Christine Hollander (Ford du Canada), Bernice Holman (Volkswagen-Audi Canada), Richard James (General Motors du Canada), Mike Kurnik (Suzuki Canada), Daniel Labre (Chrysler Canada), Yves Ladouceur (Kia Canada), Ghyslain Lavallée (Rock Lavallée et Fils), Kevin Marcotte (BMW Canada), Gilles Marleau (PMG Technologies), Richard Marsan (Subaru Canada), Dough Mepham (Volvo Canada), Nadia Mereb (Honda Canada), Josée Marin (Hyundai Canada), Michel Mérette (Huyndai Canada), Stéphane Narbonne (Parkway Plaza), Cort Nielsen (Kia Canada), Michael Nye (Ferrari Québec), Roberto Oruna (Audi Canada), Robert Pagé (General Motors du Canada), Antony Paulozza (Pirelli Canada), Michel Poirier (Hyundai Canada), Normand Primeau (Seitz Communications), Stuart Y. Schorr (Daimler-Chrysler du Canada), John Scotti (John Scotti Auto), Candy Squires (Mercedes-Benz, Québec), François Viau (Groupe Beverly Hils), Greg Young (Mazda Canada), Paul Seitz (Seitz Communication).

ET LES CONCESSIONNAIRES SUIVANTS POUR LEUR AIDE PRÉCIEUSE POUR LA PRISE DE PHOTOGRAPHIES :
Normand Hébert Jr (Brossard Volkswagen), Marc Perras et Michel Gagné (Galeries Nissan Saint-Hyacinthe), Guy Lincourt et Marc Charest (Concorde Automobiles, Saint-Hyacinthe), Lallier Honda

MILLE MERCIS !

Cette année, *Le Guide de l'auto* célèbre sa 40e édition, un fait inusité dans le monde de l'édition alors que les titres ont une longévité exceptionnellement courte. Ce qui est encore plus impressionnant à propos de cet ouvrage est que sa popularité ne cesse de croître. La 39e édition nous a permis de battre les records antérieurs de vente du Guide et ce millésime devrait être encore plus demandé. Ces succès ne sont pas le fruit du hasard. Ils sont le résultat d'un travail acharné de rédacteurs, de graphistes, de photographes, d'artisans de toutes sortes qui y mettent toute leur énergie afin de réaliser le meilleur produit possible.

Ces succès sont l'aboutissement d'un projet modeste au départ qui s'est décliné de succès en succès pendant quatre décennies. Ce sont des milliers de mercis qu'il nous faut adresser à des centaines de personnes qui ont apporté leur contribution tout au long de ces quatre décennies.

Il faut avant tout dire un gros merci à Jacques Duval qui a été le père de cet ouvrage qui se voulait initialement un simple recueil d'essais routiers publiés au cours de l'année précédente. Mais le travail a été tellement bien fait qu'il a fallu récidiver année après année. Il faut également le remercier d'avoir insufflé sa passion de l'automobile au peuple québécois. Ce n'est pas un hasard si le Québec a plusieurs représentants sur les circuits internationaux. Il a aussi permis de créer le métier de chroniqueur automobile dans la province et d'en avoir placé la barre d'excellence bien haut.

Il faut mentionner la collaboration du personnel des constructeurs automobiles qui ont fourni les informations techniques et les prix pendant toutes ces années. Ils ont en plus mis à notre disposition les voitures d'essai tout au long de ces années même s'ils savaient qu'ils allaient se faire écorcher parfois. Il y a eu des affrontements parfois mémorables avec certaines de ces personnes, mais la grande majorité a collaboré tandis que les autres nous ont démontré leur manque de professionnalisme. Nos critiques ont été parfois dures à avaler, ce qui rendait nos compliments encore plus faciles à accepter.

De même, il y a toutes les personnes qui ont contribué de près ou de loin à la réalisation de cet ouvrage. Qu'il s'agisse des gens qui prenaient une journée de congé pour participer à nos matchs comparatifs, des propriétaires de pistes de course, des infographistes et maquettistes qui ne craignaient pas de « veiller tard » pour que l'ouvrage soit imprimé dans les délais. Bref, merci à tous les artisans du Guide au fil des années.

Je tiens à remercier tout spécialement Marc Lachapelle qui a été le coauteur de cet ouvrage pendant neuf années avant d'être attiré par les sirènes de l'Internet. Marc est considéré actuellement comme l'un des meilleurs journalistes automobiles en Amérique et il a fait ses armes au Guide. Pour moi, c'est un honneur d'avoir travaillé en sa compagnie.

Le temps passe et les choses évoluent. Depuis l'an dernier, cet ouvrage a été rédigé par une équipe presque entièrement renouvelée. Tous ces auteurs sont des chroniqueurs automobiles à temps plein qui vous transmettent les meilleures informations possible. Il faut aussi mettre en évidence le travail des collaborateurs spéciaux que sont Caroline Proulx, Robert Jetté et Carl Nadeau qui en sont à leur première expérience. De plus, Guy Desjardins, notre recrue, a accompli un travail colossal en mettant sur pied un programme de mise à jour des fiches techniques en plus de se porter volontaire pour effectuer le raid SMART à travers le pays.

Mieux vaut terminer avant que cela ressemble à un discours de la cérémonie de la remise des Oscars ou de l'ADISQ. Mais un dernier mot pour remercier les conjointes et conjoints de tous les participants passés et présents qui ont dû gérer une situation bien particulière en cohabitant avec une personne préoccupée par le Guide du mois d'avril à septembre.

Et un dernier merci à vous tous, nos lecteurs !

Donc, bonne lecture, bonne route et à l'an prochain !

Denis Duquet

SOMMAIRE

INDEX

CAMIONNETTES

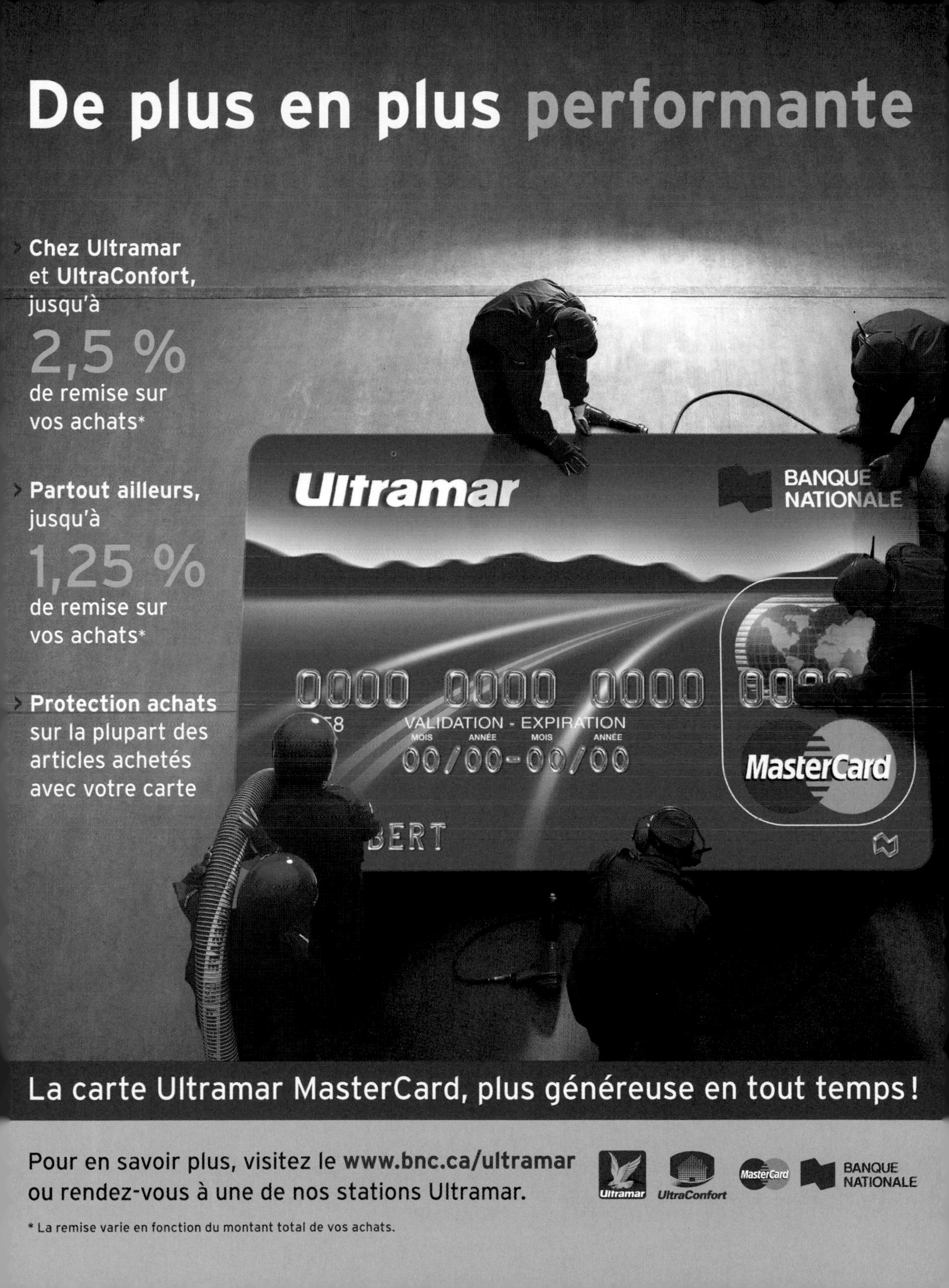

ACURA

CSX	ND	
EL Premium auto	26,574 $	x
EL Touring auto	24,926 $	x
MDX	53,363 $	x
RL	71,585 $	x
RSX Base auto	26,883 $	x
RSX Premium auto	28,300 $	
RSX Type-S man	33,200 $	
TL Base auto	42,230 $	x
TL Navigation auto	44,290 $	x
TL Dynamic man	43,363 $	x
TSX auto	37,183 $	x
TSX man	35,947 $	x
TSX Navigation auto	40,582 $	x

ASTON MARTIN

DB9 Coupe man	214,770 $	
DB9 Coupe auto	221,200 $	
DB9 Volante	234,270 $	
Vanquish	248,527 $	x

AUDI

A3 2,0T man	32,950 $	
A3 2,0T auto	34,600 $	
A4 2.0T manu	35,270 $	
A4 2.0T auto	36,610 $	
A4 2.0T man quattro	40,750 $	
A4 2.0T auto quattro	42,090 $	
A4 2.0T Avant man quattro	42,200 $	
A4 2.0T Avant auto quattro	43,540 $	
A4 3.2 man quattro	47,885 $	
A4 3.2 auto quattro	49,225 $	
A4 3.2 Avant man quattro	49,335 $	
A4 3.2 Avant auto quattro	50,675 $	
S4 avant auto quattro	71,740 $	
S4 avant man quattro	70,400 $	
S4 cabriolet man quattro	82,100 $	
S4 cabriolet auto quattro	83,440 $	
S4 man quattro	68,950 $	
S4 auto quattro	70,290 $	
A4 1.8T cabriolet auto	53,520 $	
A4 3.0 cabriolet auto quattro	65,940 $	
TT Coupe auto quattro	60,950 $	
TT Coupe man quattro	55,980 $	
TT Roadster auto quattro	65,450 $	
TT Roadster man quattro	60,080 $	
A6 3.2 auto quattro	32,510 $	
A6 3.2 Avant auto quattro	66,010 $	
A6 4.2 auto quattro	74,940 $	
A8 4.2 auto quattro	96,250 $	
A8 L 4.2 auto quattro	100,420 $	
A8 L 6.0 auto quattro	170,070 $	

BENTLEY

Arnage R berline 4P	315,990 $	
Arnage T berline 4P	347,990 $	
Continental GT coupe	239,990 $	
Continental Flying Spur	239,990 $	

BMW

M3 Cabriolet	84,500 $	
M3 Coupé	74,400 $	
M5	115,500 $	
M6	ND	
Z4 2,5i	51,900 $	
Z4 3,0i	59,900 $	
Série 3 323i	35,200 $	
Série 3 325 i	40,300 $	
Série 3 325 Ci	43,100 $	
Série 3 325 Ci cabriolet	55,900 $	
Série 3 325Xi	42,900 $	
Série 3 325Xi Touring	44,400 $	
Série 3 330Ci	50,400 $	
Série 3 330Ci cabriolet	64,900 $	
Série 3 330Xi	50,500 $	
Série 3 330i	47,900 $	
Série 5 525i	58,600 $	
Série 5 525Xi	61,500 $	
Série 5 530i	67,800 $	
Série 5 530 Xi	70,700 $	
Série 5 530Xi Touring	72,800 $	
Série 5 550i	78,600 $	
Série 6 650Ci cabriolet	111,500 $	
Série 6 650Ci coupé	101,500 $	
Série 7 750i	100,500 $	
Série 7 750Li	106,900 $	
Série 7 760Li	174,500 $	
X3 2,5i	44,900 $	
X3 3,0i	50,200 $	
X5 3,0i	59,500 $	
X5 4,4i	72,200 $	
X5 4,8is	98,200 $	

BUICK

Allure CX	26,295 $	
Allure CXL	28,650 $	
Allure CXS	34,295 $	
Lucerne	ND	
Rainier CXL 4RM	49,350 $	
Rendezvous CX FWD	31,790 $	
Rendezvous CX AWD	35,765 $	
Rendezvous CXL FWD	40,020 $	
Rendezvous CXL AWD	41,860 $	
Terraza CX FWD	32,210 $	
Terraza CXL FWD	37,250 $	
Terraza CX AWD	37,060 $	
Terraza CXL AWD	41,265 $	

CADILLAC

CTS 2,8L V6	35,555 $	
CTS 3,6L V6	39,600 $	
CTS-V	68,430 $	
DTS	ND	
Escalade 4 portes AWD	78,030 $	
Escalade ESV AWD	80,900 $	
Escalade EXT 4 portes AWD	71,480 $	
XLR	97,645 $	
XLR-V	ND	
SRX V6	48,450 $	
SRX V8	60,235 $	
STS V6 de base	56,275 $	
STS V8	69,145 $	
STS-V	ND	

CHEVROLET CAMIONS

Avalanche LS 1/2 tonne (2RM)	40,400 $	
Avalanche LS 1/2 tonne (4RM)	44,055 $	
Avalanche LT 1/2 tonne (2RM)	45,430 $	
Avalanche LT 1/2 tonne (4RM)	49,085 $	
Colorado LT à cabine classique (2RM)	22,080 $	
Colorado LT à cabine classique (4RM)	25,770 $	
Colorado LS à cabine classique (2RM)	19,320 $	
Colorado LS à cabine classique (4RM)	23,120 $	
Colorado LT Crew Cab (2RM)	26,745 $	
Equinox LS (TA)	25,375 $	
Equinox LS (TI)	27,985 $	
Equinox LT (TA)	27,540 $	
Equinox LT (TI)	30,250 $	
HHR LS	18,995 $	
HHR LT	21,995 $	
Silverado LS 1/2 tonne, à cabine classique, caisse longue (2RM)	29,620 $	
Silverado LS 1/2 tonne, à cabine classique, caisse longue (4RM)	33,505 $	
SSR	49,995 $	
Suburban LS 1/2 tonne (2RM)	47,000 $	
Suburban LS 1/2 tonne (4RM)	50,255 $	
Suburban LT 1/2 tonne (2RM)	54,395 $	
Suburban LT 1/2 tonne (4RM)	57,645 $	
Tahoe LS 4 portes (2RM)	42,795 $	
Tahoe LS 4 portes (4RM)	47,175 $	
Tahoe LT 4 portes (2RM)	51,315 $	
Tahoe LT 4 portes (4RM)	54,565 $	
TrailBlazer 4 portes (4RM)	42,820 $	
TrailBlazer EXT LS 4 portes (2RM)	32,845 $	
TrailBlazer EXT LS 4 portes (4RM)	42,005 $	
TrailBlazer LS 4 portes (2RM)	31,595 $	
TrailBlazer LS 4 portes (4RM)	40,730 $	
Uplander LS RWB	23,240 $	
Uplander LS EWB	26,485 $	
Uplander LT2 EWB AWD	35,315 $	

CHEVROLET

Aveo 4 portes LT	13,125 $	
Aveo 4 portes LS	11,795 $	
Aveo 5 portes LT	13,320 $	
Aveo 5 portes LS	11,995 $	
Cobalt LS	15,710 $	
Cobalt LT	19,795 $	
Cobalt SS	22,195 $	
Cobalt SS Supercharged coupé	25,195 $	
Cobalt LTZ berline	22,995 $	
Corvette Z06	89,900 $	
Corvette Cabriolet	79,905 $	
Corvette Coupé	67,805 $	
Epica LTZ Berline	26,605 $	
Impala LT	26,200 $	
Impala LS	24,685 $	
Impala LTZ	29,840 $	
Impala SS	32,855 $	
Malibu LTZ Berline	29,885 $	
Malibu LS Berline	21,995 $	
Malibu LT Berline	22,470 $	
Malibu SS Berline	29,885 $	
Malibu Maxx LT	25,595 $	
Malibu Maxx LTZ	31,495 $	
Malibu Maxx SS	31,495 $	
Monte Carlo LS Coupé	ND	
Monte Carlo LT Coupé	ND	
Monte Carlo SS SUpercharged	ND	
Optra 5 portes LS	14,630 $	
Optra 5 portes LT	16,845 $	
Optra LT familiale	18,045 $	
Optra LS Familiale	15,630 $	

CHRYSLER

300 AWD	35,010 $	x
300C	44,285 $	x
300C AWD	46,608 $	x
CROSSFIRE COUPE	41,195 $	x
CROSSFIRE LIMITED COUPE	49,177 $	x
CROSSFIRE LIMITED ROADSTER	53,143 $	x
CROSSFIRE SRT-6 CONVERTIBLE	68,315 $	x
CROSSFIRE SRT-6 COUPE	64,349 $	x
PACIFICA BASE FWD	37,044 $	x
PACIFICA LIMITED AWD	50,007 $	x
PACIFICA TOURING FWD	39,758 $	x
PT CRUISER CLASSIC	21,805 $	x
PT CRUISER GT	32,512 $	x
PT CRUISER GT CONVERTIBLE	33,259 $	x
PT CRUISER TOURING	27,455 $	x
PT CRUISER TOURING CONV.	38,434 $	x
SEBRING BASE	25,194 $	x
SEBRING CONVERTIBLE BASE	36,766 $	x
SEBRING CONVERTIBLE GTC	37,441 $	x
SEBRING CONVERTIBLE TOURING	38,527 $	x
SEBRING TOURING	26,816 $	x
TOWN & COUNTRY LIMITED	48,281 $	x
TOWN & COUNTRY TOURING	45,212 $	x

DODGE

CARAVAN	28,948 $	x
CARAVAN CARGO VAN	27,434 $	x
CARAVAN SXT	30,776 $	x
CHARGER SE	27,495 $	
CHARGER SXT	30,290 $	
CHARGER R/T	37,605 $	
CHARGER R/T Daytona	39,605 $	
CHARGER SRT8	44,650 $	
DAKOTA CLUB CAB SLT 4x2	27,475 $	x
DAKOTA CLUB CAB SLT 4x4	31,266 $	x
DAKOTA CLUB CAB ST 4x2	25,240 $	x
DAKOTA CLUB CAB ST 4x4	28,917 $	x
DURANGO LIMITED	50,516 $	x
DURANGO SLT	43,930 $	x
GRAND CARAVAN	31,559 $	x
GRAND CARAVAN CARGO VAN	29,216 $	x
GRAND CARAVAN SXT	36,364 $	x
MAGNUM	28,835 $	x
MAGNUM RT	38,620 $	x
MAGNUM RT AWD	41,365 $	x
MAGNUM SXT AWD	35,746 $	x
RAM 1500 REG CAB Sport 4x2	33,605 $	
RAM 1500 REG CAB SLT 4x2 SWB	28,860 $	
RAM 1500 REG CAB Sport 4x4	37,265 $	
RAM 1500 REG CAB SLT 4x4 SWB	32,520 $	
RAM 1500 REG CAB SRT-10 4x2 SWB	60,116 $	x
RAM 1500 Laramie reg cab 4x2	34,215 $	
RAM 1500 Laramie reg cab 4x4	37,910 $	
RAM 1500 Laramie quad cab 4x2	37,790 $	
RAM 1500 Laramie reg cab 4x4	41,390 $	
RAM 1500 REG CAB ST 4x2 SWB	25,880 $	
RAM 1500 REG CAB ST 4x4 LWB	31,194 $	
RAM 1500 REG CAB ST 4x4 SWB	30,210 $	
RAM Mega Cab 1500 SLT 4x2	35,740 $	
RAM Mega Cab 1500 SLT 4x4	39,630 $	
VIPER SRT-10	128,500 $	

FERRARI		
F430 F1	269,258 $	
F430 Spider F1	309,258 $	
Superamerica F1	432,110 $	
612 Scaglietti F1	364,860 $	

FORD		
Escape 4X2 XLS man	22,995 $	
Escape 4X4 XLT V6	31,295 $	
Escape Hybrid FWD	33,495 $	
Escape Hybrid 4WD	36,295 $	
Expedition XLT	48,695 $	
Expedition Eddie Bauer	55,495 $	
Expedition Limited	58,595 $	
Explorer XLT V8	41,495 $	
Explorer XLT V6	39,995 $	
Explorer Eddie Bauer V6	45,995 $	
Explorer Eddie Bauer V8	47,495 $	
Explorer Limited V8	51,295 $	
Explorer Sport Trac 4X2 XLT Comfort	34,551 $	x
Explorer Sport Trac 4X4 XLT Comfort	38,568 $	x
Five Hundred SE FWD	29,495 $	
Five Hundred SE AWD	32,245 $	
Five Hundred SEL FWD	31,995 $	
Five Hundred SEL AWD	34,745 $	
Five Hundred Limited FWD	35,295 $	
Five Hundred Limited AWD	38,045 $	
Focus ZX3 S	17,555 $	
Focus ZX5 SES	21,755 $	
Focus ZX4 S	16,795 $	
Focus ZX4 SE	18,515 $	
Focus ZX4 ST	22,995 $	
Focus ZXW SE	19,565 $	
Focus ZXW SES	22,605 $	
Freestar Base	28,295 $	
Freestar SE	29,695 $	
Freestar Sport	34,295 $	
Freestar SEL	36,795 $	
Freestar Limited	41,495 $	
Freestyle SE FWD	33,495 $	
Freestyle SE AWD	36,245 $	
Freestyle SEL FWD	34,995 $	
Freestyle SEL AWD	37,745 $	
Freestyle Limited AWD	43,395 $	
Fusion SE	22,995 $	
Fusion SE V6	25,995 $	
Fusion SEL	25,295 $	
Fusion SEL V6	28,295 $	
F-150 4X2 XL	22,505 $	
F-150 4X2 XLT	25,265 $	
F-150 4X4 XL	28,965 $	
F-150 4X4 XLT	31,725 $	
F-150 4X2 XL Super Cab	29,055 $	
F-150 4X2 XLT Super Cab	32,295 $	
F-150 4X4 XL Super Cab	33,290 $	
F-150 4X4 XLT Super Cab	36,455 $	
GT	184,995 $	
Mustang Coupé	23,995 $	
Mustang Convertible	27,995 $	
Mustang GT Coupé	32,995 $	
Mustang GT Convertible	36,995 $	
Ranger 4X2 XL	17,280 $	
Ranger 4X2 XLT	21,155 $	
Ranger 4X4 XLT	25,440 $	
Ranger 4X2 sport regular cab	19,900 $	
Ranger 4X2 XL Super Cab	20,405 $	
Ranger 4X2 XLT Super Cab	22,860 $	
Ranger 4X4 XLT Super Cab	27,300 $	
Ranger 4X2 Sport Super Cab	21,315 $	
Ranger 4X4 Sport Super Cab	27,230 $	
Taurus SE	25,095 $	
Taurus SEL	28,695 $	

GMC		
Canyon SL à cabine classique (2RM)	19,420 $	
Canyon SL à cabine classique (4RM)	23,315 $	
Canyon SL à cabine multiplace (2RM)	26,845 $	
Canyon SLE à cabine classique (2RM)	22,180 $	
Canyon SLE à cabine classique (4RM)	25,965 $	
Canyon SLE à cabine multiplace (4RM)	30,740 $	
Envoy SLE 4 portes (2RM)	32,320 $	
Envoy SLE 4 portes (4RM)	41,505 $	
Envoy Denali 4 portes (2RM)	43,400 $	
Envoy Denali 4 portes(4RM)	52,620 $	
Sierra SL 1/2 tonne, à cabine classique, caisse standard (2RM)	22,650 $	
Sierra SL 1/2 tonne, à cabine classique, caisse standard (4RM)	26,200 $	
Sierra SLE 1/2 tonne, à cabine classique, caisse standard (2RM)	29,335 $	
Sierra SLE 1/2 tonne, à cabine classique, caisse standard (4RM)	33,215 $	
Yukon Denali 4 portes (TI)	63,645 $	
Yukon SLE 4 portes (2RM)	43,455 $	
Yukon SLE 4 portes (4RM)	47,785 $	

HONDA		
Accord DX auto 4P	26,162 $	x
Accord DX man 4P	25,029 $	x
Accord EX V6 auto 2P	34,402 $	x
Accord EX V6 man 2P	35,329 $	x
Accord LX-G man 4P	26,265 $	x
Accord Hybride	38,100 $	x
Civic DX auto 2P	17,819 $	x
Civic DX auto 4P	17,819 $	x
Civic LX auto 2P	20,497 $	x
Civic LX man 2P	19,364 $	x
Civic SE auto 4P	18,952 $	x
Civic SE man 2P	17,819 $	x
Civic SI man 4P	22,248 $	x
Civic Hybrid	29,355 $	x
CR-V EX auto	32,342 $	x
CR-V EX man	31,209 $	x
CR-V EX-L auto	34,608 $	x
CR-V LX man	29,046 $	x
CR-V LX auto	30,179 $	x
Element 2RM	25,356 $	x
Element 4RM	30,660 $	x
Odyssey LX	32,700 $	
Odyssey EX	36,200 $	
Odyssey EX-L	39,300 $	
Odyssey EX-L avec SDA	41,500 $	
Odyssey Touring	47,100 $	
Pilot EX	42,745 $	x
Pilot EX-L	45,320 $	x
Pilot EX-L - RES	47,586 $	x
Pilot LX	40,170 $	x
Ridgeline LX V6	34,800 $	
Ridgeline EX-L V6	39,200 $	
Ridgeline EX-L toit ouvrant	40,400 $	
S2000	51,294 $	x

HUMMER		
H2 SUT	67,085 $	
H2 SUV	67,180 $	
H3 SUV	39,995 $	

HYUNDAI		
Accent GS man	12,995 $	
Accent GS auto	13,795 $	
Accent GSi auto	15,520 $	
Accent GSi man	14,720 $	
Accent 5 man	14,245 $	
Accent 5 auto	15,045 $	
Elantra GL auto	15,995 $	
Elantra GL man	14,995 $	
Elantra VE auto	18,635 $	
Elantra VE man	17,365 $	
Elantra SE auto (4 portes)	20,495 $	
Elantra GL 4 portes man	15,395 $	
Elantra GL 5 portes auto	16,395 $	
Elantra VE 5 portes man	17,765 $	
Elantra VE 5 portes auto	18,765 $	
Elantra GT 5 portes man	19,895 $	
Elantra GT 5 portes auto	20,895 $	
Santa Fe GL	20,995 $	
Santa Fe GL V6	25,170 $	
Santa Fe GL V6 4RM	28,350 $	
Santa Fe GLS 2,7 V6 4RM	30,495 $	
Santa Fe GLS 3,5 V6 4RM	33,875 $	
Sonata GL man	21,900 $	
Sonata GL auto	22,900 $	
Sonata GL V6	25,000 $	
Sonata GLS V6	26,600 $	
Tiburon man	20,595 $	
Tiburon Se auto	24,095 $	
Tiburon Se man	22,995 $	
Tiburon Tuscani auto	28,395 $	
Tiburon Tuscani man 6 rap	28,895 $	
Tucson GL man	20,595 $	
Tucson GL clim. Man	22,195 $	
Tucson GL clim. Auto	23,295 $	
Tucson GL V6 auto	25,695 $	
Tucson GL AWD man	24,095 $	
Tucson GL AWD V6	27,995 $	
Tucson GLS AWD V6 auto	29,995 $	
Azera	ND	

INFINITI		
FX35 base	54,796 $	x
FX45 base	62,624 $	x
G35 berline AWD	44,177 $	x
G35 berline De luxe auto	41,097 $	x
G35 coupé auto	48,307 $	x
G35 coupé man	47,483 $	x
M35 Luxe	54,800 $	
M35X Luxe	58,300 $	
M45 Luxe	64,400 $	
M45 Sport	71,800 $	
Q45	91,052 $	x
QX56	78,589 $	x

JAGUAR		
S-Type 3.0	64,295 $	
S-Type 3.0 sport	66,795 $	
S-Type 4.2	75,195 $	
S-Type 4.2 VDP	78,895 $	
S-Type R	90,395 $	
XJ8	88,500 $	
XJ8 L	92,000 $	
XJ Vanden Plas	97,000 $	
XJ Super 8	125,650 $	
XJ Super 8 Portfolio	155,000 $	
XJR	105,000 $	
XK8 cabriolet	105,350 $	
XK8 coupé	96,350 $	
XKR cabriolet	117,350 $	
XKR coupé	108,350 $	
XKR Victory cabriolet	125,350 $	
XKR Victory coupé	116,350 $	
X-Type 3.0	41,995 $	
X-Type 3.0 familliale	47,995 $	
X-Type Luxe	50,435 $	
X-Type Sport	53,315 $	

JEEP		
Commander	40,865 $	
Commander Limited	48,865 $	x
Grand Cherokee Laredo	40,160 $	x
Grand Cherokee Limited	50,053 $	x
Liberty Limited Édition	33,310 $	x
Liberty Renegade	31,848 $	x
Liberty Sport	28,181 $	x
TJ Rubicon	32,744 $	x
TJ Unlimited	30,174 $	x
TJ Unlimited Rubicon	34,145 $	x

KIA		
Amanti	37,132 $	x
Magentis LX V6	25,850 $	
Magentis SE V6 cuir	28,850 $	
Rio RS man	13,295 $	
Rio RS auto	14,295 $	
Rio 5 EX man	13,695 $	
Rio 5 EX auto	14,695 $	
Rio 5 EX sport man	15,995 $	
Rio 5 EX sport auto	16,995 $	
Sedona EX	ND	
Sedona EX de luxe	ND	
Sorento EX 4X4 auto	33,725 $	
Sorento EX 4X4 auto LP	37,795 $	
Sorento LX 4X4 auto	31,295 $	
Sorento LX 4X4 man	29,995 $	
Spectra LX man	15,595 $	
Spectra LX auto	16,795 $	
Spectra EX man	16,475 $	x
Spectra EX auto	20,495 $	
Spectra 5 EX man	16,575 $	
Spectra 5 EX auto	17,775 $	
Spectra 5 EX sport man	20,775 $	
Spectra 5 EX sport auto	21,975 $	
Sportage LX 2RM man	20,665 $	
Sportage LX 4RM man	24,795 $	
Sportage LX V6 2RM auto	25,835 $	
Sportage LX V6 4RM auto	27,835 $	
Sportage EX V6 4RM	23,130 $	

LAMBORGHINI		
Gallardo	257,397 $	x
Murciélago	396,138 $	x

LAND ROVER		
Freelander SE	36,977 $	x
Freelander SE3	40,685 $	x
LR3 V6	53,900 $	
LR3 HSE	68,900 $	
LR3 SE	61,900 $	
Range Rover HSE	99,900 $	
Range Rover Supercharged	118,900 $	
Range Rover Sport HSE	77,800 $	
Range Rover Sport Supercharged	93,800 $	

LEXUS		
ES 330 Base	39,900 $	
ES 330 Luxe	46,800 $	
ES 330 Premium	49,500 $	
GS 300	64,300 $	
GS 300 Touring	67,100 $	
GS 300 Premium	74,600 $	
GS 300 AWD	66,700 $	
GS 300 AWD Premium	77,000 $	
GS 430	74,700 $	
GS 430 Touring	77,100 $	
GS 430 Premium	88,000 $	
GX 470	67,700 $	
GX470 Ultra Premium	74,000 $	
IS 250	ND	
IS 250 AWD	ND	
IS 350	ND	
LS 430	85,700 $	
LS 430 Gr. Premium	91,200 $	
LS 430 Ultra Premium Navi	106,200 $	
LX 470	101,400 $	
RX 330 Luxe	53,140 $	
RX 330 Premium	55,390 $	
RX 330 Sport	58,125 $	
RX 330 Ultra Premium	63,485 $	
RX 400 H Premium	62,200 $	
RX 400H Ultra Premium	69,700 $	
SC 430	89,970 $	
SC 430 Peeble Beach	92,970 $	

LINCOLN		
LS V8 Sport	50,595 $	
LS V8 Ult	55,895 $	
Mark LT Super Crew 4X2	49,995 $	
Mark LT Super Crew 4X4	53,810 $	
Navigator 4X4 Ult	75,845 $	
Town Car Signature L	65,100 $	
Town Car Signature Limited	58,185 $	
Zephyr	36,995 $	

MASERATI		
Coupé Cambiocorsa	119,400 $	
Coupé 6 V	113,500 $	
GranSport	138,500 $	
Spyder 6 V	119,850 $	
Spyder Cambiocorsa	125,361 $	
Quattroporte	139,300 $	

MAYBACH		
57	ND	
57S	ND	
62	ND	

MAZDA		
Mazda3 berline GS man	17,895 $	
Mazda3 berline GT man	21,545 $	
Mazda3 berline GX man	16,495 $	
Mazda3 Sport GS man	20,395 $	
Mazda3 Sport GT man	21,695 $	
Mazda5 GS man	19,995 $	
Mazda5 GT man	22,795 $	
Mazda6 GS man	23,795 $	
Mazda6 GS V6 man	25,995 $	
Mazda6 GT man	29,895 $	
Mazda6 GT V6 man	32,895 $	
Mazda6 sport GS man	25,495 $	
Mazda6 Sport GT man	31,195 $	
Mazda6 Sport GS V6 man	29,195 $	
Mazda6 Sport GT V6 man	33,795 $	
Mazda6 familiale sport GS V6 man	26,995 $	
Mazda6 familiale sport GT V6 man	33,295 $	
Mazspeed6 man	35,995 $	
MX5 GX man .	27,995 $	
MX5 GS man	30,995 $	
MX5 GT man	33,995 $	
MX5 special edition man	34,495 $	
MPV GS	31,204 $	x
MPV GT	38,311 $	x
MPV GX	28,423 $	x
RX-8 GS	38,105 $	x
RX-8 GT	41,195 $	x
Série B Cab. All. DS 4L 4X2	25,796 $	x
Série B Cab. All. Se 4L 4X4	28,695 $	
Série B Cab. Simple SX 2,3L 4X2	18,123 $	x
Série B Cab. Simple SX 3L 4X2	19,153 $	x
Tribute 2RM GX man	24,595 $	
Tribute 2RM GS-V6 3L auto	29,895 $	
Tribute 4RM GX man	27,395 $	
Tribute 4RM GS-V6 3L auto	32,595 $	
Tribute 4RM GT-V6 3L auto	35,595 $	

MERCEDES-BENZ		
B200	ND	
B200 Turbo	ND	
C230 Sport Coupe	36,950 $	
C230 Sedan	38,450 $	
C230 Sport Sedan	44,380 $	
C280 Sedan	42,850 $	
C280 4Matic sedan	45,850 $	
C280 Elegance	47,660 $	
C280 Elegance 4Matic Sedan	50,650 $	
C350 Sport Sedan	54,950 $	
C350 4Matic Sedan	57,200 $	
C55 AMG Sedan	73,600 $	
E320 CDI Sedan	75,450 $	
E350 Sedan	74,300 $	
E350 4Matic Sedan	78,350 $	
E500 Sedan	84,600 $	
E500 4Matic Sedan	88,550 $	
E55 AMG	117,745 $	
E350 4Matic Wagon	79,550 $	
E500 4Matic Wagon	92,320 $	
E55 AMG Wagon	121,515 $	
S430 4Matic SW	106,050 $	
S430 4Matic long	112,800 $	
S500 Long	124,600 $	
S500 4Matic Long	128,950 $	
S55 AMG Long	164,300 $	
S600 Long	190,500 $	
S65 AMG	227,900 $	
R350	ND	
R500	ND	
SLK280	59,950 $	
SLK350	65,400 $	
SLK55 AMG	84,050 $	
CLS500	92,600 $	
CLS55 AMG	125,600 $	
SL500	133,100 $	
SL55 AMG	176,300 $	
SL600	186,850 $	
SL65 AMG	259,950 $	
CLK350 coupe	66,240 $	
CLK500 coupe	78,800 $	
CLK55 AMG coupe	104,700 $	
CLK350 cabriolet	76,800 $	
CLK500 cabriolet	87,100 $	
CLK55 AMG cabriolet	113,600 $	
CL500	139,950 $	
CL55 AMG	171,700 $	
CL600	194,200 $	
CL65 AMG	254,500 $	
ML350	55,750 $	
ML500	72,500 $	
G500	111,900 $	
G55 AMG	152,450 $	

MERCURY		
Grand marquis GS	37,075 $	
Grand Marquis LS Premium	39,940 $	

MINI		
Cooper Classic	23,500 $	
Cooper	25,900 $	
Cooper S	30,600 $	
Cooper Cabriolet	31,600 $	
Cooper S Cabriolet	36,600 $	

MITSUBISHI		
Eclipse GS auto	26,698 $	
Eclipse GS man	25,498 $	
Eclipse GT auto	34,198 $	
Eclipse GT man	32,998 $	
Endeavor Limited 4RM V6	45,298 $	x
Endeavor LS 4RM V6	39,251 $	x
Endeavor XLS 4RM V6	41,373 $	x
Galant	24,401 $	x
Lancer ES man	15,998 $	
Lancer Ralliart man	22,778 $	
Lancer OZ Rally man	21,378 $	
Montero	51,515 $	x
Outlander LS man	23,998 $	
Outlander LS man AWD	28,668 $	
Outlander SE auto AWD	31,390 $	
Outlander Limited auto AWD	33,580 $	

NISSAN		
350Z Performance man 6 rap.	50,264 $	x
350Z Touring auto 5rap.	50,264 $	x
350Z Roadster man	54,487 $	x
350Z Roadster auto	57,989 $	x
Altima 2,5S auto	28,632 $	x
Altima 2,5S man	24,512 $	x
Altima 3,5S auto	28,838 $	x
Altima 305 SE-R auto	37,696 $	x
Altima 305 SE-R man	36,357 $	x
Armada LE	56,758 $	x
Armada SE	62,063 $	x
Frontier XE 4X2 King Cab auto	25,990 $	x
Frontier XE-V6 4X2 Cab. Double auto	30,234 $	x
Frontier XE-V6 4x4 Cab. Double auto	32,674 $	x
Maxima 3,5 SE (5 pl.) man 6 rap	39,449 $	x
Maxima 3,5 SE (5 pl.) auto 5 rap	41,200 $	x
Maxima 3,5 SL auto 4 rap.	44,290 $	x
Murano SE AWD	52,427 $	x
Murano SL AWD	42,127 $	x
Murano SL FWD	40,067 $	x
Pathfinder XE	37,902 $	x
Pathfinder LE V6 auto	48,614 $	x
Pathfinder SE V6 auto	41,404 $	x
Pathfinder SE Off-Road	42,434 $	x
Quest 3,5 S	34,904 $	x
Quest 3,5 SE	46,043 $	x
Quest 3,5 SL	38,829 $	x
Sentra 1,8 auto	17,096 $	x
Sentra 1,8 S auto	21,113 $	x
Sentra SE-R auto	25,233 $	x
Sentra SE-R Spec V	25,748 $	x
Titan LE Crew Cab 4WD	50,393 $	x
Titan SE Crew Cab 4WD	46,892 $	x
Titan XE Crew Cab 4WD	40,526 $	x
Xterra SE V6 auto	36,387 $	x
Xterra SE-SC V6 auto	37,657 $	x
Xterra XE V6 auto	32,886 $	x
Xtrail SE FWD	29,149 $	x
Xtrail SE AWD auto	31,518 $	x
Xtrail XE FWD	26,677 $	x
Xtrail XE AWD auto	29,046 $	x
Xtrail LE AWD	34,814 $	x

PONTIAC		
G6 berline	23,160 $	
G6 V6	24,495 $	
G6 GT	27,995 $	
G6 GTP	29,885 $	
Grand Prix	25,885 $	
Grand Prix GT	29,840 $	
Grand Prix GXP	36,235 $	
Montana SV6 RWB	24,525 $	
Montana SV6 EWB	27,410 $	
Montana SV6 EWB AWD	35,690 $	
Pursuit	16,140 $	
Pursuit GT	22,195 $	
Pursuit SE	20,795 $	
Solstice	25,695 $	
Torrent FWD	26,585 $	
Torrent Sport FWD	28,790 $	
Torrent AWD	29,195 $	
Torrent Sport AWD	31,500 $	
Vibe (TI)	23,755 $	
Vibe de base	19,900 $	
Vibe GT	25,670 $	
Wave	11,795 $	
Wave 5 portes	11,995 $	

PORSCHE		
911 C2 coupe	104,442 $	X
911 C2S coupé	119,120 $	X
911 Carrera 4 cabriolet	130,703 $	X
911 Carrera 4S cabriolet	140,801 $	X
911 Carrera cabriolet	121,633 $	X

911 Carrera coupé	106,514 $	X
911 GT2	286,019 $	X
911 GT3	147,465 $	X
911 Targa	116,911 $	X
911 Turbo cabriolet	213,004 $	X
911 Turbo coupé	198,172 $	X
Boxster	64,272 $	X
Boxster S	77,868 $	X
Carrera GT	440,000 (US)	X
Cayenne auto	64,375 $	X
Cayenne man	60,255 $	X
Cayenne S	81,164 $	X
Cayenne Turbo	130,450 $	X

ROLLS-ROYCE

Phantom	484,100 $	x

SAAB

9-2X man	25,900 $
9-2X auto	27,000 $
9-3 berline	34,900 $
9-3 Aero sport	41,900 $
9-3 SportCombi	36,400 $
9-3 Aero SportCombi	43,400 $
9-5 Aero	ND
9-5 Arc	ND
9-3 Cabriolet	54,900 $
9-3 Aero Cabriolet	59,000 $
9-5 Aero Familiale	ND
9-5 Arc Familiale	ND
9-5 Linear Familiale	ND
9-7x base	50,900 $
9-7x V8	53,400 $

SALEEN

S7	400,000 (US)

SATURN

ION·1 Berline	15,495 $
ION·1 Coupé	15,995 $
ION·2 Berline	17,495 $
ION·2 Coupé	17,995 $
ION·3 Berline	20,245 $
ION·3 Coupé	20,745 $
ION Red Line	23,995 $
Relay	26,995 $
Relay Uplevel AWD	34,930 $
Vue, 4 cylindres, auto(TA)	26,255 $
Vue, 4 cylindres, man (TA)	24,995 $
Vue, 6 cylindres, auto (TA)	28,995 $
Vue, 6 cylindres, auto (TI)	31,495 $

SMART

Coupé Pure	16,700 $
Coupé Pulse	18,700 $
Coupé Passion	19,650 $
Cabriolet Pure	19,700 $
Cabriolet Pulse	21,700 $
Cabriolet Passion	22,650 $

SUBARU

B9 Tribeca 5 places	41,995 $
B9 Tribeca 5 places Limited	45,195 $
B9 tribeca 7 places	44,295 $
B9 Tribeca 7 places Limited	47,995 $
Forester 2,5 X	27,995 $
Forester 2,5XT	37,095 $
Forester 2,5 XS Premium	34,995 $
Forester 2,5 XS	31,295 $
Forester 2,5 XT Premium	38,695 $
Impreza 3,5i berline	23,495 $
Impreza 2,5 i sportwagon	23,495 $
Impreza Outback sport wagon	27,895 $
Impreza WRX berline	35,495 $
Impreza WRX Sportwagon	35,495 $
Impreza WRX Sti	ND
Legacy 2,5i limited GT auto	35,195 $
Legacy berline 2,5 GT Limited auto	41,795 $
Legacy berline 2.5i man	27,995 $
Legacy familiale 2.5 GT limited man	41,795 $
Legacy familiale 2.5i limited	36,695 $
Outback 2,5i auto	34,195 $
Outback 2,5i limited auto	34,195 $
Outback 3,0 H6	38,995 $
Outback 3,0 H6 VDC	44,995 $

SUZUKI

Aerio berline manuelle	18,995 $
Aerio berline auto	20,195 $
Aerio Fastback SE man	16,595 $
Aerio Fastback SE auto	17,795 $
Aerio Fastback SX auto AWD	22,995 $
Grand Vitara JA man	24,495 $
Grand Vitara JA auto	25,795 $
Grand Vitara JLX auto	28,995 $
Grand Vitara JLX auto cuir	29,995 $
Swift+ manuelle	13,745 $
Swift + automatique	14,845 $
Swift+ S auto	16,945 $
Swift+ S man	15,845 $
Verona GL automatique	22,995 $
Verona GLX automatique	26,495 $
XL-7 (5 places) JX auto	29,495 $
XL-7 (5 places) JLX auto	30,795 $
XL-7 (7 places) JX PLUS auto	29,995 $

TOYOTA

4Runner Limited V6 auto	49,135 $
4Runner Limited V8 auto	51,770 $
4Runner SR5 V6 auto	39,820 $
4Runner SR5 V6 auto Sport	44,420 $
4Runner SR5 V8 auto	42,065 $
4Runner SR5 V8 auto Sport	46,325 $
Avalon Touring	41,800 $
Avalon XLS de base	39,900 $
Avalon XLS Groupe C	46,825 $
Camry LE	24,990 $
Camry LE V6	27,475 $
Camry XLE V6	33,345 $
Camry SE auto	26,895 $
Camry SE man	25,550 $
Camry SE V6 auto	32,800 $
Camry Solara SE auto	27,545 $
Camry Solara SE V6 auto	32,850 $
Camry Solara SLE V6 auto	35,950 $
Camry Solara SE V6 cabriolet auto	34,700 $
Camry Solara SLE V6 cabriolet auto	39,200 $
Corolla CE base man	15,715 $
Corolla CE édition spéciale man	18,855 $
Corolla CE base auto	16,715 $
Corolla CE édition spéciale auto	19,900 $
Corolla Sport man base	20,615 $
Corolla Sport auto base	21,660 $
Corolla XRS	24,445 $
Corolla LE base	21,830 $
Yaris CE	ND
Yaris LE	ND
Yaris LS	ND
Highlander 5 pass. auto	32,900 $
Highlander V6 4X4 5 pass. auto	36,900 $
Highlander V6 4X4 7 pass. Auto	37,950 $
Highlander V6 4X4 7 pass. Auto Limited	46,500 $
Highlander Hybride 5 pass	44,205 $
Highlander Hybride 7 pass	53,145 $
Matrix auto	18,200 $
Matrix man	17,200 $
Matrix 4x4 auto	22,860 $
Matrix XR auto	22,510 $
Matrix XR man	21,465 $
Matrix XR 4x4 auto	24,825 $
Matrix XRS auto	25,835 $
Prius 5P CVT	ND
RAV4 4P 4x4 auto	ND
RAV4 4P 4x4 man	ND
Sequoia Limited V8 auto	66,100 $
Sequoia SR5 V8 auto	58,210 $
Sienna CE 7 pass. auto	30,000 $
Sienna CE 8 pass. auto	31,240 $
Sienna CE 7 pass Ti	35,900 $
Sienna LE 7 pass. auto	35,420 $
Sienna LE 7 pass auto cuir	38,235 $
Sienna LE 7 pass. Ti	39,830 $
Sienna LE 8 pass. auto	35,850 $
Sienna XLE 7 pass. auto	44,630 $
Sienna XLE 7 pass. Ti	52,640 $
Tacoma 4X2 auto	23,125 $
Tacoma 4X2 man	22,125 $
Tacoma V6 4X4 auto	30,200 $
Tacoma V6 cabine double 4X4 man	31,990 $
Tacoma V6 cabine double 4X4 auto	33,650 $
Tundra V6 4X2	26,010 $
Tundra V8 4X2 double cab	36,940 $
Tundra V8 cabine régulière 4x4	31,080 $
Tundra V8 access cab 4X4 auto	38,380 $
Tundra V8 cabine double 4X4 auto	40,380 $
Tundra V8 Limited 4X4 auto	48,015 $

VOLKSWAGEN

Golf CL 2,0 auto	19,982 $	x
Golf CL 2,0 man	18,849 $	x
Golf GL 1,9 auto	24,401 $	x
Golf GL 1,9 man	22,959 $	x
Golf GLS 1,9 auto	26,904 $	x
Golf GLS 1,9 man	25,462 $	x
Golf GLS 2,0 auto	24,833 $	x
Golf GLS 2,0 man	23,700 $	x
GTI 1.8T man	27,347 $	x
GTI 1.8T tiptronic	28,789 $	x
GTI VR6 man.	30,900 $	x
Jetta GLI	32,177 $	est.
Jetta GLS 2,5 auto	28,304 $	est.
Jetta 2,0T auto	26,389 $	est.
Jetta GLS 2,5 wagon auto	27,903 $	est.
Jetta TDI sport auto	29,149 $	est.
New Beetle Convertible GLS 2,0 auto	32,095 $	x
New Beetle Convertible GLX 1,8 auto	38,872 $	x
New Beetle GLS 1,9 TDI auto	27,676 $	x
New Beetle GLS 2,0 auto	25,534 $	x
New Beetle GLX 1,8 man	31,487 $	x
Passat GLS 1,8T auto	31,879 $	x
Passat GLS 1,8T auto 4RM	34,866 $	x
Passat GLS V6 2,8 auto	35,484 $	x
Passat GLS V6 2,8 man	34,042 $	x
Passat GLS wagon 1,8 auto	33,393 $	x
Passat GLS wagon 1,8 auto 4RM	36,380 $	x
Passat GLS wagon V6 2,8 man	35,556 $	x
Passat GLX 2,8 4 RM auto	45,763 $	x
Passat GLX 2,8 auto	42,776 $	x
Passat GLX wagon auto 4RM	47,277 $	x
Phaeton V8 auto	99,395 $	x
Phaeton W12 auto	138,844 $	x
Touareg 6 cyl. Auto	55,126 $	x
Touareg 8 cyl. Auto	65,209 $	x
Touareg V8x auto	76,292 $	x

VOLVO

S40 2.4i auto SR	34,120 $
S40 2.4i man	31,120 $
S40 2.4i auto SR	32,620 $
S40 2.4i man SR	32,620 $
S40 T5 Ti auto SR	41,120 $
S40 T5 auto SR	37,120 $
S60 2.5T Ti auto SR	45,620 $
S60 2.5T auto	40,620 $
S60 2.5T auto SR	42,120 $
S60 R auto SR	62,120 $
S60 R man SR	60,620 $
S60 T5 auto SR	49,120 $
S60 T5 man SR	47,620 $
S80 Ti auto SR	54,995 $
V50 2.4i auto	34,120 $
V50 2.4i auto SR	35,620 $
V50 2.4i man	32,620 $
V50 2.4i man SR	34,120 $
V50 T5 Ti auto SR	42,620 $
V50 T5 Ti man SR	41,120 $
V50 T5 auto SR	40,120 $
V50 T5 man SR	38,620 $
V70 2.4 auto	40,620 $
V70 2.4 auto SR	42,120 $
V70 2.4 man	39,120 $
V70 2.4 man SR	40,620 $
V70 2.5T Ti auto SR	47,120 $
V70 2.5T auto	42,120 $
V70 R auto SR	63,120 $
V70 R man SR	61,620 $
V70 T5 auto SR	50,620 $
XC70 auto	47,120 $
XC70 auto SR	50,620 $
XC90 2.5T auto (5-pla.)	49,995 $
XC90 2.5T auto SR (5-pla.)	52,120 $
XC90 2.5T auto SR (7-pla.)	56,370 $
XC90 V8 auto SR (5-pla)	64,995 $
XC90 V8 auto SR (7-pla)	67,295 $

NOTE : les prix identifiés avec un x sont des prix estimés, soit le prix de 2005 augmenté de 3 %. Il ne s'agit pas d'une liste exhaustive. Pour plus de renseignements, veuillez contacter le concessionnaire.

CONSOMMATION DE CARBURANT

QUELQUES CHIFFRES INTÉRESSANTS POUR ÉCONOMISER

Les informations qui vont suivre n'ont pas la prétention de vous donner les données les plus complètes en fait de consommation de carburant. La seule source vraiment exhaustive concernant cette information est le recueil annuel « Énerguide » publié par Ressources Canada et qui fait l'inventaire complet de tous les véhicules de tourisme certifiés auprès de Transport Canada. Pour notre part, nous avons colligé quelques données de consommation contenues dans cet ouvrage et les avons regroupées dans les catégories les plus populaires. En plus d'un mini palmarès des super économiques, nous vous présentons les véhicules consommant le moins chez les sous compactes, les compactes, les intermédiaires, les roadsters/cabriolets ainsi que les VUS compacts. Et si vous êtes à la recherche d'une voiture de gros calibre, nous avons réuni les données de quelques véhicules à moteur de forte cylindrée.

Les moyennes qui vous sont transmises dans ces pages sont les moyennes enregistrées lors de nos essais. Vous allez constater qu'elles diffèrent souvent des données gouvernementales ou celles des constructeurs. Tout simplement parce que le style des essayeurs varie d'un véhicule à l'autre tout comme les conditions de la météo et le profil des trajets empruntés. Nous avons donc regroupé ces données grappillées un peu partout à travers cet ouvrage afin de vous permettre d'avoir un aperçu des variantes en fait de consommation d'une catégorie à l'autre.

LES PLUS ÉCONOMIQUES TOUTES CATÉGORIES :

1 SMART
4,0 l/100 km

2 HONDA CIVIC HYBRID
4,5 l/100 km

3 TOYOTA PRIUS
5,01 l/100 km

4 TOYOTA YARIS
6,1 l/100 km

5 VW GOLF TDI
6,2 l/100 km

TABLEAU DE STATISTIQUES

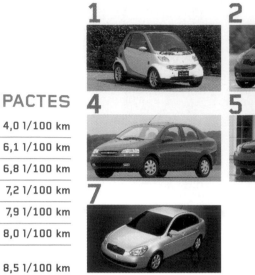

SOUS-COMPACTES

1-	SMART	4,0 l/100 km
2-	Toyota Yaris	6,1 l/100 km
3-	Pontiac Wave	6,8 l/100 km
4-	Chevrolet Aveo	7,2 l/100 km
5-	Kia Rio (2005)	7,9 l/100 km
6-	Suzuki Swift +	8,0 l/100 km
7-	Hyundai Accent (2005)	8,5 l/100 km

COMPACTES

1-	Honda Civic Hybrid	4,5 l/100 km
2-	Toyota Prius	5,0 l/100 km
3-	Honda Civic	6,7 l/100 km
4-	Toyota Corolla	7,2 l/100 km
5-	Chevrolet Cobalt	8,9 l/100 km
6-	Chevrolet Optra	9,6 l/100 km
7-	Ford Focus	9,7 l/100 km
8-	Hyundai Elantra	9,7 l/100 km
9-	Kia Spectra	9,8 l/100 km

INTERMÉDIAIRES

1-	Honda Accord	9,2 l/100 km
2-	VW Jetta	9,5 l/100 km
3-	Hyundai Sonata	10,0 l/100 km
4-	Chevrolet Epica	10,1 l/100 km
5-	Audi A3	10,6 l/100 km
6-	Toyota Camry (V6)	11,2 l/100 km
7-	Volvo S40	13,3 l/100 km
8-	Nissan Altima (V6)	13,5 l/100 km

TABLEAU DE STATISTIQUES

CABRIOLETS ET ROADSTERS

1-	Mazda MX5	9,7 l/100 km
2-	Pontiac Solstice	10,0 l/100 km
3-	New Beetle	10,3 l/100 km
4-	Honda S2000	11,1 l/100 km

VUS COMPACTS

1-	Ford Escape Hybride	7,4 l/100 km
2-	Toyota Highlander Hybride	8,1 l/100 km
3-	Honda CR-V	11,0 l/100 km
4-	Hyundai Santa Fe	11,8 l/100 km
5-	Kia Sportage (V6)	12,4 l/100 km
5-	Hyundai Tucson (V6)	12,4 l/100 km
6-	Saturn VUE	13,4 l/100 km

GROSSES CYLINDRÉES

1-	Mercedes-Benz Classe M	14, 6 l/100 km
2-	Chevrolet Tahoe	15, 2 l/100 km
3-	Porsche Cayenne	15, 4 l/100 km
4-	Rolls Royce Phantom	15, 9 l/100 km
5-	Mercedes-Benz Classe G	16, 7 l/100 km
6-	Land Rover Range Rover	16, 8 l/100 km
7-	Bentley Continental GT	17, 1 l/100 km
8-	Cadillac Escalade	17, 3 l/100 km
9-	Dodge Viper	17, 8 l/100 km
10-	Lexus LX 470	18, 2 l/100 km
11-	Ferrari 612	18, 8 l/100 km

DONNÉES TECHNIQUES

AFIN DE MIEUX COMPRENDRE LES INFORMATIONS CHIFFRÉES QUI ACCOMPAGNENT CHAQUE ESSAI, VOICI QUELQUES EXPLICATIONS SUPPLÉMENTAIRES. LE GUIDE DE L'AUTO COMPREND DEUX CATÉGORIES D'ESSAI. LA PREMIÈRE EST RÉDIGÉE SUR QUATRE PAGES ET ANALYSE PLUS EN PROFONDEUR LES NOUVEAUX MODÈLES TANDIS QUE LA DEUXIÈME PORTE SURTOUT SUR LES VÉHICULES QUI N'ONT PAS SUBI DE CHANGEMENTS MAJEURS.

MODÈLE À L'ESSAI

Il s'agit du véhicule testé pour le compte-rendu routier. La fiche présente les données de ce véhicule.

PRIX DU MODÈLE À L'ESSAI

Il s'agit du prix du modèle testé. En raison des options et de divers accessoires, le prix de ce véhicule peut surpasser le barème noté dans la fiche. Lorsque le prix est suivi de (2005), cela signifie que les prix 2006 ne nous avaient pas été communiqués au moment de la rédaction de la fiche technique.

ÉCHELLE DES PRIX

Le premier prix est celui du modèle de base et le second celui de la version la plus onéreuse. Dans la majorité des cas, ces prix n'incluent pas les accessoires, les taxes et les frais de transport. Certains modèles uniques n'ont qu'un seul prix.

GARANTIES

Nous indiquons les deux principales garanties. La première représente la garantie de base, dite «pare-chocs à pare-chocs» pour un maximum d'années et un maximum de kilométrage. Elle se termine à la première des deux limites atteintes. La seconde couvre le groupe motopropulseur: le moteur et les autres éléments des rouages d'entraînement. Cette garantie est souvent plus généreuse que celle de base. Là encore, elle se termine à la première des deux limites atteinte.

CATÉGORIE

Autrefois, il y avait les grosses autos, les moyennes autos et les petites autos. Aujourd'hui, c'est infiniment plus compliqué et il n'est pas rare qu'un modèle soit disponible en plusieurs configurations différentes. Cette donnée est indiquée pour aider le consommateur à s'y retrouver et ainsi mieux comparer les modèles d'une même catégorie.

COFFRE ET RÉSERVOIR

Nous précisons le volume du coffre à bagages et la contenance du réservoir à essence.

COUSSINS DE SÉCURITÉ

Toutes les voitures possèdent au moins deux coussins gonflables à l'avant (frontaux). Plusieurs modèles proposent aussi des coussins latéraux et certains, généralement parmi les plus dispendieux, cachent des coussins qui forment un rideau. Le manque d'espace nous oblige à ne pas tenir compte des coussins pour les genoux ou les jambes ou autre.

DIAMÈTRE DE BRAQUAGE

Diamètre du plus petit cercle que peut suivre un véhicule quand il tourne. Il s'agit d'une donnée très utile si on doit circuler souvent dans des lieux étroits.

CAPACITÉ DE REMORQUAGE

Cette donnée est fort importante pour quiconque désire accrocher une remorque à son véhicule. Cependant, cette donnée varie passablement selon le moteur, la transmission et le nombre de roues motrices. Il faut aussi prendre en considération le fait que la remorque soit équipée ou non de freins. On ne doit jamais se fier uniquement à la donnée inscrite dans la fiche technique et il faut IMPÉRATIVEMENT vérifier avec son concessionnaire avant de faire installer un mécanisme de remorquage.

DONNÉES TECHNIQUES

Modèle à l'essai:	LS
Prix du modèle à l'essai:	29170$
Échelle de prix:	25375$ à 30250$
Garanties:	3 ans/60000 km, 3 ans/60000 km
Catégorie:	utilitaire sport intermédiaire
Emp./Lon./Lar./Haut.(cm):	286/480/181/170
Poids:	1713 kg
Coffre/Réservoir:	997 à 1943 litres / 63 litres
Coussins de sécurité:	frontaux et rideaux (opt)
Suspension avant:	indépendante, jambes de force
Suspension arrière:	indépendante, multibras
Freins av./arr.:	disque/tambour (ABS opt.)
Antipatinage/Contrôle de stabilité:	oui/non
Direction:	à crémaillère, assistée
Diamètre de braquage:	12,8 m
Pneus av./arr.:	P235/65R16
Capacité de remorquage:	1588 kg

GROUPE MOTOPROPULSEUR

Moteur:	V6 de 3,4 litres 12s atmosphérique
Alésage et course	92,0 mm x 84,0 mm
Puissance:	185 ch (138 kW) à 5200 tr/min
Couple:	210 lb-pi (285 Nm) à 3800 tr/min
Rapport Poids/Puissance:	9,26 kg/ch (12,41 kg/kW)
Moteur électrique:	aucun
Autre(s) moteur(s):	seul moteur offert
Transmission:	intégrale, automatique 5 rapports
Autre(s) transmission(s):	traction, automatique 5 rapports
Accélération 0-100 km/h:	9,8 s
Reprises 80-120 km/h:	7,9 s
Freinage 100-0 km/h:	41,2 m
Vitesse maximale:	185 km/h
Consommation (100 km):	ordinaire, 11,2 litres
Autonomie (approximative):	563 km
Émissions de CO_2:	5231 kg/an

DANS LA MÊME CATÉGORIE

Ford Escape - Jeep Liberty - Kia Sorento - Pontiac Torrent - Mazda Tribute - Mitsubishi Outlander

DU NOUVEAU EN 2006

Appuie-tête plus petits, panneaux de porte améliorés, nouvelle couleur, siège avant chauffant en option

HISTORIQUE DU MODÈLE

1ière génération

NOS IMPRESSIONS

Agrément de conduite:	🚗🚗🚗½
Fiabilité:	🚗🚗🚗🚗
Sécurité:	🚗🚗🚗½
Qualités hivernales:	🚗🚗🚗🚗½
Espace intérieur:	🚗🚗🚗🚗
Confort:	🚗🚗🚗½

LE CHOIX DE L'ÉQUIPE

LS AWD

DONNÉES TECHNIQUES

MOTEUR
Il s'agit du moteur qui équipait notre voiture d'essai. Les autres moteurs sont aussi mentionnés plus bas. Sont inscrits, pour le moteur principal : la disposition physique des cylindres et leur nombre, le type d'alimentation, la cylindrée, la course et l'alésage, le nombre de soupapes ainsi que la puissance et le couple.

PUISSANCE
Capacité du moteur à faire un travail en un temps donné. La puissance est exprimée en chevaux (ch) suivie, entre parenthèses, de son équivalence internationale en kilowatts (kW). Le régime auquel cette puissance est développée est aussi mentionné.

COUPLE
Capacité d'un moteur à transmettre un mouvement de rotation à un autre objet. Il est toujours exprimé par une force et une distance en livre-pied (lb-pi) suivi, entre parenthèses, de son équivalence internationale en newton-mètre (Nm). Le régime auquel ce couple maximal est généré est aussi mentionné.

MOTEUR ÉLECTRIQUE
Avec la prolifération des véhicules hybrides, cette rubrique prend tout son sens. On y mentionne la puissance et le couple du moteur électrique seulement. Il faut, dans certains cas, additionner cette puissance et celle du moteur à essence pour obtenir la puissance totale.

TRANSMISSION
Tout d'abord, nous vous précisons le type de rouage d'entraînement du véhicule essayé. Vous saurez si ce véhicule est une traction (roues motrices à l'avant), une propulsion (roues motrices à l'arrière), une transmission intégrale (passe de deux à quatre roues motrices sans l'intervention du conducteur) ou un 4x4 (passe de deux à quatre roues motrices selon la volonté du conducteur) ou 4RM (communément appelé AWD). Ces informations sont suivies du type de boîte de vitesses, manuelle ou automatique, ainsi que du nombre de rapports. Les autres transmissions disponibles sont aussi mentionnées.

ACCÉLÉRATION DE 0 À 100 KM/H
Temps nécessaire, exprimé en seconde, pour atteindre la vitesse de 100 km/h à partir de l'arrêt complet.

REPRISE DE 80 À 120 KM/H
Temps nécessaire, exprimé en seconde, pour passer de 80 à 120 km/h sur une surface rectiligne et horizontale. Cette mesure est réalisée en quatrième rapport avec une boîte de vitesses manuelle. Pour effectuer la même mesure avec une voiture dotée d'une transmission automatique, le levier de vitesses demeure à la position D.

FREINAGE DE 100 À 0 KM/H
Distance franchie par un véhicule pour décélérer d'une vitesse de 100 km/h à l'arrêt complet.

CONSOMMATION (LITRES AU 100 KM)
Cette rubrique montre le résultat de consommation de carburant obtenu lors de nos essais. Étant donné que nous effectuons une batterie de tests (accélérations de 0 à 100 km/h, reprises de 80 à 120 km/h et décélérations de 100 à 0 km/h) et quelquefois durant l'hiver, la consommation est plus élevée qu'en conduite normale. Si, pour diverses raisons, nous n'avons pu obtenir de résultat, nous inscrivons les données fournies par le constructeur. Si, par contre, nous avons une bonne idée de cette consommation sans, toutefois, l'avoir dûment vérifiée, nous inscrivons « estimé ».

AUTONOMIE
Selon nos calculs (consommation par rapport à la contenance du réservoir), la distance approximative que l'on peut parcourir avec un plein. Il s'agit d'une donnée théorique et tenter de parcourir le nombre de kilomètres indiqué pourrait mener à la panne sèche !

ÉMISSIONS DE CO2
La société étant de plus en plus sensibilisée aux problèmes dus à la pollution et à l'effet de serre, nous avons décidé d'inclure cette donnée dans nos fiches techniques. Elles proviennent du guide de consommation de carburant (Energuide) publié par Ressources naturelles Canada, un « must » par les temps qui courent.

MODÈLES CONCURRENTS
Dans cette rubrique, nous répertorions les modèles qui se situent dans la même catégorie que le véhicule essayé. Sont pris en considération différents paramètres tels que le prix, les dimensions et la puissance du moteur. Le bon sens nous aide aussi à l'occasion.

QUOI DE NEUF ?
En quelques mots, nous vous indiquons les principales nouvelles caractéristiques du véhicule.

VERDICT (SUR 5)

Agrément de conduite
Départage les véhicules ennuyeux et ceux qui nous ont passionnés.

Fiabilité
Fiable ou pas ? Voilà la question ! Indications fournies à la suite de l'évaluation de plusieurs données.

Sécurité
Cette cote est établie en fonction des qualités de la voiture en matière de sécurité active et passive. La sécurité active est la capacité du véhicule à éviter un accident. La sécurité passive respecte les prescriptions des autorités gouvernementales nord-américaines.

Qualités hivernales
Cote la plus simple à établir et aussi la plus cruciale pour les automobilistes du Québec. Les véhicules à traction intégrale et la plupart des 4x4 sont mieux adaptés, tandis que les grandes sportives doivent patienter pendant cette saison. Cette évaluation tient également compte du dégivreur et du chauffage.

Espace intérieur
Note l'espace disponible dans l'habitacle et son utilisation prévue par les concepteurs.

Confort
L'insonorisation, la suspension, les sièges, l'efficacité de la climatisation, voilà autant d'éléments évalués dans cette catégorie. La meilleure voiture : la plus confortable et, en même temps, facile à piloter.

Dans le but d'alléger les différents textes du Guide de l'auto, seul le masculin est utilisé et englobe le féminin.

40 ANNÉES DE PASSION

Par Jacques Duval, fondateur du Guide de l'auto.

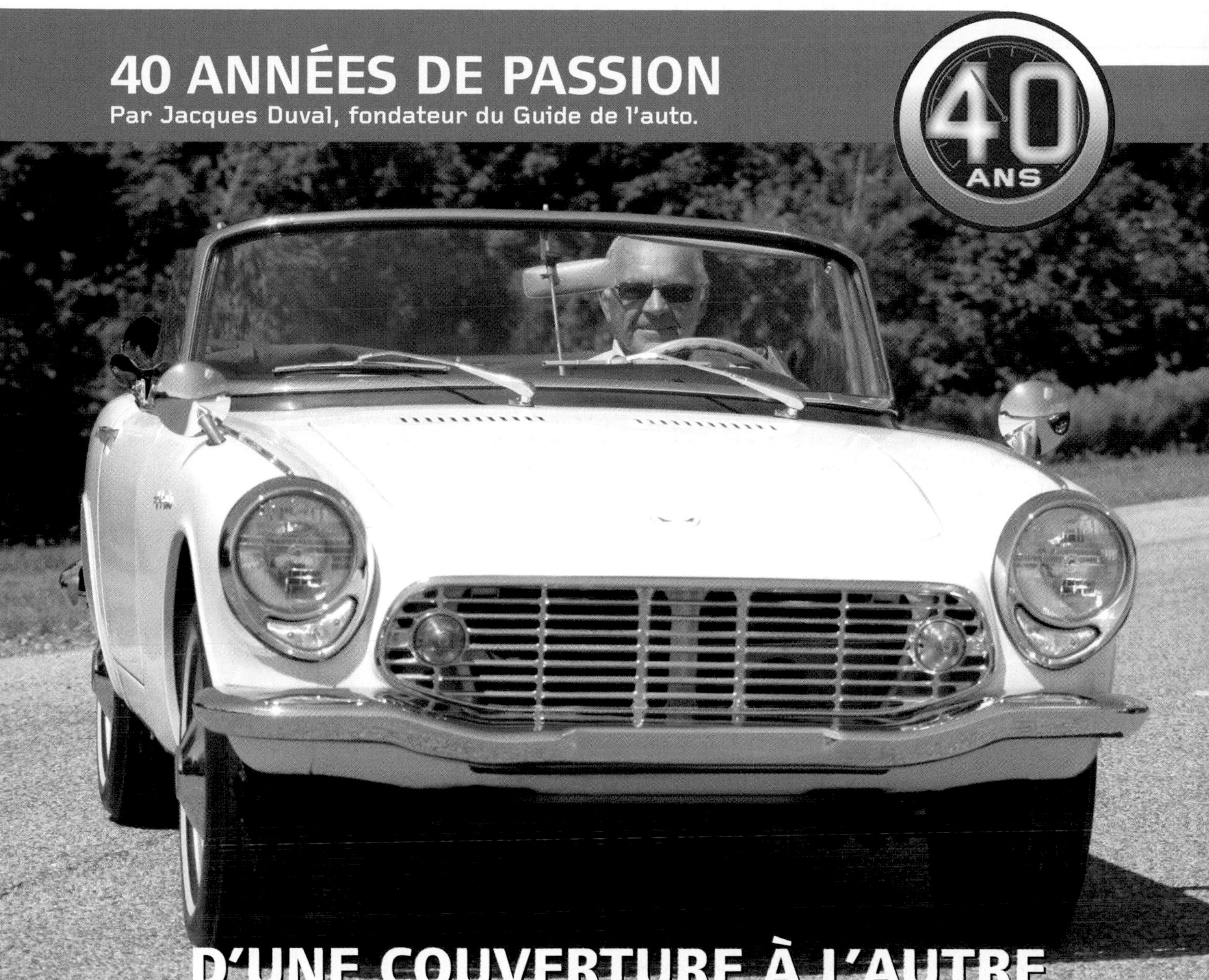

D'UNE COUVERTURE À L'AUTRE

À titre de fondateur du Guide de l'auto, dont le démarrage remonte à 1967, je ne pouvais pas laisser passer ce 40e anniversaire sans remuer quelques souvenirs de la fascinante aventure de l'un des plus grands succès de l'édition québécoise.

L'exercice peut sembler facile si l'on oublie qu'il y a eu avant cette année un 25e, un 30e et un 35e anniversaire qui m'ont permis de retracer l'histoire de cette longue randonnée sur les traces de l'industrie automobile. D'ailleurs, je ne suis pas peu fier quand on me dit que le Guide de l'auto est devenu un précieux outil de référence sur les quatre dernières décennies d'un monde en constante mutation.

Bref, je pensais qu'il ne me restait plus grand-chose à dire sur l'histoire de cet ouvrage, plus d'anecdotes à raconter, plus d'incidents à relater ou plus de souvenirs à évoquer. Pourtant, il restait un pan de l'histoire que je n'avais pas encore abordé et cela même si c'est probablement l'aspect le plus important de la confection d'un livre comme celui-ci : les couvertures. On dit que l'habit ne fait pas le moine mais on ne peut nier le fait qu'une photo couverture spectaculaire et attrayante qui saute aux yeux joue un rôle crucial dans la vente d'un livre.

Ceux qui ont travaillé avec moi savent que j'ai toujours attaché une importance primordiale à la page couverture afin de m'assurer que la ou les photos ainsi que les titres soient les plus accrocheurs possible. Au grand désespoir des graphistes, il m'est arrivé de faire reprendre la couverture 4 ou 5 fois avant de tomber sur la bonne. Je fais allusion ici aux dernières années, à celles où les ordinateurs nous ont permis de tout faire ou presque, incluant de changer la couleur d'une voiture par une simple manipulation des paramètres d'un programme informatique.

Au début et pendant une vingtaine d'années, les possibilités étaient beaucoup plus limitées et les méthodes de travail assez simplistes.

40 ANNÉES DE PASSION

1967 : L'AN UN

Édition 1967 :
LES ÉDITIONS DE L'HOMME

À voir la couverture du tout premier Guide de l'auto et le succès qu'il a connu, on peut tout simplement en conclure que le Québec était « mûr » pour un livre semblable. En effet, ce n'est certes pas la couverture de l'ouvrage initial qui a contribué à son succès. Il eut été difficile, à mon avis, de réaliser quelque chose de plus inesthétique que la première couverture du Guide de l'auto. Ce fut un travail de dernière minute et j'avais pris la première voiture qui m'était tombée sous la main, une Plymouth Fury III avec laquelle j'avais fait toutes sortes de « sparages » sur un terrain vague de ce qui allait devenir l'Ile des Sœurs. Avant de terminer la session, le photographe me demanda de poser dans l'embrasure de la porte pour compléter son film. Après avoir examiné les clichés, Alain Stanké qui était alors en charge des Éditions de l'Homme se rendit compte que les photos d'action n'étaient pas très bonnes et il décida d'arrêter son choix sur la photo que l'on avait fait en tout dernier, soit celle où l'on me voit, les cheveux bien lissés, l'œil sévère, dans l'embrasure de la porte de la Fury. Signe des temps, on notera le mauvais alignement des chromes surplombant le phare avant de la Plymouth.

1968 : CHERCHEZ LA VOITURE

Alors que je me souviens d'une kyrielle de détails sur la plupart des couvertures du Guide, celle de 1968 doit avoir été faite alors que je traversais une crise d'amnésie puisqu'elle ne me rappelle strictement rien. Aujourd'hui, je peux simplement en dire qu'elle a l'originalité d'être la seule, en 40 ans, sur laquelle on ne voyait aucune voiture, pas même le bout du nez d'un des 28 modèles essayés dans cette seconde édition du Guide de l'auto.

Édition 1968 :
LES ÉDITIONS DE L'HOMME

1969 : BIENVENUE CHEZ MASERATI

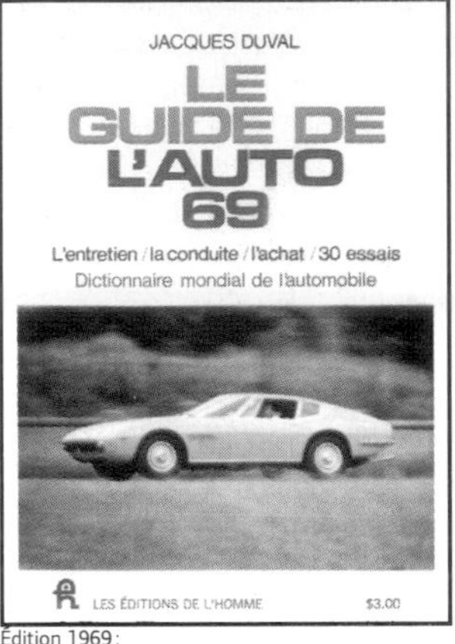

Édition 1969 :
LES ÉDITIONS DE L'HOMME

Celle de 1969 fut la première qui répondait véritablement à mes goûts et à mes exigences, compte tenu que j'ai toujours voulu illustrer des voitures rares, belles et peu accessibles. Quoi de mieux qu'une splendide Maserati Ghibli pour faire la une du Guide de l'auto 1969 ? J'étais allé en Italie comme gagnant du championnat québécois de course automobile patronné par Alitalia. Notre agenda de voyage fut modifié à la dernière minute et après un week-end en Sicile à l'occasion de la célèbre course automobile sur route, la Targa Florio, nous nous retrouvâmes à Milan avec deux jours d'entière liberté. J'étais accompagné dans ce voyage de mon bon ami Rod Campbell qui travaillait alors comme journaliste et photographe au magazine Canada Track and Trafic. Pourquoi n'irions nous pas visiter l'usine Maserati à Modène ? Et tant qu'à y être, pourquoi ne pas leur demander le prêt d'une voiture qui nous permettrait de faire la page couverture du Guide de l'auto. C'était rêver en couleurs quand on sait que les Maserati étaient dans la même ligue que les Ferrari, tant par leur prix que leurs performances. Mais surprise ! On nous accueillerait à l'usine Maserati et on nous fournirait la voiture demandée. Mieux encore, dans un élan de gentillesse que je ne m'explique pas encore aujourd'hui, on nous demandait quelle couleur serait la plus souhaitable. Après un millième de seconde de réflexion, nous avions opté pour le jaune afin d'être sûr que la photo aurait le plus d'éclat possible. Un autre millième de seconde plus tard, c'était direction Modène pour la visite de l'usine au cours de laquelle nous fûmes traité comme des rois. Rod m'avait même glissé à l'oreille qu'il avait l'impression que l'on faisait erreur sur la personne. Le directeur des relations publiques de Maserati alla même jusqu'à s'excuser en arrivant à la fin de la chaîne d'assemblage parce que notre Ghibli jaune était derrière deux autres voitures dont on achevait la construction. Après vingt minutes, la voiture fit entendre son premier vroum vroum et nous nous dirigeâmes vers le circuit de Modène pour faire nos photos. D'où la splendide Maserati Ghibli jaune qui ornait cette année-là la page couverture. Mais cette belle aventure ne s'arrête pas là. En rapportant la voiture à l'usine, on nous offrit l'utilisation d'une Ghibli pour que nous puissions en faire l'essai et en parler en connaissance de cause. Une demie-heure après, nous prenions la route en direction de Nice via le col de Tende. Des routes de montagne en serpentin avec l'écho du moteur qui se répercutait à travers les nombreux tunnels. Le soir même, nous étions sur la promenade des anglais à Nice, la Ghibli stationnée bien en vue. On se prenait pour des millionnaires, rien de moins. Non, non, aucune jolie blonde n'était venue nous « importuner » au cours de ce périple. Après tout, nous étions tous les deux mariés et fidèles.

1970 : AU TOUR DE FERRARI

Édition 1970 :
LES ÉDITIONS DE L'HOMME

L'année 1970 marqua la première apparition d'une Ferrari sur la page couverture du Guide de l'auto. La première mais pas la dernière puisque la marque la plus désirable du monde devait récidiver pas moins de 6 fois au cours des 39 années suivantes. À part la marque de la voiture, les circonstances ayant entouré la couverture de 1970 furent à peu près les mêmes qu'en 1969. Champion du Québec pour une seconde année consécutive (sur Porsche 911), autre voyage en Italie sur les ailes d'Alitalia et visite cette fois de l'usine Ferrari. J'étais accompagné cette année-là du photographe René Delbuguet, aussi propriétaire du célèbre restaurant La Mère Michel avec lequel on m'avait demandé de réaliser un reportage sur Ferrari, l'homme et l'usine pour le magazine Perspectives.

René avait réalisé de magnifiques clichés pour cet article, dont un montrant une Ferrari 365 GT 2+2 roulant dans l'arrière pays de Maranello. Un peu floue avec une grande impression de vitesse et les montagnes en arrière plan, c'était la photo parfaite pour la couverture. Et elle était tout à fait justifiée compte tenu que le bouquin renfermait un essai de la Ferrari 275 GTB et, bien entendu, un compte rendu de ma visite à l'usine. Ce guide 70 se distinguait aussi par un essai de la Manic GT, la fameuse voiture québécoise construite par Jacques About sur une mécanique Renault. À noter enfin que l'émission Prenez le volant connaissait alors ses meilleurs moments en heure de grande écoute le vendredi soir. D'où le titre de l'émission sur la couverture du livre.

1971 : PLACE AUX MUSCLE CARS

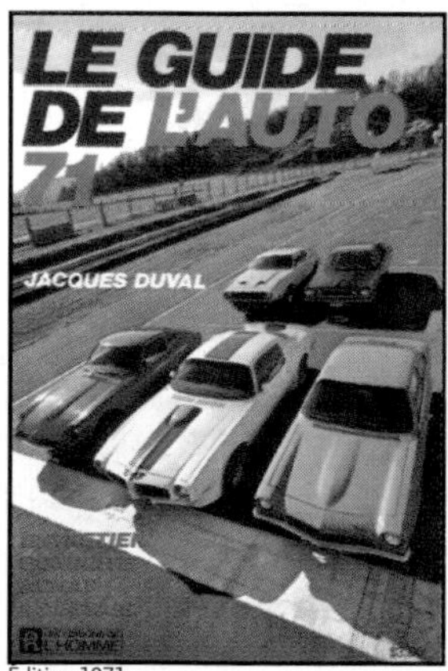

Édition 1971 :
LES ÉDITIONS DE L'HOMME

Tant au plan carrière que personnel, 1971 fut une année faste. Une victoire en GT aux 24 Heures de Daytona, l'attribution d'un trophée spécial (une bielle en titane) par Herr Doktor Ing Ferry Porsche soulignant mes succès au volant de voitures de la marque et un Guide de l'auto dont la couverture soulignait fort bien toute l'effervescence qui agitait l'industrie de l'automobile au début des années 70. D'ailleurs, la seule énumération des cinq voitures qui s'alignaient à la ligne de départ du circuit Mont Tremblant dans leurs atours clinquants est déjà très éloquente : une Ford Mustang 351 jaune, une Plymouth Duster 340 noire et orange, une Datsun (Nissan aujourd'hui) 240Z rouge, une Pontiac Firebird Trans Am blanche et une Chevrolet Vega jaune. Cette dernière se destinait à un échec retentissant alors que les autres connurent de très honorables carrières.

1972 : FUNÈBRE

Édition 1972 : les éditions la presse

La couverture du Guide de l'auto 1972 aurait très bien pu être celle d'une brochure sur les pré-arrangements funéraires tellement elle était sinistre avec sa dominance du noir. Il faut préciser que j'avais eu d'autres soucis dans la préparation du guide de cette année là, notamment un changement d'éditeur. Alain Stanké qui avait accepté mon projet initial d'un Guide de l'auto (et qui avait même trouvé le titre) avait quitté les Éditions de l'Homme pour devenir le président fondateur des Éditions La Presse. Il m'avait, bien sûr, demandé de le suivre dans cette nouvelle aventure en faisant miroiter le fait que j'écrivais déjà une chronique automobile dans le journal La Presse. Comme ce changement survint à quelques semaines seulement de la publication du livre, il fallait faire vite et nous n'avions pas le temps de nous attarder à la maquette de la couverture. En voyant les photos prises par mon ami Jacques Filteau lors d'un tournage à Mont Tremblant avec la superbe Citroën SM Maserati, Alain eut l'idée de ne pas montrer une auto complète mais seulement un élément qui soulignerait de façon subtile le thème du livre. D'où ce phare allumé à côté d'une plaque d'immatriculation rouge de la Belle Province.

En jetant un coup d'œil sur le 4e de couverture (la couverture arrière), on découvre une des grandes vedettes de ce millésime 72 du guide, la Lamborghini Miura que j'avais entraîné à 173 mph sous le nez de la police sur la route 30 près de St-Bruno.

En réalité, j'avais demandé à la Sûreté du Québec de m'aider en fermant la route à la circulation et je les remercie encore aujourd'hui de leur collaboration car il ne se passe pas un mois par année sans que j'entende parler de ce fameux essai. À noter aussi la photo de Jackie Stewart en compagnie de M. Maurice Legault (le père de Normand) prise à l'occasion de la Labatt Can-Am au circuit Mont Tremblant.

1973 : DAYTONA ET L'AUTO MYSTÈRE

Édition 1973 : les éditions la presse

Le but de la photo couverture de 1973 était d'illustrer le rapprochement de plus en plus marqué entre les techniques européennes et américaines. J'avoue que c'était un peu tiré par les cheveux mais au moins la photo était superbe. Votre serviteur exhibant fièrement son abondante (?) chevelure et son casque d'essayeur à côté d'une magnifique Ferrari Daytona GTB (testée à la page 288) avec, dans le bas à gauche, le phare d'une Pontiac Grand Am. Quant à la couverture arrière, j'y apparaissais près de la désastreuse Corvette avec laquelle j'avais couru et «crashé» au cours de l'année 72. Le Guide 73 avait aussi beaucoup voyagé : France (Renault 15 et 17) Japon (Toyota Corona) St Pierre et Miquelon (Chevrolet Vega), Nouvelle Écosse (Lincoln Continental), Belgique (BMW 3.0 CS) Suède (Volvo 142S). Un prélude à Prenez le volant au canal Évasion.

1974 : LA SÉRIE NOIRE COMMENCE

Édition 1974 : les éditions la presse

Au lieu de la Ford Pantera dont j'avais de très belles photos, c'est une sorte de damier avec six voitures différentes qui se retrouva en couverture du Guide de l'auto 1974. J'avais aussi prévu d'y montrer le coupé expérimental de Mercedes, le C111 à moteur rotatif qui se retrouva finalement sur la couverture arrière. Je ne me rappelle pas très bien pourquoi j'avais accepté cette solution peu attrayante qui témoigne d'un manque d'imagination flagrant. La pauvre Pantera était bien sur la couverture mais en format timbre poste. Il faut rappeler que l'automobile traversait alors une mauvaise passe. Comment expliquer autrement la présence à la une de modèles aussi insipides que la Matador X d'American Motors ou de la Ford Mustang II. Pour démontrer encore mieux les effets néfastes d'une crise de l'énergie près de son point d'ébullition, la Corvette de l'époque avait besoin d'un moteur de 7 litres pour délivrer 275 chevaux tandis que le moteur de série ne pouvait compter que sur 190 chevaux pour faire ses beaux dimanches. Petite misère.

1975 : PACER, CORDOBA ET TOIT DE VINYLE. HÉLAS !

Un peu à l'image de la désolante cuvée automobile de 1975, la couverture du Guide de cette année là n'avait rien pour allumer la passion. À l'exception peut-être de la Saab 99 et de la Volkswagen Scirocco, il eut été difficile de trouver des modèles plus insignifiants que la Chrysler Cordoba, la Chevrolet Monza, l'AMC Pacer et une Ford Granada Ghia à toit de vinyle blanc. Et pour rester dans le ton chagrin, j'avais l'air d'un véritable entrepreneur en pompes funèbres sur la photo illustrant l'avant propos. Bref, une année bien tristounette.

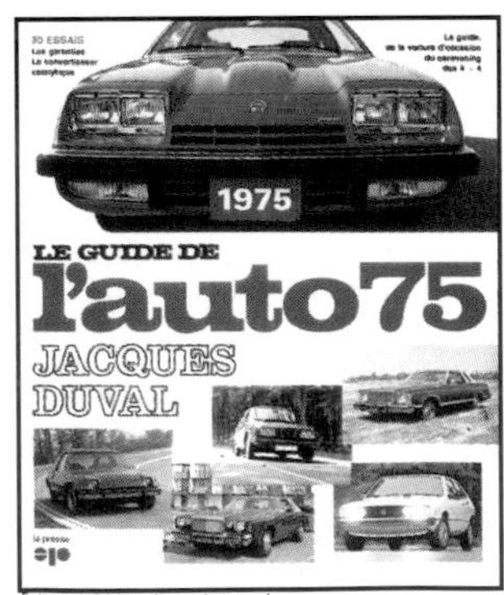

Édition 1975 : les éditions la presse

1976 : 10 ANS ET PAS DE GÂTEAU

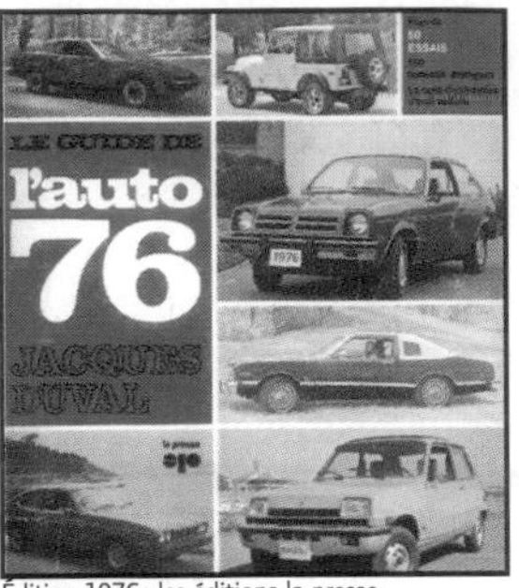

Édition 1976 : les éditions la presse

Motus et bouche cousue. C'est l'attitude que j'avais adoptée pour le 10e anniversaire du Guide de l'auto. Il n'y avait même pas une référence sur la page couverture où, encore une fois, six photos de voitures différentes avaient pour mission de piquer l'attention des lecteurs. « Une année de transition » titrait mon éditorial en page 9 avec ma photo de croque-mort. Je n'avais rien trouvé de mieux pour la couverture qu'une Triumph TR7, un Jeep CJ7, une Chevette vendue 3534 $, une Plymouth Volare Premier avec un autre beau toit de vinyle blanc, une chouette Renault 5 verte à 3894 $ et un coupé Mercury Capri. Ce n'était pas fort mais 100 fois mieux que la couverture arrière où l'on devait se contenter de 6 lignes de texte. Zéro photo, niet, le néant. À l'intérieur, René Homier-Roy me faisait l'honneur d'une préface qui disait notamment « le rêve d'à peu près tout le monde quand vient le moment d'acheter une nouvelle voiture, c'est d'être le meilleur ami de Jacques Duval ». Merci René.

1977 : CHANGEMENT DE FORMAT

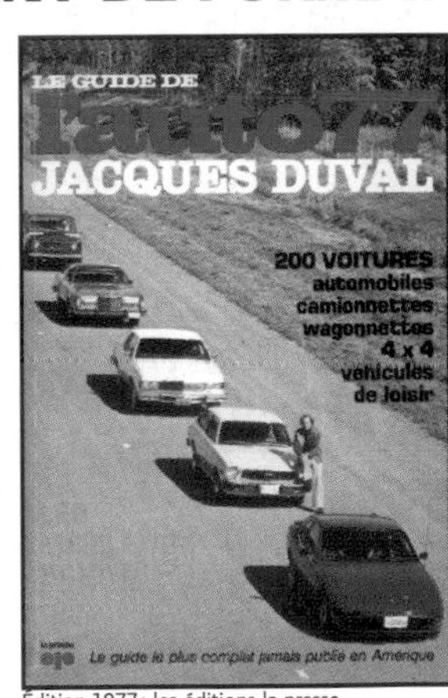

Édition 1977 : les éditions la presse

Après avoir déjà changé de format en 1972, le Guide récidivait en 1977, au grand dam des collectionneurs qui me disaient que les livres, de dimensions inégales, faussaient la linéarité de leur bibliothèque. « Désolé », leur répondais-je mais c'est pour améliorer le produit que nous avons pris cette décision. Et non seulement le Guide 77 était-il plus haut et légèrement plus large que les anciens mais il était surtout beaucoup plus complet tout en faisant une première place à la photo couleur. Le Guide venait de franchir un grand pas en traitant de toutes les voitures sur le marché au lieu de s'attarder seulement aux nouveautés de l'année. Pour sensibiliser la clientèle à cette nouveauté, j'avais recruté cinq des modèles les plus représentatifs du marché que l'on avait parqués (accepté par le Petit Robert) sur la route 30 à St-Bruno. La file comprenait la Porsche 924, la Toyota Corolla hatchback (sur laquelle je prenais la pose), la Chevrolet Caprice, la Ford Thunderbird et l'utilitaire sport International Scout.

1978 : FLEUR DE LOTUS

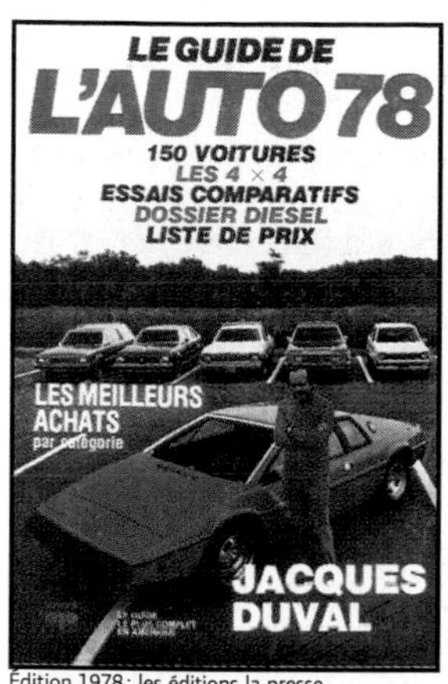

Édition 1978 : les éditions la presse

Ce qui aurait pu être une photo couverture extraordinaire fut gâchée par une météo peu sympathique et un photographe peu imaginatif. J'avais même mis un col roulé rouge vif de la même couleur que la Lotus Esprit (le modèle n'a toujours pas changé depuis 28 ans) afin de donner encore plus de punch à la photo. Peine perdue. Le résultat fut grisâtre et le décor si navrant que j'en étais gêné. Petite anecdote : le conducteur engagé pour retourner la Lotus chez le concessionnaire ignorait que la boîte de vitesses possédait cinq rapports et en roulant toujours en 4e à haute vitesse, il avait fini par faire sauter le moteur. Et une petite dernière : une Ferrari 308 coûtait alors ce que coûte aujourd'hui une Camry ou une Accord V6, 36 000 $.

1979 : BIENVENUE AU FUTUR CIRCUIT GILLES VILLENEUVE

Celle là, je l'ai beaucoup aimé. En septembre 1978, Gilles Villeneuve avait tenu debout tous les spectateurs pour remporter son premier Grand Prix, le sien sur le tout nouveau circuit de l'île Notre-Dame. Il était toujours bien en vie le « pieti canadese » qui pilotait des Ferrari comme s'il dansait sur un fil de fer du Cirque du Soleil. Quoi de plus naturel que de se servir de ce décor de rêve pour associer le Guide de l'auto 79 à l'histoire du sport automobile ? On m'y voyait appuyé sur la nouvelle Mazda RX7 et entouré d'une Ford Mustang, d'une Oldsmobile Toronado, d'une Dodge Colt et d'une Subaru je ne sais plus trop quoi. Une couverture esthétiquement réussie, selon moi.

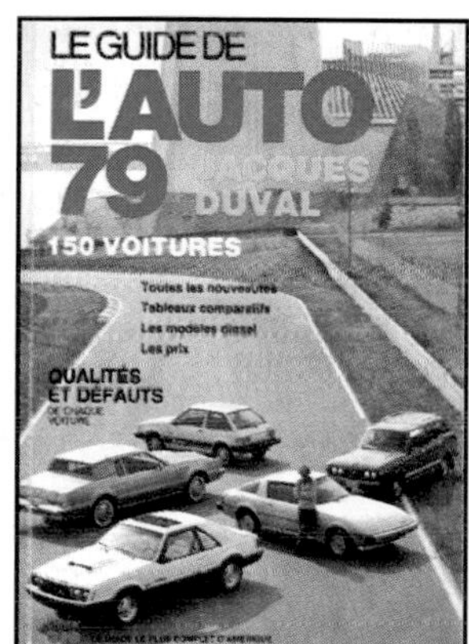

Édition 1979 : les éditions la presse

1980 : DIRECTION BLAINVILLE

Édition 1980 : les éditions la presse

Après avoir fait la une du Guide de l'auto 1979 avec le circuit de l'Ile Notre Dame, l'édition 1980 consacra sa page couverture à cette piste d'essais construite à un coût faramineux par le Ministère des Transports du Canada à Blainville. Il s'agissait (il est toujours en opération) d'un complexe superbe consacré non pas à la course automobile, mais à des tests de conformité aux normes gouvernementales portant autant sur la pollution, la consommation que sur la sécurité. J'y avais réalisé divers essais au cours de l'été 79 et l'idée m'était venue d'utiliser l'un des virages inclinés de cette piste, longue de 7 kilomètres, pour faire la photo couverture du guide 80. Comme toute institution gouvernementale, il fallait se soumettre à une série de règlements invraisemblables pour accéder au terrain. C'était un tel cirque que l'on avait l'impression que les fonctionnaires sur place s'attendaient à une invasion des Martiens d'une journée à l'autre. Chaque section de la piste était protégée par une barrière que l'on ne pouvait franchir sans l'autorisation d'un contrôleur qui mettait autant d'ardeur à la tâche que s'il s'apprêtait à faire atterrir un 747. On avait le choix d'en rire ou d'en pleurer.

Pendant ce temps là, l'industrie automobile nord-américaine nageait en pleine tourmente comme en témoigne la photo couverture montrant ce qu'elle avait soit disant de mieux à offrir, une Chrysler Cordoba, une Chevrolet Citation, une AMC Eagle et une Ford Thunderbird (toutes mortes et enterrées aujourd'hui). La crise qui mijotait déjà depuis quelques années venait d'atteindre son paroxysme. La seule voiture vraiment prête pour un marché en plein bouleversement était la Honda Civic qui précédait le quatuor moribond des américaines sur la photo couverture du Guide de l'auto 1980. À l'arrière, j'avais une mine de condamné à mort appuyé sur le capot d'une Tchaïka au beau milieu de la Place Rouge à Moscou où Lada m'avait invité à visiter les usines où l'on construisait les plus mauvaises voitures au monde.

1981 : 15 ANS DÉJÀ

Édition 1981 : les éditions la presse

Le Guide de l'auto fêtait, bien modestement, ses 15 ans d'existence. Personnellement, je commençais à en avoir ras le pompon des voitures plates et politiquement correctes des dernières années. Crise de l'énergie oblige, la passion semblait avoir cédé le pas à la raison et les automobiles sombraient dans la grisaille des pare-chocs proéminents et des catalyseurs étouffants. Il était temps selon moi de « jazzer » un peu ce que j'appellerais « la vitrine du Guide de l'auto ». Robert Laforce, un optométriste de Québec allait m'en donner la chance. Il accepta de me prêter sa superbe Ferrari 512 BB pour en faire l'essai sur la piste de haute vitesse de Blainville. Le jour venu, la roulotte de l'optométriste volant déchargeait dans le stationnement de la piste cette superbe Ferrari, accompagnée de Luigi (DeLagrotta) le concessionnaire de la marque au Québec qui était là également pour s'assurer que « sa voiture » était au sommet de sa forme. Et elle l'était puisque j'atteignis finalement les 307 km/h compteur, la vitesse la plus élevée à laquelle il m'avait été donné de rouler à ce jour.

Sur la couverture, cette Ferrari s'accompagnait de trois « best-sellers » québécois, la Mazda GLC, la Ford Escord et la Plymouth Reliant. Sur la couverture arrière, on évoquait ma visite du Musée de la bombe atomique à Hiroshima au Japon et mon expédition aux confins de l'Arctique afin de retracer le chemin de la ruée vers l'or sur la route du Klondyke.

1982 : UNE PHOTO VOLÉE EN COUVERTURE

Édition 1982 : les éditions la presse

Esthétiquement parlant, la couverture du livre de 1982 est, selon moi, la plus belle de toute l'histoire du livre. C'était l'année de la nouvelle Camaro présentée comme la voiture la plus marquante de la cuvée 82. Ce n'est pas tellement l'auto elle-même, une Z28, qui avait tant de punch mais la façon dont elle avait été photographiée juchée sur un promontoire au dessus d'un petit lac qui s'estompe dans l'arrière plan. La fusion du bleu et du rouge venait donner une touche finale à cette photo extraite de la pochette de presse de la voiture et fournie par General Motors. « Fournie » est un pieux mensonge puisqu'elle fut volée à l'un des préposés aux relations publiques qui avait eu le malheur de nous laisser seuls après nous avoir montré un assortiment de photos que nous allions recevoir par la poste plusieurs semaines plus tard afin d'illustrer nos articles. Nous avions donc chipé toute une quantité de diapositives que nous avions cachée dans nos souliers, dans nos poches de chemise et même dans nos pantalons. C'était toutefois pour la bonne cause.

1983 : LA CORVETTE 84 EN 83 : NOTRE PLUS GROS SCOOP

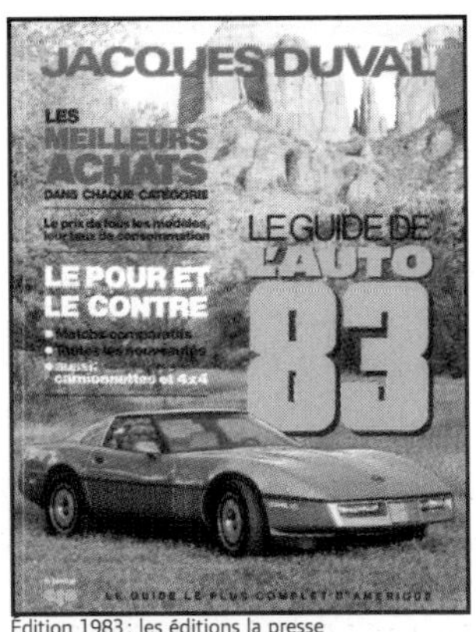

Édition 1983 : les éditions la presse

La plus grande primeur du Guide de l'auto depuis ses débuts est la photo couverture de l'édition 1983. Elle a toute une histoire. J'étais allé à Milford au centre d'essais de General Motors pour conduire ce qui devait être la toute nouvelle Corvette 1983. J'avais essayé la voiture, parlé aux ingénieurs, pris des photos et tout le reste avant de rentrer à Montréal pour écrire mon papier de dernière heure avant de m'envoler pour le Japon. Tout était terminé et le Guide pouvait être imprimé afin d'être mis en librairie vers la mi-novembre.

Je pense que j'étais à Kyoto le jour où entre deux sushis et une cérémonie du thé, une timide japonaise qui accompagnait notre groupe vient me dire que l'on me demandait au téléphone. Craignant un problème grave du côté de ma famille, je me précipite vers le « moshi moshi » pour m'entendre interpeller par la directrice des relations publiques de General Motors, Paulette Charbonneau, qui avait, disait-elle, un grave problème à me soumettre. On venait de décider à Detroit de retarder d'un an le lancement de la Corvette et « serait-il possible de la retirer de la couverture du Guide de l'auto 1983 ? » Malgré toute l'amitié et l'estime que j'entretenais pour Paulette, elle venait de m'offrir un scoop extraordinaire sur un plateau d'argent, ce qui signifie que je n'allais pas lâcher prise facilement. En dépit d'une offre de GM de défrayer les coûts de réimpression, il fut décidé d'aller de l'avant comme prévu. Le Guide de l'auto 1983 affichait donc fièrement en page couverture la photo de la Chevrolet Corvette 1984 assortie d'un essai complet du modèle et cela bien avant les Road and Track ou Motor Trend de ce monde.

1984 : LA MAUVAISE PHOTO

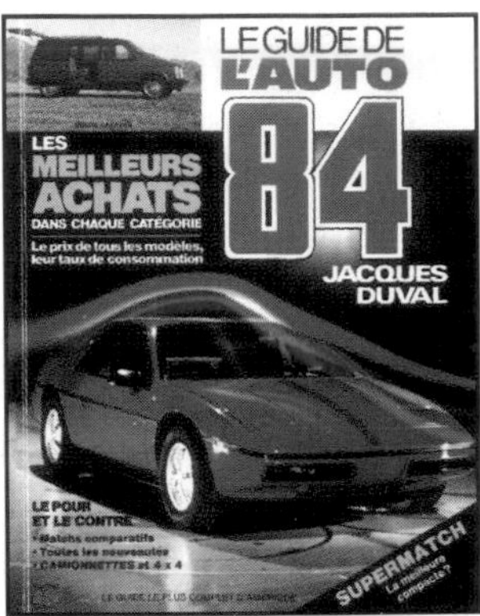

Édition 1984 : les éditions la presse

En 1984, c'est la photo apparaissant en haut de la page 44C qui devait se retrouver sur la couverture du Guide de l'auto. Il s'agissait d'une étude de style d'un cabriolet basé sur la nouvelle Pontiac Fiero. Ne sachant pas alors que la Fiero allait s'avérer un autre coup d'épée dans l'eau de la part de GM, j'avais décidé de lui faire les honneurs de la une. Il faut dire qu'elle avait une belle gueule avec ses airs de Ferrari de marché aux puces. Pensez-y, un coupé sport deux places à moteur central pour moins de 12 000 $! Mais, encore une fois, GM avait commis l'erreur d'installer derrière le poste de pilotage de la Fiero un anémique moteur 4 cylindres 2,5 litres de 92 chevaux. Ce qui m'avait incité à titrer l'essai de la Fiero comme suit : « Une jolie débutante un peu timide ». J'avais été poli comme tenu des performances anorexiques de ce coupé sport. Cela dit, j'avais fait prendre plusieurs photos d'un prototype de roadster de la Fiero que je conduisais sur les pistes d'essai de GM à Milford au Michigan. Malheureusement, aucune de ces photos n'avait réussi à convaincre notre maquettiste et c'est le modèle de série lors d'essais en soufflerie qui fut retenu. La couverture illustrait aussi la fourgonnette Dodge Caravan qui allait donner le coup d'envoi à un nouveau segment du marché automobile.

1985 : DES ADIEUX... TEMPORAIRES

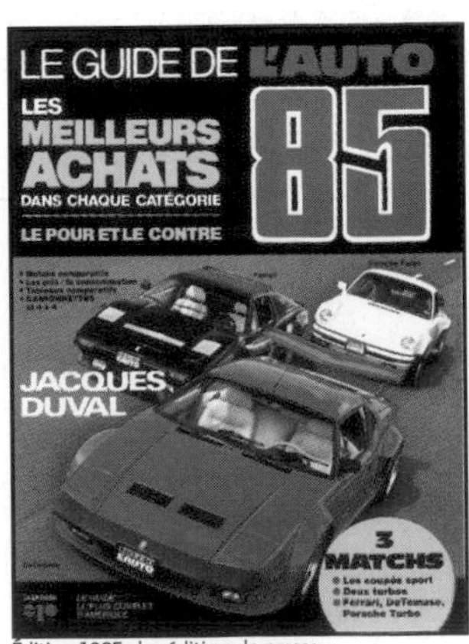

Édition 1985 : les éditions la presse

La 19e édition du Guide de l'auto fut pour moi un mélange de joie et de tristesse. La joie de me lancer dans une nouvelle aventure automobile en devenant, aux côtés d'un Jackie Stewart, le conseiller spécial de Ford du Canada. J'allais, croyais-je à tort, participer à la phase de renouveau qui animait à l'époque ce constructeur et découvrir une facette de l'industrie automobile qui m'était inconnue. Voilà pourquoi j'écrivais dans mon avant-propos de 1985 que j'étais fier de m'engager à part entière dans un travail qui m'amènerait à avoir mon petit mot à dire dans la mise au point des futurs modèles de Ford. J'étais loin de me douter que mon rôle serait celui d'un observateur passif que l'on utiliserait beaucoup plus comme faire-valoir que comme essayeur automobile riche d'une expérience de plus de 20 ans. Bref, je m'étais fait des illusions et même si j'ai été royalement payé, ce n'est pas le genre du travail auquel je m'attendais. Après le coup de la Taurus qui connut un succès phénoménal à tous les points de vue, Ford s'enlisa dans un marasme dont elle n'a pas encore su émerger après tant d'années.

Cette fausse joie s'accompagnait de la tristesse que j'avais d'abandonner le Guide de l'auto à mes collaborateurs de l'époque. À part deux collaborations (l'une pour le 20e anniversaire en 1986 et une autre cinq ans plus tard pour le 25e), j'allais dire adieu à mon bébé, sans savoir que je le reprendrais 8 ans plus tard.

Quant à la couverture de 1985, elle était consacrée à ce que j'avais appelé le «match des étoiles», soit une confrontation entre trois sportives de haut rang, la Ferrari 308 GTSi Quattrovalvole, la DeTomaso Pantera et la Porsche 911 turbo qui s'étaient affrontées sur le circuit de Sanair.

1986-1995 : MON PURGATOIRE CHEZ FORD

De 1986 à 1995, je n'ai pas participé à la réalisation des couvertures du Guide de l'auto pour la simple raison que je purgeais mon purgatoire chez Ford. Je suivais l'industrie de très près et j'en suis venu rapidement à regretter de ne plus pouvoir conduire et essayer chaque nouveau modèle sur le marché. Ces voyages à l'étranger et la découverte des dernières trouvailles de l'industrie me manquaient énormément. C'est tout juste si je savais ce qui se tramait de nouveau chez Ford et certains journalistes bien branchés en savaient souvent plus que moi sur ce qui se passait au sein de la compagnie qui m'employait.

C'est donc avec beaucoup de plaisir que je fus appelé à rédiger des textes spéciaux à l'occasion des 20e et 25e anniversaires du Guide de l'auto, en 1986 et 1991. La première fois, ma participation avait l'allure d'une autobiographie avec ses 120 pages de textes et de photos relatant souvenirs et anecdotes des deux premières décennies du Guide de l'auto. Cette rétrospective permettait en même temps de suivre pas à pas l'évolution de l'industrie automobile depuis la Renault 10 assemblée à St-Bruno, la première Honda vendue au Canada (la S600) et les débuts de la Ford Mustang jusqu'à la première petite Mercedes-Benz, la 190, dans sa version 2,3-16 (16 soupapes) de 1985.

Un palmarès récapitulatif de toutes les voitures essayées dans le Guide depuis ses débuts en 1967 donnait la Maserati Ghibli comme la plus belle, la AMC Gremlin comme la plus laide, la Vauxhall Viva comme la moins chère (1 800$), la Ferrari BB 512 comme la plus chère (125 000$), la même comme la plus rapide (307 km/h) et la Austin 1100 automatique comme la plus lente (113 km/h).

En 1991, ma participation fut un peu plus compacte et tenait sur 19 pages consacrées à mes voitures préférées. La liste comprenait, bien sûr, la Porsche 911 ainsi que la superbe BMW 2002 mais aussi un certain nombre d'autres modèles plus inattendus comme la Plymouth Duster 340, la Pontiac Grand Am de 1973, la Citroën SM Maserati, la Mazda RX-7, la Chevrolet Nova, la Toyota Supra, l'Audi Quattro coupé et la Mercedes-Benz 190 2,3-16. C'est cette dernière qui m'avait permis de déceler chez Ayrton Senna un futur champion du monde lors d'une course promotionnelle tenue sur le nouveau circuit du Nürburgring en 1984 et opposant plusieurs des vedettes d'alors de la Formule 1. Jeune débutant, Senna avait gagné la course sous la pluie, faisant preuve d'une maestria impressionnante.

Édition 1995 :
LES ÉDITIONS DE L'HOMME

1995 : UNE COUVERTURE EXCLUSIVE

Même si j'avais lentement recommencé à écrire dans le Guide de l'auto en 1993, c'est l'édition de 1995 qui marqua définitivement mon retour dans le poste de pilotage. Dans l'éditorial intitulé « Défense de lire » (ce qui en fit un incontournable), j'expliquais les nombreux changements apportés au guide : fiches plus complètes, cote de qualités hivernales de chaque modèle et une section spéciale consacrée aux super-voitures. Pour cette section, j'avais fait appel aux services de mon collègue et ami Paul Frère qui demeure encore aujourd'hui une sommité dans le journalisme automobile. Il avait essayé pour nous notamment la première voiture routière de McLaren, la F1 3 places qui s'exhibait en page couverture juste en dessous de sa devancière, la M6 GT construite par Bruce McLaren avant sa mort et dérivée des invincibles voitures Can Am avec lesquelles le néo-zélandais avait éclaboussé la concurrence dans la série de courses Can Am. Lorsqu'il fut question de la McLaren F1 de route que préparait l'ingénieur Gordon Murray, je me suis souvenu que j'avais fait l'essai en 1973 de la M6 GT, un prototype d'une future voiture de route sure laquelle travaillait Bruce Mclaren avant sa mort. Après son décès, cette voiture atterrit au Québec, achetée par un dénommé André Fournier, un concessionnaire GM de Waterloo. Plus tard, la M6 GT se retrouva entre les mains du Dr Gilles St-Pierre de Rimouski qui accepta de nous la prêter pour quelques heures. Je fis signe à Marc Lachapelle pour qu'il puisse exercer son talent de photographe sur la McLaren fraîchement repeinte orange au lieu du rouge original. Et c'est cette magnifique photo montrant la voiture de face qui fut placée en parallèle avec la récente F1 à la première page du livre. Ce fut l'une de mes couvertures préférées.

1996 : UN FESTIVAL FERRARI POUR LES 30 ANS

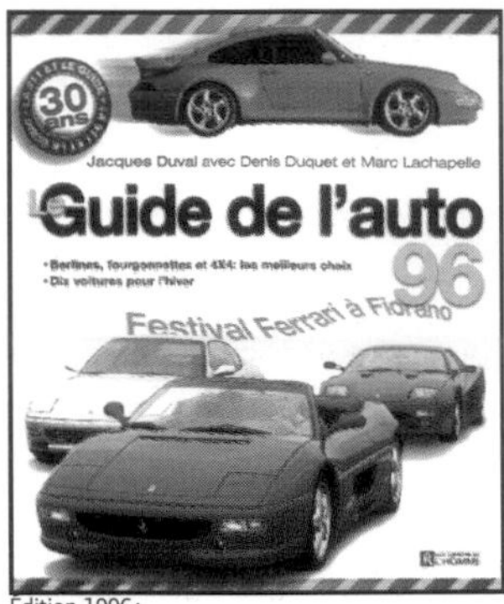

Édition 1996 :
LES ÉDITIONS DE L'HOMME

Pour le trentenaire du Guide de l'auto, je voulais vraiment faire quelque chose de très spécial. J'avais donc demandé à mon correspondant européen Paul Frère de souffler un petit mot pour nous à l'oreille du directeur des relations publiques de chez Ferrari, Dottore Antonio Ghini. Après avoir obtenu ses coordonnées, je lui envoyai un fax expliquant ce que nous souhaitions faire. Mon but était de réunir toutes les Ferrari de route afin de pouvoir en faire l'essai sur la piste d'essai de Ferrari à Fiorano et, bien sûr, de les photographier. Pas plus tard que le lendemain, je découvris à mon bureau le précieux fax de Giovanni Perfetti stipulant que l'on nous attendait le 19 mai 1995 pour un briefing technique, les essais de la F355, 512M et 456GT à Fiorano et un lunch au restaurant Cavalinno avec l'ingénieur en chef M. Felisa. Je sautais littéralement de joie en lisant la communication. Elle fut d'ailleurs publiée avec l'article Ferrari dans l'édition anniversaire du Guide de l'auto 1996.

À la date prévue, est-il besoin de vous dire que j'étais sur place à 10 heures tapantes (sinon avant) pour cette journée mémorable. Après les salutations d'usage, nous empruntons la via Gilles Villeneuve pour rejoindre le circuit de Fiorano tout près. À l'arrivée, le son strident d'une voiture de formule 1 secoue mes tympans. C'est Luca Badoer de l'écurie Minardi qui se livre à des essais privés et avec lequel je devrai partager les 12 virages de cette piste de 3 kilomètres. J'aurai droit à une quinzaine de tours avec chacune des trois Ferrari. C'est la F355 spider qui me donna le plus de plaisir et avec laquelle je me suis senti le plus à l'aise. Plus légère, plus maniable et plus agile que les lourdes 512 (Testa Rossa) et 456 GT, elle était carrément plus facile à conduire à la limite.

Par la suite, ce fut la longue séance de photos et je me souviens encore de mon photographe italien en équilibre précaire au bout d'une échelle en train de prendre des clichés en rafale pour la couverture. Juste au dessus du trio de Ferrari, on avait aussi fait place à une vue latérale de la dernière Porsche, la 911 Turbo qui venait de sortir et dont on célébrait aussi le trentième anniversaire. Et j'avais profité de l'occasion pour relater ma longue association avec la marque de Stuttgart culminée par un essai de haute vitesse à Blainville mettant en présence la 911 Turbo de 400 chevaux et son ancêtre, une 911 1966 de 130 chevaux. Sur l'anneau de vitesse, la première atteignit 286 km/h, soit 90 km/h de mieux que la première 911.

1997 : NOUVEAU FORMAT ET LA FIÈVRE DES ROADSTERS

Pendant un temps, beaucoup de lecteurs m'en ont voulu d'avoir modifié le format du Guide de l'auto en 1997. Plus haut et plus large, il se prêtait davantage à la publication de belles photos couleur et à une présentation plus éclectique. Nos fidèles lecteurs toutefois y voyaient un inconvénient majeur, en ce sens que le livre cassait l'uniformité de leur collection et, dans certains cas, ne rentrait carrément pas dans leur bibliothèque.

Édition 1997 :
LES ÉDITIONS DE L'HOMME

Après le trio de Ferrari de la couverture 1996, je cherchais une mise en scène dans la même veine et l'arrivée sur le marché quasi simultanée de trois roadsters d'origine allemande allait m'en fournir le prétexte. J'étais allé en Italie pour le lancement de la Mercedes-Benz SLK et j'en avais rapporté de très belles photos. L'une d'elles fut mise à l'avant scène avec, à l'arrière plan, la Porsche Boxster et la BMW Z3, accompagnées d'une sorte de banderole proclamant la fièvre des roadsters.

1998 : MES ADIEUX À MONIQUE

Édition 1998 :
LES ÉDITIONS DE L'HOMME

J'ai encore peine à feuilleter le Guide de l'auto 1998 parce qu'il me rappelle un événement d'une infinie tristesse, le décès de la femme de ma vie, mon amie, ma complice, mon inspiration et j'en passe. Elle est partie en quelques secondes sans aucun signe avant-coureur, succombant à une foudroyante crise cardiaque. Je lui avais dédié l'édition 1998 du Guide de l'auto parce que c'est elle qui avait la première eu l'idée de ce recensement annuel de l'industrie automobile et aussi parce qu'elle le méritait après avoir supporté pendant tant d'années mes crises d'angoisse dans les semaines menant à la sortie du livre. La photo de Monique et moi qui accompagnait l'avant propos avait été prise quelques mois avant son décès devant la BMW Z1 de mon grand ami Richard Petit qui était aussi l'auteur de la photo.

Quant à la couverture du livre, j'en avais eu l'idée lors du lancement de la New Beetle auquel j'avais assisté en Allemagne. Comme la voiture n'était pas encore arrivée en Amérique, j'avais demandé au photographe de Volkswagen de m'envoyer une photo de la New Beetle accompagnée de son ancêtre, la Beetle qui était dans le musée de la compagnie à Wolfsburg. La proposition fut acceptée et la couverture misait sur cette réunion pour titrer « Un amour de Coccinelle ». J'y relatais évidemment à l'intérieur l'histoire de cette icône sur roues qui coûtait 1490 $ à sa première apparition sur le marché en 1949.

1999 : PANOZ ET PROWLER

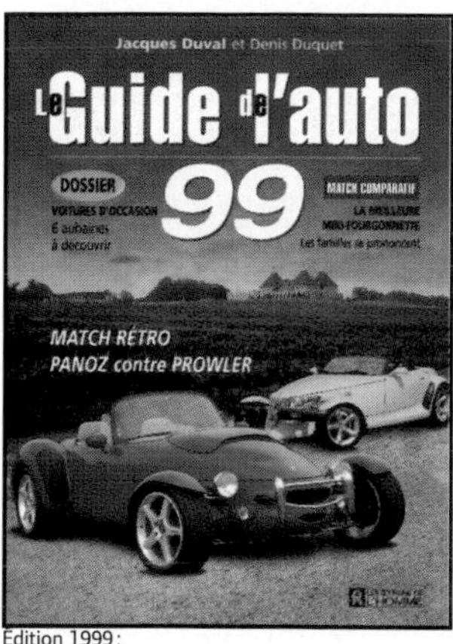

Édition 1999 :
LES ÉDITIONS DE L'HOMME

La couverture du Guide de l'auto 1999 est un fort bel exemple de la manipulation qu'un bon graphiste peut faire subir à une photo au moyen d'un ordinateur. N'importe quel lecteur avec certaines notions d'un logiciel comme Photo Shop fut sans doute en mesure de se rendre compte que notre photo couverture avait été truquée. Quant aux autres, il suffisait de consulter l'article consacré au match comparatif des roadsters rétro pour s'apercevoir que le Plymouth Prowler qui affrontait le Panoz était de couleur prune à la page 80 et qu'elle brillait d'un jaune vif sur la couverture.

Bref, la photo originale prise face au vignoble du Château Élan à Braselton en Georgie (à proximité de l'usine Panoz et du circuit de Road Atlanta) manquait totalement de punch en raison de la couleur terne du Prowler. La solution fut de photographier un autre Prowler, de couleur jaune, et de le substituer au premier grâce à un habile détourage. Même le coucher de soleil est faux dans cette photo et fut l'œuvre du graphiste. N'empêche que personne ne pourra reprocher à notre couverture de 1999 de ne pas être très belle.

2000 : FORD EN BEAU MAUDIT AU TOURNANT DU SIÈCLE

L'an 2000 ! Tout le monde s'accrochait à l'effet magique que semblait détenir ce chiffre. Qu'on le veuille ou non, il ne fallait surtout pas rater l'occasion de rassembler trois 0 et un 2 dans un titre ou sur une couverture, au risque de passer pour des crétins en matière d'opportunisme.

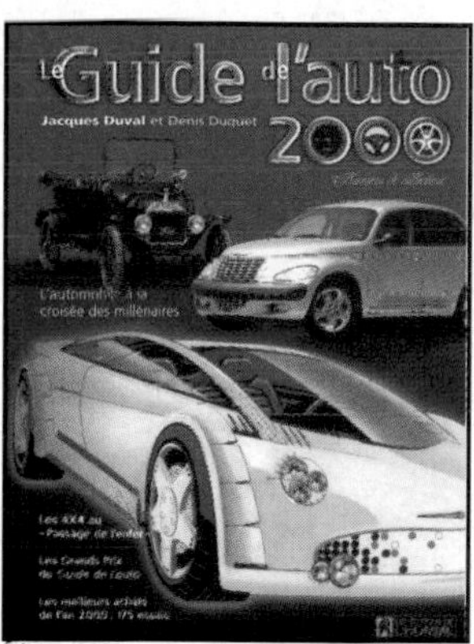

Édition 2000 :
LES ÉDITIONS DE L'HOMME

Quoique le Guide de l'auto se devait, de toute manière, d'exploiter ce passage d'un siècle à l'autre en relatant les grandes étapes de l'évolution de l'automobile durant le 20e siècle et la direction qu'elle allait emprunter dans le siècle débutant.

Sachant que Ford avait joué un rôle considérable dans la démocratisation et le progrès de l'automobile, j'avais demandé aux gens de Detroit s'ils pouvaient convaincre l'un de leurs designers de nous créer ce qu'il voyait comme la voiture du futur. Le travail fut confié au canadien Mark Conforzi, le designer de la future Thunderbird, celui-ci nous fit parvenir une esquisse d'un flamboyant concept qui empruntait d'ailleurs quelques petits rappels de la Thunderbird, notamment les logos au milieu du capot et sur les appuies-tête. L'idée était de mettre ce modèle sur la couverture avec une photo de la célèbre Ford Modèle T. À la toute dernière minute, je fus un peu pris de panique en pensant que certaines personnes pourraient confondre notre livre avec un quelconque album consacré à la voiture ancienne. Je pris donc la décision d'insérer entre les clichés celui d'une voiture de l'année qui faisait beaucoup de bruit, la fameuse Plymouth PT Cruiser. M. Conforzi et l'état major de Ford en furent littéralement insultés. Je réalise aujourd'hui que ce fut une erreur de ma part mais... « que voulez-vous » comme aurait dit notre expremier ministre M. Chrétien.

Ce numéro de collection du Le Guide de l'auto 2000 n'en connut pas moins un succès phénoménal. Il faut préciser que le livre comportait aussi plusieurs reportages soulignant le premier siècle de l'automobile avec un dossier sur les dix voitures les plus marquantes des cent dernières années assortie d'une collaboration de mon collègue Paul Frère, des entrevues avec quelques sommités de l'automobile sur leur vision de l'avenir, etc.

2001 : LE 35e ANNIVERSAIRE

Édition 2001 :
LES ÉDITIONS DE L'HOMME

Après l'édition spéciale de l'an 2000, c'était au tour du Guide de l'auto de célébrer un anniversaire, son 35e. Et nous n'étions pas à court de sujets, de photos ou de reportages à mettre en vitrine. L'année 2001 ayant été précédé par le retour de Prenez le volant à TVA en compagnie de Michel Barrette, nous avions nécessairement couvert pas mal de terrain au cours de l'été 2000 : essai d'une formule 1 à la piste de Shannonville, conduite de la gamme complète des prototypes de General Motors, participation à la course New Beetle dans le cadre du Grand Prix du Canada au circuit Gilles Villeneuve, etc. En plus, nous avions réalisé trois matchs comparatifs très « vendeurs », celui des roadsters allemands, celui des voitures écologiques (avec la première apparition de la Smart et de l'Insight de Honda) et un dernier présenté comme le Sommet Mondial de l'automobile. J'y avais rassemblé la nouvelle BMW Z8, la première Porsche 911 Turbo de type 996 ainsi que la Jaguar XKR. Bref, nous étions confronté avec l'embarras du choix.

Après avoir longtemps analysé le pour et le contre de chacune des solutions, c'est l'option du Sommet Mondial qui fut retenue. Bernard Brault, le talentueux photographe québécois accepta de nous suivre sur l'Île Ste-Hélène puis à Sanair pour illustrer cet essai comparatif. Pour la couverture, il nous avait fallu séparer les trois voitures mais l'effet était quand même très réussi. À l'exception d'un petit mot dans mon avant-propos, le 35e anniversaire du Guide de l'auto fut célébré plutôt discrètement. Sans doute parce que j'aime mieux les chiffres pairs.

2002 : L'ANNÉE MINI

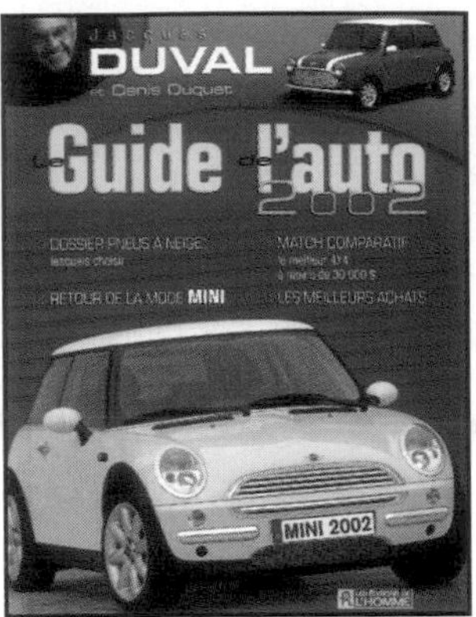

Édition 2002 :
LES ÉDITIONS DE L'HOMME

En 2002, face à l'absence de nouveautés marquantes, c'est le retour de la Mini qui fit la une du Guide de l'auto. Alain Raymond était allé en faire l'essai en Italie. En plus d'un compte rendu de ses impressions de conduite, il avait fait appel à son expertise des voitures anciennes pour rédiger un reportage retraçant l'histoire de la Mini, née en 1959 et ressuscitée en 2002 par BMW, nouveau propriétaire de la marque anglaise. J'y avais ajouté un petit article appelé « Mini Souvenirs » pour rappeler entre autres comment on pouvait se procurer une Mini à Montréal au début des années 60 pour 8,50$ comptant et 8,50$ par semaine, une opération de marketing inspirée de la dénomination de la voiture qui était alors commercialisée sous le nom d'Austin 850. Cela dit, la couverture arrière du Guide 2003 contribua très certainement à son succès en librairie, surtout avec la photo d'un Honda CR-V sur le point de se renverser qui servait d'illustration à notre match comparatif opposant dix SUV. Ai-je besoin d'ajouter que les concessionnaires Honda n'avaient pas tellement apprécié cette photo.La seconde édition du Festival Ferrari tenu au circuit de Mont-Tremblant et confron-tant la 360 Modena, la 550 Maranello et la 456 fut jouée sur la couverture arrière à l'aide d'une magnifique photo de Michel Fyen-Gagnon montrant les trois voitures avec, en toile de fond, les pentes de ski de cette célèbre station de sports d'hiver.

2003 : UN TAUREAU NOMMÉ MURCIÉLAGO

Ma fille Brigitte, qui était devenue mon bras droit à la direction du Guide de l'auto, rêvait d'une couverture qui, pour une rare fois, mettrait le vert à l'honneur. Le hasard devait bien la servir car lors de mon voyage à l'usine Lamborghini en Italie afin de faire l'essai de la sublime Murciélago, la voiture mise à ma disposition enfilait un vert pomme radieux qui habillait avec éclat les formes spectaculaires de cette machine à plaisir. Au moment de choisir LA photo qui ferait la une du Guide de l'auto 2003, le seul problème de Brigitte et de ses acolytes fut de trouver laquelle était la meilleure parmi un assortiment de 756 photos. Pas une de moins. Mon photographe italien s'était laissé emporter par les lignes en-voûtantes de la Murciélago qui, selon l'angle où on la regarde, change constamment de physionomie. Il avait mitraillé la voiture pendant toute une matinée avant de me remettre 21 rouleaux de film montrant le taureau féroce sous tous ses angles. Quant à l'essai de cette Lamborghini, ce fut pour moi une journée d'extase entrecoupée par quelques moments de fébrilité causés principalement par l'immensité de la bête qui a besoin de beaucoup d'espace pour s'exprimer librement.

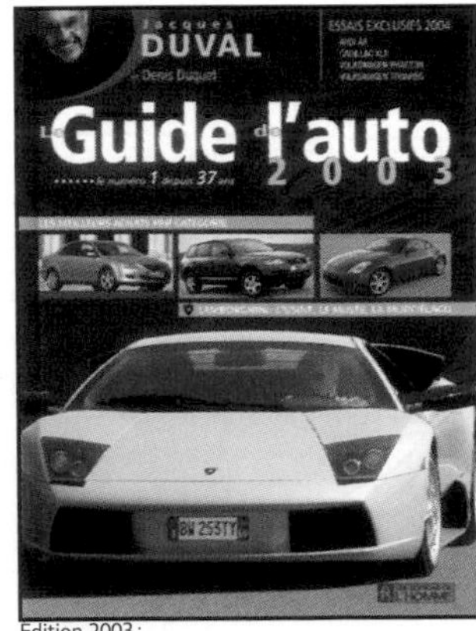

Édition 2003 :
LES ÉDITIONS DE L'HOMME

2004 : DE LAMBO À ENZO

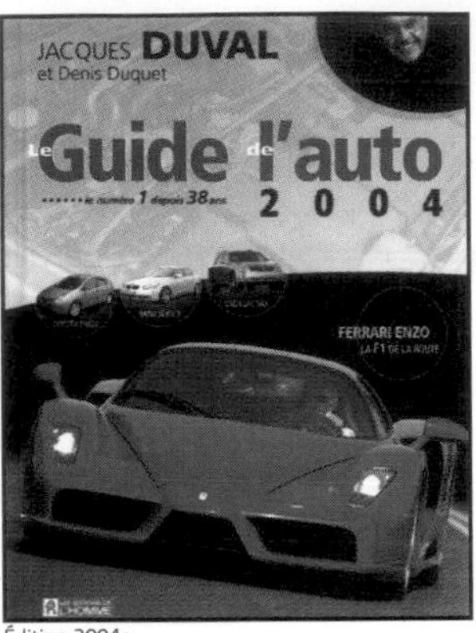

Édition 2004 :
LES ÉDITIONS DE L'HOMME

Pour la dernière édition du Guide de l'auto dont je fus responsable de la couverture, c'est la Ferrari Enzo qui succéda à la Lamborghini Murciélago. Une voiture encore plus chère, plus performante et plus exclusive. Tellement exclusive qu'il n'y en avait que deux à Montréal, celle appartenant à l'importateur Lawrence Strolles et une autre faisant partie de la collection personnelle d'un homme d'affaires très en vue désirant garder l'anonymat. Disons qu'il œuvre dans l'industrie du spectacle… Je ne vous dirai pas toutefois laquelle des deux Enzo figurait sur la page couverture du Guide de l'auto 2004.

La Enzo avait été photographiée à très faible vitesse sur une petite route près de Saint-Bruno. Chez l'éditeur, certains auraient souhaité voir la Mazda RX-8 en couverture puisque nous l'avions choisie comme « voiture de l'année » (un honneur jamais revendiqué par Mazda) mais c'est finalement la Enzo qui, par son exclusivité, se mérita la une de l'édition 2004. Le livre étant bourré de sujets forts, la quête d'un nouveau record de vitesse avec un coupé Dodge Viper Compétition (qui faillit tourner au drame) ainsi que l'essai exclusif de la Hy Wire de GM (la voiture d'après-demain) auraient très bien pu devancer la Enzo parmi les diverses options envisagées. Mais, il n'est pas facile de dépasser une Ferrari.

VOILÀ EN UNE DIZAINE DE MILLIERS DE MOTS LA PETITE HISTOIRE DES COUVERTURES DU GUIDE DE L'AUTO AU FIL DES ANS. À EN JUGER PAR SON TIRAGE ACTUEL, J'OSE CROIRE QUE MES CHOIX ONT ÉTÉ JUDICIEUX MÊME S'ILS ONT DONNÉ LIEU À DE CHAUDES DISCUSSIONS ET À DE NOMBREUSES NUITS D'INSOMNIE. AUTANT LES BONNES COMME LES MOINS BONNES.

BONNE ROUTE !

Jacques Duval

Orbit
Démarreurs à distance

LES PREMIERS DE CLASSE 2006

LES PREMIERS DE CLASSE 2006

SOUS-COMPACTES

EN LICE
Chevrolet Aveo
Hyundai Accent
Kia Rio
Pontiac Wave
Smart
Suzuki Swift+
Toyota Yaris

1 TOYOTA YARIS

2 PONTIAC WAVE

3 KIA RIO

COMPACTES

EN LICE
Acura 1.7EL
Chevrolet Optra
Chevrolet Cobalt
Chevrolet HHR
Chrysler PT Cruiser
Ford Focus
Honda Civic
Hyundai Elantra
Kia Spectra
Mazda 3
Mercedes Classe B
Mitsubishi Lancer
Nissan Sentra
Pontiac Pursuit
Pontiac Vibe
Saab 9-2x
Saturn ION
Subaru Impreza
Suzuki Aerio
Toyota Corolla
Toyota Matrix
Volkswagen Golf
Volkswagen New Beetle / Cabrio

1 MAZDA3

2 MERCEDES-BENZ CLASSE B

3 SUBARU IMPREZA

INTERMÉDIAIRES

AUDI A3 1

MAZDA6 2

FORD FUSION 3

EN LICE

Audi A3
Chevrolet Epica
Chevrolet Malibu
Chrysler Sebring
Ford Fusion
Ford Taurus
Honda Accord
Hyundai Sonata
Kia Magentis
Lincoln Zephyr
Mazda 6
Mitsubishi Galant
Nissan Altima
Pontiac G6
Suzuki Verona
Subaru Legacy / Outback
Toyota Camry
Volkswagen Jetta
Volkswagen Passat
Volvo S40

BERLINES GRAND FORMAT

CHRYSLER 300 — DODGE MAGNUM 1

Ex-aequo

TOYOTA AVALON 2

FORD 500 3

EN LICE

Buick Allure • Buick Lucerne
Chevrolet Impala • Chrysler 300
Dodge Magnum • Ford 500
Hyundai Azera • Kia Amanti
Mercury Grand Marquis
Nissan Maxima
Pontiac Grand Prix • Toyota Avalon

LES PREMIERS DE CLASSE 2006

BERLINES SPORT DE PLUS DE 35 000 $

EN LICE
Acura TL
Audi A4
BMW Série 3
Cadillac CTS /V
Infiniti G35
Infiniti G35X
Jaguar X-Type
Lexus IS
Lincoln LS
Mazda6 Mazdaspeed
Mercedes-Benz Classe C
Saab 9-3
Subaru WRX
Volvo S60

1 BMW SÉRIE 3

2 LEXUS IS

3 SUBARU WRX

BERLINES DE LUXE DE MOINS DE 70 000 $

EN LICE
Audi A6 / RS6
BMW Série 5
Cadillac STS
Jaguar S-Type
Lincoln LS
Lincoln Town Car
Saab 9-5
Volvo S80

1 BMW SÉRIE 5

2 AUDI A6

3 CADILLAC STS

BERLINES DE GRAND LUXE
DE PLUS DE 70 000 $

MERCEDES-BENZ CLS 1

ACURA RL 2

INFINITI M45 3

EN LICE

Acura RL
Audi A8 / A8L
BMW Série 7
Cadillac DTS
Infinit M45
Infiniti Q45
Jaguar S-Type
Jaguar XJ8
Lexus GS430
Lexus LS 430
Maserati Quattroporte
Mercedes-Benz CLS
Mercedes-Benz Classe S
Mercedes-Benz Classe E
Volkswagen Phaeton

BERLINES ET COUPÉS SPORT
DE MOINS DE 35 000 $

DODGE CHARGER 1

HONDA CIVIC SI 2

ACURA RSX 3

EN LICE

Acura RSX
Acura TSX
Chevrolet Cobalt SS
Ford Focus ST
Dodge Charger
Honda Civic Si
Hyundai Tiburon
MINI Cooper
Mitusbishi Eclipse
Nissan Sentra SE-R
Saturn Ion Redline
Toyota Solara
Volkswagen Golf GTi
Volkswagen Jetta 1,8T

LES PREMIERS DE CLASSE 2006

CABRIOLETS, ROADSTERS ET GT

EN LICE

Audi A4 Cabriolet
Audi TT
BMW Z4
Chrysler Crossfire
Ford Mustang
Honda S2000
Infiniti G35 coupe
Mazda MX5
Mazda RX-8
Mini Cooper cabriolet
Mercedes-Benz SLK
Nissan 350Z
Pontiac Solstice
Saab 9-3 Cabriolet
Subaru Impreza WRX STi
Toyota Camry Solara
Volkswagen New Beetle Cabrio

1 MAZDA RX-8

2 PONTIAC SOLSTICE

3 MAZDA MX5

VOITURES SPORT ET CABRIOLETS DE 65 000$ ET PLUS

EN LICE

Aston Martin DB9
Aston Martin Vanquish
BMW série 6
BMW M3
BMW M5
BMW M6
Cadillac XLR
Chevrolet Corvette / Z06
Dodge Viper
Ferrari F430
Ferrari 575
Ferrari 612 Scaglietti
Ford GT
Jaguar XK
Lamborghini Gallardo
Lamborghini Murcielago
Lexus SC 430
Maserati Coupe
Mercedes-Benz CLK
Mercedes-Benz SL
Porsche 911
Porsche Boxster
Porsche Carrera GT

1 CORVETTE / Z06

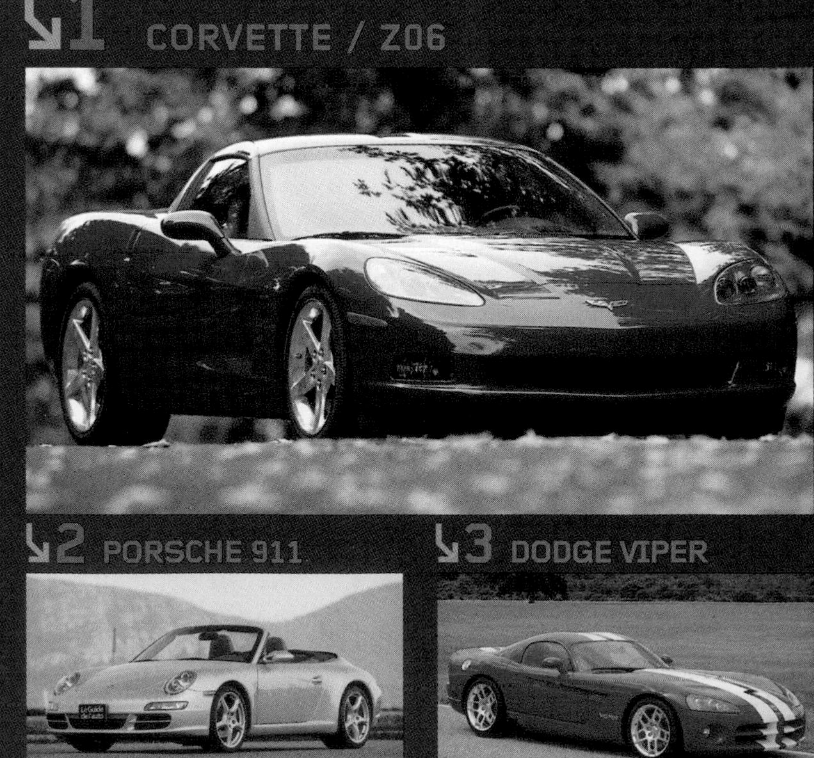

2 PORSCHE 911

3 DODGE VIPER

UTILITAIRES SPORT COMPACTS

SUBARU FORESTER / XT 1

EN LICE

BMW X3 • Chevrolet Equinox
Ford Escape • Honda CR-V
Hyundai Santa Fe • Hyundai Tucson
Hummer H3 • Jeep Liberty • Jeep TJ
Kia Sportage • Kia Sorento
Mazda Tribute
Mitsubishi Outlander
Nissan Xterra • Nissan Xtrail
Pontiac Torrent • Saturn VUE
Subaru Forester / XT
Subaru Outback
Suzuki Grand Vitara • Suzuki XL-7
Toyota Highlander • Toyota RAV4

KIA SPORTAGE

Ex-aequo

HYUNDAI TUCSON 2

MITSUBISHI OUTLANDER 3

UTILITAIRES SPORT MOYEN ET GRAND FORMATS

MERCEDES-BENZ CLASSE M 1

EN LICE

Acura MDX • BMW X5
Buick Rainier Cadillac Escalade
Chevrolet TrailBlazer
Chevrolet Suburban
Dodge Durango • Ford Explorer
Ford Expedition • GMC Envoy
GMC Yukon • Honda Pilot
Hummer H2 • Infiniti FX35
Infiniti FX 45 • Infiniti QX 56
Jeep Grand Cherokee
Land Rover LR3
Land Rover Range Rover/Sport
Lexus GX 470 • Lexus LX470
Lexus RX330/rx400h
Lincoln Navigator
Mercedes-Benz Classe G
Mercedes-Benz Classe M
Mitsubishi Endaevor
Mitsubishi Montero
Nissan Armada • Nissan Xterra
Nissan Pathfinder
Porsche Cayenne
Toyota 4Runner • Toyota Sequoia
Volkswagen Touareg

LAND ROVER RANGE ROVER SPORT 2

LEXUS RX330/RX400H 3

LES PREMIERS DE CLASSE 2006

MEILLEURES FOURGONNETTES

EN LICE
Buick Terrazza
Chevrolet Uplander
Chrysler Town & Country
Dodge Caravan / Grand Caravan
Ford Freestar
Honda Odyssey
Kia Sedona
Mazda5
Mazda MPV
Nissan Quest
Pontiac Montana SV6
Saturn Relay
Toyota Sienna

1 MAZDA5

2 HONDA ODYSSEY

3 TOYOTA SIENNA

MULTISEGMENT

EN LICE
Cadillac SRX
Chrysler Pacifica
Ford Freestyle
Honda Element
Infiniti FX35/45
Mercedes Classe R
Nissan Murano
Saab 9-7x
Subaru Tribeca
Volvo XC70
Volvo XC90

1 MERCEDES-BENZ CLASSE R

2 CADILLAC SRX

3 SUBARU TRIBECA

VOLVO XC 90

Ex-aequo

VOITURE DE L'ANNÉE

MAZDA5

EN LICE

Acura CSX
Audi A3
BMW M6 • BMW série 3
Buick Lucerne
Cadillac DTS
Chevrolet HHR
Corvette Z06
Dodge Charger
Ferrari F430
Ford Fusion
Honda Civic Si
Hyundai Azera • Hyundai Sonata
Infiniti M45
Lexus GS • Lexus IS
Lincoln Zephyr
Mazda5 • Mazda MX5 Miata
Mercedes-Benz Classe B
Mercedes-Benz Classe R
Mitsubishi Eclipse
Pontiac Solstice
Subaru Impreza
Toyota Avalon • Toyota Yaris

UTILITAIRE SPORT ET CAMIONNETTE DE L'ANNÉE

HONDA RIDGELINE

EN LICE

- Honda Ridgeline
- Hummer H3
- Hyundai Tucson
- Jeep Commander
- Kia Sportage
- Land Rover Range Rover Sport
- Lexus RX400h
- Lincoln Mark LT
- Pontiac Torrent
- Saab 9-7x
- Subaru Tribeca
- Suzuki Grand Vitara

BRABUS fabrique cinquante supervoitures SL K8 par an.
Nous fabriquons les deux cent pneus.
K8
BRABUS[MD] Amérique du Nord recommande uniquement le pneu haute performance Pilot[MD] Sport PS2[MC] de Michelin[MD] pour chacune de ses voitures SL K8. Avec ses deux composés de gomme placés côte à côte, on dirait deux pneus dans un. Le premier composé procure une adhérence maximale sur surface sèche et le deuxième est conçu pour une adhérence optimale sur sol mouillé.
Visitez le michelin.ca.
MICHELIN
Une meilleure façon d'avancer

LE SALON INTERNATIONAL DE L'AUTO DE MONTRÉAL

LE SALON INTERNATIONAL DE L'AUTO DE MONTRÉAL OU SIAM EST L'ÉVÉNEMENT DU GENRE LE PLUS IMPORTANT DE LA PROVINCE ET L'UN DES PLUS RESPECTÉS EN AMÉRIQUE DU NORD. L'ÉVOLUTION DE CETTE MANIFESTATION COMPORTE UN CURIEUX PARALLÈLE AVEC *LE GUIDE DE L'AUTO* PUISQUE LES DEUX ONT DÉBUTÉ À LA MÊME ÉPOQUE. D'AILLEURS, LE SALON CÉLÈBRERA EN JANVIER 2006 SA 38e ÉDITION. CET ÉVÉNEMENT PEUT ÊTRE D'AILLEURS CONSIDÉRÉ COMME UN GUIDE DE L'AUTO QUE L'ON POURRAIT VISITER.

UN GUIDE DE L'AUTO QUI SE VISITE

À LA DIFFÉRENCE PRÈS QUE LES EXPOSANTS NOUS OFFRENT UNE APPROCHE PARTISANE DE LEURS PRODUITS ET PERSONNE NE SAURAIT LEUR REPROCHER. QUANT AU GUIDE, LES COMPTES-RENDUS SONT IMPARTIAUX. EN FAIT, IL VOUS EST POSSIBLE LORS D'UNE VISITE AU SIAM DE COMPARER DE VISU CE QUE VOUS POUVEZ LIRE DANS LE GUIDE : SILHOUETTE, MÉCANIQUE, CONFORT, HABITABILITÉ, BREF TOUT SAUF LA CONDUITE.

Et ce ne sont pas les moyens d'information qui manquent. Un tel événement est une activité de première importance pour les constructeurs. C'est l'occasion rêvée pour intéresser les acheteurs à leurs produits. Pour ce faire, ils ne lésinent pas sur les moyens et tous les modèles disponibles sont présents sur le plancher d'exposition. De plus, des conseillers informent les gens des caractéristiques mécaniques et techniques. Mais, il faut savoir que cet investissement ne sert pas qu'à distribuer des brochures et de l'information.

C'est également l'occasion pour toutes les marques de transmettre un message quant à leur philosophie de conception et de l'image qu'ils désirent projeter auprès du public. En effet, en plus des caractéristiques routières de leurs voitures, il est également important pour ces compagnies de projeter une image. C'est contestable comme tactique, mais il leur faut agir en fonction de la clientèle. Dans bien des cas, les gens se tournent vers une marque ou un modèle en raison de l'image. Un constructeur va tenter de nous convaincre de son expertise technique, un autre de ses exploits sportifs tandis que certains misent sur la carte du raffinement et du luxe.

Des constructeurs dont la clientèle est attirée par des prix compétitifs et une mécanique tout de même moderne devraient généralement résister à la tentation de monter des kiosques somptueux. On ne tombe pas dans le misérabilisme, mais les excès et les dimensions hors norme sont évités. Ce qui permet également aux clients ciblés de se sentir à l'aise dans un environnement qui leur convient. Un véhicule VUS ne sera pas présenté dans le même décor qu'une berline de luxe.

En plus d'informer le public, les kiosques des constructeurs servent donc à transmettre leur image auprès du public. Mais il y a plus que cela. Souvent, les toutes dernières nouveautés sont lancées dans le cadre des Salons et elles ne se trouvent nulle part ailleurs. Ce qui a pour effet d'attirer les personnes désireuses d'en savoir plus à propos de ce modèle, de l'évaluer et également de donner leur opinion. Les constructeurs font alors d'une pierre deux coups. Non seulement ils sensibilisent le grand public à l'arrivée d'un nouveau modèle, mais cela leur permet également d'avoir une réaction à chaud de la part des consommateurs. Cela ne signifie pas que des changements seront apportés à la mécanique ou à la silhouette, mais il sera sans doute possible de modifier la campagne publicitaire si jamais la réaction du public l'exige.

LES TOUTES DERNIÈRES NOUVEAUTÉS SONT LANCÉES DANS LE CADRE DES SALONS ET ELLES NE SE TROUVENT NULLE PART AILLEURS.

Finalement, il ne faut pas ignorer les voitures concepts. Pour tout manufacturier, il s'agit de nous présenter un modèle qui devrait éventuellement être commercialisé ou encore une nouvelle tendance sur le plan mécanique ou stylistique. Ces dévoilements sont bien entendu suivis de commentaires provenant tout aussi bien des visiteurs que de la presse spécialisée. Il est certain que ce feed-back est analysé afin de faciliter la prise de décision pour les modèles futurs. Souvent, un véhicule présenté comme exercice de style provoque une telle demande de la part du public que le constructeur est forcé de la produire.

Un salon de l'auto est donc plus qu'une simple exposition de véhicules de toutes sortes. C'est un happening très spécial où chacun y trouve son compte. Et pour départager les informations recueillies, la consultation du Guide de l'Auto vous permet de savoir qui dit vrai et qui mérite votre attention.

Comme vous le voyez, les similitudes entre les deux sont nombreuses.

Denis Duquet

Photos : SIAM

LES PROTOTYPES 2006

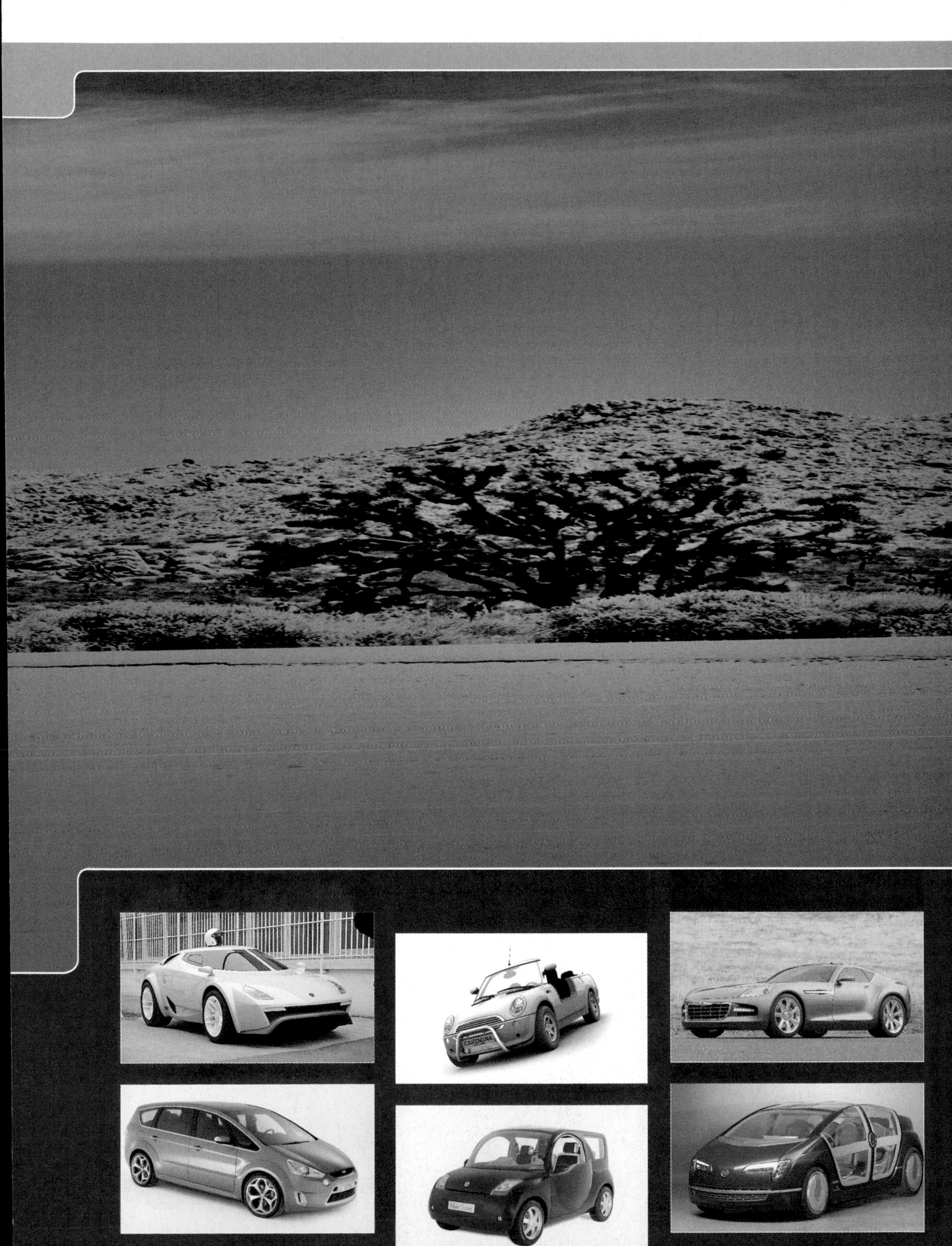
CASTAGNA

ALFA ROMEO
VOLA

Comment faire du neuf avec du vieux ? En ressortant des boules à mites un vieux prototype ! Mais puisque ce dernier est assez beau, merci, nous n'en tiendrons pas rigueur à Alfa Romeo. Tout d'abord connu sous le nom de Fioravanti, ce prototype a été aperçu pour la première fois au Salon de Genève 2001... puis à celui de 2005. Ce concept propose des solutions inédites pour camoufler un toit rigide rétractable. Le toit rotatif de la Ferrari Superamerica, dévoilée en janvier à Détroit, exploite le même mouvement... Normal puisque c'est aussi Fioravanti qui l'a créé !

AUDI
ALLROAD QUATTRO

Malgré les apparences, non, il ne s'agit pas de la future Audi Q7. Peut-être pas très rigolo comme concept mais les allemands ne font guère de plaisanteries quand ils élaborent un produit. Cette Audi Allroad Quattro devrait aboutir en production l'an prochain. Nous vous tiendrons au courant via notre magazine Le Monde de l'auto (ah, convergence...) Pour l'instant, nous savons que ce gros VUS sera propulsé par un V8 4,0 litres turbodiesel. Est-ce que les américains vont apprécier la farce ? Probablement que de ce côté-ci de la mare, on retrouvera un moteur à essence plus conventionnel. Une chose est sûre, personne ne s'ennuiera de la Allroad qui nous a quitté il y a quelques mois.

Bertone, ce grand fou, a tenu, avec sa Villa, à transgresser les règles établies, à se rebeller contre l'homogénéité des voitures actuelles et à trouver un équilibre entre émotion et design. Méchante commande ! Mais admettons que la Villa ne passe pas inaperçue. Développée sur un châssis de Cadillac SRX, la Villa propose des portes vitrées qui fonctionnent à l'aide de vérins hydrauliques. On est cependant en droit de se poser des questions sur l'utilité d'un tel système en plein hiver, avec 15 centimètres de neige sur le toit... L'habitacle regorge, lui aussi, d'innovations technologiques. Le système audio a été développé par Bose.

BERTONE
VILLA

C'est fou ce qu'une simple batterie peut faire. Dans le cas présent, on a construit une voiture autour d'elle pour la promouvoir ! En effet, après douze années de recherche et plusieurs dizaines de millions d'Euros plus tard, la batterie BatScap était fin prête pour se présenter en public. Et c'est à Genève qu'elle l'a fait. Utilisant la technologie Lithium-Métal-Polymère, entièrement recyclable et légère, elle annonce une durée de vie de plus de dix ans. Le Blue Car est donc un mignon petit véhicule de livraison à trois places qui ne coûte rien d'essence et qui ne pollue pas.

BOLLORÉ
BLUE CAR

CASTAGNA

TENDER

Carrozeria Castagna, de Milan en Italie, s'amuse à modifier des Mini! Au delà de l'exercice de style, le Tender, dévoilé à Genève en même temps que le Crossup, une création aussi basée sur la Mini mais au design plus torturé, le Tender, donc, sera produit en petite série pour les stations balnéaires de la Côte d'Azur. Ca tombe bien puisque l'habitacle du Tender peut être lavé au boyau d'arrosage, comme les anciens Dune Buggy! Dans le coffre, on retrouve un autre coffre, étanche celui-là pour remiser les objets plus sensibles à l'humidité.

Chez Chrysler, on est rarement à court d'idées. Et celle-ci est plutôt bonne. La partie arrière n'est pas sans rappeler celle des récentes Aston-Martin (comme références, on a déjà vu pire) tandis que l'avant lui, copie un peu celui de la ME4-12 qui ornait la page couverture du Guide de l'auto 2005. Le moteur, développé par le groupe SRT, est le V8 6,1 litres Hemi de 425 chevaux. Le 0-60 mph (96 km/h) se boucle en moins de 4,5 secondes selon Chrysler. Les chances de voir la Firepower en production sont très grandes. Après les Dodge Viper et Plymouth Prowler, ce serait la moindre des choses.

FIREPOWER

CHRYSLER

FENOMENON

STRATOS

À Genève, en « hommage » à la célèbre Lancia Stratos, Fenomenon Holistic design de Londres a présenté ce prototype. La ligne très "Hot wheels" ressemble beaucoup à celle de l'ancienne Stratos, dessinée à l'époque par Bertone et qui a remporté son lot de victoires en rallye. La Stratos nouvelle est mue par un V8 de Ferrari 360 Modena de 425 chevaux. Associé à une transmission séquentielle à six rapports il offre des performances ahurissantes. Le châssis est de fibre de carbone et d'aluminium. On prévoit une très petite série pour la production, pour 2007 peut-être.

Reprenant des éléments stylistiques du concept SAV (voir à la page suivante), le Iosis va plus loin au chapitre des émotions (dixit le document de Ford). Aussi, avec ce concept, Ford annonce le style de ses futures voitures destinées au marché européens un peu comme la Mercedes-Benz CLS qui se veut un coupé/berline, la Iosis tente de jumeler ces deux types de carrosserie. Le résultat n'est pas vilain mais l'allemande a encore une longueur d'avance. Les portes, fabriquées en fibre de carbone et motorisées, s'élèvent gracieusement. Les rétroviseurs sont remplacés par des caméras, procurant ainsi une visibilité hors pair.

IOSIS

FORD

Dans le domaine des prototypes, on ne sait jamais sur quoi on peut tomber. Ici, c'est sur un coffre-fort mobile ! Le Ford SYNus est à peine plus long qu'une Hyundai Accent et pourrait sans doute résister à un attentat terroriste. Par contre, l'intérieur se montre très stylisé et douillet. Il est tout de même troublant de constater qu'on peut vivre en tout confort dans un véhicule indestructible. Avec tout ce qui se passe dans la tête des américains ces temps-ci, il ne serait pas surprenant que le SYNus donne naissance à une nouvelle vague de voitures plus sécuritaires arrêtées que lorsqu'elles roulent… Troublant.

SYN US

FORD

SAV

C'est au début de 2006 que le Ford SAV (on ne connaît pas encore son véritable nom) sera disponible chez les concessionnaires européens. Ce véhicule très stylisé reprend à peu de choses près les dimensions de la Mazda5 et propose une silhouette semblable même si les portes sont, dans ce cas-ci, à pentures. Lors du Salon de Genève 2005, les gens de Ford, ravis par la réaction du public et des médias, parlaient déjà d'offrir une intégrale. Au début de la production, seule la traction sera offerte.

Le monde de l'automobile ne sera absolument plus le même d'ici quelques années. Un exemple du futur, sérieux cette fois, nous est servi avec le Sequel… qui laissera sans doute des séquelles de son passage! La pile à combustible, peu probante jusqu'à récemment, en est ici à sa deuxième génération. Cette nouvelle version combine pile à combustible, hydrogène, système de refroidissement et système de distribution de haut voltage adaptés à un châssis de type planche à roulettes. C'est-à-dire que le châssis, la mécanique et le système de propulsion pourraient recevoir différents types de carrosserie. Les dimensions du Sequel sont à peu près les mêmes que celles du Cadillac SRX.

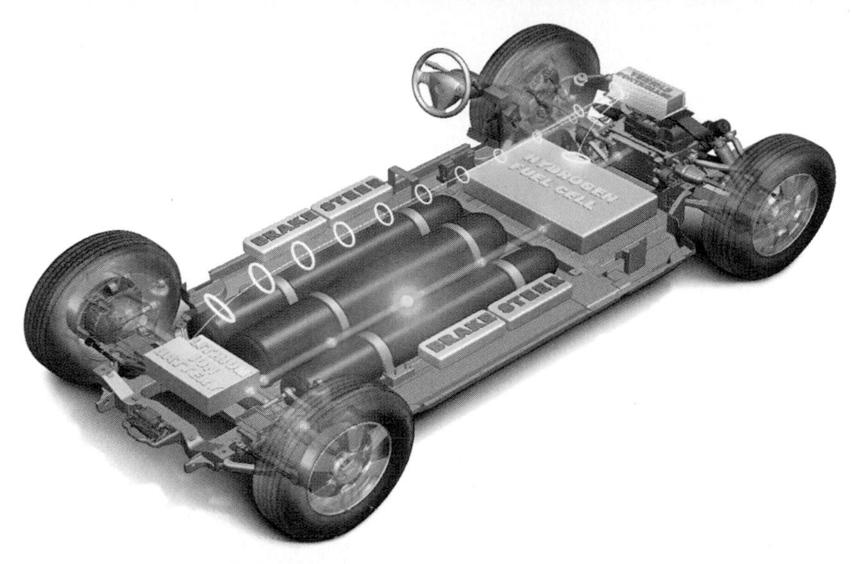

SEQUEL

GENERAL MOTORS

HONDA

FR-V

Au moment où vous lisez ces lignes, il y a de fortes chances que ce joli concept n'en soit plus un! En effet, le Honda FR-V, une mini fourgonnette (un monospace comme le disent si bien nos cousins français) s'intègre dans un créneau déjà occupé par la Mazda5, nouvelle cette année sur notre marché. Le FR-V peut accueillir trois personnes à l'avant et autant à l'arrière. La modularité de l'habitacle est soignée et, par exemple, le siège avant central peut être transformé en tablette ou en un large accoudoir. Le prix de vente devrait se situer aux alentours de 20000 Euros.

Présenté à Chicago en février 2005, le Portico est une étude qui risque très, très fort de se retrouver en production un de ces quatre, c'est à dire vers 2007 ou 2008 ! Et il serait destiné au marché américain uniquement, avec ses 500 cm de long et 200 cm de large. Il sera entraîné par une motorisation hybride, soit un V6 accompagné par deux moteurs électriques (un pour les roues avant et un pour les roues arrière). Tous ces moteurs passeront leur puissance aux roues via une transmission intégrale rappelant un peu celle du Lexus RX400h.

PORTICO

HYUNDAI

JEEP

COMPASS / PATRIOT

Si Volkswagen ne semble plus trop où s'en aller avec sa New Beetle, il en va autrement pour Jeep, une marque au passé extrêmement riche. Pour étayer nos propos, il y a quelques semaines, au Salon de l'auto de Francfort, Jeep a dévoilé deux véhicules concept qui nous semblent très, très près de la production. Le Compass, ci-haut photographié, un mignon petit utilitaire sport à finition rallye, reprend des lignes beaucoup plus contemporaines que ce à quoi Jeep nous avait habitués. Ci-contre, le Patriot (on a encore la fibre patriotique aux États-Unis!) n'hésite pas à afficher ses tendances conservatrices. Si le Compass mise surtout sur l'agrément de conduite, le Patriot, lui, devrait être classé «Trail», ce qui signifie que ce n'est pas une vulgaire mer de boue ou l'Everest qui lui feront peur!

KIA

KDC-II MESSA

Alliant la robustesse d'un vrai 4x4 et la subtilité d'une automobile, le KDC-II Mesa a de bonnes chances de montrer la voie aux futurs VUS de Kia. On le dit même plutôt près de la production et serait commercialisé uniquement aux États-Unis. Le plafond, troué de deux spectaculaires toits ouvrants, les marchepieds rétractables électriquement et le hayon en trois parties risquent fort, cependant, d'être relégués au rayon des chefs-d'œuvre-pour-toujours-oubliés. Son moteur est un V6 3,5 litres officiant avec un système intégral fort sophistiqué et possédant une gamme basse (Lo) pour les situations vraiment corsées.

LAMBORGHINI

GALLARDO CONCEPT S

« C'est donc ben laitte, ça ! » de dire oncle Pierre, fier propriétaire d'un Ford Escort 1989. Mais à peu près tous les autres humains de la planète s'entendent pour dire que cette Lamborghini Concept S est d'une beauté émouvante. Lors du Salon de l'auto de Genève, Lamborghini nous avait montré cette étude de style. Mais c'est à Monterey et à Peeble Beach aux Etats-Unis que la « vraie » Concept S a été présentée. Le prototype roulant a de fortes chances de voir le jour, si on en croit la réaction des gens et… celle de Stephan Winkelmann, président directeur-général de Lamborghini.

La gamme Lancia compte déjà une Ypsillon bien placide. L'entreprise italienne présentait, au dernier Salon de Genève, sa Ypsillon Sport avec son moteur 1,9 turbo diesel de 150 chevaux et transmission manuelle à six rapports. Suspensions, freins et pneus sont plus gros tandis que la direction a été rendue encore plus précise que sur la Ypsillon régulière. Plusieurs fournisseurs se sont partagés le plaisir de travailler sur le projet Ypsillon Sport (Zagato, Pirelli et TRW, entre autres) Cette sportive n'en est qu'à un stade expérimental mais il y a fort à parier qu'elle connaîtra bientôt les affres de la production.

YPSILLON SPORT

LANCIA

LINCOLN

AVIATOR

Le Lincoln Aviator n'est plus mais il s'en vient ! En effet, on n'en plus retrouve aucune trace dans les documents de presse de Lincoln. Mais le prototype vu au Salon de Montréal pourrait très bien voir le jour bientôt. Infiniment plus beau que l'ancienne version avec ses lignes plus contemporaines, on le voit bien batailler ferme face aux grandes pointures que sont les Lexus RX330 ou Mercedes-Benz Classe M. Il s'agira du premier VUS de Lincoln à être basé sur un châssis d'automobile. Le design reprend des éléments stylistiques des Lincoln 1961. Espérons que son toit vitré survivra à la production.

Si le groupe Mazel est peu connu en Amérique du Nord, il en va autrement de l'autre côté de la flaque. Mazel se spécialise dans l'ingénierie de transport et compte parmi ses clients beaucoup grands noms de l'automobile ainsi que de l'aviation (Airbus). On retrouve des bureaux Mazel en France, en Allemagne, en Espagne, au Japon et en Chine entre autres. C'est Mazel qui, en 2000 et 2001, était à l'origine des prototypes Hispano-Suiza HS21 et K8. Au dernier Salon de Genève, Mazel proposait le JAV X, un mignon tout-terrain à moteur V6 destiné à une petite production pour les amateurs de plage.

JAV X

MAZEL

MERCURY

META ONE

Fort joli, ce Mercury Meta One ! Et sécuritaire en plus puisqu'il est bourré de technologies ultramodernes. Mû par un moteur diesel, il propose, entre autres, le LDW (Line Departure Warning). Ce système, qu'on retrouve déjà sur certaines Infiniti M45, avertit le conducteur s'il effectue un changement de voie sans avoir mis son clignotant. On y retrouve aussi le CMbB (Collision Mitigation by Braking), développé conjointement avec Volvo. Advenant un impact imminent, ce système applique lui-même les freins. Chacun des systèmes ci haut mentionnés est beaucoup plus complexe qu'il n'y paraît. Les chances de les voir appliqués à une production de série sont très grandes.

Reprenant les lignes de la toute récente Eclipse, le E-boost fait appel à une motorisation hybride. Ainsi, ce concept réunit deux notions trop souvent paradoxales, la sportivité et l'économie. Avec sa peinture spéciale phosphorescente et son tableau de bord que l'on dit très spécial, le E-boost a remporté un prestigieux prix de l'IDEA (Industrial Design Excellence Awards) dans la catégorie « exploration ». Bien que la nouvelle Eclipse soit tout de même très réussie au niveau esthétique, on ne peut qu'affirmer que sa descendante est encore plus jolie. Aucune information au sujet de la mécanique ne s'est cependant rendue jusqu'à nous.

E-BOOST

MITSUBISHI

NESSIE

Avec tous les déboires qui affectent Mitsubishi présentement, il n'est pas surprenant que l'entreprise japonaise ait donné à son véhicule concept le nom du montre du Loch Ness, Nessie! Cette chose devrait servir de base au remplacement du très mal aimé Montero qui tirera sa révérence à la fin de la production 2006. Nessie, dessiné par Italdesign Guigaro, est mû par un moteur huit cylindres alimenté à l'hydrogène. Une transmission automatique relaie la puissance à un système de traction intégrale sophistiqué. Nul doute que la version production (si version production il y a!) sera beaucoup plus sage visuellement et technologiquement parlant.

NISSAN

ZAROOT

Comme le communiqué de presse de Nissan le dit si bien : « Le salon de Genève ne serait pas le salon de Genève si Nissan n'y présentait pas un concept car spectaculaire ». Spectaculaire, soit. Beau, ça, c'est à vous de décider ! Lorsque les portes en ailes de mouette s'ouvrent, les marchepieds s'abaissent. Ce gros 4x4 peut affronter à peu près n'importe quel type de terrain grâce à ses roues de 20" et à sa transmission All Mode, officiant déjà dans plusieurs produits Nissan. L'habitacle est du même moule que la carrosserie et on y retrouve de nombreuses innovations.

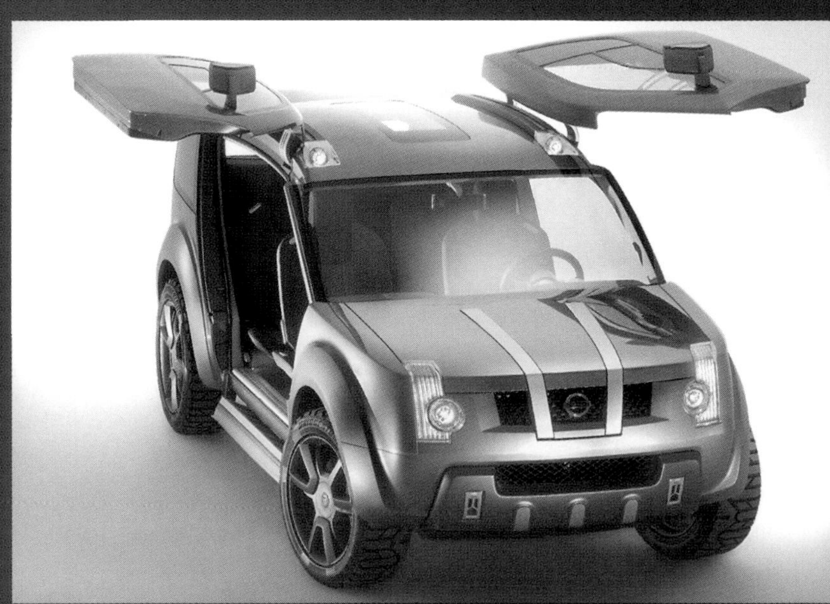

Après la démentielle Zonda, voici que Pagani nous revient avec la version roadster. Construite à 40 exemplaires seulement, cette enivrante création du designer de Modène en Italie, repose sur un châssis et une carrosserie en fibre de carbone. Les performances promettent d'être un tantinet relevées, compte tenu du poids (1 280 kilos) et de la puissance de 555 chevaux du V8 7,3 litres provenant de AMG. Pagani a « oublié » de mentionner le prix de sa voiture de rêve mais puisque chaque exemplaire sera modifié selon les goûts de son propriétaire, on peut présumer qu'il sera très, très élevé.

ZONDA ROADSTER

PAGANI

PEUGEOT

407 PROLOGUE

Il y a des prototypes qu'on souhaiterait ne jamais avoir vu. La Peugeot 407 Prologue, par contre, est d'une rare beauté. Des goûts et des couleurs on ne discute pas, nous direz-vous mais nous avons droit à notre opinion… même si la ligne de l'arrière semble provenir de la Toyota Camry Solara ! Contrairement au très élégant Coupé 406 dessiné par Pininfarina, la 407 Prologue est la création du designer maison Gérard Welter. Côté motorisation, on parle d'un V6 2,7 litres diesel de plus de 200 chevaux et d'une transmission à six rapports semi-automatique. Des roues de 19" sont au programme.

Renault a profité du dernier Salon de Genève pour présenter ce que plusieurs croient être la remplaçante de la Twingo. Certes, la Zoé, avec ses portières coulissantes, ses glaces latérales se relevant vers le haut, son siège arrière courbé une place et son tableau de bord plutôt sauté semble plus près du concept que de la production. Et on ne vous a pas parlé du toit de verre parsemé de diodes, donnant l'impression de toujours rouler sous un ciel étoilé! Pour l'instant, Renault parle d'un moteur turbo à essence de 1,2 litres de 100 chevaux.

ZOÉ

RENAULT

SUNTRIKE

Construit en Floride, ce petit et mignon bidule à trois roues est, à l'instar du T-Rex, une moto ayant évolué un peu. (Nos amis motocyclistes vont nous aimer…) Il est destiné à une utilisation locale dans les « resorts » américains, ces petits villages tranquilles destinés aux retraités fortunés. D'ailleurs, son moteur deux temps de 50 cc ne fait que 4,4 chevaux ! Un « kit » optionnel porte la cylindrée à 80 cc. La transmission est de type continuellement variable et les pneus sont de 13" à l'avant et 12" à l'arrière. On a même réussi à loger un petit rangement sous les deux sièges. Le volant a été remplacé par un guidon de moto.

On a beau dire que les ventes de Suzuki sont légèrement en hausse, ce n'est assurément pas grâce au XL-7! Voilà à quoi pourrait ressembler son remplaçant si Suzuki se décidait à donner au Concept-X des attributs moins «flyés». Les roues de 20", les phares à lumières LED, la caméra de recul intégrée au rétroviseur et les portières ouvrant à contre-sens n'auront sans doute pas le bonheur de connaître la production. Cet élégant VUS de format moyen reçoit un moteur V6 de 3,6 litres et la transmission automatique à cinq rapports relaie la puissance aux quatre roues.

CONCEPT-X

SUZUKI

Sauté vous dites ? Complètement disjoncté serait mieux adapté. Le I-unit, qui ressemble à un fauteuil de dentiste sur roues, représenterait, semble-t-il, la motorisation personnelle future. À côté du I-unit, le Segway a l'air d'un banc d'église. Un petit levier permet de contrôler la vitesse et la direction. À basse vitesse, il est même possible, pour le conducteur, de rapprocher les roues et ainsi se retrouver plus à la verticale. Mais, pour une meilleure stabilité, le véhicule (si on peut se permettre une telle appellation) s'écrase, abaissant ainsi son centre de gravité. Et dire qu'il y a des ingénieurs payés chers pour penser à ça…

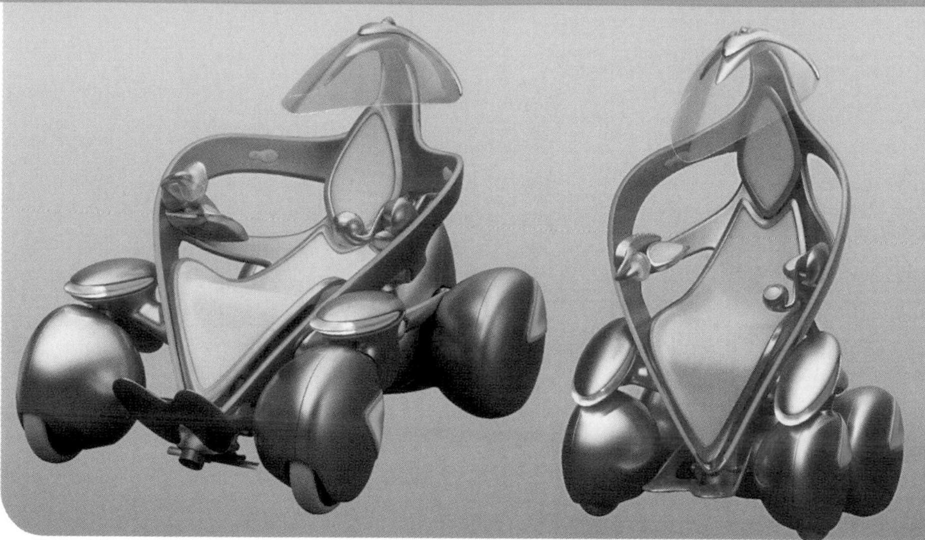

I-UNIT

TOYOTA

FTX

Comme le dirait si bien Elvis Wong « Y l'ont-tu l'affaire les haponais ! » Après des débuts hésitants dans les plates-bandes de la camionnette américaine, Toyota ne semble plus vouloir s'arrêter. Reprenant la plate-forme du déjà gros Tundra, le FTX se voit doter de dimensions encore plus imposantes. De plus, à cause de sa cabine et de sa boîte de chargement intégrés, on ne peut manquer de lui trouver une certaine ressemblance avec le Honda Ridgeline. Il y a fort à parier que les prochaines camionnettes Toyota ressembleront au FTX. L'habitacle de ces (peut-être) camionnettes de production, par contre, sera assurément moins flyé que celui du concept !

VOLKSWAGEN

NEW BEETLE RAGSTER

La New Beetle deviendrait-elle plus méchante avec le temps? C'est ce qu'on souhaite après avoir vu le Ragster - contraction de ragtop (toit de toile) et de Speedster - de Volkswagen. Le toit, abaissé de plus de 10 cm, confère un look plus sérieux à la légendaire Coccinelle. La toile qui fait office de toit se replie automatiquement vers l'arrière grâce à un bouton sur le volant. L'équipe du Guide de l'auto ne garantit cependant pas la visibilité arrière. Volkswagen n'a pas dévoilé la motorisation de ce joli concept mais on se permet d'imaginer un VR6 de 250 chevaux sous le capot avant. Les ailes peuvent accueillir des roues de 19".

ASC

Un peu à la manière des carrossiers indépendants des premières décennies du siècle dernier, la firme American Specialty Cars modifie des automobiles selon les goûts ou besoins de ses clients. Parmi ceux-ci on peut compter des particuliers mais aussi des constructeurs tels que Honda ou Chrysler. Par exemple, ASC peut créer, pratiquement à partir de zéro, un superbe hot rod (ici, le Dearborn Duce Convertible) ou un Chrysler 300C décapotable appelé Helios. Aux États-Unis, nombre de petits constructeurs comme ASC font des affaires d'or. Et quelquefois, leurs produits ne sont pas piqués des vers.

DOSSIERS SPÉCIAUX

RANDONNÉE SMART • MADAME ENQUÊTE

VICTORIA, CB – HALIFAX, NE

UN TRAJET DE 6587 KM

BUDGET ALLOUÉ POUR LE CARBURANT : MOINS DE 300 $

C'EST DANS LE CADRE D'UNE RÉUNION ÉDITORIALE DU GUIDE DE L'AUTO QUE CETTE IDÉE A ÉTÉ SÉLECTIONNÉE PARMI TOUTES LES PROPOSITIONS MISES SUR LA TABLE. C'ÉTAIT EN JANVIER 2005 ET RIEN NE NOUS PERMETTAIT DE CROIRE QU'UNE CRISE PÉTROLIÈRE D'ENVERGURE ALLAIT TOUCHER LA PLANÈTE QUELQUES MOIS PLUS TARD. NOTRE BUT ÉTAIT TOUT SIMPLEMENT DE DÉMONTRER QU'UNE MINI VOITURE COMME LA SMART POUVAIT BOUCLER LE TRAJET D'UN OCÉAN À L'AUTRE DANS DES DÉLAIS NORMAUX TOUT EN CONSOMMANT MOINS DE 300 $ DE CARBURANT COMME NOUS LE PROMETTAIT LE SITE DE CE CONSTRUCTEUR.

MERCEDES-BENZ DU CANADA, LE DISTRIBUTEUR DE LA SMART AU CANADA, A MIS UNE VOITURE À NOTRE DISPOSITION. ET N'ALLEZ PAS CROIRE QUE CETTE AUTO A ÉTÉ SPÉCIALEMENT PRÉPARÉE. UNE ERREUR DE LOGISTIQUE A FAIT QUE LA VOITURE ORIGINALE N'ÉTAIT PAS DISPONIBLE AU MOMENT DU DÉPART ET NOUS AVONS EU UN VÉHICULE DE REMPLACEMENT À LA DERNIÈRE MINUTE.

LE DUO FORMÉ DE LUCIENNE CHÉNARD ET DE GUY DESJARDINS S'EST DONC ÉLANCÉ DE VICTORIA EN COLOMBIE-BRITANNIQUE JEUDI LE 25 AOÛT 2005. DESTINATION : L'OCÉAN ALTANTIQUE. D'AILLEURS GUY RALLIAIT HALIFAX SAMEDI LE 3 SEPTEMBRE APRÈS UNE CHEVAUCHÉE DE 6587 KM. POUR DES RAISONS D'HORAIRE, GUY A PERDU SA COPILOTE À QUÉBEC, ET IL A TERMINÉ LE TRAJET EN SOLITAIRE. IL FAUT REMERCIER TOUT PARTICULIÈREMENT LUCIENNE CHÉNARD QUI A REMPLACÉ SA SŒUR ÉDITH ET CONJOINTE DE GUY QUI A DÛ SE DÉSISTER. LUCIENNE A LAISSÉ DERRIÈRE ELLE FAMILLE ET ÉPOUX POUR SE LANCER DANS CETTE AVENTURE.

MAIS TRÊVE D'INTRODUCTION, VOICI LE RÉCIT DE GUY DESJARDINS DE CETTE TRAVERSÉE AUSSI INTÉRESSANTE QU'ÉCONOMIQUE.

Denis Duquet

Photos : Guy Desjardins

JOUR 1 – SURPRENANTE PETITE SMART

C'est par un beau matin ensoleillé et chaud que nous arrivons chez le concessionnaire SMART de Victoria (C-B) pour prendre possession de notre bolide à deux places. Nous étions à peine arrivé sur place qu'une équipe de journalistes nous assaillait et soudainement, nous réalisions que le voyage serait plus long que prévu.

Les premières impressions au volant de la SMART sont extrêmement positives. Les sièges sont une belle surprise et leur conception rappelle celle des voitures de course. Le soutien latéral est excellent et l'appui tête efficace. La visibilité est sans reproche vers l'avant et les dimensions du véhicule sont idéales pour une promenade en ville. Le chemin nous menant au traversier nous fait remarquer qu'à vitesse d'autoroute, le cabriolet est très stable et que le vent ne dérange pas du tout notre conversation. On remarque également que les matériaux sont de qualité et que la finition est sans tache, procurant une agréable sensation de solidité. Toute cette effervescence nous a presque fait oublier qu'il fallait mettre de l'essence. Dix dollars suffiront cette fois-ci à étancher la soif du véhicule.

Nous sommes maintenant en direction de Kamloops et commençons une ascension qui semble assez longue. L'altitude augmente rapidement et le moteur de la SMART perd de la puissance, on passe au 5ième rapport. Soudain, on aperçoit un avertissement de changement climatique affiché en bordure de la route, faut croire que ça commence à être sérieux. La SMART ralentit, on passe en 4ième. Soudain, un doute vient nous hanter sur la capacité pour la voiture d'atteindre le sommet. Il est 21h00, un brouillard se lève et je n'ai pas l'intention de m'éterniser ici, on passe en 3ième. Heureusement, le sommet est atteint et à plus de 1244 mètres d'altitude, la SMART a vaincu le «Coquihalla Pass», quel bonheur!

MINI FICHE QUOTIDIENNE

Date:	Jeudi le 25 août
Trajet:	Victoria, CB – Kamloops, CB
Heure de départ:	11h00
Kilométrage au départ:	1006
Distance du trajet:	393 km
Kilométrage additionnel:	71 km
Météo:	Ensoleillé, 30 degrés
Heure d'arrivée:	23h30
Consommation	
Litres de carburant dépensés:	22,5
Kilométrage parcouru:	464
Nombre de pleins:	2
Kilomètres moyen par plein:	232
Nombre de litres moyen par plein:	11,25
Prix moyen du diesel:	0,972$
Coût moyen par plein:	10,94$
Consommation moyenne:	4,9 L / 100 km
Coût total du jour:	22$
Coût cumulatif de la traversée:	22$

JOUR 2 – ROGERS PASS

Notre départ pour Calgary est encore une fois retardé par une équipe de hockey attroupée autour du véhicule. Tous les jeunes sont emballés par la SMART et sans l'aide du « coach», nous serions probablement encore à Kamloops. Une promenade au centre-ville nous attire également les regards des gens et ce qui devait être un arrêt de 5 minutes en aura pris 30. De retour sur l'autoroute Transcanadienne, je constate que le dossier du siège n'est manifestement pas fait pour les personnes ayant un dos plus large que la moyenne. Les supports latéraux semblent un peu trop rapprochés pour bien s'adapter à ma morphologie. Par contre la position de conduite est toujours parfaite et la radio brille par son absence, le code de sécurité ayant été égaré par le concessionnaire! Nos appréhensions aujourd'hui sont grandes face à un endroit nommé « Rogers Pass ». Nous avons d'ailleurs entendu dire par plusieurs que la montée est longue et que ce sera un bon test pour la petite voiture. L'ascension s'effectue cependant avec brio et c'est en cinquième rapport que nous atteignons le « Col de Roger», gardant une vitesse constante de plus de 80 km/h. De l'autre côté, la descente s'effectue admirablement bien, la SMART négociant les virages avec grande aisance. À l'intérieur, le rangement s'avère un peu plus compté qu'au départ et les accessoires s'entassent. Les SMART sont très rares en sol albertain et les regards se font de plus en plus nombreux. Par ici on se moque d'avantage de notre bolide qu'en Colombie-Britannique où les gens semblent plus préoccupés par l'environnement. Les conditions routières ont également changé et les routes ressemblent désormais à celles du Québec.

MINI FICHE QUOTIDIENNE

Date:	Vendredi le 26 août
Trajet:	Kamloops, CB – Calgary, AB
Heure de départ:	14h00
Kilométrage au départ:	1 470
Distance du trajet:	614 km
Kilométrage additionnel:	51 km
Météo:	Ensoleillé, 29 degrés
Heure d'arrivée:	23h45
Consommation	
Litres de carburant dépensés:	25,4
Kilométrage parcouru:	665
Nombre de pleins:	2
Kilomètres moyen par plein:	332,5
Nombre de litres moyen par plein:	12,7
Prix moyen du diesel:	0,934$
Coût moyen par plein:	11,86$
Consommation moyenne:	3,8 L / 100 km
Coût total du jour:	23$
Coût cumulatif de la traversée:	45$

JOUR 3 – RECORD DU MONDE

La journée débute ce matin par un lavage complet de la voiture car des journalistes du Calgary Sun et du Calgary Herald viendront prendre quelques photos afin d'écrire un article portant sur notre petite escapade. La demande des photographes est claire, entrer la voiture dans le lobby de l'hôtel. Le concept est évident et se résume par « Drive in, Check in ». La séance de photos terminée, c'est sous un soleil radieux encore une fois que l'on quitte Calgary en direction de Moose Jaw. Évidemment le toit du cabriolet est baissé et la crème solaire généreusement distribuée. La radio nous manque mais l'esprit d'équipe est toujours bon même si nos quatre heures de sommeil affectent nos capacités mentales. C'est sur ce trajet que Lucienne fait ses premières armes sur la SMART. Elle est agréablement surprise par la position de conduite, la prise du volant et la facilité d'ajustement des rétroviseurs. Par contre, elle remarque elle aussi que la visibilité arrière est fortement réduite par le toit baissé. Ma copilote choisit le mode automatique et nous constatons que les changements de vitesses se font admirablement bien. Plein d'essence oblige, nous entrons dans la petite ville de Swift Current pour y traquer une station d'essence avec diesel. Vue l'heure tardive, nous devons aller faire le plein au « truck stop » et c'est emprisonné entre quatre semi-remorques que je commence à remplir le petit réservoir du véhicule. À peine les yeux levés sur la pompe que l'essence gicle de partout et refoule du réservoir. J'allais oublier de vous dire que le réservoir compte 22 litres et qu'effectuer le plein avec un pistolet surdimensionné prend 5 secondes! Après avoir répondu aux multiples questions, nous quittons la station pour atteindre Moose Jaw aux petites heures du matin!

MINI FICHE QUOTIDIENNE

Date:	Samedi le 27 août
Trajet:	Calgary, AB – Moose Jaw, SK
Heure de départ:	13h00
Kilométrage au départ:	2135
Distance du trajet:	688 km
Kilométrage additionnel:	36 km
Météo:	Ensoleillé, 29 degrés
Heure d'arrivée:	23h00
Consommation	
Litres de carburant dépensés:	29,3
Kilométrage parcouru:	724
Nombre de pleins:	3
Kilomètres moyen par plein:	241
Nombre de litres moyen par plein:	9,75
Prix moyen du diesel:	0,922$
Coût moyen par plein:	8,99$
Consommation moyenne:	4,0 L / 100 km
Coût total du jour:	26,80$
Coût cumulatif de la traversée:	71,80$

JOUR 4 – FANCY CARS PARADE

Notre départ de Moose Jaw s'effectue avec un peu de tristesse car l'hôtel où nous séjournions nous a vraiment plu. Nous devons partir tôt car la prochaine destination se trouve à plus de 685 km et il est déjà 10h00. Cependant, avant de quitter, nous en profitons pour visiter les tunnels de Moose Jaw, rendus célèbres par Al Capone durant les années 20. Finalement, nous y voilà, nous quittons la ville en direction de Winnipeg. Pour la première fois de notre voyage nous décidons d'essayer la climatisation du véhicule afin d'être épargné du vent et de la chaleur torride. Malheureusement, pour une raison encore inconnue, l'air est tiède et l'habitacle ne se refroidit pas. Qu'à cela ne tienne, on redescend le toit, vive la liberté! Encore une fois, les sièges de la voiture nous surprennent par leur confort et c'est toujours un plaisir d'y prendre place même après plusieurs heures de route.

Aussitôt passé la frontière du Manitoba, la voie double de la Transcanadienne se transforme en une voie à contresens. Nous rencontrons alors énormément de semi-remorques mais la petite voiture tient bien le coup. Le trajet emprunté met en évidence la précision de la direction, mais surtout l'efficacité des freins qui nous rassurent à travers ces mastodontes. C'est donc vers 22h00 que nous atteignons Winnipeg et partons à la recherche de notre hôtel. En accédant au centre-ville, nous entrons involontairement dans une parade de voitures modifiées. La rue, bondée de spectateurs, semblait s'être transformée en véritable champ de bataille où ronronnaient moteurs et systèmes de son en folie. La foule n'avait maintenant que de yeux pour notre petit bolide et rapidement, tous se sont mis à nous encercler et à nous questionner. Notre première soirée à Winnipeg fut vraiment intimidante!

MINI FICHE QUOTIDIENNE

Date :	Dimanche le 28 août
Trajet :	Moose Jaw, SK – Winnipeg, MB
Heure de départ :	11h00
Kilométrage au départ :	2859
Distance du trajet :	646 km
Kilométrage additionnel :	29 km
Météo :	Ensoleillé, 27 degrés
Heure d'arrivée :	23h00
Consommation	
Litres de carburant dépensés:	27,3
Kilométrage parcouru :	675
Nombre de pleins :	2
Kilomètres moyen par plein :	337,5
Nombre de litres moyen par plein :	13,7
Prix moyen du diesel :	0,944$
Coût moyen par plein :	12,93$
Consommation moyenne :	4,0 L / 100 km
Coût total du jour :	24$
Coût cumulatif de la traversée :	95,80$

JOUR 5 – AU POSTE DE POLICE

C'est par une température de 15 degrés et un épais brouillard que nous quittons Winnipeg en direction de Thunder Bay et pour la première fois du voyage, le toit est fermé et le chauffage mis en fonction. L'insonorisation est surprenante alors que nous sommes capable de tenir aisément une conversation à 100 km/h. Le moteur, placé sous le coffre, ne se fait entendre que durant les accélérations et son excellent taux de compression permet ainsi de dévaler les pentes sans utiliser les freins à outrance. Pour ce qui est du coffre qui contient deux valises et deux sacs à dos bien remplis, il présente un volume raisonnable compte tenu de la dimension de la voiture et l'accès y est facile lorsque le toit est levé mais un peu ardu une fois baissé. Nous atteignons maintenant Dryden et pour la deuxième fois aujourd'hui nous devons nous arrêter pour faire le plein. Bien que la voiture réussisse à faire un extraordinaire 4,0 litres au 100 km, le réservoir ne contient que 22 litres et les pleins semblent s'effectuer à un rythme fou.

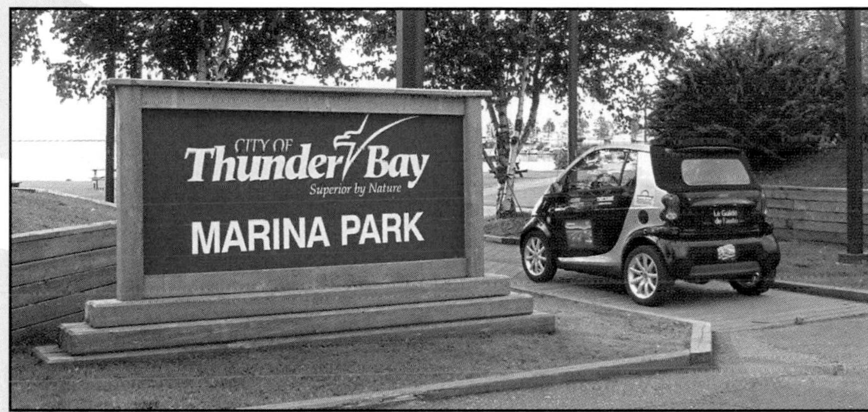

Après avoir «investi» un autre 10$, nous nous arrêtons au poste de police de la OPP de Kenora pour y faire quelques photos. Malheureusement, j'apprends rapidement que prendre des photos d'équipements policiers nécessite un permis. C'est du moins ce que me disent les 11 policiers venus m'accueillir dans le stationnement. Tous par contre me demandent de l'information sur le véhicule et sont surpris d'apprendre que la voiture peut atteindre 135 km/h. La journée d'aujourd'hui fut la plus éprouvante jusqu'à maintenant pour la voiture alors que le mauvais revêtement de la chaussée rappelle le court empattement du véhicule. Et pour la première fois du voyage, nous arrivons à l'hôtel avant le coucher du soleil.

MINI FICHE QUOTIDIENNE

Date :	Lundi le 29 août
Trajet :	Winnipeg, MB – Thunder Bay, ON
Heure de départ :	10h00
Kilométrage au départ :	3534
Distance du trajet :	701 km
Kilométrage additionnel :	34 km
Météo :	Nuageux, 23 degrés
Heure d'arrivée :	20h30
Consommation	
Litres de carburant dépensés:	29,9
Kilométrage parcouru :	735
Nombre de pleins :	3
Kilomètres moyen par plein :	245
Nombre de litres moyen par plein :	10
Prix moyen du diesel :	0,939$
Coût moyen par plein :	9,39$
Consommation moyenne :	4,0 L / 100 km
Coût total du jour :	28$
Coût cumulatif de la traversée :	123,80$

JOUR 6 – WINNIE L'OURSON

Nous repartons ce matin en direction de Sault Ste Marie et la fatigue d'hier fait maintenant place à la fébrilité de retrouver le Québec bientôt. Encore une fois ce matin nous quittons la ville sous les nuages. Décidément, le temps était beaucoup plus intéressant dans l'Ouest. Et pour en rajouter, la pluie se met de la partie. Nous pouvons cependant vérifier le fonctionnement des essuie-glaces et constater qu'ils sont très efficaces et que la surface balayée est optimale. À un certain point, entre Marathon et White Lake, la vitesse maximale permise chute à 70 km/h bien que la route soit dégagée et assez large. Cet épisode, de presque 30 minutes, nous parait une éternité, ayant été habitués à rouler à des vitesses de près de 100 km/h. Notre entrée à White River nous retourne en enfance car nous découvrons avec joie que cette ville est celle du célèbre Winnie l'ourson. On ne peut donc pas s'empêcher de faire un arrêt et de prendre quelques photos. À notre étonnement, les gens de la place sont à majorité francophones et il fait bon de retrouver sa langue natale après plus de 5 jours sous «l'emprise anglophone». Il est maintenant 20h00 et nous sommes en direction de Wawa où nous effectuerons un changement de pilote. Ayant obtenu le code de sécurité du système audio ce matin, nous nous empressons de syntoniser la radio. À notre étonnement, il semble n'y avoir des haut-parleurs qu'à l'avant. Toutefois, le son est bon mais ne présente évidemment pas une puissance remarquable. À quelques heures de Sault Ste Marie, nous apprenons que notre passage à Montréal sera ponctué d'une apparition en direct à l'émission Salut Bonjour pour faire le point sur notre traversée. Petite interlude en perspective car nous continuerons notre voyage vers Halifax par la suite.

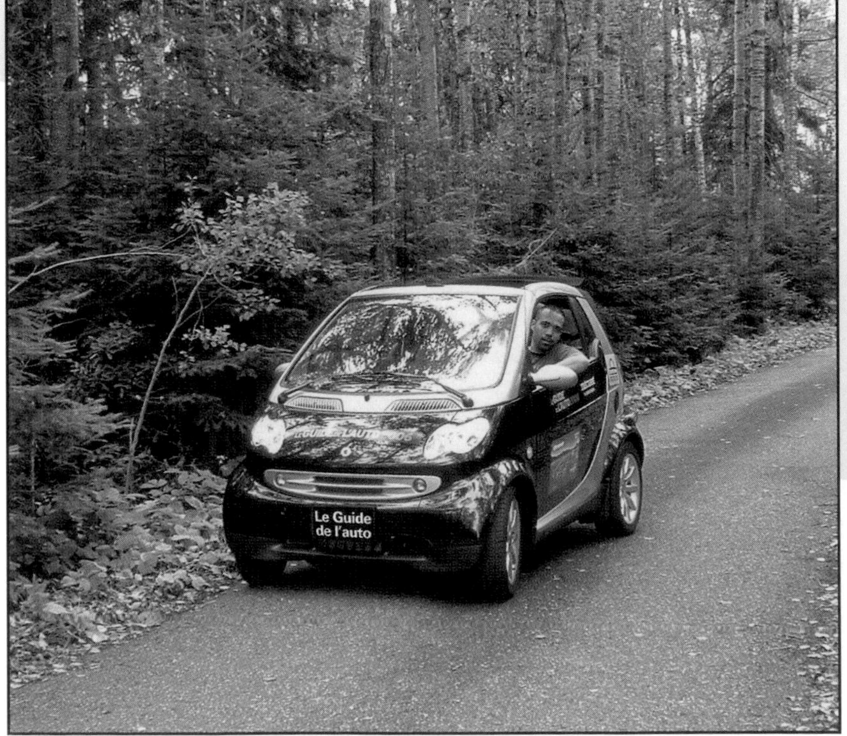

MINI FICHE QUOTIDIENNE

Date :	Mardi le 30 août
Trajet :	Thunder Bay, ON – Sault Ste-Marie, ON
Heure de départ :	10h00
Kilométrage au départ :	4269
Distance du trajet :	708 km
Kilométrage additionnel :	33 km
Météo :	Partiellement nuageux, 24 degrés
Heure d'arrivée :	22h00
Consommation	
Litres de carburant dépensés:	28,6
Kilométrage parcouru :	741
Nombre de pleins :	3
Kilomètres moyen par plein :	247
Nombre de litres moyen par plein :	9,5
Prix moyen du diesel :	1,013$
Coût moyen par plein :	9,62$
Consommation moyenne :	3,8 L / 100 km
Coût total du jour :	29$
Coût cumulatif de la traversée :	152,80$

JOUR 7 – KATRINA ET DOLLY FONT UN MALHEUR !

Pour l'instant, nous concentrons nos efforts de conduite afin d'atteindre Ottawa, une distance de plus de 800 km. Les beaux paysages présents à l'ouest ont maintenant fait place aux industries et les routes, si passionnantes à conduire des parcs nationaux, présentent dorénavant des lignes droites interminables. Encore une fois aujourd'hui, toutes les personnes rencontrées ont la certitude que le véhicule est électrique, ou du moins hybride, et sont extrêmement surpris d'apprendre que c'est un moteur diesel qui propulse le véhicule et rien d'autre. Pour agrémenter notre long trajet, nous écoutons les quelques disques compacts en notre possession tout en profitant de la climatisation qui semble suffire à la demande cette fois-ci car il ne fait que 22 degrés Celsius à l'extérieur. En passant dans la région de Sudbury, nous nous arrêtons faire le plein et à notre grande surprise, l'essence ordinaire est maintenant vendue à plus de 1,25 $ le litre, conséquence de l'ouragan Katrina. Nous en profitons également pour nous faire une petite frousse dans une zone de construction en franchissant une dénivellation de chaussée assez prononcée. Les roues frappent si fort que l'arrière de la voiture se dérobe quelque peu. L'empattement court ne doit pas être la seule explication de cette réaction et nous suspectons le débattement assez limité des suspensions comme une explication plausible. Assis du côté du passager, je trouve que l'accès sous la planche de bord est assez grand pour y glisser mes pieds et m'étirer, me permettant ainsi de m'installer confortablement pour dormir, ou du moins me reposer. Nous terminons notre journée par une visite éclair du Centre Corel où Dolly Parton y donne un concert ce soir. Dommage que nous soyons si pressés... !

MINI FICHE QUOTIDIENNE

Date :	Mercredi le 31 août
Trajet :	Sault Ste-Marie, ON – Ottawa, ON
Heure de départ :	8h30
Kilométrage au départ :	5010
Distance du trajet :	788 km
Kilométrage additionnel :	42 km
Météo :	Ensoleillé, 26 degrés
Heure d'arrivée :	20h30

Consommation

Litres de carburant dépensés:	37,2
Kilométrage parcouru :	830
Nombre de pleins :	3
Kilomètres moyen par plein :	277
Nombre de litres moyen par plein :	12,4
Prix moyen du diesel :	0,972 $
Coût moyen par plein :	12,05 $
Consommation moyenne :	4,5 L / 100 km
Coût total du jour :	35,23 $
Coût cumulatif de la traversée :	188,03 $

JOUR 8 – LA COURSE CONTRE LA MONTRE

Cette journée s'amorce très tôt car nous devons arriver à Montréal pour 6h45 afin de tourner quelques images pour l'émission Salut Bonjour! Notre apparition en direct se fera à 7h30 et nous expliquerons notre périple jusqu'à maintenant et notre appréciation du véhicule. C'est donc aux petites heures du matin que nous entrons sur l'île de Montréal dans un flot de circulation où sont en majorité de gros VUS, des semi-remorques et de grosses voitures. Malgré tout, la SMART se débrouille bien et ce n'est pas nous qui avons peur des autres mais bien le contraire, les automobilistes ne veulent pas nous faire mal! Le reportage se déroule bien et tombe à point, le prix de l'essence vient de faire un bond majeur, l'ordinaire se vend désormais 1,47 $ sur l'île. Inutile de dire que les gens nous pointent d'avantage du doigt et qu'ils ne se moquent plus du tout de notre SMART. Par la suite, nous nous rendons au Days Inn Montréal Métro pour une autre séance de tournage, cette fois-ci pour le Canal Vox. Durant cette journée également, une visite chez un concessionnaire est prévue afin de faire vérifier le climatiseur qui semble défectueux. Effectivement, une nouvelle programmation de l'ordinateur de bord est effectuée et l'air projeté par la climatisation est maintenant assez frais pour nous satisfaire pleinement. Et ce n'est vraiment pas du luxe car nous sommes maintenant pris sur le boulevard Métropolitain à travers une horde de véhicules tous arrêtés et qui génèrent une chaleur insupportable. La journée s'achève et nous continuons paisiblement notre périple vers Québec. Malheureusement, deux voies sont bloquées dans le tunnel Lafontaine et nous devons passer par Trois-Rivières. Espérons seulement que ce détour ne fera pas augmenter les coûts et rater notre objectif de 300 $!

MINI FICHE QUOTIDIENNE

Date:	Jeudi le 1er septembre
Trajet:	Ottawa, ON – Québec, QC
Heure de départ:	5h15
Kilométrage au départ:	5840
Distance du trajet:	458 km
Kilométrage additionnel:	188 km
Météo:	Nuageux, 26 degrés
Heure d'arrivée:	17h30
Consommation	
Litres de carburant dépensés:	26,9
Kilométrage parcouru:	646
Nombre de pleins:	2
Kilomètres moyen par plein:	323
Nombre de litres moyen par plein:	13,5
Prix moyen du diesel:	1,079$
Coût moyen par plein:	14,57$
Consommation moyenne:	4,2 L / 100 km
Coût total du jour:	29,10$
Coût cumulatif de la traversée:	217,13$

JOUR 9 – DAYS INN, LE CHÂTEAU !

Je quitte Québec ce soir seul et bien triste car ma copilote se désiste afin de remplir certaines obligations professionnelles qui ne peuvent être reportées. Je devrai donc terminer ma quête en solitaire et atteindre Halifax par mes propres moyens. Merci copilote pour ces 8 jours remplis d'aventures et de découvertes. Je dois tout d'abord adresser mes félicitations à Transports Québec pour l'état de l'autoroute Jean Lesage. La SMART a énormément adoré le trajet la menant de Québec à Rivière-du-Loup. La chaussée, neuve à plusieurs endroits, ne présente aucune détérioration et ma comparaison précédente avec les routes de l'Alberta ne tient évidemment pas pour ce tronçon. Somme toute, les routes du Québec ne sont pas si en mauvais état qu'on pourrait le croire. Par contre, pour ce qui est de la 185, plusieurs sections sont en piteux états, mais heureusement, d'importants travaux de réfection sont en cours et feront de cette route un endroit beaucoup plus sécuritaire. Rien à signaler du côté de la mécanique, la voiture tient le coup et me semble toujours de plus en plus confortable, je commence vraiment à l'aimer! Maintenant que je suis seul à bord, le coffre parait beaucoup plus grand et mes bagages entrent dorénavant parfaitement sous le cache-baggages qui est efficace mais un peu difficile à manipuler. C'est à 23h30 que j'arrive au Days Inn de St-Basile dans la région de Fredericton et je dois avouer que personnellement, c'est le plus beau de tout ceux où j'ai couché. Un vrai chef-d'oeuvre de décoration et une ambiance très chaleureuse nous font sentir vraiment comme à la maison. Et comme je viens de passer à l'heure des Maritimes, je dois avancer ma montre d'une heure pour ne pas être en retard à la séance de photos du journal local demain matin.

MINI FICHE QUOTIDIENNE

Date :	Vendredi le 2 septembre
Trajet:	Québec, QC – Edmundston, NB
Heure de départ:	18h00
Kilométrage au départ:	6486
Distance du trajet:	313 km
Kilométrage additionnel:	78 km
Météo:	Nuageux, 18 degrés
Heure d'arrivée:	23h30
Consommation	
Litres de carburant dépensés:	13,8
Kilométrage parcouru:	391
Nombre de plein:	1
Kilomètres moyen par plein:	391
Nombre de litres moyen par plein:	13,8
Prix moyen du diesel:	1,149$
Coût moyen par plein:	15,86$
Consommation moyenne:	3,5 L / 100 km
Coût total du jour:	15,86$
Coût cumulatif de la traversée:	236,47$

JOUR 10 – LES ROLLING STONES À MONCTON ?

La traversée se termine aujourd'hui et jusqu'à présent, la dépense en diesel n'est que de 237$. Malgré la flambée du prix de l'essence, je crois bien atteindre le but qui était fixé au départ, soit parcourir le Canada pour moins de 300$. La SMART se porte toujours bien et prouve qu'une voiture peut être économique tout en étant agréable à conduire. Les regards se font toujours aussi nombreux et les arrêts aux stations d'essence toujours aussi longs. Mon périple est retardé quelque peu à Moncton où une foule assez impressionnante s'est réunie pour assister au concert des Rolling Stones. Évidemment je ne passe pas inaperçu et j'ai peine à me faufiler à travers tous ces «paparazzis» qui m'assaillent. Malgré tout, je m'en sors et je réussis à quitter pour la Nouvelle-Écosse. La voiture subit le test ultime de stabilité aujourd'hui en affrontant des rafales de vent d'une intensité inouïe. Le sifflement du vent sur le bolide est plus impressionnant que le comportement de la SMART qui prouve encore une fois sa grande stabilité. Mon arrivée à Halifax se fait au coucher du soleil et ma traditionnelle virée pour trouver l'hôtel me fait remarquer que Vancouver et Halifax ont beaucoup de points en commun. Entre autres, les piétons qui ont priorité sur les voitures, des

autoroutes qui exigent des frais de passage et des limites de vitesse de 110 km/h. Nous aurions sûrement des leçons à en tirer. Ah oui, j'oubliais de vous dire que l'objectif est atteint car la traversée s'est effectuée sans problème et le budget de 300$ s'est avéré amplement suffisant avec une facture finale de carburant s'élevant à 268,70$. Voilà donc pourquoi les canadiens à travers le pays me disaient: You are smart!

À la prochaine et bonne route!

Guy Desjardins

MINI FICHE QUOTIDIENNE

Date :	Samedi le 3 septembre
Trajet :	Edmundston, NB – Halifax, NE
Heure de départ :	11h00
Kilométrage au départ :	6877
Distance du trajet :	725 km
Kilométrage additionnel :	1 km
Météo :	Partiellement ensoleillé, 27 degrés
Heure d'arrivée :	21h00

Consommation

Litres de carburant dépensés:	28,8
Kilométrage parcouru :	726
Nombre de pleins :	3
Kilomètres moyen par plein :	242
Nombre de litres moyen par plein :	9,6
Prix moyen du diesel :	1,119$
Coût moyen par plein :	10,74$
Consommation moyenne :	4,0 L / 100 km
Coût total du jour :	32,23$
Coût cumulatif de la traversée :	268,70$

CQFD – VOILÀ, LA PREUVE EST FAITE QUE PETIT ET ÉCONOMIQUE PEUVENT SE RETROUVER DANS LES PLANS D'UN TRAJET TRANSCONTINENTAL. LA SMART N'EST PAS UN OBJET DE CURIOSITÉ, MAIS UN VÉHICULE BIEN CONÇU, CAPABLE DE TRANSPORTER SES OCCUPANTS AVEC UN CONFORT SURPRENANT TOUT EN RESPECTANT UNE CONSOMMATION MOYENNE DE 4,02 LITRES AU 100 KM POUR UNE DISTANCE DE 6 587 KM. ET SI VOUS CALCULEZ TOUJOURS EN MILLES AU GALLON, ÇA FAIT UNE MOYENNE DE 70 MILLES AU GALLON POUR UN TRAJET DE 4 093 MILLES. ET NOS DEUX PARTICIPANTS SONT REVENUS AU BERCAIL SANS AVOIR TROP SOUFFERT, BIEN AU CONTRAIRE.

VOILÀ DES RÉSULTATS QUI DEVRAIENT NOUS FAIRE RÉFLÉCHIR.

Denis Duquet

TOUS LES JOURS - LE CARBURANT...

LE GUIDE DE L'AUTO TIENT À REMERCIER LA PÉTROLIÈRE ULTRAMAR QUI A CONTRIBUÉ À LA RÉALISATION DE CETTE TRAVERSÉE TRANSCANADIENNE EN FOURNISSANT LE CARBURANT UTILISÉ. D'UN OCÉAN À L'AUTRE, LES PRÉPOSÉS DES POMPES ARBORANT L'AIGLE DORÉ ONT FOURNI UN SERVICE HORS PAIR ET UN ACCUEIL DES PLUS CHALEUREUX À NOTRE ÉQUIPE.

MAIS QUI CROIT ENCORE QUE L'AUTOMOBILE EST UNIQUEMENT UNE HISTOIRE D'HOMMES? CEUX-LÀ NE REGARDENT PAS LA TÉLÉ, NE LISENT PAS LES JOURNAUX ET N'ONT CERTES PAS VU LES DERNIÈRES-NÉES DES CONSTRUCTEURS... SINON ILS AURAIENT CONSTATÉ QUE LA VOITURE ET LA FEMME FONT DÉSORMAIS CAUSE COMMUNE.

HIER ENCORE, ON VANTAIT LES QUALITÉS D'UNE VOITURE SOUS LES TRAITS D'UNE PITOUNE BLONDE, PRÉFÉRABLEMENT À FORTE POITRINE, PRENANT UNE POSE LASCIVE CONFORTABLEMENT COUCHÉE SUR LE CAPOT D'UNE AUTO! AUJOURD'HUI NON SEULEMENT LES MAXIM ROY, VÉRONIQUE CLOUTIER, DIANA KRALL ET CÉLINE DION ONT-ELLES VANTÉ LES MÉRITES DES PRODUITS DE CERTAINS CONSTRUCTEURS AUTOMOBILES, MAIS DE PLUS EN PLUS DE MAGAZINES FÉMININS CONSACRENT BON NOMBRE DE RUBRIQUES DÉDIÉES À L'AUTOMOBILE. MÊME LES GRANDS NOMS DE LA COUTURE VONT JUSQU'À HABILLER DES TOP MODELS À QUATRE ROUES.

NOTRE VOITURE EST BIEN PLUS QU'UN SIMPLE MOYEN DE TRANSPORT, C'EST PRESQUE NOTRE RÉSIDENCE SECONDAIRE! UNE FIRME FRANÇAISE DE SONDAGE AFFIRME QUE 18% DES FEMMES SE PASSENT UN PETIT COUP DE PEIGNE OU DE FER À FRISER AU VOLANT, 17% LISENT LES GRANDES LIGNES DE LEUR QUOTIDIEN ET QUE 11% D'ENTRE NOUS SE MAQUILLENT TOUT EN CONDUISANT. ET CE N'EST PAS TOUT CE QU'ON SAIT FAIRE: 13% DES FILLES ONT DÉJÀ «CRUISÉ» DERRIÈRE LE VOLANT ET ON EST 12% À Y AVOIR FAIT L'AMOUR! PRATIQUE LA VOITURE!

Photos: Guy Desjardins

CHERCHEZ LA FEMME...

PAR CAROLINE PROULX

95% DES FOYERS QUÉBÉCOIS POSSÈDENT UNE VOITURE. PRÈS DE 30% DE CES VÉHICULES SONT DE TYPE SPORT UTILITAIRE (SUV) ET DE CE CHIFFRE, 50% SONT DES FEMMES ACHETEUSES/PROPRIÉTAIRES. À ELLES SEULES, LES FEMMES INFLUENCENT À 85% L'ACHAT D'UN VÉHICULE AUTOMOBILE. PUISSANTES LES FEMMES!

BIEN PLUS QU'UN SIMPLE MOYEN DE TRANSPORT, L'ACHAT D'UN VÉHICULE DEVIENT UNE ACTIVITÉ EN SOI. ACHETER, LOUER, ESPACE ET SÉCURITÉ, LE VERSEMENT INITIAL, LES VERSEMENTS SUBSÉQUENTS, LE COÛT DES ASSURANCES, ROULER AVEC DE L'ESSENCE SUPER OU ORDINAIRE, LES QUESTIONS SONT MULTIPLES ET NOUS TENTERONS D'Y RÉPONDRE.

POUR LA PLUPART D'ENTRE NOUS, DEVOIR ACHETER UN VÉHICULE FRISE SOUVENT LE CAUCHEMAR. NON SEULEMENT S'AGIT-IL DU DEUXIÈME INVESTISSEMENT D'IMPORTANCE APRÈS CELUI D'UNE MAISON, MAIS QUAND ON EST UNE FILLE DANS CET ENVIRONNEMENT D'HOMMES, LE SIMPLE FAIT DE DEVOIR ENTRER DANS L'ANTRE D'UN CONCESSIONNAIRE NOUS DÉFRISE LES CHEVEUX.

SELON UNE ÉTUDE MENÉE PAR LE MOUVEMENT DESJARDINS, LES CANADIENS QUI ONT ACHETÉ UNE VOITURE NEUVE EN 2004 CONSERVERONT EN MOYENNE LEUR VÉHICULE 8,2 ANNÉES. AVEC AU COMPTEUR PRÈS DE 300 000 KM, NOUS SERONS DONC TOUTES UN JOUR OU L'AUTRE AMENÉES À DEVOIR ACHETER UN NOUVEAU VÉHICULE. LES *PAGES ROSES DU GUIDE DE L'AUTO 2006*, C'EST MA FAÇON D'IDENTIFIER CET ARTICLE, VOUS PROPOSE UNE APPROCHE TOUTE FÉMININE, DE MAGASINER VOTRE PROCHAIN VÉHICULE. RÉSULTATS SURPRENANTS D'UNE ENQUÊTE AU FÉMININ!

LES TRAQUENARDS DU MARCHÉ

MAIS QUI SONT CES CONCESSIONNAIRES ?

Selon les plus récentes données de la Corporation des concessionnaires automobiles du Québec, CCAQ, le Québec compte à lui seul, plus de 890 concessionnaires. Des voitures sport en passant par les sport utilitaires, les camionnettes, les berlines, les coupés et les modèles hybrides, plus de 40 marques sont offertes sur le marché nord-américain.

Être propriétaire d'une bannière automobile n'est pas de tout repos. La compétition est féroce. Avec une moyenne de 28000$ pour l'achat d'un véhicule neuf, la marge de profit est peu élevée. En 2004, les 890 concessionnaires membres de la CCAQ ont vendu 396000 véhicules légers, soit 445 chacun. Si on compte 250 jours ouvrables par an, c'est 1,8 véhicule/jour. Avec une marge de profit variant entre 7 et 9% sur chaque véhicule neuf vendu, la vente proprement dite n'assure pas la survie du concessionnaire. Par contre, les garanties prolongées et les extras (toit ouvrant, chaîne stéréo, jantes en aluminium, climatiseur) permettent aux divers concessionnaires de faire d'assez bonnes affaires.

À ELLES SEULES, LES FEMMES INFLUENCENT À 85% L'ACHAT D'UN VÉHICULE AUTOMOBILE. PUISSANTES LES FEMMES !

LE MYTHE DU « VENDEUR »

Les concessionnaires et leurs vendeurs, que l'on a récemment rebaptisés « conseillers aux ventes » (ça fait plus sérieux !) ont longtemps été les têtes de Turc préférées des chroniqueurs automobiles, et pour cause. Chaque année, diverses firmes de marketing, dont Léger Marketing, établissent la liste des métiers envers lesquels nous affichons un taux élevé de confiance et de satisfaction. En tête de liste se retrouvent les pompiers, médecins, infirmières et policiers. Mais les métiers pour lesquels nous entretenons une méfiance exponentielle sont dans l'ordre, les politiciens et... vous l'aurez deviné, les vendeurs automobiles. Dans cet esprit, il y a du côté de la Corporation, une volonté certaine de faire taire cette mauvaise réputation dont leurs vendeurs sont si souvent victimes. Dans cette perspective, sa direction désire instaurer un code de déontologie du vendeur. Certes, un code d'éthique est en vigueur: ne pas dénigrer les produits du compétiteur, ne pas fournir de fausses données pour inciter à la vente, mais le code de déontologie lui, est encore à l'état embryonnaire. Avec près de 5400 représentants aux ventes sur les 890 concessionnaires, 4600 sont des hommes et un maigre 800 femmes font partie de cette confrérie.

Veston, costard, lunettes griffées, souliers bien cirés, je croyais, à tort, que les représentants aux ventes roulaient sur l'or. Petite leçon de mathématiques: prenons une voiture à 30000$ avec un coût réel de 28 000$: salaire de base moyen de 200$/semaine additionné à une commission d'environ 20%, (sur 2000$ soit le profit réalisé), la paye de la semaine est d'à peu près 600$... Il n'y a pas de quoi appeler sa mère !

Le vendeur demeure un mal nécessaire dans le processus d'achat de votre prochain véhicule et nous tenterons de vous guider dans cette démarche pour qu'elle se fasse sans douleur.

QUELLES DEVRAIENT ÊTRE NOS PRÉOCCUPATIONS ?

La voiture, pour une majorité de femmes, devient l'extension de notre maison. On y recherche confort, sécurité, et même si elle est souvent synonyme de rêve, la plupart d'entre nous avons des préoccupations pratico-pratiques. Contrairement au sexe fort (!), les femmes sont à des lieux de la puissance sous le capot ou même de la ligne de la carrosserie.

Dans cet esprit, vous devez vous poser quelques questions qui vous permettront de bien cibler le type de véhicule qui correspond à vos exigences féminines. D'abord, quel genre d'auto recherchez-vous et quel budget vous êtes-vous alloué ? Ce véhicule doit-il être beau ou pratique ? Doit-il convenir pour la petite famille et l'espace de rangement est-il un critère primordial ? L'agrément de conduite est-il un facteur dominant ou récessif ? De l'aspect sécuritaire ou du prix des mensualités; lequel des deux influencera votre achat ? Célibataire sans enfants, votre voiture doit-elle être le reflet de votre succès ? Il s'agit d'un achat majeur, alors lisez et consultez ! Vous avez entre les mains le meilleur Guide susceptible de répondre à vos préoccupations et il vous permettra, en un clin d'œil, de dresser la liste des options qui orienteront l'achat de votre véhicule.

DANS LE VENTRE DU DRAGON !

Maintenant que vous avez établi la liste des caractéristiques que doit posséder votre prochain véhicule, vous vous présentez chez un concessionnaire. Témoin de la première heure, j'ai magasiné pour vous quelques types de voitures. Je me suis donc présentée chez divers concessionnaires dans toutes les versions de femme qu'il m'était possible de

personnifier. De mère monoparentale – j'ai d'ailleurs dû emprunter un enfant à une de mes sœurs! -, à la fille cool et sportive en passant par la poupoune blonde, l'accueil, le traitement et la tactique de vente différaient selon le type de femme qui entrait chez le concessionnaire.

Dans ma version monoparentale, mon enfant «emprunté» touchait à toutes les commandes de la voiture, ouvrait et fermait à répétition les portières, criait « maman » aux trois secondes. Le but de cette tactique était de pouvoir mesurer le taux de tolérance du vendeur et de constater s'il tenait compte des facteurs «atténuants» dont j'étais victime pour magasiner mon nouveau véhicule. Sa patience a été d'or, mais il convenait avec moi qu'il ait peut-être été préférable que je magasine seule. N'oubliez pas; il s'agit du deuxième investissement d'importance après l'achat d'une maison. Donnons-nous toutes les conditions gagnantes.

Dans mes deux autres versions, soit la femme sportive, autonome financièrement et ma non moins célèbre version poupoune, les tactiques de vente, l'approche générale du vendeur étaient à des lieux de ce que j'avais vécu comme mère monoparentale.

D'abord l'approche : on aurait dit que tous les vendeurs étaient disposés à me servir! Ni le téléphone ni même un contrat inachevé sur leur bureau n'auraient pu retenir leur élan à venir me servir. Sourire en coin, conviviale poignée de main, j'étais sous l'impression d'être devenue leur meilleure amie!

Tactique de vente 101 : généralement, les représentants aux ventes n'écoulent pas 10 voitures par semaine. Alors, tout est permis pour tenter de vous charmer. On a comparé la couleur de la voiture que je convoitais à celle de mes cheveux! Wow, du jamais vu! On m'a appelé «ma p'tite madame» (eurk!) et on m'a dit «attention, c'est puissant ce moteur-là!» comme si je n'avais aucune idée de ce que pouvaient représenter 170 chevaux. Si j'avais pu saisir tous ces clichés, tous ces calembours idiots, toutes ces tactiques de vieux vendeur «mon'oncle» sur pellicule, RDI en aurait certainement fait un Grand Reportage!

> « LA VOITURE, POUR UNE MAJORITÉ DE FEMMES, DEVIENT L'EXTENSION DE NOTRE MAISON »

Ma conclusion : ne vous laissez par charmer par le vendeur. Parlez le moins possible. Laissez le vendeur se mettre dans une situation vulnérable. Pas vous!

La minute où vous franchirez les portes d'un concessionnaire, affichez la plus grande assurance possible auprès du représentant aux ventes. Si vous croyez être plus à l'aise de parler «char» avec une femme, demandez à être servie par elle. Si le représentant aux ventes dénigre les produits du compétiteur ou qu'il vous fournit de fausses données pour vous inciter à acheter un de ses produits, il opère contre les règles d'éthique instaurées par sa Corporation. Vite, sortez de cet endroit!

Laissez votre gêne dans votre vieux véhicule et tâtez la voiture, jouez avec les diverses commandes, asseyez-vous à l'intérieur, rabattez les sièges avant et arrière, voyez si la radio vous satisfait. Les divers accessoires sont-ils bien disposés ou avez-vous de la difficulté à les atteindre? Si vos préoccupations sont d'ordres sécuritaires, informez-vous du nombre de coussins gonflables dans le modèle de série. Et l'espace de rangement, vous y avez pensé? Ouvrez le coffre et tous les compartiments susceptibles de répondre à vos besoins. Si vous vous souciez de la consommation d'essence, exigez des réponses.

UNE VOITURE, C'EST COMME DES SOULIERS!

La plupart des femmes entretiennent une légère (!) obsession pour les souliers. Une paire pour travailler, une autre pour une soirée, même si les occasions ne se présentent pas, on les invente! Le plaisir réside aussi dans le fait d'en essayer... des dizaines de paires. Alors, pourquoi ne pas faire la même chose pour votre voiture?

D'abord, sachez que vous devez être détentrice d'un permis de conduire valide pour pouvoir effectuer le test sur la route. Pas de permis, pas de volan! Ensuite, exigez un minimum de 30 minutes pour l'essai routier de la voiture que vous convoitez. Du boulevard à l'autoroute, en mode accélération et décélération, testez tout. Le freinage, la visibilité, le comportement de la voiture dans les bretelles de sorties des diverses autoroutes, le confort général, le niveau de bruit du moteur en accélération mais par-dessus tout, amusez-vous!

À travers les pages du *Guide de l'auto 2006*, vous trouverez la liste de tous les véhicules qui se retrouvent dans la catégorie du véhicule que vous convoitez. Par exemple, vous êtes éprise de la Mazda 3, sachez que dans cette catégorie se retrouvent les Ford Focus, Honda Civic, Toyota Corolla de même que la Chevrolet

Cobalt Et plusieurs autres. Alors, pratiquons ce que nous savons si bien faire; le magasinage!

JE L'AIME!

Vous êtes folle de sa ligne, elle tient promesse quant à vos objectifs de sécurité et elle est économique? J'en étais certaine, vous êtes amoureuse... d'une 4 portes. Alors, ne signez surtout rien le jour même de votre essai routier. Prenez un peu de recul. Calculez tous les coûts: l'immatriculation, les taxes sur les pneus, le transport et la préparation, le coût des assurances, ensuite vous serez en mesure d'affronter le vendeur!

N'ayez surtout aucune crainte à négocier. Pas trop, mais faites-lui tailler son crayon ou faites-vous offrir des «bonbons» en extra: les tapis intérieurs ou des vidanges d'huile gratuites, par exemple.

Si la marge de profit sur la vente proprement dite du véhicule n'assure en rien la survie d'un concessionnaire, les extras eux, peuvent leur permettre de faire de bonnes affaires. Démarreur à distance, un système vidéo à 2 000$, toit ouvrant, pneus haute performance... Les chiffres s'additionnent et la facture totale peut vite devenir salée. N'oubliez pas de garder en tête vos préoccupations pratico-pratiques.

Sachez par contre qu'en terme d'extra, les femmes optent souvent pour le lecteur cd, la climatisation et la transmission automatique. Ils ont certes la cote mais ils viennent avec un prix. Si on additionne les trois options pour lesquelles on craque, on obtiendra près de 2 700$ supplémentaires à débourser! J'entends déjà le « représentant aux ventes » vous dire: «c'est juste 12$ de plus par mois...» Ne vous laissez surtout pas influencer. Une voiture, ce n'est pas un frigo acheté dans une grande surface à 6$ par mois, sur 36 mois, sans intérêt! Le compteur roule sur la facture finale de votre voiture!

Offrir sa vieille voiture en échange demeure certes un des meilleurs moyens pour négocier l'achat/location d'un véhicule neuf. Faites-vous proposer un prix pour votre vieille voiture AVANT de signer le contrat.

Plusieurs d'entre nous sont monoparentales et ne connaissent que très peu de choses du merveilleux monde de l'automobile. Pour vous donner encore plus d'assurance, pourquoi ne pas magasiner votre nouveau véhicule avec un homme? «Empruntez» votre voisin, demandez à votre ami du bureau, ou invitez votre père à une soirée inoubliable au «garage» parce que magasiner et négocier à deux, c'est mieux! Avouons-le, ils en connaissent souvent plus que nous sur le monde automobile.

> À TRAVERS LES PAGES DU *GUIDE DE L'AUTO 2006*, VOUS TROUVEREZ LA LISTE DE TOUS LES VÉHICULES QUI SE RETROUVENT DANS LA CATÉGORIE DU VÉHICULE QUE VOUS CONVOITEZ.

Finalement, vérifiez les diverses garanties qui vous sont offertes. L'industrie en propose généralement de bonnes. Pour l'achat d'un prolongement de garantie sur le moteur, la transmission ou le différentiel, laissez tomber. Il est rare qu'une telle malchance puisse arriver. Par contre, lorsque viendra le temps de revendre votre voiture, les véhicules qui sont encore sous la protection de la garantie prolongée sont souvent plus faciles à vendre en plus de rapporter plus d'argent.

ACHETER OU LOUER? THAT'S THE QUESTION!

Il y a à peine quelques années, la question ne se posait même pas. On achetait son véhicule neuf. Depuis 15 ans, le portrait a tellement changé qu'on a peine à s'y retrouver.

En 1990, les constructeurs automobiles proposent aux consommateurs, une toute nouvelle façon de magasiner leur véhicule. La location faisait alors son apparition et dans son tourbillon, elle aspirait avec elle, plus de 60 % du marché de la vente de voitures neuves. Hier encore, soit en 2001, nous options à 75 % pour la location de notre véhicule. Aujourd'hui, le portrait est tout autre.

MARKETING, QUAND TU NOUS TIENS !

Selon les plus récentes données de la Corporation des concessionnaires automobiles du Québec, 70 % des véhicules légers (excluant les camions) sont achetés contre un maigre 30 % loués. Qui nous a influencés ? Le manufacturier. En 1990, les quotidiens, les réclames radio et télé nous offraient 0 % d'intérêt à la location d'un véhicule neuf. On s'est lancé dans ce principe comme la misère sur le pauvre monde ! Aujourd'hui, les 20 manufacturiers présents sur le territoire québécois offrent de toutes nouvelles stratégies, promotions et campagnes marketing qui font en sorte qu'on opte pour l'achat plutôt que la location. En gros, les manufacturiers imaginent divers moyens pour nous inciter à... acheter. La bonne nouvelle dans tout ça, c'est qu'on consomme leurs publicités, et qu'on y croit. Prenez l'été 2005 : GM propose une toute nouvelle promotion : Le rabais des employés. On proposait aux nouveaux acheteurs, de profiter d'un rabais qui, auparavant, n'était offert qu'aux employés. Résultat : la folie totale. GM ne fournissait pas à la demande et rapidement, les autres manufacturiers ont saisi l'occasion et ont offert, eux aussi, le rabais des employés. Ainsi, il s'est vendu au Canada pour le mois de juillet 2005, 16 % de plus de véhicules neufs qu'à la même période l'an dernier.

M-A-R, KEKE, KETING !

Certes, les initiatives de promotion ont donné des résultats intéressants, mais ce que l'on comprend c'est que les constructeurs sont de moins en moins désireux d'assumer la valeur résiduelle. On loue sa voiture et au bout du terme de location, on jette les clés sur le bureau de notre vendeur préféré ! Il faut savoir que la voiture vaut encore son pesant d'or et ni le consommateur, ni le concessionnaire n'assurent les intérêts sur le montant résiduel. Seul le manufacturier, celui qui vous a prêté l'argent pendant 4 ans, assume ces frais une fois les clés jetées !

> « SELON LES PLUS RÉCENTES DONNÉES DE LA CORPORATION DES CONCESSIONNAIRES AUTOMOBILES DU QUÉBEC, 70 % DES VÉHICULES LÉGERS (EXCLUANT LES CAMIONS) SONT ACHETÉS CONTRE UN MAIGRE 30 % LOUÉS. »

ALORS, LOUER OU ACHETER ?

Avouons-le, la voiture est souvent synonyme de rêve... On s'est toutes, un jour ou l'autre, pâmées pour la petite décapotable rouge ou la p'tite sportive gris métallique... mais notre budget étant inversement proportionnel à notre envie de jouer à la star de cinéma derrière le volant, et on se résignait. Mais voilà que se présente l'option « location ».

Avec zéro comptant, des taux d'intérêt souvent alléchants, on se paie une voiture au-dessus de nos moyens. Et c'est ça, le principe de la location ! On se paie une voiture qui, normalement, ne correspondrait pas au montant que l'on se serait alloué par mois. Même s'il n'est pas commun de le faire, sachez que d'offrir une mise de fond abaissera vos mensualités en plus de diminuer les intérêts sur le reste du paiement.

LES OBLIGATIONS

Il y a eu, au fil des ans, toutes sortes de légendes urbaines quant aux obligations du locataire lorsqu'il rapportait sa voiture en fin de contrat : les pneus sont « à la fesse », tu dois en poser des neufs. Faux. Le pare-chocs avant a de petits manques de peinture, il faut que je le fasse peinturer ? Faux aussi. En fait, les obligations du locataire sont bien simples. Il n'est pas responsable de la dépréciation de la voiture. À la fin du terme, il remet son véhicule, un point c'est tout ! On ne peut certainement pas exiger qu'il soit plus neuf que lorsqu'il est sorti (tout pimpant) du garage.

Certes, il y aura des frais (voir votre contrat) pour l'excédent du kilométrage, et aussi si le véhicule a été accidenté et mal réparé. Seules les égratignures et les bosses pourraient créer un léger désagrément. Mais pour le reste, c'est zéro... Même si une minorité de locateurs rachètent leur voiture à la fin du contrat, l'AVANTAGE majeur de la location est que l'on puisse, au bout de deux ou trois ans, retourner la voiture qui, jadis nous plaisant tant et pour laquelle aujourd'hui, on ne trouve que des travers !

J'AIME, J'ACHÈTE

S'il y a à peine quelques années, la location était « tendance », il y a eu depuis ce temps, un rééquilibrage. L'ensemble des promotions et des rabais offerts à l'achat est si attrayant qu'on achète plus en 2006 qu'on ne loue.

Alors, de l'achat ou de la location, quelle est la meilleure option pour nous? En fait, les deux sont bonnes et varient selon nos besoins particuliers. Il y a des avantages et des inconvénients dans les deux options. Lors de votre visite chez le concessionnaire, faites-vous faire une proposition dans les deux versions: achat et location. Le marché est dicté par les manufacturiers et avec près de 20 d'entre eux représentés au Québec, ça ne peut qu'être bon pour vous, consommatrices!

ASSURER OU NE PAS ASSURER!

Depuis que l'automobile existe, le débat fait rage: qui de l'homme ou de la femme conduit le mieux? Réponse d'un assureur: aucun des deux. Ils ne commettent pas les mêmes fautes. La société Elephant.co.uk a analysé plus de 125 000 accidents pour en arriver à cette réponse! En fait, les hommes sont victimes de leur pied pesant, alors que nous sommes victimes de notre trop lente vitesse à l'entrée ou à la sortie d'une autoroute. Nous sommes, semble-t-il, spécialistes des accrochages de stationnement et pour emboutir le véhicule qui nous précède! À chacun sa faute! Il ne s'agit pas de savoir qui des deux sexes conduit le mieux, mais bien de savoir combien il nous en coûtera pour faire rouler notre véhicule.

Dans le processus d'achat d'une voiture, on oublie souvent de tenir compte du coût des assurances. Pourtant, il pourrait tout faire basculer.

En matière d'assurance, qu'on loue ou achète sa voiture, c'est au client de choisir la couverture qu'il désire. Toutefois, le créancier ou le locateur peut exiger du consommateur de s'assurer «des deux bords», c'est-à-dire de s'assurer en responsabilité civile (exigence en vertu de la Loi sur l'assurance automobile) et en dommages (collision responsable, versement, feu, vol, etc.). Le créancier ou le locateur se protège ainsi en cas de dommages importants ou de perte totale du véhicule.

PRIME MOYENNE

Le Québec est la deuxième province au chapitre de la prime moyenne la plus basse (classement de 2003, les données de 2004 pour les autres provinces n'étant pas encore disponibles).

En 2004, la prime moyenne s'établissait à 721$, incluant les contributions à la SAAQ (130$). La prime moyenne des femmes (ayant le statut de conductrice principale) s'élève à 699$ (incluant les contributions à la SAAQ). Les femmes de moins de 21 ans sont trois fois plus nombreuses à s'assurer pour leurs dommages que les hommes du même âge. La fréquence de réclamation, tous sexes confondus chez les 30 ans et plus, se situe à 4,2%.

Par contre, les moins de 21 ans sont surreprésentés au bilan des réclamations: ils ne représentent que 1,1% de l'ensemble des assurés contre les dommages découlant d'une collision «responsable» mais totalisent 3% de l'ensemble des réclamations. Certes, on s'assure davantage en ville qu'en région rurale (80% contre 72% en région rurale) mais parallèlement, la fréquence des réclamations à la suite d'une collision responsable est plus élevée en ville qu'en région.

Il vous faudra tenir compte d'autres facteurs tout aussi importants qui influenceront le prix de votre prime auto: le type de véhicule, l'année du véhicule, la marque et le modèle, l'équipement, la vocation du véhicule (tourisme, affaires, etc.) l'utilisation du véhicule pour aller au travail, le kilométrage annuel et la protection contre le vol (antivol, alarme, marquage). D'autre part, le nombre de conducteurs dudit véhicule, le nombre d'années de conduite depuis l'obtention du permis de conduire, l'âge du conducteur principal, le sexe, le nombre d'infractions au Code de la sécurité routière (points d'inaptitude) et le lieu de résidence détermineront le taux annuel de votre prime. Finalement, le type de protection (responsabilité civile, collision, tous risques ou risques spécifiés) et le montant de la franchise feront osciller la balance du coût des assurances.

Même avec tous les développements en matière de dispositifs antivol, le taux de vol au Canada a augmenté de 44% depuis 1989. Le vol automobile coûte aux Québécois 242 millions de dollars chaque année. En 2004, 37 000 véhicules ont été volés au Québec, soit 1 toutes les 14 minutes. Tout le monde paye pour le vol de véhicules: 10% de votre prime sert à éponger le manque à gagner découlant de ce fléau. Raison de plus de tenter d'éviter d'acheter un véhicule qui se retrouve sur la liste du top 10 des voitures les plus volées au Québec en 2004:

1. **Subaru Impreza WRX**
2. **Ford F350 Super Duty**
3. **Cadillac Escalade**
4. **Honda Civic SI**
5. **BMW 325CI/330 CI**
6. **Hyundai Tiburon**
7. **Hyundai Accent**
8. **Hyundai Tiburon GT**
9. **Ford F250 Super Duty**
10. **Dodge Dakota**

Même si elles ne figurent pas sur ladite liste, sachez que l'Integra d'Acura et les Volskwagen sont victimes de leur mauvaise réputation. Elles ont détenu, pendant de nombreuses années, le haut de cette liste. Ce n'est plus le cas aujourd'hui, et malgré tout, elles traînent cette mauvaise réputation et les primes pour les assurer sont inversement proportionnelles au classement qu'elles obtiennent aujourd'hui.

Si par malheur, votre choix devait s'arrêter sur un des modèles mentionnés ci-haut, attendez-vous à avoir une prime élevée. Par contre, augmenter la franchise, acheter une prime automobile pour deux ans et combiner cette prime à une autre (assurance maison) vous permettra de faire certaines économies.

Comme pour votre voiture, magasinez votre prime d'assurance. En fin de compte, vous y gagnerez... et votre portefeuille aussi!

SUPER OU ORDINAIRE : QUE DONNER À BOIRE À SON VÉHICULE ?

Difficile à croire, mais c'est au Québec que l'on retrouve les produits pétroliers les moins chers au monde. Ce qui nous tue à la pompe, ce sont les taxes. Mais chaque fois que je me présente à la pompe, une question me hante : rouler à l'essence super ou ordinaire? Selon l'Institut canadien des produits pétroliers, le Québec est la province championne de la consommation d'essence de type super. Il vous en coûtera 5$ de plus pour un plein de 50 litres d'essence super que pour le même plein d'ordinaire. Mais en fin de compte, les performances, l'indice de consommation au litre et l'état général du moteur seront-ils améliorés si la voiture «boit» du super?

En fait, aucun manufacturier ne s'entend pour dire qu'un type d'essence ou un autre est mieux pour votre véhicule. Cela dépend avant tout du moteur qui le propulse. Par contre, ils s'accordent tous pour dire que les véhicules haute performance exigent de rouler à l'essence super. À l'ouverture de votre réservoir à essence, vous trouverez l'information sur ce que le fabricant recommande. L'expérience montre que l'utilisation d'un carburant de mauvaise qualité peut entraîner des problèmes de conduite, de démarrage et de calage du moteur. Si votre moteur souffre de l'un ou l'autre de ces problèmes, il est conseillé d'essayer un carburant d'une marque reconnue et de bonne qualité. Honda Canada nous avise qu'il est sage de lire votre manuel d'instructions pour être informé du type de carburant prescrit pour votre véhicule. Chrysler Canada suggère l'essence de type ordinaire pour la majorité de ses produits tandis que Subaru préconise de nourrir son véhicule d'essence super, on y gagnerait à long terme (moteur plus propre). Finalement, Volkswagen, comme Honda, indique de lire le manuel de l'utilisateur. Celles pour qui l'environnement est un facteur important, sachez que les essences de type super ne sont ni plus ni moins polluantes que les essences de type ordinaire.

Comme nous sommes tous sensibles au prix de l'essence à la pompe, conduire intelligemment, suivre les limites de vitesse et même les réduire de quelques kilomètres/heure pourrait faire toute la différence et vous permettre d'épargner quelques litres. Un entretien régulier de votre véhicule, des vidanges d'huile et de filtres diminueraient également votre consommation d'essence. Puisque les voitures électriques ou propulsées à l'hdrogène ne sont pas encore la norme, l'essence est un mal nécessaire. Malgré les milliards de dollars qu'empochent les diverses compagnies pétrolières, plus de 7000 emplois au Canada découlent de l'industrie pétrolière. Une façon plus joyeuse de voir cette industrie!

> « MÊME AVEC TOUS LES DÉVELOPPEMENTS EN MATIÈRE DE DISPOSITIFS ANTIVOL, LE TAUX DE VOL AU CANADA A AUGMENTÉ DE 44 % DEPUIS 1989. »

TRUCS DE FILLES POUR FILLES DE CHARS (OU COMMENT SE SIMPLIFIER LA VIE AU VOLANT DE NOTRE VOITURE... SANS UN GARS POUR NOUS AIDER!)

Lorsqu'on est seule à voir à l'entretien de notre véhicule, on peut avoir le bouton «panique» passablement sensible. Entrer dans un garage est souvent plus angoissant qu'un traitement de canal chez le dentiste. Voici donc des petits trucs de filles pour éviter les crises d'angoisse mécanique !

LES TÉMOINS LUMINEUX

Le témoin lumineux le plus effrayant est certainement celui où on peut lire «Check Engine» tout de rouge allumé! On s'affole et on croit que notre moteur est foutu! Sachez qu'il y a de fortes chances que ce soit simplement le bouchon du réservoir d'essence qui est mal fermé. Tournez le bouchon trois fois pour y entendre clairement les «clic». Sachez aussi qu'un témoin jaune se veut un simple «avertissement». Vérifiez. Par contre, si un témoin lumineux rouge s'allume consultez votre garagiste; le pro des témoins lumineux!

PNEUS

J'en conviens, les pneus sont dispendieux, mais sachez que c'est le seul élément qui vous sépare et vous protège de la route. Il est préférable de se doter de pneumatiques pour l'été et de d'autres pour l'hiver. Par souci d'économie, posez vos pneus d'été sur les jantes originales de votre véhicule et vos pneus d'hiver sur une autre série de jantes. Non seulement ménagerez-vous l'alliage d'aluminium de vos jantes d'été du calcium de nos hivers, mais vous économiserez des frais substantiels sur la pose et l'équilibrage de vos deux séries de pneus. Une pression adéquate (voir manuel de l'utilisateur ou encore le côté intérieur de la portière conducteur) vous permettra de ralentir le processus d'usure de vos pneus, mais réduira également votre consommation d'essence en plus de bénéficier d'une plus grande adhérence à la route. C'est le meilleur investissement en caoutchouc que vous n'aurez jamais fait!

CLIMATISEUR

Lors de l'achat d'un véhicule neuf, les femmes optent presque toujours pour le lecteur de cd, la transmission automatique, mais aussi pour la climatisation. Onéreuse, il est recommandé de faire fonctionner cette dernière régulièrement, été comme hiver. Oui, oui, l'hiver... De toute évidence, le degré de chaleur sera plus élevé que l'été, mais sachez que certains modèles de voitures ne peuvent opérer le système de dégivrage du pare-brise avant sans que la commande de climatisation ne soit enclenchée. Finalement, retenez qu'une forte utilisation de votre climatiseur fera baisser plus rapidement le niveau de votre réservoir à essence. Si vous actionnez le bouton « air recyclé », vous économiserez certainement quelques litres... Pas mal, non? (C'est notre Denis Duquet qui ma donné ce petit truc... yeah pour Denis!)

CIRE

Avec les rayons chauds du soleil, le calcium de nos hivers, la peinture de nos voitures est soumise à de rudes épreuves. Pour tenter de garder le plus longtemps possible le lustre de nos véhicules, il est recommandé d'y appliquer une cire deux fois l'an: une fois avant l'arrivée des chauds rayons et une seconde application à l'aube de l'hiver. Il existe des cires colorées qui correspondent (pas toujours!) à la couleur de notre véhicule et pour la paresseuse qui sommeille en moi, une cire liquide en bouteille que l'on installe au bout de notre arrosoir est assez pratique! Un « simonize » après le premier hiver peut lui redonner son allure d'antan! Si on pouvait en faire autant avec notre visage...

> LE QUÉBEC EST LA PROVINCE CHAMPIONNE DE LA CONSOMMATION D'ESSENCE DE TYPE SUPER.

SAVON

Une sortie en famille chez les beaux-parents ou une sortie impromptue avec l'homme que vous reluquiez depuis un certain temps, l'heure du lavage de la voiture a sonné! Si on juge de la propreté d'un homme à l'entretien qu'il accorde à ses souliers (une étude sérieuse prétend que l'on peut juger de la propreté d'une maison d'un homme à sa façon d'entretenir ses souliers... alors baissez les yeux!), il en est de même pour la voiture! Ne jamais utiliser votre détergent à vaisselle. Même si vos mains trempent dedans (!), il n'est pas recommandé de l'employer pour conserver le lustre de votre voiture. Il existe plusieurs marques de savons pour l'auto qui contiennent des additifs spéciaux qui maintiendront son lustre.

Après l'hiver, les cols bleus du Québec s'affairent à réparer (lire ici « bourrer ») les nids-de-poule. On y étend du bitume tout neuf qui souvent, n'est pas suffisamment aplani. Résultat: plein de goudron sur le bas de nos portières, ce qui exigera des ongles d'acier pour le déloger. Alors, petit truc de fille: appliquez du WD-40 (en vente dans tous les bons Canadian Tire!) et frottez délicatement avec une guenille propre et sèche. Un autre truc - lu dans le très sérieux Car and Driver - pour venir à bout de ces vilaines taches, du beurre d'arachide. Oui, du « beurre de peanuts »! En fait, comme pour le WD-40, c'est un corps gras qui aide à déloger les taches tenaces... Alors, bon frottage!

TAPIS D'AUTO

On s'entend pour dire que des tapis d'auto pleins de calcium, ce n'est pas joyeux! En fait, ça enlève tout le prestige de l'intérieur de votre auto. Vos tapis sont tellement imbibés de calcium qu'en les tordant, vous pourriez vous verser un verre de lait? Si par malheur, vous n'êtes pas équipée d'un compresseur à eau haute pression (Karscher et autres), il existe des lave-autos libre-service qui sont équipés de ces fusils à pression. Beau, bon pas cher mais surtout, vachement efficace!

Voilà! Vous savez presque tout ou tout au moins l'essentiel sur le monde fascinant de l'auto.

CAROLINE PROULX

FACE À FACE

BMW • CHEVROLET • FORD • HONDA
HUMMER • HYUNDAI • JEEP • KIA • MAZDA

MERCEDES-BENZ • MITSUBISHI • NISSAN
PONTIAC • PORSCHE • SATURN • SUBARU • TOYOTA

40 ANS PLUS TARD...

QUARANTE ANS DANS LA VIE D'UNE MARQUE AUTOMOBILE, C'EST ÉNORME. ET BIEN PEU DE VOITURES PEUVENT SE VANTER D'AVOIR ATTEINT CETTE ESPÈCE DE TROISIÈME ÂGE DU TRANSPORT QUI N'A RIEN DE COMMUN. SI QUELQUES MODÈLES SE DÉMARQUENT PAR LEUR LONGÉVITÉ, C'EST SIMPLEMENT PARCE QUE LES DIRIGEANTS ONT SU LES ADAPTER AUX GOÛTS DU JOUR. D'ÉVOLUTIONS EN RÉVOLUTIONS, CES VOITURES SE SONT FAIT UN NOM ET C'EST SOUVENT CE QUE LES CONSOMMATEURS ACHÈTENT : UN NOM. PARMI LES VOITURES LES PLUS « VIEILLES », MENTIONNONS, ENTRE AUTRES, LES PORSCHE 911, TOYOTA COROLLA OU HONDA CIVIC. CES AUTOMOBILES ONT DÉBUTÉ EN 1963, 1968 ET 1972 RESPECTIVEMENT ET SONT TOUJOURS EN PRODUCTION. BIEN ENTENDU, UN MODÈLE DE LA PREMIÈRE ANNÉE N'A PLUS RIEN À VOIR AVEC L'ÉDITION 2006, À PART LE NOM ET UNE RÉPUTATION. ET DIEU SAIT COMBIEN IL EST DIFFICILE DE SE FAIRE UNE RÉPUTATION... UNE BONNE RÉPUTATION S'ENTEND !

OU
LA GUERRE DES ICÔNES

Photos: Didier Constant

DEUX AUTRES VOITURES ONT SU SE FORGER, AU FIL DES ANS, PLUS QU'UNE SOLIDE RÉPUTATION. ELLES SONT MÊME DEVENUES ÉMOTIONS ET FAÇON DE VIVRE. LES FORD MUSTANG ET CHEVROLET CORVETTE SONT AVEC NOUS DEPUIS DES ANNÉES ET L'ENGOUEMENT QU'ELLES GÉNÈRENT NE SEMBLE PAS PRÈS DE S'ESTOMPER. UN PEU NOSTALGIQUES, MAIS SURTOUT AVIDES DE CONSTATER DE VISU COMMENT AVAIENT ÉVOLUÉ CES DEUX ICÔNES DE L'INDUSTRIE AUTOMOBILE AMÉRICAINE, NOUS AVONS PROFITÉ DE LA QUARANTIÈME PARUTION DU GUIDE DE L'AUTO POUR ADMIRER QUATRE MAGNIFIQUES EXEMPLAIRES, SOIT UNE MUSTANG 1966 ET 2006 AINSI QU'UNE CORVETTE 1966 ET 2006.

C'EST DONC AU CLUB DE GOLF DU CHÂTEAU BROMONT QUE NOUS NOUS ÉTIONS DONNÉ RENDEZ-VOUS AU DÉBUT DU MOIS D'AOÛT POUR TENIR CET ÉVÉNEMENT CERTES COURT, MAIS Ô COMBIEN AGRÉABLE. CURIEUSEMENT, LES VOITURES ANCIENNES NOUS ONT DONNÉ MOINS DE FIL À RETORDRE QUE LES NEUVES! NOUS N'AVONS PU PRENDRE POSSESSION DE LA MUSTANG 2006 QUE LA VEILLE (ALORS QUE LES BUREAUX DE FORD ÉTAIENT FERMÉS À CAUSE D'UNE JOURNÉE FÉRIÉE EN ONTARIO) ET LA CORVETTE 2006 EST ARRIVÉE LA DERNIÈRE AU RENDEZ-VOUS, NOUS DONNANT AINSI QUELQUES SUEURS FROIDES. À CE MOMENT, IL Y AVAIT DÉJÀ BELLE LURETTE QUE VINCENT DUHAMEL ET LUC NICHOLS, LES PROPRIÉTAIRES RESPECTIFS DES NOS BELLES D'AUTREFOIS, ÉTAIENT ARRIVÉS AU VOLANT DE LEURS MUSTANG ET CORVETTE 1966! VOIR CES QUATRE SPORTIVES UNE À CÔTÉ DE L'AUTRE, PLUTÔT QUE DE NOUS RAMENER EN ARRIÈRE, NOUS A FAIT RÉALISER À QUEL POINT L'AUTOMOBILE AVAIT ÉVOLUÉ DEPUIS LES QUARANTE DERNIÈRES ANNÉES. DE FAÇON TOUJOURS POSITIVE? ÇA RESTE À VOIR...

L'HISTOIRE DE LA CHEVROLET CORVETTE

Au retour de la Deuxième Guerre mondiale, en 1945, les G.I., ces braves et fiers soldats américains, ramènent d'Europe, plusieurs roadsters anglais (M.G., Morgan et Triumph entre autres). C'est en effet sur le vieux continent, qu'ils ont découvert les joies des petites et décapotables voitures britanniques. Le styliste attitré de General Motors, Harley Earl, conscient de ce phénomène, se désole que l'industrie américaine n'ait rien à proposer à ces jeunes hommes désormais libres, goûtant pleinement la vie et, surtout, possédant beaucoup d'argent! Il y a là un marché qu'il faut exploiter. C'est donc dans cette optique que Earl et son équipe de dessinateurs concoctent un dream car (on utilise encore peu le terme concept car à l'époque) qui sera présenté lors du Motorama de GM de janvier 53. Cette voiture spéciale, baptisée Corvette (on sait tous qu'une corvette est un bateau de guerre utilisé durant la Seconde Guerre mondiale) fait craquer le public. La décision de la direction de GM de produire ce superbe roadster à la carrosserie en fibre de verre, un nouveau matériau, n'est donc pas tellement difficile à prendre!

Livrée uniquement en blanc Polo, la Corvette 1953 est en tout point semblable au dream car présenté seulement cinq mois auparavant. La fibre de verre est retenue pour la carrosserie car elle permet d'abaisser les coûts de production, surtout lorsqu'il s'agit de petites quantités. Elle autorise aussi l'allègement du poids de la voiture et, puisque les formes sont déjà moulées, de devancer un peu la production.

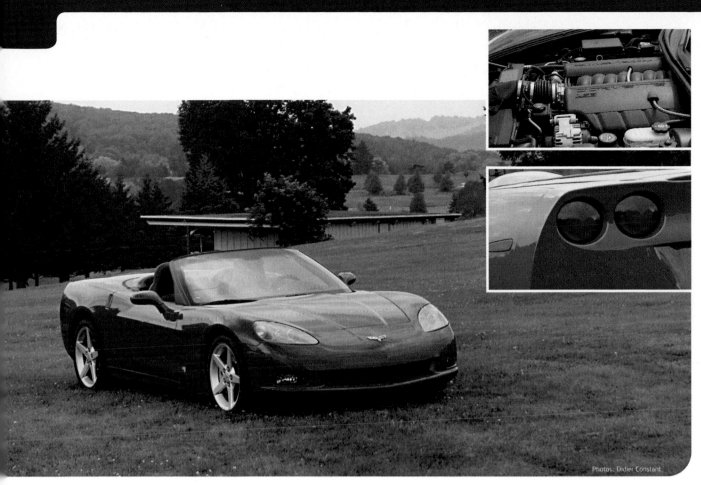

Photos: Didier Constant

Pour conserver les coûts de revient le plus bas possible, on lègue à la Corvette le petit et fatigué moteur Blue Flame qui n'a plus de flamme du tout. Il s'agit d'un six cylindres en ligne de 235 pouces cubes de 150 chevaux mal servi par une transmission automatique Powerglide à deux rapports. Mais les ventes ne décollent pas comme prévu, ce qui n'a rien de surprenant compte tenu de la silhouette sublimement sportive de la Corvette et de son moteur de trottinette !

MERCI À THUNDERBIRD !

Plutôt que d'investir dans une voiture au marché extrêmement limité, GM songe à se départir de la désormais nuisible Corvette. Mais voilà qu'en 1955, Ford présente un joli roadster, la Thunderbird. Chez GM, on commence à considérer la Corvette avec un peu plus de respect en se disant que si Ford se lance dans ce marché, c'est qu'il doit y avoir quelques sous à faire… Dès 1956, la Corvette prend du gallon et sa carrosserie est passablement modifiée. Et on lui donne enfin le V8 qu'elle attendait depuis ses débuts! Elle évolue jusqu'à sa première refonte en profondeur, en 1963. Présentant des formes beaucoup plus matures, la Corvette hérite, pour la première fois, d'un châssis développé pour une utilisation sportive. Issue du génie de Bill Mitchell, le grand manitou du bureau de design de GM depuis le départ pour la retraite de Harley Earl en 1958, elle ajoute l'appellation Stingray à son nom. Le terme sting ray veut dire, en français, pastenague, un poisson-raie des côtes européennes… ayant été souvent taquinées par Mitchell ! Cette deuxième génération, qui fera de la Corvette une légende, dure jusqu'en 1968. Alors rompue aux dictats de la puissance, la Corvette 68 propose, d'entrée de jeu, un V8 de 327 pouces cubes et 300 chevaux. On peut aussi lui implanter, en option, un 427 de 435 chevaux (mais qui en développe bien plus en réalité!). C'est ainsi que la Corvette entre dans les années 70, armée jusqu'aux dents pour imposer sa puissance. Mais les années 70 sont tristes à mourir pour les voitures sportives. Une crise du pétrole en 1973, un puissant lobby antipollution et des primes d'assurances dégoûtantes font sombrer les monstres de puissance. La plupart ne survivent pas. La Corvette parvient aux années 80 avec toutes les misères du monde. Imaginez qu'en 1981, son V8 de 350 pouces cubes ne fait que 190 chevaux. De quoi être reniée par sa propre mère.

POUR LES AMOUREUX DE LA CORVETTE, IL S'AGIT D'UN JUSTE RETOUR DES CHOSES.

Mais c'est sans compter sur des ingénieurs dédiés à la cause Corvette. Si aucune Corvette ne voit le jour en 1983, ce n'est que pour mieux revenir en 1984. Et là, mes amis, c'est réussi ! La puissance est de retour, certes, mais c'est surtout par son niveau technique que la Corvette se compare aux meilleures sportives de l'heure. Et la Corvette de cinquième génération qui apparaît en 1997 assure la continuité. Désormais plus rapide, plus maniable et aussi plus « vivable », elle est remplacée, depuis l'année dernière par la sixième génération. À l'inverse de la Mustang, ses lignes reprennent plus celles de la C5 (Corvette de cinquième génération) que celles du passé. Mais les nostalgiques ont tôt fait de remarquer que les phares sont exposés en tout temps à la lumière du jour… comme sur la toute première ! D'ici peu, la Z06, une Corvette d'enfer avec ses 505 chevaux, sera proposée aux amateurs (fortunés) de puissance. Pour les amoureux de la Corvette, il s'agit d'un juste retour des choses. Décidément, on n'en sort pas… et on ne veut pas en sortir !

L'HISTOIRE DE LA FORD MUSTANG

La Ford Mustang est présentée la première fois à la Foire internationale de New York, le 17 avril 1964 en tant que modèle « 1964 ½ » (comme vous voyez, ce n'est pas aujourd'hui que les gens de marketing ont inventé la complexité...). Cette voiture, qui connaîtra aussitôt une carrière fulgurante doit sa naissance à un certain Lee Iaccocca, brillant cadre de Ford. Mais avant d'aller trop loin, il serait bon de noter que la Mustang a été créée en partie à cause de la... Thunderbird ! Cette dernière, biplace à ses débuts en 1955, ne cesse de prendre de l'embonpoint avec le temps. Au début des années 60, l'oiseau de tonnerre ne frappe plus très fort les amateurs de petites voitures sportives avec sa carrosserie devenue immense et ses deux places supplémentaires gagnées dès 1958. Laccocca se rend rapidement à l'évidence. La génération des « baby-boomers » (croyez-le ou non, ils ont déjà été jeunes...) arrive à l'âge de la conduite, possède de l'argent mais pas de voiture qui leur soit destinée. Pour combler ce nouveau créneau encore vierge, Iaccocca doit créer une voiture au prix abordable, sportive autant en apparence qu'en termes de conduite, pratique avec quatre places et d'un design d'inspiration italienne. Elle doit aussi obligatoirement pouvoir recevoir un V8, chose impossible pour sa seule concurrente, la Chevrolet Corvair.

Cette Ford pas encore née porte le code T–5. Pour abaisser au maximum les coûts de production, on se sert allègrement des pièces de la Ford Falcon (châssis, moteur et transmission, entre autres). Quant au nom

Photos: Didier Constant

RÉUNIR DEUX MUSTANG SI DIFFÉRENTES ET EN MÊME TEMPS SI SEMBLABLES A DE QUOI ÉMOUVOIR L'AMATEUR DE « CHARS » !

Mustang, il n'a, au début, rien du fougueux cheval, mais plutôt tout de l'avion de chasse britannique qui avait connu ses heures de gloire durant la Deuxième Guerre mondiale. Cependant, les horreurs qui furent commises pendant ce conflit portent rapidement Ford à modifier son approche marketing, associant désormais sa nouvelle voiture au fringuant équidé et donnant ainsi le nom de pony car à cette catégorie inexploitée jusque là.

Le succès, comme on l'a vu, est instantané et quasiment violent! Au début de la production, Iaccocca avait avancé l'optimiste chiffre de 100 000 unités pour la première année. Ce chiffre fut atteint en quatre mois! Ce succès n'est pas uniquement un phénomène nord-américain. La planète entière veut la Mustang! Mais lorsque l'entreprise à l'ovale bleu veut exporter son galopant poney en Allemagne (où nombre d'Américains font leur service militaire), elle rencontre un pépin… Le nom Mustang est déjà déposé par un fabricant de camions et un autre de motos! Pour contourner ce léger détail, la Mustang reçoit donc l'appellation T-5, soit son nom de code alors qu'elle était en développement.

La Mustang ne peut éviter les pièges de l'escalade de puissance qui sévit durant les années 60. Les moteurs deviennent rapidement monstrueux et, pour accommoder ces « gros blocs », la carrosserie se fait plus imposante. Déjà en 1967, on retrouve un V8 de 427 pouces cubes développant 425 chevaux alors que le moteur le plus puissant lors du lancement de la Mustang ne faisait « que » 271 chevaux! Puis arrive la crise du pétrole de 1973… L'année suivante, la Mustang rapetisse énormément. Désormais construite sur un châssis de Pinto (un affront dont plusieurs maniaques de Mustang ne se remettront jamais), elle a peut-être perdu de sa sportivité et de sa superbe mais elle a gagné sa survie, rien de moins. Il faudra attendre 1979 pour retrouver une toute nouvelle Mustang. Cette fois, le retour du poney ne fait pas de doute même si l'industrie automobile américaine cherche encore sa voie. Le plaisir de conduire est intact! Preuve que la nouvelle venue n'est pas de la frime, elle demeurera fidèle au poste jusqu'en 1994. Pour célébrer ses trente ans, la Mustang se paie des formes nettement plus contemporaines et des éléments mécaniques performants. Cette quatrième génération fait preuve de gains techniques évidents qui la feront entrer dans le XXIe siècle la tête haute. Enfin, l'an dernier, en retard d'un an pour fêter ses quarante ans, la Mustang telle que nous la connaissons aujourd'hui, faisait triomphalement son entrée. Preuve que rien ne se perd et que rien ne se crée, cette nouvelle Mustang reprend plusieurs des éléments esthétiques qui ont fait la popularité des premières versions. Et réunir deux Mustang si différentes et en même temps si semblables a de quoi émouvoir l'amateur de « chars » !

DEUX VOITURES DEUX HISTOIRES

Vincent Duhamel, lui, a reçu sa Ford T-5... en cadeau d'anniversaire pour ses quarante ans ! Décidément, le chiffre 40 lui réussit à lui aussi ! Remarquez que je n'ai pas utilisé le nom Mustang pour parler de sa jolie décapotable. C'est qu'il s'agit d'une des rares Mustang vendues en Allemagne à être revenue en Amérique. En fait, le nom Mustang ne se retrouve à aucun endroit sur le véhicule, puisque Ford n'avait pas le droit d'employer ce nom dans ce pays, déjà utilisé par Krupp pour ses camions et par Kreidler pour ses petites motos. Donc, partout où le nom Mustang devrait être indiqué, on retrouve un... espace vide ! Même le manuel du propriétaire ne devait pas mentionner le nom Mustang ! Parmi les autres différences entre les modèles allemands et américains, soulignons que les feux de position, situés sous le pare-choc avant sont blanc outre-mer et que l'odomètre est gradué en kilomètres plutôt qu'en milles comme aux États-Unis. Entièrement restaurée durant trois années et demie, cette décapotable vaut son pesant d'or... d'où, la couleur de sa carrosserie !

Quant à Luc Nichols, ce n'est certes pas le hasard qui, il y a environ un an, l'a mené vers sa Corvette 1966. Il voulait ce modèle parce que cette génération de Corvette (C2) fut la plus courte, produite en plus petite quantité et que les freins à disque aux quatre roues étaient vraiment très rares à l'époque. Entièrement restaurée par son propriétaire précédent, Luc Nichols n'a eu qu'à refaire le toit. Les connaisseurs auront remarqué que les roues ne sont pas originales. Mais, ne vous en déplaise, en 1966 elles étaient offertes sur le marché des pièces de rechange. Une Corvette de cette génération, équipée d'un « gros bloc » de 427 pouces cubes et en excellent état peut facilement valoir aujourd'hui plus de 150 000 $ US sur le marché. Celle de Luc Nichols possède un moteur de 327 pouces cubes et ne vaut « que » 80 000 $! Pas mal pour une voiture qui valait, dans le temps, environ 4 000 $!

Un tel événement ne s'organise pas tout seul, en criant Corvette ou Mustang ! Nos remerciements à Richard Labonté du Club de golf du Château Bromont, à Luc Nichols et Vincent Duhamel, nos bienheureux propriétaires, à François Fontaine, président du club Mustang Montréal et Ronald Lebel, président du club Corvette Montréal, ainsi qu'à Christine Hollander de Ford et Robert Pagé de General Motors. Nous désirons aussi souligner la présence, lors de ce « match » amical, de deux collectionneurs du Guide de l'auto depuis ses débuts, soit Jean-Paul Quirion et Frédérick Dunn. Chacun avait apporté ses 39 exemplaires. Félicitations... et merci ! **Alain Morin**

PLUS ÇA CHANGE...

Mais qu'est-ce qui a tant changé depuis 1966 ? Daniel Johnson père n'est plus premier ministre du Québec, la télévision a pris des couleurs et tous ceux qui étaient là il y a quarante ans accusent soit un surplus de poids, soit des cheveux blancs ou, généralement, les deux à la fois. Mais ce n'est pas ce qui nous intéresse! En fait, dans le domaine de l'automobile, il y a autant de différences entre un modèle 1966 et un 2006 qu'il y en a entre une patinoire de quartier et le Centre Bell. Techniquement, l'automobile a énormément changé parce que les mentalités ont changé. Vers la fin des années 50, par exemple, Ford avait eu la brillante idée de promouvoir la sécurité de ses voitures. Ce fut un échec lamentable puisqu'à ce moment, personne ne voulait acheter une voiture qui pouvait être impliquée dans un accident! Avec le temps (et quantité de morts et blessés), la société a compris les dangers reliés à l'automobile et a accepté des solutions visant à améliorer la sécurité. À bien y penser, c'est surtout la sécurité qui a évolué dans une voiture. Il suffit de conduire un modèle 1966 pour se rendre compte que la direction, les suspensions, les pneus, les freins et le châssis n'étaient absolument pas adaptés à une conduite rapide. À cette époque, on pouvait acheter une voiture avec un moteur de plus de 400 chevaux... mais ralentie par quatre freins à tambour et des pneus à plis! C'est un peu comme si on tentait de ralentir la navette spatiale avec des freins de « boîtes à savon ». Même les sièges sans appuie-têtes, les rétroviseurs extérieurs (en option jusqu'au milieu des années 60... quand ils étaient disponibles!) et les accessoires, placés souvent contre les principes même de l'ergonomie, ne cessaient de tenter le cruel destin. Je parle ici, surtout, des Américains, en retard de plusieurs années sur la technologie allemande. Mais peu importe la nationalité, c'est avec les années que l'industrie a appris à conjurer le mauvais sort. Désormais, la plupart des gens ne déplacent même plus leur voiture de quelques mètres sans s'attacher! De la parfaite insouciance, nous en sommes arrivés, quarante années plus tard, à un politiquement correct qui est presque trop intrusif. Certaines voitures ne permettent même pas au conducteur d'amorcer un beau dérapage, tandis qu'il faut peser jusqu'à trois fois sur un bouton de la télécommande pour ouvrir les portières « parce que c'est plus sécuritaire » ! Et si jamais l'irréparable se produisait, la moindre Hyundai Accent sauvera ses occupants grâce à ses ceintures de sécurité, ses coussins gonflables et son châssis conçu pour absorber les chocs. Tant mieux. Et ne vous inquiétez pas pour l'avenir. Dans quarante ans, on dira exactement la même chose de la Corvette 2006 par rapport à la Corvette 2046 !

Alain Morin

Photos: Didier Constart

›››DONNÉES TECHNIQUES

Nom du modèle	Corvette 1966	Corvette 2006	Mustang T-5 1966	Mustang 2006
Empattement	248,9 cm (98")	268,6 cm	274,3 cm (108")	272 cm
Longueur	445 cm (175,2")	443,5 cm	466,3 cm (183,6")	477,5 cm
Largeur	176,8 cm (69.6")	184,4 cm	173,2 cm (68,2")	187,7 cm
Hauteur	126,5 cm (49,8")	124,8 cm	129,5 cm (51")	141,5 cm
Poids	1 363 kg (3005 lbs)	1442 kg	1 297 kg (2860 lbs)	1503 kg
Moteur	V8	V8	V8	V8
Cylindrée	327 pc (5,4 l)	6,0 l	229 (4,7 l)	4,6 l
Puissance	300 ch @ 5000 tr/mn	400 ch @ 6000 tr/mn	200 ch @ 4400 tr/mn	300 ch @ 5750 tr/mn
Couple	360 lb-pi @ 3200 tr/mn	400 lb-pi @ 4400 tr/mn	282 lb-pi @ 2400 tr/mn	320 lb-pi @ 4500 tr/mn
Transmission	Manuelle	Manuelle	Manuelle	Manuelle
# de rapports	4	6	3	5
Suspension av	indépendante	indépendante	indépendante	indépendante
Suspension ar	essieu semi-rigide	indépendante	essieu rigide	essieu rigide
Freins av	disques	disques	tambours	disques
Freins ar	disques	disques	tambours	disques
Pneus av	215/70R15 (1966 = 7.75 x 15)	245/40ZR18	195/75R14 (1966 = 6,95 x 14)	235/55R17
Pneus ar	Même	285/35ZR19	Même	Même
Réservoir	75,7 l	68 l	n.d.	60 l
Capacité coffre	229 l	634 l	255 l	348 l
Accél 0-100 km/h	8,0 (0 - 96 km/h)	4.3	8,5 (0 - 96 km/h)	5,6
Vitesse max	245 km/h	300 km/h	200 km/h	240 km/h
Consommation	19,0 l/100 km	13,4 l/100 km	18,0 l/100 km	14,0 l/100 km
Prix 1966	4084 (us)$	-	+/- 2650 (us)$	-
Valeur 2005	80000$	79705$	40000$	32995$
Production 1966	17762 décapotables	-	500*	-

* Ford, dans sa grande prévoyance, aurait perdu les chiffres de production pour les T5 1965 et 1966. Le nombre 500 est estimé et comprend les modèles coupé, fastback et convertibles.

MERCEDES-BENZ SLK 55 AMG VS PORSCHE BOXSTER S

SPORTIVES ET GERMANIQUES

LE RÊVE D'UN PILOTE, C'EST DE POUVOIR POUSSER DES VOITURES À LEUR LIMITE ET TIRER LE MAXIMUM DE LEURS CAPACITÉS. L'ANNÉE DERNIÈRE, J'AVAIS EU L'OCCASION DE FAIRE CE GENRE D'EXPÉRIENCE AU VOLANT DE DEUX ITALIENNES SÉDUISANTES ET PUISSANTES. CETTE FOIS, LE MATCH EST ALLEMAND, MAIS TOUJOURS À LA SAUCE SPORTIVE. INUTILE DE DIRE QUE VOTRE HUMBLE PILOTE DE SERVICE EN A PROFITÉ POUR SE RÉGALER!

MAIS ATTENTION, ON NE PARLE PAS ICI D'UNE SIMPLE RANDONNÉE EN VILLE. POUR TESTER EFFICACEMENT CE GENRE DE VOITURES, IL FAUT PROFITER D'INSTALLATIONS OÙ ELLES POURRONT ÊTRE POUSSÉES LE PLUS POSSIBLE, SANS RISQUES. ON DOIT AUSSI ÉVALUER CHACUNE DES PERFORMANCES DES VOITURES EN UTILISANT DES TECHNOLOGIES DE POINTE.

ET C'EST EXACTEMENT CE QUE NOUS AVONS FAIT, EN METTANT À L'ÉPREUVE LA MERCEDES-BENZ SLK 55 AMG ET LA PORSCHE BOXSTER S. LES DEUX BOLIDES DEVRONT S'AFFRONTER D'ABORD EN SLALOM, SUR UN PETIT CIRCUIT COMPTANT PLUS D'UNE VINGTAINE DE PORTES. VIENT ENSUITE LE TEMPS DE LA PERFORMANCE BRUTE, ALORS QUE MUNIS D'UN SYSTÈME UTILISANT LE REPÉRAGE PAR SATELLITE, NOUS ÉVALUONS LA VITESSE D'ACCÉLÉRATION AINSI QUE LA DISTANCE ET LE TEMPS DE FREINAGE.

PUIS, PETIT MOMENT DE BONHEUR POUR LE PILOTE QUE JE SUIS, CHACUNE DES DEUX VOITURES PARCOURRA QUELQUES TOURS DU CIRCUIT ROUTIER INTÉRIEUR DE LA PISTE TRIOVALE À SANAIR. AFIN DE S'ASSURER DE LA JUSTESSE DES RÉSULTATS, MAIS AUSSI QUE L'INFLUENCE DU PILOTAGE N'AURA PAS UNE IMPORTANCE DÉTERMINANTE, GABRIEL GÉLINAS EFFECTUERA LES MÊMES TESTS QUE VOTRE SERVITEUR, ET LES RÉSULTATS CUMULÉS SERVIRONT À L'ÉVALUATION DES VOITURES. L'ÉQUIPE TECHNIQUE DU GUIDE DE L'AUTO S'EST CHARGÉE DE LA RÉCOLTE DES DONNÉES ET DE LA LOGISTIQUE DES ÉPREUVES.

DES BOMBES RAFFINÉES

À première vue, les deux modèles ont bien des choses en commun. Ils sont tous les deux décapotables, ont deux places seulement, et sont considérés comme des voitures allemandes de performance. La Mercedes-Benz profite peut-être d'un avantage au niveau du confort, alors que la Porsche hérite de la réputation de sa marque en matière de tenue de route.

D'un simple coup d'œil, on constate facilement que la SLK est vraiment spectaculaire. Sa silhouette élancée lui donne une personnalité sportive bien affirmée. Mais attention, elle dégage aussi la classe propre aux Mercedes-Benz de tout acabit. Cette dualité lui permet d'être à la fois une grande sportive, avec son pilote revêtu d'un jean et d'un blouson, et à la fois une grande dame, alors que le pilote héritera cette fois du veston et de la cravate qui feront ressortir l'aspect classique de la petite allemande!

La Porsche pour sa part, profite moins de cette double personnalité. Elle représente davantage la conduite sportive plus vigoureuse et jouit d'une renommée bien établie comme voiture de haute performance. Ligne plus profilée, aérodynamisme moins discret, la Porsche se veut nettement plus un bolide de course déguisé en voiture de ville. Mais rappelons-nous que la Boxster S est l'entrée de gamme de la famille Porsche qui compte la 911 et la Carrera GT. À ce titre, elle se garde un petit côté plus civilisé que ses grandes sœurs.

Photos: Didier Constant

SLALOM ET DÉRAPAGE

Il suffit de monter à bord de la SLK pour retrouver une position de conduite basse, relativement confortable avec des ajustements de siège complets et un support latéral assez généreux, ce qui favorise le maintien de la position même dans des situations plus corsées comme l'est le zigzag d'un slalom intensif. Sur la route, c'est surtout en courbes serrées que l'on pourra apprécier ce support.

Avant de partir, un petit coup d'œil à l'ajustement des suspensions s'impose. La Mercedes m'offre deux choix : le mode sport et le mode confort. J'ai beau être un pilote, je me laisse parfois tenter par la facilité. De ce fait, j'ai opté pour la version la plus confortable, ce qui rendra aussi plus facile l'analyse des sensations de conduite. Je testerai cependant aussi le mode sport pour chacune des épreuves.

Pour moi, une voiture sportive se doit d'avoir une transmission manuelle, ce que cette Mercedes n'a pas. Je devrai donc me contenter de sa boîte automatique, la seule proposée sur le modèle AMG. Il ne faut tout de même pas trop se plaindre, puisqu'il s'agit de la transmission automatique à 7 rapports, une ingénieuse mécanique de Mercedes qui permet de bien étager la puissance et qui favorise une meilleure répartition de cette dernière. Comble de bonheur, elle profite aussi d'un mode séquentiel et de paliers disposés derrière le volant qui nous permettent de jouer au pilote de Formule un et de changer les vitesses avec un temps de réaction qui est, avouons-le, assez avantageux en accélération linéaire. Et puisqu'il s'agit d'une séquentielle, le pilote n'a pas à gérer l'embrayage ce qui facilite les départs canon sans risque de retard.

Premier départ, premier slalom. J'enfonce l'accélérateur. Première constatation, la voiture accélère comme une bête, et on ressent un bon transfert de poids sur l'arrière ce qui donne une motricité intéressante. Au freinage pour la première porte, les freins mordent très bien malgré une pédale un peu molle. Mon premier coup de volant me permet de constater une direction précise ce qui est très utile car plus j'avance dans le slalom, plus la voiture a une tendance au survirage (dérapage du train arrière). Avec un tel comportement, il faut garder sa conduite souple et précise, car à la moindre indiscipline, c'est la perte de plusieurs dixièmes et, si vous poussez vraiment trop fort, la sortie de route assurée.

Cette tendance au survirage est un net handicap de la SLK face à la Porsche et s'explique essentiellement par la disposition des éléments moteur à l'avant plutôt que central comme sa rivale. Mais pour ceux capables de relever le défi de garder le rythme avec cette petite carence en tenue de route, les résultats sont positifs.

À l'arrivée de l'épingle au bout du slalom (le parcours prévoit un aller-retour complet et nécessite donc un demi-tour), il faut faire pivoter la voiture en faisant déraper légèrement l'arrière. Pour ce faire, freins à fond, et quelques tours de volant. En principe, le transfert de poids devrait faire déraper l'arrière. Ce n'est cependant pas ce qui se passe. Il est vrai que j'arrive avec trop de vélocité. La voiture se met alors dans un long sous-virage qui me fait perdre un temps précieux. Heureusement, il ne s'agit pas du seul essai ! Je vais explorer l'ajustement en mode sport qui augmentera la fermeté de compression et de détente des amortisseurs, ce qui rendra la voiture plus efficace dans les enchaînements gauche-droite et dans le virage à 180 degrés. Gabriel Gélinas effectuera lui aussi le même test, et aura la même réaction. Avec les meilleurs ajustements, le meilleur chrono de la SLK sera de 33,66 secondes.

Au volant de la Porsche, le sentiment est différent. Le tableau de bord est moins artistique que sa rivale, et plus axé sur la performance, même si les multiples commandes électroniques exigent de passer quelques jours à bord avant d'être parfaitement à l'aise. Cette fois encore, la position de conduite ne pose aucun problème. L'ergonomie générale incluant le positionnement du volant, du levier de vitesse et du pédalier me permet d'offrir une performance physique sans fatigue, ce qui est important dans une voiture sportive.

Comme la Mercedes, la Porsche dispose d'un système d'ajustement de suspension, mais qui va s'adapter automatiquement à mon style de pilotage. Pas de décision à prendre avant le départ, la voiture pensera pour vous, et s'assurera de vous fournir les meilleures conditions possible sur le circuit comme sur la route. Bien sanglé, je fais rugir le moteur de la Porsche. Hausse du régime jusqu'à 4 500 tr/min et je relâche l'embrayage. Déjà, on peut dire que l'efficacité d'accélération est comparable à celle de la SLK. Mais la voiture avale les enchaînements à une vitesse supérieure à sa rivale. L'équilibre entier du bolide est incroyable. Je tourne le volant de gauche à droite, la voiture réagit instantanément, offrant beaucoup moins de plongée des amortisseurs, ce qui donne plus d'efficacité à chacun des virages.

Preuve de cette plus grande efficacité, la Porsche a avalé le parcours du slalom 2,3 secondes plus rapidement que la Mercedes, et ce, peu importe le pilote. Elle a aussi maintenu une vitesse identique à sa compatriote. La distribution du poids, mieux réussie sur la Porsche, et l'adaptabilité des suspensions de performance plutôt que de confort contribuent à cette note.

DE LA VITESSE PURE

Le slalom a permis d'évaluer l'équilibre de la voiture alors que les virages se succèdent rapidement. Mais une évaluation ne saurait être vraiment complète sans une analyse de la puissance brute des deux machines. Pour ce faire, plusieurs accélérations successives de 0 à 100 kilomètres à l'heure ont permis à la Mercedes-Benz de prendre sa revanche. Avec son moteur V6 de 362 chevaux, la SLK a réussi l'épreuve en arrêtant le chrono à 5,22 secondes. Ce qui ne constitue rien de moins qu'une véritable dégelée pour la Porsche dont le meilleur temps est de 5,93 secondes. Elle accuse donc plus d'une demi-seconde de retard, une éternité dans le monde des voitures de sport.

Mais la plus grande surprise nous vient des freins. Alors que la Porsche est réputée pour son freinage royal avec ses disques Brembo de haute technologie, voilà que la Mercedes lui vole la vedette par plus d'un mètre dans cette épreuve de freinage. Le disque ventilé de 13,4 pouces associé aux étriers à six pistons de la SLK vous fait passer de 100 Km/h à un arrêt complet en seulement 38,95 mètres.

Une performance décevante pour la Porsche toutefois, puisque ses spécifications techniques précisent qu'elle aurait dû accomplir le travail en moins de 37 mètres. L'usure des pneus, ou l'état de la chaussée peut expliquer cet écart énorme.

Photos: Didier Constant

QUELQUES PETITS TOURS

Le circuit est pour moi l'épreuve la plus significative, peu importe le modèle de la voiture. Faire quelques tours à haute vitesse est sans conteste l'exercice le plus exigeant pour le bolide, puisqu'il doit faire la preuve de son équilibre complet. Il n'y a que sur le circuit que l'on peut vérifier la tenue de route, la motricité, la précision du freinage et celle de la direction, bref, l'ensemble des composantes qui permettent d'affirmer d'une voiture sportive qu'elle est à la hauteur de sa réputation.

Première sur la piste, la Mercedes-Benz SLK. Je m'assieds au volant, sangle bien ma ceinture et effectue d'abord un bon tour de reconnaissance du circuit. Au second tour, je commence à pousser légèrement la machine. Pour une voiture sportive, la SLK se montre sournoise, c'est-à-dire que si le pilote n'est pas vigilant, la voiture peut facilement l'entraîner à la faute. En courbe, le système de stabilité fait du bon travail, mais une fois désactivé, la voiture demande du doigté et de la délicatesse. Tout comme en slalom, la répartition du poids avec le moteur positionné sur l'avant fait que le rythme en courbe sera moins rapide que celui de sa rivale.

De plus, côté suspension, la voiture a beaucoup plus de plongée au freinage. Elle offre plus de confort lors des arrêts ou des ralentissements musclés, et de l'efficacité en accélération mais qui lui fait perdre au change lorsque vous devez prendre une trajectoire courbe. Le poids poussé vers l'avant vous forcera alors à ralentir davantage.

La direction servo-assistée, sensible à la vitesse, assure plus de précision, ce qui rend la conduite plus agréable, et permet de conserver la trajectoire la plus serrée possible.

La Porsche est de loin mieux équilibrée. Le moteur boxer de 3,2 litres avec ses 280 chevaux est une conception mécanique qui avantage la tenue de route, maintenant un centre de gravité plus bas, ce qui évite les déséquilibres. Il est de plus positionné directement au centre de la voiture, garantissant une répartition de poids plus égale et, de ce fait, une meilleure maîtrise en virage. Avec de tels avantages physiques, la Boxster s'est montrée plus facile à dompter sans devoir se battre avec le volant. Dans les virages, il était facile de bien doser les freins pour faire glisser légèrement l'arrière de façon à mieux positionner l'avant. De la sorte, on obtient une réaccélération plus vive à la sortie des courbes, ce qui se traduit aussi par une diminution importante des temps de passage.

Ainsi, alors que la SKL n'a pas réussi à faire descendre le chronomètre plus bas que 46,24 secondes, peu importe le pilote au volant, la Porsche arrêtait les aiguilles sur 42,29 secondes, un écart de plus de 4 secondes !

Les transmissions, bien sûr, ne sont pas comparables. La Mercedes Benz compte sur son automatique à sept rapports, tandis que la Porsche mise sur une transmission manuelle 6 rapports d'une précision équivalente à une montre suisse. En accélération brute, comme sur les 0-100, la transmission de la SLK fait un bon travail, mais en circuit le temps nécessaire pour rétrograder avec le système Touch Shift monté au volant est trop long, même s'il se comporte efficacement en conduite normale. Sur un circuit, la précision du bon rapport adapté au bon régime moteur est primordiale. Or, avec ce genre de transmission, il faut anticiper davantage la réaction de la voiture, ou rétrograder plus rapidement, ce qui fait perdre énormément de temps et incite à un freinage plus rapide que souhaité. Il faut aussi utiliser tous les rapports en séquence, alors que la Porsche permet un petit saut directement de la cinquième à la troisième par exemple.

ET LA GAGNANTE EST...

>>> GRILLE D'ÉVALUATION

		Porsche	Mercedes
Style / 20 pts			
› Extérieur	10	9	8
› Intérieur	10	9	9
Carrosserie / 120 pts			
› Finition intérieure et extérieure.	30	26	27.5
› Qualité des matériaux	30	26.5	26.5
› Coffre *(accès/volume)*	10	4	5.5
› Espaces de rangement	20	10	11
› Astuces et originalité *(innovation intéressante, gadget hors série)*	10	8	7
› Équipement	10	8	8
› Tableau de bor	10	8.5	8
Confort / 40 pts			
› Position conduite/volant/sièges av.	10	10	9.5
› Places arr. *(espace 2 ou 3 pers.)*	10	n/a	n/a
› Ergonomie *(facilité d'atteindre les commandes et lisibilité des instruments)*	10	8	8
› Silence de roulement	10	5	5
Conduite / 120 pts			
› Moteur *(rendement, puissance, couple à bas régime, réponse, agrément)*	40	30	35
› Transmission *(passage des rapports étagement, rétrocontact, levier, agrément)*	30	27.5	24.5
› Direction *(précision, feed-back, braquage)*	30	27	20
› Tenue de route	30	26	18
› Freins *(endurance, sensations, performances)*	30	22.5	25
› Confort de la suspension	20	15	17
Sécurité / 30 pts			
› Visibilité	10	9	9
› Rétroviseurs	10	10	10
› Nombre de coussins de sécurité	10	9	9
Performances mesurées 110 pts			
› Reprises	20	12	16
› Accélération	20	17	18
› Freinage	20	14	17
› Slalom	20	15	14
› Tour de piste	20	18	16
› Niveau sonore	10	8	8
Rapport qualité / prix 60 pts			
› Agrément de conduite	10	9	7
› Choix des essayeurs	40	40	30
› Valeur pour le prix	10	9.5	9
Total	**560**	**450.5**	**435.5**

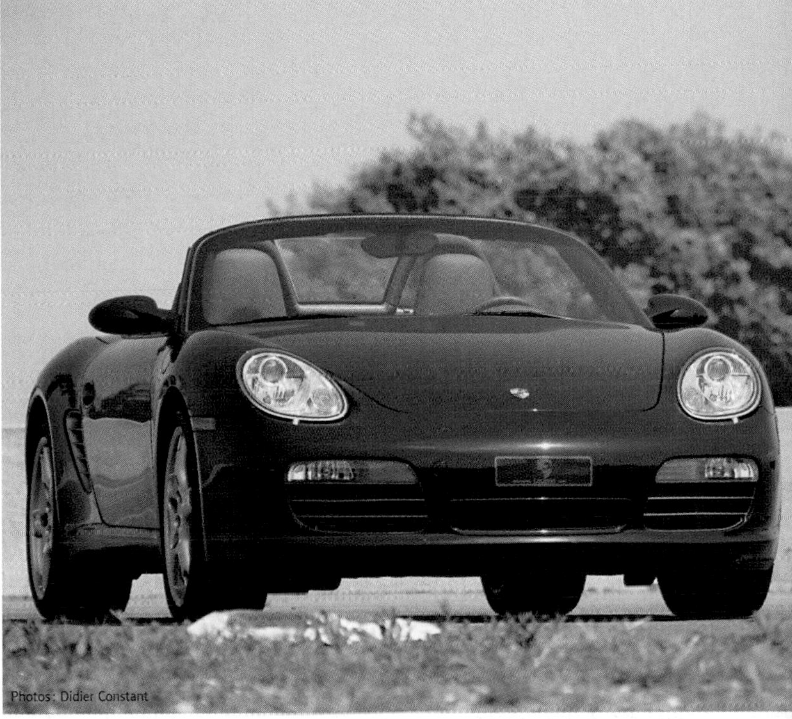
Photos: Didier Constant

Sans équivoque, la Porsche Boxster S l'emporte haut la main, du moins au terme de nos essais sur circuit, car elle a prouvé qu'elle avait été conçue pour ce genre de conduite. Elle offre des sensations uniques, elle est stable, rassurante et efficace à tous les niveaux. Elle permet d'établir ce lien unique entre la route et vous, ce lien que tous les pilotes aiment ressentir même au volant de leur voiture de ville.

>>> RÉSULTATS CHIFFRÉS

Nom du modèle		Mercedes-Benz SLK 55 AMG	Porsche Boxster S
Slalom	1e essai	37,20 secondes Vmax: 74 km/h	31,39 secondes Vmax: 79 km/h
	2e essai	35,24 secondes Vmax: 76 km/h	33,19 secondes Vmax: 76 km/h
	3e essai	34,62 secondes Vmax: 78 km/h	32.24 secondes Vmax: 71 km/h
	4e essai	35,90 secondes Vmax: 72 km/h	31,65 secondes Vmax: 76 km/h
0-100 km/h	1e essai	5,39 secondes	6,12 secondes
	2e essai	5,22 secondes	5,93 secondes
Freinage 100-0 km/h		38,95 mètres	40,71 mètres
Tour de piste	1e essai	46,93 secondes	44,84 secondes
	2e essai	48,68 secondes	42,29 secondes
	3e essai	46,24 secondes	43,87 secondes

Mais attention, ne négligeons pas la SLK pour autant! Elle a démontré sa puissance en remportant les tests d'accélération et de freinage, et se comporte quand même avec une certaine aisance, bien qu'empreinte de lourdeur, sur le circuit. Après tout, c'est exactement ce que Mercedes a voulu faire: créer une voiture aux lignes superbes, au tempérament sportif, mais qui misera davantage sur le confort que sur la performance brute.

Bertrand Godin

NI LE VENT, NI LA TEMPÊTE

NISSAN X-TRAIL
TOYOTA RAV4
MAZDA TRIBUTE
JEEP LIBERTY
FORD ESCAPE
HONDA CR-V
KIA SPORTAGE
MITSUBISHI OUTLANDER
SUBARU FORESTER
HUMMER H3
PONTIAC TORRENT
SATURN VUE

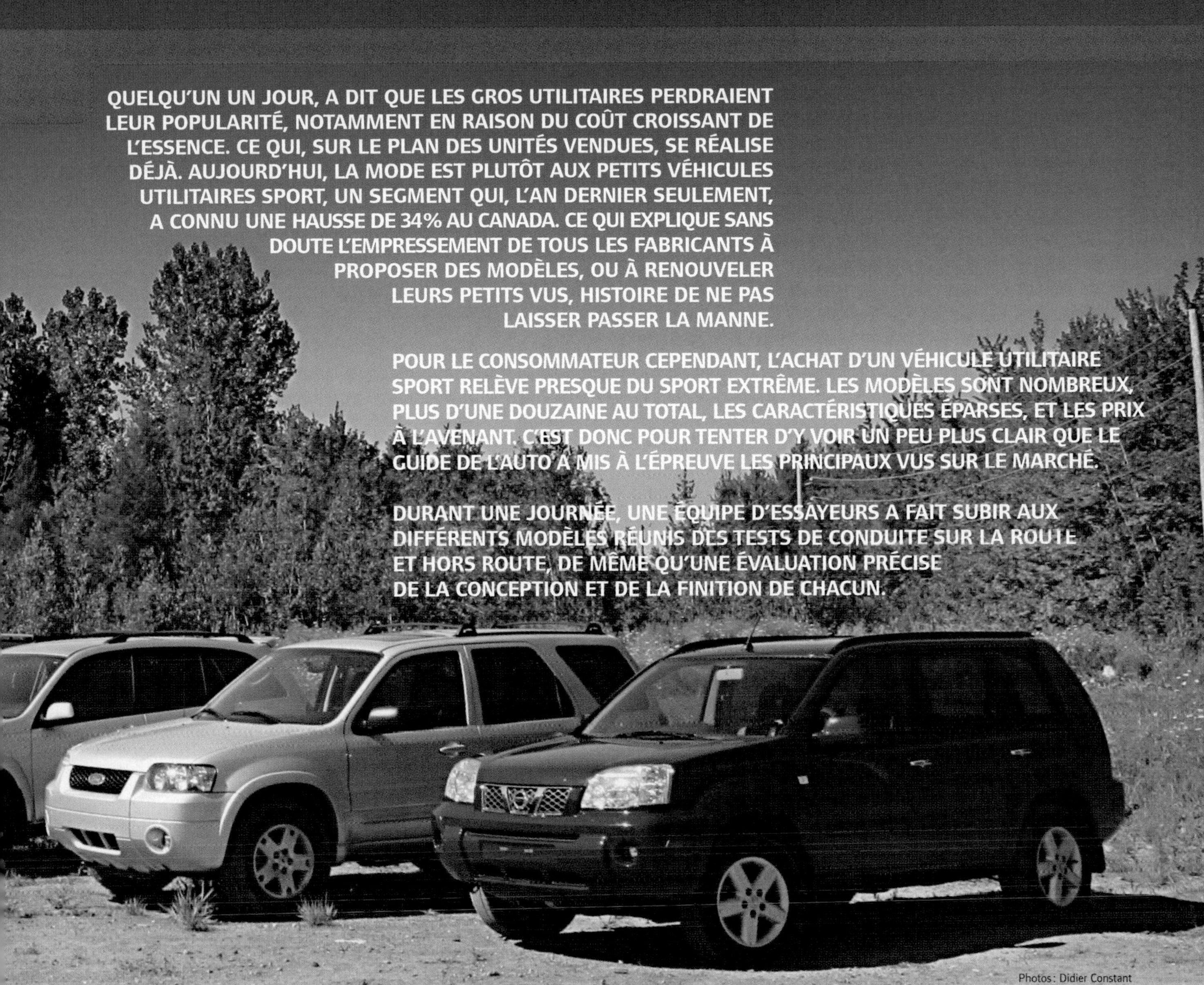

QUELQU'UN UN JOUR, A DIT QUE LES GROS UTILITAIRES PERDRAIENT LEUR POPULARITÉ, NOTAMMENT EN RAISON DU COÛT CROISSANT DE L'ESSENCE. CE QUI, SUR LE PLAN DES UNITÉS VENDUES, SE RÉALISE DÉJÀ. AUJOURD'HUI, LA MODE EST PLUTÔT AUX PETITS VÉHICULES UTILITAIRES SPORT, UN SEGMENT QUI, L'AN DERNIER SEULEMENT, A CONNU UNE HAUSSE DE 34% AU CANADA. CE QUI EXPLIQUE SANS DOUTE L'EMPRESSEMENT DE TOUS LES FABRICANTS À PROPOSER DES MODÈLES, OU À RENOUVELER LEURS PETITS VUS, HISTOIRE DE NE PAS LAISSER PASSER LA MANNE.
POUR LE CONSOMMATEUR CEPENDANT, L'ACHAT D'UN VÉHICULE UTILITAIRE SPORT RELÈVE PRESQUE DU SPORT EXTRÊME. LES MODÈLES SONT NOMBREUX, PLUS D'UNE DOUZAINE AU TOTAL, LES CARACTÉRISTIQUES ÉPARSES, ET LES PRIX À L'AVENANT. C'EST DONC POUR TENTER D'Y VOIR UN PEU PLUS CLAIR QUE LE GUIDE DE L'AUTO A MIS À L'ÉPREUVE LES PRINCIPAUX VUS SUR LE MARCHÉ.
DURANT UNE JOURNÉE, UNE ÉQUIPE D'ESSAYEURS A FAIT SUBIR AUX DIFFÉRENTS MODÈLES RÉUNIS DES TESTS DE CONDUITE SUR LA ROUTE ET HORS ROUTE, DE MÊME QU'UNE ÉVALUATION PRÉCISE DE LA CONCEPTION ET DE LA FINITION DE CHACUN.

Photos : Didier Constant

TEST DE PASSAGE

C'est bien connu, plus de 90 % des propriétaires de petits utilitaires ne les emmèneront jamais en dehors des sentiers battus. Et ce n'est certainement pas pour faire des randonnées du dimanche dans les boisés environnants qu'ils sont si populaires. La preuve : plus de 45 % des ventes des petits VUS sont constituées de véhicules à deux roues motrices seulement.

Pas question pour notre équipe cependant de négliger les capacités hors route. Grâce à la complicité du club de VTT de Saint-Amable, nos dix véhicules d'essai ont sillonné des sentiers gravelés, sablonneux, boueux ou rocailleux, et ont dû franchir de légers escarpements. Rien d'extrême, bien entendu, mais plus que ce que la plupart d'entre eux ne connaîtront leur vie durant.

De ce point de vue, le travail des évaluateurs n'était pas facile puisque certains modèles sont de véritables 4 X 4, comme c'est le cas du Jeep Liberty, alors que d'autres se contentent d'une traction intégrale à prise constante (Subaru) ou à temps partiel (Sportage). C'est cependant la même comparaison que fait le consommateur quand il choisit son véhicule.

Quant au test sur la route, il a permis à nos essayeurs de longer la rivière Richelieu durant plusieurs dizaines de kilomètres par essayeur, et par modèle. Une telle randonnée est largement suffisante pour évaluer le confort intérieur, mais aussi et surtout le comportement routier des véhicules.

Certaines sections ont permis des accélérations plus rapides, alors que d'autres portions du parcours prévoyaient des courbes plus serrées. Dans les faits, nous avons voulu faire vivre intensivement l'utilisation quotidienne que vous feriez de votre petit VUS.

LES BELLIGÉRANTS

Leur nombre est élevé, dix, mais un d'entre eux a été considéré hors catégorie. Le Hummer H3, puisque c'est de lui qu'il s'agit, n'a pas vraiment le profil d'un petit utilitaire, même s'il est l'entrée de gamme de sa bannière.

Parmi les autres, les jumeaux Ford Escape et Mazda Tribute, le Nissan X-Trail, le souvent négligé Mitsubishi Outlander, les meneurs de la catégorie que sont les Toyota RAV-4 et Honda CRV, le Kia Sportage (qui a aussi joué le rôle de son jumeau le Hyundai Tucson), le presque multisegment Subaru Forrester, et le plus sauvage, le Jeep Liberty.

Tous ont en commun une taille pour ainsi dire identique, un prix d'achat quasi similaire, et des capacités hors route limitées. Alors, lequel a mérité la grâce des essayeurs ?

9

NISSAN X-TRAIL

Quand le seul point positif que l'on trouve sur un véhicule, c'est la taille de son toit ouvrant, cela signifie beaucoup... Et c'est exactement le sort qui attendait le pauvre Nissan X-Trail, ce qui explique qu'il a pris le neuvième et dernier rang de ce face à face.

Sur la route, le X-Trail ne s'est pas montré à la hauteur. Son moteur de 165 chevaux peine lourdement en accélération, et se montre très bruyant dans les reprises. Malheureusement, il fait plus de bruit que de puissance, et ne réussit que très partiellement à soutenir le rythme. Le mauvais synchronisme de la transmission compte probablement pour beaucoup dans cette difficulté. Avec seulement quatre rapports, bien mal étagés, le X-TRail ne réussit pas à transmettre efficacement sa puissance aux roues, parvenant même difficilement à rétrograder pour maintenir un bon régime moteur.

Alors que pour un, l'ensemble de la conduite du X-Trail était plus mondaine qu'efficace, pour d'autres, elle était tout simplement insipide. La direction floue du X-Trail et sa suspension trop souple sur la route ont permis au représentant Nissan de s'en tirer avec le dernier rang au chapitre de la conduite sur route.

Dans les sentiers cependant, certains ont apprécié son châssis plus rigide, et la facilité de verrouiller le différentiel pour obtenir plus de couple en situation difficile.

REMODELAGE SOUHAITÉ

L'habitacle aussi a reçu plusieurs éloges, notamment pour le nombre impressionnant d'espaces de rangement, et pour l'innovation mise à mettre tout en place. Mais comme l'intérieur est tout de plastique rigide vêtu, de nombreux craquements se font entendre aussitôt que le petit véhicule est légèrement secoué. Même la qualité du tissu et des sièges laisse à croire qu'en moins de quelques années, ils seront usés et écrasés, limitant le confort qui, du reste, est excellent à l'état neuf. Ces mêmes défauts de finition ont aussi été relevés à l'extérieur, alors que les joints de carrosserie étaient trop écartés et inégaux d'un côté à l'autre.

Le design n'a pas non plus fait l'unanimité. Alors que certains soulignaient son petit air différent, d'autres ont déploré ses lignes carrées, et son coefficient de traînée parmi les plus élevés de sa catégorie.

Le point le plus positif demeure cependant la sécurité. Tous les essayeurs ont souligné cette sensation ressentie à l'intérieur du véhicule, et ont constaté que les équipements étaient parmi les plus nombreux à ce chapitre.

On a beau croire que le X-Trail est un nouvel arrivé chez nous, il est déjà en Europe depuis longtemps. Et à la lumière de la comparaison, il aurait tout intérêt à subir, dès que possible, un remodelage important.

X-TRAIL INTÉGRAL

Empattement	262 cm
Longueur	446 cm
Largeur	177 cm
Hauteur	167 cm
Poids	1 488 kg
Transmission	automatique
No. de rapports	4
Moteur	4 cyl.
Cylindrée	2,5 l
Puissance	165 ch @ 6000 tr/mn
Suspension:	
avant	indépendante
arrière	indépendante
Freins:	
avant	disques
arrière	disques
ABS	oui
Pneus	215/65R16
Direction	assistance variable
Diamètre de braquage	11 m
Coussin gonflable	frontaux, latéraux
Réservoir de carburant	60 l
Capacité coffre	827 à 2 061 l
Accélération 0-100 km/h	9 s
Vitesse de pointe	180 km/h
Consommation	12 l/100 km
Prix	28 398 $ (XE)

TOYOTA RAV4

Photos : Didier Constant

MAUVAISE SURPRISE

J'entends d'ici les irréductibles partisans de Toyota rugir de rage parce que leur préféré termine aussi loin dans la compétition. Ce qui, même pour nous il faut l'admettre, constitue une surprise. Mais cela prouve aussi que le petit RAV4, qui a perdu 30 % de sa part de marché en 2005, vieillit mal et devrait être repensé ou disparaître puisqu'il ne répond plus aux exigences du public.

Dans les faits, sa silhouette continue de plaire. Les lignes ont été populaires tant auprès des plus jeunes essayeurs que des plus âgés. Tous ont aussi souligné la grande qualité de la finition tant intérieure qu'extérieure, un trait commun à beaucoup de Toyota.

C'est aussi le tableau de bord du Rav4 qui a récolté les meilleures notes. Ses larges cadrans blancs sont faciles à lire, et les commandes ne demandent ni efforts spécifiques, ni compréhension particulière, pour être utilisées. L'espace de chargement, vaste et facile d'accès avec son seuil bas est aussi un point positif du modèle.

Mais le comportement routier, et les performances mécaniques, ne sont pas à la hauteur de la concurence. Le moteur, un quatre cylindres de 161 chevaux, fournit des prestations correctes, surtout à haut régime. Dans cet aspect il fait face à la compétition. La direction, pour sa part, ne fait pas preuve de précision et le feedback du volant est à peu près nul. De plus, les suspensions sont sautillantes sur les bosses mais trop molles en virage et le roulis apparaît trop tôt. Une situation que l'on ressent sur la route, bien sûr, mais de façon encore plus aiguë dans les sentiers. Notons cependant que c'est sans difficulté autre que l'inconfort que le RAV4 a franchi les obstacles. Il n'est toutefois pas conçu pour ce genre de randonnée puisqu'après un passage un peu plus rapide dans un secteur boueux, l'eau et la saleté s'infiltraient sous les ailes arrière.

Les freins ne sont pas non plus tout à fait assez efficaces. À l'avant, les freins à disque font le travail avec bonheur, mais les freins à tambour aux roues arrière sont moins performants, allongent les distances de freinage et nécessitent un peu plus d'entretien.

Quant aux sièges, ils retiennent peu en virage, tandis que ceux de la banquette arrière ont des assises trop courtes pour être confortables. C'est d'ailleurs en matière de confort que le RAV4 a perdu le plus de points. Rien n'est perdu pour Toyota toutefois, puisque le renouvellement du modèle est prévu pour 2007 au plus tard, avec l'arrivée possible d'une version hybride.

RAV4 INTÉGRALE

Empattement	249 cm	Freins:	
Longueur	419.5 cm	avant	disques
Largeur	173.5 cm	arrière	tambours
Hauteur	168 cm	ABS	oui
Poids	1854 kg	Pneus	P215/70R16,
Transmission	automatique	Direction	assistance variable
No. de rapports	4	Diamètre de braquage	10.7 m
Moteur	4 cyl.	Coussin gonflable	frontaux
Cylindrée	2,4 l	Réservoir de carburant	56 l
Puissance	161 ch @ 5700 tr/mn	Capacité coffre	678 à 1909 l
Suspension:		Accélération 0-100 km/h	9.2 s
avant	indépendante	Vitesse de pointe	185 km/h
arrière	indépendante	Consommation	10.2 l/100 km
		Prix	27595$

7 MAZDA TRIBUTE

TROP GOURMAND

Il n'y a rien à redire, le Mazda Tribute connaît de bonnes performances à tous les niveaux. Personne en fait ne peut vraiment blâmer ce petit utilitaire de mal faire son travail. On note bien une gourmandise excessive en matière d'essence, mais c'est bien là le reproche le plus important que l'on peut faire au Tribute.

Et pourtant, il est le seul à n'avoir remporté aucune des catégories de notre classification, même si chaque fois il se classait non loin de la tête. Sa meilleure position, une troisième place pour la qualité générale de sa finition. Sa pire : l'avant-dernière position en matière de conduite, ce qui inclut à la fois les performances générales du moteur, de la transmission mais aussi la tenue de route.

Les suspensions par exemple, sont jugées trop souples, trop fortement axées vers le confort pour être littéralement efficaces à bord d'un petit utilitaire sport. Le résultat est désagréable en comportement hors route car, bien entendu, il a une forte tendance à la valse quand il croise un sentier bosselé. Mais cela se traduit aussi par un roulis plus important sur la route alors que des trajectoires plus effilées sont nécessaires, et par un transfert majeur de poids vers l'avant en cas de freinage d'urgence.

On peut aussi déplorer le manque de puissance du moteur V6 à bas régime. Lorsqu'on enfonce l'accélérateur, il faut quelques secondes, et une sensation d'étouffement, avant que le Tribute ne prenne réellement son envol. Le couple maximal de 193 livres-pied disponible uniquement à près de 5000 tours-minute explique sans doute cette faiblesse au départ.

En revanche, la transmission ne s'attire que de bons mots. On l'a même considérée comme étant la meilleure de toutes les transmissions automatiques réunies pour le test, tellement les passages de rapports se font en douceur, et sans à-coups. La rétrogradation est tout aussi efficace, et il n'est pas nécessaire d'attendre de longues fractions de secondes pour avoir une réponse.

En matière de finition et d'accessoires, le Tribute figure aussi en bonne position. Le support de toit ajustable par exemple, est considéré comme un incontournable pour un petit utilitaire du genre. L'espace de chargement facilement accessible, surtout avec la vitre du hayon qui s'ouvre indépendamment, a aussi permis au Tribute de marquer des points.

Notons aussi que les sièges sont confortables, même pour de longues randonnées, et que le tableau de bord a été considéré à juste titre comme un exemple de finition réussie par la quasi-totalité des essayeurs présents.

TRIBUTE INTÉGRAL

Empattement	262 cm	Freins:	
Longueur	442 cm	avant	disques
Largeur	182 cm	arrière	disques
Hauteur	178 cm	ABS	oui
Poids	1546 kg	Pneus	P235/70R16
Transmission	automatique	Direction	assistée
No. de rapports	5	Diamètre de braquage	11.9 m
Moteur	V6	Coussin gonflable	front, lat., rideaux
Cylindrée	3,0 l	Réservoir de carburant	62 l
Puissance	200 ch @ 6000 tr/mn	Capacité coffre	830 à 1877 l
Suspension:		Accélération 0-100 km/h	11.1 s
avant	indépendante	Vitesse de pointe	185 km/h
arrière	indépendante	Consommation	12.1 l/100 km
		Prix	35595$

JEEP LIBERTY

Photos: Didier Constant

BÊTE SAUVAGE

Certains modèles font vraiment bande à part soit par leur look unique, soit par leur créneau spécifique. Et, croyons-nous, le Liberty faisait partie de ce lot tellement ses capacités hors route semblaient supérieures à celles des autres modèles. Ce qui s'est avéré tout à fait exact, mais fortement pénalisant pour le petit véhicule qui, sur la route, ne connaît manifestement pas la définition du mot confort.

Dans les sentiers, le Liberty se sentait comme chez lui. Peu importe les aspérités, peu importe les sinuosités, le cadet des Jeep se frayait un chemin sans même hésiter. Il faut dire qu'il était muni d'un levier permettant de choisir le mode de traction requis, allant du deux roues motrices au quatre roues motrices Lo. Ainsi équipé, il traversait la petite jungle des sentiers sans aucune peine, mais il fallait exercer une bonne pression pour être en mesure de loger le levier dans la bonne case. Même ses suspensions sont conçues pour ce genre de randonnées, étant dures mais pas caoutchouteuses, ce qui évite de rebondir comme une balle à chaque trou. Cela ne va pas sans heurts cependant puisque cet ajustement rend la conduite du Liberty sur la route nettement plus inconfortable. Chose étonnante pourtant, malgré toutes ces qualités d'aventuriers, le Liberty ne dispose pas de plaque de protection des éléments mécaniques, ce qui le rend vulnérable dans des randonnées un peu plus excessives.

Sur la route, le petit Jeep fait le travail, mais sans grand enthousiasme. Son moteur est puissant, le plus puissant du lot, mais on le sent tout de même insuffisant pour traîner avec aisance la carcasse du Jeep. La pédale à frein spongieuse ne permet pas d'arrêts aussi vifs que souhaité et l'ABS n'est même pas offert, un sacrilège sur un véhicule de cette taille. Quant à l'habitacle, il est un peu dénudé même s'il a un équipement complet, et la finition est loin d'être parfaite. À preuve, les boutons du système de chauffage au fonctionnement très primitif et les boutons placés sur l'accoudoir de la portière, difficiles à manipuler en conduisant. Même le réglage de la position de conduite requiert une certaine dextérité.

Une fois ces détails analysés, il n'en demeure pas moins que le Jeep Liberty a une gueule d'enfer. À le voir, on sent tout de suite la force, la prestance du véritable dur à cuire. Son petit air de macho gentil lui vaut d'ailleurs les éloges de tous ceux qui le regardent passer. Performances moyennes, finition perfectible, ce n'est pas seulement le look et les capacités hors route qui permettront au Liberty de surmonter ses défauts.

LIBERTY 4X4

Empattement	265 cm	Freins:	
Longueur	443 cm	avant	disques
Largeur	182 cm	arrière	disques
Hauteur	178 cm	ABS	oui
Poids	1867 kg	Pneus	235/65R17
Transmission	automatique	Direction	assistance variable
No. de rapports	4	Diamètre de braquage	10.9 m
Moteur	V6	Coussin gonflable	frontaux, latéraux
Cylindrée	3,7 l	Réservoir de carburant	74 l
Puissance	210 ch @ 5200 tr/mn	Capacité coffre	821 à 1950 l
Suspension:		Accélération 0-100 km/h	10.2 s
avant	indépendante	Vitesse de pointe	180 km/h
arrière	essieu rigide	Consommation	14.6 l/100 km
		Prix	32550 $

5 FORD ESCAPE

JUMEAU NON PARFAIT

Le Mazda Tribute et le Ford Escape ont beau être des jumeaux non identiques, c'est ce dernier qui a pris le haut du pavé lors de ce match comparatif. Son allure générale, et ses performances équivalentes, lui ont permis de devancer son demi-frère de deux positions.

C'est notamment en matière de sécurité que l'Escape mérite la médaille puisqu'il a pris le premier rang de tous les petits utilitaires essayés. Avec une bonne visibilité, tant à l'arrière qu'en angle mort, et des rétroviseurs plus grands que la moyenne, les conducteurs se sont sentis protégés, et surtout mieux outillés pour voir venir les dangers.

Mais la grande surprise, c'est l'appréciation de la conduite du petit Ford Escape puisque cela ne constituait pas un point fort par le passé. Sur les sentiers légèrement bosselés, l'Escape s'est montré très capable, absorbant sans hésitation et sans trop de soubresauts les sections les plus accidentées. Les suspensions, un peu plus dures que le Tribute, jouent efficacement leur rôle et donnent une sensation plus sportive, sans pour autant pénaliser les occupants en matière de confort. On ressent aussi la différence sur la route, alors qu'en courbe plus prononcée l'Escape conserve son cap sans trop valser.

La direction s'est avérée relativement communicative, même si elle n'est pas un modèle de précision. En revanche, le moteur est souple et très en verve. Dès que l'on sollicite un peu sa collaboration, il se montre nerveux et répond rapidement à la moindre pression sur l'accélérateur. On atteint par contre assez vite ses limites dans ce domaine.

La grande faiblesse de l'Escape cependant, c'est sa finition. On pourrait presque croire que le fait de mettre un badge américain sur une voiture diminue automatiquement cet aspect de la construction. Ce qui est tout à fait exact quand on compare le Escape au Tribute par exemple. Le tableau de bord est d'une sobriété ennuyante, les matériaux sont d'une qualité moins élaborée, mais heureusement, les sièges compensent ces faiblesses en offrant un recouvrement plus adéquat, et un confort supérieur.

À l'extérieur, l'Escape profite d'une silhouette légèrement modifiée, et nettement plus agréable, à l'image de son grand frère l'Explorer. Notre modèle d'essai comptait aussi sur un marchepied longeant les bas de caisse, donnant le plus bel effet. Pratiques pour se hisser à bord, ces marchepieds sont toutefois un sérieux handicap hors route et ont la fâcheuse habitude de salir tout ce qui s'y frotte (une situation presque impossible à éviter), surtout vos pantalons.

Polyvalent, agréable à conduire, l'Escape mérite bien son classement. Et il s'en faut de très peu pour qu'il l'augmente de quelques places.

ESCAPE INTÉGRALE

Empattement	261.9 cm
Longueur	444 cm
Largeur	178 cm
Hauteur	177 cm
Poids	1951 kg
Transmission	automatique
No. de rapports	5
Moteur	V6
Cylindrée	3,0 l
Puissance	200 ch @ 6000 tr/mn
Suspension:	
avant	indépendante
arrière	indépendante

Freins:	
avant	disques
arrière	disques
ABS	oui
Pneus	P235/70R16
Direction	assistée
Diamètre de braquage	11.2 m
Coussin gonflable	front., lat. et rideau (op.)
Réservoir de carburant	62.5 l
Capacité coffre	840 à 1892 l
Accélération 0-100 km/h	11 s
Vitesse de pointe	185 km/h
Consommation	11.6 l/100 km
Prix	36215$

HONDA CR-V

4

Photos: Didier Constant

LA TRADITION

La tradition se poursuit, et le petit utilitaire du fabricant Honda continue de bien faire dans son créneau, même s'il n'a pas eu de remodelage sérieux depuis quelques années. En fait, la force véritable du petit CR-V, c'est son équilibre particulièrement remarquable dans tous les aspects de l'évaluation.

Sur la route, la CR-V est étonnant de puissance, bien qu'il ne soit proposé qu'avec un quatre cylindres de 2,4 litres. Son moteur répond avec justesse et rapidité, et sans être trop bruyant. De plus, il est en mesure de maintenir un régime suffisamment bas pour laisser présager une consommation adéquate.

En conduite de route, la direction s'est avérée comme le reste, juste assez équilibrée pour permettre une tenue de route agréable. La suspension s'est aussi bien comportée, sans excès toutefois.

C'est plutôt en conduite hors route que le CR-V a démontré ses faiblesses. La suspension n'a pas réussi à absorber avec efficacité les légères crevasses du petit sentier, faisant rebondir le véhicule de gauche à droite et rendant parfois difficile la conduite en ligne droite. Quant à la transmission automatique, ni sur la route ni hors route n'a-t-elle été capable de s'adapter aux exigences des conducteurs. À l'effort, elle rétrogradait avec hésitation, alors qu'en accélération, elle prenait plus de temps que souhaité à accéder au bon rapport.

En matière de finition et d'ergonomie, le CR-V a aussi reçu sa part d'éloges et de commentaires moins positifs. La qualité de la finition par exemple, tout comme celle des matériaux employés, a été soulignée de tous. En revanche, l'emplacement de certaines commandes, comme le frein à main au centre de la planche de bord, ou le levier de transmission, lui aussi dans la planche de bord, n'ont reçu l'aval de personne, sauf de votre rédacteur en chef, parce que jugés moins faciles d'utilisation.

L'espace intérieur s'est avéré un peu juste, surtout pour les passagers arrière, tandis que l'espace de chargement, accessible par un hayon latéral ou une fenêtre à ouverture indépendante, a pour sa part été remarqué comme vaste et pratique. Les sièges sont confortables, assurent un bon soutien lombaire.

Le CR-V, c'est à la fois le côté nature et le côté sucré. Sucré, parce qu'il agit efficacement et avec compétence. Nature, parce qu'il le fait un peu sans saveur et sans goût. En fait, au volant du CR-V, le plaisir de conduite ne fait tout simplement pas partie de votre vocabulaire. Mais vous vous rendrez ou vous voulez, et pour de longues années. C'est cette fiabilité, et ce sentiment de solidité, qui l'a mené au quatrième rang.

CR-V INTÉGRAL

Empattement	262 cm	Freins:	
Longueur	454 cm	avant	disques
Largeur	178 cm	arrière	disques
Hauteur	168 cm	ABS	oui
Poids	1 506 kg	Pneus	215/65R16
Transmission	automatique	Direction	assistance variable
No. de rapports	5	Diamètre de braquage	10.6 m
Moteur	4 cyl.	Coussin gonflable	front., lat. rideaux
Cylindrée	2,4 l	Réservoir de carburant	58 l
Puissance	160 ch @ 6000 tr/mn	Capacité coffre	949 à 2039 l
Suspension:		Accélération 0-100 km/h	10.5 s
avant	indépendante	Vitesse de pointe	190 km/h
arrière	indépendante	Consommation	11 l/100 km
		Prix	31 400$

3

KIA SPORTAGE/ HYUNDAI TUCSON

BEAU DÉPART

Depuis son arrivée, le Kia Sportage, et son frère le Hyundai Tucson, ont multiplié les reconnaissances officielles. Reconnus comme un des meilleurs achats de leur catégorie, les deux petits véhicules avaient surtout fait l'objet de tests ordinaires, sur les routes du Québec. Mais soumis au test complet, le Sportage (nous n'avons pas cru bon d'intégrer aussi le Tucson dont les capacités mécaniques et dynamiques sont les mêmes) a bien su résister à la pression et a étonné plus d'un essayeur dont c'était le premier contact avec le petit VUS coréen.

En fait, sous l'angle du rapport qualité-prix, le Sportage a une fois de plus remporté la palme, ex aequo cependant avec le grand champion du match comparatif. Tous ceux qui n'avaient jamais eu l'occasion de piloter le compact coréen l'ont trouvé accueillant, offrant dans l'habitacle un espace de dégagement étonnant pour sa taille. En revanche, il faut souligner la faible qualité des matériaux de finition, surtout en ce qui concerne le tableau de bord recouvert d'un panneau de similibois tellement artificiel qu'on croirait une simple tapisserie à coller! Certains détails de design, entre autres le coin proéminent du tableau de bord en plastique dur, ont fait rager quelques essayeurs qui s'y sont heurtés en tentant de s'asseoir à leur place.

L'espace de chargement n'est pas le plus abondant des véhicules essayés, mais il s'agrandit un peu notamment grâce à la banquette coulissante de deuxième rangée. En revanche, les piliers de suspension montent haut dans le coffre, limitant fortement la largeur des objets qu'il est possible de transporter.

Sur la route comme dans les sentiers, le Sportage a pourtant rempli son mandat sans hésiter. Le moteur, un V6 de 173 chevaux, se montre vif au démarrage, mais a une légère tendance à s'essouffler en milieu de régime avant de repartir. Autre détail non négligeable, le Sportage est gourmand malgré sa petite taille.

La conduite est douce, sans mauvaise surprise, presque raffinée, en fait. Et l'habitacle profite même d'une insonorisation supérieure à la plupart des autres véhicules en compétition, rendant du même coup la randonnée plus sereine, et permettant d'apprécier ce qui a été souligné comme la meilleure sonorité de système audio de tout le lot.

La transmission, une automatique à quatre rapports, a bien donné un peu de fil à retordre aux essayeurs, puisqu'elle semblait souvent hésiter entre deux vitesses. Un handicap certain quand vient le temps de sillonner les sentiers plus escarpés, mais qui s'amenuise considérablement sur la route. Le style et la qualité générale du véhicule l'ont mené, dans un véritable face à face, à la troisième position.

SPORTAGE/TUCSON
INTÉGRAL

Empattement	263 cm
Longueur	435 cm
Largeur	180 cm
Hauteur	169.5 cm
Poids	1 600 kg
Transmission	automatique
No. de rapports	4
Moteur	V6
Cylindrée	2,7 l
Puissance	173 ch @ 6 000 tr/mn
Suspension:	
avant	indépendante
arrière	indépendante
Freins:	
avant	disques
arrière	disques
ABS	oui
Pneus	P235/60R16,
Direction	assistance variable
Diamètre de braquage	10.8 m
Coussin gonflable	front. Lat.
Réservoir de carburant	65 l
Capacité coffre	667 à 1 886,5 l
Accélération 0-100 km/h	10.1 s
Vitesse de pointe	185 km/h
Consommation	10.9 l/100 km
Prix	26 995 $

MITSUBISHI OUTLANDER

Photos: Didier Constant

LE NÉGLIGÉ-SURPRISE

Il a définitivement l'air plus urbain qu'utilitaire, et c'est avec peine qu'on l'imagine dans les sentiers boueux. Pourtant, il a su bien tirer son épingle du jeu et, malgré un moteur pas assez puissant pour la caisse, il a réussi de belles performances. Le Mitsubishi Outlander, que l'on oublie souvent d'inclure dans nos plans d'achat, est néanmoins un véhicule polyvalent et complet, en plus d'offrir un certain agrément de conduite.

Disons-le tout de suite, la silhouette du Outlander a des fans et des détracteurs virulents mais personne, ou presque, parmi les douze essayeurs réunis n'est resté indifférent aux lignes particulières du petit véhicule. La plupart des appréciations étaient positives cependant, puisqu'au seul chapitre du style, le Outlander termine en troisième position, derrière le Hummer et le Jeep Liberty. On lui a bien trouvé quelques détails de finition peu flatteurs, comme la différence de couleur dans les matériaux supposément identiques sur le tableau de bord, mais rien de majeur. En fait, encore une fois, le style de l'habitacle a plutôt été considéré comme un élément positif pour le petit VUS.

Deux grandes faiblesses cependant pour le Outlander : la puissance de son moteur de 160 chevaux. Ce quatre cylindres est fortement déficient sur la route et en accélération vive. La direction nous donne des sensations parfois engourdies quand elle est appelée à changer vivement plusieurs fois de direction. Elle devient alors flasque, et perd de sa précision. En revanche, en conduite normale, elle est capable du meilleur aussi puisqu'elle s'est montrée parfaitement efficace dans les sentiers.

Les suspensions du Mitsubishi sont aussi adéquates, bien que sans excès. Cette fois, dans le sentier, elles ont été à la hauteur, mais il n'aurait pas fallu que la route devienne plus bosselée car on les sentait tout près de leurs limites. La suite des tests a permis de conclure que la suspension est incontestablement plus à sa place sur la route, et même en zone urbaine, alors qu'elle a été sérieusement adaptée pour le confort des passagers à vitesse de croisière, un aspect où le véhicule se classe d'ailleurs premier de notre match comparatif. Idéale en fait pour la circulation urbaine, mais pas question de se lancer dans une aventure extrême.

Le principal handicap du Outlander, c'est d'être un Mitsubishi. Tous les acheteurs, même nos essayeurs, étaient méfiants avant même d'être montés à bord. Une position que plusieurs ont révisée au terme de leur journée d'essai.

OUTLANDER
INTÉGRAL

Empattement	262.5 cm
Longueur	455 cm
Largeur	175 cm
Hauteur	168.5 cm
Poids	1570 kg
Transmission	automatique
No. de rapports	4
Moteur	4 cyl.
Cylindrée	2,4 l
Puissance	160 ch @ 5750 tr/mn
Suspension:	
avant	indépendante
arrière	indépendante
Freins:	
avant	disques
arrière	disques
ABS	oui
Pneus	225/60R17
Direction	assistée
Diamètre de braquage	11.4 m
Coussin gonflable	frontaux, latéraux (av,)
Réservoir de carburant	59 l
Capacité coffre	420 à 1100 l
Accélération 0-100 km/h	11.2 s
Vitesse de pointe	185 km/h
Consommation	11.7 l/100 km
Prix	29508$

1 SUBARU FORESTER

L'UTILITAIRE IDÉAL

À la regarder, on la croirait plus issue de la famille des familiales que des utilitaires sport. Tout au plus lui accorderait-on le statut de multisegment. Mais avec son nouveau moteur 2,5 litres à la puissance rehaussée, et sa traction intégrale à prise constante dont la réputation n'est plus à faire, la Subaru Forester a prouvé qu'elle méritait sa place. Tant et si bien d'ailleurs qu'elle s'enfuit avec la première position de ce match comparatif!

Étrangement cependant, c'est parce qu'elle se rapproche le plus d'une conduite d'automobile que la Forester a remporté le titre. Car peu importe les circonstances, que ce soit sur les sentiers ou sur la route, la Forester ne modifie jamais son approche. Évidemment, sa très faible garde au sol limite considérablement ses déplacements hors route, et son usage devrait être limité à la route boisée de la maison de campagne, mais tout de même. Sur un terrain glissant de neige ou de pluie, la Forester sera celle qui aura les meilleures réactions de tout l'ensemble, tout en fournissant une puissance de bon aloi à bas régime.

Tout n'est pas que beauté pour ce petit utilitaire, dont l'embrayage (la version d'essai était manuelle) avait une fâcheuse tendance à glisser quand venait le temps de forcer un peu pour franchir les escarpements. Au moins trois des essayeurs (on ne peut donc mettre en doute les qualités de conducteurs de chacun) ont éprouvé le même genre de difficulté. En revanche, la traction intégrale, testée dans un sentier boueux, a été sans reproche, transférant avec efficience le couple aux roues ayant le maximum d'adhérence pour éviter tout retard de réaction.

Le style de la carrosserie n'a pas non plus fait l'unanimité. Trop carrée pour certain, trop sobre tout simplement pour la plupart, la Forester aurait avantage à opter pour un design plus moderne et plus aérodynamique. La finition intérieure, jugée elle aussi trop sobre, a pourtant été soulignée pour sa qualité d'exécution. On ne peut que déplorer cependant le manque de dégagement pour les jambes qui oblige les passagers arrière à souffrir un peu. L'espace de chargement est aussi limité, bien que polyvalent et bien aménagé avec un petit matelas caoutchouté en fond de caisse.

Dernier détail, les freinages n'ont pas été parfaits, une situation qui s'explique par la présence de tambours à l'arrière dans la version de base. Une faiblesse que l'on peut cependant corriger en optant pour les versions supérieures.

Véritable utilitaire sport ou simple familiale, personne n'a tranché le débat. Mais quoi qu'il en soit, sur la route, la Forester est la plus confortable, la plus silencieuse et celle qui a été la plus efficace de tous les véhicules testés.

FORESTER
INTÉGRAL

Empattement	252.5 cm	Freins:	
Longueur	448.5 cm	avant	disques
Largeur	200.6 cm	arrière	disques
Hauteur	159 cm	ABS	oui
Poids	1445 kg	Pneus	215/60 R16
Transmission	manuelle	Direction	assistance variable
No. de rapports	5	Diamètre de braquage	10.6 m
Moteur	4 cyl. Boxer	Coussin gonflable	front, lat
Cylindrée	2,5 l	Réservoir de carburant	60 l
Puissance	173 ch @ 6000 tr/mn	Capacité coffre	838 à 1775 l
Suspension:		Accélération 0-100 km/h	N.D.
avant	indépendante	Vitesse de pointe	190 km/h
arrière	indépendante	Consommation	9.4 l/100 km
		Prix	31295$

HUMMER H3

Photos: Dicie Constant

TROP TOUT SIMPLEMENT

Difficile de croire que l'on aurait pu comparer le Hummer H3 aux autres petits utilitaires sport. C'est vrai, il est le plus petit de sa famille, mais ses dimensions imposantes et son prix d'achat plus élevé suffisent à le mettre dans une catégorie à part. Sans compter ses capacités hors route au-delà de toutes les espérances.

H3 4X4

Empattement	284 cm
Longueur	474 cm
Largeur	190 cm
Hauteur	189 cm
Poids	2132 kg
Transmission	automatique
No. de rapports	4
Moteur	L5
Cylindrée	3,5 l
Puissance	220 ch @ 5600 tr/mn
Suspension:	
avant	indépendante
arrière	Hotchkiss
Freins:	
avant	disques
arrière	disques
ABS	oui
Pneus	P265/75R16
Direction	assistée
Diamètre de braquage	11 m
Coussin gonflable	frontaux, rideaux (opt)
Réservoir de carburant	87 l
Capacité coffre	939 à 1070 l
Accélération 0-100 km/h	n.d.
Vitesse de pointe	n.d.
Consommation	12 l/100 km
Prix	39995$

Dans les faits, c'est d'ailleurs au H3 que reviendrait la palme de ce match tellement il a dominé le classement hors route. Il a néanmoins perdu quelques plumes sur la route. La position de conduite est difficile à trouver, les suspensions sont dures et sautillent, peu importe les circonstances, même lorsque la route est belle. De plus, la pédale de frein particulièrement difficile à maîtriser. Curieusement, même s'il s'agissait du plus gros véhicule de ce match, il faut pratiquement ouvrir la portière pour pouvoir ajuster le siège du conducteur et la visibilité arrière est épouvantable si les dossiers des sièges ne sont pas baissés. Plus positivement, le volant propose un bon feedback et le rayon de braquage est étonnamment court.

Mais la réalité, c'est que tout le monde a craqué pour le style macho et dominateur, et pour le design exceptionnel de l'habitacle, en plus de s'amuser à franchir sans même ralentir les obstacles que les autres éprouvaient de la difficulté à traverser. La garde au sol et les nombreux éléments de protection le mettent vraiment dans une catégorie à part. Le VUS parfait pour le style du véhicule, et pour l'image du conducteur.

PONTIAC TORRENT/ SATURN VUE

LES ABSENTS

Le Pontiac Torrent et son cousin le Saturn Vue (on aurait aussi pu y inclure le Chevrolet Équinox)n'ont pas fait partie de notre match, mais ce n'était pas faute de volonté. Dans les faits, au moment de réaliser le match, nous n'avions pu mettre la main sur l'un ou l'autre des modèles puisque la production des 2006 n'étaient pas encore commencée.

Grâce à la collaboration de GM, nous avons cependant pu tester pendant quelques jours une Torrent de préproduction, ainsi qu'un nouveau VUE. Dans les deux cas, vous pourrez lire le résultat de ces essais dans le Guide.

Pour le VUE, les plus grands changements sont esthétiques. En ce qui concerne le Torrent, ses qualités sur route se sont avérées supérieures à celle de l'Equinox notamment. Entre autres, une suspension mieux affirmée permet une conduite plus vigoureuse sure la route. Sans tomber dans l'excès évidemment puisque le modèle continue d'être un petit utilitaire pratique.

Sous le capot de tous les modèles on retrouve un moteur de 3,4 litres, bien connu des amateurs de GM, qui développe 185 chevaux. Impossible cependant d'en connaître la réelle valeur hors route puisqu'aucun des véhicules n'a pu participer au match comparatif. Le Torrent, le Vue et l'Equinox n'auront donc pas de classement officiel.

Marc Bouchard

LE MARCHÉ QUÉBÉCOIS EST CELUI QUI PRIVILÉGIE LE PLUS LES VOITURES COMPACTES. EN FAIT, PLUS DE 60 POUR CENT DES VENTES DE VÉHICULES NEUFS AU QUÉBEC SONT DE CETTE CATÉGORIE. CE SEGMENT DU MARCHÉ A ÉTÉ DOMINÉ PAR LES JAPONAISES DEPUIS AU MOINS DEUX DÉCENNIES, DU MOINS DANS L'ESPRIT DU PUBLIC. EN EFFET, MÊME SI GM ET FORD RÉUSSISSENT À SE MAINTENIR PARMI LES MENEURS DE LA CATÉGORIE, LES GENS ADMETTENT GÉNÉRALEMENT SE LES PROCURER EN RAISON DE LEUR PRIX INFÉRIEUR. LA COTE D'ESTIME EST DANS LE CAMP DES JAPONAISES. D'AILLEURS, LA MAZDA 3 EST LA CHAMPIONNE INCONTESTÉE DE LA CATÉGORIE DEPUIS SA REFONTE COMPLÈTE IL Y A DEUX ANS.
AVEC L'ARRIVÉE DE LA NOUVELLE CHEVROLET COBALT CETTE ANNÉE ET DE SÉRIEUSES MODIFICATIONS APPORTÉES AUX FORD FOCUS ET TOYOTA COROLLA L'AN DERNIER, IL ÉTAIT PLUS QU'OPPORTUN DE CONFRONTER CE QUATUOR TOUT EN AJOUTANT LA HONDA CIVIC QUI BIEN QU'EN FIN DE CARRIÈRE A TOUJOURS ÉTÉ L'UNE DES VOITURES LES PLUS POPULAIRES AUSSI BIEN AU QUÉBEC QU'AU CANADA.

CINQ COMPACTES S'AFFRONTENT

NOUS AVONS DONC REGROUPÉ CES CINQ COMPACTES POUR EFFECTUER UNE TOURNÉE SUR LES ROUTES DE LA MONTÉRÉGIE AFIN DE LES DÉPARTAGER, ET SURTOUT DE VOIR SI LES AMÉRICAINES S'ÉTAIENT AMÉLIORÉES FACE À CE QUE LE JAPON AVAIT DE MIEUX À OFFRIR. OUTRE NOS HABITUELS COMPARSES, ALAIN MORIN ET MARC BOUCHARD, NOTRE QUINTETTE D'ESSAYEURS ÉTAIT CONSTITUÉ DE CAROLINE PROULX QUI EN ÉTAIT À SES PREMIÈRES ARMES À CE GENRE D'EXERCICE EN PLUS DE FAIRE SES DÉBUTS EN TANT QUE MEMBRE DE L'ÉQUIPE DU GUIDE DE L'AUTO ET DE SIMON FORTIN, NOTRE AS DE L'INFOGRAPHIE CHEZ LCMEDIA QUI RÉCIDIVAIT À CE GENRE D'EXERCICE. UNE FOIS DE PLUS, NOUS AVONS ÉTÉ BÉNIS DES DIEUX PUISQUE LA TEMPÉRATURE ÉTAIT IDÉALE ET L'ITINÉRAIRE CHOISI A PERMIS DE BIEN DÉPARTAGER LES CONCURRENTES. ET COMME VOUS ALLEZ LE CONSTATER, CE MATCH N'A PAS ÉTÉ SANS SURPRISES.

LA MAZDA 3 ! OF COURSE !

Comme le mentionnait l'un des participants à ce comparatif après avoir conduit la Mazda 3 : « Maintenant, il faut savoir qui arrive au second rang ». La domination de la voiture « vroom vroom » a été totale. Non seulement elle s'est révélé la plus agréable à conduire, mais les essayeurs lui ont accordé les notes les plus élevées pour sa silhouette et son habitacle. D'ailleurs, chaque fois que l'un des pilotes quittait la voiture après son passage derrière le volant de la 3, il ne cessait de vanter les qualités de l'habitacle. Alors que tous les autres véhicules nous offraient une planche de bord qui était indéniablement de catégorie économique, celui de la Mazda semblait avoir été emprunté à un modèle se vendant deux fois plus cher. Et les mêmes remarques se sont appliquées à la position de conduite, le confort et le support des sièges en plus de vanter les qualités de la finition. De plus, malgré que tous aient déploré la petitesse de l'ouverture du coffre, ils ont par ailleurs été impressionnés par sa capacité de chargement. Et, bien entendu, la silhouette a fait craquer tous les participants tout comme la qualité de sa finition.

Mais c'est surtout ses qualités routières qui lui ont permis de dominer de la sorte. Sa plate-forme rigide fait qu'elle se conduit au doigt et à l'œil. Vous aurez remarqué que la Mazda participante avait une boîte manuelle tandis que trois autres étaient des automatiques. Cela n'aurait pas changé l'issue du match tant elle a survolé le lot. Même en la pénalisant « à mort », elle aurait gagné quand même. Par contre, le moteur manquait un peu de vigueur à bas régime, mais il s'agit d'un point mineur par rapport à ses qualités.

Photos : Didier Constant

MAZDA 3

SURPRISE ! LA FORD FOCUS !

DEUXIÈME RANG

Photos : Didier Constant

S'il est une voiture qui est peu appréciée du public, c'est bien la Focus. D'ailleurs, un essayeur s'est pratiquement excusé de la placer au second rang ! Pourtant, elle en a surpris plus d'un. Il est vrai que son allure n'a pas été de nature à donner le coup de foudre bien que cette silhouette en hauteur soit à la mode présentement. Soit dit en passant, la Focus de la première génération a innové en ce sens. De plus, la finition de notre modèle d'essai était dans la bonne moyenne, sans plus. La texture des plastiques ne réussit pas à soutenir la comparaison avec ceux de la Mazda 3 et de la Toyota Corolla, tandis que les ouvriers affectés à son assemblage ne semblent pas trop s'offusquer des plastiques mal alignés ou d'une peinture « ordinaire ».

L'an dernier, la Focus a eu droit à une révision esthétique et mécanique. Visuellement, l'extérieur a été peu changé bien que ce soit un pas en avant à ce chapitre. En fait, c'est surtout le tableau de bord qui a été remplacé. Nos essayeurs ont déploré son manque d'impact et ses commandes anonymes. Par contre, à part quelques broutilles, dont les commandes audio en périphérie du moyeu du volant difficiles à repérer du bout des doigts, c'était pas mal. Il est vrai que le moteur n'est pas particulièrement silencieux mais les chevaux supplémentaires invités à loger sous le capot depuis l'an dernier font sentir leur présence. Pour sa part, la transmission automatique effectue son boulot sans coup férir bien que les passages des rapports soient relativement lents. Par contre, sa tenue de route est sécurisante alors que la voiture tient bien le cap dans les courbes et que la suspension avale bien les imperfections de la route.

Bref, un second rang qui témoigne de la maturité de ce modèle dont la plate-forme est celle de la Mazda Protégé de la première génération.

FORD FOCUS

CHEVROLET COBALT
ENFIN DU POSITIF !

Les matchs des voitures compactes se sont succédé et la Chevrolet Cavalier a souvent écopé de la lanterne rouge en terminant en queue de peloton. Ce qui était tout de même normal quand on sait qu'il s'agissait d'une voiture commercialisée depuis le début des années 80 et qui avait survécu grâce à des opérations de replâtrage tous les quatre ou cinq ans. Lancée l'an dernier, la Cobalt est une toute nouvelle voiture dotée de la plate-forme Delta déjà utilisée sur la Saturn Ion et qui arrive chez Chevrolet avec quelques retouches et modifications. La motorisation est semblable à celle de la défunte Cavalier, mais l'Ecotec est tout ce qu'il y a de moderne. Ces deux éléments se combinent pour nous proposer une voiture honnête, moderne et offrant un bon rapport qualité-prix. Même qu'un ou deux essayeurs l'ont placée deuxième dans leur classement personnel ! N'eut été de sa silhouette couci couça, de sa présentation intérieure terne et de quelques détails d'aménagement à revoir, elle aurait tout au moins grimpé d'une case. Sur la route, elle a impressionné par son comportement équilibré et sans surprise. Malheureusement, les garnitures de jantes qui font office de pneus sont bruyantes et peu performantes. Sur une note plus positive, notre match s'est déroulé sous une canicule d'enfer et la climatisation était vraiment à la hauteur. En terminant, pour se changer les idées, les essayeurs se sont lancés dans une chasse à la découverte de la télécommande du coffre arrière. C'est Alain Morin qui a été le premier à détecter ce bouton placé dans un simili vide-poche à l'extrémité inférieure gauche de la planche de bord. Pas fort comme idée !

Photos : Didier Constant

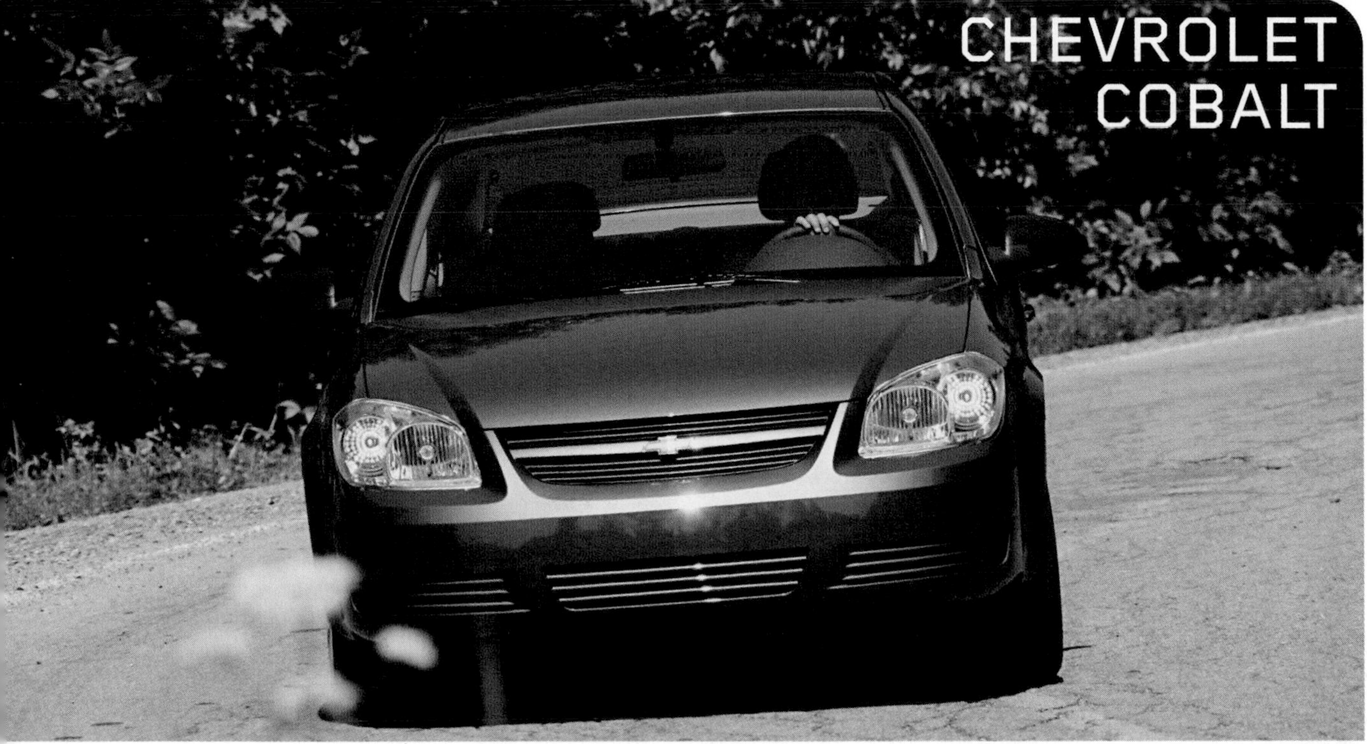

TOYOTA COROLLA TROP PARFAITE

QUATRIÈME RANG

Photos : Didier Constant

Avant de pousser de hauts cris face à ce quatrième rang, sachez que les participants à ce match ont tous évalué les concurrentes pour leurs qualités mécaniques et esthétiques, mais l'élément coup de cœur devait être pris en considération. D'ailleurs, si vous désirez une auto impeccable quant à la qualité, à la fiabilité et à la longévité, arrêtez votre choix sur la Corolla. Celle-ci devrait avoir un léger avantage sur les quatre autres participantes. Mais si vous faites partie des gens qui apprécient l'agrément de conduite, vous risquez d'être déçu. Et la sonorité du moteur est plus agricole qu'autre chose... Par contre, il devrait être solide et durable. Idem pour la transmission automatique qui est lente dans ses changements de vitesse, mais sa solidité ne sera pas mise en doute.

Bref, c'est la voiture pour les gens préférant la sécurité d'esprit à l'agrément de conduite. Et cette philosophie de design est respectée partout puisque la silhouette est anonyme à souhait ainsi que le tableau de bord. Toujours dans la même veine, la direction était la plus engourdie du lot tandis que certains détails d'aménagement ont fait tiquer nos essayeurs. Par exemple, les commandes de la radio ne sont pas faciles à atteindre pour une personne de petite taille. Bref, si vous êtes dépressif, ce n'est pas la voiture qu'il vous faut. D'ailleurs, quelqu'un a souligné que si cette Toyota devait être offerte en une seule couleur, celle-ci serait grise!

Détail à souligner, elle était la plus frugale du lot tandis que son temps d'accélération de 0-100 km/h est de 8,2 secondes. Ce sont des éléments à prendre en considération.

HONDA CIVIC

EN ATTENDANT LA RELÈVE

En voilà une qui sera difficile à avaler. L'ancienne championne de la catégorie au cinquième rang. Mais il faut préciser que si notre match avait regroupé tous les modèles de la catégorie, cette Honda se serait classée cinquième sur la douzaine que compte la catégorie. Il faut également souligner que les jours de cette version sont comptés puisque sa remplaçante sera parmi nous avant que la prochaine édition du Guide soit publiée. La loi du marché est telle de nos jours que les champions d'hier doivent se renouveler souvent pour ne pas se faire doubler. Décidément, cette Civic n'aura jamais eu la vie facile depuis sont entrée en scène alors que son caractère plus bourgeois a déplu à plusieurs inconditionnels. Malgré le fait qu'il s'agissait d'une version spéciale comprenant quelques accessoires décoratifs de caisse et un système audio passablement relevé pour la catégorie, les notes de la Reverb n'ont pas réussi à la pousser en tête du classement. Malheureusement, le fait que ce moteur soit le moins puissant de notre quintette, son niveau sonore élevé ainsi qu'une direction moins précise que celle des autres concurrentes l'ont pénalisée. De plus, le design du tableau de bord n'a pas excité nos essayeurs. Par contre, cette Honda conserve son agilité légendaire, sa construction est exemplaire et la fiabilité demeure toujours l'un de ses points forts.

Photos : Didier Constant

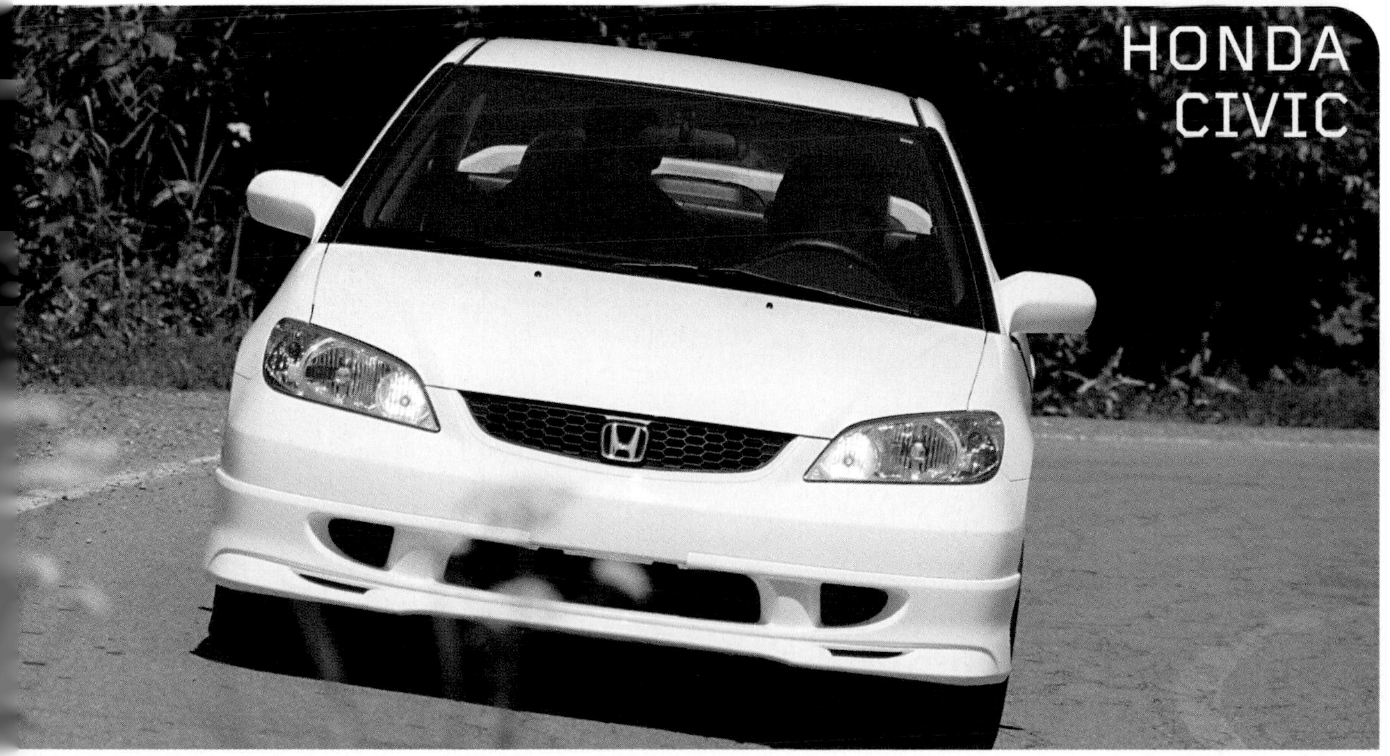

HONDA CIVIC

LES PETITES VITES

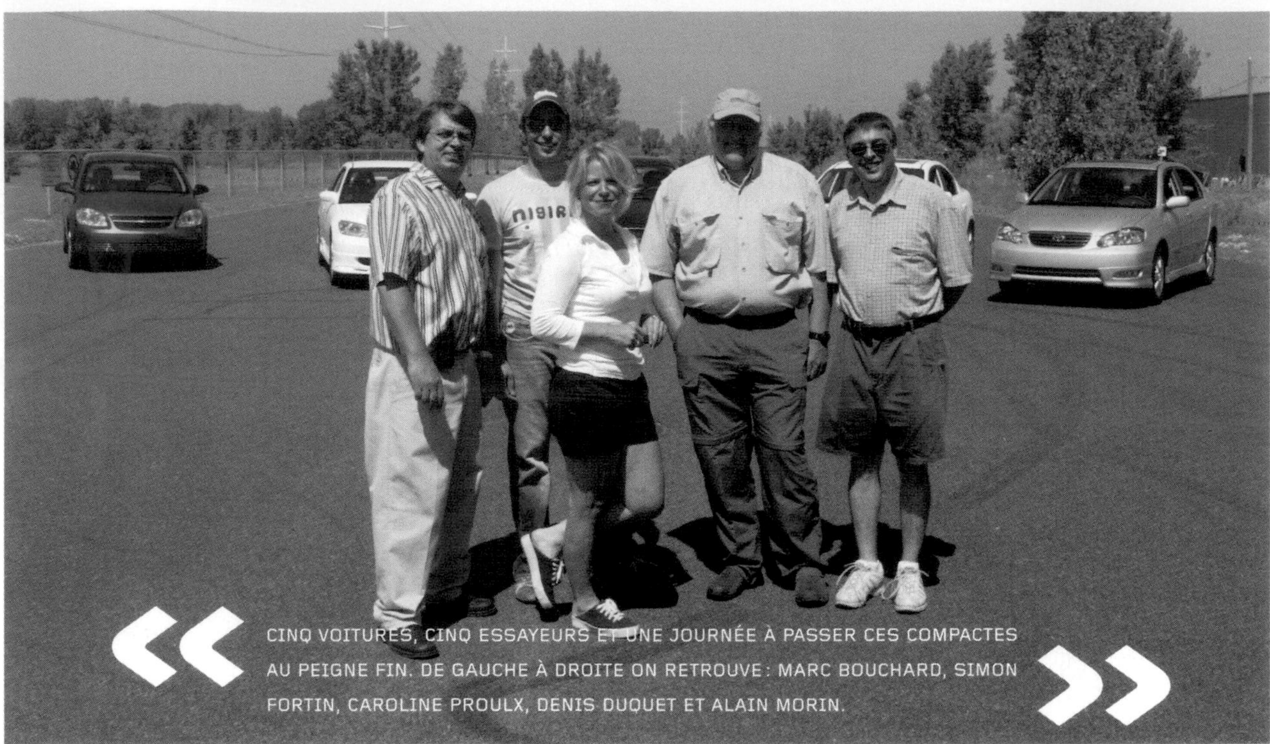

CINQ VOITURES, CINQ ESSAYEURS ET UNE JOURNÉE À PASSER CES COMPACTES AU PEIGNE FIN. DE GAUCHE À DROITE ON RETROUVE: MARC BOUCHARD, SIMON FORTIN, CAROLINE PROULX, DENIS DUQUET ET ALAIN MORIN.

>>> DONNÉES TECHNIQUES

Nom du modèle	Cobalt	Focus	Civic	Mazda 3	Corolla
Empattement	262 cm	261 cm	262 cm	264 cm	260 cm
Longueur	458 cm	453 cm	445 cm	448,5cm	453cm
Largeur	173 cm	170 cm	171,5 cm	175,5 cm	170 cm
Hauteur	145 cm	143 cm	144 cm	146,5 cm	148 cm
Poids	1322 kg	1256 kg	1150 kg	1280 kg	1175 kg
Transmission	Automatique	Automatique	Manuelle	Manuelle	Automatique
No. de rapports	4	4	5	6	4
Moteur	4L	4L	4L	4L	4L
Cylindrée	2,2 litres	2,0 litres	1,7 litres	2,3 litres	1,8 litres
Puissance	145 ch	136 ch	115 ch	160 ch	130 ch
Suspension:					
avant	indépendante	indépendante	indépendante	indépendante	indépendante
arrière	demi indépendante	indépendate	indépendante	indépendante	demi indépendante
Freins:					
avant	disques	disques	disques	disques	disques
arrière	tambours	tambours	tambours	disques	tambour
ABS	oui	oui	opt	oui	oui
Pneus	205/55R16	P195/60R15	P185/70R14	205/50VR17	P195/65R15
Direction	à crémaillère,assistée	à crémaillère, assistée	à crémaillère, assistée	à crémaillère, assistée	à crémaillère, assistée
Diamètre de braquage	10,8 mètres	10,4mètres	10,4 mètres	10,4 mètres	10,7 mètres
Coussin gonflable	frontaux, latéraux (opt)	frontaux	frontaux	frontaux	frontaux et latéraux
Réservoir de carburant	49 litres	53,4 litres	50 litres	55 litres	50 litres
Capacité coffre	393 litres	490 litres	365 litres	323 litres	385 litres
Accélération 0-100 km/h:	9,0 secondes	10,6 secondes	10,4 secondes	8,2 secondes	8,2 secondes
Reprises 80-120 km/h	8,3 secondes	8,2 secondes	7,8 secondes	7,0 secondes	7,0 secondes
Freinage 100-0 km/h	41,4 mètres	39,5 mètres	41,5 mètres	40,3 mètres	41 mètres
Vitesse de pointe	185 km/h	180 km/h	185 km/h	188 km/h	190 km/h
Consommation	8,4 litres / 100 km	9,8 litres /100 km	7,7 litres/100 km	8,0 litres	7,2 litres
Prix (estimé)	20,995$	20,135$	19,995$	22,495$	22,995$

Cette rencontre au sommet des cinq meilleures compactes de la catégorie a prouvé une fois de plus la suprématie de la Mazda 3 sur ses concurrentes. En fait, elle est en voie de devenir l'une des meilleures compactes depuis des décennies, point. La grande surprise a toutefois été les bons résultats des deux américaines en lice : la Ford Focus et la Chevrolet Cavalier. Si plusieurs lecteurs sont surpris de la seconde position de la Ford, il faut souligner que cette voiture a été à une époque pas trop lointaine la voiture la plus vendue au monde. Sans compter qu'elle jouissait d'une grande popularité sur le marché québécois avant qu'une réputation de fiabilité déficiente fasse dégringoler ses chiffres de ventes. Révisée depuis l'an dernier, elle a sérieusement pris du poil de la bête. La même chose pour la Cobalt qui a failli de peu se classer deuxième. Une silhouette jugée trop anonyme ainsi que quelques détails d'aménagement rébarbatifs lui ont coûté des points.

La Corolla a été révisée l'an dernier. Les changements ont été discrets, mais ont permis d'en faire une voiture plus homogène. Ces quelques améliorations la démarquent de la Civic qui sera bientôt revitalisée. Si les points départagent ces cinq compactes, le mot de la fin est que les voitures de cette catégorie ont grandement évolué au fil des années et proposent maintenant des performances, un confort et un comportement routier qui étaient il n'y a pas si longtemps l'apanage des voitures de catégorie supérieure et vendues beaucoup plus cher.

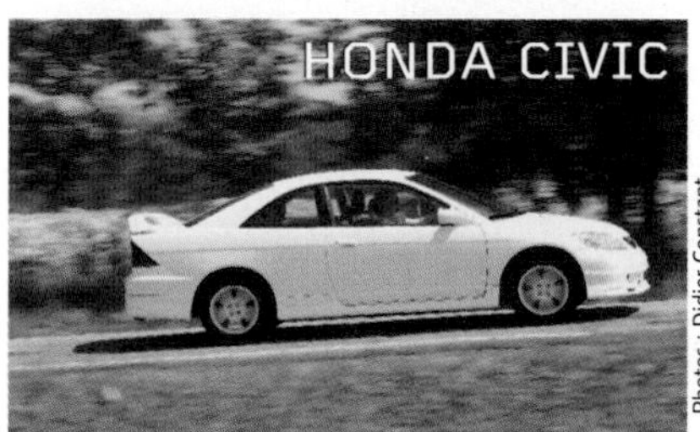

Photos : Didier Constant

››› GRILLE D'ÉVALUATION

		Cobalt	Focus	Civic	Mazda 3	Corolla
Style / 20 pts						
› Extérieur	10	7	6	6	8	6
› Intérieur	10	6	6	5	8	7
Carrosserie / 120						
› Finition intérieure et extérieure.	30	23	21	24	25	24
› Qualité des matériaux	30	20	19	22	24	22
› Coffre (accès/volume)	10	6	8.5	7	6	7.5
› Espaces de rangement	20	13	12	11	15	14
› Astuces et originalité *(innovation intéressante, gadget hors série)*	10	6	6	6	7	5
› Équipement	10	6	7	6	8	6
› Tableau de bord	10	6	7	6	8	7
Confort / 40 pts						
› Position conduite/volant/sièges av.	10	7	7	7	8	7
› Places arr. (espace 2 ou 3 pers.)	10	6	6	5	6	6
› Ergonomie *(facilité d'atteindre les commandes et lisibilité des instruments)*	10	6	6	7	7	7
Silence de roulement	10	5	5	4	6	3
Conduite / 120						
› Moteur *(rendement, puissance, couple à bas régime, réponse, agrément)*	20	16	15	14	18	13
› Transmission (passage des rapports étagement, rétrocontact,levier, agrément)	20	16	15	15	17	14
› Direction (précision, feed-back, braquage)	20	17	15	13	18	10
› Tenue de route	20	16	16	15	18	14
› Freins (endurance, sensations, performances)	20	12	15	14	17	14
› Confort de la suspension	20	16	17	15	16	14
Sécurité / 30 pts						
› Visibilité	10	8	8	5	7	8
› Rétroviseurs	10	8	8	5	7	8
› Nombre de coussins de sécurité	10	10	10	10	10	10
Performances mesurées / 60						
› Reprises	20	16	17	18	18	20
› Accélération	20	18	16	17	20	20
› Freinage	20	16	20	15	18	17
Rapport qualité / prix / 110						
› Agrément de conduite	40	30	32	24	35	22
› Choix des essayeurs	50	40	45	35	50	40
› Valeur pour le prix	20	17	18	15	19	18
Total	500	373	383.5	346	424	363.5
Classement		3	2	5	1	4

Après un hiatus d'une année, le Guide renoue avec la tradition et vous présente les résultats des essais à long terme qui ont été effectués au cours des 12 derniers mois. Comme par le passé, nous avons sélectionné des modèles qui font leur apparition sur le marché, qui innovent dans un créneau en particulier ou qui nous proposent des solutions techniques intéressantes.

Pour ce millésime, la première voiture à avoir été évaluée a été la Mazda 6 familiale. Ce modèle a fait ses débuts à l'été 2005 et l'essai a commencé juste au moment de la parution du Guide 2005. La raison de ce choix est tout simplement que les familiales à caractère sportif ne sont pas légion. Lancée en même temps que la version hatchback, cette 6 « tout usage » a donc traversé un hiver et a roulé plus de 10 000 km dans des conditions les plus diverses.

Les constructeurs coréens ont le vent dans les voiles par les temps qui courent et l'occasion était bonne pour tester les plus récentes nouveautés. Chez Hyundai, la Tucson a connu une entrée spectaculaire sur notre marché et elle a mérité la chance d'être auscultée sous toutes les tôles. Compte tenu du prix très compétitif, nous brûlions tous d'envie de découvrir ses qualités et ses limites en plus de sa fiabilité. Enfin,

AU FIL DES KILOMÈTRES

Photo : Didier Constant

Photo : Denis Duquet

LA KIA SPECTRA 5 SEMBLE TOUTE DÉSIGNÉE POUR LES CONDITIONS ACTUELLES DU MARCHÉ. D'UN PRIX COMPÉTITIF, SON NIVEAU D'ÉQUIPEMENT EST RELEVÉ TANDIS QUE SA CONFIGURATION DE HATCHBACK CINQ PORTES EST UN ATOUT DE PLUS. RESTE À SAVOIR SI CETTE NOUVELLE VENUE EST CAPABLE DE ROULER PLUSIEURS MOIS SANS ENNUIS ET SI SON AGRÉMENT DE CONDUITE EST À LA HAUTEUR DES ATTENTES.

MÊME SI LE QUÉBEC EST LA PROVINCE DES SOUS-COMPACTES, L'ESSAI D'UN VÉHICULE DE LUXE N'EST PAS À DÉDAIGNER. CETTE FOIS, C'EST AU TOUR DE LA BMW SÉRIE 7 DE SE FAIRE EXAMINER. REMODELÉE EN 2005, ELLE DOIT EN MÊME TEMPS TENTER DE PROUVER QUE SES PROBLÈMES ÉLECTRONIQUES DU PASSÉ ONT ÉTÉ CORRIGÉS. IL S'AGIT TOUTEFOIS D'UN PREMIER CONTACT DE QUELQUES MILLIERS DE KILOMÈTRES, MAIS C'EST QUAND MÊME SUFFISANT.

VOILÀ LE MENU DES PROCHAINES PAGES. LE PLUS INTÉRESSANT DANS CES JUGEMENTS ÉTANT LA CONCLUSION DES ESSAYEURS SUITE À PLUSIEURS SEMAINES DE CONDUITE SUR TOUTES SORTES DE ROUTES ET DANS TOUTES LES CONDITIONS MÉTÉOROLOGIQUES IMAGINABLES. CELA PERMET DE DRESSER UN PORTRAIT PLUS COMPLET. DU MOINS, C'EST NOTRE INTENTION. VOICI DONC NOS VOITURES D'ESSAI PRÉSENTÉES PAR ORDRE ALPHABÉTIQUE.

BMW SÉRIE 7 • HYUNDAI TUCSON
KIA SPECTRA5 • MAZDA6 SPORT

Photo : Alain Morin

Photo : Denis Duquet

PREMIER CONTACT BMW SÉRIE 7

PLUS QU'UN NOUVEAU LOOK

Certains ont affirmé haut et fort qu'ils avaient eu raison de critiquer la silhouette de la BMW Série 7 puisque, à peine trois ans après son arrivée sur le marché en 2002, la berline de grand luxe de BMW est l'objet d'une révision de ses formes. Il est vrai que le style a été adouci, mais la transformation de la 7 n'est pas que purement esthétique : elle permet aussi au constructeur bavarois de bonifier son offre à l'aube du lancement de la concurrente de Classe S chez Mercedes-Benz.

Chez BMW, on présente le nouveau look comme étant une mise au point, sans toutefois admettre que le style controversé de la Série 7 posait problème. Il faut préciser que la berline de grand luxe a obtenu un succès important au cours de ses 38 mois de carrière permettant ainsi à BMW d'augmenter ses ventes de 8 % dans ce créneau à l'échelle mondiale. Peu importe les raisons qui ont amené les stylistes de BMW à revoir la Série 7, le résultat de leur récent travail nous permet de consacrer ce nouveau design comme étant plus achevé dans la mesure où la voiture présente maintenant une allure plus sportive et musclée qui est également plus typique de la marque. Ainsi, le capot moteur est plus élevé d'un pouce à la base du pare-brise et l'angle de sa pente vers l'avant est plus prononcé. Aussi, les phares, les feux et les pare-chocs ont été redessinés, celui de l'arrière se courbant vers l'intérieur afin de laisser entrevoir les pneus pour donner une apparence plus athlétique à la voiture. C'est une question de détails, mais ce sont là des détails qui prennent toute leur importance. De plus, suffit de stationner le nouveau modèle de la Série 7 à côté du modèle précédent pour constater la portée de l'impact visuel réalisé par la plus récente version. Du beau travail sur toute la ligne, et cette allure d'un athlète en complet à trois boutons est d'autant plus frappante lorsque la Série 7 est équipée en option du groupe sport comprenant des jantes en alliage de 20 pouces chaussées de pneus à profil bas, comme sur notre voiture d'essai.

Pour le marché nord-américain, BMW continue de proposer deux motorisations, et si le V12 de 6,0 litres et ses 438 chevaux demeure inchangé, la cylindrée du V8 est maintenant portée à 4,8 litres et sa puissance à 367 chevaux, un gain de 10 pour cent par rapport au moteur de 4,4 litres qui équipait précédemment les 740i. Ce changement se reflète d'ailleurs dans la désignation technique du modèle aujourd'hui appelé 750i. C'est justement cette version qui est à l'essai. À ce jour, cette mécanique a tourné comme un moulin , et l'ajout de ces chevaux rend ce moteur V8 encore plus performant, comme si cela avait été nécessaire !

Sur notre voiture d'essai, le confort des passagers se trouve rehaussé d'un cran par l'ajout du groupe d'options «Executive» et «Multimedia» comprenant, entre autres, des sièges chauffants à l'arrière, des rideaux pare-soleil, une suspension arrière pneumatique à ajustement automatique, une chaîne stéréo haute-fidélité LOGIC 7 de même qu'un écran télé pour la lecture de DVD.

Par ailleurs, les changements intérieurs n'ont pas l'étendue de ceux apportés à la carrosserie, et se limitent essentiellement à l'adoption de nouvelles teintes pour les appliqués de bois ornant l'habitacle, ainsi qu'au nouveau design du contrôleur du système i-Drive, désormais recouvert d'une touche de cuir. Et puisqu'il faut bien en parler, précisons que le système de télématique i-Drive a été revu et corrigé de façon à simplifier son utilisation. Il demeure toutefois complexe pour les non-initiés, malgré l'adoption de nouveaux codes de couleur pour les menus et les sous-menus des différentes fonctions. Cependant, une fois que l'on a fait ses devoirs, l'utilisation quotidienne du i-Drive permet de personnaliser la Série 7 à l'extrême, et accessoirement d'impressionner la galerie. Mais il est obligatoire de potasser le manuel de propriétaire pour s'y retrouver!

Après plus de 5000 km au volant de cette belle bavaroise, rien à rapporter sur le plan de la mécanique sauf que la conduite de cette voiture s'est révélée un expérience fort plaisante. Une seule ombre au tableau : je me suis souvent fait demander ce qu'un jeune homme comme moi faisait au volant d'une voiture généralement réservée à des personnes d'âge mûr ! Il faut en conclure que ces acheteurs aux tempes grises ont le cœur jeune puisque le comportement routier de cette berline est impressionnant tout comme ses performances. Et ils sont patients, car certaines commandes demeurent toujours des éléments qui ont fait monter ma pression. Mais, quand on est jeune, on est plus impatient!

Gabriel Gélinas

BMW 750

Début de l'essai :	mai 2005
Fin de l'essai :	toujours en cours
Kilométrage parcouru :	6450 km
Consommation moyenne :	12,9l/100 km
Ennuis mécaniques :	aucun
Intégrité de la carrosserie :	excellente

Autres commentaires : la voiture gadget par excellence, mais aussi une grande routière

HYUNDAI TUCSON

Conduire le Hyundai Tucson pour quelques kilomètres, représente une sensation fort agréable. Après tout, le petit véhicule est compact, maniable, et somme toute assez plaisant à conduire. Reste à savoir si cette impression est demeurée la même après plus de 12 000 km au compteur, comme c'est le cas au moment d'écrire ces lignes et à quelques semaines de la fin de ce test.

Cet essai mené sur une période de plusieurs mois a permis de déceler un point majeur à mettre dans la colonne des moins. Et c'est la consommation du moteur qui est plus élevée que la moyenne. Nous avons observé une moyenne combinée de 13,3 litres aux 100 km, ce qui est tout de même un peu stressant alors que le prix du litre de carburant ne cesse de grimper. Certains membres du groupe d'essayeurs se sont porté à sa défense en soulignant qu'il s'agissait de l'un des moteurs V6 les plus puissants de sa catégorie et que plusieurs autres étaient encore plus gourmands. Ils citaient entre autres les Jeep Liberty, Ford Escape et Subaru Forester. En comparant les chiffres, ils n'ont pas tort. Ceux que cette consommation inquiète pourront toujours se tourner vers le moteur 4 cylindres. Il faudra en revanche se contenter des 140 chevaux disponibles, ce qui risque de s'avérer un peu juste en certaines circonstances.

Avouons-le cependant, c'est le seul commentaire véritablement négatif qui a fait l'unanimité chez tous les essayeurs. Pour le reste, malgré certaines faiblesses, le nouveau petit utilitaire de Hyundai tire plus que bien son épingle du jeu.

En conduite urbaine par exemple, le Tucson possède de belles qualités. Sa suspension absorbe bien les trous et les bosses, tandis que sa direction assez précise favorise les trajectoires plus serrées exigées par des conditions citadines. Il n'offre pas de démarrages foudroyants, mais c'est suffisant pour répondre aux besoins normaux.

À plus grande vitesse, il est aussi assez confortable, même si la qualité des sièges arrière laisse plutôt à désirer. En fait, le manque de rembourrage à l'arrière rend plutôt inconfortable une longue randonnée, même si l'espace y est généralement assez vaste. Il faut cependant comprendre que le dégagement pour les jambes n'est pas exceptionnel, ce qui pour Alain Morin et Marc Bouchard ne pose aucun problème. Mais pour les grandes pointures comme notre rédacteur en chef Denis Duquet, cela complique un peu les choses.

Nos excursions hors route ont été assez limitées, mais le Tucson se tire quand même

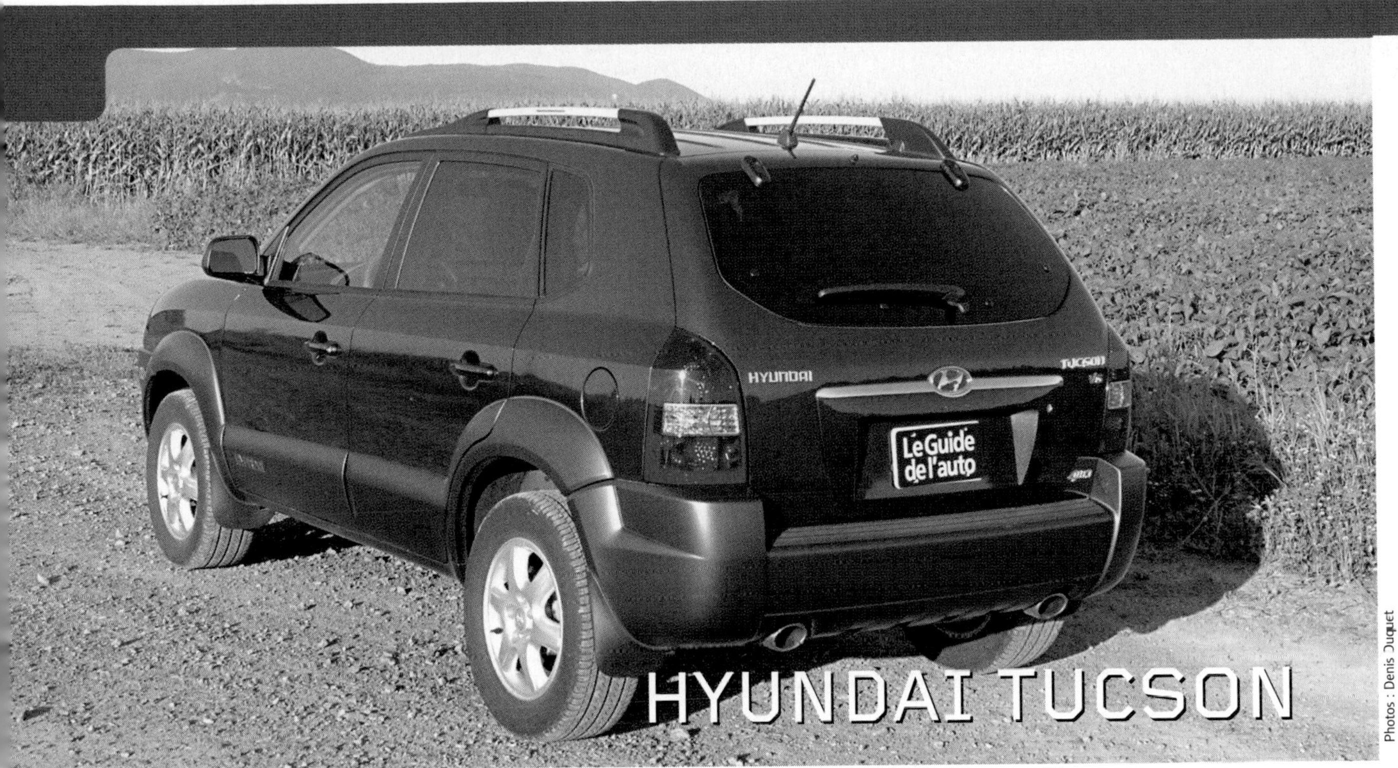

HYUNDAI TUCSON

Photos : Denis Duquet

fort bien d'affaire avec une bonne garde au sol et un rouage intégral efficace.

C'est surtout la configuration de la carrosserie qui a été la plus appréciée. Pour l'épouse de Denis Duquet, c'était le véhicule idéal pour aller chercher plantes, arbustes et autres végétaux, tandis que Simon Fortin de LC Media a aimé sa capacité de chargement lorsque venait le temps de déplacer les éléments de ses kiosques promotionnels. Et la famille du soussigné a bien aimé sa maniabilité. Bref, c'est un excellent véhicule à tout faire pour la famille. Mais ses membres devront conduire en mode économique afin d'alléger la facture de carburant. De plus, toute l'équipe s'interroge à savoir pourquoi les visites dans les stationnements des centres commerciaux se sont toujours soldées par une éraflure ou une légère bosse suite au contact d'une porte d'un véhicule stationné tout près. D'ailleurs, après quelques mauvaises expériences, le Tucson était invariablement garé loin de toute autre voiture par mesure de précaution.

Notre version d'essai, la GL V6, comptait plus d'options que la plupart de ses rivaux, même si son prix d'achat était inférieur aux autres de la catégorie. C'est du reste un des traits caractéristiques du Tucson dont le prix de base, à 19 995 $ est étonnamment bas pour la quantité d'équipements de série disponible. À ce prix cependant, il faudra vivre avec la traction avant et le plus petit moteur. Pour obtenir la traction intégrale, il faut immédiatement se tourner vers les plus gros moteurs.Au moment d'écrire ces lignes, et après quelque 11 000 kilomètres, notre essai n'était pas encore terminé. Et j'avoue que c'est avec un peu de regret que nous regarderons partir le Tucson. Car une fois les petits défauts acceptés, il faut l'admettre, le petit utilitaire a un je ne sais quoi d'attachant. Si tous les nouveaux véhicules Hyundai sont aussi réussis que le nouveau Tucson, le constructeur coréen risque fort de retrouver sa place parmi les meneurs au palmarès des ventes. Et dire qu'à une certaine époque, Hyundai ne vendait que des Pony...

Marc Bouchard

HYUNDAI TUCSON

Début de l'essai :	février 2005
Fin de l'essai :	toujours en cours
Kilométrage parcouru :	11 728 km
Consommation moyenne :	13,3l/100 km
Ennuis mécaniques :	aucun
Intégrité de la carrosserie :	excellente
Autres commentaires :	pratique, bonnes dimensions, consommation à surveiller

KIA SPECTRA5

UNE BELLE SURPRISE

Si la marque Hyundai a réussi à se tailler une réputation passablement positive en fait d'agrément de conduite et de fiabilité après avoir connu des jours difficiles, la compagnie Kia doit encore lutter contre une image qui n'est pas toujours reluisante. Son arrivée sur la scène québécoise ne s'est pas nécessairement faite dans l'allégresse. Mais depuis quelques années, la situation s'est rétablie. D'autant plus que ce constructeur est en voie de renouveler sa gamme avec des véhicules qui n'ont aucune comparaison avec les modèles antérieurs. La nouvelle Spectra5 est de cette cuvée.

Cette nouvelle venue se veut d'allure plus sportive que la Spectra ordinaire avec des suspensions un tantinet plus dures et des roues de 16 pouces, mais là s'arrêtent les différences mécaniques. À l'intérieur de l'habitacle, la 5 se montre un peu plus raffinée et est la seule de la catégorie à proposer, de série, six coussins gonflables. Aussi, puisque cette voiture s'adresse à un public relativement jeune (24-35 ans), un lecteur MP3 fait partie de l'équipement de base.

Si la partie avant est une copie conforme de la Spectra 4 portes, la partie arrière, évidemment, diffère et les grosses lumières à la Sorento ajoutent au dynamisme de l'ensemble. Le hayon s'ouvre assez haut pour ne pas décapiter la tête d'une personne de taille moyenne et le seuil de chargement est bas et large. De plus, la possibilité de baisser le dossier 60/40 des places arrière demeure toujours intéressante, surtout qu'il s'agit d'un des coffres les plus logeables de la catégorie, qui engouffre tout ce qu'on lui propose (on dirait un ado devant un réfrigérateur grand ouvert) sans même avoir à abaisser les sièges. Si le besoin s'en fait sentir, en relevant l'assise de ces sièges puis en faisant basculer le dossier, on se retrouve avec un plancher très plat même si la partie supérieure des dossiers 60/40 reste un peu relevée. Et si nous avions manqué d'espace, il y aurait toujours eu la possibilité de placer de petits objets sous la moquette du coffre.

Parlant du siège arrière, mentionnons qu'il est plus ou moins confortable, mais qu'il y a suffisamment d'espace pour les jambes si les gens à l'avant n'ont pas reculé leurs bancs au maximum. Quant à la visibilité, elle ne cause pas de problèmes. À l'intérieur, on retrouve plusieurs espaces de rangement, le système audio émet un son correct et plusieurs essayeurs ont trouvé les sièges avant un peu durs.

Le moteur de la Spectra5 est un quatre cylindres de 2,0 litres développant 138 chevaux et un couple de 136 livres-pied à 4500 tours/minute. Le 0-100 est bouclé en un peu plus de 9,0 secondes ce qui, dans cette ère de

KIA SPECTRA5

course à la puissance, semble bien ordinaire. D'ailleurs, pour obtenir un peu de puissance à bas régime, il ne faut pas hésiter à triturer la boîte manuelle. Ce moteur est honnête tout en étant facile d'entretien et fiable. Et, bonne nouvelle, il consomme modérément! Lors d'une longue randonnée, j'ai maintenu une moyenne de 6,73 litres aux 100 km, ce qui est fort raisonnable. Il faut dire que 90 % du trajet s'est déroulé sur l'autoroute à une vitesse moyenne de 100 km/h. Bon, OK, 120 pour être franc. Avec une petite pointe à 130 à l'occasion. 140? Une fois ou deux... Sur une note plus sérieuse, la consommation moyenne a toujours été d'environ 8,3 litres aux 100 km.

La direction se montre passablement précise mais le volant offre peu de feedback. Pour continuer avec les petites « bebittes », les pneus Goodyear Eagle P205/50R16, sont un peu trop bruyants, un phénomène déjà remarqué sur une autre Spectra5 essayée l'automne dernier.

Notre voiture d'essai était une SX Groupe 1 dotée de freins ABS. Mais il faut surtout souligner la présence de six coussins gonflables, peu importe la version.

En général, les commentaires concernant la conduite de cette voiture ont été positifs. Toutefois, les propos sur la dureté des sièges se sont répétés, mais le confort desdits sièges a été qualifié de « correct ».

Contrairement aux attentes de plusieurs conducteurs, le comportement de la voiture a reçu des éloges, même si on n'a aucune envie de pousser la machine. Dans le calepin de bord, la Spectra5 semble de plus en plus agréable à conduire au fil des kilomètres. D'ailleurs, il faut préciser qu'elle est économique mais que la sportivité ne fait pas partie de ses gènes.

Les incidents mécaniques ont été rarissimes. Le témoin de vérification du moteur s'est allumé une fois. La cause : un bouchon de réservoir de carburant mal fermé. Lors d'un long voyage, j'ai dû subir un bruit éolien provenant du toit ouvrant et qui devenait graduellement strident. J'ai eu beau ouvrir et fermer ledit toit plusieurs fois, rien n'y faisait. C'est finalement notre docteur en bruits aérodynamiques, Denis Duquet, qui le lendemain, en jouant un peu avec les moulures du toit ouvrant, a fini par régler le problème.

À part cela, rien, absolument rien à signaler au chapitre de l'entretien et des réparations depuis ses premiers tours de roues avec nous. Bref, contrairement aux préjugés de certains, la Spectra5 n'a rien d'une voiture « cheap », autant au niveau de son prix d'achat que de son comportement routier !

Alain Morin

KIA SPECTRA5

Début de l'essai :	mars 2005
Fin de l'essai :	toujours en cours
Kilométrage parcouru :	7 667 km
Consommation moyenne :	8,3 l/100 km
Ennuis mécaniques :	sifflement temporaire du toit ouvrant
Intégrité de la carrosserie :	excellente
Autres commentaires :	belle surprise, agréable à conduire, frugale.

MAZDA6 SPORT FAMILIALE

SPORT, POLYVALENCE ET... CURIOSITÉ

La Mazda6 Familiale est l'une des rares de sa catégorie. Compte tenu de l'excellence de la plate-forme de toutes les «6», il était intéressant de savoir si pratique et sport pouvaient se conjuguer. Car il faut savoir que la Mazda6 est offerte en trois configurations, berline, Sport (communément appelée hatchback 5 portes) ou familiale. Deux moteurs sont proposés pour la berline et la Sport, soit un quatre cylindres de 2,3 litres développant 160 chevaux ou un V6 de 3,0 litres de 220 équidés. La familiale, elle, n'a droit qu'au V6. Pas moins de quatre transmissions s'associent à ces moteurs. Toutes les versions reçoivent d'office une manuelle à cinq rapports. La berline a droit à une automatique à quatre ou cinq vitesses, la Sport, elle, à quatre ou six vitesses tandis que la familiale ne bénéficie que de six rapports. Notre Mazda6 Sport Familiale GT était propulsée par le V6, et la transmission automatique s'occupait de faire passer la puissance aux roues avant.

C'est en juin 2004 que Mazda nous a confié les clés d'une Mazda6 familiale, et ce, pour une période de six mois. Nous convenons qu'il y peut y avoir des tâches un tantinet moins agréables... À ce moment, le compteur de notre cobaye indiquait 354 kilomètres. Première constatation : la bagnole est belle! Au cours de notre essai, plusieurs personnes se sont retournées pour mieux la regarder et certains ne se sont pas gênés pour nous féliciter. Il faut avouer que les familiales s'attirent rarement des éloges. Mais, dans le cas de la 6, les stylistes ont choisi des crayons de couleur subtils! Ce qui nous a par conséquent obligés à effectuer plusieurs descriptions impromptues de la voiture dans les stationnements de centre commerciaux ou lors du plein dans les stations-service.

Une familiale, aussi jolie soit-elle, se doit d'être également pratique. Nous avons profité de notre essai prolongé pour transporter une foule de choses (c'est fou comme on se trouve des amis rapidement quand on a de l'espace dans un véhicule...) L'espace de chargement est suffisamment grand pour des besoins personnels. Seul le cache-bagages s'est vu pointé du doigt. Il dérangeait la plupart du temps, surtout quand on veut baisser les dossiers des sièges qui forment alors, soit dit en passant, un fond plat. Denis Duquet, a trouvé les mots justes pour décrire cet accessoire : «Ce n'est vraiment pas la trouvaille du siècle!»

Tous ceux qui sont montés à l'avant ont constaté que les sièges se révèlent tout d'abord un peu durs et l'assise semble trop petite. Quelques aller-retour Montréal-Québec prouveront le contraire à certains, mais quelques-uns les ont effectivement trouvés trop durs et peu confortables. De plus, ils retiennent plus ou moins efficacement le pilote et le passager dans une courbe prise vivement. Le carnet de bord indique aussi que le tissu de couleur pâle était peut-être bien beau mais qu'il se salissait rapidement. Le tapis du pilote avait la fâcheuse

MAZDA6 FAMILIALE

Photos : Denis Duquet

tendance à bouger puisque son ancrage se montrait peu efficace. Quant aux sièges arrière, ils ont fait montre d'une dérangeante dureté pour certains qui ont jugé leur assise trop basse et pas assez profonde. Par contre, le dégagement pour les jambes est très bon même lorsque les sièges avant sont reculés au maximum. Le dégagement pour la tête ne cause pas de problèmes non plus. La place centrale fait preuve de plus de mollesse et s'en trouve un peu plus confortable.

Parmi les autres remarques au sujet de l'habitacle, plusieurs ont mentionné que la radio offrait une belle sonorité et que l'espace de rangement placé sur le dessus du tableau de bord était difficile à ouvrir tant qu'on n'avait pas trouvé le truc. Le style du tableau de bord et l'ergonomie des commandes et cadrans ont été soulignés plus d'une fois, toujours positivement. La nuit, les chiffres des indicateurs deviennent rouges et facilitent les longs déplacements.

Quant au comportement routier, il n'y a, encore une fois, rien à redire. La tenue de route est super pour une familiale, dixit Denis Duquet. Le système de contrôle de traction se révèle discret mais efficace et on dénote un certain roulis, sans plus. Sinon, le comportement demeure toujours très prévisible. Cependant, si les pneus avaient été moins criards, personne ne s'en serait plaint... Quant à la transmission, elle doit bien fonctionner puisqu'aucun essayeur n'y a rien trouvé à redire Les suspensions sont confortables, les freins assurent des décélérations rapides et rectilignes et, en cas d'arrêt de type panique (j'aimerais bien «discuter» avec le zouf qui re-culait en plein milieu de la voie de droite dans la sortie d'une courbe de la route 249 en août dernier...) en cas d'arrêt de type panique donc, l'ABS réagit rapidement et avec une discrétion appréciée.

Parmi les commentaires en vrac, mentionnons que plusieurs essayeurs ont trouvé que le rayon de braquage était trop grand, que le moteur se révélait fort bruyant en accélération et qu'aucun bruit de caisse ou «gueling-guelang» n'émanait de la caisse.

C'est avec un pincement au cœur que nous avons remis cette Mazda6 à Mazda Canada. Lors de cette remise, le compteur indiquait près de 10 000 km et nous avons maintenu une moyenne de 10,8 litres aux cent kilomètres, ce qui se veut très acceptable compte tenu du caractère pratique du véhicule. Au sujet de la mécanique, nous n'avons absolument rien à déclarer. Même pas une petite panne qui nous aurait permis d'ajouter un paragraphe, même pas un petit grincement dans le tableau de bord, même pas un pneu déséquilibré! Juste une première vidange d'huile aux alentours de 7 000 kilomètres. Autrement, tout ce que nous avons eu à faire fut de mettre de l'essence, ordinaire en plus! C'est platte, mais c'est ça...

ALAIN MORIN

MAZDA6 SPORT FAMILIALE

Début de l'essai :	juin 2004
Fin de l'essai:	décembre 2004
Kilométrage parcouru :	10 895 km
Consommation moyenne :	10,8l/100 km
Ennuis mécaniques :	aucun
Intégrité de la carrosserie :	excellente
Autres commentaires : soute à bagages pratique	bonne routière,

TOUS LES MODÈLES À L'ESSAI

ACURA • ASTON MARTIN • AUDI • BENTLEY • BMW
BUICK • CADILLAC • CHEVROLET • CHRYSLER • DODGE
FERRARI • FORD • HONDA • HUMMER • HYUNDAI
INFINITI • JAGUAR • JEEP • KIA • LAMBORGHINI
LAND ROVER • LEXUS • LINCOLN • MASERATI

MAYBACH • MAZDA • MERCEDES-BENZ • MERCURY
MINI • COOPER • MITSUBISHI • NISSAN • PONTIAC
PORSCHE • ROLLS-ROYCE • SAAB • SALEEN
SATURN • SMART • SUBARU • SUZUKI
TOYOTA • VOLKSWAGEN • VOLVO

LE CULTE DU SECRET

La compagnie Honda et par conséquent sa division Acura sont passés maître dans l'art du secret. En fait, même le CIA américain ne leur arrive pas à la cheville lorsque vient le temps de cacher certaines informations. C'est justement le cas avec le modèle appelé à remplacer la 1,7 EL qui était en fait une Civic de luxe avec un écusson Acura. Cette fois, tout ce que nous savons au moment d'aller sous presse est que cette nouvelle venue sera la CSX. Les responsables d'Acura nous ont envoyé des données préliminaires et c'est tout.

Au lieu de nous plaindre, nous devrions être reconnaissant de ces quelques données préliminaires puisque la plupart du temps nous n'avons même pas une virgule pour nous faire une idée. En fait, les données semblent très complètes au premier coup d'œil puisqu'elles nous nous informent de la motorisation, du nombre de versions et de l'équipement de série ainsi que des options. Mais aux cases réservées aux dimensions de la caisse, à l'empattement et au type de carrosserie, nous avons droit au terrible «à être annoncé plus tard».

Cette hantise du secret n'est pas toujours à l'avantage de Honda qui s'est pénalisé pas à peu près dans le cadre d'un match du Guide en 2003. En effet, nous avions organisé un match comparatif des petits VUS et savions que Honda allait renouveler la CR-V cette même année. Nous avons fait part de nos intentions aux responsables de la compagnie tout en leur demandant quand la nouvelle CR-V serait disponible afin d'intégrer la nouvelle version à notre confrontation de tous les modèles de cette catégorie. Nous avons eu droit à une réponse évasive et quelqu'un nous a même déclaré que cette nouvelle venue ferait un beau cadeau de Noël. Notre conclusion: la CR-V revue et corrigée n'arrivera pas à temps pour le comparatif. Nous sommes allés de l'avant avec notre match en incluant la «vieille CR-V» qui n'a pas tellement fait belle figure. Pire encore, lors d'un test de maniabilité, le véhicule s'est mis sur deux roues et on a frôlé la catastrophe.

Le texte était à peine rédigé que nous recevions une invitation pour assister au lancement de la nouvelle CR-V quelques semaines après notre match. Inutile de vous dire que nous étions en beau fusil (admettons que ce n'est pas ce que nous avons dit) puisqu'il était physiquement impossible de reprendre notre match. Si nous avions été informés correctement, nous aurions attendu puisque la présentation s'est déroulée dans la région d'Ottawa et que les autres véhicules étaient disponibles.

Nous avons droit cette fois au même jeu du silence, du chat et de la souris. Pas questions de blâmer le constructeur qui ne veut pas dévoiler ses informations avant le temps. Mais il nous est impossible de vous donner un dossier complet et même des impressions de conduite alors que nous n'avons en main que la cylindrée du moteur, sa puissance et le type de transmission. Et j'allais oublier, la 1,7 EL est remplacée pas la CSX.

PROFIL DE LA MÉCANIQUE

Il faut savoir avant d'élaborer davantage que toute la famille Civic est transformée cette année et que cette nouvelle Acura devrait

FEU VERT

Moteur sophistiqué
Sécurité améliorée
Freins puissants
Équipement complet
Boîte automatique cinq rapports

FEU ROUGE

Informations partielles
Prix élevé
Fiabilité inconnue
Culte du secret

théoriquement adopter sa plate-forme et ses organes mécaniques. Ce qui était le cas avec la 1,7 EL qui n'était autre chose qu'une Civic quatre portes équipée au bouchon et dotée du moteur 1,7 litre de la Civic Coupé. Lors d'une conversation avec un représentant de Honda/Acura, nous avons mentionné que la CSX allait être à nouveau un dérivé de la nouvelle Civic et nous avons eu droit à une réponse du genre: «Vous savez, ce n'est pas si simple que cela. Il y a beaucoup de différences» pour ensuite nous affirmer que la nouvelle venue ne sera pas dévoilée avant le mois de novembre, soit un mois après l'arrivée de cet ouvrage chez les libraires.

Au moins, nous savons que cette nouvelle venue sera propulsée par un moteur quatre cylindres à double arbre à cames en tête et doté d'une version du système de calages de soupapes VTEC développé par ce constructeur. Cette fois, le calage des soupapes est infiniment variable, ce qui explique que la puissance est de 155 chevaux pour une cylindrée de 2,0 litres. Selon toute évidence, il s'agit d'une version moins poussée du moteur quatre cylindres 2,0 litres du Coupé Si de Honda. Ce dernier produit 200 chevaux à un régime de 8000 tr/min tandis que celui du CSX se contente d'un régime inférieur, ce qui explique les 45 chevaux de moins. Connaissant le caractère «métal hurlant» ou «tuning au max» du moteur de la Si, la nature un peu plus placide du moteur de la CSX convient bien à la nature bourgeoise de cette dernière.

La transmission de base est une boîte manuelle à cinq rapports tandis que l'automatique propose le même nombre de rapports. Cette dernière peut s'activer au moyen de palettes placées derrière le volant. Et s'il s'agit de la même boîte que celle de la Civic, c'est donc quelque chose de très bien. Quant à la tenue de route, supposons qu'il s'agit encore une fois d'une Civic modifiée et mieux équipée. Vous serez heureux de savoir que ce sera vraiment intéressant à tous les points de vue. La tenue de route est superbe tandis que les éléments de sécurité ont tous été améliorés. De plus, le système de freins ABS est très efficace.

Nous saurons en cours d'année, si ces quelques bribes préliminaires sont dignes de foi. En attendant, chapeau Honda pour votre culte du secret. C'est impressionnant. Et j'allais oublier, trois versions sont au catalogue : Touring, Premium et Premium Navi! Voilà, vous savez tout!

Denis Duquet

Photos: Denis Duquet

DONNÉES TECHNIQUES

Modèle à l'essai:	Touring (2005)
Prix du modèle à l'essai:	24200$ - 2005
Échelle de prix:	23000$ à 27100$ - 2005
Garanties:	3 ans/60000 km, 5 ans/100000 km
Catégorie:	berline compacte
Emp./Lon./Lar./Haut.(cm):	262/450,5/171,5/144
Poids:	1199 kg
Coffre/Réservoir:	365 litres / 50 litres
Coussins de sécurité:	frontaux et latéraux (av.)
Suspension avant:	indépendante, jambes de force
Suspension arrière:	indépendante, multibras
Freins av./arr.:	disque (ABS)
Antipatinage/Contrôle de stabilité:	non/non
Direction:	à crémaillère, assistée
Diamètre de braquage:	10,0 m
Pneus av./arr.:	P195/60R15
Capacité de remorquage:	non recommandé

GROUPE MOTOPROPULSEUR

Moteur:	4L de 1,7 litre 16s atmosphérique
Alésage et course	75,0 mm x 94,4 mm
Puissance:	127 ch (95 kW) à 6300 tr/min
Couple:	114 lb-pi (155 Nm) à 4800 tr/min
Rapport Poids/Puissance:	9,44 kg/ch (12,89 kg/kW)
Moteur électrique:	aucun
Autre(s) moteur(s):	seul moteur offert
Transmission:	traction, manuelle 5 rapports
Autre(s) transmission(s):	automatique 4 rapports
Accélération 0-100 km/h:	9,3 s
Reprises 80-120 km/h:	9,5 s (4ième)
Freinage 100-0 km/h:	41,7 m
Vitesse maximale:	195 km/h
Consommation (100 km):	ordinaire, 6,9 litres
Autonomie (approximative):	725 km
Émissions de CO2:	3360 kg/an

DANS LA MÊME CATÉGORIE

Chevrolet Cobalt - Honda Civic - Hyundai Elantra - Nissan Altima

DU NOUVEAU EN 2006

Nouveau modèle sera dévoilé plus tard (CSX)

HISTORIQUE DU MODÈLE

2ième génération

NOS IMPRESSIONS

Agrément de conduite:	3
Fiabilité:	5
Sécurité:	3½
Qualités hivernales:	2½
Espace intérieur:	3
Confort:	2½

LE CHOIX DE L'ÉQUIPE

Touring

QUAND ON EST AU SOMMET...

La mode des véhicules utilitaires sport (VUS) semble en voie de se résorber quelque peu. Les consommateurs commencent à faire la différence entre quatre roues motrices (avec un boîtier de transfert à la Jeep, par exemple) et rouage intégral (qui ne demande aucune intervention du conducteur, comme le Acura MDX). Quiconque s'est aventuré trop loin des sentiers battus au volant d'un MDX en a été quitte pour se faire remorquer !

L'Acura MDX peut quand même se sortir de bien des ornières grâce au système intégral VTM-4 qui dirige le couple vers les roues en ayant le plus besoin. Il est même possible de le « barrer » en mode quatre roues motrices. La boue et la neige n'ont qu'à bien se tenir ! Pourtant, un examen minutieux des dessous du MDX nous montre qu'une partie de l'échappement est trop bas et s'accrochera facilement dans une souche, par exemple. Aussi, on ne retrouve pas de plaques de protection pour les organes vitaux. Mais il y a un bon crochet à l'avant et un autre à l'arrière, au cas où...

MOTEUR, ACTION !

Ceci étant clarifié, précisons que sur le plan mécanique le MDX se porte à merveille. Son V6 de 3,5 litres développe, depuis 2004, 265 chevaux et un couple de 253 livres-pied, ce qui assure des accélérations et des reprises tout à fait adéquates, compte tenu du poids tout de même imposant de 2 000 kilos. Ce moteur bénéficie, comme les autres produits Honda / Acura de la technologie des soupapes infiniment variables, le VTEC. Tout en aluminium, ce V6 se veut d'une douceur de grand-mère et à 100 km/h, il ne tourne qu'à 1 750 tours/minute, ce qui lui procure, en plus, une intéressante économie d'essence. Nos tests ont confirmé 13,4 litres au cent... de super uniquement ! La transmission automatique à cinq rapports qui s'y frotte se montre quelquefois lente à passer les rapports mais ce qui m'a agacé davantage, c'est que j'avais toujours tendance à pousser le levier jusqu'à D4 au lieu de D5. Le véhicule demeurait ainsi sur le quatrième rapport. Notons que la capacité maximale de remorquage peut aller jusqu'à plus de 2 000 kilos si le propriétaire a eu la bonne idée de cocher l'ensemble remorquage (qui ajoute plus de 1 000 $ tout de même...).

Il y a deux ans, le châssis a été renforcé et on ne peut désormais le prendre en défaut. Les suspensions, indépendantes aux quatre roues, procurent un excellent confort même s'il arrive que l'arrière ait tendance à sautiller sur un mauvais revêtement. Un léger relâchement de l'accélérateur corrige généralement le problème. Le MDX, malgré son look branché, ne se montre pas très sportif. À cause principalement de son centre de gravité élevé, il génère beaucoup de roulis. Le système de contrôle de stabilité, de concert avec l'antipatinage, intervient (quelquefois de façon un tantinet brusque) pour freiner la ou les roues qui demandent assistance, remettant ainsi le MDX dans la bonne voie. De plus, le volant est trop déconnecté de la réalité pour donner l'heure juste.

FEU VERT

Véhicule confortable
Puissance très correcte
Finition exemplaire
Charme encore intact
Excellent rapport qualité/prix

FEU ROUGE

Antirouille très « clairsemé »
Capacités de franchissement douteuses
Habitacle dépassé
Entretien dispendieux
Ensemble Technologie trop cher

UN NOUVEL INTÉRIEUR, S.V.P

Le MDX ne date que depuis 2001, mais on sent déjà que le design intérieur a pris un sérieux coup de vieux, surtout si on le compare à la concurrence. Que les sièges avant supportent peu en virage passe toujours puisqu'il ne s'agit pas d'un véhicule sportif. Par contre, on y retrouve peu d'espaces de rangement, le volant n'est pas ajustable en profondeur, quelques commandes sont cachées soit par le volant ou par le levier actionnant les essuie-glaces et la tirette pour la trappe d'essence est aussi difficile à atteindre qu'un ex-premier ministre dans le scandale des commandites! Mais c'est davantage le système de chauffage qui irrite. Le simple geste d'augmenter ou diminuer la vitesse du ventilateur demande de passer par l'écran central où l'on doit faire au minimum deux sélections avant que ledit ventilateur daigne répondre à nos désirs. Si au moins cet écran ne se voilait pas dès qu'un rayon de soleil le chatouille!

Notre MDX d'essai possédait l'ensemble Technologique qui ajoute 5 600 $ à la facture et qui comprend le système de navigation avec reconnaissance vocale, peu à l'aise hors des grandes villes, une chaîne Acura / Bose à la sonorité ordinaire et un système DVD avec écran de 7 pouces toujours apprécié des jeunes et moins jeunes et qui deviendra, un jour ou l'autre, aussi indispensable qu'une jauge d'essence.

Le Acura MDX est un véhicule sept passagers même si seulement cinq trouveront la randonnée agréable. Les deux places de la troisième rangée ne peuvent servir qu'à imposer une raclée psychologique à de vieux ennemis. Mais lorsque les dossiers de cette rangée sont abaissés, on retrouve un grand espace de rangement au fond plat et au seuil au ras du pare-choc. De plus, Acura a eu la bonne idée de lui coller une bande de caoutchouc sur le dessus, ce qui empêche les égratignures. Malgré tout, l'habitacle du MDX est un modèle de confort et de silence.

Le MDX est à l'aube d'une refonte. Ce n'est pas qu'il ne soit plus dans le coup. C'est simplement que la concurrence se raffine rapidement. Nul doute que le prochain MDX (peut-être le RD-X entrevu au Salon de Détroit en janvier 2005...) ne fera pas de cadeau à ses ennemis jurés. En attendant, la version actuelle a encore beaucoup à offrir.

Alain Morin

Photos: Alain Morin

ACURA MDX

DONNÉES TECHNIQUES

Modèle à l'essai:	Techno
Prix du modèle à l'essai:	56 400 $ - 2005
Échelle de prix:	50 800 $ à 56 400 $ - 2005
Garanties:	3 ans/60 000 km, 5 ans/100 000 km
Catégorie:	utilitaire sport intermédiaire
Emp./Lon./Lar./Haut.(cm):	270/479/195,5/181
Poids:	2 046 kg
Coffre/Réservoir:	419 à 2 308 litres / 77 litres
Coussins de sécurité:	front., latéraux (av./arr.), rideaux
Suspension avant:	indépendante, bras inégaux
Suspension arrière:	indépendante, multibras
Freins av./arr.:	disque (ABS)
Antipatinage/Contrôle de stabilité:	oui/oui
Direction:	à crémaillère, assistance variable
Diamètre de braquage:	11,6 m
Pneus av./arr.:	P235/65R17
Capacité de remorquage:	1 587 kg

Pneus d'origine MICHELIN

GROUPE MOTOPROPULSEUR

Moteur:	V6 de 3,5 litres 24s atmosphérique
Alésage et course	89,0 mm x 93,0 mm
Puissance:	265 ch (198 kW) à 5800 tr/min
Couple:	253 lb-pi (343 Nm) à 4500 tr/min
Rapport Poids/Puissance:	7,72 kg/ch (10,49 kg/kW)
Moteur électrique:	aucun
Autre(s) moteur(s):	seul moteur offert
Transmission:	intégrale, automatique 5 rapports
Autre(s) transmission(s):	aucune
Accélération 0-100 km/h:	9,0
Reprises 80-120 km/h:	6,8
Freinage 100-0 km/h:	42,4 m
Vitesse maximale:	198 km/h
Consommation (100 km):	ordinaire, 13,4 litres
Autonomie (approximative):	575 km
Émissions de CO_2:	5810 kg/an

DANS LA MÊME CATÉGORIE

BMW X5 - Buick Rainier - Infiniti FX35/45 - Jeep Grand Cherokee - Lexus RX 330 - Volvo XC90

DU NOUVEAU EN 2006

Nouvelle version Touring

HISTORIQUE DU MODÈLE

1ère génération

NOS IMPRESSIONS

Agrément de conduite:	3½
Fiabilité:	4½
Sécurité:	4
Qualités hivernales:	4
Espace intérieur:	3½
Confort:	4

LE CHOIX DE L'ÉQUIPE

Base

ACURA RL

MIEUX VAUT TARD QUE JAMAIS ?

À la question qui coiffe cet essai de l'Acura RL, je serais porté à répondre qu'il eut été préférable que Honda abandonne ce modèle plutôt que d'arriver tardivement avec une nouvelle mouture qui ne présente, à mes yeux, que peu d'intérêt. Non pas que cette berline hautement sophistiquée soit un échec, mais plutôt parce qu'elle a du mal à faire vibrer la corde sensible de ceux et celles qui considèrent le plaisir de conduire comme une qualité sine qua non dans le répertoire des voitures haut de gamme.

Mon Dieu, délivrez-nous de l'électronique ! C'est la prière que je récite régulièrement depuis que je me fais agresser par ces satanés gadgets qui ne cessent d'envahir les automobiles de grand luxe. Je pensais pouvoir échapper à ce cataclysme en prenant le volant de la nouvelle Acura RL issue de la division haut de gamme de Honda. Jusque là, seuls les allemands m'avaient infligé leur supplice électronique et je croyais, à tort, que les Japonais, avec leur fiabilité infuse, contourneraient le problème. Oh que non ! Pas plus qu'une Mercedes ou une BMW, la RL est incapable de dompter ses démons. Bénissez le ciel de conduire la simple petite Civic si bien publicisée par Martin Matte. C'est le bonheur. On tourne la clé et ça part au quart de tour, même en hiver. Pas de problème et presque pas d'essence en prime. Quand on veut écouter la radio, on tourne le piton, un point c'est tout. Avec l'Acura RL qui coûte 4 fois le prix d'une Civic, ce n'est pas tout à fait le même scénario. Il faut repasser l'examen.

COURT-CIRCUIT

Après avoir traîné l'ancien modèle assez longtemps pour que j'aie à renouveler mon passeport deux fois, je pensais que Honda nous réserverait un coup de circuit. Or, c'est plutôt d'un court-circuit dont il s'agit. Qu'importe si à plusieurs égards la RL se hisse au niveau des meilleures berlines mondiales, il reste que l'on se retrouve avec une voiture bourrée de caprices électroniques à faire sacrer le Cardinal Turcotte en personne et qui n'est pas sans lacunes par-dessus le marché. Certes, son moteur est discret comme un confessionnal et le confort est sans égal mais, la colonne des feux rouges n'en comporte pas moins trop de points négatifs.

Même que ses quatre roues motrices donnent davantage l'impression d'avoir affaire à une traction avant plutôt qu'à une traction intégrale, et cela en dépit d'un système complexe visant à répartir la puissance selon l'adhérence de chaque roue. Au départ, on sent même un léger effet de couple dans le volant lorsque celui-ci braque à gauche ou à droite sous les accélérations du V6 de 3,5 litres. Et la puissance, parlons-en. Rarement ai-je expérimenté 300 chevaux aussi timides, à moins que ce ne soit le poids de l'ensemble qui sape leur énergie. Dans l'ensemble, les performances sont respectables mais la RL manque d'aisance en ville en raison d'un couple qui pourrait être plus généreux. La boîte de vitesses, automatique bien sûr, se veut « in » avec ses palettes sous le volant pour passer les rapports manuellement si on le désire. Leur utilisation ne change rien aux performances que l'on obtient en mode complètement automatique. Le levier de vitesse, soit dit en passant, est implanté dans

FEU VERT
Superbe insonorisation
Finition très soignée
Équipement complet
La tranquillité de la traction intégrale

FEU ROUGE
Comportement aseptisé
Vices électroniques intermittents
Faible volume du coffre
Puissance mal répartie
Effet de couple

une petite grille en forme d'escalier qui n'est pas la trouvaille du siècle en matière de facilité d'utilisation. Finalement, la consommation moyenne de 14,5 litres aux 100 km est plutôt celle d'un V8 que d'un V6.

Les suspensions s'entendent pour offrir un agréable mélange de douceur de roulement et de tenue de route. Nul doute que le porte-étendard de la gamme Acura pourrait se mesurer sans complexe à ses rivales allemandes. Là où le bât blesse davantage cependant, c'est quand l'électronique s'en mêle. La RL est livrée avec cette clef dite intelligente qu'il suffit d'avoir dans sa poche pour que les portières se déverrouillent. Or, à plusieurs reprises, j'ai eu beau salir mon manteau à me frotter sur la voiture, les portières ne s'ouvraient qu'au 3e ou 4e essai. Et sans crier gare, la batterie est tombée à plat avec tout ce que cela implique de codes à réinsérer dans la mémoire des ordinateurs pour que la voiture retrouve ses fonctions vitales, dont celles du système de navigation par satellite.

UN GPS TROUBLANT

Celui-ci, m'étais-je d'abord extasié, était le plus simple à programmer de tous ceux qui me sont tombés sous la main au cours des cinq dernières années. La déception venait d'ailleurs, soit des directions que la bonne dame me soufflait en troublant mon écoute radiophonique. Ayant programmé une rue de Saint-Bruno alors que je me trouvais à proximité de l'île des Sœurs, le GPS insistait pour me faire prendre le pont Jacques Cartier, allant même jusqu'à m'intimer l'ordre de faire un virage à gauche au beau milieu du pont Champlain! Heureusement que j'ai la tête dure, car l'Acura serait au fond du St-Laurent... Faisant contre mauvaise fortune bon cœur, j'ai demandé au savant système de m'indiquer un restaurant dans les parages pour découvrir que le Il Martini que je sais se trouver à St Bruno était maintenant quelque part à Washington. Mon ami Nelson ne m'avait pourtant jamais parlé de ce déménagement! Curieusement, le GPS a retrouvé ses esprits vers la fin de mon essai, victime sans doute d'un bogue électronique passager aussi mystérieux que difficile à dépister.

Terminons par quelques mots sur l'habitacle luxueusement habillé où l'espace est adéquat, bien qu'un peu étriqué par rapport à la concurrence. Bref, malgré son apparente qualité, la nouvelle Acura RL m'a laissé mi-figue, mi-raisin. Je m'attendais à mieux après tant d'années d'attente.

Jacques Duval

Photos: Alain Morin

DONNÉES TECHNIQUES

Modèle à l'essai:	Version unique
Prix du modèle à l'essai:	69500$ - 2005
Échelle de prix:	69500$ - 2005
Garanties:	3 ans/60000 km, 5 ans/100000 km
Catégorie:	berline de luxe
Emp./Lon./Lar./Haut.(cm):	280/491/184/145
Poids:	1815 kg
Coffre/Réservoir:	371 litres / 73,3 litres
Coussins de sécurité:	frontaux, latéraux (av.), rideaux
Suspension avant:	indépendante, bras inégaux
Suspension arrière:	indépendante, multibras
Freins av./arr.:	disque (ABS)
Antipatinage/Contrôle de stabilité:	oui/oui
Direction:	à crémaillère, assist. variable électronique
Diamètre de braquage:	12,1 m
Pneus av./arr.:	P245/50VR17
Capacité de remorquage:	non recommandé

Pneus d'origine MICHELIN

GROUPE MOTOPROPULSEUR

Moteur:	V6 de 3,5 litres 24s atmosphérique
Alésage et course	89,0 mm x 93,0 mm
Puissance:	290 ch (216 kW) à 6200 tr/min
Couple:	256 lb-pi (347 Nm) à 5000 tr/min
Rapport Poids/Puissance:	6,26 kg/ch (8,52 kg/kW)
Moteur électrique:	aucun
Autre(s) moteur(s):	seul moteur offert
Transmission:	intégrale, automatique 5 rapports
Autre(s) transmission(s):	aucune
Accélération 0-100 km/h:	8,4 s
Reprises 80-120 km/h:	7,1 s
Freinage 100-0 km/h:	37,0 m
Vitesse maximale:	225 km/h
Consommation (100 km):	super, 14,5 litres
Autonomie (approximative):	632 km
Émissions de CO2:	5184 kg/an

DANS LA MÊME CATÉGORIE

Audi A6 - BMW Série 5 - Mercedes-Benz Classe E - Lincoln LS - Volvo S80

DU NOUVEAU EN 2006

Pas de changement majeur

HISTORIQUE DU MODÈLE

4ème génération

NOS IMPRESSIONS

Agrément de conduite:	3
Fiabilité:	3½
Sécurité:	3½
Qualités hivernales:	5
Espace intérieur:	4
Confort:	3½

LE CHOIX DE L'ÉQUIPE

Version unique

DOIGTS DE FÉE

Il y eut la légendaire Acura Integra. Mais le temps ayant fait son œuvre, il fallait passer à autre chose. En 2002, est donc arrivée l'Acura RSX. Les amateurs de performances ont bien ressenti quelques frissons désagréables, mais il leur a suffi de conduire la RSX une seule fois pour comprendre que l'essence même de l'Integra avait été préservée... et bonifiée, ce qui n'est pas peu dire! Pourtant, il demeure toujours un noyau de fanatiques qui lui reprochent son côté plus bourgeois, moins affûté. Tant pis pour eux!

La RSX se décline en deux modèles, soit de base et Type S, dont nous reparlerons plus loin. La RSX propose trois niveaux de présentation, soit de base, Premium et Premium Cuir. Outre des éléments de luxe différents qui ajoutent au prix, la mécanique demeure la même. Il s'agit d'un quatre cylindres de 2,0 litres développant 160 chevaux et 141 livres-pied de couple. Ce moteur, à la cylindrée plutôt modeste, affiche tout de même une belle ferveur. Et si on a pris soin de choisir la transmission manuelle à cinq rapports, au maniement fort agréable, on risque de ne plus jamais vouloir toucher à une automatique de sa vie! L'embrayage est progressif et le passage entre les vitesses s'effectue rapidement. Seul bémol, la quatrième et la cinquième vitesse pourraient être mieux étagées. À 100 km/h en cinquième, le moteur tourne à 2 750 tours/minute, ce qui entraîne une augmentation de décibels et ajoute à la consommation d'essence. Il ne s'agit cependant pas d'un défaut majeur. Il existe aussi une automatique à cinq rapports avec mode séquentiel SportShift. Sans s'avérer aussi agréable à utiliser que la manuelle, le Sportshift possède au moins le mérite de ne pas trop s'ingérer dans le travail du pilote comme le font trop de transmissions de ce genre qui changent les rapports quand bon leur semble. Quant à la tenue de route, elle demeure toujours prévisible ce qui veut dire que dans la majorité des cas, le sous-virage se contrôle aisément et simplement en relâchant un tantinet l'accélérateur. Merci au châssis très rigide auquel on a accroché des suspensions fermes, certes, mais pas inconfortables. En tout temps et à n'importe quelle vitesse, cette Acura se révèle très stable et même sécurisante, lors d'une tempête de neige, par exemple... pour autant qu'on ait pris soin d'installer quatre bons pneus d'hiver.

La carrosserie a été légèrement revue l'année dernière (les phares et les feux arrière, surtout) mais l'habitacle n'a pas connu cette joie. Cela ne veut pas dire qu'il soit en retrait de la concurrence, loin de là! Même si le volant ne s'ajuste pas en profondeur, il est très facile de trouver une excellente position de conduite. Il renseigne très bien sur l'état de la chaussée et sa vivacité surprend. Les sièges avant sont tout nouveaux, et bien qu'ils soient confortables, ils présentent un coussin marqué d'une couture profonde que mes fesses appréciaient peu. Et les gens de grande taille risquent d'être rapidement en brouille avec le rebord du toit... Les places arrière, elles, ont fait l'unanimité. Il est difficile de s'y rendre et de s'en déprendre, elles sont dures et télégraphient joyeusement les moindres interstices de la chaussée. Quant au coffre à bagages, il présente de bonnes dimensions mais son seuil de

FEU VERT
Moteurs performants
Type S frivole
Tenue de route sportive
Style épuré
Fiabilité prouvée

FEU ROUGE
Places arrière pénibles
Suspension sèche (Type S)
Moteurs bruyants à haut régime
Sonorité radio très moyenne
Cache-bagages peu commode

chargement est beaucoup trop élevé. Et le système audio, fidèle à la tradition Honda/Acura, possède une sonorité assez cacanne, merci.

TYPE S OU TIGRESSE ?

La RSX, c'est bien mais la RSX Type S, c'est mieux! La Type S offre la même cylindrée que la RSX, soit 2,0 litres, mais poussée à 210 chevaux. Par contre, il faut aimer jouer de l'embrayage puisque cette puissance, ainsi que le couple maximum sont atteints très haut, soit à 7800 et 7000 tours/minute respectivement. Ce qui signifie que si le moteur ne hurle pas, il ne se montre pas tellement plus performant que le 2,0 litres ordinaire. D'ailleurs, ce moteur tourne à 3000 tours/minutes à 100 km/h en sixième vitesse, ce qui devient rapidement agaçant sur une autoroute. Cela a au moins le mérite d'éviter de rétrograder à la moindre occasion. Seule la transmission mécanique à six rapports est offerte et elle se laisse joyeusement manipuler. Cependant, on dénote quelquefois une légère imprécision lors des changements de vitesse.

La bête qu'est la Type S fait appel à des suspensions plutôt fermes que les corps sensibles pourraient ne pas aimer. Lesdites suspensions, par contre, autorisent une tenue de route supérieure et le sous-virage initial se montre toujours facile à contrôler. Pour «rattraper» les erreurs, la RSX-S fait confiance à des freins à disques ABS puissants. En revanche, l'absence d'un système de contrôle de traction se traduit souvent par des pertes d'adhérence du train avant. Pour justifier son prix plus élevé de plus ou moins 8000$ par rapport à la version de base, la Type S propose aussi quelques attributs cosmétiques. On y retrouve de plus une chaîne audio Bose à six haut-parleurs à la sonorité correcte, sans plus.

L'Acura RSX, avec sa jolie frimousse, sa légendaire fiabilité et ses moteurs performants est en mesure de conquérir un vaste public. Il y a même la possibilité d'ajouter des éléments A-Spec à la RSX (suspensions plus rigides, freins plus mordants et pneus 17" de haute performance). Si vous avez ou projetez avoir des enfants, il faudrait peut-être regarder ailleurs...

Alain Morin

Photos: Acura

ACURA RSX

DONNÉES TECHNIQUES

Modèle à l'essai:	Premium
Prix du modèle à l'essai:	28150$ - 2005
Échelle de prix:	26900$ à 33000$ - 2005
Garanties:	3 ans/60000 km, 5 ans/100000 km
Catégorie:	coupé
Emp./Lon./Lar./Haut.(cm):	257/438/172/139
Poids:	1230 kg
Coffre/Réservoir:	504 litres / 50 litres
Coussins de sécurité:	frontaux et latéraux (av.)
Suspension avant:	indépendante, bras inégaux
Suspension arrière:	indépendante, multibras
Freins av./arr.:	disque (ABS)
Antipatinage/Contrôle de stabilité:	non/non
Direction:	à crémaillère
Diamètre de braquage:	11,4 m
Pneus av./arr.:	P205/55R16
Capacité de remorquage:	non recommandé

Pneus d'origine MICHELIN

GROUPE MOTOPROPULSEUR

Moteur:	4L de 2,0 litres 16s atmosphérique
Alésage et course	86,0 mm x 86,0 mm
Puissance:	160 ch (119 kW) à 6500 tr/min
Couple:	141 lb-pi (191 Nm) à 4000 tr/min
Rapport Poids/Puissance:	7,69 kg/ch (10,42 kg/kW)
Moteur électrique:	aucun
Autre(s) moteur(s):	4L 2,0 l 210ch à 7800tr/mn et 143lb-pi à 7000tr/mn
Transmission:	traction, manuelle 5 rapports
Autre(s) transmission(s):	automatique 5 rapports / manuelle 6 rapports (Type S)
Accélération 0-100 km/h:	8,7 s
Reprises 80-120 km/h:	7,9 s
Freinage 100-0 km/h:	41,8 m
Vitesse maximale:	225 km/h
Consommation (100 km):	ordinaire, 8,4 litres
Autonomie (approximative):	595 km
Émissions de CO2:	3648 kg/an

DANS LA MÊME CATÉGORIE

Hyundai Tiburon - Mini Cooper - Mitsubishi Eclipse - Volkswagen Golf GTI

DU NOUVEAU EN 2006

Version de base abandonnée, nouvelle couleur intérieure (Premium)

HISTORIQUE DU MODÈLE

1[ière] génération

NOS IMPRESSIONS

Agrément de conduite:	4
Fiabilité:	4½
Sécurité:	4
Qualités hivernales:	3
Espace intérieur:	2½
Confort:	2½

LE CHOIX DE L'ÉQUIPE

Type S

LE P'TIT BONHEUR

Sans le savoir, Félix a déjà chanté l'Acura TL. Bien loin de moi l'idée de réduire une œuvre de Leclerc au rang de l'automobile, mais force est d'admettre que Acura a réussi, avec sa TL, à élever l'automobile à un niveau quasiment artistique. Ce qui ne veut pas dire que cette voiture est parfaite, mais elle possède un caractère certain et un charisme indéniable. Curieusement, ce sont exactement ces qualités qui manquaient aux produits Acura il n'y a pas si longtemps!

L'Acura TL a été modifiée de pied en cap il y a deux ans. Puisque l'ancienne version était aussi agréable à conduire qu'un voilier une journée sans vent, et aussi intéressante à regarder qu'une tour Eiffel en cure-dents, il faut souligner le courage dont les dirigeants de la marque de prestige de Honda ont fait preuve lorsqu'ils ont décidé de conserver la dénomination TL. Comme le dit le dicton hispano-russe, c'est par la qualité du produit final que la vérité parle.

ÉQUILIBRE GÉNÉRAL

Les lignes de la TL attirent immanquablement le regard (le mien en tout cas). Si la partie avant se montre discrète et subtile, l'arrière bénéficie de plus de «punch» visuel. Le coffre légèrement relevé, les feux très distinctifs et les sorties d'échappement rectangulaires ne laissent pas indifférent. Et la découpe très accentuée des portières arrière ajoute encore plus de dynamisme à l'ensemble. Cette découpe, par contre, n'autorise pas un accès aisé aux places arrière. Voilà un bien moindre problème! La bagnole a même des relents d'Europe, chose assez rare chez une asiatique. L'habitacle fait preuve d'autant de recherche stylistique et les matériaux présentent une qualité qui fait plaisir aux yeux et aux doigts qui s'y frottent. Même les jauges électroluminescentes du tableau de bord se mêlent d'esthétique et réussissent, avec leurs chiffres blancs sur fond noir, leurs aiguilles rouges et leurs lignes de gradation bleues à égayer les pupilles. Les sièges avant sont confortables et retiennent assez bien le pilote et son passager dans les virages pris à bonne allure. Il va de soi que la qualité de l'assemblage et l'attention portée aux détails sautent aux yeux.

Les places arrière procurent un bon confort mais d'aucuns trouvent que leur assise est trop basse par rapport à la ligne de la caisse (la jonction entre les portières et les vitres). Même si Acura prétend que la TL est une cinq places, il serait plus honnête de ne parler que de quatre. D'ailleurs, on retrouve peut-être trois ceintures à l'arrière mais il y a seulement deux appuie-tête... Mentionnons aussi une visibilité 3/4 arrière plutôt pénible en raison d'un beau mais très large pilier C (situé entre les portes arrière et la lunette arrière). Le coffre, relativement vaste, possède une ouverture très grande, une denrée rare ces temps-ci. Malheureusement, il est impossible d'abaisser le dossier des sièges arrière pour accroître son volume. Les amateurs de ski ou de 2X4 (qui, en fait, font 1 1/2x3 1/2!) ont tout de même droit à une trappe.

QUAND T'ES BON, T'ES BON!

La TL se décline en quatre niveaux de présentation: TL, TL avec groupe

FEU VERT

- Comportement routier rassurant
- Habitacle silencieux
- Finition monastique
- Moteur volontaire
- Fiabilité honorable

FEU ROUGE

- Direction peu communicative
- Grand rayon de braquage
- GPS inutile hors des grands centres
- Accès aux places arrière pénible
- Sonorité radio plutôt ordinaire

Navigation, Dynamic et Dynamic avec groupe Navigation. C'est cette dernière livrée que nous avons testée. Bien entendu, le groupe Navigation inclut, entre autres, un système… de navigation (!) avec reconnaissance de la voix bilingue et écran de 8". Voilà qui est très bien, mais dès qu'on s'éloigne des grands centres comme Montréal ou Québec, la carte routière est dépaysée. Quand, en plus, un rayon de soleil vient s'en mêler, l'écran devient aussi utile qu'une cassette vidéo dans un lecteur DVD. Dans la rangée des accessoires utiles, nous retrouvons des coussins gonflables à l'avant, sur les côtés ainsi que des rideaux, et ce, peu importe la version retenue. Il y a aussi les phares au xénon qui s'avèrent de précieux alliés.

Sur la route, l'Acura TL continue d'impressionner. On n'a certes pas affaire à une sportive à tout crin (la direction plus ou moins communicative nous le rappelle rapidement…) mais à une voiture au comportement très serein. Dans les courbes prises avec un certain mépris des lois, on dénote une grande stabilité et les suspensions, justes assez fermes et combinées à un châssis hyper solide, assurent une tenue de route sécurisante, malgré un léger sous-virage. Pour contrer les lois de la physique, le conducteur peut compter sur un contrôle de traction efficace quoique peu discret. Répondant aussi au qualificatif «peu discret», mentionnons le rayon de braquage… Quant au moteur, un V6 de 3,2 litres, il faudrait être de très mauvaise foi pour lui reprocher quoi que ce soit. En fait, on pourrait lui en vouloir de ne consommer que de l'essence super. À plus de 1$ le litre, on commence à être plus chatouilleux même si sa consommation se montre très raisonnable. Ce moteur de 270 chevaux est par ailleurs silencieux, souple et performant. Les transmissions qu'on lui a assignées remplissent merveilleusement leur rôle. L'automatique possède cinq rapports, mais le passage entre ces rapports se montre tellement discret qu'on se demande s'il y en a bien cinq! Quant à la délicieuse transmission manuelle à six rapports, disponible uniquement sur les modèles Dynamic, son maniement doit être cité en exemple et l'embrayage, bien qu'un peu difficile à «saisir» au début, se montre tout aussi génial dès que la jambe gauche a bien jugé sa course.

Malgré quelques détails à revoir, l'Acura TL sait faire le bonheur de ses propriétaires. De plus, elle est fiable, plus que le p'tit bonheur de Félix qui l'a laissé tomber! Et il ne faudrait pas oublier que cette fiabilité se traduit en sous lorsque vient le temps de vendre!

Alain Morin

Photos: Alain Morin

ACURA TL

DONNÉES TECHNIQUES

Modèle à l'essai:	Dynamic Navi
Prix du modèle à l'essai:	45300$
Échelle de prix:	41000$ à 45300$ - 2005
Garanties:	3 ans/60000 km, 5 ans/100000 km
Catégorie:	berline de luxe
Emp./Lon./Lar./Haut.(cm):	274/473/183,5/144
Poids:	1584 kg
Coffre/Réservoir:	348 litres / 64,7 litres
Coussins de sécurité:	frontaux, latéraux (av.), rideaux
Suspension avant:	indépendante, bras inégaux
Suspension arrière:	indépendante, multibras
Freins av./arr.:	disque (ABS)
Antipatinage/Contrôle de stabilité:	oui/oui
Direction:	à crémaillère, assistance variable
Diamètre de braquage:	12,2 m
Pneus av./arr.:	P235/45R17
Capacité de remorquage:	non recommandé

Pneus d'origine MICHELIN

GROUPE MOTOPROPULSEUR

Moteur:	V6 de 3,2 litres 24s atmosphérique
Alésage et course	89,0 mm x 86,0 mm
Puissance:	270 ch (192 kW) à 6300 tr/min
Couple:	239 lb-pi (316 Nm) à 5000 tr/min
Rapport Poids/Puissance:	6,14 kg/ch (8,34 kg/kW)
Moteur électrique:	aucun
Autre(s) moteur(s):	seul moteur offert
Transmission:	traction, manuelle 6 rapports
Autre(s) transmission(s):	automatique 5 rapports
Accélération 0-100 km/h:	7,4 s
Reprises 80-120 km/h:	5,7 s (4ième)
Freinage 100-0 km/h:	37,8 m
Vitesse maximale:	225 km/h
Consommation (100 km):	super, 11,6 litres
Autonomie (approximative):	558 km
Émissions de CO_2:	4704 kg/an

DANS LA MÊME CATÉGORIE

Audi A6 - BMW Série 5 - Infiniti G35 - Lexus GS 300 - Mercedes-Benz Classe E - Saab 9-5 - Volvo S60

DU NOUVEAU EN 2006

Ajout moniteur de pression des pneus

HISTORIQUE DU MODÈLE

3ième génération

NOS IMPRESSIONS

Agrément de conduite:	4½
Fiabilité:	4½
Sécurité:	4
Qualités hivernales:	3½
Espace intérieur:	4
Confort:	4

LE CHOIX DE L'ÉQUIPE

Dynamic

QUAND TOUT SEMBLE FACILE...

J'assistais, récemment, à un championnat de billard où s'affrontaient les meilleurs Canadiens. Sans peine, ils « vidaient » la table en un rien de temps. Cela semblait tellement facile que j'ai cru, un instant, que je pourrais, certes avec un peu d'entraînement, égaler leurs prestations. Malheureusement, après des heures et des heures de « rentrage de maudites p'tites boules dans les poches », j'ai acquis un peu plus de doigté mais pas plus de talent... Voilà qui m'amène à l'Acura TSX; le talent! Pas besoin de modifier le moteur ou les suspensions ni de la piloter aux limites. Elle sait faire, point.

En Europe, l'Acura TSX devient la Honda Accord. Outre quelques petites différences esthétiques, c'est surtout au niveau de la motorisationqu'elles se départagent. Ici, nous avons droit à un seul moteur. Il s'agit d'un quatre cylindres de 2,4 litres. Si cette cylindrée semble peu élevée par rapport à l'image de prestige véhiculée par Acura, sa puissance de 200 chevaux vient sauver la face. Ce moteur profite du calage infiniment variable des soupapes (VTEC) et ne déteste pas les montées en régime. En fait, sa fiche technique nous apprend qu'il va puiser le maximum de puissance à 6800 tours/minute alors que le limiteur de régime intervient à 7400 tours/minute. Pour les amateurs qui savent manipuler la transmission manuelle à six rapports, quel bonheur! Cette boîte mécanique est un charme à utiliser et ses rapports sont bien étagés. Si nous n'avions qu'un blâme à adresser à ce groupe motopropulseur, ce serait sur sa sonorité, peu sportive. Une transmission automatique à 5 rapports avec mode manuel est aussi proposée. Son fonctionnement se veut sans reproches, les rapports, en mode manuel, passent rapidement, mais rien ne remplace une bonne vieille boîte manuelle.

YOUPPI, DES COURBES!

Pour mettre ces éléments mécaniques en valeur, l'Acura TSX compte sur un châssis solide auquel on a accroché des suspensions qui autorisent une excellente tenue de route tout en ne pénalisant pas le confort. Il faut rouler bien au-delà des limites de vitesse pour que la TSX commence à perdre un peu de sa superbe. Cette traction (roues avant motrices) prend bien un peu de roulis dans les courbes prises avec un peu trop de vélocité mais elle demeure toujours très prévisible. Par contre, le système de stabilité latérale se montre un peu trop intrusif. Au moins, il peut se désactiver au simple toucher d'un bouton. Le seul handicap de la TSX réside dans les pneus d'origine, mal adaptés. Mais il s'agit d'un mal récurrent chez Honda/Acura. La direction fait preuve d'une belle précision mais, autre mal récurrent, son feedback n'est pas très développé. Quant aux freins, il faut se lever de bonne heure pour les prendre en défaut.

Si la TSX affiche un comportement routier et des performances sportives, on ne peut pas dire que les designers ont fait preuve d'autant d'esprit lorsqu'est venu le temps de l'habiller. La carrosserie est d'une infinie sobriété même si l'ensemble démontre un certain charme. D'ailleurs, l'avant n'est pas sans rappeler l'Acura TL. La finition de notre voiture d'essai était tout simplement parfaite et ce n'est pas faute d'avoir essayé très fort de trouver des bibittes! L'habitacle se chauffe du même bois que la carrosserie. Le design du tableau de bord est simple

FEU VERT

- Comportement routier sain
- Fiabilité de bon aloi
- Habitacle confortable
- Sportivité assurée
- Équipement de base complet

FEU ROUGE

- Style trop sobre
- Sonorité moteur peu inspirante
- Certaines options « criminelles »
- Places arrière très justes
- Pneus de série pathétiques

mais fonctionnel. Outre quelques appliques optionnelles d'imitation de titane ou de bois ici et là, aucune touche de luxe ou de délire ne vient égayer l'atmosphère. Remarquez que ce n'est pas triste non plus. C'est... comment dire ça poliment? C'est platte, bon! À tout le moins, toutes les commandes sont à portée de la main, la visibilité est sans reproches et la position de conduite se trouve rapidement, grâce au volant ajustable en hauteur et en profondeur. Les sièges avant sont confortables et retiennent bien dans les courbes, une qualité plus rare qu'on ne le croit! Les sièges situés à l'arrière ne démontrent pas les mêmes aptitudes. Les trous et bosses de notre réseau routier sont plus durement ressentis et l'espace pour les jambes est compté si les sièges avant ne sont pas trop reculés. Mais l'espace est très compté s'ils le sont! De plus, le dossier de la place centrale est tellement dur qu'il pourrait servir de planche à repasser! Parlant de dossier, mentionnons que ceux des places arrière s'abaissent de façon 60/40 pour agrandir l'espace de chargement... dont le seuil est trop élevé.

QUESTION DE SOUS

Pour justifier son prix de base d'environ 35000$, la TSX propose un équipement complet qui comprend, entre autres, les freins ABS, les roues en alliage, six coussins gonflables, les sièges en cuir à commandes électriques et chauffants à l'avant, le climatiseur automatique à deux zones, la chaîne audio de 360 watts et le toit ouvrant électrique. Parmi les options, certaines méritent qu'on ne s'y arrête pas trop... Comme le système de divertissement DVD pour les places arrière (à peu près 3000$!) et un volant fait de similicuir et bois à 900$! Chez Honda/Acura, le système de navigation par GPS n'est pas une option mais bien un modèle à part entière. Ce modèle Navi ajoute 3300$ au prix d'achat et n'en vaut pas vraiment la peine si vous roulez la plupart du temps en dehors des grandes villes.

L'Acura TSX a tout pour plaire à l'amateur de conduite. Sa mécanique est performante et économique, son habitacle procure un confort étonnant tandis que la fiabilité fait partie du contrat. Dommage que l'enveloppe soit aussi terne.

Alain Morin

Photos: Acura

DONNÉES TECHNIQUES

Modèle à l'essai:	Base
Prix du modèle à l'essai:	35800$
Échelle de prix:	34900$ à 38200$ - 2005
Garanties:	3 ans/60000 km, 5 ans/100000 km
Catégorie:	berline sport
Emp./Lon./Lar./Haut.(cm):	267/466/176/146
Poids:	1488 kg
Coffre/Réservoir:	374 litres / 65 litres
Coussins de sécurité:	front., latéraux (av./arr.), rideaux
Suspension avant:	indépendante, bras inégaux
Suspension arrière:	indépendante, multibras
Freins av./arr.:	disque (ABS)
Antipatinage/Contrôle de stabilité:	oui/oui
Direction:	à crémaillère, assistée
Diamètre de braquage:	12,2 m
Pneus av./arr.:	P215/50R17
Capacité de remorquage:	non recommandé

Pneus d'origine MICHELIN

GROUPE MOTOPROPULSEUR

Moteur:	4L de 2,4 litres 16s
Alésage et course	87,0 mm x 99,0 mm
Puissance:	200 ch (153 kW) à 6800 tr/min
Couple:	166 lb-pi (225 Nm) à 4500 tr/min
Rapport Poids/Puissance:	7.26 kg/ch (9.85 kg/kW)
Moteur électrique:	aucun
Autre(s) moteur(s):	seul moteur offert
Transmission:	traction, manuelle 6 rapports
Autre(s) transmission(s):	automatique 5 rapports
Accélération 0-100 km/h:	8,6 s
Reprises 80-120 km/h:	7,5 s (4ième)
Freinage 100-0 km/h:	40,3 m
Vitesse maximale:	210 km/h
Consommation (100 km):	super, 11,7 litres
Autonomie (approximative):	556 km
Émissions de $CO2$:	4464 kg/an

DANS LA MÊME CATÉGORIE

Audi A4 - BMW Série 3 - Lexus IS 300 - Nissan Maxima - Saab 9-3 - Volkswagen Passat - Volvo S40

DU NOUVEAU EN 2006

Puissance portée à 205 ch, téléphonie main-libres, détails de présentation

HISTORIQUE DU MODÈLE

1ière génération

NOS IMPRESSIONS

Agrément de conduite:	4
Fiabilité:	4 ½
Sécurité:	4
Qualités hivernales:	3
Espace intérieur:	3
Confort:	3 ½

LE CHOIX DE L'ÉQUIPE

boîte manuelle sans Navi

ASTON MARTIN DB9

LA MAL-AIMÉE SORT DE L'OMBRE

En dehors des passionnés d'automobile, peu de gens en Amérique connaissent la marque Aston Martin et cela même si elle compte 90 ans d'existence. Il faut souvent remonter au premier film de James Bond pour rappeler aux profanes que la fameuse voiture armée de gadgets défensifs de l'agent secret britannique était une Aston Martin, la DB5. À quelques virgules près, ces propos nous ont été tenus par John Walton, le président de la firme aux États-Unis lors du lancement de la nouvelle DB9 au printemps 2005 à San Diego.

Tant par son prix que par sa puissance, la DB9 réside entre la Vanquish et la future Vantage V8 dans la gamme Aston Martin. On aurait tendance à croire que ses dimensions suivent le même raisonnement jusqu'à ce que l'on constate qu'elle est la plus grande des trois avec un empattement et une longueur supérieurs à la Vanquish. Fort heureusement, le poids a été bien contenu puisque la DB9 a été soumise à une sévère diète à base d'aluminium (châssis et carrosserie), de magnésium (colonne de direction et cadre des portières) et de matériaux composites (carrosserie). À 1710 kg, on ne peut donc pas l'accuser de souffrir d'embonpoint.

Mais qu'en est-il d'une fiabilité qui n'a pas toujours été exemplaire à cette enseigne ? À ce chapitre, la DB9 se chauffe d'un autre bois que ses devancières et qu'elle marque le début d'un temps nouveau chez Aston Martin. Détail intéressant, c'est le rachat de la marque par Ford qui a permis de rendre la fiabilité moins aléatoire que dans le passé.

ENTRE SPORT ET GT

Il suffit de quelques minutes au volant d'une DB9 pour se rendre compte qu'il ne s'agit ni d'une voiture de sport, ni d'une Grand Tourisme. C'est en réalité le parfait amalgame des deux. Là où la Vanquish privilégie le confort, la DB9 est un peu plus consciente de son comportement routier. Et autant la première est un peu malhabile dans certains virages serrés, autant la seconde affiche une agilité peu commune dans les mêmes circonstances. Cela tient à un parfait équilibre des masses obtenu par une distribution égale du poids entre l'avant et l'arrière. Ajoutez-y un châssis en aluminium ultrarigide inspiré de la construction aéronautique et vous avez les parfaits ingrédients de l'agrément de conduite.

SON ET ACCÉLÉRATION

Une voiture de cette envergure se doit de posséder un cœur d'acier... Le V12 48 soupapes de 6 litres n'est pas seulement fort de 450 chevaux mais il est considéré comme l'un des meilleurs moteurs du monde. Avec juste 10 chevaux de moins que celui de la Vanquish normale, il dispose un couple supérieur à celui du modèle de prestige de la gamme tout en offrant 80 % de ses 420 lb-pi de couple à un régime aussi bas que 1 500 tours/minute. En posant les yeux sur le compte-tours, on remarquera d'abord que son aiguille tourne dans le sens contraire de celles d'une montre. On notera aussi l'absence de la traditionnelle zone rouge qui a été remplacée par un témoin lumineux de même couleur qui apparaît à un régime maximal, et qui varie en fonction de la condition du moteur, de sa température, du niveau

FEU VERT
- Fiabilité en hausse
- Agilité incroyable
- Moteur sublime
- Design intemporel
- Habitacle somptueux

FEU ROUGE
- Visibilité problématique
- Prix décourageant
- Boiseries du tableau de bord exécrables
- Coffre réduit

d'huile, etc. Bien pensé! Ce beau moteur se marie à une boîte manuelle à 6 rapports Graziano ou à une transmission automatique ZF aussi à six rapports que l'on peut gérer soi-même à partir de palettes sous le volant. Ne cherchez pas le levier de vitesse car il a disparu, remplacé par des boutons au tableau de bord libellés P,R,S,N,D. Le plus important, celui du centre, affiche la lettre S pour Start. Même si le mot automatique peut faire peur, cette transmission est à la fois rapide et efficace, si bien que l'on croirait avoir affaire à une boîte séquentielle avec cette hausse caractéristique du régime moteur au moment de rétrograder. C'est le meilleur de deux mondes.

UN SALON PARTICULIER

Depuis toujours, les Aston font l'unanimité chez les grands designers automobiles qui les choisissent parmi les plus belles voitures du monde. La DB9 ne fait pas exception à cette règle de par ses lignes mais aussi de par sa décoration intérieure. Le mélange de bois, d'aluminium, d'ultrasuède (plafond) et de cuir est non seulement bien harmonisé mais aussi soigneusement assemblé. On a l'impression d'être assis dans un petit salon particulier, agrémenté tantôt par l'exquise sonorité du moteur, tantôt par la musique émanant de la chaîne audio Linn. On comprend facilement qu'il faille plus de 200 heures de travail manuel pour assembler chaque DB9, soit trois fois plus de temps que pour une voiture de grande série.

Autant vous le dire sans détour, nous avons été séduit par cette DB9. Nous avons beau chercher, nous n'arrivons pas à lui trouver de lacunes, seulement des errements typiquement britanniques comme ce petit miroir sans rabat sous le pare-soleil du conducteur. On pourrait aussi lui reprocher son coffre mieux adapté aux besoins des joueurs de «miniputt» qu'à ceux des golfeurs, sa visibilité restreinte et ses sièges fermes.

Toutefois quand on lance le moteur et qu'on se surprend à valser d'un virage à l'autre dans une voiture qui a la maniabilité d'une sportive accomplie et l'élégance d'une Grand Tourisme de premier plan. Tous les éléments indispensables (performances, sonorité moteur, comportement routier, apparence et présentation intérieure) au succès d'une automobile d'exception sont au rendez-vous. Dans ce club sélect, l'Aston Martin a toujours été la mal-aimée du groupe. La DB9 entend y faire sa marque.

Jean Léon

Photos: Aston Martin

ASTON MARTIN DB9

DONNÉES TECHNIQUES

Modèle à l'essai:	Version unique
Prix du modèle à l'essai:	190000$ - 2005
Échelle de prix:	190000$ - 2005
Garanties:	2 ans/km illimité, 2 ans/km illimité
Catégorie:	GT
Emp./Lon./Lar./Haut.(cm):	274/470/187,5/132
Poids:	1710 kg
Coffre/Réservoir:	175 litres / 85 litres
Coussins de sécurité:	frontaux, latéraux (av.), rideaux
Suspension avant:	indépendante, bras inégaux
Suspension arrière:	indépendante, multibras
Freins av./arr.:	disque (ABS)
Antipatinage/Contrôle de stabilité:	oui/oui
Direction:	à crémaillère, assistée
Diamètre de braquage:	11,5 m
Pneus av./arr.:	P235/40ZR19 / P275/35ZR19
Capacité de remorquage:	non recommandé

GROUPE MOTOPROPULSEUR

Moteur:	V12 de 5,9 litres 48s
Alésage et course	89,0 mm x 79,5 mm
Puissance:	450 ch (336 kW) à 6000 tr/min
Couple:	420 lb-pi (570 Nm) à 5000 tr/min
Rapport Poids/Puissance:	3,8 kg/ch (5,17 kg/kW)
Moteur électrique:	aucun
Autre(s) moteur(s):	seul moteur offert
Transmission:	propulsion, manuelle 6 rapports
Autre(s) transmission(s):	séquentielle 6 rapports
Accélération 0-100 km/h:	5,2 s
Reprises 80-120 km/h:	4,3 s
Freinage 100-0 km/h:	37,0 m
Vitesse maximale:	300 km/h
Consommation (100 km):	super, 18,0 litres
Autonomie (approximative):	472 km
Émissions de CO2:	n.d.

DANS LA MÊME CATÉGORIE

Ferrari 360 Modena - Lamborghini Gallardo - Mercedes-Benz SL AMG

DU NOUVEAU EN 2006

Pas de changement majeur

HISTORIQUE DU MODÈLE

1ière génération

NOS IMPRESSIONS

Agrément de conduite:	4 ½
Fiabilité:	4
Sécurité:	4
Qualités hivernales:	nulles
Espace intérieur:	3 ½
Confort:	3 ½

LE CHOIX DE L'ÉQUIPE

Boîte séquentielle

SEXY !

Je ne suis pas capable de me retenir. Je le sais, tout le monde fait la même chose, mais quand vient le temps de parler de l'Aston Martin, peu importe le modèle, il faut que je fasse référence à James Bond. Car c'est lui, il y a plus de 40 ans, qui a mis au goût du jour cette Britannique tout en raffinement et qui nous a fait découvrir ses lignes sexy. Avec le temps, le James Bond original a vieilli et a été remplacé par de nouveaux acteurs. Tout comme son Aston DB5 d'ailleurs.

En fait, l'Aston Martin de 007 n'a rien en commun avec les modèles actuellement proposés par la firme britannique, désormais propriété de Ford. Aujourd'hui, l'Aston Martin est sexy, c'est vrai, mais elle est surtout une routière de haut de gamme, capable de rivaliser en luxe et en performances avec les ténors de la catégorie.

LE VAISSEAU AMIRAL

La Vanquish, c'est le vaisseau amiral de la flotte Aston Martin. Même si d'autres modèles ont été beaucoup plus populaires, notamment parce que beaucoup moins dispendieux, la Vanquish est encore et toujours celle qui suscite le plus l'admiration. Ses lignes sont souples et sensuelles. On a conservé à l'avant la grille distinctive de la marque depuis des décennies, mais on a remodelé autour d'elle une véritable aristocrate. Le capot allongé, les rondeurs des phares avant et la ligne toute particulière de la partie arrière viennent s'amalgamer pour former une spectaculaire silhouette.

À l'arrêt, on a parfois l'impression que ses proportions sont mal réparties, notamment en raison de sa taille plutôt basse (elle ne fait que 132 centimètres de hauteur). Mais une fois lancée, elle semble littéralement fendre l'air.

Quant à l'habitacle, il respire la noblesse. Les cuirs utilisés sont souples, doux au toucher comme la soie, et la finition est résolument impeccable. Le tableau de bord, que l'on a voulu classique mais pas rétro, regorge de commandes en tout genre. On apprécie par exemple la clarté des cadrans à fond blanc, mais on rage un peu quand vient le temps de s'y retrouver dans la console centrale, remplie à craquer de minuscules boutons qui contrôlent l'audio, la climatisation et les autres systèmes d'information disponibles.

Autre particularité charmante, ne cherchez pas le levier de transmission dans une Aston Martin. De gros boutons localisés au centre de la planche de bord servent de transmission. Appuyez sur D, et vous voilà parti. Les autres changement de rapports s'effectuent par le biais de palettes placées derrière le volant.

Tout ceci étant dit, on peut bien passer de longues heures à disserter sur la beauté de la voiture, il importe peut-être de savoir ce qui distingue réellement la Vanquish de sa jeune sœur la DB9. Cette dernière, disponible pour plusieurs dizaines de milliers de dollars de moins, a une conduite plus facile, un moteur presque aussi puissant et la même silhouette racée. Alors pourquoi se lancer dans l'aventure au volant d'une Vanquish ?

FEU VERT

Moteur V12 puissant
Confort cinq étoiles
Silhouette sexy
Construction impeccable

FEU ROUGE

Freinage longuet
Direction un peu lourde
Commandes peu conviviales
Visibilité déficiente

LA RÉPONSE

La distinction repose sur d'infimes subtilités. D'abord, les gens de chez Aston Martin sont conscients des similitudes, c'est pourquoi ils ont retouché presque tous les aspects de la Vanquish au cours des derniers mois. Le résultat est subtil, mais remarquable. Esthétiquement, rien n'a été changé. Mais a on révisé la rigidité des suspensions par exemple ou rendu encore plus précise la transmission pour lui donner un réel avantage sur la DB9. Pourtant, cela n'était peut-être même pas nécessaire, car les deux différaient déjà. En fait, alors que la DB9 marque l'entrée d'Aston Martin dans le monde de la production technologie, la Vanquish est probablement la dernière survivante de l'époque révolue de la fabrication à la main. Il faut environ 800 heures pour assembler une Vanquish, en raison notamment des soudures manuelles exécutées sur le véhicule. Il en faut moins de la moitié pour la DB9.

Même les composantes mécaniques sont différentes. Le gigantesque V12 qui équipe les deux voitures est identique, mais calibrés différemment. Dans la Vanquish, il développe 520 chevaux, 70 de mieux que sa version jumelle. Alors que les deux profitent d'une transmission séquentielle avec commandes au volant, la Vanquish demande plus de raffinement dans les changements de vitesse puisqu'elle fonctionne de façon mécanique plutôt qu'électronique. On doit donc juger de la pertinence et du moment précis pour effectuer le changement de rapport comme avec une transmission manuelle.

On aurait pu par contre améliorer un peu la qualité du freinage, un aspect de la voiture qui n'est pas à la hauteur de nos attentes compte tenu du brio des autres éléments de la mécanique. Cette lacune s'explique peut-être aussi par le poids de la grande britannique, qui fait vibrer la balance jusqu'à 1835 kilogrammes. C'est aussi ce qui explique que la direction, bien que sensible, donne parfois l'impression de réagir avec un peu de retard. Elle doit réorienter la masse de ce coupé, ce qui nécessite parfois un petit peu plus d'effort que souhaité.

La Vanquish impressionne sous tous les rapports. Mais il est certain que quand on conduit un véhicule de cette classe, et de ce prix, le moindre détail moins plaisant prend une importance quasi vitale. Mais face aux Ferrari ou Lamborghini, la Vanquish est un adversaire de taille. Et ce ne sont pas uniquement les performances qui la rendent aussi unique.

Bertrand Godin

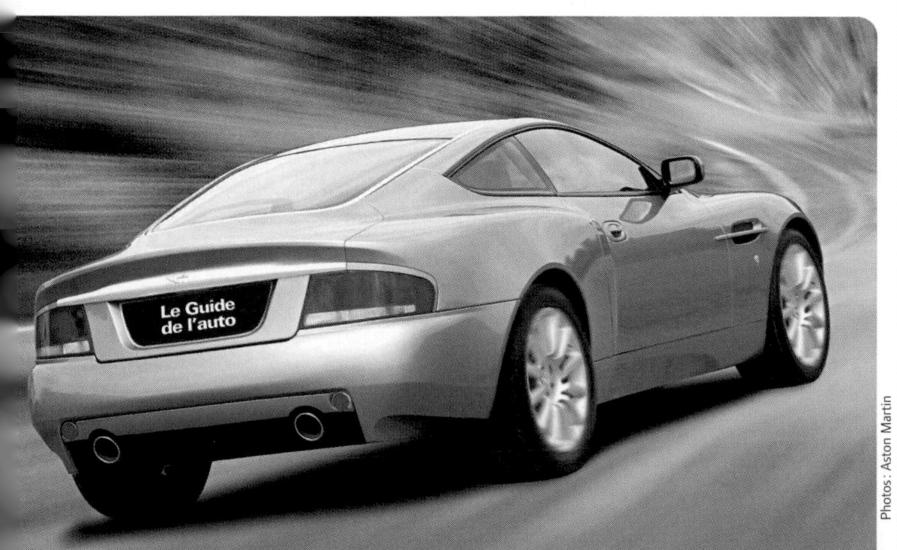

Photos: Aston Martin

DONNÉES TECHNIQUES

Modèle à l'essai:	Version unique
Prix du modèle à l'essai:	340000$
Échelle de prix:	340000$
Garanties:	2 ans/km illimité, 2 ans/km illimité
Catégorie:	GT
Emp./Lon./Lar./Haut.(cm):	269/467/192/132
Poids:	1835 kg
Coffre/Réservoir:	240 litres / 80 litres
Coussins de sécurité:	frontaux et latéraux (av.)
Suspension avant:	indépendante, bras inégaux
Suspension arrière:	indépendante, multibras
Freins av./arr.:	disque (ABS)
Antipatinage/Contrôle de stabilité:	oui/oui
Direction:	à crémaillère, assistée
Diamètre de braquage:	12,8 m
Pneus av./arr.:	P255/40ZR19 / P285/40ZR19
Capacité de remorquage:	0 kg

GROUPE MOTOPROPULSEUR

Moteur:	V12 de 5,9 litres 48s atmosphérique
Alésage et course	89,0 mm x 79,5 mm
Puissance:	520 ch (388 kW) à 7000 tr/min
Couple:	425 lb-pi (576 Nm) à 5800 tr/min
Rapport Poids/Puissance:	3,53 kg/ch (4,79 kg/kW)
Moteur électrique:	aucun
Autre(s) moteur(s):	seul moteur offert
Transmission:	propulsion, séquentielle 6 rapports
Autre(s) transmission(s):	aucune
Accélération 0-100 km/h:	4,8 s
Reprises 80-120 km/h:	n.d.
Freinage 100-0 km/h:	n.d.
Vitesse maximale:	306 km/h
Consommation (100 km):	super, 19,6 litres
Autonomie (approximative):	408 km
Émissions de CO2:	n.d.

DANS LA MÊME CATÉGORIE

Ferrari 575 Maranello - Lamborghini Murcielago - Bentley Continental GT

DU NOUVEAU EN 2006

Pas de changement majeur

HISTORIQUE DU MODÈLE

1ière génération

NOS IMPRESSIONS

Agrément de conduite:	4 ½
Fiabilité:	4
Sécurité:	4
Qualités hivernales:	2 ½
Espace intérieur:	2 ½
Confort:	3 ½

LE CHOIX DE L'ÉQUIPE

Version unique

GTI DE LUXE

Avec la nouvelle A3, Audi fait le pari de réussir là où BMW a échoué avec la 318Ti, qui a été retirée du marché en 1999, et là où Mercedes-Benz s'apprête à lancer la serviette avec l'abandon imminent du coupé sport de Classe C. Dans ce créneau des voitures compactes de luxe, où la concurrence a pour nom Volvo V50 et Saab 9-2, vient s'ajouter une concurrente provenant de l'interne puisque la nouvelle GTI de Volkswagen s'inscrit également dans la même démarche.

Toutefois, la GTI ne propose que trois portes alors que la A3 en compte cinq, distinction qui permet à la A3 de se démarquer de sa cousine et de s'afficher comme une familiale de taille compacte.

La filiation avec les Golf et Jetta de Volkswagen n'est pas évidente au premier coup d'œil, mais la A3 partage le même châssis et son moteur 4 cylindres de 2,0 litres turbocompressé assure également la motorisation de la plus récente version de la GTI. Sur le plan visuel, la A3 affiche des lignes résolument sportives avec une ceinture de caisse élevée et une certaine retenue côté style puisqu'elle est dépourvue de tout artifice, exception faite d'une touche de chrome cerclant la calandre surdimensionnée qui figure maintenant comme la signature visuelle de la marque aux quatre anneaux.

Comme elle est plus courte de 25 centimètres par rapport à la berline A4, on pourrait croire que la A3 ne propose pas autant d'espace pour les passagers et les bagages. Ce n'est pourtant pas le cas puisque le groupe motopropulseur de la A3 est logé transversalement sous le capot alors que celui de la A4 réside longitudinalement. Cette distinction a permis aux ingénieurs de maximiser le volume de l'habitacle tout en composant avec les dimensions réduites de la voiture. Ainsi, la A3 s'avère aussi spacieuse pour les passagers que la berline A4, même si l'accès aux places arrière est compliqué par l'étroitesse des portières. Pour ce qui est des bagages, l'espace de chargement des deux véhicules est identique (350 litres), mais la A3 permet également de rabattre les dossiers des places arrière sans avoir à retirer les appuie-têtes afin de porter le volume de chargement à 1 100 litres. Quant à la présentation intérieure, précisons que la A3 est à l'image des autres voitures de la marque avec une qualité de finition inégalée dans l'industrie, doublée de l'utilisation des meilleurs matériaux.

Sous le capot, la A3 propose soit le V6 de 3,2 litres et 247 chevaux, déjà vu sur la Audi TT3.2, ou encore le nouveau 4 cylindres de 2,0 litres qui est à la fois doté de la turbocompression et de l'injection directe d'essence, ce qui représente une première pour une voiture de série. Fort de ses 200 chevaux, la caractéristique déterminante de ce nouveau moteur est qu'il développe un couple maximal de 207 livres-pied dès les 1 800 tours/minute et jusqu'à 5 000 tours/minute. Cette plage très large du couple maximal signifie que les accélérations sont assez vives (7,1 secondes pour le 0-100 kilomètres/heure) mais surtout que l'on peut toujours disposer d'une force d'accélération satisfaisante peu importe le régime moteur ou le rapport de boîte choisi. Il n'est donc

FEU VERT

Couple du moteur 2,0 litres turbo
Disponibilité de la boîte DSG
Qualité de la finition
Volume d'espace intérieur

FEU ROUGE

Rouage intégral non disponible avec 2,0T
Direction surassistée
Coût des options
Accès difficile aux places arrière

pas absolument nécessaire de rétrograder pour effectuer un dépassement, il suffit d'enfoncer l'accélérateur et de laisser le couple du moteur faire le travail. Quant au V6, même si ce moteur de 3,2 litres développe 50 chevaux de plus que le 2,0 litres turbocompressé, on ne sent pas vraiment la puissance supplémentaire en raison du fait que le couple maximal de 320 livres-pied est livré sur une plage réduite, soit de 2500 à 3000 tours/minute.

Des deux transmissions offertes, la boîte DSG continue d'impressionner par son degré de sophistication technique et par la rapidité des changements de vitesse, quoiqu'elle soit calibrée avec des réglages moins sportifs que sur la TT 3.2. Essentiellement, cette boîte est équipée de deux disques d'embrayage (plutôt que d'un seul) et de deux arbres de transmission. Les engrenages des premier, troisième et cinquième rapports, ainsi que la marche arrière, sont situés sur le premier arbre, et les rapports des deuxième, quatrième et sixième sur le deuxième arbre. Ainsi, lorsque le conducteur sélectionne le premier rapport, la boîte DSG présélectionne le deuxième rapport sur l'autre arbre, et lorsque le conducteur commande le changement de la première à la deuxième vitesse au moyen du palier localisé au volant, l'embrayage de l'arbre de la deuxième vitesse se referme alors que celui de la première est relâché. Le résultat, c'est que la livrée de la puissance n'est jamais interrompue et que l'accélération demeure continue, seul le changement de régime du moteur indique que le passage de vitesse vient de se produire. La boîte DSG commande également l'accélération du régime moteur lors du rétrogradage afin d'éviter la compression, et tout cela se fait automatiquement, ce qui permet à des conducteurs moins expérimentés de mieux exploiter le potentiel de performance de la voiture en conduite sportive sans avoir à maîtriser la technique du «talon-pointe» requise avec une boîte manuelle courante.

Parmi les bémols, relevons le fait que Audi ait choisi de ne pas offrir la combinaison du moteur turbo de 2,0 litres et de la traction intégrale, le modèle de base de la A3 étant une simple traction avant. Quant au rouage Quattro, il ne sera proposé qu'avec le moteur V6 sur le marché nord-américain, et le prix s'en trouvera fortement majoré. Aussi, afin de pouvoir livrer le modèle de base de la A3 à un prix moins élevé permettant l'accès à la marque, la dotation de série est moins garnie et l'acheteur devra donc composer avec des équipements offerts en option dont le prix est parfois élevé.

Gabriel Gélinas

Photos: Marc Bouchard

DONNÉES TECHNIQUES

Modèle à l'essai :	3,2 (modèle européen)
Prix du modèle à l'essai :	n.d.
Échelle de prix :	32950$ (2,0T)
Garanties :	4 ans/80000 km, 4 ans/80000 km
Catégorie :	familiale
Emp./Lon./Lar./Haut.(cm) :	258/420,5/176,5/142
Poids :	1495 kg
Coffre/Réservoir :	350 à 1100 litres / 55 litres
Coussins de sécurité :	front., latéraux (av./arr.), rideaux
Suspension avant :	indépendante, jambes de force
Suspension arrière :	indépendante, multibras
Freins av./arr. :	disque (ABS)
Antipatinage/Contrôle de stabilité :	oui/oui
Direction :	à crémaillère, assistance variable électrique
Diamètre de braquage :	10,7 m
Pneus av./arr. :	P225/45R17
Capacité de remorquage :	n.d.

GROUPE MOTOPROPULSEUR

Moteur :	V6 de 3,2 litres 24s atmosphérique
Alésage et course	84,0 mm x 95,9 mm
Puissance :	247 ch (184 kW) à 6300 tr/min
Couple :	236 lb-pi (320 Nm) à 2500 tr/min
Rapport Poids/Puissance :	6,05 kg/ch (8,21 kg/kW)
Moteur électrique :	aucun
Autre(s) moteur(s) :	4L 2,0 l 200ch à 5100tr/mn et 207lb-pi à 1800 à 5000tr/mn
Transmission :	intégrale, manuelle 6 rapports
Autre(s) transmission(s) :	automatique 6 rapports / traction, manuelle 6 rapports
Accélération 0-100 km/h :	6,5 s
Reprises 80-120 km/h :	n.d.
Freinage 100-0 km/h :	37,0 m
Vitesse maximale :	250 km/h
Consommation (100 km) :	super, 10,6 litres
Autonomie (approximative) :	519 km
Émissions de CO2 :	n.d.

DANS LA MÊME CATÉGORIE

Mercedes-Benz Classe C Coupé sport - Volvo V50

DU NOUVEAU EN 2006

Nouveau modèle, moteur 3,2 litres disponible plus tard

HISTORIQUE DU MODÈLE

1[ière] génération

NOS IMPRESSIONS

Agrément de conduite :	🚗🚗🚗🚗
Fiabilité :	nouveau modèle
Sécurité :	🚗🚗🚗🚗
Qualités hivernales :	🚗🚗🚗🚗
Espace intérieur :	🚗🚗🚗🚗
Confort :	🚗🚗🚗🚗

LE CHOIX DE L'ÉQUIPE

2.0 litres turbo

LE SOUTIEN DE FAMILLE

La A4 joue le même rôle chez Audi que la Série 3 de BMW ou encore la Classe C de Mercedes, leur grande popularité permet à ces constructeurs d'engranger des profits et de faire tourner la compagnie. Il leur est alors possible de créer des voitures de faible diffusion qui contribuent à leur prestige comme la Audi A8 ou encore la TT. C'est sans doute pour ces raisons que la nouvelle version de la A4 nous arrive, bien que le dernier modèle n'ait été dévoilé qu'en 2002. La nouvelle Série 3 de BMW doit y être pour quelque chose...

Il faut également vous faire part de cette légende urbaine qui circule dans plusieurs milieux voulant que la direction ait déclaré : « Tant qu'à changer le moteur, pourquoi ne pas redessiner toute la voiture ? » En effet, le moteur quatre cylindres 1,8 turbo de la version précédente a été remplacé par un tout nouveau moteur 2,0 litres turbo d'une puissance de 200 chevaux. Nous y reviendrons. Mais les changements se sont surtout soldés par l'apparition de cette nouvelle calandre corporative dont la grille se poursuit sous le longeron horizontal du pare-choc. Ce n'est pas la trouvaille du siècle en fait d'esthétique, mais cela a au moins l'avantage d'augmenter l'identité visuelle de la A4, le modèle à tout faire chez ce constructeur. Toujours à propos du design, l'habitacle est demeuré sensiblement le même. En fait, à part le volant qui est tout nouveau, le tableau de bord et ses commandes m'ont paru semblables à l'ancienne version.

MOTEURS DE POINTE

En fait, si tous ces changements esthétiques ont été effectués, c'est pour souligner l'arrivée de nouveaux moteurs sous le capot. Le moteur V6 est dorénavant d'une cylindrée de 3,2 litres et sa puissance est de 255 chevaux. Livré uniquement avec le rouage Quattro et la boîte automatique Tiptronic à six rapports, il est capable de boucler le 0-100 km/h en 6,6 secondes, ce qui est digne de mention. Ce moteur bénéficie dorénavant de l'injection d'essence directe, une caractéristique généralement réservée aux voitures de course de haut niveau.

Mas le moteur qui fait jaser le plus est sans aucun doute le nouveau moteur quatre cylindres turbo de 2,0 litres d'une puissance de 200 chevaux, ce qui est remarquable compte tenu de la cylindrée. Et si vous aimez les exclusivités, il est présentement le seul moteur sur le marché à combiner la technologie de l'injection directe et de la turbocompression. Vous aurez en outre l'embarras du choix lorsque viendra le temps de sélectionner une boîte de vitesses. En effet, la A4 peut être commandée avec traction avant et boîte de vitesses à rapports continuellement variables ou encore avec une boîte manuelle à six rapports. L'intégrale Quattro peut être commandée avec la manuelle ou l'automatique Tiptronic, toutes deux à six rapports.

Et pour finir ce défilé de mécanique sophistiquée, les versions S4 de la berline ou de la Avant sont propulsées par le moteur V8 4,2 litres de 340 chevaux. Une fois de plus, ça décoiffe à coup sûr ! Encore une fois, la boîte manuelle ou automatique à six rapports est au choix tandis que l'intégrale Quattro est de série. Avec un tel rapport poids/puissance, il

FEU VERT

- Silhouette rajeunie
- Moteurs sophistiqués
- Finition exemplaire
- Tenue de route améliorée
- Agrément de conduite

FEU ROUGE

- Calandre controversée
- Places arrière exiguës
- Prix élevé S4
- Embrayage peu coopératif

n'est pas surprenant de constater que le 0-100 km/h est l'affaire de 5,3 secondes avec la boîte manuelle. Et Audi s'empresse de nous informer que la vitesse maximale de 250 km/h est limitée électroniquement tout en nous incitant à respecter le code de la route. Je me demande d'ailleurs quelle serait la vitesse maximale de ce bolide si la vitesse n'était pas limitée.

TOUT UN MOTEUR !

Même si le nouveau moteur quatre cylindres 2,0 litres turbo peut être considéré comme une version évolutive du moteur 1,8 T de l'an dernier, il faut absolument souligner ses qualités. Son prédécesseur était l'un des favoris de l'équipe du Guide en raison de sa capacité à toujours offrir la puissance demandée au bon moment. Il n'était pas nécessaire d'attendre que le régime idéal ait été atteint pour que la puissance soit délivrée. Cette fois, c'est encore mieux. Non seulement il y a un gain de 30 chevaux, mais cette cavalerie manifeste sa présence à un plus bas régime, le tout avec une grande douceur. Il y a toutefois un mais. En effet, mes rapports avec la boîte de vitesses manuelle n'ont pas toujours été conviviaux : dans la circulation urbaine, la première me semblait trop courte, la seconde un peu trop longue de sorte que je devais effectuer un va-et-vient entre ces deux rapports lorsque je circulais en ville. De plus, la pédale d'embrayage n'était pas tellement progressive. Tant et si bien que j'aurais presque souhaité pouvoir disposer de la boîte automatique à six rapports dont le fonctionnement impressionne. Mais j'ai changé d'idée dès que je me suis retrouvé sur une route en lacet.

En plus d'une tenue de route exemplaire qui s'est améliorée cette année avec un meilleur feedback de la route, il faut ajouter que la position de conduite est excellente et que les sièges avant sont confortables en plus d'offrir beaucoup de support latéral. Par contre, puisque les dimensions sont demeurées inchangées, l'habitabilité est moyenne, surtout aux places arrière. Et si vous voulez combiner l'utile à l'agréable, la Avant avec son hayon et sa soute à bagages modulaire est à considérer. Comme toujours, la finition est impeccable et l'agencement du tableau de bord exemplaire.

Et le mot de la fin : la fiabilité est en progrès depuis plusieurs mois !

Denis Duquet

Photos : Denis Duquet

DONNÉES TECHNIQUES

Modèle à l'essai :	Avant
Prix du modèle à l'essai :	44900$
Échelle de prix :	34000$ à 54900$
Garanties :	4 ans/80000 km, 4 ans/80000 km
Catégorie :	berline sport/familiale
Emp./Lon./Lar./Haut.(cm) :	265/459/177/143
Poids :	1685 kg
Coffre/Réservoir :	440 à 1185 litres / 63 litres
Coussins de sécurité :	front., latéraux (av./arr.), rideaux
Suspension avant :	essieu rigide, bras inégaux
Suspension arrière :	indépendante, leviers triangulés
Freins av./arr. :	disque (ABS)
Antipatinage/Contrôle de stabilité :	oui/oui
Direction :	à crémaillère, assistée
Diamètre de braquage :	11,1 m
Pneus av./arr. :	P235/45R17
Capacité de remorquage :	n.d.

Pneus d'origine MICHELIN

GROUPE MOTOPROPULSEUR

Moteur :	4L de 2,0 litres 16s turbocompressé
Alésage et course	82,5 mm x 92,8 mm
Puissance :	200 ch (149 kW) à 5100 tr/min
Couple :	207 lb-pi (281 Nm) de 1,000 à 5000 tr/min
Rapport Poids/Puissance :	8,43 kg/ch (11.46 kg/kW)
Moteur électrique :	aucun
Autre(s) moteur(s) :	V6 3,2 l 255ch à 6500tr/mn et 243lb-pi à 3250tr/mn, V8 4,2 l 340ch à 7000tr/mn et 302lb-pi à 3500tr/mn (S4)
Transmission :	intégrale, manuelle 6 rapports
Autre(s) transmission(s) :	automatique 6 rapports
Accélération 0-100 km/h :	7,4 s
Reprises 80-120 km/h :	6,7 s
Freinage 100-0 km/h :	40,6 m
Vitesse maximale :	209 km/h
Consommation (100 km) :	super, 9,8 litres
Autonomie (approximative) :	643 km
Émissions de CO2 :	4320 kg/an

DANS LA MÊME CATÉGORIE

BMW Série 3 - Infiniti G35 - Jaguar X-Type - Lexus IS 300 - Mercedes-Benz Classe C - VW Passat - Volvo S60

DU NOUVEAU EN 2006

Nouveau modèle

HISTORIQUE DU MODÈLE

3ième génération

NOS IMPRESSIONS

Agrément de conduite :	
Fiabilité :	nouveau modèle
Sécurité :	
Qualités hivernales :	
Espace intérieur :	½
Confort :	½

LE CHOIX DE L'ÉQUIPE

2.0T

EN ATTENDANT LA SUITE

Contrairement à la berline et à la familiale A4, qui ont toutes deux subi une refonte majeure pour 2005, le modèle cabriolet poursuit sa route en demeurant essentiellement inchangé par rapport à l'an dernier. La A4 Cabriolet possède toujours la calandre de la génération précédente de la berline ainsi que les motorisations composées d'un V6 de 3,0 litres et d'un quatre cylindres de 1,8 litre turbocompressé. Il faudra donc attendre l'année prochaine pour voir se poindre à l'horizon une nouvelle version de la Cabriolet et dotée des nouvelles motorisations que sont le V6 de 3,2 litres ainsi que le quatre cylindres de 2,0 litres turbocompressé à injection directe d'essence.

Pour le modèle cabriolet, Audi a donc retenu les formes épurées de la berline de la génération précédente en conservant certains éléments, notamment la double calandre cerclée de chrome, la partie arrière arrondie et les doubles tuyaux d'échappement chromés. Sur le plan visuel, le modèle cabriolet se distingue par l'ajout d'un cadre en aluminium pour le pare-brise, ainsi que par son toit souple à commande électrique réalisé avec trois épaisseurs de matériel et muni d'une vitre arrière en verre avec dégivreur. Ce toit souple isole remarquablement bien l'habitacle des bruits de la route et permet à la A4 Cabriolet de rouler en hiver tout en assurant le confort des passagers. La seule pression du bouton de commande permet de replier le toit en 25 secondes.

L'une des plus grandes forces de Audi c'est la présentation intérieure ainsi que la qualité de la finition et des matériaux utilisés pour créer un habitacle confortable et fonctionnel. De ce côté, le modèle cabriolet ne fait pas exception à la règle. On note cependant quelques différences par rapport à la berline de la génération précédente, notamment la forme des buses de ventilation qui sont circulaires plutôt que rectangulaires, ce qui rappelle plus la Audi TT que la Audi A4.

À l'arrière, l'espace demeure plus serré comme c'est souvent le cas pour les autres modèles de la catégorie, mais un bouton de commande permet de dégager les sièges avant pour faciliter l'accès ainsi que la sortie. Le modèle cabriolet ajoute également des arceaux de sécurité qui se déploient automatiquement en cas de capotage, et habilement dissimulés sous des panneaux de carrosserie. Quant au coffre, la capacité accordée n'est que de 289 litres et il faut préciser que ce volume s'en trouve réduit lorsque la capote est repliée.

Deux moteurs sont au programme, soit le V6 de 3,0 litres et 220 chevaux ou encore le 4 cylindres de 1,8 litre turbocompressé qui en développe 170. Sur la route, on s'aperçoit immédiatement que la combinaison du moteur V6 et de la transmission à variation continue fait bien le travail, donc pas de problèmes pour ce qui est de l'accélération ou des reprises, et ce, même si le modèle cabriolet pèse 350 livres de plus que la berline, ce qui n'est pas négligeable. Ce que l'on remarque le plus, c'est que cette voiture n'est pas conçue pour les performances sportives, mais plutôt pour la conduite en souplesse et en douceur. De ce côté, précisons que le moteur six cylindres en ligne de BMW est plus vif et offre une plage plus étendue de couple, ce qui ne manquera pas de plaire aux amateurs de conduite sportive. Pour ce qui est du moteur

FEU VERT

Comportement routier sûr
Suspensions confortables
Moteur V6 de 3,0 litres adéquat
Disponibilité de la traction intégrale
Toit souple bien isolé

FEU ROUGE

Performances décevantes
Moteur 1,8 litre turbo
Poids élevé
Places arrière serrées
Volume limité du coffre

turbocompressé de 1,8 litre, précisions qu'il est beaucoup plus sollicité que le V6 de 3,0 litres et qu'il a fort à faire pour maintenir le rythme imposé par certaines rivales. Quant à ceux et celles pour qui les performances priment, il faudrait plutôt regarder du côté de la S4 Cabriolet qui est dotée d'un moteur V8 de 4,2 litres qui développe 340 chevaux.

À propos du comportement routier et de la tenue de route, la A4 cabriolet n'est pas aussi performante que certaines voitures concurrentes comme la BMW par exemple qui est une voiture à vocation plus sportive. De ce côté, la A4 cabriolet est vraiment à classer dans la catégorie des voitures de luxe avec un comportement routier qui est sûr, équilibré et rassurant, ainsi qu'un niveau de confort qui est remarquable pour une voiture décapotable, surtout lorsque le déflecteur d'air est en place. Pour 2006, le groupe d'options S-Line est ajouté au catalogue. Cela comprend des jantes en alliage de 18 pouces en provenance directe d'Audi AG en Allemagne, chaussées de pneus plus performants, une suspension sport et des appliqués d'aluminium qui remplacent ceux de bois, histoire de donner une touche à la fois plus moderne et sportive à l'habitacle. Le groupe d'options S-Line remplace d'ailleurs le groupe d'options « ensemble sport » qui était au catalogue l'an dernier.

La Audi A4 Cabriolet est donc une véritable voiture de luxe, et à ce titre elle complète efficacement la gamme chez Audi. Il s'agit d'une voiture qui est bien conçue et bien assemblée, et que l'on peut même considérer pour la conduite en hiver puisqu'elle offre le choix de la traction avant ou de la traction intégrale et que le toit souple est bien isolé.

Gabriel Gélinas

Photos : Audi

AUDI A4 CABRIOLET

DONNÉES TECHNIQUES

Modèle à l'essai :	3.0 Quattro
Prix du modèle à l'essai :	52 225 $ - 2005
Échelle de prix :	52 225 $ à 65 725 $ - 2005
Garanties :	4 ans/80 000 km, 4 ans/80 000 km
Catégorie :	cabriolet
Emp./Lon./Lar./Haut.(cm) :	265/457/178/139
Poids :	1 820 kg
Coffre/Réservoir :	289 litres / 66 litres
Coussins de sécurité :	frontaux et latéraux (av.)
Suspension avant :	indépendante, multibras
Suspension arrière :	indépendante, multibras
Freins av./arr. :	disque (ABS)
Antipatinage/Contrôle de stabilité :	oui/oui
Direction :	à crémaillère, assistée
Diamètre de braquage :	11,1 m
Pneus av./arr. :	P235/45ZR17
Capacité de remorquage :	n.d.

Pneus d'origine MICHELIN

GROUPE MOTOPROPULSEUR

Moteur :	V6 de 3,0 litres 30s atmosphérique
Alésage et course	82,5 mm x 92,8 mm
Puissance :	220 ch (164 kW) à 6 300 tr/min
Couple :	221 lb-pi (300 Nm) à 3 200 tr/min
Rapport Poids/Puissance :	8,27 kg/ch (11,23 kg/kW)
Moteur électrique :	aucun
Autre(s) moteur(s) :	4L 1,8 l 170ch à 5 900tr/mn et 166lb-pi à 1 950tr/mn (turbo)
Transmission :	intégrale, séquentielle 5 rapports
Autre(s) transmission(s) :	traction, CVT
Accélération 0-100 km/h :	8,4 s
Reprises 80-120 km/h :	7,2 s
Freinage 100-0 km/h :	42,0 m
Vitesse maximale :	209 km/h
Consommation (100 km) :	super, 11,6 litres
Autonomie (approximative) :	569 km
Émissions de CO2 :	5 184 kg/an

DANS LA MÊME CATÉGORIE

BMW 330ci - Mercedes-Benz CLK320 - Saab 9-3 Cabriolet

DU NOUVEAU EN 2006

Pas de changement majeur, groupe S-Line

HISTORIQUE DU MODÈLE

1ère génération

NOS IMPRESSIONS

Agrément de conduite :	🚗🚗🚗½
Fiabilité :	🚗🚗🚗
Sécurité :	🚗🚗🚗½
Qualités hivernales :	🚗🚗🚗
Espace intérieur :	🚗🚗½
Confort :	🚗🚗🚗½

LE CHOIX DE L'ÉQUIPE

3.0 CVT

PLUS QU'UNE NOUVELLE CALANDRE

Si l'ancienne A6 était perçue par certains comme la Buick LeSabre de la gamme Audi, sa remplaçante apparue l'an dernier nous propose une tout autre histoire. En premier, le stylisme est devenu nettement plus pointu, notamment avec cette nouvelle calandre trapézoïdale qui est une signature visuelle remarquable. D'ailleurs, lors des débuts de ce modèle, nombreux étaient les journalistes qui ont consacré plus de temps à déblatérer sur les vertus esthétiques de ce nouveau museau qu'à mentionner les caractéristiques routières du modèle intermédiaire de chez Audi. Pourtant, il y a beaucoup plus dans cette voiture qu'une partie avant redessinée.

Mais avant de passer à un autre sujet, il faut souligner que les stylistes de la marque avaient été accusés d'avoir eu le coup de crayon un peu trop mièvre sur l'ancien modèle. De là le remodelage dont l'élément central est cette calandre qui est pour le moins dominante. Le hic pour moi est que lorsqu'on y place une plaque minéralogique cela vient rompre l'harmonie. Heureusement, au Québec, nos voitures ont une devanture vierge de toute plaque. Les lignes de la carrosserie sont plus agressives et représentent un écart considérable par rapport à la silhouette très, très conservatrice de sa devancière, mais c'est d'une élégance tout de même discrète. D'ailleurs, en général chez Audi, les lignes de voitures sont toujours fluides et homogènes sans rechercher le tape-à-l'œil. Bref, des voitures pour les connaisseurs qui apprécient plus le raffinement que l'épate. Je dois cependant avouer que la TT est une exception à cette règle.

Lorsque quelqu'un veut illustrer un habitacle sobre, élégant et pratique, cette personne mentionne souvent les intérieurs des modèles Audi qui sont réputés pour être la référence, aussi bien en fait de design, de qualité d'assemblage que du choix des matériaux. La A6 que nous avons conduite pendant une semaine est à la hauteur de cette réputation. Le tableau de bord se révèle un heureux mélange entre le moderne et le traditionnel. Les cadrans indicateurs sont regroupés dans un module partant de l'extrême gauche de la planche de bord pour se terminer par un rebord vertical à la limite droite de la console. Dans cet espace se retrouvent un compte-tours et un indicateur de vitesse de bonnes dimensions et faciles à lire en raison des chiffres blancs sur fond noir. Ils sont séparés par un centre d'information vertical dont les lettres rouges sont d'un contraste très fort, même lorsque le soleil tape dans l'habitacle.

Au centre de la planche de bord se trouve un écran à affichage LCD qui sert à la navigation, en plus d'être le tableau indicateur du système de commande MMI, pour Multi Media Interface, dont le bouton de commande est placé immédiatement derrière le levier de vitesse. Ce serait vous mentir que de vous affirmer que ce système de commande est facile et convivial. Mais la version de Audi est nettement plus simple d'utilisation que les systèmes similaires proposés par BMW et Mercedes. Des boutons placés en périphérie de ce contrôle central permettent d'accéder plus facilement à des menus et des sous-menus. En fait, une fois qu'on a compris les principes de fonctionnement, c'est passablement simple. La même chose pour les commandes audio et celles de la climatisation. Par contre, c'est un peu compliqué d'appuyer

FEU VERT

Habitacle réussi
Moteur V6 sophistiqué
Transmission intégrale Quattro
Tenue de route sans faute
Version Avant en cours d'année

FEU ROUGE

Système Tiptronic relativement lent
Prix élevé
Calandre controversée
Suspension ferme
Version RS6 en attente

sur un bouton afin d'afficher les réglages de la soufflerie, étape indispensable avant d'utiliser un autre bouton pour effectuer le réglage lui-même!

Comme sur toutes les Audi, les couleurs de l'habitacle sont en demi-tons tandis que les sièges avant sont très confortables. Et puisque l'empattement a été allongé de 7,6 centimètres l'an dernier, les places arrière sont très confortables. Bref, cette A6 demeure une berline de luxe, tout en proposant des performances plus pointues et un comportement routier plus précis.

LE V6 SEULEMENT

Puisque la flotte de presse du Québec ne possède pas de version à moteur V8 dans ses rangs, seul le modèle à moteur V6 a pu être testé. Heureusement qu'il s'agit du moteur qui est le plus demandé et ayant connu les plus importantes modifications l'an dernier. En effet, si la cylindrée de ce V6 est demeurée à 3,2 litres, ce moteur bénéficie dorénavant d'un système d'injection directe qui porte la puissance à 255 chevaux. Ce qui est remarquable compte tenu de la cylindrée. Lorsque j'ai pris possession de la voiture, Roberto Oruna de Audi m'avait vanté les performances de ce moteur. Pourtant, quelques kilomètres plus tard, j'étais quelque peu déçu des performances en roulant en mode automatique. Ça allait en passant les rapports manuellement avec la boîte six rapports Tiptronic, mais en automatique ça ne décoiffait rien. Ce n'était pas mal, mais je m'attendais à beaucoup mieux. Et j'ai eu la réponse à mes interrogations lorsque j'ai placé le levier de vitesse en position «S» pour Sport. Quelle différence! Les accélérations étaient devenues incisives, quasiment brutales.

Le moteur V8 demeure au catalogue cette année. Il s'agit en fait du moteur de la A8 inséré sous le capot d'une voiture plus légère et plus petite. Avec un temps d'accélération annoncé de six secondes, ça doit se déplacer.

Sur la route, une plate-forme très rigide, un empattement relativement long, une suspension que certains jugent ferme, le tout relié au système de transmission intégrale Quattro, voilà les éléments clés. Avec eux, vous vous retrouvez au volant d'une voiture qui est capable d'affronter presque n'importe quelle route et toutes les conditions routières. La «6» sous-vire toujours dans les virages serrés, mais c'est tout de même plus anecdotique qu'embarrassant. Bref, une voiture réussie que certains trouvent encore trop discrète.

Denis Duquet

Photos: Denis Duquet

DONNÉES TECHNIQUES

Modèle à l'essai:	A6
Prix du modèle à l'essai:	69895$
Échelle de prix:	60500$ à 78000$ (estimé)
Garanties:	4 ans/80000 km, 4 ans/80000 km
Catégorie:	berline de luxe
Emp./Lon./Lar./Haut.(cm):	284/492/185,5/146
Poids:	1680 kg
Coffre/Réservoir:	450 litres / 80 litres
Coussins de sécurité:	front., latéraux (av./arr.), rideaux
Suspension avant:	indépendante, jambes de force
Suspension arrière:	indépendante, multibras
Freins av./arr.:	disque (ABS)
Antipatinage/Contrôle de stabilité:	oui/oui
Direction:	à crémaillère, assistance variable
Diamètre de braquage:	11,9 m
Pneus av./arr.:	P225/55R16
Capacité de remorquage:	n.d.

GROUPE MOTOPROPULSEUR

Moteur:	V6 de 3,2 litres 24s atmosphérique
Alésage et course	84,5 mm x 92,8 mm
Puissance:	255 ch (190 kW) à 6500 tr/min
Couple:	243 lb-pi (330 Nm) à 3250 tr/min
Rapport Poids/Puissance:	6,59 kg/ch (8,94 kg/kW)
Moteur électrique:	aucun
Autre(s) moteur(s):	V8 4,2 l 335ch à 6600tr/mn et 310lb-pi à 3500tr/mn
Transmission:	intégrale, automatique 6 rapports
Autre(s) transmission(s):	aucune
Accélération 0-100 km/h:	7,1 s
Reprises 80-120 km/h:	6,5 s
Freinage 100-0 km/h:	40,1 m
Vitesse maximale:	209 km/h (limitée électroniquement)
Consommation (100 km):	super, 11,2 litres
Autonomie (approximative):	714 km
Émissions de CO2:	5090 kg/an

DANS LA MÊME CATÉGORIE

BMW Série 5 - Cadillac CTS-V - Jaguar S-Type - Lexus GS 430 - Mercedes-Benz Classe E

DU NOUVEAU EN 2006

aucun changement majeur

HISTORIQUE DU MODÈLE

2ième génération

NOS IMPRESSIONS

Agrément de conduite:	4
Fiabilité:	3½
Sécurité:	4
Qualités hivernales:	4
Espace intérieur:	4
Confort:	4

LE CHOIX DE L'ÉQUIPE

A6 3,2

L'ART, SELON AUDI

Je ne suis pas snob. Pas de vantardise ici, un simple constat. Être snob, c'est une personne qui se plaît à émailler sa conversation de noms de gens connus, en laissant entendre qu'elle les fréquente. Et quand ce ne sont pas des individus, ce sont des objets de grande marque qui font l'objet de la discussion. Une façon d'attirer l'attention en se servant de la réputation des autres. N'en déplaise à mes détracteurs, je ne fais jamais cela. Mais j'avoue qu'au volant d'une A8, j'ai bien failli me laisser un peu aller moi aussi.

Car avec la Audi, la plus grande et la plus luxueuse des voitures de la bannière allemande, on se sent devenir un autre homme. Je ne sais trop si ce sont les dimensions exceptionnelles de la voiture ou simplement sa classe et sa distinction naturelle, mais on a vraiment l'impression d'entrer dans un autre monde.

DU CŒUR SOUS LE CAPOT

La A8 a non seulement des dimensions imposantes, particulièrement dans sa version allongée, mais elle peut surtout compter sur un coeur bien solide, un moteur V8 de 4,2 litres, tout à l'image de la voiture : souple, raffiné et tout en douceur. Ce qui ne l'empêche quand même pas de lancer la voiture avec enthousiasme et sans rechigner quand on appuie sur l'accélérateur avec fermeté. Il faut dire que les améliorations moteur apportées il y a deux ans ont permis de développer une petite machine qui offre maintenant 335 chevaux, et 317 livres-pied de couple à seulement 3500 tours-minute.

Il en existe probablement pour trouver que malgré tout cette puissance est un peu juste, ce qui explique sans doute la volonté de Audi de proposer la A8 avec un moteur surpuissant. Cette fois, pas de demi-mesure : on a greffé à la A8 un moteur de 6,0 litres (!) - et attention, avec 12 cylindres en W - qui anime la bagatelle de 450 chevaux. Cette fois, rien à redire, la A8 ne se déplace pas, elle se téléporte tellement la réponse du moteur est puissante et efficace. Jumelée à ces moteurs raffinés, on retrouve une transmission automatique six rapports qui me fera trahir mes origines de pilote. Car, croyez-le ou non, même si elle est proposée avec le mode séquentiel qui permet au conducteur de manipuler les rapports, elle est tout simplement plus efficace en mode automatique, et il est plus agréable de laisser travailler la transmission plutôt que de tenter de s'interposer.

Pour assurer une tenue de route sans aucune faille, on a aussi muni la A8 d'une suspension pneumatique aux quatre roues. Concrètement, d'une simple pression d'un bouton dans l'habitacle (c'est un peu plus complexe mais nous y reviendrons), il est possible de modifier la hauteur et le débattement de chacune des suspensions, l'ensemble pouvant bouger d'une hauteur de plus de 20 mm. Évidemment, en matière de confort on atteint des sommets, alors qu'en conduite plus dynamique, on empêche la A8 de se comporter comme un gros paquebot.

Et bien sûr, parce que c'est une Audi, elle est équipée de la transmission intégrale Quattro, probablement la plus efficace du genre encore aujourd'hui, toutes marques confondues. Chose étonnante, en raison de

FEU VERT

Puissance sans hésitation
Direction aristocratique
Traction intégrale Quattro
Équipements multiples

FEU ROUGE

Réputation de fiabilité douteuse
Ergonomie parfois déficiente
Manuel de l'usager obligatoire
Coûts d'achat et d'entretien royaux

la direction très précise, très bavarde, la A8 se conduit presque comme une petite voiture, étant agile et dynamique. Le freinage, léger ou intensif, est aussi précis et incisif. Même le transfert de poids vers l'avant est limité en cas de freinage vif.

SALON DE THÉ

L'habitacle de la A8, c'est un véritable salon de thé. On y ressent l'opulence et la sérénité, un peu comme quand on pénètre dans ces vieilles demeures anglaise où on se spécialise dans le 4 o'clock tea. Ce qui ne signifie pas que l'intérieur n'est pas moderne, bien au contraire. Tout a été mis en place pour rendre la randonnée la plus confortable possible pour le conducteur et les passagers. La liste d'équipements, presque aussi longue que la voiture, regorge de gadgets en tout genre qui sont l'apanage des voitures de grand luxe.

Pour contrôler tout cela, le MMI (Multi media interface), un système qui permet de gérer l'ensemble des composantes intérieures: audio, climatisation, et même suspension puisque c'est grâce à ce bidule qu'on en ajuste la hauteur. Le reproche à ce genre de système est toujours le même: impossible de l'utiliser de façon intuitive, il faut plutôt prendre le temps de bien lire le manuel du propriétaire. Et de préférence, avant de prendre la route, pas pendant! Mais même cette lecture ne rendra pas plus accessibles certains boutons, habilement dissimulés aux quatre coins du tableau de bord et qui sont presque impossibles à atteindre en conduite normale.

Les sièges sont, comme on pourrait s'y attendre, de véritables divans dignes de Roche Bobois alliant cuir et confort, mais il faudra aussi quelques longues minutes pour trouver la bonne position de conduite. Les places arrière sont presque aussi confortables et disposent d'un dégagement hors du commun (surtout si on opte pour la version allongée, la 4,2L).

Avec de telles dispositions mécaniques, la A8 qui ne subit que de petits changements cosmétiques en 2006 (rappelons-le, dessinée en 2003 par un québécois, Dany Garand), a tout pour concurrencer les ténors de la catégorie. Moins traditionnelle que ses concurrentes, avec un design moins contesté, il ne lui manque qu'un peu de fiabilité, un problème soulevé année après année par JD Powers, pour la rendre véritablement attrayante… aux yeux de ceux qui en ont les moyens.

Bertrand Godin

Photos: Audi

DONNÉES TECHNIQUES

Modèle à l'essai:	A8L
Prix du modèle à l'essai:	108600$
Échelle de prix:	94500$ à 170100$
Garanties:	4 ans/80000 km, 4 ans/80000 km
Catégorie:	berline de luxe
Emp./Lon./Lar./Haut.(cm):	307,5/518/189/145,5
Poids:	1995 kg
Coffre/Réservoir:	500 litres / 92 litres
Coussins de sécurité:	front., latéraux (av./arr.), rideaux
Suspension avant:	indépendante, jambes de force
Suspension arrière:	indépendante, jambes de force
Freins av./arr.:	disque (ABS)
Antipatinage/Contrôle de stabilité:	oui/oui
Direction:	à crémaillère, assistance variable
Diamètre de braquage:	12,1 m
Pneus av./arr.:	P255/40R19
Capacité de remorquage:	non recommandé

GROUPE MOTOPROPULSEUR

Moteur:	V8 de 4,2 litres 32s atmosphérique
Alésage et course	84,5 mm x 93,0 mm
Puissance:	335 ch (250 kW) à 6500 tr/min
Couple:	317 lb-pi (430 Nm) à 3500 tr/min
Rapport Poids/Puissance:	5,96 kg/ch (8,08 kg/kW)
Moteur électrique:	aucun
Autre(s) moteur(s):	W12 6,0 l 450ch à 6200tr/mn et 425lb-pi à 4000tr/mn
Transmission:	intégrale, automatique 6 rapports
Autre(s) transmission(s):	aucune
Accélération 0-100 km/h:	6,3 s
Reprises 80-120 km/h:	5,3 s
Freinage 100-0 km/h:	34,5 m
Vitesse maximale:	208 km/h
Consommation (100 km):	super, 13,4 litres
Autonomie (approximative):	687 km
Émissions de CO2:	5470 kg/an

DANS LA MÊME CATÉGORIE

BMW Série 7 - Infiniti Q45 - Jaguar XJ8 - Lexus LS 430 - Mercedes-Benz Classe S - Volkswagen Phaeton

DU NOUVEAU EN 2006

Nouvelle calandre

HISTORIQUE DU MODÈLE

2ème génération

NOS IMPRESSIONS

Agrément de conduite:	🚗🚗🚗½
Fiabilité:	🚗🚗🚗🚗
Sécurité:	🚗🚗🚗🚗½
Qualités hivernales:	🚗🚗🚗🚗
Espace intérieur:	🚗🚗🚗🚗🚗
Confort:	🚗🚗🚗🚗½

LE CHOIX DE L'ÉQUIPE

Base

BANDE À PART

Alors que toutes les berlines de la marque Audi sont d'un grand conservatisme en fait de design, le modèle TT se démarque par une silhouette vraiment unique en son genre, qui s'inspire des voitures Auto Union des années 30 tout en possédant quand même beaucoup de modernisme. Même plusieurs années après son lancement, elle continue de ressembler à un prototype qui se serait échappé du bureau d'études de la compagnie. Si le coupé fait l'unanimité de par ses formes fluides et arrondies, le roadster est loin de jouir du même accueil.

Un peu comme la Nissan 350Z Cabrio, il semble que l'addition d'un toit souple rend la présentation quasiment caricaturale. Par contre, une fois que celui-ci est remisé, la petite TT gagne en esthétique sans pour autant être capable de nous séduire comme le coupé.

En fait, tout est design sur cette voiture et pas seulement l'extérieur. Dans l'habitacle, les stylistes se sont amusés à donner un air d'exclusivité à presque tous les éléments. La poignée intérieure de fermeture de la portière est dotée d'un cabochon circulaire qui est semblable à celui placé derrière le levier d'ouverture, un panneau pivotant en aluminium brossé cache les commandes de la radio aux yeux des voleurs, la console centrale est reliée à la planche de bord par des bras en aluminium, et j'en passe. Ajoutons que les commandes des sièges chauffants, des clignotants d'urgence, de désengagement du système de stabilité latérale sont des boutons-poussoirs circulaires bien en évidence sur la partie supérieure de la planche de bord. Enfin, les buses de ventilation circulaires sont entourées d'un cercle en aluminium qui en commande l'ouverture et la direction. Chez Audi, la politique est d'être un meneur en fait de design intérieur, et les stylistes maison nous ont démontré encore une fois leur grande compétence.

ORIGINES MODESTES

En fait, le design de cette TT est tel que plusieurs acheteurs ignorent le fait que cette belle germanique est d'origine plutôt modeste et qu'elle n'est pas entièrement assemblée en Allemagne. Contrairement à la Porsche Boxster ou encore à la Mercedes SLK, sa plate-forme n'est pas de lignée haut de gamme puisqu'il s'agit de celle utilisée sur les Volkswagen Golf/Jetta/New Beetle. De plus, c'est à l'usine d'Hyör en Hongrie que ces petites Audi sont assemblées. Je sais que ces considérations n'ont rien à voir avec le rendement et le comportement routier de la voiture, mais pour plusieurs, un pedigree, c'est primordial!

Le modèle de base est propulsé par l'incontournable moteur quatre cylindres 1,8 litre d'une puissance de 225 chevaux. Compte tenu du poids relativement léger du coupé, c'est suffisant pour obtenir des accélérations intéressantes, surtout avec la boîte manuelle à six rapports qui permet de bien exploiter la puissance de ce moteur. Sur la route, malgré des dimensions assez petites, la voiture ne semble pas toujours agile et la suspension paraît vraiment sèche sur nos routes défoncées qui sont la norme plus que l'exception. Aborder un virage à haute vitesse sur une route bosselée nous prouve que le châssis est solide, la suspension ferme et la voiture sautillante. De plus, le moteur turbo semble parfois

FEU VERT

Design accrocheur
Tableau de bord inédit
Tenue de route impeccable
Système Quattro
Moteur V6

FEU ROUGE

Visibilité arrière atroce
Suspension très ferme
Habitacle exigu
Coffre trop petit

peiner à la tâche et son régime est généralement élevé en raison d'un couple inférieur à celui du moteur V6 proposé en option. Bref, la voiture est jolie et performante, mais elle paraît quelque peu étriquée en raison d'un moteur qui ne semble pas aimer qu'on le sollicite. Sur une note plus positive, le dispositif de rouage intégral Quattro est toujours à la hauteur de sa réputation.

SIX RAISONS D'AIMER

C'est pour corriger cette caractéristique de moteur parfois essoufflé que les ingénieurs ont doté la TT d'un moteur V6 de 3,2 litres. Offert depuis l'an dernier avec sa boîte automatique à six rapports de type DSG, c'est le remède que le « Docteur Performances » a prescrit pour réconcilier cette voiture avec les amateurs de conduite plus musclée. Avec ses 250 chevaux, il surpasse le moteur de série de 25 chevaux, mais c'est surtout sa gestion du couple qui nous le fait préférer. En effet, en pleine accélération initiale, ce moteur nous fournit un couple bien senti et nous n'avons plus cette impression de moteur à l'effort comme c'est le cas avec le moteur 1,8 litre turbo.

Il est vrai que les puristes vont rechigner et déplorer l'absence d'une boîte manuelle pour cette voiture à vocation sportive. Par contre, on peut leur répondre que cette boîte DSG – Direct Shift Gearbox- est l'une des plus avancées qui soient sur le plan technique. En effet, elle est à double embrayage. Ce qui signifie que le rapport supérieur ou inférieur à celui qui est utilisé est déjà présélectionné. En mode séquentiel, les passages des rapports sont instantanés. L'utilisation des palettes de passage des rapports montés derrière le volant permet de jouer au pilote de F 1. Le levier de vitesse en mode « S », les changements de rapports sont moins espacés et ça déménage croyez moi! Bien que la suspension du roadster me soit apparue brutale en conduite à haute vitesse sur une route secondaire, c'est tout un feeling de s'éclater au volant d'une voiture de ce gabarit et de ce tempérament. Et sur la voiture de presse utilisée pour cet essai, nous avons remarqué l'absence de bruits de caisse. Ce qui est d'autant plus remarquable que j'étais au volant du roadster qui n'a pas toujours été exemplaire à ce chapitre. Par contre, vous devez avoir une grande souplesse des articulations pour vous glisser derrière le volant. Vous devez également être un as de la conduite aux rétroviseurs extérieurs puisque la visibilité arrière du cabriolet est très difficile et ce n'est guère mieux sur le coupé. Il faut donc souffrir pour conduire une belle bagnole.

Denis Duquet

Photos : Bertrand Godin

AUDI TT

DONNÉES TECHNIQUES

Modèle à l'essai :	3,2 Quattro roadster
Prix du modèle à l'essai :	69 995 $
Échelle de prix :	56 075 $ à 72 950 $
Garanties :	4 ans/80 000 km, 4 ans/80 000 km
Catégorie :	coupé/roadster
Emp./Lon./Lar./Haut.(cm) :	242/404/176,5/134,5
Poids :	1 590 kg
Coffre/Réservoir :	180 litres / 62 litres
Coussins de sécurité :	frontaux et latéraux (av.)
Suspension avant :	indépendante, jambes de force
Suspension arrière :	indépendante, multibras
Freins av./arr. :	disque (ABS)
Antipatinage/Contrôle de stabilité :	oui/oui
Direction :	à crémaillère, assistance variable
Diamètre de braquage :	10,6 m
Pneus av./arr. :	P225/45R17
Capacité de remorquage :	non recommandé

GROUPE MOTOPROPULSEUR

Moteur :	VR6 de 3,2 litres 24s atmosphérique
Alésage et course	84,0 mm x 95,9 mm
Puissance :	250 ch (186 kW) à 6300 tr/min
Couple :	236 lb-pi (320 Nm) à 3 200 tr/min
Rapport Poids/Puissance :	6,36 kg/ch (8,64 kg/kW)
Moteur électrique :	aucun
Autre(s) moteur(s) :	4L 1,8 l 225ch à 5 900tr/mn et 207lb-pi à 2 200tr/mn (turbo)
Transmission :	intégrale, séquentielle 6 rapports
Autre(s) transmission(s) :	manuelle 6 rapports (1,8T)
Accélération 0-100 km/h :	6,4 s
Reprises 80-120 km/h :	5,6 s
Freinage 100-0 km/h :	31,3 m
Vitesse maximale :	209 km/h (limitée électroniquement)
Consommation (100 km) :	super, 11,5 litres
Autonomie (approximative) :	539 km
Émissions de CO2 :	4 656 kg/an

DANS LA MÊME CATÉGORIE

BMW Z4 - Honda S2000 - Infiniti G35 Coupé - Mercedes-Benz SLK - Nissan 350Z - Porsche Boxster

DU NOUVEAU EN 2006

Aucun changement majeur

HISTORIQUE DU MODÈLE

1ère génération

NOS IMPRESSIONS

Agrément de conduite :	4½
Fiabilité :	4
Sécurité :	4½
Qualités hivernales :	4½
Espace intérieur :	2½
Confort :	3

LE CHOIX DE L'ÉQUIPE

Roadster 3.2 DSG

Photo: Bentley

VÉRITABLES ARISTOCRATES

Même si l'aura de Volkswagen ne brille plus aussi fort au firmament des marques allemandes depuis plusieurs problèmes de fiabilité, l'entreprise a su, grâce à une politique d'acquisitions, se diversifier tout en demeurant dans le domaine de l'automobile. Désormais propriétaire de marques telles que Audi, Lamborghini, Bugatti et Bentley, Volkswagen peut marcher la tête haute. Et pas seulement en raison du prestige de ces entreprises. Elle a su leur apporter les capitaux nécessaires à leur survie tout en leur laissant une belle autonomie. Ah, si tous les couples pouvaient en dire autant…

La gamme Bentley se compose, encore en 2006, de voitures créées il y a très longtemps et d'autres, beaucoup plus modernes. L'Arnage, par exemple, est une Rolls-Royce version sport. Lorsqu'on apprend qu'elle a été pensée à l'époque où Bentley était encore sous l'emprise de la marque britannique, donc avant le rachat par Volkswagen en 1998, on comprend mieux les lignes quelque peu surannées, le poids superbement élevé et la technologie peu poussée. Conçue entièrement à la main (ou presque) à l'usine de Crowe en Angleterre, une Arnage ne sort d'usine qu'après douze semaines (!) de dur labeur. Nonobstant ses airs aristocrates, l'Arnage n'a rien d'une mémé hautaine, grâce à son V8 de 6,7 litres crachant 450 chevaux et un couple de, tenez-vous bien, 646 livres-pied de couple dès 3 250 tours/minute… Et on ne parle pas ici de l'Arnage R, encore plus démentielle. Ces chiffres se traduisent, malgré le poids de plus de 2 500 kilos, par des performances absolument ahurissantes. On est cependant un peu surpris de constater que la transmission automatique ne possède que quatre rapports, mais puisque son fonctionnement s'avère sans reproches, on ne peut pas lui en vouloir. Certes, un ou deux rapports supplémentaires amélioreraient la consommation d'essence (qui se situe, sans trop forcer sur l'accélérateur, aux alentours de 18 litres aux cent kilomètres). Mais quand on paie plus de 350 000 $ pour une voiture, on ne doit pas faire le tour les stations-service pour économiser un ou deux cents le litre !

Cette grosse Arnage se conduit un peu comme un Caddy 1978. C'est-à-dire que les suspensions font preuve d'une certaine mollesse, pour ne pas dire d'une mollesse certaine. La direction, même si sa précision a été revue il y a quelques années, affiche toujours une belle insensibilité. Et que dire des dimensions royalement imposantes! L'Arnage est plus longue que deux Smart placées bout à bout. Curieusement, cependant, ce palace roulant peut afficher un comportement sportif. Le pilote Derek Bell, quatre fois gagnant au Mans, nous confiait piloter sa Arnage sur une piste de course sans autres modifications que des amortisseurs plus rigides. Quoi qu'il en soit, pour le commun des mortels, le confort n'est rien de moins que princier, gracieuseté de sièges tout simplement parfaits. Certes, l'ergonomie appartient à une autre époque et il arrive encore que quelques détails de finition ne soient pas peaufinés. Sur ce dernier point cependant, les Arnage ont fait d'incroyables progrès depuis quelques années.

Mais le joyau de Bentley, et aussi le futur de la marque, c'est la Continental GT. Reprenant la plate-forme en aluminium de la Audi A8, les ingénieurs de Crowe ont réussi à concocter un coupé sport sur le châssis d'une

FEU VERT
Prestige inouï
Performances superlatives
Confort indescriptible
Fiabilité et finition à la hausse
Lignes sublimes (GT, Silver Spur)

FEU ROUGE
Poids ahurissant
Consommation d'un Airbus
Machines à contraventions
Prix indécents
Sonorité du moteur étouffée

Photos: Alain Morin

berline! Les lignes font preuve d'une recherche et d'une modernité sans précédent pour une Bentley. D'ailleurs, quelques prestigieux prix soulignant ces caractéristiques ont été attribués à la Continental GT. Mais c'est davantage au niveau technique que cette super voiture impressionne. Le moteur, un W12 qui équipe aussi la Audi A8 et la Volkswagen Phaeton, fait dans les 560 chevaux et 479 livres-pied de couple. Excusez du peu. La transmission, automatique à six rapports, possède un mode manuel et s'avère d'une redoutable efficacité. Le rouage intégral provient de chez Audi, reconnu dans ce domaine.

Dire que la Continental GT accélère tient de l'euphémisme. Rarement avons-nous eu le privilège de conduire une voiture faisant passer autant de puissance au sol avec autant de grâce. Même en écrasant l'accélérateur au plancher, on ne sent pas la puissance déferler. Le son trop étouffé du moteur, sans doute. Quoi qu'il en soit, et sans trop s'en rendre compte, on est déjà rendu à 100 km/h. Le temps de lever les yeux pour juger de la circulation (et s'il n'y aurait pas un Crown Vic blanc stationné perpendiculairement...) et on atteint les 140. Un autre coup d'œil puis 180. Finalement, à 260 on se dit qu'on a assez joué avec notre chance et on relâche l'accélérateur avant que le missile n'atteigne les 318 km/h proclamés par l'entreprise. Jamais, durant ces quelques jouissives secondes, le moteur ou la transmission n'ont montré un semblant d'essoufflement. Génial. Quant à la tenue de route, ce n'est pas sur une route publique qu'on pourra en tester les limites. Au moins, une foule de béquilles électroniques se chargent de garder cette obèse sportive sur la route. De plus, la Continental GT peut transporter quatre personnes. On a beau dire ce qu'on voudra, les places arrière sont spacieuses, confortables mais ne sauraient accommoder de grands adultes pour un long voyage.

Bien née, la Continental GT prendra bientôt la forme d'une berline appelée Flying Spur. Les lignes générales seront préservées, ainsi que la classe qui enrobe les produits Bentley. Bien que nous n'ayons pu mettre la main sur une Flying Spur, il ne fait pas de doute que le luxe et les performances seront au rendez-vous. Parmi les autres nouveautés, l'Arnage Drophead Coupe, une Arnage décapotable, deux portes.

Après avoir végété trop longtemps dans le giron de Rolls-Royce et jonglant aisément avec luxe, confort, performances, prestige et noblesse, la marque Bentley n'a pas fini de nous étonner!

Alain Morin

Photo: Bentley

DONNÉES TECHNIQUES

Modèle à l'essai:	Continental GT
Prix du modèle à l'essai:	230990$ - 2005
Échelle de prix:	230990$ à 353990$ - 2005
Garanties:	3 ans/km illimité, 3 ans/km illimité
Catégorie:	berline de grand luxe/GT
Emp./Lon./Lar./Haut.(cm):	274,5/481/192/139
Poids:	2410 kg
Coffre/Réservoir:	370 litres / 90 litres
Coussins de sécurité:	front., latéraux (av./arr.), rideaux
Suspension avant:	indépendante, multibras
Suspension arrière:	indépendante, multibras
Freins av./arr.:	disque (ABS)
Antipatinage/Contrôle de stabilité:	oui/oui
Direction:	à crémaillère, assistée
Diamètre de braquage:	11,4 m
Pneus av./arr.:	P275/40R19
Capacité de remorquage:	non recommandé

GROUPE MOTOPROPULSEUR

Moteur:	W12 de 6,0 litres 48s turbocompressé
Alesage et course	84,0 mm x 90,2 mm
Puissance:	560 ch (418 kW) à 6100 tr/min
Couple:	479 lb-pi (650 Nm) à 1500 tr/min
Rapport Poids/Puissance:	4,3 kg/ch (5,85 kg/kW)
Moteur électrique:	aucun
Autre(s) moteur(s):	V8 6.7 l 450ch à 4100tr/mn et 646lb-pi à 3250tr/mn (Arnage T)
Transmission:	intégrale, automatique 6 rapports
Autre(s) transmission(s):	propulsion, automatique 4 rapports
Accélération 0-100 km/h:	4,8 s
Reprises 80-120 km/h:	3,3 s
Freinage 100-0 km/h:	36,5 m
Vitesse maximale:	318 km/h
Consommation (100 km):	super, 17,1 litres
Autonomie (approximative):	526 km
Émissions de CO2:	8110 kg/an

DANS LA MÊME CATÉGORIE

Ferrari F430 - Lamborghini Gallardo - Maserati Coupé - Mercedes-Benz SL600 - Porsche 911 GT2

DU NOUVEAU EN 2006

Version Flying Spur (berline)

HISTORIQUE DU MODÈLE

1ière génération

NOS IMPRESSIONS

Agrément de conduite:	5
Fiabilité:	3
Sécurité:	4
Qualités hivernales:	3
Espace intérieur:	3
Confort:	4½

LE CHOIX DE L'ÉQUIPE

Continental GT

LA CINQUIÈME GÉNÉRATION

Signe des temps, lorsqu'un manufactiruer s'engage dans la refonte complète de l'une de ses voitures et particulièrement quand il s'agit du modèle qui obtient la plus grande diffusion, il faut maintenant s'attarder à son design. Après la pluie de critiques adressées aux Séries 5 et 7 (qui a d'ailleurs subi un lifting cette année), BMW ne pouvait se permettre d'adopter une allure jugée trop audacieuse pour la refonte complète de son best-seller. En bon québécois, on dirait que le mot d'ordre qui à été transmis à l'équipe dirigée par Chris Bangle par la haute direction de BMW a dû ressembler à notre expression consacrée, soit « Pousse, mais pousse égal »...

La première Série 3 a vu le jour il y a 30 ans et, avec ce modèle, BMW a littéralement créé la catégorie des berlines sport. Les générations se sont succédé au fil des ans, et la Série 3 est toujours demeurée l'une des voitures les plus convoitées du créneau. Même l'an dernier, le modèle de quatrième génération s'est vendu à 80 pour cent de son meilleur résultat en carrière, alors que tout le monde attendait le modèle 2005 avec anticipation. La nouvelle Série 3 porte donc la plus récente griffe de la marque, mais force est d'admettre que les stylistes ont fait preuve d'une certaine retenue dans la conception du modèle de cinquième génération qui présente des porte-à-faux plutôt courts et un capot avant très long, respectant ainsi une certaine filiation avec le passé. Pour le moment, seule la berline a droit à ces modifications majeures. Le coupé, le cabriolet et la familiale évolueront eux aussi un peu plus tard.

PLUS RIGIDE

Sur le plan technique, la nouvelle 3 est dotée d'une plate-forme dont la rigidité a été améliorée de 25 pour cent par rapport au modèle antérieur, l'empattement a progressé de 35 millimètres et les voies sont plus larges de 29 millimètres. Le poids est également en hausse de 68 kg par rapport au modèle précédent, mais les concepteurs ont réussi à conserver une répartition idéale du poids de 50 pour cent à l'avant et 50 pour cent à l'arrière. Les dimensions extérieures ont aussi été revues à la hausse, ce qui fait que l'habitacle propose maintenant plus d'espace avec un dégagement accru pour les jambes aux places arrière, corrigeant ainsi partiellement l'un des défauts les plus évidents du modèle précédent. Ceci étant dit, les trois adultes qui s'assoiront à l'arrière souhaiteront ardemment que le trajet ne soit pas trop long.

Selon le document de presse remis par BMW, la nouvelle Série 3 serait plus sportive que la Série 5 et plus élégante que le roadster Z4 et que la Série 1, disponible uniquement en Europe. Le communiqué va encore plus loin en affirmant que la ligne de toit de la berline lui donne des allures de coupé. Faut vraiment avoir de l'imagination! La nouvelle

Mercedes-Benz CLS peut dormir en paix avec son style « coupé/berline » particulièrement réussi. Il faut noter, par contre, que la partie arrière de la nouvelle Série 3 est beaucoup moins controversée que celle de la Série 7, par exemple.

Au premier contact, on remarque que le moteur est désormais lancé à la pression d'un bouton localisé sur la planche de bord qui est dérivée de celle de la Série 5, intégrant ou non (au choix du client) le système i-Drive en version simplifiée et son écran central, BMW ayant choisi de reléguer son système de télématique au rang des options. Parmi les bémols, on peut relever que la qualité des plastiques utilisés pour la planche de bord laisse vraiment à désirer pour une voiture de créneau. Les concepteurs de Audi, qui réalisent depuis un certain temps les plus beaux intérieurs, n'ont donc rien à craindre à ce chapitre. On retrouve pas moins de huit coloris différents pour l'habitacle qu'il est possible d'agencer avec des surfaces décoratives de type titane mat, aluminium, ronce de noyer ou loupe de peuplier et quatre garnitures de tissu, similicuir, tissu/cuir et cuir et j'en passe. En tout pas moins de 624 possibilités s'offrent au client désireux de personnaliser son univers. Par ailleurs, le volume du coffre est augmenté de 20 litres pour un total de 460, et un compartiment de rangement en plastique peut être ajouté à l'intérieur afin de recevoir et maintenir en place un ordinateur portable ou d'autres objets plus fragiles.

QUEL APLOMB !

Lors de mon premier essai de la Série 3, j'ai eu l'occasion de boucler plusieurs tours du circuit d'Albacete en Espagne, et ce bref essai à la limite m'a permis de constater que la Série 3 fait montre d'un équilibre dynamique et d'un aplomb remarquable. Afin d'assurer une répartition du poids idéale de 50 pour cent à l'avant et 50 pour cent à l'arrière, les concepteurs ont utilisé de l'aluminium pour la suspension avant et de l'acier allégé pour la suspension arrière qui comprend maintenant cinq éléments plutôt que quatre. Le résultat se fait sentir en piste, la tenue de route étant remarquable et le comportement de la voiture toujours prévisible.

Précisons également que le système électronique de contrôle de la stabilité DSC+ comporte une fonction appelée DTC (Dynamic Traction Control) qui permet un certain glissement des roues motrices avant d'intervenir, histoire de permettre au conducteur de s'amuser un peu. Par ailleurs, le système DSC+ peut être complètement désactivé par une pression continue de cinq secondes sur le bouton DTC, ce qui a pour effet de priver le conducteur des anges gardiens électroniques et de le laisser seul maître à bord.

Le système DSC+ intègre également de nouveaux dispositifs relatifs au freinage. Par exemple, le système est en mesure de détecter un freinage d'urgence et d'augmenter automatiquement la pression du système hydraulique pour assurer une décélération plus rapide. Aussi, en cas de pluie, le système intervient périodiquement pour nettoyer les disques de freins, de façon à ce que le conducteur puisse compter sur

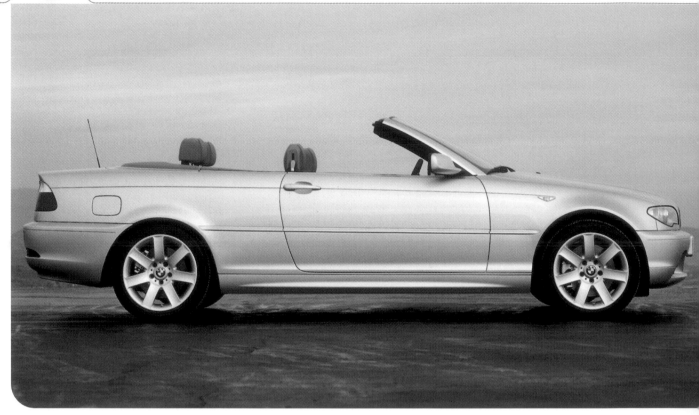

des freins efficaces à tout moment. De plus, lors d'une utilisation fréquente et soutenue des freins, comme durant la descente d'une côte avec plusieurs virages en lacets, le système accroît automatiquement la pression du système hydraulique pour compenser pour l'échauffement des plaquettes et des disques. Et finalement, le système de freinage maintiendra une certaine pression qui empêchera la voiture de reculer alors que le conducteur démarre dans une côte.

Quant à la direction active, initialement développée pour la Série 5, précisons qu'elle est offerte en option sur la nouvelle 3, et que cette direction n'est pas une simple direction à crémaillère avec assistance variable en fonction de la vitesse, mais plutôt une direction à crémaillère à démultiplication variable, une distinction qui prend toute son importance. À titre d'exemple, lorsqu'on tourne le volant de 15 degrés, les roues avant pivotent sur un angle plus prononcé à basse vitesse et sur un angle moindre à haute vitesse. Le résultat est particulièrement frappant lors des manœuvres de stationnement, alors que le conducteur n'a qu'à tourner le volant sur un demi ou trois quarts de tour seulement.

TOUJOURS LE DIX CYLINDRES

Le moteur de la Série 3 est un six cylindres en ligne de 3,0 litres qui développe 215 chevaux (modèle 325i) ou 255 chevaux (modèle 330i), cette différence de puissance s'expliquant par certaines modifications apportées au système d'alimentation. La 330i est une voiture très rapide, comme en témoigne son chrono de 6,3 secondes pour le sprint de 0 à 100 kilomètres/heure. Son moteur est maintenant doté de la technologie Valvetronic, initialement développée pour la Série 7, ce qui lui permet de livrer son couple sur une plage plus étendue.

Par ailleurs, le modèle 325i ne donne pas autant de puissance et de couple, mais se tire remarquablement bien d'affaire en conduite

FEU VERT

Boîtes manuelle et automatique à six rapports
Tenue de route performante
Couple du moteur de 3,0 litres (modèle 330i)
Groupe motopropulseur parfaitement adapté

FEU ROUGE

Qualité des plastiques utilisés pour l'intérieur
Bruit de vent dès 120 km/h
Coût d'achat élevé
Quantité et coût des équipements offerts en option

normale où le conducteur ne regrettera que très rarement de ne pas avoir choisi la plus puissante 330i. J'ai particulièrement apprécié le fait que les boîtes manuelle et automatique de la nouvelle 3 comptent six rapports plutôt que cinq, ce qui permet de livrer des performances bonifiées en accélération, de réduire le régime moteur en vitesse de croisière et d'améliorer les cotes de consommation de carburant.

LA SUITE

Comme c'était le cas pour les modèles précédents, la suite des choses comprendra l'arrivée dans un avenir rapproché d'une version à traction intégrale ainsi que des versions coupé et cabriolet. Quant à l'éventuelle M3, précisons qu'elle devrait voir le jour comme modèle 2007 et qu'elle devrait être animée par un moteur V8 de 400 chevaux, dérivé du V10 équipant présentement les M5 et M6.

Somme toute, avec la nouvelle 3, BMW a réussi son pari de produire une berline sport performante qui met toujours l'accent sur le plaisir de conduire, tout en proposant une certaine évolution vers un design plus moderne sans toutefois choquer les puristes. À ce titre, on peut véritablement la qualifier de la meilleure Série 3 de l'histoire de la marque.

Gabriel Gélinas

Photos: BMW

DONNÉES TECHNIQUES

Modèle à l'essai:	330i
Prix du modèle à l'essai:	47500$
Échelle de prix:	39900$ à 83950$
Garanties:	4 ans/80000 km, 4 ans/80000 km
Catégorie:	berline sport/coupé/cabriolet/familiale
Emp./Lon./Lar./Haut.(cm):	276/453/201/142
Poids:	1525 kg
Coffre/Réservoir:	460 litres / 60 litres
Coussins de sécurité:	frontaux, latéraux (av.), rideaux
Suspension avant:	indépendante, jambes de force
Suspension arrière:	indépendante, multibras
Freins av./arr.:	disque (ABS)
Antipatinage/Contrôle de stabilité:	oui/oui
Direction:	à crémaillère, assistance variable
Diamètre de braquage:	11,0 m
Pneus av./arr.:	P225/45R17
Capacité de remorquage:	750 kg

Pneus d'origine MICHELIN

GROUPE MOTOPROPULSEUR

Moteur:	6L de 3,0 litres 24s atmosphérique
Alésage et course	85,0 mm x 88,0 mm
Puissance:	255 ch (192 kW) à 6600 tr/min
Couple:	220 lb-pi (300 Nm) à 2750 tr/min
Rapport Poids/Puissance:	5,91 kg/ch (8,03 kg/kW)
Moteur électrique:	aucun
Autre(s) moteur(s):	6L 3,0 l 215ch à 6250tr/mn et 185lb-pi à 2750tr/mn (325i)
Transmission:	propulsion, manuelle 6 rapports
Autre(s) transmission(s):	automatique 6 rapports / séquentielle 6 rapports
Accélération 0-100 km/h:	6,3 s
Reprises 80-120 km/h:	6,5 s
Freinage 100-0 km/h:	40,0 m
Vitesse maximale:	250 km/h
Consommation (100 km):	super, 8,7 litres
Autonomie (approximative):	690 km
Émissions de CO2:	4656 kg/an

DANS LA MÊME CATÉGORIE

Audi A4 / S4 - Infiniti G35 / G35x - Mercedes-Benz Classe C - Saab 9-3 / Cabriolet - Jaguar X-Type - Lexus IS 300

DU NOUVEAU EN 2006

Nouveau modèle

HISTORIQUE DU MODÈLE

5ième génération

NOS IMPRESSIONS

Agrément de conduite:	4½
Fiabilité:	nouveau modèle
Sécurité:	4
Qualités hivernales:	4
Espace intérieur:	3½
Confort:	4

LE CHOIX DE L'ÉQUIPE

330i

TOUJOURS UNE RÉUSSITE

Il est des voitures comme des individus : certains ont de la classe dès leur naissance, d'autres devront l'acquérir au fil des ans, parfois sans succès. Et quand certains ont trop de classe, ils deviennent tout simplement intimidants. La BMW de série 5 fait un peu partie de cette catégorie. Pour la classe, elle en a à revendre, il n'y a aucun doute. Et quand on ne la connaît pas, elle peut effectivement se montrer intimidante. Pourtant, une fois confortablement assis derrière le volant, on fait au contraire une chaleureuse rencontre avec une presque parfaite berline de luxe.

En fait, il faut aussi tempérer un peu les propos, car la notion de perfection ne s'applique peut-être pas directement au sens littéral. Disons simplement que la série 5 possède suffisamment de qualités pour être l'étalon qui permet de mesurer les performances des autres berlines de sa catégorie, et pour 2006, des familiales puisqu'on célèbre le retour de la version Touring.

LE CHOC DU CHIC

Dès que l'on ouvre la portière de la 530 qui nous a servi de véhicule d'essai, on ressent l'opulence. Pour une fois, on a réussi à créer un tableau de bord allemand qui n'est pas tout de noir vêtu et qui a une qualité de matériaux et de finition bien au-delà de la moyenne.

Sur les sièges, les cuirs sont souples et moelleux, les boiseries de la planche de bord sont magnifiques, et le mélange des matériaux est sans erreur de style. Les cadrans blancs sur fond noir sont faciles à lire, et ne demandent pas une étude complète avant d'être compris. Quant aux autres commandes, elles sont tout simplement assez bien placées pour être d'une simplicité dépouillée à utiliser. Jusqu'à ce que l'on se retrouve devant le I-Drive ! Cette grosse mollette placée entre les deux sièges avant sert à commander la radio, le système de navigation et la climatisation à l'aide d'un écran couleur localisé au centre de la planche de bord.

Réglons la chose tout de suite : le I-Drive a beau avoir quelques années et avoir été simplifié au fil des ans, il n'en demeure pas moins une des pires méthodes de gestion des commandes disponible sur une voiture de luxe. Il faut appuyer, tourner, pousser dans un sens ou dans l'autre pour trouver les bons menus et modifier des dizaines de réglages possibles. Vous devrez passer quelques heures à tout étudier pour être en mesure de maîtriser les commandes... lorsque la voiture est à l'arrêt. Votre plus grand défi sera ensuite de faire la même chose, mais en roulant. Vous finirez probablement par trouver les réglages une seule fois, et vous contenterez de les laisser intacts durant plusieurs semaines... Et comble de l'inutilité, si vous n'optez pas pour le système de navigation, vous vous retrouvez alors avec le plus complexe des systèmes audio à gérer.

Pour le reste cependant, l'habitacle est sans faille, tant à l'avant qu'à l'arrière. Car depuis sa refonte l'année dernière, la nouvelle série 5 propose dorénavant assez de dégagement à l'arrière pour ne pas coincer les jambes de vos invités.

FEU VERT

Traction intégrale exemplaire
Moteurs puissants et souples
Direction active
Système complet de gestion électronique

FEU ROUGE

Silhouette peu appréciée
I-Drive sans intérêt
Régulateur de vitesse trop intrusif
Options dispendieuses

BOLIDE CIVILISÉ

Ce qui distingue cependant la série 5, et la rend aussi intéressante, c'est la somme impressionnante de composantes installées sur la voiture et qui en facilite la conduite, sans pour autant limiter les sensations.

Évidemment, les trois moteurs proposés, soit les deux versions du 6 cylindres en ligne qui développent respectivement 215 et 255 chevaux (une nouveauté en 2006), et le 4,4 litres V8 de 325 chevaux qui équipe la 545, sont d'une souplesse et d'une puissance déconcertante. Et que dire du V10 de 5,0 litres de la M5 qui propose la bagatelle de 507 chevaux! Sans être trop sonores, ces moteurs sont capables d'une accélération essoufflante. Pour maîtriser ces chevaux bien domptés, on peut compter sur l'appui d'une transmission automatique six rapports efficace parce que bien étagée avec des changements qui surviennent juste au bon moment. Bref, une petite réussite que l'on peut cependant remplacer par une manuelle 6 rapports ou par la célèbre SMG séquentielle 6 rapports avec changement au volant.

Autre grande nouveauté en 2006, la série 5, - une propulsion depuis toujours - sera désormais offerte avec le X-Drive, le système de traction intégrale copié sur les utilitaires X3 et X5. Simplement, il s'agit d'un système de gestion électronique qui utilise les capteurs du système DSC (Dynamic System Control) pour transférer à l'avant ou à l'arrière, la bonne puissance selon les conditions. Pour compléter le système de traction intégrale, on a ajouté les systèmes de Hill Start Assist et Hill Descent Control, deux mécanismes qui permettent d'effectuer des arrêts complets en pente et de repartir sans bouger. Le système contribue aussi à une descente plus facile en régissant la vitesse maximale permise.

Évidemment, outre ces nouveautés, la série 5 a conservé sa direction active, et ses suspensions fermes mais qui favorisent tout de même le confort de roulement. Dernier détail, on a installé sur la série 5 un régulateur de vitesse actif qui, à l'aide d'un radar, détecte les voitures devant nous et ralentit à la même vitesse de croisière. Un système étonnamment intrusif, pas du tout agréable et que l'on a tendance à désactiver dès qu'on le peut.

La série 5 est toujours une incroyable réussite en terme de conduite. Il suffit d'être capable de passer outre ses quelques défauts cosmétiques... et le I-Drive!

Marc Bouchard

Photos: Bertrand Godin

DONNÉES TECHNIQUES

Modèle à l'essai:	525i
Prix du modèle à l'essai:	68895$
Échelle de prix:	58100$ à 80000$
Garanties:	4 ans/80000 km, 4 ans/80000 km
Catégorie:	berline de luxe/familiale
Emp./Lon./Lar./Haut.(cm):	289/485/185/147
Poids:	1,575 kg
Coffre/Réservoir:	520 litres / 70 litres
Coussins de sécurité:	front., latéraux (av./arr.), rideaux
Suspension avant:	indépendante, jambes de force
Suspension arrière:	indépendante, multibras
Freins av./arr.:	disque (ABS)
Antipatinage/Contrôle de stabilité:	oui/oui
Direction:	à crémaillère, assistance variable
Diamètre de braquage:	11,4 m
Pneus av./arr.:	P225/50R17
Capacité de remorquage:	non recommandé

GROUPE MOTOPROPULSEUR

Moteur:	6L de 3,0 litres 24s atmosphérique
Alésage et course	84,0 mm x 89,6 mm
Puissance:	215 ch (168 kW) à 5900 tr/min
Couple:	214 lb-pi (290 Nm) à 3500 tr/min
Rapport Poids/Puissance:	7,00 kg/ch (9,38 kg/kW)
Moteur électrique:	aucun
Autre(s) moteur(s):	V8 4,4 l 325ch à 6100tr/mn et 330lb-pi à 3700tr/mn (545), 6L 3,0 l 255ch à 6600tr/mn et 220lb-pi à 2750tr/mn (530)
Transmission:	propulsion, automatique 6 rapports
Autre(s) transmission(s):	manuelle 6 rapports / séquentielle 6 rapports
Accélération 0-100 km/h:	7,1 s
Reprises 80-120 km/h:	7,3 s
Freinage 100-0 km/h:	40,2 m
Vitesse maximale:	245 km/h
Consommation (100 km):	super, 9,9 litres
Autonomie (approximative):	707 km
Émissions de CO2:	4850 kg/an

DANS LA MÊME CATÉGORIE

Audi A6 - Cadillac CTS-V - Jaguar S-Type - Lexus GS 300 - Mercedes-Benz Classe E - Saab 9-5 - Volvo S60R

DU NOUVEAU EN 2006

Modèle familial, nouveau moteur 3,0 litres plus puissant, traction intégrale

HISTORIQUE DU MODÈLE

3ième génération

NOS IMPRESSIONS

Agrément de conduite:	4½
Fiabilité:	3
Sécurité:	5
Qualités hivernales:	3½
Espace intérieur:	4
Confort:	4

LE CHOIX DE L'ÉQUIPE

530xi

LA TROISIÈME « M »

L'année dernière ayant été marquée par le retour du grand coupé (doublé d'une version cabriolet), et cet automne l'ayant été par l'arrivée sur nos terres de l'ultraperformante berline M5, il était logique pour le constructeur bavarois de proposer une troisième voiture « M » dérivée de la Série 6, que le Guide de l'Auto a eu l'occasion de tester en exclusivité lors de son lancement en Espagne, et qui fera ses débuts au Québec au printemps prochain en tant que modèle 2007.

Sur le tracé très exigeant sur le plan technique du circuit Ascari qui comporte plusieurs changements d'élévation, la M6 s'est montrée à la hauteur, même si conduire une voiture de type Grand Tourisme sur un circuit représente la pire torture que l'on puisse lui infliger. Dans certains virages, il était relativement facile de mettre la voiture en dérive et de faire s'évaporer en fumée les pneus Pirelli P Zero Corsa, grâce à la puissance élevée livrée par le V10 qui ne demandait qu'à atteindre sa limite de révolutions de 8 250 tours/minute. À ce régime, chacun des pistons couvre une distance de 20 mètres à chaque seconde, et il est rassurant de savoir que les blocs-moteurs de ce V10 sont construits à la même usine qui produit également les blocs-moteurs utilisés par BMW en Formule Un.

Sur circuit, la performance de toute voiture se réduit essentiellement à son rapport poids-puissance et, dans le cas de la M6, celui-ci est plus favorable que celui de la berline M5, le coupé étant plus léger de 45 kilogrammes. Cette réduction de poids s'explique notamment par le toit fixe réalisé en plastique renforcé de fibre de carbone qui permet aussi d'abaisser le centre de gravité de la voiture, la M6 reprenant ainsi le principe adopté sur la version CSL de la M3, un modèle plus léger et plus performant dont la diffusion était limitée au marché européen. Par ailleurs, le coupé M6 fait également un grand usage de matériaux légers comme l'aluminium pour la réalisation de la partie avant, du capot et des portières, ainsi que pour les suspensions. De plus, les panneaux de carrosserie latéraux ainsi que le couvercle du coffre sont faits de plastique renforcé de fibre de verre. Le résultat, c'est que la M6 dispose ainsi d'un rapport poids-puissance phénoménal de 3,37 kilos par cheval-vapeur (3,5 pour la berline M5). Malgré tous ces efforts, il faut tenir compte des dimensions généreuses de la voiture dont le poids atteint tout de même les 1 710 kilos, ce qui fait que la M6 a tendance à adopter un comportement sous-vireur quand ses limites sont atteintes sur circuit et lorsque le système de contrôle de la stabilité est désactivé. Aussi, dans le contexte particulier du circuit, la direction m'a paru légèrement surassistée, et j'aurais aimé avoir un volant un peu plus « lourd ». Il faut cependant noter que ces légers reproches peuvent être formulés à l'endroit d'une grande majorité de voitures sport qui, comme la M6, n'ont pas été conçues pour établir des records du tour sur circuit, mais bien pour circuler sur des routes balisées.

Et c'est justement sur la route que l'on peut apprécier son comportement qui est tout à fait sécuritaire et prévisible, de même que l'intervention des divers systèmes de sécurité active qui fait en sorte qu'il est possible de

FEU VERT
Châssis très rigide
Groupes motopropulseurs remarquables
Bonne tenue de route sur chaussée sèche
Agrément de conduite
Performances spectaculaires (M6)

FEU ROUGE
Stylisme controversé
Tenue de route sur chaussée détrempée
Prix élevé et coût des options
Espace limité aux places arrière

rouler à des vitesses élevées, tout en bénéficiant d'un « filet de sécurité » ou d'un « ange gardien » électronique. J'ai particulièrement aimé le fait que les commandes de passage des vitesses de la boîte SMG qui compte sept rapports soient localisées sur le volant même, ce qui permet de changer de rapport tout en tournant le volant, ce qui n'est pas le cas de plusieurs voitures équipées de systèmes comparables. Par ailleurs, la M6 propose également en option un système de visualisation « tête haute » qui permet de consulter en réflexion dans le pare-brise certaines informations livrées par le compte-tours, l'indicateur de vitesse ainsi que le rapport de boîte sélectionné. La vie à bord est rendue plus qu'agréable par la présence de tous les équipements et accessoires de série qui font l'apanage de la marque. Quant au système télématique i-Drive précisons qu'il apparaît ici dans sa forme simplifiée propre aux Séries 5 et 6. Parmi les bémols, on peut relever le fait que l'espace est compté aux places arrière et que la visibilité 3/4 arrière est limitée par la forme du pilier « C » de la carrosserie. De plus, les adeptes du bronzage automobile regretteront l'absence d'un toit ouvrant, incompatible avec la construction du toit en plastique renforcé de fibre de carbone, et devront se rabattre sur la Série 6 en version coupé ou cabriolet, ou encore attendre l'arrivée de la M6 Cabriolet prévue pour la fin de 2006.

Suite logique de la berline M5, le coupé M6 propose essentiellement les mêmes performances et sensations quasi démentielles, avec 45 kilos en moins et une gueule plus sportive. Alors que la M5 cache son jeu aux non-initiés avec son look de sage berline, la M6 annonce clairement que son conducteur a l'intention de dépasser largement les limites permises... Cette distinction fait en sorte que mon choix personnel se porte sur la M5 plutôt que la M6, bien que ces deux voitures permettront à quelques rares privilégiés de vivre des sensations exceptionnelles tout en appréciant le confort et le luxe proposés par ces deux voitures en conduite normale.

Gabriel Gélinas

Photos : Bertrand Godin

DONNÉES TECHNIQUES

Modèle à l'essai :	M6
Prix du modèle à l'essai :	140 000 $ (estimé)
Échelle de prix :	99 000 $ à 109 000 $ (2005)
Garanties :	4 ans/80 000 km, 4 ans/80 000 km
Catégorie :	coupé/cabriolet/GT
Emp./Lon./Lar./Haut.(cm) :	278/487/185,5/137
Poids :	1710 kg
Coffre/Réservoir :	300 à 450 litres / 70 litres
Coussins de sécurité :	front., latéraux (av./arr.), rideaux
Suspension avant :	indépendante, jambes de force
Suspension arrière :	indépendante, multibras
Freins av./arr. :	disque (ABS)
Antipatinage/Contrôle de stabilité :	oui/oui
Direction :	à crémaillère, assistée
Diamètre de braquage :	n.d.
Pneus av./arr. :	P255/40ZR19 / P285/35ZR19
Capacité de remorquage :	non recommandé

GROUPE MOTOPROPULSEUR

Moteur :	V10 de 5,0 litres 40s atmosphérique
Alésage et course	92,0 mm x 75,2 mm
Puissance :	507 ch (378 kW) à 7750 tr/min
Couple :	384 lb-pi (520 Nm) à 6100 tr/min
Rapport Poids/Puissance :	3,37 kg/ch (4,58 kg/kW)
Moteur électrique :	aucun
Autre(s) moteur(s) :	V8 4,4 l 325ch à 6100tr/mn et 330lb-pi à 3600tr/mn
Transmission :	propulsion, séquentielle 7 rapports
Autre(s) transmission(s) :	manuelle 6 rapports / automatique 6 rapports
Accélération 0-100 km/h :	4,6 s (constructeur)
Reprises 80-120 km/h :	4,4 s (constructeur)
Freinage 100-0 km/h :	36,0 m (constructeur)
Vitesse maximale :	250 km/h (constructeur)
Consommation (100 km) :	super, 14,8 litres (constructeur)
Autonomie (approximative) :	473 km
Émissions de CO2 :	6190 kg/an

DANS LA MÊME CATÉGORIE

Cadillac XLR - Jaguar XKR - Mercedes-Benz CL - Porsche 911

DU NOUVEAU EN 2006

Nouveau modèle M6

HISTORIQUE DU MODÈLE

1ière génération

NOS IMPRESSIONS

Agrément de conduite :	
Fiabilité :	½
Sécurité :	½
Qualités hivernales :	
Espace intérieur :	½
Confort :	

LE CHOIX DE L'ÉQUIPE

M6

Photo : Didier Constant

CORRECTION DE TIR

À peine trois ans après son arrivée sur le marché en 2002, la berline de grand luxe de BMW se fait « relooker », comme le disent nos collègues français, afin de corriger le tir suite à la pluie de critiques adressées au sujet de son design. Mais la transformation de la 7 n'est pas que purement esthétique et permet au constructeur bavarois de bonifier son offre à l'aube du lancement de la concurrente de Classe S chez Mercedes-Benz.

Chez BMW, on présente le nouveau look comme étant une mise au point, sans toutefois admettre que le style controversé de la Série 7 posait problème, en précisant que la berline de grand luxe a obtenu un succès important au cours de ses 38 mois de carrière permettant ainsi à BMW d'augmenter ses ventes de 8 % dans ce créneau à l'échelle mondiale. Peu importe les raisons qui ont amené les stylistes de BMW à revoir la Série 7, le résultat de leur récent travail nous permet de consacrer ce nouveau design comme étant plus achevé dans la mesure où la voiture présente maintenant une allure plus sportive et musclée qui est également plus typique de la marque. Ainsi, le capot moteur est plus élevé d'un pouce à la base du pare-brise et l'angle de sa pente vers l'avant est plus prononcé. Aussi, les phares, les feux et les pare-chocs ont été redessinés, celui de l'arrière se courbant vers l'intérieur afin de laisser entrevoir les pneus pour donner une apparence plus athlétique à la voiture. C'est une question de détails, mais ce sont là des détails qui prennent toute leur importance. De plus, il suffit de stationner le nouveau modèle de la Série 7 à côté du modèle précédent pour constater la portée de l'impact visuel réalisé par la plus récente version. Du beau travail sur toute la ligne, et cette allure d'un athlète en complet à trois boutons est d'autant plus frappante lorsque la Série 7 est équipée en option du groupe sport comprenant des jantes en alliage de 20 pouces chaussées de pneus à profil bas, comme l'était notre voiture d'essai.

Pour le marché nord-américain, BMW continue de proposer deux motorisations, et si le V12 de 6,0 litres et ses 438 chevaux demeure inchangé, la cylindrée du V8 est maintenant portée à 4,8 litres et sa puissance à 367 chevaux, un gain de 10 pour cent par rapport au moteur de 4,4 litres qui équipait précédemment les 740i. Ce changement se reflète d'ailleurs dans la désignation technique du modèle aujourd'hui appelé 750i, et cette augmentation de puissance a pour but avoué de parer l'attaque de la nouvelle Classe S en provenance de Stuttgart. Sur la route, le dynamisme de la Série 7 ne se dément pas et se trouve rehaussé par les savantes calibrations du système Dynamic Drive qui ajuste les barres antiroulis de façon à permettre à la voiture d'attaquer les virages avec l'aplomb d'une voiture sport. Ce qui fait que cette berline de grand luxe s'impose comme la référence de la catégorie en ce qui a trait à la tenue de route. Conduire une Série 7 équipée du groupe sport, c'est un peu comme piloter son propre jet privé, les performances étant remarquables pour une voiture de ce gabarit et le confort demeurant exceptionnel comme en témoigne le silence qui règne à bord, même lorsque l'on roule à des vitesses

FEU VERT

Puissance moteur remarquable
Tenue de route performante (groupe sport)
Freinage très puissant
Confort exemplaire
Prestige de la marque

FEU ROUGE

Système i Drive toujours complexe
Coût des options
Fiabilité perfectible
Commandes peu intuitives

Photo : BMW

largement supérieures à celles autorisées par la loi. En fait, cette voiture est tellement stable, agile, puissante, silencieuse et confortable qu'il est très facile de dépasser les limites permises sans même s'en apercevoir. Tout en sachant qu'il est possible de compter sur une puissance de freinage qui pourrait faire pâlir d'envie bien des voitures sport, particulièrement lorsque la voiture est chaussée des pneus surdimensionnés faisant partie du groupe sport proposé en option.

Sur notre voiture d'essai, le confort des passagers se trouvait rehaussé d'un cran par l'ajout du groupe d'options « Executive » et « Multimedia » comprenant, entre autres, des sièges chauffants à l'arrière, des rideaux pare-soleil, une suspension arrière pneumatique à ajustement automatique, une chaîne stéréo haute-fidélité LOGIC 7, de même qu'un écran télé pour la lecture de DVD.

Par ailleurs, les changements apportés à l'intérieur n'ont pas l'étendue de ceux donnés à la carrosserie, et se limitent essentiellement à l'adoption de nouvelles teintes pour les appliqués de bois ornant l'habitacle ainsi qu'au nouveau design du contrôleur du système i-Drive, désormais recouvert d'une touche de cuir. Et puisqu'il faut bien en parler, précisons que le système de télématique i-Drive a été revu et corrigé de façon à simplifier son utilisation, qui demeure toutefois complexe pour les non-initiés, malgré l'adoption de nouveaux codes de couleur pour les menus et les sous-menus des différentes fonctions. Cependant, une fois que l'on a fait ses devoirs, l'utilisation quotidienne du i-Drive permet de personnaliser la Série 7 à l'extrême, et accessoirement d'impressionner la galerie. En terminant, spécifions que le dossier de fiabilité de cette berline de grand luxe n'est pas sans tache, et que la plupart des bémols sont liés aux systèmes de contrôle électronique dont la voiture est littéralement truffée. Le bon côté de la chose, c'est que BMW a travaillé rapidement afin de corriger les problèmes affligeant les premières voitures de la génération précédente, mais tout n'est pas encore parfait puisque j'ai été en mesure de constater que le lecteur CD faisait parfois des siennes, en accélérant subitement sa lecture. Dans une voiture de ce prix, on ne s'attend à rien de moins que la perfection, et il est regrettable de voir que certaines ombres demeurent au tableau. Malgré cet impair, je dois avouer que j'ai été séduit par la nouvelle Série 7 pour l'excellence de son comportement routier, pour ses qualités dynamiques remarquables et par sa nouvelle présence qui commande le respect.

Gabriel Gélinas

Photo : Didier Constant

DONNÉES TECHNIQUES

Modèle à l'essai :	750Li
Prix du modèle à l'essai :	123 600 $
Échelle de prix :	98 800 $ à 172 000 $
Garanties :	4 ans/80 000 km, 4 ans/80 000 km
Catégorie :	berline grand format
Emp./Lon./Lar./Haut.(cm) :	313/518/190/148
Poids :	2 025 kg
Coffre/Réservoir :	500 litres / 88 litres
Coussins de sécurité :	frontaux, latéraux (av.), rideaux
Suspension avant :	indépendante, jambes de force
Suspension arrière :	indépendante, multibras
Freins av./arr. :	disque (ABS)
Antipatinage/Contrôle de stabilité :	oui/oui
Direction :	à crémaillère, assistance variable
Diamètre de braquage :	12,1 m
Pneus av./arr. :	P245/55R17 / P275/40WR19
Capacité de remorquage :	750 kg

GROUPE MOTOPROPULSEUR

Pneus d'origine MICHELIN

Moteur :	V8 de 4,8 litres 32s atmosphérique
Alésage et course	93,0 mm x 88,3 mm
Puissance :	367 ch (274 kW) à 6 300 tr/min
Couple :	362 lb-pi (490 Nm) à 3 400 tr/min
Rapport Poids/Puissance :	5,52 kg/ch (7,5 kg/kW)
Moteur électrique :	aucun
Autre(s) moteur(s) :	V12 6,0 l 445ch à 6000tr/mn et 444lb-pi à 3950tr/mn
Transmission :	propulsion, automatique 6 rapports
Autre(s) transmission(s) :	aucune
Accélération 0-100 km/h :	5,9 s (constructeur)
Reprises 80-120 km/h :	n.d.
Freinage 100-0 km/h :	38,0 m
Vitesse maximale :	250 km/h (constructeur)
Consommation (100 km) :	super, 11,4 litres (constructeur)
Autonomie (approximative) :	772 km
Émissions de CO2 :	5 280 kg/an

DANS LA MÊME CATÉGORIE

Audi A8 - Jaguar XJ8 - Lexus LS 430 - Mercedes-Benz Classe S

DU NOUVEAU EN 2006

Moteur V8 de 4,8 litres, nouveau design carosserie, système i-Drive amélioré, suspensions modifiées

HISTORIQUE DU MODÈLE

3ième génération

NOS IMPRESSIONS

Agrément de conduite :	4½
Fiabilité :	3
Sécurité :	4½
Qualités hivernales :	3½
Espace intérieur :	4½
Confort :	5

LE CHOIX DE L'ÉQUIPE

750Li

LE PETIT

On ne peut pas être partout en même temps, et atteindre toujours des sommets. C'est ce que semble expérimenter le constructeur germanique BMW avec ses incursions dans le monde des utilitaires sport de luxe (que BMW a baptisé VAS pour véhicule d'activités sportives). Autant le X5 avait connu du succès et s'était attiré les éloges des critiques, autant son petit frère, le X3, mis en marché il y a deux ans, ne réussit pas à éveiller l'enthousiasme des utilisateurs.

Il a pourtant tout ce qu'il faut, et il partage même plusieurs systèmes électroniques ou mécaniques avec les autres membres de la famille munichoise, mais on dirait toujours qu'il lui manque un petit quelque chose. C'est probablement l'aura de classe et de sophistication qui entoure normalement les BMW qui ne s'étend pas jusqu'à l'humble (!) petit sport utilitaire.

PETIT, MAIS PAS TROP

Dans les faits, on ne peut réellement pas parler d'un petit véhicule utilitaire. Il ne concède à son grand frère X5 qu'une dizaine de centimètres en longueur hors tout, et lui ravit même la première place au sujet de l'espace intérieur. Bref, il est un peu moins long mais nettement mieux aménagé à l'intérieur.

Cependant, l'aménagement n'est pas tout. On a oublié d'insuffler au X3 le même genre de beauté sensuelle et luxueuse qui a donné à BMW sa réputation de voiture de classe. Alors celui qui optera pour le petit VAS devra se contenter aussi de sièges en similicuir (à moins d'accepter de payer près de 2400$ de plus), et d'une finition générale moins raffinée que dans n'importe quel autre modèle.

Notons cependant que les sièges sont relativement confortables, et offrent un support latéral de bon aloi. Les passagers arrière n'auront pas trop à souffrir non plus puisque, rare dans un utilitaire, les sièges sont confortables et ont assez de dégagement pour satisfaire à la demande de tous les formats de beau-frère. Même l'espace de chargement arrière est intéressant, vaste et surtout facile d'accès vu que le X3 est, de série, livré avec un seuil surbaissé facilitant le chargement.

Le groupe navigation ajoute bien sûr un système GPS inefficace sur une bonne partie de la province, et qui élimine presque complètement l'espace de rangement dans le coffre avant.

Seul bémol, mais il est d'importance, c'est la silhouette du X3. Déjà, plusieurs ont critiqué les lignes avant du VAS, le qualifiant de dénaturé. Mais il faut l'admettre, l'avant est une réussite totale par rapport à l'arrière du véhicule dont les lignes sont, pour le moins classiques et pas à la hauteur. Comme si on avait greffé un arrière de vieille voiture américaine sur l'allemand X3!

PASSE-PARTOUT

La question du style étant réglée, il reste maintenant la véritable question importante: le comportement routier. De ce point de vue, le

FEU VERT
Traction intégrale haut de gamme
Dégagement intérieur remarquable
Facilité d'accès à l'espace de chargement
Moteur 3,0 litres performant

FEU ROUGE
Suspensions trop rigides
Petit moteur vite essoufflé
Silhouette arrière anodine
Habillage dispendieux

X3 n'a rien à envier à personne. Son moteur de 2,5 litres et de 184 chevaux est, avouons-le, un peu juste. Il ne parvient que difficilement à transporter avec allégresse la masse du petit VAS. Autrement dit, il manque tout simplement de puissance, même si on ne l'utilise qu'en ville. Surtout si on ne l'utilise qu'en ville devrais-je dire puisque les accélérations sont longues jusqu'à demain matin, et l'effort plus que bruyant. En revanche, le moteur de 3,0 litres (le même que dans la série 3) sait mener à bien l'effort grâce à ses 225 chevaux et à son couple de 214 livres-pied, disponible à très bas régime. Cette fois, pas d'hésitation, les départs sont relativement rapides (0-100 en 7,8 secondes environ) et les randonnées à vitesse constante se font sans anicroche.

En reprise, il faut parfois apprendre à maîtriser la transmission manuelle en rétrogradant au bon moment, mais de façon générale, les deux se jumellent à merveille. Il est toujours possible d'opter pour une transmission automatique, mais les changements de rapports y sont un peu lents.

Note importante, c'est le système X-Drive qui fournit la traction intégrale au X3. Un système sophistiqué, qui utilise la variation continue du transfert de puissance en combinaison avec le DSC (Dynamic Stability Control). Concrètement, le système fait une lecture continue de l'état de la chaussée grâce aux différents capteurs du véhicule, et transfère l'exacte quantité de couple nécessaire au bon fonctionnement. En virage, cela procure la précision de conduite d'une petite berline malgré l'imposante silhouette du X3.

On a cependant lésiné un peu sur les suspensions, les ajustant un peu trop fermement pour être confortables. Devant les nombreuses récriminations de la clientèle, on a peu adouci le tout, mais sans grand succès. Le X3 continue d'être un véritable roc lorsqu'il heurte des conditions routières difficiles, et ses passagers subissent avec insistance et inconfort les hasards de la route.

Il faut tout de même l'avouer, le X3 demeure un des utilitaires les plus sûrs à conduire dans des conditions routières difficiles. Sous la pluie, ou sur la neige comme j'ai eu l'occasion de l'essayer, il mord littéralement à la route et fournit une promenade sécuritaire et sans risques. Il faudra peut-être sacrifier un peu de confort, mais pour la circulation hivernale, il s'avère un choix judicieux.

Marc Bouchard

Photos: BMW

DONNÉES TECHNIQUES

Modèle à l'essai:	3.0i
Prix du modèle à l'essai:	49900$
Échelle de prix:	44600$ à 49900$
Garanties:	4 ans/80000 km, 4 ans/80000 km
Catégorie:	utilitaire sport compact
Emp./Lon./Lar./Haut.(cm):	279,5/456,5/185/167
Poids:	1825 kg
Coffre/Réservoir:	480 à 1560 litres / 67 litres
Coussins de sécurité:	front., latéraux (av./arr.), rideaux
Suspension avant:	indépendante, jambes de force
Suspension arrière:	indépendante, multibras
Freins av./arr.:	disque (ABS)
Antipatinage/Contrôle de stabilité:	oui/oui
Direction:	à crémaillère
Diamètre de braquage:	11,7 m
Pneus av./arr.:	P235/65R17
Capacité de remorquage:	1700 kg

Pneus d'origine MICHELIN

GROUPE MOTOPROPULSEUR

Moteur:	6L de 3,0 litres 24s atmosphérique
Alésage et course	84,0 mm x 89,6 mm
Puissance:	225 ch (168 kW) à 5900 tr/min
Couple:	214 lb-pi (290 Nm) à 3500 tr/min
Rapport Poids/Puissance:	8,11 kg/ch (10,86 kg/kW)
Moteur électrique:	aucun
Autre(s) moteur(s):	6L 2,5 l 184ch à 6000tr/mn et 175lb-pi à 3500tr/mn
Transmission:	intégrale, manuelle 6 rapports
Autre(s) transmission(s):	automatique 5 rapports
Accélération 0-100 km/h:	7,8 s
Reprises 80-120 km/h:	7,4 s
Freinage 100-0 km/h:	43,0 m
Vitesse maximale:	210 km/h
Consommation (100 km):	super, 11,6 litres
Autonomie (approximative):	578 km
Émissions de CO2:	6049 kg/an

DANS LA MÊME CATÉGORIE

Jeep Grand Cherokee - Land Rover Freelander - Lexus RX 330

DU NOUVEAU EN 2006

Pas de changement majeur

HISTORIQUE DU MODÈLE

1ère génération

NOS IMPRESSIONS

Agrément de conduite: ½
Fiabilité:
Sécurité:
Qualités hivernales:
Espace intérieur:
Confort:

LE CHOIX DE L'ÉQUIPE

3.0i sans option sport

LA RELÈVE S'EN VIENT

Lancé en 1999 puis retouché en 2004, le X5 s'apprête à se révéler sous un nouveau jour avec le lancement de la deuxième génération du véhicule sport-utilitaire de grande taille de BMW qui est prévu pour l'année modèle 2007. D'ici là, le X5 poursuit sa route en proposant des qualités dynamiques qui en font l'un des ténors de la catégorie en ce qui a trait à la tenue de route et aux performances, respectant ainsi en tous points la philosophie du constructeur bavarois.

Le succès du X5 ne se dément toujours pas, comme en fait foi le fait que BMW ait assemblé le 500 000e exemplaire de ce véhicule à son usine de Spartanburg aux Etats-Unis au cours de l'été 2005. Retouché en 2004, le X5 propose toujours une silhouette athlétique qui est alors devenue plus conforme aux nouvelles tendances adoptées par BMW en matière de style. L'aménagement intérieur fait preuve d'un classicisme de bon aloi, et les appliqués de bois permettent de réchauffer l'ambiance de luxe et de sérénité qui règne à bord. Les sièges sont très bien moulés et ils procurent à la fois un excellent confort ainsi qu'un soutien latéral appréciable en virages. Pour ce qui est des considérations pratiques, il faut cependant relever le fait que la visibilité vers l'arrière n'est pas idéale et que le volume de chargement est limité, ce qui représente l'un des points faibles du X5 dans sa forme actuelle. Pour ce qui est des motorisations, un ensemble de moteurs à six et huit cylindres équipe les différentes versions du X5 selon les besoins et les désirs du propriétaire, le moteur le plus puissant étant le V8 de 4,8 litres développant 355 chevaux, alors que la seule transmission disponible est une automatique à six rapports.

Pour ce qui est du comportement routier, le X5 impressionne par sa tenue de route hors du commun pour un utilitaire sport et par son freinage exemplaire. De ce côté, il faut préciser que les pneus surdimensionnés du X5 contribuent à la fois à la tenue de route ainsi qu'au freinage, mais il faut toutefois s'habituer à une pédale de frein dont l'action est très directe qui demande une certaine adaptation pour assurer une conduite souple en circulation urbaine. En fait, les freins sont tellement efficaces qu'il faut éviter de les appliquer trop fortement afin d'éviter de brusquer les passagers. Aussi, la souplesse du système de traction intégrale xDrive et sa variation de la répartition de la motricité contribue partiellement à cette conduite plus inspirée. Comme le xDrive est doté d'un capteur mesurant les forces d'accélération latérale, le système entre en action et envoie plus de motricité aux roues arrière au fur et à mesure que le conducteur inscrit le X5 sur la trajectoire en virage. Le résultat, c'est que le X5 offre une conduite qui est presque aussi précise que celle d'une berline de Série 5 malgré son poids plus élevé, et c'est là l'une des grandes forces de ce véhicule.

L'acheteur éventuel d'un X5 serait cependant avisé de jeter un coup d'œil dans notre boule de cristal, ce qui lui permettra d'apprendre qu'une véritable transformation attend la famille des véhicules utilitaire sport de BMW puisque le X5 s'apprête à subir une refonte complète pour l'année modèle 2007. La nouvelle génération présentera alors des

FEU VERT

Rouage intégral xDrive très sophistiqué
Moteurs bien adaptés
Comportement routier sportif
Style réussi

FEU ROUGE

Volume de chargement limité
Consommation élevée
Prix élevés
Modèle en fin de série

dimensions supérieures en raison du fait que l'habitacle sera doté d'une troisième rangée de sièges. Cette transformation radicale du X5 s'inscrit donc dans la même démarche qui a été adoptée récemment par Mercedes-Benz à l'occasion du lancement de la nouvelle génération du ML, ainsi que par Audi avec l'arrivée de son tout nouvel utilitaire-sport appelé Q7. Pour construire cette deuxième génération du X5, BMW a développé une nouvelle plate-forme flexible qui servira également de base à la prochaine génération du X3 (prévue pour 2010), ainsi qu'au développement du tout nouveau X6 dont l'arrivée est prévue pour 2008. Essentiellement, le X6 se présente comme un sport utilitaire coupé en raison de son allure beaucoup plus sportive avec lequel BMW entend éclipser le Range Rover Sport ainsi que l'Infiniti FX45, tout en concurrençant directement le Cayenne de Porsche. Le X6 sera animé par la famille des moteurs V6 et V8 de BMW qui seront jumelés à une boîte automatique à six rapports pour le marché nord-américain, alors que les marchés européens disposeront également d'une boîte manuelle. De plus, le X6 pourrait proposer une boîte séquentielle à double embrayage dès 2009. La répartition de la motricité sera plus axée sur la performance avec un rapport de 30 pour cent vers l'avant et 70 pour cent vers l'arrière, et le X6 sera également doté de suspensions plus fermes, ainsi que de roues et freins surdimensionnés par rapport au X5.

Par ailleurs, BMW entend également proposer des véhicules concurrents à la nouvelle Classe R de Mercedes-Benz d'ici trois ans. Ainsi la BMW V5 sera présentée comme un véhicule de luxe à cinq portes dont le style sera très dynamique. Offert en propulsion ou en traction intégrale, la V5 sera animée par les moteurs V6 et V8 de la marque et son architecture sera élaborée sur une nouvelle plate-forme qui servira éventuellement de base aux prochaines générations des Série 5, 6 et 7. Aussi, BMW lancera en 2009 la V3, un véhicule similaire de dimensions plus compactes, élaboré sur la plate-forme servant aux Séries 1 et 3.

C'est donc une lutte féroce que BMW entend mener aux autres constructeurs allemands sur tous les créneaux existants tout comme ceux qui sont à venir.

Gabriel Gélinas

Photos: BMW

BMW X5

DONNÉES TECHNIQUES

Modèle à l'essai:	4.4i
Prix du modèle à l'essai:	71 700$
Échelle de prix:	58 800$ à 96 500$
Garanties:	4 ans/80 000 km, 4 ans/80 000 km
Catégorie:	utilitaire sport intermédiaire
Emp./Lon./Lar./Haut.(cm):	282/467/187/170
Poids:	2 190 kg
Coffre/Réservoir:	455 litres / 93 litres
Coussins de sécurité:	frontaux et latéraux (av./arr.)
Suspension avant:	indépendante, jambes de force
Suspension arrière:	indépendante, multibras
Freins av./arr.:	disque (ABS)
Antipatinage/Contrôle de stabilité:	oui/oui
Direction:	à crémaillère, assistance variable
Diamètre de braquage:	12,1 m
Pneus av./arr.:	P255/55R18
Capacité de remorquage:	2 700 kg

Pneus d'origine MICHELIN

GROUPE MOTOPROPULSEUR

Moteur:	V8 de 4,4 litres 32s atmosphérique
Alésage et course	92,0 mm x 82,7 mm
Puissance:	315 ch (235 kW) à 5 400 tr/min
Couple:	342 lb-pi (464 Nm) à 3 600 tr/min
Rapport Poids/Puissance:	6,95 kg/ch (9,44 kg/kW)
Moteur électrique:	aucun
Autre(s) moteur(s):	6L 3,0 l 225ch à 5 900tr/mn et 214lb-pi à 3 500tr/mn, V8 4,8 l 355ch à 6 200tr/mn et 369lb-pi à 3 500tr/mn
Transmission:	intégrale, automatique 6 rapports
Autre(s) transmission(s):	automatique 5 rapports
Accélération 0-100 km/h:	7,1 s
Reprises 80-120 km/h:	6,1 s
Freinage 100-0 km/h:	38,6 m
Vitesse maximale:	225 km/h
Consommation (100 km):	super, 15,3 litres
Autonomie (approximative):	608 km
Émissions de CO2:	6 050 kg/an

DANS LA MÊME CATÉGORIE

Cadillac SRX - Infiniti FX35/45 - Land Rover Range Rover - Lexus LX 470 - Mercedes-Benz Classe M - Porsche Cayenne

DU NOUVEAU EN 2006

Pas de changement majeur

HISTORIQUE DU MODÈLE

1ière génération

NOS IMPRESSIONS

Agrément de conduite:	4
Fiabilité:	3
Sécurité:	4½
Qualités hivernales:	4½
Espace intérieur:	3½
Confort:	3½

LE CHOIX DE L'ÉQUIPE

4.4i

LE RETOUR DU COUPÉ

Entre les grandes marques allemandes que sont Audi, BMW, Mercedes-Benz et Porsche, la concurrence est féroce et une saine rivalité s'est depuis longtemps installée entre ces pôles d'attraction. Dès que l'un de ces constructeurs se lance à la conquête d'un nouveau créneau du marché, les autres répliquent en un temps record et proposent rapidement leur version du nouveau concept. C'est ce qui s'est produit, il y a plusieurs années, lors des lancements successifs des BMW Z3, Mercedes-Benz SLK et Porsche Boxster, et l'histoire se répète aujourd'hui avec les nouvelles Z4, SLT, et Cayman.

Le succès de la nouvelle Porsche Cayman n'est donc pas étranger aux répliques annoncées par BMW et par Mercedes-Benz qui proposeront toutes deux de nouveaux coupés axés sur la performance. Dans le cas de BMW, il s'agit là d'un retour de ce concept puisque le constructeur bavarois a déjà présenté une version coupé M de la Z3 dans un passé pas si lointain. Voici donc maintenant un rapide coup d'œil dans la boule de cristal, histoire de faire la part des choses. Chez Mercedes-Benz, la sortie du nouveau coupé est prévue pour 2007, la voiture sera connue sous l'appellation SLT, le T signifiant Tourer. La version haute performance SLT55 AMG fera appel à un moteur de 388 chevaux et une version encore plus performante animée par un moteur V8 de 6,3 litres et 503 chevaux est présentement à l'étude en attendant l'approbation de la haute direction de Mercedes-Benz ! Quant à BMW, la marque de Munich proposera dès le milieu de l'année 2006 une nouvelle Z4 en version de base ainsi qu'en version M, de même qu'un nouveau coupé qui sera offert exclusivement en version M.

La version M (coupé et cabriolet) fera appel au moteur de l'actuelle M3 qui développe 333 chevaux. Par ailleurs, la version M de la nouvelle Z4 héritera également des boîtes de vitesses, des freins et des suspensions de la M3, ce qui laisse présager non seulement l'adoption de l'excellente boîte manuelle à six vitesses mais aussi de la boîte séquentielle SMG (Sequential Manual Gearbox). Avec une telle puissance, la version M serait donc en mesure de tenir la dragée haute à la nouvelle Cayman S dont le moteur développe 291 chevaux. Cependant, le poids de l'éventuelle Z4 et de sa version M demeure inconnu, et c'est pourquoi il est hasardeux de risquer une quelconque comparaison entre ces deux voitures à l'heure actuelle, tout en salivant à la perspective d'un excellent match comparatif à venir... Par ailleurs, la Z4 version M se démarquera visuellement par l'adoption d'un échappement à quatre tubulures, d'un diffuseur monté sous l'arrière de la voiture afin d'améliorer sa stabilité à haute vitesse, de roues en alliage de 19 pouces et d'un ensemble de déflecteurs et de jupes qui lui seront propres. Sur le plan technique, il faut espérer que BMW jugera opportun de lui greffer un différentiel autobloquant ainsi qu'une direction plus communicative, histoire de séduire les vrais amateurs de performances.

Quant au modèle M coupé, l'adoption de ce style de carrosserie aura pour effet de renouveler la physionomie de la Z4 avec une ligne de toit fuyante vers l'arrière afin de créer un look totalement inédit. Cette refonte de la Z4, version cabriolet et coupé, permettra également aux concepteurs de BMW de modifier légèrement la voiture, mais il y a fort

FEU VERT
- Conduite précise
- Moteurs bien adaptés
- Équipements de sécurité
- Comportement routier sportif

FEU ROUGE
- Look controversé
- Suspensions fermes
- Présentation austère de l'habitacle
- Rangements limités

à parier qu'elle conservera l'allure développée par Chis Bangle ainsi que les éléments de design qui lui étaient chers, soit cette conjonction de surfaces concaves et convexes qu'il avait alors qualifiée de « flame surfacing » et qui font la spécificité de la voiture. Les proportions classiques d'un roadster, capot avant allongé et partie arrière tronquée, seront toujours à l'honneur, et force est d'admettre que la Z4 continuera d'alimenter les conversations en raison de son style unique qui ne laisse personne indifférent.

Quant au modèle de base que sera la nouvelle Z4 en version cabriolet, précisons qu'elle sera animée par le moteur de 3,0 litres qui équipe présentement la 330i et qui développe 255 chevaux. Ce ne sera d'ailleurs pas le seul élément partagé par ces deux voitures puisque les trains roulants le seront également, ce qui laisse entrevoir qu'un bon équilibre sera réalisé entre une tenue de route performante et un confort appréciable. Tout comme la récente Série 3, la nouvelle Z4 devrait être équipée de la version améliorée du système de sécurité active DSC+ qui intègre de nouveaux dispositifs relatifs au freinage. Par exemple, ce système est en mesure de détecter un freinage d'urgence et d'augmenter automatiquement la pression du système hydraulique pour assurer une décélération plus rapide. Aussi, en cas de pluie, le système intervient périodiquement pour nettoyer les disques de freins, de façon à ce que le conducteur puisse compter sur des freins efficaces à tout moment. De plus, lors d'une utilisation fréquente et soutenue des freins, comme lors de la descente d'une côte avec plusieurs virages en lacet, ce système augmente automatiquement la pression du système hydraulique pour compenser l'échauffement des plaquettes et des disques. Et finalement, le système de freinage maintiendra une certaine pression ce qui empêchera la voiture de reculer alors que le conducteur démarre en montant une côte.

La nouvelle Z4, version cabriolet et coupé, annonce de beaux lendemains pour le constructeur bavarois. Quant à un possible affrontement entre la version M, la Porsche Cayman et l'éventuelle SLT de Mercedes-Benz, sachez que toute l'équipe du Guide de l'auto trépigne déjà d'impatience...

Gabriel Gélinas

Photos: Bertrand Godin

DONNÉES TECHNIQUES

Modèle à l'essai:	3.0i
Prix du modèle à l'essai:	59 900 $
Échelle de prix:	51 900 $ à 59 900 $
Garanties:	4 ans/80 000 km, 4 ans/80 000 km
Catégorie:	roadster
Emp./Lon./Lar./Haut.(cm):	249,5/409/178/129
Poids:	1 360 kg
Coffre/Réservoir:	260 litres / 55 litres
Coussins de sécurité:	frontaux et latéraux (av.)
Suspension avant:	indépendante, jambes de force
Suspension arrière:	indépendante, leviers triangulés
Freins av./arr.:	disque (ABS)
Antipatinage/Contrôle de stabilité:	oui/oui
Direction:	à crémaillère, assist. variable électronique
Diamètre de braquage:	9,8 m
Pneus av./arr.:	P225/40R18 / P255/35R18
Capacité de remorquage:	non recommandé

GROUPE MOTOPROPULSEUR

Moteur:	6L de 3,0 litres 24s atmosphérique
Alésage et course	84,0 mm x 89,6 mm
Puissance:	225 ch (168 kW) à 5 000 tr/min
Couple:	214 lb-pi (290 Nm) à 3 500 tr/min
Rapport Poids/Puissance:	6,04 kg/ch (8,19 kg/kW)
Moteur électrique:	aucun
Autre(s) moteur(s):	6L 2,5 l 184ch à 6000tr/mn et 175lb-pi à 3500tr/mn
Transmission:	propulsion, manuelle 6 rapports
Autre(s) transmission(s):	automatique 5 rapports
Accélération 0-100 km/h:	6,8 s
Reprises 80-120 km/h:	7,1 s
Freinage 100-0 km/h:	38,6 m
Vitesse maximale:	250 km/h
Consommation (100 km):	super, 9,0 litres
Autonomie (approximative):	611 km
Émissions de CO2:	4610 kg/an

DANS LA MÊME CATÉGORIE

Audi TT - Honda S2000 - Mercedes-Benz SLK - Porsche Boxster

DU NOUVEAU EN 2006

Pas de changement majeur, modèle révisé en cours d'année, ajout d'une version coupé, modèle M à venir

HISTORIQUE DU MODÈLE

1[ière] génération

NOS IMPRESSIONS

Agrément de conduite:	4
Fiabilité:	3 ½
Sécurité:	3
Qualités hivernales:	2
Espace intérieur:	2 ½
Confort:	3

LE CHOIX DE L'ÉQUIPE

3.0i

Photo : Buick

QUAND LA RAISON PRIME

Lorsque les historiens de l'automobile retraceront l'histoire de la Buick Allure, il est fort possible que la seule passion qu'on lui découvrira soit celle qui aura eu trait à son nom. Rappelons seulement que le nom véritable de l'Allure aux États-Unis est LaCrosse, un sport populaire là-bas. General Motors a décidé de changer son appellation pour le Canada quand ses dirigeants ont appris que LaCrosse, en français, ne représente pas que ce sport d'équipe. Mais c'est beaucoup de bruit pour si peu.

Quoi qu'il en soit, la Buick Allure représente une des dernières nouveautés de l'auguste manufacturier américain. En fait, les activités de Buick ont débuté en 1903. Au fil des années, la marque s'est taillé une belle réputation auprès des personnes... disons plus âgées. Mais les aînés ayant pris la fâcheuse habitude de changer moins souvent de véhicule, il fallait à Buick se tourner vers un public plus jeune. La fourgonnette Terraza et l'utilitaire Rendezvous répondent à cette commande. Mais il ne faut pas oublier que les acheteurs moins âgés ont aussi, généralement, des revenus moindres. Cette année, les Park Avenue, Regal et Century ne sont plus au catalogue. De toutes façons, elles n'étaient plus dans le coup.

Tant au niveau du style que du comportement routier, l'Allure ne dépayse pas le conducteur nord-américain. La carrosserie, toute nouvelle, dénonce immanquablement ses origines Buick même si les phares ovoïdes à l'avant rappellent la Ford Taurus de la génération précédente. Mais dans le cas de la Buick, ils se montrent mieux intégrés à l'ensemble. La partie arrière, plus relevée comme le veut la tendance actuelle, fait très dynamique et le coffre peut contenir 453 litres, ce qui représente la norme pour ce type de véhicule. Heureusement, les dossiers des sièges arrière s'abaissent pour agrandir considérablement l'espace de chargement.

Les jeunes amateurs de tuning risquent fort d'être pris de convulsions s'ils s'installent dans l'habitacle. Ce n'est pas sobre, c'est très sobre. Le tableau de bord regroupe trois cercles qui dévoilent l'information de base. Tous les boutons tombent sous la main, mais la partie centrale qui descend jusqu'à devenir la console mériterait d'être plus inclinée vers le conducteur. Une bande chromée, qui fait toute la largeur de la planche de bord, a su impressionner un de mes amis, me rappelant brutalement qu'il fut, jadis, jeune... L'espace réservé aux occupants est généreux et le confort des sièges ne laisse aucun doute, même si je trouvais que j'avais le dos courbé si le support lombaire n'était pas levé au maximum. Parlant de sièges, il est possible d'avoir une banquette à l'avant, une chose désormais très rare. Les petites personnes s'asseyant à l'arrière risquent de se croire dans leur bain puisque la ceinture de caisse est plutôt élevée.

L'Allure se décline en trois niveaux de présentation. Les CX et CXL représentent les versions plus économiques et plusieurs accessoires, offerts de série dans la CXS, ne sont pas offerts ou sont disponibles en option. Mais c'est surtout au niveau mécanique que les différences sont les plus marquées. Les CX et CXL ont droit au V6 de 3,8 litres qui, si ma mémoire est bonne, motorisait les canons durant la Guerre de Sécession entre 1861 et 1865. Mais la marge d'erreur de ma mémoire est tout de

FEU VERT

Châssis solide
Conception moderne
Confort appréciable
Fiabilité intéressante
Équipement complet

FEU ROUGE

Style moche
Comportement peu enjoué
Siège arrière trop bas
Moteur 3,8 litres dépassé
Freins ABS optionnels sur certains modèles

Photo: Alain Morin

même assez grande… Ce V6 de 200 chevaux date peut-être un peu avec sa technologie de soupapes en tête, mais sa fiabilité ne fait plus de doute et son rendement ne peut être pris en défaut en conduite placide. Pour une conduite plus sportive, prière d'opter pour la CXS qui propose un V6 de 3,6 litres, beaucoup plus moderne et utilisé sur certaines Cadillac et le Rendezvous Ultra, ce qui en dit long sur son rendement. Ce moteur en alliage fait 240 chevaux et ne semble jamais s'essouffler. Une seule transmission est proposée quel que soit le moteur. Il s'agit d'une Hydra-Matic à quatre rapports qui dirige la puissance aux roues avant avec une redoutable efficacité. Et béni soit l'ingénieur qui a pris la décision de ne pas l'affubler d'un mode manuel. On se lasse rapidement de ce type de passage des rapports et, finalement, on n'utilise que l'automatique. Comme on peut s'y attendre, les roues de 17" sont l'apanage de la version CXS tandis que les CX et CXL ont droit à des 16". Parmi les autres différences mécaniques, notons des freins ABS en équipement standard sur la CXS mais optionnels sur les autres versions. Je partage votre opinion, c'est aberrant! Le système StabiliTrak (contrôle de stabilité) est offert en option sur la CXS seulement alors que la direction à crémaillère à assistance variable magnétique Magnasteer et la suspension Gran Touring arrivent de série, toujours sur la CXS uniquement.

Notre véhicule d'essai, une CXS, propose des accélérations et des reprises très correctes. Les suspensions, rattachées à un châssis d'une solidité quasiment exemplaire, offrent un excellent compromis entre le confort et la tenue de route et si jamais vous alliez trop loin dans votre verve routière, le contrôle de stabilité (si vous pilotez une CXS) aura tôt fait de ralentir vos ardeurs. En virage rapide, la caisse penche beaucoup, les sièges ne retiennent pas les occupants et les pneus, des Goodyear Eagle LS, sont particulièrement bruyants. Les suspensions se montrent confortables et réagissent sans surprise au passage de trous et bosses, le lot quotidien de tout conducteur québécois.

La Buick Allure n'a sans doute pas l'allure de plusieurs autres créations américaines mais en fait de voiture honnête, il est difficile de demander plus. Il suffit d'apprécier le type de conduite qu'elle procure.

Alain Morin

Photo: Buick

DONNÉES TECHNIQUES

OnStar® de GM Canada

Modèle à l'essai:	CXS
Prix du modèle à l'essai:	33995$
Échelle de prix:	25995$ à 33995$
Garanties:	3 ans/60000 km, 3 ans/60000 km
Catégorie:	berline grand format
Emp./Lon./Lar./Haut.(cm):	281/503/185/146
Poids:	1619 kg
Coffre/Réservoir:	453 litres / 66 litres
Coussins de sécurité:	frontaux, latéraux (av.), rideaux
Suspension avant:	indépendante, jambes de force
Suspension arrière:	indépendante, jambes de force
Freins av./arr.:	disque (ABS)
Antipatinage/Contrôle de stabilité:	oui/oui
Direction:	à crémaillère, assistance variable
Diamètre de braquage:	12,3 m
Pneus av./arr.:	P225/55R17
Capacité de remorquage:	454 kg

GROUPE MOTOPROPULSEUR

Moteur:	V6 de 3.6 litres 24s atmosphérique
Alésage et course	94,0 mm x 85,6 mm
Puissance:	240 ch (179 kW) à 6000 tr/min
Couple:	230 lb-pi (312 Nm) à 3200 tr/min
Rapport Poids/Puissance:	6,75 kg/ch (9,04 kg/kW)
Moteur électrique:	aucun
Autre(s) moteur(s):	V6 3,8 l 200ch à 5200tr/mn et 225lb-pi à 4000tr/mn
Transmission:	traction, automatique 4 rapports
Autre(s) transmission(s):	aucune
Accélération 0-100 km/h:	7,9 s
Reprises 80-120 km/h:	6,9 s
Freinage 100-0 km/h:	43,0 m
Vitesse maximale:	195 km/h
Consommation (100 km):	ordinaire, 11,4 litres
Autonomie (approximative):	579 km
Émissions de CO2:	n.d.

DANS LA MÊME CATÉGORIE
Ford 500 - Honda Accord - Toyota Camry

DU NOUVEAU EN 2006
ABS standard sur tous les modèles,
rideaux de sécurité standard sur tous les modèles,
nouvelles roues, nouvelles couleurs

HISTORIQUE DU MODÈLE
1ière génération

NOS IMPRESSIONS

Agrément de conduite:	4
Fiabilité:	4
Sécurité:	4
Qualités hivernales:	3½
Espace intérieur:	4
Confort:	4

LE CHOIX DE L'ÉQUIPE
CXS

PLUS HAUT ! MOINS FORT ?

General Motors a un curieux problème sur les bras. En effet, sa division Buick figure toujours avantageusement dans les palmarès de fiabilité et de satisfaction de la clientèle. Pourtant, les ventes ne sont pas au beau fixe. Probablement en raison d'un problème d'image. Alors que cette marque était jadis auréolée de beaucoup de prestige, elle a perdu petit à petit cette réputation pour devenir la voiture de choix des « Papys boomers » à la retraite. Même le fait d'avoir Tiger Wood comme porte-parole n'a rien fait pour changer l'image de Buick.

Dans l'espoir de sauver cette division en danger d'être éliminée, la direction a décidé d'abandonner les dénominations en existence depuis des décennies pour repartir à neuf avec une nouvelle palette de modèles. Les LeSabre, Park Avenue et Park Avenue Ultra ne sont plus que des souvenirs, tout comme la Regal et la Century. La Allure est venue remplacer le tandem Regal / Century l'an dernier et les succès se font attendre. Il est donc logique de croire que la direction de Buick attend avec impatience le verdict du public envers sa nouvelle venue, la Lucerne.

TOUJOURS À L'AVANT

Au cours des quatre ou cinq dernières années, la rumeur voulait que GM se tourne à nouveau vers les modèles à propulsion pour ses modèles de luxe, et Buick avait même dévoilé la Vélite, un cabriolet doté de la nouvelle plate-forme Zeta dans le cadre du Salon de l'auto de New York 2004. Mais ces projets ne se concrétiseront pas puisque, faute de budget, la direction a décidé de s'en tenir aux plates-formes existantes pour le moment. Ce qui explique pourquoi la nouvelle Buick Lucerne est dotée de la même plate-forme que la nouvelle Cadillac DTS. Il va sans dire qu'elle est également le modèle le plus luxueux de cette division.

Si la Cadillac et la Buick se partagent plusieurs éléments mécaniques, la Lucerne dévoile sa vocation plus prolétaire en offrant un moteur V6 sur le CX qui est le modèle de base. Oh surprise ! Il s'agit, de l'incontournable moteur V6 3,8 litres qui est sur le marché depuis au moins deux décennies. Ce moteur à soupapes en tête a connu de nombreuses modifications au fil des années et il est tout aussi fiable que peu gourmand en hydrocarbure. En fait, à part ses origines anciennes, la seule autre chose qu'on puisse lui reprocher est le fait de s'essouffler au fur et à mesure que le régime augmente. Par contre, en conduite urbaine, son couple élevé à bas régime permet de bonnes reprises et accélérations. Il est jumelé à une boîte automatique Hydra-Matic à quatre rapports. Même s'il s'agit de la troisième génération de ce moteur de 3,8 litres, nous sommes en droit de nous demander pourquoi GM n'a pas concocté une version transversale du nouveau moteur V6 de 3,6 litres utilisé sur certaines Cadillac ? Il semble que ce soit, une fois de plus, des considérations économiques qui expliquent cette décision.

Il ne faut pas désespérer pour autant puisqu'un moteur V8 est également au programme. Il s'agit en fait du premier moteur V8 à se retrouver sous le capot d'une Buick depuis une décennie. Ce moteur V8 Northstar d'une puissance de 275 chevaux est toujours couplé à une transmission

FEU VERT

Silhouette élégante
Moteurs connus
Habitacle raffiné
Suspension confortable

FEU ROUGE

Absence de boîte à six rapports
Tableau de bord dépouillé
Image négative de la marque
Toujours une traction

automatique à quatre rapports. Il me semble qu'il aurait été plus intéressant si cette boîte de vitesse nous offrait deux rapports de plus puisque cela paraît être la norme de nos jours sur les nouvelles voitures. Et Mercedes propose même sept rapports sur la ML, un VUS!

Comme la nouvelle Cadillac DTS, cette plate-forme est dotée d'un nouveau berceau pour le moteur. Plus rigide et plus léger à la fois, ce minichâssis permet d'assurer un ancrage plus solide pour les éléments de la suspension tout en filtrant les bruits et les vibrations. Il faut savoir que plusieurs panneaux de la carrosserie sont en acier «ultra» afin d'obtenir plus de légèreté et une meilleure rigidité.

La suspension avant est de type MacPherson tandis que l'essieu arrière est à liens multiples avec ressort hélicoïdal et bras tiré. Il faut également souligner que la suspension Magna Ride est aussi de la partie. Il s'agit d'une autre première pour cette division. Autrefois une exclusivité Cadillac, cette suspension utilise des amortisseurs dont le liquide hydraulique comprend une poudre métallique qui s'agglomère avec plus ou moins de densité à la suite du passage d'un courant électrique. Cela permet de régler la suspension en une milliseconde et de toujours avoir la fermeté voulue.

TOUT COMPRIS

En plus d'un système audio Harman Kardon à haut rendement et de toute la panoplie des gadgets habituels, la Lucerne s'est révélée d'une qualité d'assemblage impeccable. Les occupants des places arrière bénéficient de plus d'espace que sur la défunte Park Avenue puisque l'empattement de la Lucerne est plus long de 635 mm.

Comme sur toute Buick haut de gamme qui se respecte, l'insonorisation est très poussée et la tenue de route est correcte. Mais il faut savoir que la CX, le modèle de base, possède une suspension que Buick qualifie de confortable alors que la CXL à moteur V6 propose une suspension un peu plus ferme et des roues de 17 pouces. La CXL a moteur V8 est dotée d'amortisseurs plus sophistiqués tandis que la CXS, la plus prestigieuse des trois, combine le moteur V8 à la suspension Magna Ride et des roues de 18 pouces.

Tout est en place pour faire un succès. Il faut maintenant s'interroger pour savoir si le public va adopter cette Buick nouveau genre.

Denis Duquet

Photos: Buick

DONNÉES TECHNIQUES

Modèle à l'essai:	CXL
Prix du modèle à l'essai:	58995$ (estimé)
Échelle de prix:	55000$ à 64000$
Garanties:	3 ans/60000 km, 3 ans/60000 km
Catégorie:	berline de luxe
Emp./Lon./Lar./Haut.(cm):	294/516/187/147
Poids:	1800 kg
Coffre/Réservoir:	481 litres / 70 litres
Coussins de sécurité:	frontaux, latéraux (av.), rideaux
Suspension avant:	indépendante, jambes de force
Suspension arrière:	indépendante, multibras
Freins av./arr.:	disque (ABS)
Antipatinage/Contrôle de stabilité:	oui/oui
Direction:	à crémaillère, assistance variable
Diamètre de braquage:	12,9 m
Pneus av./arr.:	P235/55R17
Capacité de remorquage:	455 kg

GROUPE MOTOPROPULSEUR

Moteur:	V6 de 3,8 litres 12s atmosphérique
Alésage et course	96,5 mm x 86,4 mm
Puissance:	197 ch (147 kW) à 5200 tr/min
Couple:	227 lb-pi (308 Nm) à 3800 tr/min
Rapport Poids/Puissance:	9,14 kg/ch (12,24 kg/kW)
Moteur électrique:	aucun
Autre(s) moteur(s):	V8 4.6 l 275ch à 5200tr/mn et 292lb-pi à 4400tr/mn (à confirmer)
Transmission:	propulsion, automatique 4 rapports
Autre(s) transmission(s):	aucune
Accélération 0-100 km/h:	8,7 s
Reprises 80-120 km/h:	6,6 s
Freinage 100-0 km/h:	43,2 m
Vitesse maximale:	190 km/h
Consommation (100 km):	ordinaire, 13,3 litres
Autonomie (approximative):	526 km
Émissions de CO2:	n.d.

DANS LA MÊME CATÉGORIE

Toyota Avalon - Lexus ES 330 - Cadillac DTS - Lincoln Town Car

DU NOUVEAU EN 2006

Nouveau modèle

HISTORIQUE DU MODÈLE

1ière génération

NOS IMPRESSIONS

Agrément de conduite:	3½
Fiabilité:	Nouveau modèle
Sécurité:	4
Qualités hivernales:	3½
Espace intérieur:	5
Confort:	5

LE CHOIX DE L'ÉQUIPE

CXL

LA RECETTE DU BONHEUR

Le monde de l'automobile est parfois cruel et sans appel. Certains modèles sont populaires tandis que d'autres, issus de la même mécanique, sont ignorés. Prenez la Buick Rendezvous. Elle est, chez General Motors, le pendant heureux du développement d'un véhicule à vocation hybride visant à combiner l'habitabilité d'une fourgonnette aux capacités routières d'un VUS. Si je vous dis que l'autre version de ce véhicule multifonction est le Pontiac Aztek, vous comprendrez immédiatement ce dont je veux parler. Cette fois, ce n'est pas le concept qui n'a pas de mérite, mais l'exécution et le stylisme. Tandis que l'Aztek se vend peu et est l'objet de railleries, la Rendezvous connaît du succès.

Puisque les origines de ces deux véhicules sont passablement similaires, il faut en conclure que c'est la silhouette et la présentation générale qui sont à blâmer. Il faut également souligner que le fait de rouler en Buick est certainement plus prestigieux que de conduire une Pontiac. Et lorsque celle-ci est pratiquement loufoque en fait de style, cela n'arrange pas la situation. Bref, les concepteurs de Buick ont su trouver la combinaison gagnante.

LA TROUVAILLE ! UN HAYON MONOPIÈCE.

Puisque ces deux véhicules se partagent la même plate-forme et la même mécanique à un moteur près, il aurait été facile pour les designers de Buick de se contenter de greffer quelques éléments visuels propres à cette marque et le tour aurait été joué. D'ailleurs, c'est sans doute ce qui se serait produit si l'Aztek n'avait pas été dévoilé dans l'hilarité générale. Puisque la RendezVous a été commercialisée plusieurs mois après, il a été facile de corriger certaines erreurs de conception et de design, notamment un hayon arrière. Deux éléments qui expliquent en bonne partie la silhouette cocasse de la défunte Pontiac. Le seul fait d'avoir opté pour un hayon monopièce a donné plus de latitude aux designers qui ont également fait appel à un pilier C incliné vers l'avant qui donne une allure plus dynamique. Et la partie vitrée à l'arrière fait paraître le véhicule moins long et plus large.

Il faut également préciser que lorsqu'un véhicule est dérivé d'un autre, les concepteurs doivent non seulement respecter les éléments mécaniques, mais ceux de l'infrastructure. Il est possible de faire certaines dérogations à l'ensemble, mais c'est limité. Règle générale, l'emplacement des buses du tableau de bord et de certaines commandes est coulé dans le béton. Les stylistes affectés au design du tableau de bord ont tout de même accompli du bon travail. La présentation est moins ébouriffée que sur l'Aztek et le tout ne semble pas avoir été emprunté aux décors d'un film de science-fiction. Par contre, si plusieurs apprécient l'élégance des cadrans indicateurs avec chiffres gris foncé sur gris pâle, ils se désespèrent lorsque vient le temps de les consulter. Le soir, c'est un peu mieux, mais quand même difficile. Et il faut de nouveau déplorer la texture des plastiques utilisés dans l'habitacle. Ils semblent appartenir à un véhicule vendu deux fois moins cher!

Sur une note plus positive, soulignons que les sièges avant sont confortables et le support pour les cuisses est supérieur à la moyenne tandis que l'appui latéral des dossiers est moyen, sans plus. Puisque son

FEU VERT

Moteur V6 3,6 litres
Prestige de la marque
Habitacle confortable
Version sept places
Rouage intégral

FEU ROUGE

Tenue de route moyenne
Moteur 3,4 litres limite
Boîte auto 4 rapports
Antipatinage intrusif

empattement est long, il est possible d'ajouter en option une troisième rangée de sièges afin de répondre à la demande du public qui «tripe» sur les modèles de ce genre. L'accès à cette banquette exige certaines contorsions, mais ce n'est pas pire que ce que propose la concurrence. Les claustrophobes n'apprécieront sans doute pas, mais pour les autres, c'est correct. Une fois bien installé, on se sent comme dans un cocon pas trop inconfortable.

LENTE OU RAPIDE?

Dans sa version de base, la RendezVous est livrée, cette année, avec un nouveau moteur V6 3,6 litres de 242 chevaux couplé à une boîte automatique à quatre rapports. Fiable et capable d'en prendre, ce moteur vient combler une lacune criante: un moteur de base anémique. Ses 11 chevaux supplémentaires par rapport à l'ancien V6 3,4 litres sont les bienvenus.

Depuis l'an dernier, il est possible d'améliorer les performances en raison de l'arrivée d'un nouveau moteur V6 livré de série avec la version Ultra et en option sur les modèles CXL et CXL Plus. Cette fois, il ne s'agit pas de la Xième version du 3,8 litres ou du rafistolage d'un classique à soupapes en tête emprunté au musée des groupes propulseurs de GM. Ce moteur V6 de 3,6 litres, grâce à ses deux arbres à cames en tête, produit 245 chevaux, ce qui fait toute une différence. De plus, comme sur les modèles Cadillac CTS et SRX où il est également utilisé, son rendement est exemplaire. Au lieu des 11,0 secondes nécessaires pour effectuer le 0-100 km/h avec l'autre moteur V6, c'est l'affaire de 8,1 secondes. Il aurait été préférable que ce nouveau moteur soit couplé à une boîte automatique à cinq rapports, mais il faut se contenter d'une vitesse de moins.

Ajoutons en terminant que la transmission intégrale Versatrak est efficace dans son ensemble et son entrée en action rapide. Par contre, en certaines circonstances, le système antipatinage vient interférer avec son efficacité.

Pour 2006, cette Buick est toujours dans le coup. Il est toutefois impératif qu'un rajeunissement de sa silhouette et de sa mécanique s'effectue d'ici peu, sinon elle sera délaissée pour des modèles plus attrayants et souvent moins chers.

Denis Duquet

Photos: Buick

DONNÉES TECHNIQUES

OnStar® de GM Canada

Modèle à l'essai:	CXL
Prix du modèle à l'essai:	45595$
Échelle de prix:	31310$ à 48995$
Garanties:	3 ans/60000 km, 3 ans/60000 km
Catégorie:	multisegment
Emp./Lon./Lar./Haut.(cm):	285/473/187/183
Poids:	1890 kg
Coffre/Réservoir:	281 à 2919 litres / 68 litres
Coussins de sécurité:	frontaux et latéraux (av.)
Suspension avant:	indépendante, jambes de force
Suspension arrière:	indépendante, multibras
Freins av./arr.:	disque (ABS)
Antipatinage/Contrôle de stabilité:	oui/non
Direction:	à crémaillère, assistée
Diamètre de braquage:	11,4 m
Pneus av./arr.:	P225/60R17 (Ultra)
Capacité de remorquage:	1590 kg

GROUPE MOTOPROPULSEUR

Moteur:	V6 de 3,6 litres 24s atmosphérique
Alésage et course	94,0 mm x 86,0 mm
Puissance:	242 ch (180 kW) à 6000 tr/min
Couple:	232 lb-pi (315 Nm) à 3200 tr/min
Rapport Poids/Puissance:	7,81 kg/ch (10,62 kg/kW)
Moteur électrique:	aucun
Autre(s) moteur(s):	V6 3,5 l 196ch à 5600tr/mn et 213lb-pi à 4000tr/mn
Transmission:	intégrale, automatique 4 rapports
Autre(s) transmission(s):	traction, automatique 4 rapports
Accélération 0-100 km/h:	8,2 s
Reprises 80-120 km/h:	7,4 s
Freinage 100-0 km/h:	43,6 m
Vitesse maximale:	200 km/h
Consommation (100 km):	ordinaire, 12,6 litres
Autonomie (approximative):	540 km
Émissions de CO2:	5378 kg/an

DANS LA MÊME CATÉGORIE

Cadillac SRX - Chrysler Pacifica - Ford Freestyle - Infiniti FX35/45 - Lexus RX 330

DU NOUVEAU EN 2006

Moteur V6 3.5, nouvelle calandre, roues en alu chromé 17 pouces

HISTORIQUE DU MODÈLE

1[ière] génération

NOS IMPRESSIONS

Agrément de conduite:	🚗🚗🚗½
Fiabilité:	🚗🚗🚗½
Sécurité:	🚗🚗🚗🚗
Qualités hivernales:	🚗🚗🚗🚗
Espace intérieur:	🚗🚗🚗🚗
Confort:	🚗🚗🚗🚗

LE CHOIX DE L'ÉQUIPE

CXL Plus traction

Photo : Buick

LE NOBLE ET LE ROTURIER

Dans le monde automobile comme ailleurs, certains ont le sang bleu, alors que d'autres doivent se contenter de la sueur acharnée de la classe ouvrière. Il est rare cependant que de telles dissemblances de rang se retrouvent dans la même famille, entre deux frères jumeaux. C'est pourtant exactement le mandat que s'est donné General Motors en lançant, l'année dernière, les fourgonnettes jumelles Buick Terraza et Saturn Relay, deux véhicules presque identiques, mais dont la principale différence est davantage une question d'âme que de mécanique.

En fait, on pourrait même parler de fourgonnettes quadruplées puisque les Chevrolet Uplander et les Pontiac Montana SV6 font aussi partie de la gamme. Elles disposent cependant d'options qui leur sont propres.

La Buick, chez GM, c'est évidemment la personnalité du luxe abordable. On a donc voulu concevoir la Terraza comme un petit véhicule offrant une gamme d'accessoires légèrement plus élevée, et une finition à l'avenant, cela va sans dire. Dans les faits, on retrouve dans les versions CLX de luxe un intérieur tout cuir et toute la panoplie de gadgets. Ainsi, seulement sur la Buick, le système multimédia avec lecteur DVD pour les passagers arrière est livrable de série.

Dans le cas de la Saturn, que l'on voulait pourtant le modèle familial par excellence, il faudra ajouter quelques centaines de dollars pour pouvoir en profiter.

Le son de cloche est le même pour les sièges électriques par exemple, non disponibles sur la Saturn de base. Et seule la Buick dispose du système baptisé Quiet Tuning qui permet de réduire de plus de 10 % les bruits à l'intérieur de l'habitacle, un dispositif d'insonorisation englobant un arbre à cames en acier forgé, une isolation accrue du moteur et d'autres aménagements acoustiques. Ce même genre de système est disponible sur toute la gamme Buick. Évidemment, l'appel du luxe devant aussi se conformer aux lois de l'économie, il va de soi que la version Buick de la fourgonnette coûtera entre 4000 $ et 5000 $ de plus aux nouveaux acheteurs.

La Saturn n'est toutefois pas complètement abandonnée à elle-même puisqu'elle dispose aussi d'une gamme d'accessoires non pas uniques, mais étonnants pour un véhicule de ce type. Ainsi, il est possible de la doter d'un coffret d'organisation pour l'espace de chargement arrière qui facilite l'utilisation maximale de cette section. La Saturn est aussi livrable avec un démarreur à distance optionnel installé en usine, des sièges de cuir, des rétroviseurs chauffants. Et à l'instar de tous les modèles GM, la Relay, tout comme la Terraza, dispose du célèbre système OnStar Version 6, nouveau et amélioré, dit la pub.

Une petite précision s'impose cependant dans ce dernier cas puisque bon nombre de compagnies d'assurances refusent désormais de reconnaître ce système comme un véritable outil d'alarme compte tenu qu'il devient optionnel, et dispendieux, après la première année.

FEU VERT

Finition haut de gamme (Buick)
Espaces de rangement abondants
Silhouette charmante
Insonorisation supérieure

FEU ROUGE

Moteur trop juste
Système de rails fragile
Freins spongieux
Consommation élevée

Photo: Saturn

DIFFÉRENTES MAIS PAREILLES

Malgré leurs différences d'aménagement intérieur, les deux fourgonnettes sept passagers possèdent de nombreux points communs. Le premier, c'est la silhouette. Probablement la plus belle réussite du genre depuis de nombreuses années. Un avis que mes collègues ne partagent pas nécessairement. On a allongé les dimensions des fourgonnettes habituelles de huit centimètres, et on a remodelé le capot avant pour donner désormais à ce véhicule un petit air de VUS.

À l'intérieur aussi les points communs sont nombreux, même si les matériaux diffèrent. Ainsi, dans les deux cas, on retrouve au plafond un système de rails qui accueille le lecteur DVD mais aussi deux coffrets de rangement amovibles et mobiles. Original au départ, ce principe n'est pas sans failles puisque les petits clapets de retenue ne sont pas faciles à manipuler, et sont d'une solidité douteuse.

MÉCANIQUE ÉPROUVÉE

Sous le capot, tous les modèles ont la même mécanique, un solide moteur de 6 cylindres de 3,5 litres, basé sur l'ancien 3,4 litres qui équipait entre autres les fourgonnettes. Avec ses 200 chevaux, le moteur réagit assez promptement, malgré le poids élevé du véhicule. Il a par contre une forte tendance à l'essoufflement, et ses reprises se sont montrées un peu timides lorsque des dépassements rapides étaient tentés. La transmission automatique à quatre vitesses répond avec satisfaction, bien que sans empressement particulier. Il profite cependant d'une bonne cote de consommation d'essence, soit une moyenne de 13,3 l aux 100 en ville, mais de seulement 8,8 sur la route affirme le constructeur, ce qui en fait un des meneurs de sa catégorie.

En matière de sécurité, les deux modèles sont disponibles avec le système Stabilitrak en option sur les versions à traction. En utilisant le freinage ainsi qu'en diminuant le couple moteur, le Stabilitrak permet de conserver au véhicule sa trajectoire originale en cas de dérapage. Pour ce faire, il utilise les informations retenues auprès des capteurs du volant.

Dans les deux cas, il est aussi possible d'ajouter une traction intégrale à l'ensemble et, dans ce cas, de mettre en pratique le système Versatrak, un principe réactif qui transmet le couple aux roues avant en cas de perte de traction. Il peut aussi transférer la puissance d'un côté à l'autre.

Marc Bouchard

Photo: Saturn

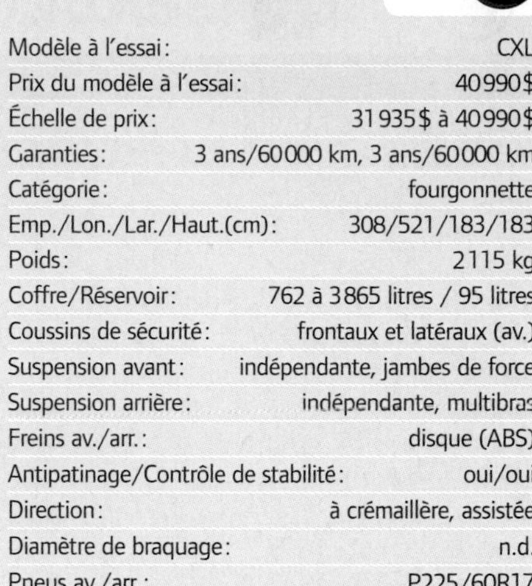

DONNÉES TECHNIQUES

Modèle à l'essai:	CXL
Prix du modèle à l'essai:	40990$
Échelle de prix:	31935$ à 40990$
Garanties:	3 ans/60000 km, 3 ans/60000 km
Catégorie:	fourgonnette
Emp./Lon./Lar./Haut.(cm):	308/521/183/183
Poids:	2115 kg
Coffre/Réservoir:	762 à 3865 litres / 95 litres
Coussins de sécurité:	frontaux et latéraux (av.)
Suspension avant:	indépendante, jambes de force
Suspension arrière:	indépendante, multibras
Freins av./arr.:	disque (ABS)
Antipatinage/Contrôle de stabilité:	oui/oui
Direction:	à crémaillère, assistée
Diamètre de braquage:	n.d.
Pneus av./arr.:	P225/60R17
Capacité de remorquage:	1588 kg

GROUPE MOTOPROPULSEUR

Moteur:	V6 de 3,5 litres 12s atmosphérique
Alésage et course	94,0 mm x 84,0 mm
Puissance:	201 ch (150 kW) à 5600 tr/min
Couple:	216 lb-pi (293 Nm) à 4400 tr/min
Rapport Poids/Puissance:	10,52 kg/ch (14,10 kg/kW)
Moteur électrique:	aucun
Autre(s) moteur(s):	V6 3,9 l 235ch à 5600tr/mn et 239lb-pi à 4400tr/mn (opt. CX, std CXL FWD)
Transmission:	traction, automatique 4 rapports
Autre(s) transmission(s):	aucune
Accélération 0-100 km/h:	11,3 s
Reprises 80-120 km/h:	10,4 s
Freinage 100-0 km/h:	42,3 m
Vitesse maximale:	195 km/h (constructeur)
Consommation (100 km):	ordinaire, 12,2 litres
Autonomie (approximative):	779 km
Émissions de CO2:	n.d.

DANS LA MÊME CATÉGORIE

Chrysler Town&Country - Ford Freestar - Honda Odyssey - Kia Sedona - Nissan Quest - Toyota Sienna

DU NOUVEAU EN 2006

Nouveau moteur 3,9 l, nouvelles couleurs métalliques, coussins gonflables latéraux

HISTORIQUE DU MODÈLE

1ière génération

NOS IMPRESSIONS

Agrément de conduite:	🚗🚗🚗½
Fiabilité:	🚗🚗🚗½
Sécurité:	🚗🚗🚗🚗
Qualités hivernales:	🚗🚗🚗🚗
Espace intérieur:	🚗🚗🚗🚗
Confort:	🚗🚗🚗🚗½

LE CHOIX DE L'ÉQUIPE

CX

LA BÊTE DISCRÈTE

Quand Cadillac a décidé de renouveler son image, et de s'attaquer à de féroces compétiteurs allemands et japonais, elle a procédé à un remodelage complet de sa gamme. C'était en 2002, et la première voiture à en bénéficier a été la CTS, la petite sœur de la famille qui constitue l'entrée de gamme par excellence. À ce moment, rien n'avait été ménagé puisque la CTS était une nouvelle voiture, construite à partir de rien. Aujourd'hui, quelques années et quelques améliorations plus tard, elle est certainement une des voitures les plus intéressantes de sa catégorie.

Mais attention, cela ne veut pas dire pour autant que Cadillac a réellement rattrapé ses rivales. La réalité, c'est que la plupart des rivales n'ont pas encore profité de la vague de modernisation qui balaie habituellement les modèles de voiture après quelques années. À l'exception de la BMW de série 3 qui fait cette année l'objet d'un changement radical, les compétiteurs, notamment les Mercedes de classe C attendent toujours un nouveau visage, ou de nouvelles performances.

CÔTÉ NATURE

La CTS, c'est en fait deux voitures. La première, la plus sage, est un peu le modèle de base de la gamme. De série, cette berline est dotée d'un moteur V6 2,8 litres marquant une évolution dans la gamme des moteurs GM. Avec ses 210 chevaux, il permet de propulser la petite Caddy sans trop d'effort, mais sans trop d'enthousiasme non plus.

Pour améliorer un peu le tout, la CTS côté nature est aussi livrable avec un V6 de 3,6 litres qui commande cette fois une cavalerie de 255 chevaux. Nettement plus dynamique, le moteur répond au doigt et à l'œil, et permet d'amener la Cadillac au niveau des berlines sport de même catégorie.

Mariée à ces moteurs, une transmission manuelle Aislin à 6 rapports avec surmultipliée dont la configuration unique favorise l'usage à bas régime. L'arbre de transmission tournant moins rapidement, on élimine les vibrations, et on facilite les changements de rapports sans soubresauts. Les plus traditionnels opteront sans doute pour la transmission automatique à cinq vitesses, elle aussi de conception sophistiquée. Elle possède, comme la plupart de ses rivales, un mode de gestion manuel sur simple pression d'un bouton (une nouveauté en 2006). Mais sa véritable qualité, c'est sa capacité à appliquer le frein moteur à toutes les vitesses. Au volant, en utilisant cette composante électronique, on a un peu l'effet d'une rétrogradation en mode manuel. En conduite, la petite CTS tient le cap avec une belle insistance, peu importe les mouvements que l'on amorce. La direction est précise et constante, et suit avec enthousiasme chacun des gestes du conducteur. Mieux encore, elle est aussi capable de bien transmettre toutes les informations qu'elle recueille, donnant du même coup une sensation de conduite de haut niveau.

Pour couronner le tout, la Cadillac est assemblée sur le très rigide, et très avancé, châssis Sigma que GM a développé spécifiquement pour les propulsions. Avantage remarquable quand on tente de repousser un peu les limites la CTS.

FEU VERT

Version V pour Vraie bombe
Direction bien calibrée
Boite manuelle haute performance
Silhouette remarquable

FEU ROUGE

Habitacle sobre
Finition à revoir
Coût d'achat du modèle V
Dégagement intérieur limité

Notons que la seule véritable nouveauté 2006, outre la transmission, est l'existence d'un groupe d'option sport, ajoutant des roues de 18 pouces avec pneus de performance; des nouveaux freins de performance; une suspension recalibrée; des phares à décharge à haute intensité au xénon; le système StabiliTrak; un système de contrôle de la pression des pneus et un différentiel autobloquant.

CÔTÉ GIVRÉ

Mais le véritable côté givré de la CTS, c'est sa version V (V pour Velocity ce qui traduit bien l'objectif que l'on poursuit chez Cadillac). Cette fois, pas d'hésitation sous le capot, un sonore mais efficace moteur V8 de 6,0 litres de 400 chevaux alimente cette bombe américaine capable de faire le 0-100 km/h en moins de 4,7 secondes.

Le moteur LS2 a subi des modifications cette année, remplaçant le LS6 qui équipait aussi l'ancienne Corvette. Cette fois, on l'a conçu plus léger, avec un duo bloc-culasse entièrement en aluminium. Pour en faire une véritable machine de performances, on a notamment modifié l'angle des cames, augmentant leur vitesse et leur hauteur pour favoriser un meilleur débit d'air, des pistons ultra résistants à la friction, et des soupapes avec système plus rigide, diminuant ainsi le temps de réaction, en plus d'injecteurs à grand débit, se mariant aux exigences des nouveaux mécanismes. Pour canaliser toute cette puissance, on fait appel à une transmission Tremec T56 à haut rendement, utilisant un arbre de transmission de haute résistance. Cette puissance, jumelée au poids diminué du véhicule par l'utilisation d'un acier plus léger, permet un contrôle exemplaire de la trajectoire. Sur piste, la CTS-V est capable de rivaliser avec les versions M ou AMG des concurrents germaniques. Elle ne profite malheureusement pas de la même aura de prestige, ce qui limite considérablement son succès auprès des amateurs.

Pourtant, la CTS a de quoi plaire, peu importe sa version. Ses lignes, nouveaux symboles de la marque de luxe américaine, sont sobres, agressives sans être agressantes, et dynamiques. Évidemment, la version V profite de certains avantages esthétiques et aérodynamiques indéniables, mais même en version de base, elle a une gueule de sportive. Et, comble de bonheur, peu importe sa déclinaison, la CTS mise d'abord sur le plaisir de conduite. Et c'est exactement le genre de comportement qui permet à la CTS de s'imposer comme la plus amusante américaine accessible.

Bertrand Godin

Photos : Alain Morin

DONNÉES TECHNIQUES

Modèle à l'essai :	CTS-V
Prix du modèle à l'essai :	70000$
Échelle de prix :	40000$ à 72500$
Garanties :	4 ans/80000 km, 4 ans/80000 km
Catégorie :	berline sport
Emp./Lon./Lar./Haut.(cm) :	288/485/179/145,5
Poids :	1746 kg
Coffre/Réservoir :	354 litres / 66 litres
Coussins de sécurité :	frontaux, latéraux (av.), rideaux
Suspension avant :	indépendante, bras inégaux
Suspension arrière :	indépendante, multibras
Freins av./arr. :	disque (ABS)
Antipatinage/Contrôle de stabilité :	oui/oui
Direction :	à crémaillère, assistance variable
Diamètre de braquage :	10,8 m
Pneus av./arr. :	P245/45VR18
Capacité de remorquage :	454 kg

GROUPE MOTOPROPULSEUR

Moteur :	V8 de 6,0 litres 16s atmosphérique
Alésage et course	101,6 mm x 92,0 mm
Puissance :	400 ch (298 kW) à 6000 tr/min
Couple :	395 lb-pi (536 Nm) à 4400 tr/min
Rapport Poids/Puissance :	4,37 kg/ch (5,94 kg/kW)
Moteur électrique :	aucun
Autre(s) moteur(s) :	V6 2,8 l 210ch à 6500tr/mn et 195lb-pi à 3200tr/mn, V6 3,6 l 255ch à 6200tr/mn et 252lb-pi à 3100tr/mn
Transmission :	propulsion, manuelle 6 rapports
Autre(s) transmission(s) :	automatique 5 rapports
Accélération 0-100 km/h :	4,3 s
Reprises 80-120 km/h :	3,9 s (4ième)
Freinage 100-0 km/h :	38,0 m
Vitesse maximale :	262 km/h
Consommation (100 km) :	super, 14,0 litres
Autonomie (approximative) :	452 km
Émissions de CO2 :	6000 kg/an

DANS LA MÊME CATÉGORIE

Audi S4 - BMW M3 - Mercedes-Benz C32 AMG

DU NOUVEAU EN 2006

Nouveau moteur V8 6l, toit ouvrant électrique de série

HISTORIQUE DU MODÈLE

1ière génération

NOS IMPRESSIONS

Agrément de conduite :	5
Fiabilité :	4½
Sécurité :	4½
Qualités hivernales :	2½
Espace intérieur :	4
Confort :	3½

LE CHOIX DE L'ÉQUIPE

CTS

LA LIMOUSINE DE DONALD

Lors du dévoilement de la nouvelle Cadillac DTS dans le cadre du Salon de l'auto de New York 2005, l'incontournable Robert Lutz était sur place pour remettre les clés de la première limousine dérivée de la nouvelle Cadillac DTS. Et c'est à nul autre que Donald Trump qu'il a remis les clés. Il est certain que le beau Donald déplace beaucoup d'air et que les médias sont constamment à l'affût de ses déplacements. Pour Cadillac, cette présentation était une occasion en or de faire la une des journaux de New York.

Et si on a eu recours à une célébrité pour mettre cette voiture à l'avant-scène, c'est tout simplement que le véhicule n'avait rien de bien excitant à nous proposer. Il est vrai que la « Caddy » DTS est nouvelle et améliorée, mais il semble que les ingénieurs ont utilisé plusieurs des éléments de la défunte DeVille pour réaliser cette grosse berline. Plusieurs causes peuvent expliquer cette utilisation d'une plate-forme existante au lieu de se tourner vers la propulsion comme l'ont fait les modèles CTS et STS. Il est certain que des considérations économiques font partie de cette équation. Par les temps qui courent, les dollars sont comptés chez le géant américain qui continue à vendre beaucoup de véhicules, mais qui ne réussit pas à engranger les profits.

Il faut de plus savoir que la DTS remplace la DeVille, un modèle qui a accaparé plus de cinquante pour cent de son segment depuis plus de deux décennies. La stratégie est logique : le modèle le plus vendu est modifié pour s'adapter à la silhouette des deux autres berlines de la gamme. Mais pour faire plus d'argent ou, si vous aimez mieux, pour économiser, on remanie une plate-forme existante et vous avez là un nouveau produit. Enfin, cela permet également à Cadillac de conserver une traction dans sa gamme de produits. Ce qui pourrait inciter les personnes qui ne veulent pas d'une propulsion à opter pour la DTS. Il semble donc que cette nouvelle venue soit le fruit d'une stratégie prônant la sagesse.

LES CHIFFRES PARLENT

Il faut en premier lieu souligner qu'il n'y a rien de mal à utiliser une plate-forme déjà en service lorsque vient le temps de lancer un nouveau modèle. Chez Toyota par exemple, la Camry a assez peu progressé à ce chapitre au cours des deux dernières générations et la clientèle n'a pas semblé en être offusquée. Le fait que l'empattement et la largeur du véhicule demeurent les mêmes que ceux de la DeVille est un indice que la plate-forme originale a été conservée. Ces chiffrent ne peuvent mentir. Elle a sûrement été améliorée et révisée. De plus, le moteur est boulonné à un nouveau berceau qui est fixé à son tour sur les longerons de la plate-forme, assurant ainsi une meilleure rigidité.

Le moteur Northstar 4,6 litres est de retour. Il est de nouveau associé à la boîte automatique Hydra-Matic 4T80-E spécialement conçue pour les versions transversales de ce V8 qui a fait ses preuves au cours des années. Par ailleurs, une version à cinq ou six rapports de cette boîte aurait permis de raffiner le produit davantage. Heureusement, cette

FEU VERT

Mécanique éprouvée
Finition sérieuse
Équipement complet
Suspension confortable
Bonne habitabilité

FEU ROUGE

Dimensions toujours encombrantes
Silhouette terne
Visibilité arrière moyenne
Transmission à quatre rapports

transmission est d'une grande efficacité en plus d'être fiable et d'effectuer les passages des rapports en douceur.

Ce moteur Northstar est proposé en deux versions: L37 avec une puissance de 291 chevaux et LD8 avec 275 chevaux. Vous avez sans doute remarqué que le moteur L37 a perdu quelques chevaux en cours de route alors qu'il en possédait neuf de plus l'an dernier. C'est tout simplement que la nouvelle grille de calandre modifie l'admission d'air dans le moteur et en affecte ainsi la puissance. Le LD8 possède un couple supérieur à bas régime mais sa puissance est moindre.

Toujours au sujet de la mécanique, il est certain que les freins ABS, l'antipatinage et le système de contrôle de stabilité latérale StabiliTrak sont en équipement de série tout comme des disques de frein plus larges.

SOBRE MAIS ÉQUIPÉE

La Cadillac CTS possède une silhouette angulaire inspirée des avions furtifs de la US Air Force et cette allure ne plaît pas à tous. La STS reprend le même thème, mais les stylistes ont arrondi les angles. Après tout, la clientèle est censée être plus conservatrice et plus âgée. En outre, ce modèle sera utilisé comme limousine par les carrossiers qui en feront des versions allongées. Il est donc normal qu'elle soit plus sobre. Pour la décrire, il suffit d'affirmer que c'est une DeVille déguisée en STS. C'est caricatural certes, mais pas loin de la vérité.

Le tableau de bord est encore plus sobre que celui de la STS. Cette fois par contre, l'écran à affichage par cristaux liquides est plus bas tandis qu'il est surplombé par une horloge analogique de forme rectangulaire. Et grande nouvelle, il semble que GM ou du moins Cadillac se soit finalement converti aux vertus du plastique tactilement souple.

Et si la tenue de route promet d'être correcte avec un roulis et un tangage moins prononcés que sur la DeVille, le propriétaire d'une DTS sera vraiment gâté par un équipement de série plus que complet allant du démarreur à distance au régulateur de vitesse adaptatif géré par radar en passant par les jets chauffants du lave-glace. C'est Donald qui doit être content d'apprendre cela!

Denis Duquet

Photos: Cadillac

CADILLAC DTS

DONNÉES TECHNIQUES

Modèle à l'essai:	version unique
Prix du modèle à l'essai:	65 000$ (estimé)
Échelle de prix:	65 000$ (estimé)
Garanties:	4 ans/80 000 km, 4 ans/80 000 km
Catégorie:	berline grand format
Emp./Lon./Lar./Haut.(cm):	294/527/190/146
Poids:	1 818 kg
Coffre/Réservoir:	532 litres / 70 litres
Coussins de sécurité:	front., latéraux, rideaux, genoux
Suspension avant:	indépendante, jambes de force
Suspension arrière:	indépendante, multibras
Freins av./arr.:	disque (ABS)
Antipatinage/Contrôle de stabilité:	oui/oui
Direction:	à crémaillère, assistance magnétique
Diamètre de braquage:	12,8 m
Pneus av./arr.:	P235/55R17
Capacité de remorquage:	454 kg

GROUPE MOTOPROPULSEUR

Moteur:	V8 de 4,6 litres 32s atmosphérique
Alésage et course	93,0 mm x 84,0 mm
Puissance:	291 ch (217 kW) à 5600 tr/min
Couple:	286 lb-pi (388 Nm) à 4400 tr/min
Rapport Poids/Puissance:	6,61 kg/ch (8,87 kg/kW)
Moteur électrique:	aucun
Autre(s) moteur(s):	V8 4,6 l 275ch à 5200tr/mn et 292lb-pi à 4400tr/mn
Transmission:	traction, automatique 4 rapports
Autre(s) transmission(s):	aucune
Accélération 0-100 km/h:	8,0 s
Reprises 80-120 km/h:	7,3 s
Freinage 100-0 km/h:	43,0 m
Vitesse maximale:	210 km/h
Consommation (100 km):	ordinaire, 12,8 litres
Autonomie (approximative):	547 km
Émissions de CO2:	n.d.

DANS LA MÊME CATÉGORIE

Acura RL - Buick Lucerne - Lexus LS 430 - Lincoln Town Car

DU NOUVEAU EN 2006

Nouveau modèle

HISTORIQUE DU MODÈLE

1ière génération

NOS IMPRESSIONS

Agrément de conduite:	🚗🚗🚗
Fiabilité:	nouveau modèle
Sécurité:	🚗🚗🚗🚗½
Qualités hivernales:	🚗🚗🚗½
Espace intérieur:	🚗🚗🚗🚗🚗
Confort:	🚗🚗🚗🚗🚗

LE CHOIX DE L'ÉQUIPE

Groupe performance

QUAND L'IMAGE PRIME

Qu'on le veuille ou non, nous sommes tous, de façon plus ou moins marquée, victimes de notre image. Du squeegee à la chevelure bleue à la femme d'affaires en tailleur en passant par le jeune père de famille qui promène fièrement sa progéniture en poussette, l'image projetée fait partie d'un message. Une personne qui se balade avec un véhicule énorme, luxueux et visiblement dispendieux claironne, elle aussi, un message. Un sociologue pourrait mieux qu'un journaliste automobile définir ce message. Mais Cadillac, toujours soucieux de l'évolution de la société, propose l'Escalade à ce public en manque de visibilité.

L'Escalade se décline en trois séries, soit l'Escalade ordinaire, le ESV et le EXT. L'Escalade «de base» est construit sur le châssis du Yukon Denali tandis que le ESV provient du Suburban. Si l'Escalade vous semblait gros, dites-vous que le ESV est allongé de 52 cm! Le EXT, lui, est plutôt une camionnette. En fait, il s'agit d'un Chevrolet Avalanche. Mais peu importe les origines puisque les ingénieurs de Cadillac ont, dans tous les cas, réussi à leur donner un tempérament bien particulier, mieux accordé au prestige traditionnel de la marque.

Un seul moteur et une seule transmission ont pour mission de déplacer l'imposante masse. Le V8 Vortec de 6,0 litres développe 345 chevaux et un généreux couple de 380 livres-pied, ce qui est largement suffisant pour imprimer au véhicule de plus de 2600 kilos des accélérations et reprises convenables... ainsi qu'une consommation d'essence indécente, surtout depuis que le litre se vend pratiquement au même prix qu'un litre de boisson gazeuse. La transmission automatique ne compte que quatre rapports mais son fonctionnement ne s'attire pas de commentaires négatifs, tandis que le mode Tow/Haul permet de remorquer de lourdes charges (l'Escalade ordinaire peut tirer jusqu'à 3675 kilos ou 8100 livres, c'est comme vous voulez!). Par contre, si elle présentait un rapport supplémentaire la consommation d'essence en bénéficierait. Tous les modèles sont mus par un rouage intégral et la version propulsion (roues arrière motrices) du Escalade de base n'est pas importée au Canada. Le système intégral, transparent pour le conducteur, ne fait pas de l'Escalade un amateur de sentiers trop accidentés. Mais pour sortir de l'entrée bloquée par un banc de neige, il n'y a rien de mieux!

UN ESCALADE AU ROYAUME DES PETITS

À cause de leur gabarit hors-norme et, surtout, de leur poids avoisinant celui d'un Boeing, on peut facilement imaginer que le comportement routier de ces différents Escalade est tout ce qu'il y a de plus placide. En fait, c'est le confort qui a préséance sur la sportivité. La tenue de route n'est pas mauvaise mais le roulis est impressionnant. De plus, la direction n'est pas très précise. Au moins, le système de stabilité latérale StabiliTrack demeure l'un des plus efficaces sur le marché et le moindre dérapage entraîne l'application sélective des freins et une réduction du couple moteur. Parlant de dérapages, mentionnons que l'essieu rigide arrière, s'il fait des miracles lorsque vient le temps de remorquer, rend le véhicule plutôt instable si poussé plus que de raison sur une route en mauvais état. Pour corriger cette situation, il suffit de ralentir. En ville, les dimensions de l'Escalade, ESV ou pas, sont intimidantes. Heureusement,

FEU VERT

Habitacle luxueux et confortable
Moteur puissant
Système StabiliTrak
Équipement complet
Prestige indubitable

FEU ROUGE

Consommation indécente
Valeur de revente peu intéressante
Essieu arrière sautillant
Quelques erreurs ergonomiques
Accès à bord difficile

la direction très assistée, le rayon de braquage étonnamment court et un système d'aide au stationnement facilitent grandement la vie même si, au centre-ville, on envie secrètement les propriétaires de Smart! Curieusement, la visibilité ne cause pas de problèmes grâce aux larges surfaces vitrées et aux rétroviseurs de bonnes dimensions.

S'il est un domaine où l'Escalade impressionne, c'est bien au niveau de l'espace dans l'habitacle. Que c'est grand! Grandiose serait sans doute plus approprié. Le dégagement pour la tête, les jambes et les coudes est agréable, autant à l'avant qu'à l'arrière. Même si les origines très Chevrolet sont apparentes, les bois et les cuirs fins rendent justice au prix beaucoup plus élevé des produits arborant fièrement la couronne de laurier. Par contre, la qualité des plastiques n'est pas digne du reste mais cette affirmation vaut pour l'ensemble des produits Cadillac. L'habitacle est silencieux et confortable et si vous réussissez à remplir l'espace de chargement, ce ne sont pas des vacances dont vous avez besoin, c'est d'une fin de semaine pour déménager!

ET LA EXT?

Depuis le début de cette analyse, nous traitons surtout des Escalade et Escalade ESV. L'Escalade EXT est une camionnette beaucoup plus raffinée que l'Avalanche dont elle est dérivée. Même sa boîte de chargement est plus étudiée! La cloison entre cette caisse et l'habitacle s'abaisse pour augmenter l'espace de chargement. Cet ingénieux système appelé Mid Gate est offert en équipement standard. Parmi les différences entre l'Avalanche et la EXT, la plus notable porte sur le rouage d'entraînement intégral pour cette dernière alors qu'il s'agit d'un véritable mode 4X4 dans la Chevrolet. Si les nouveautés pour 2006 sont inexistantes pour les Escalade et ESV, la EXT propose, en option, un couvercle de boîte rétractable électriquement et, en équipement standard, un plancher rétractable.

On ne peut tout simplement pas comprendre comment une personne peut investir plus de 70000$ pour un gros véhicule utilitaire sport. Il y a certes des besoins d'espace, de confort et de remorquage. Mais il y a plus, comme le luxe et le prestige. Malgré tout ce qu'on pourrait en dire, le Cadillac Escalade répond à un réel besoin sur le marché. Sinon, il ne se vendrait tout simplement pas!

Alain Morin

Photos : Alain Morin

DONNÉES TECHNIQUES

OnStar® de GM

Modèle à l'essai:	Base
Prix du modèle à l'essai:	80900$
Échelle de prix:	78030$ à 98385$
Garanties:	4 ans/80000 km, 4 ans/80000 km
Catégorie:	utilitaire sport grand format
Emp./Lon./Lar./Haut.(cm):	295/505/200/188,5
Poids:	2512 kg
Coffre/Réservoir:	1801 à 3064 litres / 117 litres
Coussins de sécurité:	frontaux et latéraux (av.)
Suspension avant:	indépendante, barres de torsion
Suspension arrière:	essieu rigide, ressorts hélicoïdaux
Freins av./arr.:	disque (ABS)
Antipatinage/Contrôle de stabilité:	oui/oui
Direction:	à billes, assistée
Diamètre de braquage:	11,9 m
Pneus av./arr.:	P265/70R17
Capacité de remorquage:	3674 kg

GROUPE MOTOPROPULSEUR

Pneus d'origine MICHELIN

Moteur:	V8 de 6,0 litres 16s atmosphérique
Alésage et course	101,6 mm x 92,0 mm
Puissance:	345 ch (257 kW) à 5200 tr/min
Couple:	380 lb-pi (515 Nm) à 4000 tr/min
Rapport Poids/Puissance:	7,28 kg/ch (9,77 kg/kW)
Moteur électrique:	aucun
Autre(s) moteur(s):	seul moteur offert
Transmission:	intégrale, automatique 4 rapports
Autre(s) transmission(s):	aucune
Accélération 0-100 km/h:	8,4 s
Reprises 80-120 km/h:	7,2 s
Freinage 100-0 km/h:	46,0 m
Vitesse maximale:	170 km/h
Consommation (100 km):	ordinaire, 17,3 litres
Autonomie (approximative):	676 km
Émissions de CO2:	7417 kg/an

DANS LA MÊME CATÉGORIE

Infiniti QX56 - Lexus LX 470 - Lincoln Navigator

DU NOUVEAU EN 2006

Couvercle de boîte électrique optionnel (EXT), fond de caisse coulissant (EXT)

HISTORIQUE DU MODÈLE

1ière génération

NOS IMPRESSIONS

Agrément de conduite:	3
Fiabilité:	3 ½
Sécurité:	4 ½
Qualités hivernales:	4
Espace intérieur:	4 ½
Confort:	5

LE CHOIX DE L'ÉQUIPE

EXT

C'EST DU SÉRIEUX

Dans le créneau des véhicules sport utilitaires, on peut diviser les concurrents en deux catégories, soit celle des véhicules élaborés et construits à partir de plates-formes de camions ou encore celle des véhicules dont les origines s'apparentent à celles d'une voiture. Le Cadillac SRX, lancé en 2004, appartient à cette deuxième catégorie et s'inscrit en concurrence directe avec les Acura MDX, BMW X5, Infiniti FX35 et 45, Jeep Grand Cherokee, Lexus RX330, Mercedes-Benz Classe M, Volkswagen Touareg et Volvo XC90, pour ne nommer que ceux-là.

L'arrivée du SRX a été précédée par le dévoilement du véhicule concept Vizon au Salon de l'auto de Détroit en janvier 2001, et déjà les concepteurs de Cadillac nous signifiaient clairement leurs intentions de développer un véhicule représentant un croisement entre un utilitaire sport et une familiale qui porterait leur nouvelle signature visuelle. En présentant une carrosserie ciselée avec des angles droits et des lignes carrées, le SRX réussit à se démarquer de la concurrence tout en assurant la filiation avec les autres modèles de la marque, notamment la berline sport CTS.

Même si le SRX est disponible en version à traction intégrale, qui est d'ailleurs la version la mieux adaptée à notre climat, il faut préciser qu'il n'a pas été conçu pour traverser des cours d'eau ou pour escalader des montagnes, mais plutôt pour circuler dans la jungle urbaine et sur les routes asphaltées. Dans cet environnement, il devient rapidement évident que le SRX se comporte pour ainsi dire comme une berline sport, en faisant montre d'une bonne tenue de route. De plus, le SRX est un véhicule équilibré en raison du fait que sa répartition des masses est presque idéale, puisque 51,4 pour cent du poids repose sur le train avant et 48,6 pour cent sur le train arrière, ce qui est assez exceptionnel dans le cas d'un véhicule de cette catégorie. Ajoutez à cela une direction précise qui permet de bien sentir la route, et vous avez là une recette gagnante pour obtenir un bon agrément de conduite. En fait, le seul reproche que l'on peut adresser à la direction est son grand rayon de braquage qui vient compliquer les manœuvres de stationnement.

Sous le capot, on retrouve le V8 Northstar de 4,6 litres et ses 320 chevaux ou encore le V6 de 3,6 litres qui en développe 260. Si les performances en accélération sont meilleures avec le V8, avec un temps de 7,9 secondes pour le sprint de 0 à 100 kilomètres/heure, le V6 s'acquitte tout de même fort bien de sa tâche en raison du poids moins élevé de cette version (1 960 kilos versus 2 015), tout en livrant des cotes de consommation plus favorables. Quant au système de traction intégrale, précisons qu'il s'agit d'un viscocoupleur qui livre en temps normal une motricité égale aux trains avant et arrière mais qui peut varier cette répartition en fonction des conditions d'adhérence qui prévalent.

Le côté pratique du SRX est rehaussé par le fait qu'il est un des rares véhicules de la catégorie offrant une troisième banquette, bien que l'espace accordé aux passagers qui y monteront est compté, sans parler de l'accès qui est plutôt laborieux. À l'avant, on apprécie le fait que la

FEU VERT

Châssis très rigide
Motorisations bien adaptées
Direction précise
Style réussi

FEU ROUGE

Suspensions fermes
Grand rayon de braquage
Espace limité – troisième banquette
Prix élevé du modèle

hauteur des sièges soit moins élevée que sur plusieurs véhicules concurrents, ce qui facilite l'accès, mais on déplore que la distance soit grande entre l'assise des sièges et les bas de caisse du véhicule, ce qui fait que l'on a tendance à salir ses pantalons lors de la descente du véhicule ou de la montée à bord. La présentation intérieure est de bon goût et adopte l'allure plus sportive retenue pour la berline sport CTS, tout en intégrant des moulures de bois. Quant à la qualité de la finition, précisons qu'elle est sans reproches. Cet agencement de l'habitacle est toutefois appelé à être remanié prochainement puisque l'évolution de ce modèle amènera justement une révision de l'habitacle et de la présentation intérieure qui est maintenant prévue pour l'année modèle 2007. Ces modifications seront mises de l'avant en attendant l'arrivée de la deuxième génération d'un SRX entièrement redessiné, qui devait faire ses débuts dès les premiers mois de 2008, mais dont le développement a été retardé en raison des problèmes financiers qui affligent présentement General Motors, ce qui a entraîné une révision des priorités en ce qui concerne la mise au point de nouveaux modèles. Comme le modèle actuel du SRX possède plusieurs qualités et que les ventes sont satisfaisantes, la haute direction a décidé d'aller fouetter d'autres chats et songe même à introduire un nouveau joueur de plus petite taille dans ce créneau.

Actuellement connu sous le nom de Cadillac BRX, ce nouveau sport utilitaire de taille compacte deviendrait un concurrent direct du X3 de BMW, et serait épaulé dans cette tâche par une version jumelle commercialisée par Saab et dont le nom serait 9-4x. Les premiers échos perçus au sujet de ce nouveau modèle, présentement en attente d'un feu vert de la direction de GM, font état d'un véhicule à deux rangées de sièges qui serait animé par des moteurs V6 de 2,8 litres et de 3,6 litres, et qui serait élaboré à partir de la prochaine génération de la plate-forme Epsilon (aussi utilisée pour la Saab 9-3) qui permettra également l'adoption de la traction intégrale. Nous aurons donc à suivre l'évolution du SRX au cours des prochaines années, tout en gardant un œil sur l'arrivée éventuelle d'un nouveau modèle de la gamme des véhicules sport utilitaires de Cadillac.

Gabriel Gélinas

Photos: Alain Morin

CADILLAC SRX

DONNÉES TECHNIQUES

Modèle à l'essai:	V8 Intégrale
Prix du modèle à l'essai:	60235$
Échelle de prix:	48450$ à 60235$
Garanties:	4 ans/80000 km, 4 ans/80000 km
Catégorie:	multisegment
Emp./Lon./Lar./Haut.(cm):	296/496/184,5/172
Poids:	2053 kg
Coffre/Réservoir:	238 à 1968 litres / 75,7 litres
Coussins de sécurité:	frontaux, latéraux (av.), rideaux
Suspension avant:	indépendante, bras inégaux
Suspension arrière:	indépendante, multibras
Freins av./arr.:	disque (ABS)
Antipatinage/Contrôle de stabilité:	oui/oui
Direction:	à crémaillère, assistance variable
Diamètre de braquage:	12,1 m
Pneus av./arr.:	P235/60R18 / P255/55R18
Capacité de remorquage:	907 kg

GROUPE MOTOPROPULSEUR

Moteur:	V8 de 4,6 litres 32s atmosphérique
Alésage et course	93,0 mm x 84,0 mm
Puissance:	320 ch (239 kW) à 6400 tr/min
Couple:	315 lb-pi (427 Nm) à 4400 tr/min
Rapport Poids/Puissance:	6,42 kg/ch (8,7 kg/kW)
Moteur électrique:	aucun
Autre(s) moteur(s):	V6 3,6 l 260ch à 6500tr/mn et 254lb-pi à 2800tr/mn
Transmission:	intégrale, automatique 5 rapports
Autre(s) transmission(s):	propulsion, automatique 5 rapports
Accélération 0-100 km/h:	7,9 s
Reprises 80-120 km/h:	5,9 s
Freinage 100-0 km/h:	38,6 m
Vitesse maximale:	225 km/h
Consommation (100 km):	super, 15,8 litres
Autonomie (approximative):	479 km
Émissions de CO2:	6336 kg/an

DANS LA MÊME CATÉGORIE

Acura MDX - BMW X5 - Buick RendezVous Ultra - Chrysler Pacifica - Ford Freestyle - Infiniti FX35/45 - Lexus RX330 - Mercedes-Benz Classe M - Volkswagen Touareg - Volvo XC90

DU NOUVEAU EN 2006

Hayon à commande électrique de série, nouvelles roues de 17 et 18 pouces, nouvelles couleurs

HISTORIQUE DU MODÈLE

1[ière] génération

NOS IMPRESSIONS

Agrément de conduite:	4
Fiabilité:	3½
Sécurité:	4½
Qualités hivernales:	4½
Espace intérieur:	4
Confort:	3½

LE CHOIX DE L'ÉQUIPE

V8 intégrale

LA LUEUR D'ESPOIR

À travers la grisaille qui recouvre actuellement le grand empire de General Motors, une petite éclaircie se dessine à l'horizon. Cette embellie s'appelle Cadillac et même si elle ne risque pas d'avoir une influence énorme sur le climat qui règne en ce moment chez le premier constructeur automobile mondial, il s'agit néanmoins d'un rayon de soleil encourageant. Ce coin de ciel bleu s'est d'abord manifesté avec l'apparition du modèle d'entrée de gamme, la CTS, et se poursuit maintenant avec l'ancienne Seville qui emprunte le vocable de STS pour nous rappeler qu'elle suit le même chemin que sa sœur cadette tant par son style que par son comportement.

Au milieu de 2005, la STS, qui n'était initialement proposée qu'avec le V8 Northstar de 320 chevaux, s'est vue offrir une version plus tempérée s'accommodant du V6 3,6 litres de 255 chevaux qui siège aussi sous le capot de la CTS. Jusque là, seul le V8 pouvait être greffé à la transmission intégrale optionnelle. Bonne nouvelle toutefois pour 2006 puisque l'on peut dorénavant bénéficier, avec le V6 aussi, de la tranquillité d'esprit que procure quatre roues motrices en hiver.

DES COURS D'ALLEMAND

General Motors insiste beaucoup depuis deux ans sur le fait que les derniers modèles Cadillac sont allés à la bonne école en effectuant leurs premiers tours de roue sur le légendaire circuit du Nurburgring en Allemagne au beau milieu de la Forêt-Noire. Avec la STS, on est donc encore une fois en présence d'une américaine qui a suivi des cours d'allemand. A-t-elle obtenu son diplôme ? C'est ce que nos essais allaient démontrer.

J'ai conduit une première STS à moteur V8 à l'automne de 2004 sur les petites routes de l'arrière-pays provençal près du circuit du Castellet. Il n'y a pas de meilleur endroit pour vérifier si une voiture possède les atouts nécessaires lui permettant d'entreprendre une carrière européenne. Or, malgré une direction peu loquace quant au coefficient d'adhérence, la Cadillac a fait preuve d'un comportement routier très solide avec un roulis bien contrôlé par une suspension dite «magnétique à commande électronique». L'amortissement est sans doute assez ferme mais plus rassurant que désagréable, comme dans les voitures allemandes. Pour tout dire, la STS n'a jamais eu à céder la route à ses concurrentes européennes sur les petites routes en lacets empruntées pour l'occasion. Accordons une partie du mérite à l'option permettant d'équiper la voiture de roues en alliage de 18 pouces. Même le freinage ne nous a pas fait faux bond au cours de ce périple expéditif entre Fayence et Le Castellet.

Conduite au Québec deux mois plus tard, une seconde STS est venue confirmer les impressions initiales. Ainsi, son groupe propulseur est à l'abri de tout reproche : moteur et transmission automatique fonctionnent avec une grande transparence, une souplesse étonnante et une discrétion digne de mention. Le V8 Northstar de Cadillac est de toute évidence l'un des meilleurs moteurs du monde. Ses 320 chevaux emportent la STS de 0 à 100 km/h en seulement 7,4 secondes et autorisent des dépassements sûrs grâce à un chrono de 5,9 secondes entre 80 et 120 km/h, une mesure identique à celle d'une Mercedes-Benz S500. Finissons-en avec les

FEU VERT

Excellent tandem moteur/transmission
Bonne insonorisation
Freinage endurant
Traction intégrale optionnelle

FEU ROUGE

Direction gommée
Faible volume du coffre
Visibilité arrière précaire
Réglages sataniques

chiffres en ajoutant que l'on peut s'attendre à une consommation de 11,4 litres aux 100 km sur autoroute, qui se soldera par une moyenne générale d'environ 13,4 litres aux 100 km.

UN V6 SOBRE

Puisqu'il est question de moteur, ajoutons que la STS V6 essayée plus tard se débrouille plutôt bien malgré son déficit de 65 chevaux. Elle ne concède que 1,2 seconde à la version V8 sur le 0-100 et 0,8 seconde au test des reprises. Pour sa part, la consommation diminue de près de 2 litres aux 100 km, ce qui est remarquable. À part les écarts du chrono, la seule différence notable entre les deux versions est que le V6 a une sonorité à la fois plus rauque et sportive que le V8. Pour le reste, je me contenterais aisément d'une STS à moteur V6.

Bien sûr, tout n'est pas parfait et si les places arrière sont très convenables, le coffre à bagages ne regorge pas d'espace avec un volume (390 litres) inférieur à celui d'une Pontiac G6 ou une Chevrolet Malibu. Même le coffre à gants ne peut recevoir un simple étui à verres fumés tellement il est étroit ! Tant de côté que de arrière, la visibilité est aussi assez médiocre. Et si l'on s'attarde aux moindres détails, on sera étonné qu'une Cadillac se contente d'un bouchon de réservoir à essence en vulgaire plastique que l'on a du mal à visser. Enfin, si je vous parle de la litanie de noms d'objets sacrés que l'on articule en voulant programmer les multiples réglages de la voiture, on aura à peu près fait le tour du chapitre des frustrations.

Je serai plus indulgent, sinon flatteur, à l'endroit d'une présentation intérieure de bon goût, d'un élégant volant mi-cuir, mi-bois, de sièges en cuir confortables et d'un tableau de bord bien réussi avec ses instruments parfaitement alignés. Je me suis même habitué à consulter l'affichage tête haute : il ne vous oblige pas à quitter la route des yeux pour lire votre vitesse. J'ai apprécié aussi le système de radar qui, une fois le pilote automatique enclenché, adapte la vitesse à l'environnement. Ainsi, si vous vous approchez d'une voiture circulant plus lentement, la STS réduira sa vitesse automatiquement.

Si la STS n'a pas encore parfaitement assimilé la langue allemande, elle en a au moins acquis les rudiments. C'est ce qui fait qu'elle arrive à très bien se débrouiller sur le vieux continent tout en offrant aux Nord-Américains une expérience de conduite qui tranche carrément avec ce que l'on associait jusqu'ici à Cadillac.

Jacques Duval

Photos : Cadillac

DONNÉES TECHNIQUES

OnStar de GM Canada

Modèle à l'essai :	STS
Prix du modèle à l'essai :	58750$
Échelle de prix :	56275$ à 69145$
Garanties :	4 ans/80000 km, 4 ans/80000 km
Catégorie :	berline de luxe
Emp./Lon./Lar./Haut.(cm) :	296/499/184/146
Poids :	1750 kg
Coffre/Réservoir :	390 litres / 66 litres
Coussins de sécurité :	frontaux, latéraux (av.), rideaux
Suspension avant :	indépendante, bras inégaux
Suspension arrière :	indépendante, multibras
Freins av./arr. :	disque (ABS)
Antipatinage/Contrôle de stabilité :	oui/oui
Direction :	à crémaillère, assistance variable
Diamètre de braquage :	11,5 m
Pneus av./arr. :	P235/50R17
Capacité de remorquage :	454 kg

Pneus d'origine MICHELIN

GROUPE MOTOPROPULSEUR

Moteur :	V6 de 3,6 litres 24s atmosphérique
Alésage et course	94,0 mm x 85,0 mm
Puissance :	255 ch (189 kW) à 6500 tr/min
Couple :	252 lb-pi (342 Nm) à 3200 tr/min
Rapport Poids/Puissance :	6,89 kg/ch (9,36 kg/kW)
Moteur électrique :	aucun
Autre(s) moteur(s) :	V8 4,6 l 320ch à 6400tr/mn et 315lb-pi à 4400tr/mn (CTS-V)
Transmission :	propulsion, automatique 5 rapports
Autre(s) transmission(s) :	aucune
Accélération 0-100 km/h :	8,6 s
Reprises 80-120 km/h :	5,9 s
Freinage 100-0 km/h :	41,4 m
Vitesse maximale :	225 km/h
Consommation (100 km) :	ordinaire, 11,4 litres
Autonomie (approximative) :	516 km
Émissions de CO2 :	5618 kg/an

DANS LA MÊME CATÉGORIE

Audi A6 - BMW Série 5 - Jaguar S-Type - Lexus GS/LS 430 - Mercedes-Benz Classe E

DU NOUVEAU EN 2006

Intégrale disponible avec V6, nouvelles couleurs extérieures, roues 18" avec V8 (disponibilité à confirmer), système audio Bose standard avec Navigation

HISTORIQUE DU MODÈLE

2ème génération

NOS IMPRESSIONS

Agrément de conduite :	4½
Fiabilité :	4
Sécurité :	4½
Qualités hivernales :	4
Espace intérieur :	4½
Confort :	4½

LE CHOIX DE L'ÉQUIPE

V6

Photo : Marc Bouchard

PAPYS S'ABSTENIR

Elle est indéniablement impressionnante, la sportive de la famille Cadillac. La XLR, c'est son nom, a tout de l'avion de chasse au premier coup d'oeil. Mais on se rend vite compte qu'elle est en fait une voiture très civilisée, même si elle est capable de montrer les dents quand le besoin s'en fait sentir. Il faut dire que notre modèle d'essai était « argent pur », une teinte que les nouvelles Cadillac utilisent en abondance, et qui rappelle sans équivoque les fuselages aérodynamiques des avions qui ont inspiré les designers de la famille.

Car la XLR, comme toutes les autres de la gamme maintenant, compte sur une silhouette aux nombreuses arêtes et au design assez carré qui constitue la nouvelle marque de commerce des luxueuses américaines.

ROADSTER RACÉ

Mais la XLR a quelque chose de beaucoup plus spectaculaire. Elle dispose d'un toit rigide amovible entièrement automatisé qui, lorsqu'il est en fonction, lui donne un peu des airs de robot « Transformer », mais qui une fois remisé dans le coffre arrière rajeunit considérablement la silhouette. Élégance oblige, il prend toutefois presque tout l'espace disponible dans le coffre. Si vous êtes chanceux, vous pourrez sans doute y glisser un ou deux sacs à souliers. Sans compter que sa fiabilité douteuse a souvent obligé quelques conducteurs à rentrer chez le concessionnaire toit abaissé. Bref, un roadster de bonne taille, et surtout de bon goût puisque l'ensemble dégage un chic et une personnalité vraiment dans une classe à part. Normal me direz-vous pour une voiture dont le prix de vente excède de quelques milliers la barre magique des 100 000 $.

Car outre la silhouette, la Cadillac XLR est d'abord une voiture de luxe. Sous la carrosserie fuselée, on retrouve, dans une version un peu plus raffinée, ce qui équipe la célèbre Corvette. Ainsi, dans la XLR, on a légèrement remanié le châssis et la suspension de la Corvette pour les rendre un tantinet moins sportifs, optant davantage pour le confort.

Sous le capot, un moteur de la gamme des Northstar, un V8 de 4,6 litres qui développe 320 chevaux, soit quelque 30 de moins que sa célèbre soeur Chevrolet. Ceux qui trouvent cette puissance un peu juste (et croyez-moi, c'est qu'ils ne l'ont pas essayée) trouveront chaussure à leur pied en 2006, puisque la XLR est aussi proposée en version V avec un moteur qui sera haussé à la bagatelle de 440 chevaux.

C'est ce V8 qui alimente aussi la STS-V, la plus récente innovation de la chic bannière américaine.

Pour ceux qui n'oseront se lancer à l'assaut de la V, le modèle de base devrait suffire. Ce faisant, il leur faudra se contenter (!) du petit moteur, qui réussit tout de même des performances largement suffisantes. En accélération, il réussit le 0-100 en quelque 6 secondes (ce qui descend sous les 5 secondes avec la nouvelle version V). Tout cela avec une accélération linéaire et sans à-coups, démontrant la souplesse et la puissance du moteur.

FEU VERT
- Profil de classe
- Moteur Northstar éprouvé
- Liste d'équipement impressionnante
- Direction précise

FEU ROUGE
- Toit amovible peu fiable
- Espace de chargement microscopique
- Prix d'achat élevé
- Transmission de base un peu lente

Photo: Cadillac

MORDRE À LA ROUTE

Le freinage est à l'avenant, et même en situation d'urgence, le système est capable de mettre fin aux ambitions du bolide en quelques dizaines de mètres seulement. Seul défaut, la direction est un peu lourde, ce qui, en conduite un peu plus énergique, diminue un peu le temps de réaction. Rien de tragique, rassurez-vous. Demandez-le d'ailleurs à mon ami, mon passager pour quelques minutes et qui, le temps d'un tournage télévisé, a dû subir les affres d'un changement de trajectoire à haute vitesse. La première fois, c'est avec beaucoup d'inquiétude qu'il a vu venir la courbe. Mais la seconde fois (car il a fallu recommencer, notre caméraman ayant manqué de pile pour la première prise), il est resté calme et serein, sentant la voiture s'engager avec assurance et stabilité malgré le brusque virage.

Il faut dire aussi que le confort exceptionnel des sièges, leurs ajustements multiples et la qualité générale du support qu'ils fournissent ont de quoi rassurer n'importe qui. On se sent parfaitement entouré. Le tableau de bord, jumelant aluminium et boiserie de qualité et que l'on a légèrement remodelé en 2006, vient aussi compléter l'effet rassurant.

Haute technologie oblige, l'habitacle est un véritable laboratoire électronique: système de navigation par satellite, entrée et démarrage sans clé, et même, ouverture des portières sur simple pression d'un bouton (qu'il faut quelques secondes pour localiser). En fait, la XLR réunit toutes les nouveautés technologiques disponibles chez GM concernant les accessoires, mais sans pour autant être difficiles à manier, bien au contraire. Évidemment, on a aussi fait de même avec les systèmes d'aide à la conduite comme la traction asservie ou le système de stabilité électronique.

Pour propulser tout cela, une transmission automatique à cinq rapports, efficace et précise même si le mode manuel répond aussi avec une certaine lenteur en conduite plus sportive.

Avec cette superbe Cadillac deux places, le constructeur américain avait dans sa ligne de mire la Mercedes SL500, ou la Lexus SC430. Face à cette dernière, la Cadillac l'emporte haut la main tellement elle est plus agréable et plus enivrante à conduire. Par rapport à la Mercedes, force est d'admettre qu'elle est au moins au coude à coude, surtout avec sa version survitaminée. Car entre les deux, la différence, c'est d'abord une affaire de personnalité. Et dans le cas de la XLR, de la personnalité, elle en a à revendre.

Bertrand Godin

Photo: Cadillac

CADILLAC XLR

DONNÉES TECHNIQUES

Modèle à l'essai:	XLR
Prix du modèle à l'essai:	103 000$
Échelle de prix:	97 645$
Garanties:	4 ans/80 000 km, 4 ans/80 000 km
Catégorie:	roadster
Emp./Lon./Lar./Haut.(cm):	268,5/451/184/128
Poids:	1 654 kg
Coffre/Réservoir:	125 à 328 litres / 68 litres
Coussins de sécurité:	frontaux, latéraux (av.), rideaux
Suspension avant:	indépendante, bras inégaux
Suspension arrière:	indépendante, bras inégaux
Freins av./arr.:	disque (ABS)
Antipatinage/Contrôle de stabilité:	oui/oui
Direction:	à crémaillère, assistance variable
Diamètre de braquage:	11,9 m
Pneus av./arr.:	P235/50R18
Capacité de remorquage:	non recommandé

GROUPE MOTOPROPULSEUR

Moteur:	V8 de 4,6 litres 32s atmosphérique
Alésage et course	93,0 mm x 84,0 mm
Puissance:	320 ch (239 kW) à 6400 tr/min
Couple:	310 lb-pi (420 Nm) à 4400 tr/min
Rapport Poids/Puissance:	5,17 kg/ch (7,01 kg/kW)
Moteur électrique:	aucun
Autre(s) moteur(s):	V8 4,4 l 443ch à 6400tr/mn et 414lb-pi à 3600tr/mn (XLR-V)
Transmission:	propulsion, automatique 5 rapports
Autre(s) transmission(s):	aucune
Accélération 0-100 km/h:	5,8 s
Reprises 80-120 km/h:	5,0 s
Freinage 100-0 km/h:	38,0 m
Vitesse maximale:	250 km/h
Consommation (100 km):	super, 13,6 litres
Autonomie (approximative):	500 km
Émissions de CO2:	5570 kg/an

DANS LA MÊME CATÉGORIE

Jaguar XK8 - Lexus SC 430 - Mercedes-Benz SL500

DU NOUVEAU EN 2006

Modèle XLR-V, éclairage avant adaptatif, radio satellite, modification garnitures similibois

HISTORIQUE DU MODÈLE

1ière génération

NOS IMPRESSIONS

Agrément de conduite:	½
Fiabilité:	
Sécurité:	½
Qualités hivernales:	½
Espace intérieur:	
Confort:	

LE CHOIX DE L'ÉQUIPE

XLR

LA RECRUE DE L'ANNÉE

Lorsque General Motors nous a dévoilé une fournée de six nouveaux modèles, il était évident que certains d'entre eux seraient plus ou moins bien accueillis par les automobilistes du Québec, tandis que d'autres seraient de francs succès. Il suffit de jeter un coup d'œil autour de soi pour constater sans équivoque que la Chevrolet Aveo figure avantageusement sur la liste de celles qui ont été adoptées en masse par le public. D'ailleurs, si les ventes de GM ne sont pas au beau fixe un peu partout en Amérique, elles sont très encourageantes au Québec et les succès de l'Aveo ne sont pas étrangers à la situation.

Cette génération spontanée d'une demi-douzaine de véhicules dévoilés en vrac à l'automne 2003 s'explique par l'acquisition de General Motors de l'un des secteurs de l'empire Daewoo acculé à la faillite. Cela a donc permis de commercialiser à bas prix des voitures qui ne manquaient pas de charme. L'Aveo semblait presque faite sur mesure pour servir de modèle d'entrée de gamme sur notre marché. En effet, les automobilistes québécois ne sont pas insensibles aux charmes des voitures bien tournées, et ce peu importe leur prix et leur catégorie.

Comme c'est souvent la coutume chez les constructeurs coréens, le design de ce modèle a été confié à un styliste italien. Cette fois c'est Giugiaro qui a dessiné la silhouette et force est d'admettre que c'est réussi. Les stylistes maison de GM y sont allés eux aussi de leurs coups de crayon afin de consolider la signature visuelle de cette marque et leurs efforts ont été plus complémentaires que dévastateurs. L'unique barre transversale de la grille de calandre s'harmonise aux autres modèles de la gamme, tandis que l'agencement des phares de route et des feux de position contribue à donner du coffre à la partie avant. Personnellement, je trouve la hatchback cinq portes plus élégante. Toutefois, la partie arrière surélevée de la berline vient quelque peu altérer sa silhouette, mais permet de transporter plus de bagages avec quatre personnes à bord que le modèle à hayon dont le coffre ne fait que 200 litres une fois les sièges arrière relevés. Par contre, lorsque la banquette est rabattue, la cinq portes n'est pas seulement plus jolie, mais également plus pratique.

Peu importe le modèle choisi, l'habitacle est de même présentation contrairement à l'Optra dont le tableau de bord n'est pas identique d'une version à l'autre. Il a été impossible de savoir si c'est Giugiaro ou le studio corporatif de GM qui a conçu le tableau de bord, mais il faut reconnaître que c'est élégant, simple, fonctionnel et très homogène. Le positionnement des commandes, les deux cadrans circulaires presque indépendants de la nacelle des instruments, les deux buses centrales en relief, de même qu'un judicieux choix de couleurs donnent de la classe à l'ensemble. Par contre, certains matériaux me sont apparus bon marché et la texture de certains plastiques est à revoir.

DES CHIFFRES SUSPECTS

Comme il est souvent difficile de faire un essai sur route de la voiture que l'on désire acheter, nombreux sont les acheteurs qui doivent se contenter de la fiche technique pour se faire une idée. Celle-ci nous informe que le moteur quatre cylindres de 1,6 litre produit 103 chevaux,

FEU VERT

Prix compétitif
Silhouette moderne
Finition sérieuse
Modèles cinq portes
Économie de carburant

FEU ROUGE

Pneumatiques minables
Roulis en virage
Performances moyennes
Certains matériaux à remplacer
Fiabilité à déterminer

soit trois de moins que celui de la Toyota Yaris. Sur papier, cette différence paraît minime, mais sur la route, il nous semble que la Chevrolet ne soit propulsée que par 90 chevaux au plus. En outre, ce moteur est bruyant et ne semble pas tellement apprécier les régimes élevés. Malgré tout, il est au moins l'égal de ce qui est offert sur les autres modèles d'origine coréenne. La boîte de vitesses manuelle à cinq rapports s'acquitte bien de ses fonctions même si une tringlerie un peu plus précise aurait été souhaitable. Mais, encore là, c'est dans la moyenne de la catégorie. Et elle nous permet d'obtenir une consommation de 7,8 litres aux 100 km. Ce qui est fort apprécié en cette époque où le prix du carburant ne cesse de fluctuer sauvagement. La boîte automatique à quatre rapports accomplit du bon travail et ne sape pas trop les performances.

Terminons cette partie technique en soulignant que la suspension arrière est à poutre déformante. Une solution qui permet de réduire les coûts et d'assurer un plancher plat à l'arrière. Comme la plupart des économiques, la suspension avant est à jambes de force et les freins arrière sont à tambour. Les freins ABS peuvent être commandés en option, ce qui est à considérer.

VA PIANO!

Vous connaissez tous cette expression italienne qui signifie d'aller doucement, de ralentir. Selon General Motors du Canada, l'Aveo est la voiture officielle de la liberté. Cela dénote sans doute que vous n'êtes pas prisonnier de paiements mensuels exorbitants compte tenu du prix modeste de la voiture. Par contre, vous perdez quelque peu cette liberté si vous voulez conduire de façon sportive. Berline ou hatchback, la caisse roule beaucoup dans les virages et la direction pourrait offrir plus de précision en plus d'un meilleur feedback. En revanche, la suspension est confortable, un atout pour le marché québécois. Ajoutez à cela une position de conduite correcte et une bonne visibilité en raison de l'assise plutôt élevée des sièges avant.

Donc, si vous limitez votre enthousiasme à son volant, si vous ne recherchez pas des performances à tout casser, si votre budget exige un prix compétitif, l'Aveo a des arguments qui peuvent vous intéresser. Et s'il vous reste quelques dollars en réserve, bonifiez grandement le comportement routier de la voiture en remplaçant les pneus d'origine par quelque chose de mieux. Votre Aveo sera améliorée de beaucoup.

Denis Duquet

Photos: Marc Bouchard

DONNÉES TECHNIQUES

Modèle à l'essai:	LT 5 portes
Prix du modèle à l'essai:	14785$
Échelle de prix:	11795$ à 13320$
Garanties:	3 ans/60000 km, 3 ans/60000 km
Catégorie:	sous-compacte
Emp./Lon./Lar./Haut.(cm):	248/388/167/150
Poids:	1080 kg
Coffre/Réservoir:	200 à 1190 litres / 45 litres
Coussins de sécurité:	frontaux
Suspension avant:	indépendante, jambes de force
Suspension arrière:	demi-ind., poutre déformante
Freins av./arr.:	disque/tambour (ABS opt.)
Antipatinage/Contrôle de stabilité:	non/non
Direction:	à crémaillère, assistée
Diamètre de braquage:	9,8 m
Pneus av./arr.:	P185/60R14
Capacité de remorquage:	non recommandé

GROUPE MOTOPROPULSEUR

Moteur:	4L de 1,6 litre 16s atmosphérique
Alésage et course	79,0 mm x 81,5 mm
Puissance:	103 ch (77 kW) à 5800 tr/min
Couple:	107 lb-pi (145 Nm) à 3600 tr/min
Rapport Poids/Puissance:	10,49 kg/ch (14,03 kg/kW)
Moteur électrique:	aucun
Autre(s) moteur(s):	seul moteur offert
Transmission:	traction, manuelle 5 rapports
Autre(s) transmission(s):	automatique 4 rapports
Accélération 0-100 km/h:	11,4 s
Reprises 80-120 km/h:	11,0 s
Freinage 100-0 km/h:	44,0 m
Vitesse maximale:	175 km/h
Consommation (100 km):	ordinaire, 7,7 litres
Autonomie (approximative):	584 km
Émissions de CO2:	3648 kg/an

DANS LA MÊME CATÉGORIE

Hyundai Accent - Kia Rio - Suzuki Swift+ - Toyota Yaris

DU NOUVEAU EN 2006

Commande électronique des gaz, sacs gonflables latéraux en option, nouveaux enjoliveurs, nouveaux tissus

HISTORIQUE DU MODÈLE

1[ière] génération

NOS IMPRESSIONS

Agrément de conduite:	3
Fiabilité:	3 ½
Sécurité:	3
Qualités hivernales:	3
Espace intérieur:	3
Confort:	3

LE CHOIX DE L'ÉQUIPE

LS

BATAILLE DE PETITES BERLINES

La Chevrolet Cavalier a connu plus que sa part de succès, récoltant des ventes incroyables chaque année depuis son introduction. Pourtant, en matière de raffinement, de confort ou même de comportement routier, on était bien loin du compte et les petites berlines japonaises prenaient facilement les devants. La Cobalt qui a remplacé la Cavalier en cours d'année, vient maintenant livrer une chaude bataille sur le terrain. Surtout que non content des versions traditionnelles, GM a aussi lancé une version vitaminée portant le badge SS.

La Cobalt est tout ce qu'il y a de plus américaine. Son comportement, son design et sa finition ne mentent pas. Malgré tout, elle profite aussi de la mondialisation du plus grand fabricant du monde, car elle est conçue sur la base de l'architecture Delta, développée d'abord pour la très remarquée Opel Astra, puis utilisée sur la Saturn Ion.

Notons en passant que la Cobalt ne sera pas la seule à livrer combat, puisqu'une version Pontiac, baptisée Pursuit, est aussi sur le marché. Fait inusité, et qui démontre toute l'importance que GM accorde au marché canadien, la Pursuit ne sera vendue que chez nous, laissant le pays de l'oncle Sam à court de Pontiac.

UN PETIT AIR D'EUROPE

Ce modèle, même s'il est complètement différent de la Cavalier qu'il remplace, en reprend quand même quelques éléments de silhouette. On a cependant aminci un peu les lignes, et assoupli la ligne du petit véhicule, à la mode européenne.

Mais ce qui distingue réellement ces petites voitures de leurs prédécesseurs, et même de la concurrence il faut l'admettre, c'est l'aménagement particulièrement soigné de l'habitacle. On a installé des plaques d'acier laminées derrière le tableau de bord, ce qui procure une insonorisation inhabituelle pour une voiture de cette taille.

À l'intérieur même, des matériaux de bonne qualité, une finition bien complétée et une disposition agréable et esthétique permettent de conclure que la Cobalt profite probablement du plus bel aménagement pensé depuis longtemps par les gens de GM. Les mauvaises langues diront que la compétition n'était pas très féroce, mais tout de même...

On a poussé un petit peu loin le côté américain avec la Cobalt SS en installant des roues en alliage de 18 pouces et un ensemble aérodynamique qui confirment la vocation sportive de la voiture. Mais on a presque défiguré le tout avec un aileron arrière surdimensionné, probablement important pour le maintien au sol. Il vient toutefois gâcher une personnalité bien affirmée, tout en nuisant considérablement à la visibilité dans la vitre arrière.

MÉCANIQUE ÉPROUVÉE

Les Cobalt sont animées de moteurs bien connus des amateurs de GM : des engins de la génération Ecotec qui équipaient déjà plusieurs

FEU VERT

Moteur puissant
Freinage impressionnant
Ergonomie efficace
Habitacle réussi

FEU ROUGE

Effet de couple saisissant
Aileron surdimensionné (SS)
Direction trop assistée
Sièges arrière peu accueillants

modèles du fabricant. De base, tous les modèles LS et LT et toute la gamme Pursuit héritent du moteur de 2,2 litres capable de développer 145 chevaux à 5600 tr/min et un couple de 155 lb-pi à 4000 tr/min, ce qui est largement suffisant en usage urbain normal, mais un peu mince pour un usage plus sportif.

Les véritables mordus se tourneront davantage vers la Cobalt SS Supercharged, qui abrite une arme secrète sous le capot. On y a logé un moteur suralimenté de deux litres, susceptible de déployer quelque 205 chevaux et 200 livres-pied de couple à 4400 tours/minute, semblable à celui de la Ion Red Line.

On a aussi muni le modèle SS de ressorts plus fermes, de barres antiroulis plus épaisses, de freins à disque aux quatre roues et d'une direction à assistance variable électrique.

Côté transmission, on a eu recours , sur la SS, à la transmission manuelle Gertrag à 5 rapports courts, d'une grande précision et d'une douceur mécanique étonnante. Les autres versions ont droit à une manuelle cinq rapports ordinaire, ou à une automatique un peu lente.

En ligne droite, l'accélération est linéaire, mais pas aussi essoufflante qu'on aurait pu s'y attendre. Elle réalise le 0-100 en quelque 7,1 secondes, ce qui est bien mais sans plus. En revanche, en slalom la voiture tient la route avec assurance, n'offrant aucun roulis.

Mais même si elle n'est ni la plus rapide, ni la plus agressive de sa catégorie, la Cobalt SS a prouvé une chose : Chevrolet est encore capable de produire des véhicules à la personnalité sportive étonnante.

Quant aux modèles moins extrêmes, ils sont un pas très loin en avant de ce que GM avait à offrir. Un pas qui les mène maintenant, et pour de vrai, dans la cour des petites japonaises qui dominent depuis longtemps ce segment de marché.

Marc Bouchard

Photos : Denis Duquet

DONNÉES TECHNIQUES

Modèle à l'essai :	SS Supercharged
Prix du modèle à l'essai :	25195$
Échelle de prix :	15710$ à 25195$
Garanties :	3 ans/60000 km, 3 ans/60000 km
Catégorie :	berline compacte
Emp./Lon./Lar./Haut.(cm) :	262/458/173/142
Poids :	1327 kg
Coffre/Réservoir :	393 litres / 49 litres
Coussins de sécurité :	frontaux et rideaux
Suspension avant :	indépendante, jambes de force
Suspension arrière :	demi-ind., poutre déformante
Freins av./arr. :	disque (ABS)
Antipatinage/Contrôle de stabilité :	opt./non
Direction :	à crémaillère, assistée
Diamètre de braquage :	12,4 m
Pneus av./arr. :	P215/45ZR18
Capacité de remorquage :	454 kg

GROUPE MOTOPROPULSEUR

Moteur :	4L de 2 litres 16s surcompressé
Alésage et course	86,0 mm x 86,0 mm
Puissance :	205 ch (153 kW) à 5600 tr/min
Couple :	200 lb-pi (271 Nm) à 4400 tr/min
Rapport Poids/Puissance :	6,47 kg/ch (8,67 kg/kW)
Moteur électrique :	aucun
Autre(s) moteur(s) :	4L 2,4 l 171ch à 6200tr/mn et 163lb-pi à 5000tr/mn, 4L 2,2 l 145ch à 5600tr/mn et 155lb-pi à 4000tr/mn
Transmission :	traction, manuelle 5 rapports
Autre(s) transmission(s) :	automatique 4 rapports
Accélération 0-100 km/h :	9,0 s
Reprises 80-120 km/h :	8,3 s
Freinage 100-0 km/h :	36,3 m
Vitesse maximale :	195 km/h
Consommation (100 km) :	super, 8,9 litres (constructeur)
Autonomie (approximative) :	551 km
Émissions de CO2 :	n.d.

DANS LA MÊME CATÉGORIE

Ford Focus - Honda Civic - Mazda 3 - Nissan Sentra - Saturn Ion - Toyota Corolla

DU NOUVEAU EN 2006

Version SS coupé, nouveau moteur 2,2 litres 171 chevaux, couleur améthyste et bleu

HISTORIQUE DU MODÈLE

1ière génération

NOS IMPRESSIONS

Agrément de conduite :	🚗🚗🚗½
Fiabilité :	nouveau modèle
Sécurité :	🚗🚗🚗🚗
Qualités hivernales :	🚗🚗🚗½
Espace intérieur :	🚗🚗🚗🚗
Confort :	🚗🚗🚗🚗

LE CHOIX DE L'ÉQUIPE

LT

LA SPORTIVE AMÉRICAINE

Fidèle à la grande lignée de la sportive américaine, la Corvette de sixième génération lancée l'an dernier représente l'évolution du concept plutôt qu'une révolution. Ainsi, les proportions sont demeurées sensiblement les mêmes et la motorisation est toujours assurée par un V8 de grosse cylindrée qui développe maintenant 400 chevaux. Alors que certains constructeurs réussissent à développer une puissance comparable avec des systèmes de calage variable des soupapes et autres avancées techniques, la philosophie retenue par les ingénieurs attitrés au développement du moteur de la Corvette demeure typiquement américaine: «There is no substitute for cubic inches...»

Pour concevoir et construire la plus récente Corvette, les ingénieurs de Chevrolet ont en quelque sorte émulé leurs vis-à-vis de chez Porsche en adoptant une méthode de travail semblable, soit l'optimisation des composantes existantes. En effet, si chacun des éléments de la voiture est amélioré, même si ce n'est que légèrement, on obtient une meilleure auto dans l'ensemble. Ainsi, le châssis périmétrique a été rigidifié, et l'empattement a été allongé, bien que la voiture soit plus courte et plus légère, une plus grande quantité des pièces des suspensions ayant été réalisées en aluminium. Même si la partie arrière est plus large que celle de sa devancière, la nouvelle Corvette réussit à être plus aérodynamique, son coefficient de traînée étant spectaculairement bas soit, 0,28. En fait, faire la nomenclature de toutes les améliorations et des légers changements apportés à la Corvette de sixième génération remplirait plusieurs pages du Guide de l'Auto, c'est pourquoi nous allons plutôt nous concentrer sur les résultats obtenus.

Le test du circuit nous a permis de constater que la Corvette de sixième génération offre une tenue de route phénoménale. Le centre de gravité étant bas, les pneus étant très efficaces, la suspension magnétique Magnaride adoptant une calibration plus ferme et l'intervention des aides électroniques au pilotage pouvant être réduite au minimum, il est possible de vraiment s'amuser au volant de la Corvette; dans l'environnement sécuritaire et contrôlé d'un circuit de course en provoquant de belles glissades contrôlées à l'accélérateur. Sur circuit, il faut cependant composer avec la relative souplesse des suspensions arrière (même aux réglages fermes) qui entraîne un transfert de poids important vers l'arrière en accélération en sortie de virage. Aussi la direction est plutôt lourde et le maniement du levier de vitesse demande un peu d'effort de la part du conducteur, ce qui fait que la conduite sur piste est plus physique avec la Corvette qu'avec une Porsche 911 Carrera S par exemple. Pour ce qui est du freinage, la conjonction des immenses disques de frein et de la surface de contact des pneus assure des distances d'arrêt très courtes. Le couple maximum de 400 livres-pied fait en sorte que la motricité demeure remarquable même si l'on n'a pas sélectionné le meilleur rapport pour la réaccélération en sortie de courbe, il suffit de laisser le moteur faire le travail. Pour l'année modèle 2006, la désuète transmission automatique à quatre rapports fait place à une boîte à six rapports avec commandes de passage des vitesses au volant.

Sur la route, les suspensions deviennent plus souples et font en sorte que le phénomène du brasse-camarade qui affligeait les modèles des générations précédentes est nettement moins présent, le niveau de

FEU VERT

Puissance moteur
Tenue de route
Suspensions plus confortables
Volume du coffre
Freins performants

FEU ROUGE

Image du modèle
Pilotage physique sur circuit
Toit amovible encombrant

confort s'en trouve ainsi rehaussé d'un cran. Toutefois, sur des routes en mauvais état, la Corvette est moins à l'aise. Conducteur et passager ressentiront donc un certain inconfort qui demeure cependant moins prononcé que celui qui était ressenti au volant de l'ancien modèle. Quant à l'habitacle, précisons que la qualité d'assemblage est maintenant supérieure et que la qualité des matériaux utilisés est en hausse. On «descend» toujours pour monter à bord d'une Corvette puisque c'est le propre d'une voiture sport, mais l'accès est rendu plus facile pour les conducteurs et passagers de grande taille, le cockpit offrant plus d'espace et de dégagement, et la disposition des principales commandes et indicateurs ne prête pas flanc à la critique au chapitre de l'ergonomie.

Pour ce qui est de la version Z06, précisons qu'il s'agit presque d'une voiture de course avec plaque d'immatriculation, le moteur développant 500 chevaux et les freins, roues et pneus étant surdimensionnés par rapport à la Corvette traditionnelle. Les autres modifications apportées à cette rivale de la Viper SRT-10 et de la Ford GT comprennent l'utilisation d'un châssis réalisé en aluminium plutôt qu'en acier, ainsi qu'un toit fixe plutôt qu'escamotable afin d'augmenter la rigidité de la voiture tout en l'allégeant au maximum, la Z06 étant plus légère d'une vingtaine de kilos que la Corvette habituelle. Le rapport poids-puissance de la Z06 est donc comparable à celui d'une voiture exotique comme la Ford GT même si ses origines sont celles d'une voiture de série, ce qui en dit long sur le potentiel de performance de la plus puissante et plus rapide des Corvette.

Somme toute, les concepteurs de la Corvette, dirigés par l'ingénieur en chef Dave Hill, ont été en mesure de produire une voiture qui respecte en tous points la filiation avec les modèles précédents, tout en optimisant au maximum chacun des aspects qui font de la Corvette une voiture aux performances exceptionnelles dont le prix d'achat est nettement inférieur à celui des principales voitures concurrentes. Il est juste dommage que la Corvette souffre encore et toujours de l'image macho qui a longtemps été colportée à son sujet, mais force est d'admettre que la voiture d'aujourd'hui n'a pas grand-chose à voir avec certains modèles des générations précédentes qui n'avaient que le look d'une sportive sans nécessairement être en mesure de livrer la marchandise pour ce qui est des performances. Avec le modèle de sixième génération, nous avons droit à une Corvette performante et pleinement réussie pour le plus grand bonheur des amateurs de voitures sport à l'américaine.

Gabriel Gélinas

Photos: Bertrand Godin

DONNÉES TECHNIQUES

Modèle à l'essai:	Décapotable
Prix du modèle à l'essai:	79495$
Échelle de prix:	67805$ à 89900$
Garanties:	3 ans/60000 km, 5 ans/100000 km
Catégorie:	coupé/roadster
Emp./Lon./Lar./Haut.(cm):	268/443/188/124
Poids:	1442 kg
Coffre/Réservoir:	634 litres / 68 litres
Coussins de sécurité:	frontaux et latéraux (av.)
Suspension avant:	indépendante, multibras
Suspension arrière:	indépendante, multibras
Freins av./arr.:	disque (ABS)
Antipatinage/Contrôle de stabilité:	oui/oui
Direction:	à crémaillère, assistance variable
Diamètre de braquage:	12,0 m
Pneus av./arr.:	P245/40ZR18 / P285/35ZR19
Capacité de remorquage:	n.d.

GROUPE MOTOPROPULSEUR

Moteur:	V8 de 6 litres 16s atmosphérique
Alésage et course	101,6 mm x 92,0 mm
Puissance:	400 ch (298 kW) à 6000 tr/min
Couple:	400 lb-pi (542 Nm) à 4400 tr/min
Rapport Poids/Puissance:	3,61 kg/ch (4,9 kg/kW)
Moteur électrique:	aucun
Autre(s) moteur(s):	V8 7,0 l 505ch à 6300tr/mn et 470lb-pi à 4800tr/mn (Z06)
Transmission:	propulsion, manuelle 6 rapports
Autre(s) transmission(s):	automatique 6 rapports
Accélération 0-100 km/h:	4,3 s
Reprises 80-120 km/h:	4,6 s
Freinage 100-0 km/h:	33,0 m
Vitesse maximale:	300 km/h
Consommation (100 km):	super, 13,4 litres
Autonomie (approximative):	507 km
Émissions de CO2:	5136 kg/an

DANS LA MÊME CATÉGORIE

Acura NSX - Dodge Viper - Jaguar XKR - Lexus SC 430 - Nissan 350Z - Porsche 911

DU NOUVEAU EN 2006

Modèle Z06, boîte automatique à six rapports, nouvelles couleurs

HISTORIQUE DU MODÈLE

6ième génération

NOS IMPRESSIONS

Agrément de conduite:	🚗🚗🚗🚗
Fiabilité:	🚗🚗🚗🚗
Sécurité:	🚗🚗🚗🚗½
Qualités hivernales:	🚗🚗
Espace intérieur:	🚗🚗🚗½
Confort:	🚗🚗🚗

LE CHOIX DE L'ÉQUIPE

Coupé Z51

L'EXCENTRIQUE DE LA FAMILLE

Si vous prenez le temps d'examiner la gamme de modèles de Chevrolet, tous ont une certaine continuité de taille, de mécanique et de prix. Pourtant, l'Epica fait quelque peu bande à part autant en raison de ses dimensions et de son prix qui la rapprochent de la Malibu, que par sa motorisation qui n'a absolument rien à voir avec les autres modèles de cette marque. Bref, elle détonne passablement et la question se pose automatiquement : qu'est ce que l'Epica vient faire sur notre marché ?

Après avoir tenté en vain de me faire expliquer par des représentants de la marque qui n'avaient que de vagues suggestions et peu d'explications, j'ai essayé de trouver une raison logique à sa présence exclusive au Canada. La seule qui me vient à l'esprit - et pas nécessairement la plus éclairée - consiste à croire que cette Chevrolet pour le moins originale est importée au Canada pour de simples raisons de quotas de production, et pour amortir les coûts de production et d'homologation de sa soeur jumelle la Suzuki Verona. En effet, les deux constructeurs sont partenaires dans la reprise de Daewoo et se partagent des modèles produits en Corée. Par exemple, les Chevrolet Aveo et Suzuki Swift sont presque identiques, à quelques garnitures de chrome près.

DESIGN ITALIEN

Lorsqu'on nous annonce que la silhouette d'une voiture a été dessinée dans un studio italien situé dans la banlieue de Turin, il est facile de conclure que nous allons découvrir une voiture aux lignes spectaculaires et dont le design fera époque. C'est sans doute vrai pour les Ferrari, Lamborghini et autres bolides exotiques, de même que certaines Alfa Romeo. Mais les dessins commandés par les constructeurs asiatiques sont souvent beaucoup plus génériques. Ces grandes maisons de stylisme doivent se conformer aux besoins et demandes des clients, et l'Epica est un bel exemple de « design alimentaire » de la part des studios italiens afin de pouvoir engranger les profits.

Tout ce préambule pour vous informer que cette coréenne devenue canadienne d'adoption doit sa silhouette à ItalDesign. À défaut d'être spectaculaire, celle-ci est bien équilibrée et répond aux attentes des clients orientaux dans cette catégorie. C'est un design qui ne choque pas l'œil, qui respecte les tendances du jour, mais qui n'est certainement pas accrocheur. Par contre, votre Epica sera toujours dans le coup sur le plan visuel d'ici quelques années.

La planche de bord est de la même cuvée et elle est tout ce qu'il y a de plus traditionnel. Les buses de ventilation sont placées juste au-dessus des commandes de climatisation tandis que la radio est juste au-dessous. Celle-ci est par contre suffisamment haute pour ne pas interférer avec le levier de vitesses. Soulignons au passage que celui-ci serpente une grille de sélection inspirée de celle des anciennes Mercedes et son utilisation n'est pas toujours conviviale. Avouez que ça donne une petite touche de luxe, même si c'est plus ou moins agréable. Et il faut s'y habituer puisque c'est la seule transmission offerte. Cette unité à quatre rapports est assez bien étagée bien que les changements de vitesse soient assez lents. La

FEU VERT

- Équipement complet
- Silhouette équilibrée
- Bonne habitabilité
- Dossier arrière rabattable
- Consommation rassurante

FEU ROUGE

- Pneumatiques moyens
- Roulis en virage
- Moteur essoufflé
- Valeur de revente inconnue
- Fiabilité à long terme non établie

même chose pour le rétro contact qui semble prendre un certain temps avant de faire rétrograder la boîte de vitesses.

D'EST EN OUEST

Les véhicules équipés d'un moteur de six cylindres en ligne monté transversalement sont rarissimes. À ma connaissance, il y a les Volvo S80, XC90 et le Chevrolet Epica. Mais tandis que ceux proposés par le constructeur suédois produisent une imposante cavalerie, celui de la Chevy est beaucoup plus modeste. Selon la fiche technique, nous disposons de 155 chevaux. Mais en conduite il semble qu'un certain nombre de ces équidés refusent de collaborer puisque les accélérations et les reprises ne portent pas à croire que le moteur soit aussi puissant. Pour en obtenir des performances acceptables en fonction du prix et de la catégorie, il faut quelquefois avoir le pied lourd et obtenir un régime moteur élevé. Une situation qui ne convient pas tellement au caractère bourgeois de cette berline. Quoi qu'il en soit, il est possible de boucler le 0-100 km/h en dessous de la barre des 10 secondes tandis que le 80-120 km/h s'effectue en moins de neuf secondes. À titre de comparaison, la Chevrolet Malibu réussit ces mêmes exercices avec une seconde de moins dans chaque cas et sans martyriser le moteur. Toutefois, la disposition en ligne des cylindres de l'Epica assure une grande douceur et une absence de vibrations. De plus, sa consommation observée est plutôt raisonnable avec une moyenne de 10 litres aux 100 km.

Le comportement routier est correct pour autant que vous ne rouliez pas à tombeau ouvert. Si vous respectez les limites de vitesses affichées sur les routes secondaires, cette bourgeoise s'acquittera de sa tâche sans coup férir, et sa suspension confortable vous laissera croire que les routes du Québec ne sont pas en si mauvais état. Par contre, enfoncez l'accélérateur, prenez les courbes serrées à grande vitesse et vous découvrirez immédiatement les limites de la voiture. De plus, les pneumatiques d'origine ne sont pas très efficaces. La même remarque s'applique à la conduite sur les autoroutes alors que la voiture est confortable, silencieuse et agréable jusqu'à une vitesse de 120 km/h. Par la suite, les limites du châssis et de la mécanique deviennent plus évidentes.

Somme toute, l'Epica est une voiture bien équipée tant sur le plan de l'habitacle que de la mécanique. Les freins à disques aux quatre roues sont de série tandis que l'ABS est optionnel sur le modèle de base et de série sur la version LT.

Denis Duquet

Photos : Chevrolet

CHEVROLET EPICA

DONNÉES TECHNIQUES

Modèle à l'essai :	LTZ
Prix du modèle à l'essai :	26 605 $
Échelle de prix :	26 605 $ Prix unique
Garanties :	3 ans/60 000 km, 3 ans/60 000 km
Catégorie :	berline intermédiaire
Emp./Lon./Lar./Haut.(cm) :	270/477/181,5/145
Poids :	1 533 kg
Coffre/Réservoir :	380 litres / 63 litres
Coussins de sécurité :	frontaux
Suspension avant :	indépendante, jambes de force
Suspension arrière :	indépendante, multibras
Freins av./arr. :	disque (ABS opt.)
Antipatinage/Contrôle de stabilité :	oui/non
Direction :	à crémaillère, assistance variable
Diamètre de braquage :	10,4 m
Pneus av./arr. :	P205/60R16
Capacité de remorquage :	454 kg

GROUPE MOTOPROPULSEUR

Moteur :	6L de 2,5 litres 24s atmosphérique
Alésage et course	77,0 mm x 89,2 mm
Puissance :	155 ch (116 kW) à 5 800 tr/min
Couple :	177 lb-pi (240 Nm) à 4 000 tr/min
Rapport Poids/Puissance :	9,89 kg/ch (13,22 kg/kW)
Moteur électrique :	aucun
Autre(s) moteur(s) :	seul moteur offert
Transmission :	traction, automatique 4 rapports
Autre(s) transmission(s) :	aucune
Accélération 0-100 km/h :	9,6 s
Reprises 80-120 km/h :	8,5 s
Freinage 100-0 km/h :	42,7 m
Vitesse maximale :	180 km/h
Consommation (100 km) :	ordinaire, 10,1 litres
Autonomie (approximative) :	624 km
Émissions de CO2 :	4 752 kg/an

DANS LA MÊME CATÉGORIE

Chrysler Sebring - Honda Accord - Hyundai Sonata - Kia Magentis - Mazda 6 - Mitsubishi Galant - Nissan Altima - Subaru Legacy - Suzuki Verona - Toyota Camry

DU NOUVEAU EN 2006

Garniture LTZ, Régulateur de vitesse électronique, nouvelle couleur : blanc nacré

HISTORIQUE DU MODÈLE

1ière génération

NOS IMPRESSIONS

Agrément de conduite :	2½
Fiabilité :	3½
Sécurité :	3½
Qualités hivernales :	2½
Espace intérieur :	3½
Confort :	3½

LE CHOIX DE L'ÉQUIPE

Version unique

POLYVALENT ET SIMPLE

Quand il a été lancé l'année dernière, l'utilitaire Equinox arrivait avec de grandes promesses. On voulait qu'il ne fasse rien de moins que renouveler le genre des petits utilitaires urbains. On ne parlera certes pas de grande révolution mais ce Chevrolet, qui sera rejoint cette année par le Pontiac Torrent son frère jumeau, remplit bien son mandat. Dans les faits, l'Equinox est une version remodelée et allongée de la Saturn Vue. Dans les deux cas, on a voulu créer un véhicule polyvalent, capable d'accueillir ses passagers avec confort, tout en offrant un espace de chargement adapté.

Disons-le d'entrée de jeu, les deux silhouettes sont vraiment différentes l'une de l'autre. Alors que la Vue est d'inspiration européenne, la Chevy semble encore mieux réussie.

À l'avant, on a repris la populaire calandre du TrailBlazer légèrement modifiée, ce qui confère au petit utilitaire une apparence de solidité. La plus grande réussite, ce sont les lignes arrière : un hayon bien découpé, de forme agréable, encadré par des feux arrière de type européen, du même genre que ceux que les amateurs de tuning installent souvent.

Mais au-delà de la polyvalence, l'Equinox a pris avec brio la relève du Tracker, ce petit utilitaire construit par Suzuki et vendu par GM depuis des lustres, et qui avait largement fait son temps.

DE L'ESPACE À REVENDRE

Quand on regarde un Equinox, ce qui frappe d'abord, c'est le vaste espace intérieur, le plus grand de sa catégorie. Les passagers à l'avant et à l'arrière disposent ainsi d'un dégagement exemplaire, et l'espace de chargement est généreux et bien aménagé. Le compartiment possède même une petite tablette que l'on peut disposer en deux ou trois endroits de façon à remodeler l'espace. Et pour s'assurer que tout le monde profite au maximum de l'espace disponible, on a même installé une banquette coulissante en deuxième rangée.

Dans les faits, il s'agit d'une banquette ordinaire prête à accueillir deux passagers (trois si vous vivez bien un peu serré). Pour rendre le trajet plus confortable cependant, cette banquette s'avance ou se recule aisément, permettant de récupérer plus de 25 centimètres. Dans sa position la plus avancée, c'est l'espace de chargement à l'arrière qui en bénéficie. Les passagers seront toutefois un peu trop à l'étroit et les adultes auront véritablement les genoux coincés. Néanmoins, vers l'arrière, la banquette permet d'offrir un dégagement étonnant, digne des plus grands utilitaires de ce monde. On doit cet aménagement unique à la plate-forme allongée utilisée pour concevoir l'Equinox. À la base, le petit utilitaire partage la plate-forme Théta de la Saturn Vue mais on l'a étirée de quelque 15 centimètres pour la version Chevrolet. Le résultat permet un plus vaste espace intérieur, sans affecter pour autant la performance.

L'habitacle de l'Equinox est dans son ensemble assez accueillant. Le design est simple, relativement ergonomique et propose une gamme d'accessoires faciles à utiliser. Malheureusement, même si le look est

FEU VERT
- Vaste espace intérieur
- Aménagement polyvalent
- Moteur éprouvé
- Silhouette agréable

FEU ROUGE
- Suspensions molles
- Reprises laborieuses
- Matériaux peu gracieux
- Rayon de braquage trop grand

d'un bel effet, la finition générale laisse un peu à désirer. Le plastique du tableau de bord est la source de craquements peu gracieux.

Les sièges sont pour leur part assez confortables et s'ajustent facilement à toutes les tailles. GM aurait cependant avantage à les proposer dans un tissu de meilleure qualité, ce qui contribuerait certainement à rehausser l'image de l'ensemble.

UN FLEUVE TRANQUILLE

Que ceux qui souhaitent des performances enlevantes passent leur chemin! La mission de l'Equinox en est une de polyvalence et d'utilité, pas de sportivité. Ce qui est évident dès que l'on s'assied derrière le volant.

Le V6 de 185 chevaux se tire plutôt bien d'affaire en simple conduite urbaine, puisqu'il profite d'un couple élevé à bas régime. Mais il est trop poussif pour être remarquable en accélération marquée, et risque de vous faire un peu rager lorsque vous aurez besoin de reprises rapides. En revanche, ce moteur de 3,4 litres est d'une fiabilité éprouvée, et ne devrait pas vous occasionner de visites inutiles chez votre concessionnaire.

Notez que l'unique transmission offerte est une automatique à cinq rapports. On peut aussi équiper l'utilitaire d'une transmission intégrale de type à viscocoupleur ou aux roues avant seulement.

En matière de comportement routier, à l'exception d'un roulis qui était hors du commun sur le modèle essayé, l'Equinox est de taille avec ses rivaux. Un rayon de braquage un peu trop grand rend les manoeuvres urbaines un peu moins faciles, mais pour l'ensemble, la conduite est sans reproche. Et pour contrer cette difficulté, signalons que le conducteur jouit d'une visibilité exceptionnelle en raison de la grande surface vitrée, et de la position de conduite surélevée.

Ce n'est pas pour ses capacités hors route exceptionnelles, ou sa conduite ultraprécise que l'Equinox se distingue. En revanche, il est l'un des utilitaires de sa catégorie qui offre la plus grande polyvalence, et une mécanique sans risque. Avec ces qualités, l'Equinox plaira certainement à celui qui cherche un véhicule complet, et plutôt joli.

Marc Bouchard

Photos : GM Canada

CHEVROLET EQUINOX

OnStar® de GM Canada

DONNÉES TECHNIQUES

Modèle à l'essai :	LS
Prix du modèle à l'essai :	29170$
Échelle de prix :	25375$ à 30250$
Garanties :	3 ans/60000 km, 3 ans/60000 km
Catégorie :	utilitaire sport intermédiaire
Emp./Lon./Lar./Haut.(cm) :	286/480/181/170
Poids :	1713 kg
Coffre/Réservoir :	997 à 1943 litres / 63 litres
Coussins de sécurité :	frontaux et rideaux (opt)
Suspension avant :	indépendante, jambes de force
Suspension arrière :	indépendante, multibras
Freins av./arr. :	disque/tambour (ABS opt.)
Antipatinage/Contrôle de stabilité :	oui/non
Direction :	à crémaillère, assistée
Diamètre de braquage :	12,8 m
Pneus av./arr. :	P235/65R16
Capacité de remorquage :	1588 kg

GROUPE MOTOPROPULSEUR

Moteur :	V6 de 3,4 litres 12s atmosphérique
Alésage et course	92,0 mm x 84,0 mm
Puissance :	185 ch (138 kW) à 5200 tr/min
Couple :	210 lb-pi (285 Nm) à 3800 tr/min
Rapport Poids/Puissance :	9,26 kg/ch (12,41 kg/kW)
Moteur électrique :	aucun
Autre(s) moteur(s) :	seul moteur offert
Transmission :	intégrale, automatique 5 rapports
Autre(s) transmission(s) :	traction, automatique 5 rapports
Accélération 0-100 km/h :	9,8 s
Reprises 80-120 km/h :	7,9 s
Freinage 100-0 km/h :	41,2 m
Vitesse maximale :	185 km/h
Consommation (100 km) :	ordinaire, 11,2 litres
Autonomie (approximative) :	563 km
Émissions de CO2 :	5231 kg/an

DANS LA MÊME CATÉGORIE

Ford Escape - Jeep Liberty - Kia Sorento - Pontiac Torrent - Mazda Tribute - Mitsubishi Outlander

DU NOUVEAU EN 2006

Appuie-tête plus petits, panneaux de porte améliorés, nouvelle couleur, siège avant chauffant en option

HISTORIQUE DU MODÈLE

1ière génération

NOS IMPRESSIONS

Agrément de conduite :	3½
Fiabilité :	4
Sécurité :	3½
Qualités hivernales :	4½
Espace intérieur :	4
Confort :	3½

LE CHOIX DE L'ÉQUIPE

LS AWD

Photo : Denis Duquet

DESIGN CONTROVERSÉ, PROJET RÉUSSI

Le nouveau Chevrolet HHR est l'un des véhicules les plus controversés à apparaître sur le marché cette année. Sa silhouette nous fait immédiatement songer au PT Cruiser de Chrysler. Par contre, plusieurs soulignent que GM est une fois de plus à la traîne en arrivant sur le marché des modèles rétro avec plusieurs années de retard. Qui plus est, la silhouette est fort controversée. Les designers nous disent qu'ils se sont inspirés de la Chevrolet Suburban 1949 pour dessiner cette nouvelle venue. Mais en dépit de cette référence au passé, les discussions vont perdurer.

En effet, malgré cette inspiration patrimoniale, nombreuses sont les personnes qui lui trouvent des airs de corbillard. Pour d'autres, la voiture est cool, car elle ressemble beaucoup à un authentique hot rod ou tout au moins une voiture modifiée. Bref, il y aura toujours des pour et des contre. Il est toutefois important de ne pas nous limiter à juger le HHR - quel nom bizarre ! - par sa silhouette. En fait, il semble que GM se soit concentré à développer un bon véhicule et non pas de se fier au style pour intéresser les gens. Donc, si un véhicule multifonction comme le HHR vous intéresse, ne reléguez pas ce dernier aux oubliettes tout simplement parce que son allure n'est pas cool. Comme le dit la chanson de Willie Dixon, «il ne faut pas juger un livre par sa couverture». Et cet adage est plus que vrai avec cette Chevrolet pour le moins originale.

TOUJOURS LA SILHOUETTE !

Nous l'avons mentionné précédemment, la présentation extérieure de cette Chevy soulève bien des controverses. Mais, curieusement, si j'étais de ceux qui rejetaient du revers de la main cette esthétique, une étude plus attentive m'a convaincu que mon jugement initial était un peu exagéré. Il faut avant tout souligner que ce véhicule nous apparaît plus ou moins plaisant sur le plan esthétique en fonction de la couleur et du choix des roues. Chevrolet utilise beaucoup la couleur bleue dans ses dépliants. Mais le HHR est disponible dans des couleurs pâles qui sont plus flatteuses pour la silhouette. De plus, les poignées des portières en métal brossé, le marchepied qui est malheureusement une coûteuse option, les phares antibrouillard circulaires, les passages de roues en forme de demi-ailes, et on peut même inclure la grille de calandre, voilà autant d'éléments qui lui donnent de l'élégance. À cela, il faut ajouter les rétroviseurs extérieurs qui font techno avec leur couvercle en aluminium brossé, tout comme les poignées des portières et le porte-bagages également réalisé en métal. Alors, avec autant d'éléments positifs, comment se fait-il que la silhouette soit l'objet de tant de discussion ? Tout simplement parce que la fenestration ne semble pas proportionnée à l'ensemble du véhicule !

Photo : Denis Duquet

Les jugements sont plus unanimes à propos de l'habitacle. Il est vrai que les plastiques durs sont toujours en vedette sur le tableau de bord, mais il faut souligner le travail des concepteurs. Les cadrans indicateurs sont un heureux mélange de moderne et de rétro. L'indicateur de vitesse est un grand cadran cerclé de chrome sur lequel est greffé un petit tachymètre, lui aussi cerclé de chrome, comme dans les années cinquante. Par contre, le volant semble avoir été pigé dans la benne des pièces corporatives, tout comme les commandes de la climatisation et de la radio. Si je tique sur le volant, le reste est bien harmonisé. Il faut également souligner la présence d'un coffre de rangement sur la planche de bord. Celui-ci est suffisamment profond pour y remiser une foule d'objets, mais il faudra abandonner l'idée d'y laisser porte-monnaie, caméra numérique ou autre, car le soleil plombe et transformera ce coffre en four par temps caniculaire. Heureusement, pour les objets précieux, les ingénieurs ont placé deux coffrets de rangement intégrés au plancher de la soute à bagages. Il y fait moins chaud et les objets sont vraiment à l'abri des regards concupiscents.

Notre voiture d'essai était un modèle de préproduction et la finition était bonne. De plus, le pavillon de l'habitacle est réalisé d'un matériau de qualité dont la texture est sans reproche. Ce matériau a également des propriétés acoustiques qui améliorent la sonorité des chaînes audio offertes. Soulignons au passage qu'à ce chapitre, c'est réussi sur toute la ligne. En comparaison avec ce que nous propose le Honda Element, Chevrolet a le haut du pavé.

Terminons ce tour du propriétaire en soulignant que les sièges avant sont confortables, recouverts d'un tissu de qualité. Au fait, le dossier de siège avant droit se rabat vers la planche de bord afin de permettre le transport d'objets de 2,5 mètres de long. Les places arrière sont également acceptables pour deux adultes, et cela, sans problème. Enfin, une tablette de rangement amovible, inspirée de celle du Chevrolet Equinox, permet à l'occasion de ranger les bagages en deux étages.

Photo : Denis Duquet

MÉCANIQUE ÉPROUVÉE

Il n'y a pas si longtemps encore, annoncer que la mécanique était « éprouvée » signifiait que GM avait raclé ses fonds de tiroir pour y dénicher une plate-forme à rafistoler et un vieux groupe propulseur à retaper. Mais c'était l'ancienne mentalité. De nos jours, la direction se préoccupe davantage de nous offrir des véhicules fabriqués à partir de composantes modernes. Par exemple, la plate-forme du HHR est la plate-forme Delta qui est utilisée sur la Saturn Ion, Chevrolet Cobalt et Pontiac Pursuit. Celle-ci est aussi moderne sinon plus que ce que nous offrent plusieurs autres produits concurrents. Comme le PT Cruiser, sa suspension arrière est à poutre déformante; ce qui permet d'obtenir une soute à bagages dépourvue de tout pilier de suspension. De plus, cette plate-forme est rigide. Ce qui n'oblige pas à avoir recours à des réglages de suspension ultrafermes. Il faut toutefois déplorer le fait que les freins ABS ne soient offerts qu'en option et à prix élevé, soit 600$.

Photo : Denis Duquet

CHEVROLET HHR

Photo : Denis Duquet

Deux moteurs sont au catalogue. Le modèle de base est équipé de la version 2,2 litres du moteur Ecotec. Avec ses doubles arbres à cames en tête, son bloc et sa culasse en aluminium, ce moteur a fait ses preuves sur d'autres modèles. Parfois bruyant, il est tout de même un choix logique. Par contre, sur le modèle 2LT, il est possible d'obtenir une version 2,4 litres de l'Ecotec. Avec son calage de soupapes infiniment variable et sa cylindrée plus importante, ce moteur atmosphérique est une réplique fort acceptable aux versions turbo du quatre cylindres 2,4 litres du PT Cruiser et du moteur 1,8 litre à haut rendement de Toyota utilisé sur les Pontiac Vibe/Toyota Matrix qui est vraiment trop pointu. La version 2LT est dotée de la suspension FE3 comprenant des roues de 17 pouces et des amortisseurs monotubes.

Photo : Denis Duquet

Il faut déplorer le fait que le système antipatinage ne soit offert qu'avec la boîte automatique à quatre rapports. Et puisqu'on est dans le coin de la critique, la direction assistée à moteur électrique manque toujours de feedback et l'assistance est trop généreuse.

SURPRISE ! SURPRISE !

La silhouette du HHR est bizarroïde aux yeux de certains, et n'annonce pas de grandes performances routières de l'avis de plusieurs. Mais avant de parler davantage du comportement routier de cette polyvalente, il faut souligner que ce véhicule en est un de prix économique à la base et qu'il n'a jamais été conçu à l'origine comme un véhicule de sport. Trop souvent, ces véhicules sont jugés sévèrement lorsque les performances ne sont pas de nature à arracher le bitume.

Je dois avouer que cette Chevrolet ne m'inspirait pas tellement et que mes attentes étaient assez peu élevées quant à ses prestations routières. Par contre, j'ai été agréablement surpris par sa tenue de route. Comme mentionné précédemment, la direction est toujours trop assistée, mais ce n'est pas dramatique non plus. Par ailleurs, même s'il

FEU VERT

- Choix de moteurs
- Habitacle polyvalent
- Seuil de chargement bas
- Tenue de route équilibrée
- Prix compétitifs

FEU ROUGE

- Silhouette controversée
- Utilisation de plastiques durs
- ABS optionnel
- Visibilité arrière moyenne
- Moteur 2,2 litres

Photo: Chevrolet

est techniquement classé comme un camion, ce véhicule à tout faire est neutre dans les virages. Même si on le pousse beaucoup dans un virage à long rayon, il demeure neutre et poursuit sa trajectoire sans coup férir. Enfin, le train arrière n'est pas trop déstabilisé par les mauvais revêtements même si la suspension arrière est à poutre déformante.

Le moteur 2,4 litres couplé à la boîte automatique assure de bonnes accélérations et les reprises sont dans une moyenne satisfaisante. Et si vous aimez les véhicules qui ont un peu plus de dynamisme, la version 2LT avec moteur 2,4 litres de 172 chevaux et boîte manuelle à cinq rapports, roues de 17 pouces et suspension plus sportive offre un bon équilibre entre le confort, la tenue de route et des accélérations capables de boucler le 0-100 km/h en 9,8 secondes. Il ne faut toutefois pas parler de performances sportives. Mais c'est le moteur à choisir si on prévoit rouler avec quatre occupants et leurs bagages.

Cela ne signifie pas que le moteur 2,2 litres de 143 chevaux soit à délaisser. Celui-ci possède une bonne élasticité et n'oblige pas des changements de rapports constants. De plus, il est moins bruyant que le 2,4 litres et consomme un peu moins. Soulignons en terminant que les freins à disque/tambour sont progressifs et semblent résister à l'échauffement.

Le HHR est donc un véhicule équilibré et pratique en plus de proposer une finition améliorée. Il suffit de savoir si ce style insolite plaira à la majorité.

Denis Duquet

Photo: Denis Duquet

DONNÉES TECHNIQUES

Modèle à l'essai:	LT
Prix du modèle à l'essai:	25 995$
Échelle de prix:	18995$ à 27995$
Garanties:	3 ans/60000 km, 3 ans/60000 km
Catégorie:	multisegment
Emp./Lon./Lar./Haut.(cm):	263/447,5/176/166
Poids:	1 455 kg
Coffre/Réservoir:	1 787 litres / 49 litres
Coussins de sécurité:	frontaux et rideaux
Suspension avant:	indépendante, jambes de force
Suspension arrière:	demi-ind., poutre déformante
Freins av./arr.:	disque/tambour (ABS opt.)
Antipatinage/Contrôle de stabilité:	oui (boîte auto)/non
Direction:	à crémaillère, assistance variable électrique
Diamètre de braquage:	11,5 m
Pneus av./arr.:	P215/50R17
Capacité de remorquage:	454 kg

GROUPE MOTOPROPULSEUR

Moteur:	4L de 2,4 litres 16s atmosphérique
Alésage et course	88,0 mm x 98,0 mm
Puissance:	172 ch (128 kW) à 6200 tr/min
Couple:	162 lb-pi (220 Nm) à 5000 tr/min
Rapport Poids/Puissance:	8,46 kg/ch (11,37 kg/kW)
Moteur électrique:	aucun
Autre(s) moteur(s):	4L 2,2 l 143ch à 5600tr/mn et 150lb-pi à 4000tr/mn
Transmission:	traction, manuelle 5 rapports
Autre(s) transmission(s):	automatique 4 rapports
Accélération 0-100 km/h:	9,6 s
Reprises 80-120 km/h:	8,5 s
Freinage 100-0 km/h:	43,6 m
Vitesse maximale:	190 km/h
Consommation (100 km):	ordinaire, 10,5 litres
Autonomie (approximative):	467 km
Émissions de CO_2:	n.d.

DANS LA MÊME CATÉGORIE

Chrysler PTCruiser - Honda Element - Mazda 5 - Pontiac Vibe - Toyota Matrix

DU NOUVEAU EN 2006

Nouveau modèle

HISTORIQUE DU MODÈLE

1ière génération

NOS IMPRESSIONS

Agrément de conduite:	🚗🚗🚗½
Fiabilité:	nouveau modèle
Sécurité:	🚗🚗🚗🚗
Qualités hivernales:	🚗🚗🚗½
Espace intérieur:	🚗🚗🚗🚗
Confort:	🚗🚗🚗½

LE CHOIX DE L'ÉQUIPE

2 LT

QUAND PAUL ANKA CHANTE NIRVANA

Si le nom Impala résonne aux oreilles des directeurs de flottes commerciales comme une douce musique, il faut admettre que les particuliers sont un peu plus durs d'oreille... Certes, les yeux des amateurs d'animaux exotiques s'illuminent dès qu'on parle de l'impala, cette petite antilope africaine. Pour leur part, les amateurs de voitures anciennes se rappellent avec nostalgie les fabuleuses Impala SS des années '60. Puis, cette voiture a lentement sombré dans l'oubli. L'Impala contemporaine, comme un vieux chanteur de charme qui veut relancer sa carrière, a eu droit à un remodelage cette année.

Parmi les 1000 changements apportés à l'Impala, il faut mentionner que la plupart ont eu lieu au niveau de la carrosserie, de l'habitacle et, plus important, des moteurs. Le très vénérable et épuisé 3,4 litres n'est plus et les modèles LS et LT reçoivent un tout nouveau V6 de 3,5 litres qui développe un très respectable 211 chevaux. La livrée LTZ, plus sportive, reçoit un V6 de 3,9 litres de 242 chevaux. Vient enfin la démoniaque SS avec un V8 de 303 chevaux. Celui-ci a droit à la technologie DOD (Displacement On Demand), c'est-à-dire que seulement quatre cylindres fonctionnent lorsque l'effort demandé ne requiert pas les huit. Ce système, très transparent, permet une économie d'essence qui peut aller jusqu'à 8 %. Ce qui n'est pas rien par les temps qui courent! Une seule transmission a pour mission de transférer la puissance aux roues avant (car l'Impala demeure une traction). Il s'agit d'une automatique à quatre (seulement quatre!) rapports Hydra-Matic au fonctionnement sans reproches. Pour maîtriser ces hordes de chevaux, on a fait appel à des suspensions indépendantes aux quatre roues. Peu importe l'Impala, quatre freins à disque s'occupent des décélérations. L'ABS arrive d'office sur toutes les livrées, excepté sur la LS. Lorsqu'une Impala est mue par un 3,5 litres, ses pneus ont un diamètre de 16″. Ils passent à 17″ quand il s'agit d'un 3,9 litres et à 18″ pour la SS.

La carrosserie a subi passablement de changements même si l'Impala demeure tout ce qu'il y a de plus sage. Si on se retourne sur votre passage, c'est sans doute que votre Impala est blanche et que les gens l'ont confondu avec une autopatrouille! Mais c'est surtout à l'intérieur que les modifications sont les plus bénéfiques. Ce n'est pas le délire, loin de là, mais c'est moins terne qu'avant. Les principes de l'ergonomie sont respectés, les jauges se consultent aisément. Par contre, la qualité des plastiques est discutable. La position de conduite se trouve rapidement et la visibilité ne cause aucun problème, même en manœuvre de stationnement. Quant à la radio, sa sonorité surprend. Autre élément de surprise, l'espace habitable. Même à l'arrière, le dégagement pour les jambes est très correct sauf si les gens assis à l'avant ont eu la mauvaise idée de reculer leur siège au maximum. Le « flip & fold flat rear seat » est une intéressante option de 325 $ qui consiste à relever l'assise des places arrière pour mieux rabattre les dossiers et ainsi former un fond parfaitement plat, comme sur la plupart des VUS. Sinon, le dossier est fixe et seulement une trappe à skis permet d'agrandir le coffre.

PAUL ANKA

Sur la route, pas besoin de se taper l'aller-retour Montréal-Miami pour se rendre compte que la direction est toujours un peu déconnectée et

FEU VERT

Lignes moins banales
Transmission compétente
Sonorité du V8
Habitacle généreux
Suspensions confortables

FEU ROUGE

Moteur 3,5 litres peu performant
Direction déconnectée
Plastiques peu raffinés
Effet de couple (LTZ et surtout SS)
Freins « mous »

floue au centre. Deux coins de rue suffisent! Les suspensions font généralement foi d'un bon compromis entre tenue de route et confort, mais les Goodyear Integrity qui équipaient nos voitures d'essai se montraient trop bruyants même si leurs prestations en conduite réservée semblent correctes. L'Impala est une traction et ses réactions demeurent celles d'une traction, c'est-à-dire que l'avant a tendance à continuer tout droit si une courbe est prise avec trop peu de modération. Et ne comptez pas trop sur les freins pour vous tirer d'embarras puisque les distances d'arrêt sont toujours un tantinet trop longues. L'ABS n'est vraiment pas discret et le jeu de la pédale est trop long. De plus, l'avant a tendance à plonger lors d'un arrêt brusque.

NIRVANA

Si les versions de base LS et LT sont d'honnêtes voitures, les LTZ et SS appartiennent à une autre race. La LTZ, avec son moteur de 242 chevaux, vous assure des accélérations et dépassements plus qu'adéquats. Mais il faut bien tenir le volant puisque l'effet de couple est important. Les suspensions sont un peu plus dures que sur les LS et LT mais elles ne rendent pas la LTZ inconfortable.

Quant à la SS, il s'agit d'une bête à part. Une bête qu'il faut apprivoiser au risque de se retrouver dans le champ! Il ne faut jamais perdre de vue que 303 chevaux constituent une puissance énorme pour une traction. En accélération vive, il faut se cramponner au volant pour garder la cavalerie sur la route. De plus, les suspensions se révèlent beaucoup trop flasques pour la conduite sportive que prétend proposer la SS. Une bosse dans une bretelle d'autoroute m'a rapidement ramené à la réalité. Mais le son de baryton du V8 en pleine accélération vaut à lui seul les quelques milliers de dollars supplémentaires.

La nouvelle Impala fait preuve d'un raffinement encore rarement vu dans une berline intermédiaire américaine. Mais est-ce que cela sera suffisant pour amener les acheteurs de Toyota Camry à regarder une Impala? J'en doute. Mais depuis que le dernier CD de Paul Anka connaît un succès inespéré, je me dis que je vieillis et que l'Impala vaut sans aucun doute le détour!

Alain Morin

Photos: Alain Morin

CHEVROLET IMPALA

DONNÉES TECHNIQUES

Modèle à l'essai :	LS
Prix du modèle à l'essai :	24685$
Échelle de prix :	24685$ à 32855$
Garanties :	3 ans/60000 km, 3 ans/60000 km
Catégorie :	berline intermédiaire
Emp./Lon./Lar./Haut.(cm) :	281/509/185/149
Poids :	161 kg
Coffre/Réservoir :	527 litres / 662 litres
Coussins de sécurité :	frontaux, latéraux (av.), rideaux
Suspension avant :	indépendante, jambes de force
Suspension arrière :	indépendante, multibras
Freins av./arr. :	disque (ABS)
Antipatinage/Contrôle de stabilité :	opt./non
Direction :	à crémaillère, assistée
Diamètre de braquage :	12,2 m
Pneus av./arr. :	P225/60R16
Capacité de remorquage :	454 kg

GROUPE MOTOPROPULSEUR

Moteur :	V6 de 3.5 litres 12s atmosphérique
Alésage et course	99,0 mm x 76,0 mm
Puissance :	211 ch (157 kW) à 5900 tr/min
Couple :	214 lb-pi (290 Nm) à 4000 tr/min
Rapport Poids/Puissance :	0,76 kg/ch (1,03 kg/kW)
Moteur électrique :	aucun
Autre(s) moteur(s) :	V6 3,9 l 240ch à 6000tr/mn et 242lb-pi à 4400tr/mn (LTZ) V8 5,3 l 303ch à 5600tr/mn et 323lb-pi à 4400tr/mn (SS)
Transmission :	traction, automatique 4 rapports
Autre(s) transmission(s) :	aucune
Accélération 0-100 km/h :	12,3 s (estimé)
Reprises 80-120 km/h :	9,4 s (estimé)
Freinage 100-0 km/h :	43,0 m (estimé)
Vitesse maximale :	210 km/h
Consommation (100 km):	ordinaire, 11,3 litres
Autonomie (approximative):	586 km
Émissions de CO2 :	5330 kg/an

DANS LA MÊME CATÉGORIE

Chrysler 300C - Ford 500 - Honda Accord - Nissan Altima - Toyota Camry

DU NOUVEAU EN 2006

Nouveau modèle

HISTORIQUE DU MODÈLE

3ième génération

NOS IMPRESSIONS

Agrément de conduite :	🚗🚗🚗½
Fiabilité :	nouveau modèle
Sécurité :	🚗🚗🚗½
Qualités hivernales :	🚗🚗🚗½
Espace intérieur :	🚗🚗🚗🚗
Confort :	🚗🚗🚗🚗

LE CHOIX DE L'ÉQUIPE

LS

POURQUOI PAS CAUSAPSCAL?

Pour tout habitant d'un pays nordique comme le nôtre, les plages mythiques de la Côte ouest-américaine font rêver à coup sûr. Malibu, c'est le sable, le surf, les belles blondes en bikini, bref tout le tape-à-l'œil auquel Hollywood nous a habitués. Pourtant, malgré son appellation, cette Chevrolet se rapproche plus d'une ville régionale où les gens sont en contact avec la nature, ont des goûts simples et pratiques et ne sont pas snobs du tout. Bref, des gens ayant les pieds sur terre, des vrais de vrais!

J'ai choisi Causapscal parce que les résidants de cette région sont authentiques, mais toutes les régions du Québec auraient pu être choisies. Bon, assez digressé et revenons à notre Malibu. Il faut tout d'abord souligner sa silhouette très dépouillée qui est sage comme une image et dont les lignes seront encore de bon ton dans une décennie. Les seules exceptions à cette sobriété sont des phares cristallins surdimensionnés servant de limite à une grille de calandre traversant tout l'avant de la voiture. Et pour relever le tout, une barre transversale chromée où se loge en son centre l'écusson Chevrolet. La même approche a été choisie à l'arrière. En fait, il est difficile de trouver à redire sur le plan de l'équilibre, mais vous avouerez que ça manque un peu de vigueur, surtout aux yeux des personnes qui aiment les allures tape-à-l'œil. Il faut également ajouter que la Maxx est une version à hayon, mais dont la silhouette a été dessinée pour faire croire à une berline normale. Tout cela parce que les acheteurs d'à côté n'apprécient pas le genre, pourtant si pratique.

Les amateurs d'impacts visuels demeurent donc sur leur appétit et la situation n'ira pas en s'améliorant dans l'habitacle. Malgré quelques espaces un peu trop grands entre les pièces et des plastiques à la finition lugubre, l'habitacle est sobre, pratique et confortable. Malheureusement, la simplicité fonctionnelle du tableau de bord risque de décevoir. Pourtant, les stylistes ont joué avec ces surfaces dépouillées agrémentées par les fentes des buses d'air, tandis que la nacelle des instruments fait le pont entre la grille de ventilation de gauche et la console centrale. Et si vous ne vous retrouvez pas dans les commandes de la climatisation et du système audio, vous pouvez vous classer dans la catégorie des nuls tant c'est simple à opérer. Le volant à quatre branches est censé être sportif, mais le dépouillement de sa présentation nous fait plutôt songer aux véhicules à vocation commerciale.

Malgré tout, cette berline est confortable, d'une bonne habitabilité tout en se faisant de plus en plus apprécier au fil des jours et des semaines. Elle ne fait pas de chichi, et accomplit sa tâche sans coup férir. C'est sans doute la raison de sa popularité sans cesse croissante. Cette progression ressemble un peu à la vie de tous les jours alors que les enfants demandent au nouveau venu dans le quartier: «Té qui toé?» pour ensuite l'adopter d'emblée.

TOUJOURS LA MÊME PHILOSOPHIE!

Nous venons de faire état de la sobriété des lignes et de l'habitacle. Et bien cette philosophie a également prévalu lorsqu'est venu le temps de dessiner la plate-forme et de choisir la mécanique. Compte tenu de la politique de qualité améliorée amorcée chez GM, les ingénieurs se sont

FEU VERT

Plate-forme moderne
Bonne habitabilité
Mécanique éprouvée
Motorisation adéquate
Finition en progrès

FEU ROUGE

Silhouette anonyme
Pneumatiques bruyants
Direction trop assistée
Texture des plastiques
Tableau de bord ultrasobre

payé un châssis tout neuf, la plate-forme Epsilon, la même en fait que celle de la Saab 9,3. Il est difficile de faire mieux en la matière et celle de la Toyota Camry, par exemple, a l'air vétuste en comparaison. Elle a permis de développer des suspensions efficaces et confortables à la fois.

Pour la motorisation, les ingénieurs ont fait appel à des valeurs sûres. Le moteur de base est l'incontournable quatre cylindres Ecotec de 145 chevaux. Il est plus bruyant que la moyenne, mais ses doubles arbres à cames en tête et son bloc en alliage n'ont rien à envier aux compétiteurs. Comme le moteur V6 3,5 litres de 201 chevaux offert en option, il est couplé à une boîte automatique à quatre rapports. C'est quelque peu rétro face à la concurrence, mais cette transmission a prouvé son efficacité et sa fiabilité depuis belle lurette.

Le moteur V6 de 3,5 litres offre d'honnêtes performances et sa construction avec soupapes en tête signifie que les accélérations initiales sont vives pour s'atténuer par la suite. La version SS autant dans la familiale que dans la berline est équipée d'un nouveau moteur V6 3,9 litres de 240 chevaux.

SALUT MON MAXX!

Puisque la Malibu et la Maxx, sa version hatchback, ont un comportement routier et des performances similaires, nous allons les traiter conjointement. Mais pas avant d'avoir souligné le caractère un peu plus à part de la Maxx. Avec son empattement plus long de 15,2 cm, cette cinq portes est dotée d'une soute à bagages d'une plus grande capacité en raison de plus d'espace entre les essieux avant et arrière. Ces centimètres en plus permettent d'utiliser une banquette arrière 60/40 pouvant être avancée ou reculée sur une distance de 17,8 cm. Donc, si vous voulez prendre vos aises à l'arrière et si vous avez peu de bagages dans le coffre, vous reculez la banquette arrière au maximum pour bénéficier d'un dégagement pour les jambes de 104 cm. Même Shaquille O'Neal pourrait y trouver place! Enfin, elle ne peut être livrée qu'avec le moteur V6 en raison de sa plus grande capacité de chargement.

Proposant une tenue de route sans histoire, un bon confort et un habitacle plus pratique qu'esthétique, la Malibu et la Maxx sont des voitures qui se font apprécier dans la conduite de tous les jours. Si vous voulez mon avis, c'est souvent ce qui importe le plus pour bien des gens.

Denis Duquet

Photos: Chevrolet

DONNÉES TECHNIQUES

Modèle à l'essai:	LTZ Maxx
Prix du modèle à l'essai:	34495$
Échelle de prix:	21995$ à 36495$
Garanties:	3 ans/60000 km, 3 ans/60000 km
Catégorie:	berline intermédiaire/familiale
Emp./Lon./Lar./Haut.(cm):	285/477/177/147
Poids:	1577 kg
Coffre/Réservoir:	646 à 1161 litres / 61 litres
Coussins de sécurité:	frontaux et latéraux (av.)
Suspension avant:	indépendante, jambes de force
Suspension arrière:	indépendante, multibras
Freins av./arr.:	disque (ABS opt. avec 4 cyl.)
Antipatinage/Contrôle de stabilité:	oui/non
Direction:	à crémaillère, assistance variable électrique
Diamètre de braquage:	11,6 m
Pneus av./arr.:	P215/60R16
Capacité de remorquage:	454 kg

GROUPE MOTOPROPULSEUR

Moteur:	V6 de 3,5 litres 12s atmosphérique
Alésage et course	94,0 mm x 84,0 mm
Puissance:	201 ch (150 kW) à 5 400 tr/min
Couple:	221 lb-pi (300 Nm) à 3 200 tr/min
Rapport Poids/Puissance:	7,85 kg/ch (10,51 kg/kW)
Moteur électrique:	aucun
Autre(s) moteur(s):	4L 2,2 l 145ch à 5600tr/mn et 155lb-pi à 4000tr/mn (berline), V6 3,9 l 240ch à 6000tr/mn et 240lb-pi à 4600tr/mn
Transmission:	traction, automatique 4 rapports
Autre(s) transmission(s):	aucune
Accélération 0-100 km/h:	9,5 s
Reprises 80-120 km/h:	7,6 s
Freinage 100-0 km/h:	43,0 m
Vitesse maximale:	195 km/h
Consommation (100 km):	ordinaire, 11,4 litres
Autonomie (approximative):	535 km
Émissions de CO2:	4222 kg/an

DANS LA MÊME CATÉGORIE

Chevrolet Epica - Chrysler Sebring - Honda Accord - Hyundai Sonata - Kia Magentis - Mazda 6 - Nissan Altima - Suzuki Verona - Toyota Camry

DU NOUVEAU EN 2006

Versions SS, avant redessiné, nouveau volant, modèle LTZ, nouveau moteur V6 3,9 litres

HISTORIQUE DU MODÈLE

2ième génération

NOS IMPRESSIONS

Agrément de conduite:	🚗🚗🚗½
Fiabilité:	🚗🚗🚗½
Sécurité:	🚗🚗🚗🚗
Qualités hivernales:	🚗🚗🚗½
Espace intérieur:	🚗🚗🚗🚗½
Confort:	🚗🚗🚗½

LE CHOIX DE L'ÉQUIPE

LT Maxx

ILLUSION D'OPTIQUE

Les stylistes auront beau réviser la silhouette de ce gros coupé, leurs efforts seront toujours vains. En effet, ce ne sont pas les tôles extérieures qui déterminent le caractère d'une automobile, mais sa plate-forme et son comportement routier. Rarement modèle aura été aussi peu adapté au marché québécois, l'endroit en Amérique où les conducteurs préfèrent l'agilité et l'agrément de conduite à une silhouette tentant de s'associer aux bolides participant aux courses NASCAR de la coupe Nextel. Dans le sud des États-Unis, cette association est positive, mais pas au Québec.

La Monte Carlo a donc été dessinée dans le but de répondre aux exigences aérodynamiques des courses sur les pistes ovales de ce circuit fort prisé des Américains. Mais ici, c'est une tout autre affaire. Des milliers de Québécois suivent les péripéties de la coupe Nextel, mais cela ne les empêche pas de faire la différence entre la course et les voitures de route.

Et cette Chevrolet n'est rien d'autre qu'un gros coupé établi à partir d'une plate-forme de berline initialement conçue pour servir de voiture familiale et pas nécessairement pour nous permettre de faire la lutte aux Dodge Charger SRT et autres voitures de cet acabit. Malgré tout, GM tente chaque année d'améliorer la MC afin de la rendre plus intéressante.

Ce millésime ne fait pas exception puisque ce modèle connaît plusieurs modifications tant au chapitre de l'esthétique que de la mécanique. C'est ainsi que les carénages avant et arrière ont été redessinés. Les feux arrière sont également modifiés. Lorsque de tels changements sont apportés, il s'agit généralement d'un remplacement de couleurs des lentilles ou de l'intensité de l'éclairage. Mais c'est autre chose sur cette Chevrolet dont les feux arrière sont parmi les plus élaborés de toute voiture nord-américaine. Cette fois, c'est relativement important tout comme à l'avant alors que les phares sont dorénavant plus imposants et constitués de trois phares autonomes. Et pour accentuer le thème «char de course», toutes les versions sont dotées d'un aileron arrière. Par ailleurs, celui de la SS est plus massif.

Les autres modifications esthétiques continuent à donner à cette Chevrolet des airs de Batmobile du dimanche. Ce qui devrait plaire à nos voisins du Sud. Et ces transformations se sont poursuivies à l'intérieur alors que les cadrans indicateurs ont été modifiés. Pour citer le communiqué de presse de la compagnie, «un levier de vitesse ultrasport à garnitures chromées» fait son apparition cette année. On souligne aussi que: «les écarts serrés et les ajustements affleurants illustrent d'emblée la qualité et le souci du détail». Ernest Hemingway n'aurait pu faire mieux!

TROIS NOUVEAUX MOTEURS!

Général Motors n'a pas l'habitude de nous gâter au chapitre de la motorisation: les mêmes moteurs sont utilisés à toutes les sauces! Cette année pourtant, pas de V6 3,8 litres, mais deux nouveaux moteurs V6 et un V8, une première. Les modèles LS et LT sont équipés de série d'un moteur V6 de 3,5 litres produisant 211 chevaux. Mais nouveau ne signifie pas nécessairement ultramoderne puisqu'il s'agit

FEU VERT

- Nouveaux moteurs
- Plate-forme plus rigide
- Équipement complet
- Finition améliorée
- Habitacle révisé

FEU ROUGE

- Boîte automatique 4 rapports
- Silhouette «Batmanesque»
- Dimensions encombrantes
- Suspension ultraferme (SS)

toujours d'un moteur à soupapes en tête. Par contre, le calage des soupapes est variable en continu tout comme sur l'autre moteur V6 dont la cylindrée est de 3,9 litres et la puissance de 242 chevaux. Ce groupe propulseur équipe la LTZ.

Mais la SS se devait de proposer un moteur plus musclé. Ce qui explique la présence du moteur V8 de 5,3 litres d'une puissance de 303 chevaux. C'est certainement assez pour assurer à ce modèle des performances lui permettant de boucler le 0-100 km/h en 6,6 secondes. Par contre, il est cocasse de constater que ce moteur a débuté sous le capot des camionnettes de la marque et a été originalement conçu pour être monté longitudinalement. Mais puisque la Monte Carlo est une traction à moteur transversal, ce moteur a dû être modifié pour effectuer un virage à 180 degrés.

L'arrivée de cette cavalerie supplémentaire a obligé les ingénieurs à renforcer la plateforme en plus de concevoir un berceau de moteur en aluminium extrudé qui permet de filtrer les bruits et les vibrations tout en assurant des points d'ancrage rigides pour le moteur et les éléments de suspension. Selon le modèle choisi et la grandeur des pneus, trois suspensions sont au programme. La FE2 est celle de base et elle équipe le modèle LS avec roues de 16 pouces. Elle est la plus confortable de toutes. Lorsqu'elle est couplée à des roues de 17 pouces, elle devient la FE2 17. Les amortisseurs et les ressorts sont calibrés différemment. Enfin, la suspension FE4 de la SS est nettement plus ferme et associée à des pneus de 18 pouces.

Il est certain que toutes ces améliorations ont permis d'assurer une meilleure tenue de route et des performances plus relevées, mais c'est un peu trop peu trop tard. La suspension des modèles de base est trop souple compte tenu du gabarit de la voiture qui affiche toujours du roulis en virage. Et même si la voiture accroche en virage, la direction est trop engourdie pour garantir un pilotage de précision. C'est sans doute la seule similitude avec les bolides de NASCAR. Quant à la SS, sa suspension ultraferme ne fait pas bon ménage avec nos routes tiers-mondistes et un important effet de couple dans le volant nous oblige à se cramponner au volant en accélération.

Bien qu'améliorée, la Monte Carlo continuera d'être appréciée aux É.-U., mais sera toujours un oiseau rare dans la Belle Province.

Denis Duquet

Photos: Chevrolet

DONNÉES TECHNIQUES

Modèle à l'essai :	LT
Prix du modèle à l'essai :	32 995 $ (estimé)
Échelle de prix :	29 995 $ à 40 995 $ (estimé)
Garanties :	3 ans/60 000 km, 3 ans/60 000 km
Catégorie :	coupé
Emp./Lon./Lar./Haut.(cm) :	281/500/185/142
Poids :	1 540 kg
Coffre/Réservoir :	447 litres / 66 litres
Coussins de sécurité :	frontaux
Suspension avant :	indépendante, jambes de force
Suspension arrière :	indépendante, multibras
Freins av./arr. :	disque (ABS opt.)
Antipatinage/Contrôle de stabilité :	oui/non
Direction :	à crémaillère, assistée
Diamètre de braquage :	11,6 m
Pneus av./arr. :	P225/55R17
Capacité de remorquage :	454 kg

GROUPE MOTOPROPULSEUR

Moteur :	V6 de 3,5 litres 12s atmosphérique
Alésage et course	99,0 mm x 76,3 mm
Puissance :	211 ch (157 kW) à 5800 tr/min
Couple :	214 lb-pi (290 Nm) à 4000 tr/min
Rapport Poids/Puissance :	7,30 kg/ch (9,81 kg/kW)
Moteur électrique :	aucun
Autre(s) moteur(s) :	V6 3,9 l 242ch à 6000tr/mn et 242lb-pi à 4800tr/mn (LTZ), V8 5,3 l 303ch à 5600tr/mn et 323lb-pi à 4400tr/mn (SS)
Transmission :	traction, automatique 4 rapports
Autre(s) transmission(s) :	aucune
Accélération 0-100 km/h :	9,0 s
Reprises 80-120 km/h :	6,6 s
Freinage 100-0 km/h :	40,7 m
Vitesse maximale :	190 km/h
Consommation (100 km) :	ordinaire, 11,3 litres
Autonomie (approximative) :	584 km
Émissions de CO2 :	4417 (estimé)

DANS LA MÊME CATÉGORIE

Chrysler Sebring - Honda Accord Coupé - Toyota Camry Solara

DU NOUVEAU EN 2006

Moteur V6 3,5 l, moteur 3,9 l, moteur V8 5,3 l, avant redessiné

HISTORIQUE DU MODÈLE

5ième génération

NOS IMPRESSIONS

Agrément de conduite :	3
Fiabilité :	4
Sécurité :	4
Qualités hivernales :	3½
Espace intérieur :	3
Confort :	3

LE CHOIX DE L'ÉQUIPE

SS

VICTIME DE LA LOI DE LA JUNGLE

Le créneau des voitures compactes est plutôt occupé ces temps-ci. Les Mazda3, Ford Focus, Hyundai Elantra, Pontiac Vibe, Honda Civic, Kia Spectra et Toyota Corolla, pour ne nommer que celles-ci, se livrent une guerre sans merci et seules les plus fortes survivront. La Chevrolet Optra a choisi de tirer à bout portant sur rien de moins que la Mazda3 en proposant, comme cette dernière, une livrée berline, une autre hatchback et, enfin, une familiale. Même si elle paraît désavantagée dès le départ, l'Optra garde certaines cartes dans sa manche et sait les sortir le temps venu. Voyons ça de plus près!

Il faut tout d'abord rappeler que l'Optra, ainsi que les Chevrolet Aveo et Epica, provient des restes de la défunte Daewoo et est toujours fabriquée en Corée. Le nom Daewoo n'a pas nécessairement bonne presse au Québec (et nulle part dans le monde!), mais il ne faut pas croire que ce trio soit bâclé. Même que des trois voitures, l'Optra est sans doute celle qui mérite le plus notre attention, étant située entre les deux autres dans la gamme Chevrolet et étant aussi celle qui possède la personnalité la plus intéressante. Fait à noter, Suzuki fabrique sa propre version de l'Optra, la Forenza, disponible uniquement chez nos voisins au sud du 45e parallèle.

VARIATIONS SUR THÈME CONNU

Comme nous le disions, la gamme Optra se décline en trois versions, soit la berline, le hatchback appelé Optra5 et la familiale, judicieusement baptisée «wagon» par les anglophones et apparue quelques mois après les autres. Chacune de ces variations nous arrive en livrée de base ou LS et seuls certains accessoires viennent les démarquer. Par exemple, la version de base ne peut recevoir le télédéverrouillage ou la direction à assistance variable en fonction de la vitesse. Même chose pour le régulateur de vitesse et les rétroviseurs à commande électrique. Le climatiseur, standard dans la LS, est optionnel dans la livrée de base. Dans un exercice marketing courant (mais que je ne comprends toujours pas), les freins ABS sont optionnels, peu importe la livrée.

Un seul moteur a été retenu par Chevrolet pour l'Optra. Il s'agit d'un quatre cylindres de 2,0 litres de 119 chevaux et 126 livres-pied de couple. Ces données n'impressionnent guère et force est d'admettre que ce moteur peine un peu, surtout lorsqu'il est accouplé à la transmission automatique et que le duo doit déplacer les 1 315 kilos de la familiale. Les accélérations et reprises sont pénibles (0-100 en 12,6 secondes tandis qu'il faut calculer 10,1 secondes pour passer de 80 à 120 km/h), et la sonorité du moteur en plein travail nous fait quasiment regretter Daniel Hétu. À vitesse constante, par contre, il sait se taire.

La transmission automatique effectue son boulot consciencieusement mais semble bouffer plusieurs chevaux, alors que la boîte manuelle se manie aisément et se montre bien adaptée au moteur.

Le châssis se révèle fort rigide et Chevrolet (ou Daewoo?) lui a assigné des suspensions réglées pour le confort. Qui dit confort, dit souvent tenue de route précaire. Mais il ne faudrait pas croire que l'Optra ne tienne pas la route pour autant. Certes, si on pousse la machine on

FEU VERT
- Rapport qualité/prix intéressant
- Design sobre mais efficace
- Finition très correcte
- Familiale sérieuse
- Bonne ergonomie

FEU ROUGE
- Freins peu endurants
- Puissance déficiente
- Boîte automatique mal adaptée
- Coffre et capot un peu lourds
- Climatiseur plus ou moins efficace

découvrira un comportement sous-vireur (comme toutes les tractions), mais c'est davantage le manque de soutien latéral des sièges et la pauvreté des pneus d'origine qui sautent aux yeux! Les freins, sans ABS, risquent de donner des sueurs froides à quiconque descend le moindrement trop vite la côte de St-Joseph-de-la-Rive. Les freins ABS, eux, se veulent discrets mais les distances demeurent un peu longues.

LES GRANDS ESPACES

Il n'y a pas si longtemps, une alliance entre General Motors et un constructeur coréen aurait donné des résultats hyper poches en termes de finition, les deux parties ayant un taux de réussite assez faible en la matière. Ce n'est plus le cas puisque, malgré toute ma mauvaise volonté, je n'ai pu dénicher de défauts à la carrosserie de notre voiture d'essai. La finition intérieure péchait à un ou deux endroits, mais il faut vraiment être critique (critiqueux selon ma conjointe...) pour trouver des bibittes. Même au chapitre de l'ergonomie, rien à redire, sinon que la clenche qui actionne la trappe à essence est difficile à atteindre si la portière est fermée. Le siège du conducteur s'ajuste en hauteur, autorisant ainsi une bonne position de conduite. D'aucuns trouvent les sièges fermes mais il faut avouer qu'ils se montrent confortables, même sur de longues distances. Deux personnes devraient pouvoir voyager sur la banquette arrière sans trop de peine. L'espace pour les jambes est surprenant mais la troisième personne, mal assise, pourrait tomber en dépression profonde avant d'avoir eu le temps de remarquer ledit espace.

La plus grande différence entre les trois versions de l'Optra se situe à la poupe. La berline propose un coffre traditionnel assez logeable. L'Optra5 présente davantage d'espace mais c'est, naturellement, la familiale qui rafle les honneurs au chapitre de l'espace de chargement même s'il n'est pas très haut. Tous les modèles possèdent une banquette arrière dont les dossiers s'abaissent. De plus, sous le tapis et dans les parois on retrouve beaucoup d'espaces de rangement.

Même si elle n'est pas un parangon de sportivité ou de confort, il n'en demeure pas moins que l'Optra est une voiture très honnête. Son prix fort avantageux et sa qualité de fabrication amènent de plus en plus de consommateurs à la mettre sur leur liste d'épicerie. Et son look n'est pas vilain du tout!

Alain Morin

Photos : Alain Morin

DONNÉES TECHNIQUES

Modèle à l'essai :	LS familiale
Prix du modèle à l'essai :	15630$
Échelle de prix :	14630$ à 18045$
Garanties :	3 ans/60000 km, 3 ans/60000 km
Catégorie :	berline compacte/familiale/hatchback
Emp./Lon./Lar./Haut.(cm) :	260/456,5/172,5/144,5
Poids :	1295 kg
Coffre/Réservoir :	350 litres / 55 litres
Coussins de sécurité :	frontaux
Suspension avant :	indépendante, jambes de force
Suspension arrière :	indépendante, jambes de force
Freins av./arr. :	disque (ABS opt.)
Antipatinage/Contrôle de stabilité :	oui/non
Direction :	à crémaillère, assistée
Diamètre de braquage :	10,4 m
Pneus av./arr. :	P195/55R15
Capacité de remorquage :	non recommandé

GROUPE MOTOPROPULSEUR

Moteur :	4L de 2,0 litres 16s atmosphérique
Alésage et course	86,0 mm x 86,0 mm
Puissance :	119 ch (89 kW) à 5400 tr/min
Couple :	126 lb-pi (171 Nm) à 4000 tr/min
Rapport Poids/Puissance :	10,88 kg/ch (14,55 kg/kW)
Moteur électrique :	aucun
Autre(s) moteur(s) :	seul moteur offert
Transmission :	traction, automatique 4 rapports
Autre(s) transmission(s) :	manuelle 5 rapports
Accélération 0-100 km/h :	11,6 s
Reprises 80-120 km/h :	10,1 s
Freinage 100-0 km/h :	43,0 m
Vitesse maximale :	195 km/h
Consommation (100 km) :	ordinaire, 9,5 litres
Autonomie (approximative) :	579 km
Émissions de CO2 :	4463

DANS LA MÊME CATÉGORIE

Ford Focus - Hyundai Elantra - Mazda 3 / 3 Sport - Kia Spectra / Spectra5 - Toyota Matrix

DU NOUVEAU EN 2006

Régulateur de vitesse électronique, nouveau tissu pour sièges, système audio avec MP3, nouvelles roues

HISTORIQUE DU MODÈLE

1ère génération

NOS IMPRESSIONS

Agrément de conduite :	🚗🚗🚗🚗
Fiabilité :	🚗🚗🚗½
Sécurité :	🚗🚗🚗½
Qualités hivernales :	🚗🚗🚗½
Espace intérieur :	🚗🚗🚗🚗
Confort :	🚗🚗🚗🚗

LE CHOIX DE L'ÉQUIPE

LS familiale

HISTOIRE DE JOUETS

L'histoire débute au Salon de l'auto de Détroit en janvier 2000. À cette occasion, la haute direction de General Motors présentait une pléiade de véhicules concept comme à chaque année, et le SSR faisait alors partie de la gamme des véhicules dévoilés. La réaction face à ce pick-up haute-performance de la part du public a été très vive, et le SSR a obtenu ses 15 minutes de gloire lorsque Chevrolet décida d'en faire un véhicule de série. Voilà pour l'idée de base mais malheureusement pour le SSR, plusieurs éléments du véhicule concept n'ont pas fait la transition vers le modèle de série, notamment l'élément le plus important pour un hommage à un hot-rod, soit le moteur...

En effet, le véhicule concept SSR était animé par un V8 de 6,0 litres, alors que le modèle de série ne recevait qu'un V8 de 5,3 litres développant 300 chevaux, jumelé à une transmission automatique à quatre rapports. À cause du poids élevé du SSR, les performances n'étaient pas vraiment au rendez-vous et le succès commercial escompté ne s'est tout simplement pas matérialisé, puisque le SSR avait l'allure d'un véhicule de performance mais n'était pas en mesure de livrer la marchandise. Et pour ce qui est justement de transporter de la marchandise, il fallait carrément oublier ça en raison du faible volume de chargement de la boîte. Tous ces manquements ont été rapidement relevés par la presse spécialisée et ce qui devait arriver arriva, les ventes du SSR étant alors décevantes, et ce, même si sa vocation était celle d'un véhicule de niche à faible diffusion.

L'an dernier, la direction de Chevrolet apportait une correction de tir pour raviver l'engouement envers le SSR en le dotant finalement du moteur V8 de 6,0 litres dont la puissance est passée de 390 à 400 chevaux pour cette année. Il s'agit donc du même moteur que l'on retrouve sous le capot de la Corvette, qui est par ailleurs jumelé aux mêmes boîtes de vitesse que celles de la Corvette, soit la manuelle Tremec à six vitesses ou encore l'automatique qui ne compte toujours que quatre rapports. Avec ce changement de moteur et l'ajout de la boîte manuelle, les performances en accélération sont maintenant à la hauteur des attentes crées par le style hot-rod de la carrosserie, avec un temps de 5,29 secondes pour le sprint de 0 à 100 kilomètres/heure, ce qui corrige le point faible le plus évident du modèle précédent. Le SSR est donc désormais capable d'en découdre avec certaines sportives animées par des moteurs V6 en accélération franche, mais pas vraiment en tenue de route.

Pour ce qui est du comportement routier, il faut préciser que l'on a vraiment affaire à un camion. En effet, le centre de gravité est élevé ce qui lui confère un sérieux handicap en tenue de route, malgré la relative fermeté des suspensions. Tant et aussi longtemps que la route est belle et que l'on n'aborde pas les virages trop rapidement, tout va bien. Malheureusement, sur les routes dégradées et parfois presque «tiers-mondesques» du Québec, on ressent fortement les vibrations qui sont transmises jusqu'à l'habitacle, sans parler des craquements que l'on perçoit facilement surtout lorsque le toit est replié, le SSR faisant montre d'un certain manque de rigidité structurelle. Ma suggestion pour les ingénieurs de Chevrolet est la suivante: remplacer le toit rétractable par un toit fixe, ce qui aurait un effet direct sur le

FEU VERT
Design unique
Toit rétractable efficace
Moteur de 400 chevaux
Boîte manuelle à six vitesses

FEU ROUGE
Coût élevé
Faible volume de chargement
Bruits de vent
Craquements dans l'habitacle
Transmission automatique à 4 rapports

comportement routier du SSR en rigidifiant la structure, en allégeant le véhicule et en abaissant son centre de gravité. En plus d'avoir une conséquence sur le prix, un toit fixe étant nettement moins coûteux que le toit rétractable à commande électrique qui l'équipe présentement. Et puisqu'il est justement question du toit, précisons que le mécanisme d'ouverture et de fermeture fonctionne très bien, mais que les bruits de vent sont très présents lorsque le toit est en place, ce qui laisse entrevoir certains problèmes d'ajustement des pièces.

Conduire le SSR, c'est dire adieu à l'anonymat tellement ce véhicule attire les regards partout où l'on roule. Avec son look unique de style rétro et le choix de couleurs très vives de sa carrosserie, c'est véritablement comme conduire une auto miniature qui aurait consommé des stéroïdes. Le rétro est aussi à l'honneur pour ce qui est de l'habitacle, la couleur de la carrosserie étant reprise pour décorer certains éléments, alors qu'une bande d'aluminium brossé traverse la planche de bord d'un côté à l'autre. Toutefois, la disposition des principales commandes et indicateurs respecte les exigences de l'ergonomie et l'équipement de série du SSR est très complet.

En guise de conclusion, les changements apportés au SSR lui ont été salutaires, mais je suis d'avis que le succès de ce véhicule aurait été plus soutenu s'il avait bénéficié dès le départ des éléments que l'on a ajoutés par la suite. Aussi, lorsqu'on parle d'un véhicule de niche à l'allure rétro, il est important de comprendre que le phénomène d'engouement n'est souvent que passager, et il faut être en mesure de battre le fer pendant qu'il est chaud, ce que Chevrolet n'a pas réussi à faire. Le SSR est-il appelé à disparaître éventuellement comme la Prowler de Chrysler? L'histoire nous l'apprendra, mais je suis d'avis que les jours du SSR sont peut-être comptés en raison du fait que plusieurs voitures offrent des performances comparables à un coût inférieur. Au prix demandé pour le SSR, c'est payer cher pour s'assurer une certaine exclusivité.

Gabriel Gélinas

Photos: Bartrand Godin

DONNÉES TECHNIQUES

Modèle à l'essai:	version unique
Prix du modèle à l'essai:	49995$
Échelle de prix:	49995$
Garanties:	3 ans/60000 km, 3 ans/60000 km
Catégorie:	camionnette intermédiaire/roadster
Emp./Lon./Lar./Haut.(cm):	295/486/200/163
Poids:	2132 kg
Longueur de caisse/Réservoir:	n.d. / 94,6 litres
Coussins de sécurité:	frontaux et latéraux (av.)
Suspension avant:	indépendante, leviers triangulés
Suspension arrière:	essieu rigide, multibras
Freins av./arr.:	disque (ABS)
Antipatinage/Contrôle de stabilité:	oui/non
Direction:	à crémaillère, assistée
Diamètre de braquage:	11,6 m
Pneus av./arr.:	P255/45R19 / P295/40R20
Capacité de remorquage:	1134 kg

GROUPE MOTOPROPULSEUR

Moteur:	V8 de 6,0 litres 16s atmosphérique
Alésage et course	101,6 mm x 92,0 mm
Puissance:	400 ch (298 kW) à 6000 tr/min
Couple:	400 lb-pi (542 Nm) à 4000 tr/min
Rapport Poids/Puissance:	5,33 kg/ch (7,25 kg/kW)
Moteur électrique:	aucun
Autre(s) moteur(s):	seul moteur offert
Transmission:	propulsion, automatique 4 rapports
Autre(s) transmission(s):	manuelle 6 rapports
Accélération 0-100 km/h:	5,3 s
Reprises 80-120 km/h:	4,5 s
Freinage 100-0 km/h:	36,5 m
Vitesse maximale:	195 km/h
Consommation (100 km):	ordinaire, 16,6 litres
Autonomie (approximative):	570 km
Émissions de CO2:	6960 kg/an

DANS LA MÊME CATÉGORIE

Dodge Ram SRT-10 - Ford F-150 Lightning

DU NOUVEAU EN 2006

Puissance augmentée de 390 à 400 chevaux, transmission manuelle à six vitesses, nouvelles couleurs, réduction importante du prix

HISTORIQUE DU MODÈLE

1ière génération

NOS IMPRESSIONS

Agrément de conduite:	3 ½
Fiabilité:	3
Sécurité:	4
Qualités hivernales:	2
Espace intérieur:	2
Confort:	3

LE CHOIX DE L'ÉQUIPE

Version unique

TYRANOSAURUS REX

C'est quand on regarde les Chevrolet Tahoe, Suburban et Yukon qu'on peut se questionner philosophiquement... et physiquement sur la grandeur réelle de l'homme dans l'univers et sur les routes. Car avec de tels mastodontes, issus directement de la descendance des Tyranosaurus Rex et autres sauriens de l'ère préhistorique, la notion de philosophie n'est en fait que secondaire. C'est plutôt l'impression de gigantisme physique et de puissance énorme qui prend le dessus. Car la seule question philosophique que soulève ce genre de véhicule est : pourquoi ?

Pourquoi conserver encore et contre toute logique des véhicules dont les dimensions s'apparentent davantage au stade olympique qu'à votre véhicule de tous les jours ? Pour quelle raison continue-t-on, envers et contre tous les écologistes à produire des utilitaires si grands et si polluants qu'ils sont à eux seuls une menace au protocole de Kyoto ?

La réponse à toutes ces questions simples : parce qu'il y a une demande et des besoins. Et tant et aussi longtemps que les consommateurs voudront ce genre de véhicule, les manufacturiers en produiront. Ce n'est donc pas GM qu'il faut questionner sur ses intentions, mais plutôt les consommateurs qui doivent répondre à des questions. Ont-ils vraiment besoin de véhicules du genre ?

UN AIR DE MODERNISME

Ne jetons quand même pas tout le blâme sur ces énormes véhicules et leurs concepteurs. Chaque année, GM tente de moderniser la mécanique pour la rendre plus efficace, pour réduire les émissions polluantes, et pour faire de ces mastodontes des engins plus propres et plus propices à une utilisation politiquement correcte.

Prenons l'année 2006 (un choix fait tout à fait au hasard !). Les Yukon et les Tahoe ont subi quelques modifications internes, notamment en déplaçant le convertisseur catalytique. Cette seule opération a pour effet de diminuer de 8 % (selon certaines données américaines) les émissions polluantes des véhicules. Ce qui, admettons-le, n'est pas rien même si, il faut aussi l'avouer, on est encore loin des véhicules ULEV.

Signalons aussi que la mission même de ces véhicules est d'abord commerciale. On propose donc le Suburban, le Yukon et le Tahoe dans des formats de plus de 3/4 de tonne, destinés spécifiquement à des besoins de transport plus importants. En revanche, ils sont encore tous offerts en version d'une demi-tonne, ce qui correspond davantage à ce que vous rencontrez à l'occasion sur les routes, pilotés par des aventuriers ayant un grand besoin de puissance.

Car ce qui distingue ces véhicules de leurs collègues plus petits, ce n'est pas seulement la dimension. Il faut plutôt parler de puissance brute, une puissance transmise au Tahoe et au Yukon de base par un V8 de 4,8 litres dont la puissance atteint 285 chevaux et le couple 295 lb-pi (une version de 5,3 litres et de 295 chevaux est optionnelle sur toutes les versions, une nouveauté en 2006).

FEU VERT
- Gamme de modèles étendue
- Moteurs puissants
- Rayon de braquage
- Équipement de série abondant

FEU ROUGE
- Dimensions dinosauriennes
- Consommation excessive
- Design à revoir
- Options coûteuses

Ces deux moteurs sont mariés à une boîte automatique à quatre rapports d'une surprenante efficacité. Si le remorquage fait toutefois partie de vos priorités, envisagez l'option Remorquage qui ajoutera à votre ensemble un attelage à répartition de charge, un refroidisseur d'huile à transmission, un filtre à air de grande capacité, et un connecteur scellé pour le freinage de la remorque. Les versions plus grandes que sont le Suburban et le Yukon XL doivent compter sur le moteur de base V8 de 5,3 litres. Ils sont aussi offerts avec des monstres de puissance que sont le V8 de 6 litres de 335 chevaux et de 375 lb-pi de couple, ou le Hulk de la famille, un V8 de 8,1 litres et 320 chevaux dont le couple de 445 lb-pi s'avérera utile pour tirer une lourde charge jusqu'au sommet de l'Himalaya.

Pour s'y rendre, pas de problème, puisque tous les modèles sont livrables en version deux ou quatre roues motrices (Autotrac), et équipés de surcroît du système Stabilitrak développé depuis quelques années déjà par GM.

MONSTRE EN SMOKING

Ce n'est pas parce qu'on tire des tonnes de matériaux, ou que l'on est fort comme deux éléphants que l'on doit manquer de classe. La multitude de versions et d'équipement disponible fait plutôt foi du contraire. Ainsi, le Tahoe et le Yukon, qui sont les deux véhicules les plus accessibles de la gamme, sont livrables avec un intérieur aussi bien aménagé qu'une berline de luxe, espace et nombre de sièges en sus. On peut par exemple les doter d'un intérieur tout cuir, de sièges baquets en deuxième rangée, d'une banquette de cuir en troisième rangée. Et bien sûr, tout cela avec des sièges chauffants! Les options permettent aussi d'ajouter un système de divertissement incluant lecteur DVD (désormais presque indispensable quand on transporte des enfants à l'arrière), un radio avec lecteur de 6 CD, et même un système de navigation à écran tactile.

Sans compter bien entendu les réglages électriques des sièges du conducteur, un pédalier ajustable, le télédéverrouillage, et dorénavant de série, un système de monitoring de la pression des pneus offerts sur les gros Suburban.

Tant les petits de la famille que sont le Tahoe et le Yukon, ou les grands frères Suburban et Yukon XL, ils ont perdu un peu de maniabilité au fil des ans puisque GM a décidé d'abandonner le système à quatre roues directionnelles Quadrasteer. Malgré tout, le rayon de braquage est resté inférieur à 12 mètres, presque un miracle pour un véhicule de cette taille.

Marc Bouchard

Photos: Chevrolet

DONNÉES TECHNIQUES

OnStar® de GM Canada

Modèle à l'essai:	Tahoe LT 4X4
Prix du modèle à l'essai:	56735$
Échelle de prix:	44630$ à 69105$
Garanties:	3 ans/60000 km, 3 ans/60000 km
Catégorie:	utilitaire sport grand format
Emp./Lon./Lar./Haut.(cm):	295/505/200/195
Poids:	2363 kg
Coffre/Réservoir:	462 à 2962 litres / 98 litres
Coussins de sécurité:	frontaux et latéraux (av.)
Suspension avant:	indépendante, barres de torsion
Suspension arrière:	indépendante, multibras
Freins av./arr.:	disque (ABS)
Antipatinage/Contrôle de stabilité:	oui/opt.
Direction:	à billes, assistée
Diamètre de braquage:	11,7 m
Pneus av./arr.:	P265/70R16
Capacité de remorquage:	3900 kg

Pneus d'origine MICHELIN

GROUPE MOTOPROPULSEUR

Moteur:	V8 de 5,3 litres 16s atmosphérique
Alésage et course	96,0 mm x 92,0 mm
Puissance:	295 ch (220 kW) à 5200 tr/min
Couple:	335 lb-pi (454 Nm) à 4000 tr/min
Rapport Poids/Puissance:	8,01 kg/ch (10,74 kg/kW)
Moteur électrique:	aucun
Autre(s) moteur(s):	V8 4,8 l 285ch à 5200tr/mn et 295lb-pi à 4000tr/mn, V8 6,0 l 330ch à 5200tr/mn et 375lb-pi à 4000tr/mn
Transmission:	4RM, automatique 4 rapports
Autre(s) transmission(s):	propulsion, automatique 4 rapports
Accélération 0-100 km/h:	9,8 s
Reprises 80-120 km/h:	7,6 s
Freinage 100-0 km/h:	45,3 m
Vitesse maximale:	180 km/h
Consommation (100 km):	ordinaire, 15,1 litres
Autonomie (approximative):	649 km
Émissions de CO2:	6911 kg/an

DANS LA MÊME CATÉGORIE

Cadillac Escalade - Dodge Durango - Infiniti QX56 - Lexus LX 470 - Lincoln Navigator -

DU NOUVEAU EN 2006

Moteur V8 5,3l offert dans tous les groupes

HISTORIQUE DU MODÈLE

2ième génération

NOS IMPRESSIONS

Agrément de conduite:	🚗🚗🚗
Fiabilité:	🚗🚗🚗½
Sécurité:	🚗🚗🚗🚗
Qualités hivernales:	🚗🚗🚗🚗½
Espace intérieur:	🚗🚗🚗🚗½
Confort:	🚗🚗🚗🚗

LE CHOIX DE L'ÉQUIPE

Yukon SLT 4RM

À TOUTES LES SAUCES

Même si le prix de l'essence a sérieusement perturbé le créneau des VUS intermédiaires, ces véhicules jouissent quand même d'une popularité certaine en raison de leur capacité d'adaptation à pratiquement toutes les situations. Assez grands pour transporter cinq adultes et leurs bagages, suffisamment confortables pour de longs trajets et capables de se tirer d'affaires en conduite hors route, ce sont les véhicules à tout faire de l'industrie. Et GM s'accapare d'une bonne part de ce marché avec un trio partageant la même mécanique tout en proposant des comportements totalement différents.

Le Chevrolet Trailblazer est la version économique de cette troïka en raison de son équipement de base moins élaboré, de l'impossibilité de commander en option la suspension arrière pneumatique et quelques autres éléments du genre. Ce modèle est le choix des personnes qui veulent tracter une remorque, rouler hors route et ne pas avoir peur de souiller les tapis. Comme les deux autres, son moteur de base est un six cylindres en ligne de 4,2 litres d'une puissance de 291 chevaux, un gain de 16 chevaux par rapport à l'édition 2005. Et même si nous l'avons écrit et réécrit, certaines personnes s'entêtent à croire que ce «six en ligne» est identique aux moteurs de ce genre utilisés par GM par le passé. C'est absolument faux puisque ce moteur est tout ce qu'il y a de plus moderne avec son double arbre à cames en tête, ses arbres d'équilibrage et un système d'allumage par bobine sans fil.

Deux moteurs V8 sont au catalogue. Il y a tout d'abord l'incontournable moteur V8 5,3 litres à cylindrée variable qui est le choix le plus logique si vous possédez une remorque. Et la nouvelle version SS est propulsée par un V8 6,0 litres de 395 chevaux. Il s'agit en fait du même moteur que celui de la Corvette C6. Il est couplé à une nouvelle boîte automatique à quatre rapports spécialement conçue pour les moteurs à couple élevé. Soulignons que la suspension du modèle SS est modifiée et abaissée de 25,4 mm, et le rouage intégral offert en option est plus costaud.

Il faut de plus ajouter qu'à l'exception du SS, tous les modèles Trailblazer sont offerts avec empattement court ou allongé. Par contre, toutes les versions offrent la propulsion de série et l'intégrale en option.

POURTANT UNE BONNE IDÉE

Le GMC Envoy est en fait une version plus luxueuse du Trailblazer non seulement en raison de son habitacle plus cossu, mais également parce qu'il offre la possibilité de commander une suspension arrière à ressorts pneumatiques. Ce qui fait une énorme différence en fait de confort. Malheureusement, il n'est plus possible de se prévaloir en 2006 d'une exclusivité propre à l'Envoy, à savoir le modèle XUV dont la partie arrière se transformait pratiquement en camionnette au simple toucher d'un bouton. Jugé trop cher par les acheteurs, ce modèle a été abandonné. Et il faut bien avouer que cette option avait pour effet de donner une allure pour le moins bizarre à la partie arrière.

La version la plus luxueuse de la famille est le Denali, offert en empattement court ou allongé. Il est certain que ce modèle est le compromis

FEU VERT
Châssis moderne
Choix de moteurs
Comportement routier équilibré
Habitacle confortable
Finition en progrès

FEU ROUGE
Dimensions encombrantes
Consommation élevée
Certains plastiques à remplacer
Cadrans difficiles à lire (Rainier)

idéal entre le luxe et le caractère pratique d'un VUS. Le Denali n'offre pas un moteur aussi puissant que celui du Trailblazer SS, mais son comportement général, la présentation de son tableau de bord de même que le confort de la suspension sont autant d'arguments militant en sa faveur. Et s'il est vrai que la consommation de carburant est un pensez-y-bien, il faut souligner que le moteur V8 5,3 litres à cylindrée modulaire permet de réaliser des économies notables. Par contre, l'arrivée d'une boîte automatique à cinq rapports permettrait de réduire la consommation davantage. Même si la présente unité avec ses quatre vitesses est un exemple d'efficacité et de fiabilité, un rapport supplémentaire serait tout de même apprécié.

La version XL et sa troisième rangée de sièges sont à prendre en considération puisque l'espace pour les occupants est acceptable et il reste même encore un peu d'espace pour les bagages. Également proposé en version allongée, le Trailblazer offre les mêmes avantages.

LA DIFFÉRENCE

Avec la disparition de l'Oldsmobile Bravada, c'est la division Buick qui a hérité de ce VUS urbain. Comme sur la défunte Olds, seul le modèle à empattement court est produit et la suspension arrière pneumatique est de série. De plus, la transmission intégrale est la seule au programme tandis que les moteurs six cylindres de 4,2 litres et le V8 de 5,3 litres sont au catalogue. Il faut ajouter que la suspension est davantage réglée en fonction du confort et de la tenue de route que pour les routes forestières.

Si le caractère trop populiste de la Chevrolet ou la vocation uniquement camion de la marque GMC ne vous attirent pas, le prestige de rouler en Buick peut être un atout valable. Et si jamais vous êtes à court d'arguments, vous pouvez toujours prendre en considération que la nouvelle Saab 9,7X lui ressemble drôlement en fait de mécanique et de configuration générale. Et ajoutons que le système StabiliTrak de contrôle de stabilité latérale est offert de série par les trois marques.

Le Rainier, avec son châssis autonome moderne, un choix de moteurs intéressants et une conduite urbaine qui se rapproche de celle d'une automobile devrait permettre à la division Buick de se faire une place au soleil.

Denis Duquet

Photos: Denis Duquet

DONNÉES TECHNIQUES

Modèle à l'essai:	Chevrolet Trailblazer EXT LT
Prix du modèle à l'essai:	46595$
Échelle de prix:	31595$ à 43680$
Garanties:	3 ans/60000 km, 3 ans/60000 km
Catégorie:	utilitaire sport intermédiaire
Emp./Lon./Lar./Haut.(cm):	328/529/187/197
Poids:	2287 kg
Coffre/Réservoir:	1391 à 3082 litres / 95 litres
Coussins de sécurité:	frontaux et latéraux (av.)
Suspension avant:	indépendante, barres de torsion
Suspension arrière:	essieu rigide, ressorts elliptiques
Freins av./arr.:	disque (ABS)
Antipatinage/Contrôle de stabilité:	oui/non
Direction:	à crémaillère, assistance variable
Diamètre de braquage:	12,5 m
Pneus av./arr.:	P245/65R17
Capacité de remorquage:	2775 kg

GROUPE MOTOPROPULSEUR

Moteur:	V8 de 5,3 litres 16s atmosphérique
Alésage et course	96,0 mm x 92,0 mm
Puissance:	300 ch (224 kW) à 5200 tr/min
Couple:	330 lb-pi (447 Nm) à 4000 tr/min
Rapport Poids/Puissance:	7,62 kg/ch (10,21 kg/kW)
Moteur électrique:	aucun
Autre(s) moteur(s):	6L 4,2 l 291ch à 6000tr/mn et 277lb-pi à 4800tr/mn, V8 6,0 l 395ch à 6000tr/mn et 400lb-pi à 4000tr/mn
Transmission:	4RM, automatique 4 rapports
Autre(s) transmission(s):	propulsion, automatique 4 rapports
Accélération 0-100 km/h:	9,1 s
Reprises 80-120 km/h:	7,9 s
Freinage 100-0 km/h:	45,0 m
Vitesse maximale:	190 km/h
Consommation (100 km):	ordinaire, 15,8 litres
Autonomie (approximative):	601 km
Émissions de CO_2:	6862 kg/an

DANS LA MÊME CATÉGORIE

Dodge Durango - Ford Explorer - Jeep Grand Cherokee - Mercedes-Benz ML350 - Nissan Pathfinder - Toyota 4Runner

DU NOUVEAU EN 2006

Modèle SS avec moteur 6,0 litres, système Stabilitrak de série, freins améliorés, nouvelles couleurs

HISTORIQUE DU MODÈLE

1ière génération

NOS IMPRESSIONS

Agrément de conduite:	3½
Fiabilité:	4
Sécurité:	4
Qualités hivernales:	4
Espace intérieur:	5
Confort:	3½

LE CHOIX DE L'ÉQUIPE

Envoy SLT 4RM

POLYVALENCE RENOUVELÉE

On a beau dire que le marché des fourgonnettes est stagnant depuis quelques années, notamment en raison du désintérêt grandissant des petites familles pour ce type de véhicule, GM n'en continue pas moins à offrir la plus imposante gamme de modèles de son histoire. Et pour être certain de ne laisser passer aucun client, on propose tellement de versions que tout le monde y trouve son compte. Bienvenue au buffet de la fourgonnette!

Disons-le d'entrée de jeu, les fourgonnettes n'attirent plus les mêmes clients qu'auparavant. Aujourd'hui, plutôt portés vers l'aventure, les petits noyaux familiaux ont tendance à se retourner vers les utilitaires sport de tout acabit dont la polyvalence n'est plus à prouver.

C'est donc dans ce contexte de concurrence renouvelée que GM a décidé d'offrir des fourgonnettes adaptives, aux vagues allures de VUS. On espère ainsi rattraper tout le monde. Et pour faire bonne mesure, toutes les bannières ont désormais leur fourgonnette.

DANS LA BONNE MOYENNE

Pour Buick, la branche noble de la famille, on propose le Terraza, un véhicule mieux fini et aménagé avec classe. Chez Saturn, qui compte sur la première fourgonnette de son histoire avec la Relay, on mise définitivement sur la famille moyenne. Ces deux véhicules font d'ailleurs l'objet d'une analyse séparée.

En revanche, les Chevrolet Uplander et Montana SV6 sont ceux sur qui GM mise le plus pour atteindre la popularité. Destinés à un plus large public, les deux véhicules sont assurément outillés pour attirer.

UN PEU JUSTE

Il faut l'admettre, en fait de silhouette, le résultat est tout à fait charmant. Les quelques centimètres redonnés en longueur et la modification au capot avant confèrent vraiment un look différent. De plus, parce que ces modifications ont été faites, on gagne un peu en espace intérieur, ce qui n'est pas un aspect négligeable pour une fourgonnette.

En matière de mécanique cependant, rien de bien nouveau sous le soleil. C'est vrai, on a refait le moteur des anciennes versions pour en créer un nouveau, passant à 3,5 litres et à 201 chevaux. Mais on ne parle pas de véritable révolution mécanique.

Avec son couple de 216 livres-pied de couple accessible au raisonnable régime de 4000 tours/minute, le moteur dispose de suffisamment de puissance pour être souple en accélération comme à vitesse de croisière. Mais il se montre un peu juste, et un peu bruyant, quand on le pousse à ses limites. Et surtout, il est bien en deçà de ce que l'on retrouve sous le capot de ses principaux compétiteurs.

La direction et la maniabilité du véhicule sont cependant étonnantes pour un modèle de cette taille. On le doit notamment à une suspension

FEU VERT

Look d'utilitaire
Plus d'espace intérieur
Maniabilité étonnante
Banquettes confortables

FEU ROUGE

Ergonomie ordinaire
Matériaux économiques
Moteur juste
Système de rail complexe

ni trop molle ni trop dure, et à une direction juste assez communicative pour ne pas être ennuyeuse.

Mentionnons que le Uplander et le Montana sont disponibles avec une traction ou une transmission intégrale Versatrak.

AMÉNAGÉE POUR LA FAMILLE

Même si on a joué avec le look, on a voulu au moins préserver l'espace et la polyvalence d'une fourgonnette traditionnelle. C'est vrai que les trois rangées de sièges sont bien conçues, confortables et offrent un soutien relativement raisonnable, ce qui laisse croire que les petits seront à l'aise même lors de longues randonnées.

Grande nouveauté, GM a installé au plafond de ces fourgonnettes un système de rails capable d'accueillir de petits coffrets de rangement. Mais si vous optez pour le système multimédia, incluant lecteur DVD, désormais accessible dans toutes les versions, vous perdrez l'espace de deux de ces coffrets.

L'espace de chargement à l'arrière de la troisième banquette n'est pas non plus un modèle du genre, du moins en matière de quantité et d'accessibilité. On a bien installé sous le plancher des coffrets de plastique capables de recevoir quelques babioles ainsi qu'un compresseur à air pour souffler les ballons. Malheureusement, pour y avoir accès, vous devrez abaisser les sièges de la troisième rangée puisque la portière qui la referme se retrouve coincée quand les sièges sont en position normale!

Mais tout n'est pas que noir dans ces fourgonnettes! Le tableau de bord entièrement redessiné est particulièrement réussi. Les accessoires sont ingénieusement situés, faciles d'utilisation et toutes les versions profitent d'une finition de haut calibre.

Les Uplander et Montana ne marquent certainement pas une révolution. Mais pour celui qui a besoin d'espace et de polyvalence, elles sont un choix logique.

Marc Bouchard

Photos: Pontiac

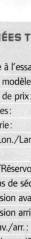

DONNÉES TECHNIQUES

Modèle à l'essai:	LS
Prix du modèle à l'essai:	33455$
Échelle de prix:	23240$ à 35315$
Garanties:	3 ans/60000 km, 3 ans/60000 km
Catégorie:	fourgonnette
Emp./Lon./Lar./Haut.(cm):	307/519/183/183
Poids:	1897 kg
Coffre/Réservoir:	762 à 3865 litres / 94,6 litres
Coussins de sécurité:	frontaux et latéraux (av./arr.)
Suspension avant:	indépendante, jambes de force
Suspension arrière:	demi-ind., poutre déformante
Freins av./arr.:	disque (ABS)
Antipatinage/Contrôle de stabilité:	opt./opt.
Direction:	à crémaillère, assistance variable
Diamètre de braquage:	12,3 m
Pneus av./arr.:	P225/60R17
Capacité de remorquage:	1588 kg

GROUPE MOTOPROPULSEUR

Moteur:	V6 de 3,5 litres 12s atmosphérique
Alésage et course	94,0 mm x 84,0 mm
Puissance:	201 ch (150 kW) à 5600 tr/min
Couple:	216 lb-pi (293 Nm) à 4000 tr/min
Rapport Poids/Puissance:	9,44 kg/ch (12,65 kg/kW)
Moteur électrique:	aucun
Autre(s) moteur(s):	V6 3,9 l 235ch à 5800tr/mn et 239lb-pi à 4400tr/mn
Transmission:	traction, automatique 4 rapports
Autre(s) transmission(s):	intégrale, automatique 4 rapports
Accélération 0-100 km/h:	11,0 s
Reprises 80-120 km/h:	10,0 s
Freinage 100-0 km/h:	41,0 m
Vitesse maximale:	195 km/h
Consommation (100 km):	ordinaire, 12,0 litres
Autonomie (approximative):	788 km
Émissions de CO2:	5423 kg/an

DANS LA MÊME CATÉGORIE

Dodge Caravan - Ford Freestar - Honda Odyssey - Kia Sedona - Nissan Quest - Toyota Sienna

DU NOUVEAU EN 2006

Nouveau moteur 3,9 litres, sacs gonflables latéraux optionnels, nouvelles couleurs

HISTORIQUE DU MODÈLE

1ière génération

NOS IMPRESSIONS

Agrément de conduite:	🚗🚗🚗½
Fiabilité:	🚗🚗🚗½
Sécurité:	🚗🚗🚗🚗
Qualités hivernales:	🚗🚗🚗🚗
Espace intérieur:	🚗🚗🚗🚗
Confort:	🚗🚗🚗🚗

LE CHOIX DE L'ÉQUIPE

Uplander LS 4X2

COMME U2 !

U2, un des groupes rock les plus populaires de tous les temps, fait rarement des erreurs. Au contraire, chaque album semble plus achevé que le précédent, et les ventes de disques et de billets de spectacles ne sont pas près de diminuer. Chrysler fait un peu la même chose avec sa 300. Déjà que la version de base était bien nantie, il fallait en rajouter. La 300C Hemi est apparue, faisant revivre un moteur adulé par le passé, même s'il n'a plus rien en commun avec son prédécesseur. Puis, le printemps dernier, Chrysler nous présentait la démentielle 300C SRT8.

La 300, peu importe la version, ne laisse personne indifférent. On aime ou on abhorre les lignes massives, la calandre digne d'un Freightliner et la ceinture de caisse très élevée (là où se terminent les portes et où commencent les glaces). Mais si le pari de Chrysler était de faire de la 300 une voiture ayant une forte présence sur la route, c'est réussi ! Le responsable de ces lignes est le Montréalais Ralph Gilles qui doit voir venir la renégociation de son contrat avec un beau sourire…

La 300 2006 se décline en cinq niveaux de présentation. Les modèles à moteur V6 sont offerts en livrées 300, Touring et Limited, tandis que la 300C propose un moteur Hemi de 5,7 litres et que la SRT8 fait appel à un Hemi de 6,1 litres. Au risque de passer pour un «casseux de party», il faut avouer que le moteur V6 de 3,5 litres fait amplement l'affaire la plupart du temps avec ses 250 chevaux et 250 livres-pied de couple. Puisqu'il s'agit du moteur le plus placide de la gamme, il est normal que les suspensions soient un peu moins fermes que celles de la 300C, par exemple. Le 0-100 km/h ne prend pas plus de 9 secondes, ce qui demeure très acceptable. La conduite est dynamique et la voiture se révèle bien équilibrée. Il est possible d'opter pour la transmission intégrale qui assure une bien meilleure traction sur la neige – à condition de posséder quatre bons pneus à neige, comme sur toute voiture d'ailleurs – tout en consommant environ un litre d'essence supplémentaire tous les 100 kilomètres. En plein hiver, par temps très froid et malgré de nombreux tests d'accélération et de reprises, j'ai maintenu une moyenne de 14,3 litres/100. Dans des conditions normales, la consommation peut facilement descendre jusqu'à 11,5 ou 12 litres aux cent.

Nonobstant les 250 chevaux du V6, c'est surtout la 300C avec son V8 5,7 litres Hemi de 340 chevaux qui plaît aux consommateurs. Bien entendu, les accélérations et les reprises ne sont rien de moins qu'impressionnantes, que la voiture soit mue par deux ou quatre roues. Avec toute cette cavalerie sous le capot, l'antipatinage s'avère une bénédiction. Il se montre quelquefois trop intrusif et vient alors freiner le plaisir. On peut certes le désactiver mais si la chaussée est glissante, il faut apprendre à bien doser l'accélérateur. Dès lors, on peut se payer de folles cabrioles ! Puisqu'il s'agit d'une voiture plus sportive que la 300, le feedback du volant est meilleur (quoique pas encore parfait) et les suspensions sont réglées un peu plus fermement. Les freins ABS (de série sur tous les modèles) assurent des décélérations adéquates et en ligne droite.

Si les 340 chevaux du 5,7 litres ne sont pas suffisants, il y a toujours la possibilité de choisir la SRT8, offerte en mode propulsion uniquement.

FEU VERT

Style très distinctif
Habitacle silencieux
Moteurs en forme
Finition surprenante
Traction intégrale transparente

FEU ROUGE

Consommation à pleurer (moteurs Hemi)
Gabarit imposant
Antipatinage intrusif
Fiabilité un peu juste
Peu de dégagement pour la tête

Son 6,1 litres cravache ses 425 chevaux (tiens, autant que le 426 Hemi de la belle époque des muscle cars…) avec une ferveur rarement égalée. La carrosserie reçoit bien quelques modifications ici et là, mais jamais on ne penserait avoir affaire à un tel monstre de puissance. Quoi qu'il en soit, les performances, tout comme la consommation, sont dantesques, les freins ne peuvent résister longtemps à une conduite agressive et aucune transmission manuelle n'est disponible. Et les pneus de 20″ coûteront une fortune à remplacer…

Peu importe la version retenue, la tenue de route se montre toujours très correcte grâce à des suspensions indépendantes bien calibrées accrochées à un châssis très rigide provenant de la Classe E de Mercedes-Benz, tandis que le confort ne peut être pris en défaut. L'habitacle, tout comme la carrosserie, se démarque passablement. Le tableau de bord se révèle massif, mais Gilles a su lui insuffler juste ce qu'il fallait de classe pour faire croire qu'il s'agit d'une voiture plus dispendieuse qu'elle ne l'est en réalité. Il resterait seulement quelques détails à revoir comme le volant qui se prend difficilement en position «deux heures moins dix» ou le levier qui actionne les essuie-glace, trop court. Une excellente note par contre au système audio dont la sonorité impressionne. L'habitacle, toujours silencieux, est vaste comme le Grand Nord, sauf en hauteur, et les sièges proposent un confort enviable malgré leur manque de support latéral. Les gens assis à l'arrière sont encore mieux servis avec de l'espace à revendre, même si la Ford 500 est gagnante à ce chapitre. Le dossier de ces sièges se rabat pour ajouter au volume déjà remarquable du coffre.

Même à un prix de base de 29 995 $ (les manufacturiers aiment bien dire qu'ils sont sous la barre des 30 000 $!), la 300 offre un équipement complet et s'aligne sur des voitures valant facilement 10 000 $ de plus. À moins de privilégier la puissance au détriment de la consommation, le moteur V6 se montre fort acceptable tandis que la traction intégrale fonctionne avec une belle transparence. Souhaitons seulement que la fiabilité continue de faire partie de l'équipement de base…

Alain Morin

Photos : Denis Duquet

DONNÉES TECHNIQUES

Modèle à l'essai :	300C
Prix du modèle à l'essai :	42 995 $
Échelle de prix :	29 995 $ à 50 550 $
Garanties :	3 ans/60 000 km, 7 ans/115 000 km
Catégorie :	berline grand format
Emp./Lon./Lar./Haut.(cm) :	305/500/188/148
Poids :	1 836 kg
Coffre/Réservoir :	311 litres / 72 litres
Coussins de sécurité :	frontaux, latéraux (av.), rideaux
Suspension avant :	indépendante, bras inégaux
Suspension arrière :	indépendante, multibras
Freins av./arr. :	disque (ABS)
Antipatinage/Contrôle de stabilité :	oui/oui
Direction :	à crémaillère, assistée
Diamètre de braquage :	11,9 m
Pneus av./arr. :	P225/60R18
Capacité de remorquage :	910 kg

GROUPE MOTOPROPULSEUR

Moteur :	V8 de 5,7 litres 16s atmosphérique
Alésage et course	99,5 mm x 90,9 mm
Puissance :	340 ch (254 kW) à 5 000 tr/min
Couple :	390 lb-pi (529 Nm) à 4 000 tr/min
Rapport Poids/Puissance :	5,40 kg/ch (7,23 kg/kW)
Moteur électrique :	aucun
Autre(s) moteur(s) :	V6 3,5 l 250ch à 6400tr/mn et 250lb-pi à 3800tr/mn, V8 6,1 l 425ch à 6000tr/mn et 420lb-pi à 4800tr/mn (SRT8)
Transmission :	propulsion, automatique 5 rapports
Autre(s) transmission(s) :	automatique 4 rapports / intégrale, automatique 5 rapports
Accélération 0-100 km/h :	7,0 s
Reprises 80-120 km/h :	6,1 s
Freinage 100-0 km/h :	42,8 m
Vitesse maximale :	250 km/h
Consommation (100 km) :	ordinaire, 15,1 litres
Autonomie (approximative) :	477 km
Émissions de CO2 :	4943

DANS LA MÊME CATÉGORIE

Cadillac CTS - Chevrolet Impala - Ford 500 - Mercury Grand Marquis - Pontiac Bonneville - Toyota Avalon

DU NOUVEAU EN 2006

Modèle SRT8

HISTORIQUE DU MODÈLE

1ière génération

NOS IMPRESSIONS

Agrément de conduite :	🚗🚗🚗🚗½
Fiabilité :	🚗🚗🚗½
Sécurité :	🚗🚗🚗🚗½
Qualités hivernales :	🚗🚗🚗½
Espace intérieur :	🚗🚗🚗🚗½
Confort :	🚗🚗🚗🚗½

LE CHOIX DE L'ÉQUIPE

300C AWD

CHARMANTE ET SÉDUISANTE !

La première fois que j'ai fait l'essai de la Chrysler Crossfire, j'avais eu, je l'avoue, un coup de foudre mineur. C'est vrai que la silhouette du coupé sport est exceptionnelle, et la conduite à la hauteur, mais il manquait un petit quelque chose de séduisant. Du moins le croyais-je puisque je n'avais eu la chance de conduire la nouvelle petite sportive que quelques heures durant. Avec le recul, et après un essai beaucoup plus approfondi, le changement est radical. Je suis en train de devenir un véritable adepte de ce petit bijou de Chrysler même si, objectivité oblige, elle a bien quelques défauts.

En matière de look, je maintiens ma position initiale. Que ce soit en version coupé ou en version cabriolet, la Crossfire est presque une œuvre d'art. Ses lignes exceptionnelles, la minutie que l'on a mise aux moindres détails en font une voiture qui attire les regards admiratifs à coup sûr.

À l'avant, le capot allongé est strié de lignes insérées directement dans le métal, ce qui confère au bolide un petit air félin. À l'arrière, les courbes rebondies et les feux surélevés donnent le petit côté affriolant recherché. Pour compléter le tout, un aileron s'élève doucement de l'arrière dès que l'on atteint 80 kilomètres à l'heure, ou simplement en poussant un bouton sur le tableau de bord. Le résultat aérodynamique est intéressant, mais il est encore plus réussi en matière d'esthétique.

PARENTÉ GERMANIQUE

Quand on se hisse dans l'habitacle, on a l'impression de s'enfoncer dans un autre monde. En fait, dès qu'on s'y assoit, on ressent bien toute la parenté existant entre Chrysler et Mercedes, et on se rend compte que la petite voiture assemblée chez Karmann a de très forts liens avec sa germanique cousine.

Il faut admettre que là aussi le design est une réussite. La ligne centrale du capot se poursuit jusque dans l'habitacle et s'inscrit dans le métal du tableau de bord, et même dans le pommeau du levier de vitesse.

Les commandes sont faciles à lire, simples à atteindre et pas trop compliquées non plus à utiliser. Les sièges sont confortables et s'ajustent aisément du bout des doigts. En revanche, les gens de grande taille éprouveront un peu de difficulté à glisser leurs longues jambes sous le tableau de bord où l'espace est un peu réduit. Et comble de malheur, le volant n'est lui-même pas inclinable, ce qui n'aide en rien à la cause.

Sur la route par contre, la Crossfire ne cède rien à ses rivales de luxe.

MOTEURS À GOGO

Sous le capot, un moteur V6 de 215 chevaux vrombit un joli ronron quand on le sollicite. Mais à moins d'insister avec une certaine force (on affirme que le cabriolet réalise le 0-100 km/h en moins de 7 secondes), il donnera parfois l'impression de s'essouffler légèrement à bas régime. On peut cependant contrer un peu cet essoufflement en utilisant la transmission manuelle à 6 vitesses qui répond tout de même avec précision et rapidité.

FEU VERT
Silhouette exceptionnelle
Direction précise
Finition de luxe
Comportement routier haut de gamme

FEU ROUGE
Visibilité arrière faible
Peu d'espace pour les jambes
Loquet de toit mal adapté
Moteur de base un peu juste
Régulateur de vitesse mal placé

Fait à signaler, pour ceux que la puissance intéresse, la Crossfire est aussi en version haute performance SR-T 6, une véritable bombe de 330 chevaux.

Une fois le régime idéal atteint, la Crossfire actuelle offre des reprises qui sont plus qu'énergiques, et qui nous font regretter les départs un peu moins canon.

Parce qu'elle est génétiquement liée à la Mercedes, la Crossfire possède un impressionnant arsenal de système de sécurité, allant des coussins gonflables en tous genres aux systèmes électroniques du type contrôle de traction. On peut heureusement le désactiver, histoire de tirer le maximum d'un châssis d'une rigidité remarquable (même sur le cabriolet d'ailleurs), et d'une suspension d'une efficacité digne de mention. Le résultat : une voiture qui répond au doigt et à l'œil, et qui montre des qualités indéniables de sportive.

Même la direction, inspirée de la Mercedes SLK de première génération permet de compter sur une trajectoire d'une précision chirurgicale. Ajoutez à cela des pneus de bonne qualité (de 18 pouces à l'avant et de 19 à l'arrière), et vous aurez entre les mains un petit joujou qui ne cherche qu'à mordre au bitume, peu importe les circonstances.

La Crossfire est tellement bien réussie, qu'il n'est même pas nécessaire d'être un pilote exceptionnel pour la diriger de main de maître. L'équilibre parfait entre la puissance et le confort (sans oublier le look) rend la conduite d'une facilité déconcertante.

Et pour couronner le tout, souvenons-nous que la décapotable est équipée d'un système assez peu rapide (une vingtaine de secondes environ ce qui est très long quand la pluie se met de la partie). De plus, il faut tourner un loquet et pousser le toit vers le haut avant d'être activé par un bouton à l'intérieur. Mais le loquet, un peu mal conçu et mal situé, demande une certaine habitude avant de pouvoir l'apprivoiser. Ce toit limite aussi la visibilité trois-quarts arrière (comme dans presque tous les cabriolets) lorsqu'il est descendu.

Mais le jeu en vaut bien la chandelle, ne serait-ce que pour pouvoir rouler cheveux au vent ! Quant à la puissance ou à la rapidité du modèle, soyons francs, qui s'en soucie ?

Marc Bouchard

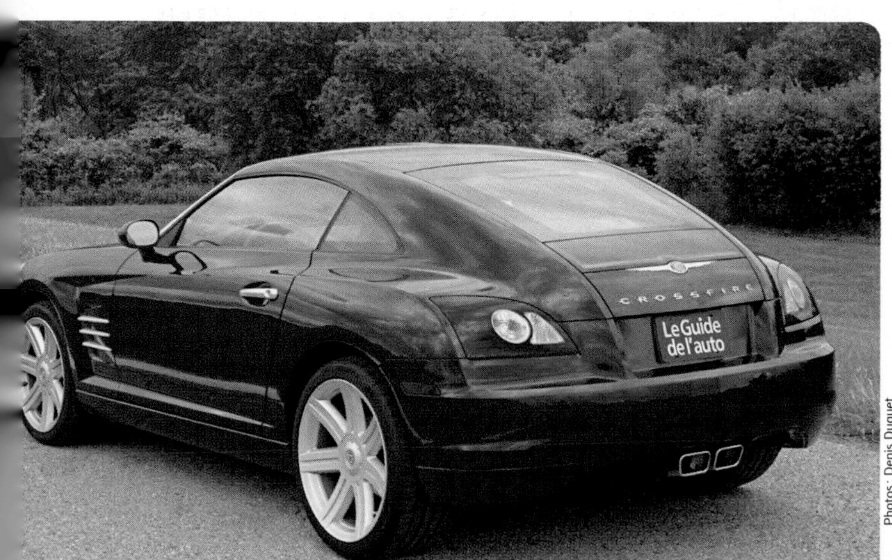

Photos : Denis Duquet

CHRYSLER CROSSFIRE

DONNÉES TECHNIQUES

Modèle à l'essai :	cabriolet Limited
Prix du modèle à l'essai :	51 695 $
Échelle de prix :	40 095 $ à 66 425 $
Garanties :	3 ans/60 000 km, 7 ans/115 000 km
Catégorie :	coupé/roadster
Emp./Lon./Lar./Haut.(cm) :	240/406/177/131,5
Poids :	1 424 kg
Coffre/Réservoir :	110 à 190 litres / 60 litres
Coussins de sécurité :	frontaux et latéraux (av.)
Suspension avant :	indépendante, bras inégaux
Suspension arrière :	indépendante, multibras
Freins av./arr. :	disque (ABS)
Antipatinage/Contrôle de stabilité :	oui/oui
Direction :	à billes, assistée
Diamètre de braquage :	10,3 m
Pneus av./arr. :	P225/40ZR18 / P255/35ZR19
Capacité de remorquage :	non recommandé

Pneus d'origine MICHELIN

GROUPE MOTOPROPULSEUR

Moteur :	V6 de 3,2 litres 18s atmosphérique
Alésage et course	89,9 mm x 84,0 mm
Puissance :	215 ch (160 kW) à 5700 tr/min
Couple :	229 lb-pi (311 Nm) de 3,000 à 6000 tr/min
Rapport Poids/Puissance :	6,62 kg/ch (8,90 kg/kW)
Moteur électrique :	aucun
Autre(s) moteur(s) :	V6 3,2 l 330ch à 6100tr/mn et 310lb-pi à 3500tr/mn (SRT-6)
Transmission :	propulsion, manuelle 6 rapports
Autre(s) transmission(s) :	automatique 5 rapports
Accélération 0-100 km/h :	8,2 s
Reprises 80-120 km/h :	7,0 s
Freinage 100-0 km/h :	42,0 m
Vitesse maximale :	230 km/h
Consommation (100 km) :	super, 11,0 litres
Autonomie (approximative) :	545 km
Émissions de CO2 :	5569 kg/an

DANS LA MÊME CATÉGORIE

Audi TT coupé - BMW 330Ci - Infiniti G35 Coupé - Mazda RX-8

DU NOUVEAU EN 2006

Nouveau groupe d'option

HISTORIQUE DU MODÈLE

1ière génération

NOS IMPRESSIONS

Agrément de conduite :	4
Fiabilité :	4
Sécurité :	3½
Qualités hivernales :	2
Espace intérieur :	2
Confort :	3½

LE CHOIX DE L'ÉQUIPE

Cabriolet Limited

LA FAMILIALE QUI CACHE SON JEU

Lorsque DaimlerChrysler a procédé au lancement de la Pacifica pour l'année modèle 2004, la haute direction de la marque faisait grand cas du fait que ce nouveau véhicule se démarquait complètement du lot puisqu'il était à ce point novateur qu'il ne pouvait être classé dans aucune catégorie existante. Ce n'était pas une minifourgonnette, ni un véhicule sport utilitaire ou encore une familiale, mais plutôt une fusion entre ces trois genres; le sport tourer. Depuis ce temps, cette nouvelle désignation a également été utilisée pour deux véhicules récents en provenance de Mercedes-Benz, soit les nouvelles Classe R et B.

Dans l'appellation sports tourer, il y a le mot sport, mais cette notion est totalement absente dans le cas de la Pacifica, puisqu'elle est irréconciliable avec ce véhicule qui pèse plus de deux mille kilos, qui est animé par un moteur qui ne compte que 250 chevaux et dont la seule transmission disponible est une automatique désuète qui ne comprend que quatre rapports. Avec une ou deux personnes à bord, les performances en accélération sont acceptables, mais avec un plein contingent de passagers et de bagages, la Pacifica s'avère sous-motorisée et l'on trouve le temps long lorsqu'il est nécessaire d'accélérer rapidement pour s'engager dans le flot de la circulation en gagnant une autoroute. Le moteur a toutefois le mérite d'être relativement silencieux, sauf aux occasions où le conducteur doit lui demander un effort maximum comme dans le cas précité. Il faut également préciser que le choix de la traction intégrale augmente le poids du véhicule ce qui affecte inversement ses performances, mais cette option permet de rouler avec l'esprit tranquille pendant l'hiver québécois. Quant à la consommation de carburant, elle s'avère élevée, avec une moyenne de 13,5 litres aux 100 kilomètres, en raison du poids élevé du véhicule.

Pour ce qui est du comportement routier, la Pacifica se montre compétente, sûre et prévisible, principalement en raison du fait que ses suspensions sont bien adaptées à un véhicule de ce gabarit et de ce poids, ce qui fait que confort et silence de roulement sont au rendez-vous. La suspension arrière multibras est dérivée de celle qui équipait la génération précédente de la Mercedes-Benz de Classe E, et c'est là l'un des éléments qui assurent le bon comportement routier du véhicule. En fait, les seules occasions où le confort fait défaut se présentent lorsque l'on traverse des joints de dilatation ou que l'on roule sur des surfaces dégradées, alors que la suspension avant contrôle moins bien les imperfections de la chaussée et transmet plus de vibrations au travers du volant. Par ailleurs, la direction est très précise et cela ajoute au bon comportement routier de la Pacifica qui s'avère assez maniable pour un véhicule de cette taille et de ce poids.

Un examen attentif des dimensions de la Pacifica nous permet de constater qu'elle se situe exactement entre les versions courtes et allongées des minifourgonnettes de la marque pour ce qui est de sa longueur, alors que sa largeur est comparable à celle des Honda Pilot et Acura MDX. Le fait que la Pacifica soit moins haute qu'une minifourgonnette ou que la plupart des véhicules sport utilitaires signifie que l'accès à bord s'en trouve facilité, du moins pour les deux premières rangées de sièges, l'accès à la troisième rangée étant plus

FEU VERT

Confort et silence de roulement
Style novateur
Bon comportement routier
Direction précise

FEU ROUGE

Véhicule sous-motorisé
Poids élevé
Transmission automatique à quatre rapports seulement
Consommation élevée
Prix corsés

laborieux puisqu'elle nécessite le déplacement d'un des sièges de la deuxième rangée et que la Pacifica est dotée de portières traditionnelles plutôt que coulissantes. Quant à l'espace accordé aux passagers, précisons que la troisième rangée ne conviendra qu'à des enfants. Les adultes s'y sentiront à l'étroit étant donné que le dégagement est limité non seulement pour les jambes mais également pour la tête en raison de la ligne de toit du véhicule. Les sièges de la deuxième rangée sont toutefois très confortables et offrent un dégagement convenable pour des adultes.

L'habitacle fait montre d'une belle qualité de finition et le design de la planche de bord ne prête pas flanc à la critique, les principales commandes et indicateurs étant bien agencés, exception faite de l'écran témoin du système de navigation qui n'occupe pas une place dans la console centrale, comme c'est le cas sur à peu près pour tous les autres véhicules, mais qui est plutôt localisé au centre de l'indicateur de vitesse. Cet écran est donc plus petit et difficile à lire, en plus d'empêcher le passager de programmer le système de navigation.

Pour l'année modèle 2006, les changements apportés sont peu nombreux. Du nombre, on notera l'abandon du moteur V6 de 3,8 litres et 210 chevaux qui animait la version de base appelée Highline 5 passagers qui a été ajoutée au catalogue l'an dernier, tous les modèles faisant maintenant appel au V6 de 3,5 litres. De plus, les rétroviseurs latéraux ont été agrandis et la surface des glaces latérales avant a été légèrement augmentée. Aux États-Unis, le succès escompté ne s'est pas vraiment matérialisé, les ventes de la Pacifica étant affectées par celles des minifourgonnettes de la marque qui lui imposent une concurrence indirecte à l'interne, mais l'affluence engendrée chez les concessionnaires Chrysler par des voitures populaires comme la 300 ne semble avoir aucune incidence sur les ventes de la Pacifica. Tant et aussi longtemps qu'on la considère comme une minifourgonnette qui n'en a pas l'allure, on ne sera pas déçu, mais si on prend les concepteurs à la lettre avec leur appellation de sports tourer, on risque fort de l'être. À vous donc de décider dans quel camp vous vous situez.

Gabriel Gélinas

Photos: Denis Duquet

DONNÉES TECHNIQUES

Modèle à l'essai:	Limited
Prix du modèle à l'essai:	48760$
Échelle de prix:	36175$ à 48670$
Garanties:	3 ans/60000 km, 5 ans/100000 km
Catégorie:	multisegment
Emp./Lon./Lar./Haut.(cm):	295/505/201/169
Poids:	2104 kg
Coffre/Réservoir:	369 à 2250 litres / 87 litres
Coussins de sécurité:	frontaux, latéraux (av.), rideaux
Suspension avant:	indépendante, jambes de force
Suspension arrière:	indépendante, multibras
Freins av./arr.:	disque (ABS)
Antipatinage/Contrôle de stabilité:	oui/opt.
Direction:	à crémaillère, assistée
Diamètre de braquage:	12,1 m
Pneus av./arr.:	P235/65R17
Capacité de remorquage:	1588 kg

Pneus d'origine MICHELIN

GROUPE MOTOPROPULSEUR

Moteur:	V6 de 3,5 litres 24s atmosphérique
Alésage et course	96,0 mm x 81,0 mm
Puissance:	250 ch (186 kW) à 6400 tr/min
Couple:	250 lb-pi (339 Nm) à 3950 tr/min
Rapport Poids/Puissance:	8,42 kg/ch (11,43 kg/kW)
Moteur électrique:	aucun
Autre(s) moteur(s):	seul moteur offert
Transmission:	traction, automatique 4 rapports
Autre(s) transmission(s):	intégrale, automatique 4 rapports
Accélération 0-100 km/h:	11,0 s
Reprises 80-120 km/h:	8,5 s
Freinage 100-0 km/h:	42,0 m
Vitesse maximale:	180 km/h
Consommation (100 km):	ordinaire, 13,5 litres
Autonomie (approximative):	644 km
Émissions de CO_2:	5760 kg/an

DANS LA MÊME CATÉGORIE

Buick RendezVous - Dodge Caravan - Honda Pilot - Lexus RX 330 - Nissan Murano - Toyota Highlander

DU NOUVEAU EN 2006

Abandon du moteur V6 de 3,8 litres, rétroviseurs latéraux plus grands

HISTORIQUE DU MODÈLE

1ère génération

NOS IMPRESSIONS

Agrément de conduite:	2 ½
Fiabilité:	3
Sécurité:	4
Qualités hivernales:	4
Espace intérieur:	3 ½
Confort:	4

LE CHOIX DE L'ÉQUIPE

Touring AWD

PLUS VIVANT QUE JAMAIS

On a cru durant quelques mois que la vague du rétro connaîtrait une tendance à la baisse, et que les automobilistes opteraient plutôt pour un design plus moderne, plus rationnel. Même les dirigeants de Chrysler y ont songé puisqu'ils ont offert leur PT Cruiser, le véritable emblème de l'automobile rétro, à des prix de liquidation. Bref, on pensait bien qu'il était temps de tourner la page et de s'orienter plutôt vers l'art contemporain comme la Chrysler 300 a su le faire.

Mais voilà que Chrysler a plutôt décidé de continuer à miser sur sa petite voiture aux airs d'antan, en lui apportant de multiples changements esthétiques et mécaniques en 2006.

UN REGAIN D'ÉNERGIE

Dans les faits, les retouches sur le PT Cruiser peuvent sembler bien infimes. La plus intéressante est certainement la hausse de puissance que l'on attribue au moteur turbo High Output qui anime la version GT. Avec les changements, on aura désormais droit à quelque 230 chevaux et à 245 livres-pied de couple, une augmentation appréciable sur l'an passé. Évidemment, pour cela, il faut opter pour la version la plus puissante de la gamme, qui reçoit en prime une transmission manuelle à cinq rapports réalisée par Gertrag, et une suspension que l'on dit plus sportive. La bonne nouvelle c'est que cette mécanique est toujours proposée en version quatre portes ainsi que sur le modèle cabriolet.

L'augmentation de puissance est en soi une nouvelle intéressante, mais malheureusement, on aurait dû faire subir le même sort aux moteurs qui sont logés sous le capot des autres déclinaisons du PT. Les versions de base et Touring, qu'elles soient berline ou cabriolet, reçoivent pour leur part un petit moteur de 2,4 litres qui ne produit que 150 chevaux et 165 livres-pied de couple. Inutile de dire qu'à cette puissance, et devant le poids relativement imposant du véhicule, la randonnée n'a rien d'une promenade sportive. Les accélérations sont loin d'être foudroyantes, et les reprises sont bien pires. On sent rapidement la machine s'essoufler dès que l'on pousse un peu, et même les départs en zone urbaine se font avec une lenteur un peu trop cérémonielle. Bref, le choix du style ne justifie pas le choix d'un aussi petit moteur. À moins évidemment d'opter pour le mode cabriolet. Les lents départs permettent alors aux spectateurs de vous observer plus longtemps à chacun de vos arrêts ! On offre toujours la version de 180 chevaux, mais uniquement en option avec certains groupes d'équipement.

Le moteur n'étant pas tout, il faut de toute manière avouer que ce hot-rod version moderne a de belles capacités sur la route. Assez agile, malgré une direction pas aussi précise qu'on le souhaiterait et un rayon de braquage grand comme un stationnement de centre d'achats, le PT se faufile quand même avec aisance dans la circulation. Merci à son châssis assez rigide (en version berline du moins), et à ses dimensions relativement compactes.

Notons que la suspension, de la version Touring a parfois tendance à tressauter lorsqu'elle est trop sollicitée, que ce soit dans une courbe

FEU VERT

- Silhouette sans égale
- Cabriolet de style
- Espace de chargement gigantesque
- Moteur turbo mieux adapté

FEU ROUGE

- Moteur de base souffreteux
- Finition parfois négligée
- Freins à tambour (Touring)
- Transmission automatique sans entrain

serrée ou plus prosaïquement sur une chaussée moins lisse. Regret énorme, à moins d'opter pour le groupe GT, il vous faudra vous contenter de freins à tambour à l'arrière, même si vous conduisez une voiture munie du moteur optionnel de 180 chevaux. Il y a de ces raisonnements qui sont parfois incompréhensibles chez les Américains… Malgré tout, ils font le travail, mais allongent considérablement la distance de freinage en comparaison des modèles équipés uniquement de freins à disque.

LE STYLE À GOGO

On a beau trouver lui toutes les qualités ou tous les défauts du monde, c'est d'abord le style qui définit le PT Cruiser. On maintient donc cette silhouette tout à fait distinctive en 2006, lui ajoutant quelques éléments de décoration plus modernes. On a refait l'avant et l'arrière, modifié les phares et la grille, et installé un nouveau logo Chrysler au centre de la calandre.

L'habitacle a aussi été remodelé, et propose de nouveaux tissus, et une finition différente. Le tableau de bord est maintenant d'une teinte argentée satinée, et on a un peu refait l'ensemble des composantes pour aérer le tout. Grande nouveauté aussi, une console entre les sièges avant sert d'appuie-bras et d'espace de rangement, et vient remplacer le petit appuie-bras intégré et peu solide des anciennes générations. Et bonne nouvelle pour les mélomanes, en plus de pouvoir opter pour une nouvelle chaîne stéréo Boston Accoustics Premium, il sera possible d'écouter vos fichiers MP3 puisque toutes les versions du système audio sont à présent capables de les lire.

Pour le reste, le PT conserve son style. Les sièges continuent d'offrir un support plutôt léger, dans une position de conduite faiblement surélevée; l'espace de chargement est toujours aussi impressionnant, et la banquette arrière, divisible sans difficulté, contribue aux vastes possibilités de transport du PT Cruiser. Fait à noter, même la version cabriolet, vendue depuis l'an dernier en version Touring et GT, dispose d'un espace de chargement intérieur supérieur à la moyenne de sa catégorie. Ce qui est presque un exploit dans ce segment.

Pour acheter un PT Cruiser, il faut d'abord aimer le style. Le plaisir de conduite et les performances ne deviennent alors qu'accessoires. Mais heureusement cette année, surtout avec la version GT, on réussit à avoir les deux!

Bertrand Godin

Photos: Denis Duquet

CHRYSLER PT CRUISER

DONNÉES TECHNIQUES

Modèle à l'essai:	GT
Prix du modèle à l'essai:	32290$ - 2005
Échelle de prix:	21170$ à 32290$ - 2005
Garanties:	3 ans/60000 km, 7 ans/115000 km
Catégorie:	coupé/cabriolet
Emp./Lon./Lar./Haut.(cm):	262/429/170,5/160
Poids:	1395 kg
Coffre/Réservoir:	612 à 1776 litres / 57 litres
Coussins de sécurité:	frontaux et latéraux (av.)
Suspension avant:	indépendante, jambes de force
Suspension arrière:	demi-ind., poutre déformante
Freins av./arr.:	disque/tambour (ABS)
Antipatinage/Contrôle de stabilité:	oui/non
Direction:	à crémaillère
Diamètre de braquage:	12,8 m
Pneus av./arr.:	P205/50R17
Capacité de remorquage:	455 kg

GROUPE MOTOPROPULSEUR

Moteur:	4L de 2,4 litres 16s turbocompressé
Alésage et course	87,5 mm x 101,0 mm
Puissance:	230 ch (172 kW) à 5100 tr/min
Couple:	245 lb-pi (332 Nm) de 2800 à 4500 tr/min
Rapport Poids/Puissance:	6,07 kg/ch (8,25 kg/kW)
Moteur électrique:	aucun
Autre(s) moteur(s):	4L 2,4 l 150ch à 5100tr/mn et 165lb-pi à 4000tr/mn, 4L 2,4 l 180ch à 5200tr/mn et 210lb-pi à 2800tr/mn
Transmission:	traction, manuelle 5 rapports
Autre(s) transmission(s):	automatique 4 rapports
Accélération 0-100 km/h:	8,2 s
Reprises 80-120 km/h:	7,7 s
Freinage 100-0 km/h:	40,0 m
Vitesse maximale:	185 km/h
Consommation (100 km):	super, 12,4 litres
Autonomie (approximative):	460 km
Émissions de CO2:	4462 kg/an

DANS LA MÊME CATÉGORIE

Chrysler Sebring cabriolet - Volkswagen New Beetle / Cabrio

DU NOUVEAU EN 2006

Habitacle refait, puissance améliorée, calandre révisée, nouvelles roues

HISTORIQUE DU MODÈLE

1[ière] génération

NOS IMPRESSIONS

Agrément de conduite:	🚗🚗🚗🚗
Fiabilité:	🚗🚗🚗🚗½
Sécurité:	🚗🚗🚗🚗
Qualités hivernales:	🚗🚗🚗½
Espace intérieur:	🚗🚗🚗🚗½
Confort:	🚗🚗🚗🚗

LE CHOIX DE L'ÉQUIPE

Turbo

UNE PETITE VIEILLE?

J'avais 20 ans quand un de mes oncles a fêté ses quarante ans. Je m'étais bien amusé du « p'tit vieux ». Nous avons toujours vingt années de différence mais je le trouve moins vieux qu'avant... C'est que le temps ramène les choses selon une perspective bien à lui. La Chrysler Sebring n'est plus très jeune (elle date de 1997) et on commence à voir des rides sur sa carrosserie comme des cheveux gris sur ma tête. Mais elle a encore du charme à revendre, surtout en configuration cabriolet. Elle devait nous quitter cette année, mais il faut croire que le dieu DaimlerChrysler en a décidé autrement!

Sans aucun doute que le rideau tombera sur la Sebring durant l'année. Et sans doute que personne ne s'en rendra vraiment compte puisque tous les yeux sont tournés vers les nouveaux produits que sont les 300, Magnum et Charger, beaucoup plus dynamiques, tant au niveau technique que visuel. Mais en attendant, voyons ce que cette Chrysler, vendue en versions berline et cabriolet, nous réserve.

Tout d'abord, précisons que le cabriolet jouit encore d'une belle popularité et qu'il s'agit d'un des seuls de sa catégorie à proposer quatre vraies places. De plus, il était, pas plus tard qu'au printemps 2005, le plus vendu. On peut donc comprendre les hésitations de Chrysler de tuer sa poulette aux œufs d'or!

Légèrement retouchée il y a deux ans, la Sebring affiche, encore aujourd'hui, des lignes très agréables. Mais c'est sans doute l'habitacle qui souffre le plus du poids des années. Les principes de l'ergonomie sont à l'occasion bafoués et il n'est pas rare de s'entendre sacrer (pas moi, les autres...) contre, par exemple, les boutons d'ouverture des glaces qui ne sont pas illuminés le soir. Et si le tableau de bord était élégant en 1998, il est complètement dépassé en 2006 malgré des retouches ici et là au cours des années. La position de conduite ne s'avère pas facile à trouver et une fois qu'on a fait notre niche, il faut pratiquement visser les rétroviseurs, le volant et le siège pour qu'une autre personne ne détruise pas notre environnement. J'exagère, mais si peu... Au chapitre de l'habitabilité, ce n'est guère mieux. À cause de la ligne de toit très arquée, les grandes personnes montant à l'avant n'aiment pas regarder le bord du toit plutôt que la route! La banquette arrière se montre assez confortable car très molle mais c'est davantage l'impression d'être dans un bain profond qui étonne. Si la visibilité vers l'avant se veut très correcte, il en va autrement pour la visibilité arrière à cause du pilier C très large. Lors de notre essai d'une berline, un arbre a d'ailleurs été victime de ce manque de visibilité... Mais tous ces avatars ne sont rien en comparaison avec la piètre qualité de la finition. Vivement la prochaine génération! Nous ne pouvons terminer ce paragraphe de si mauvaise façon. Soulignons donc les qualités sonores du système audio, franchement surprenantes et, paradoxalement, le silence de l'habitacle.

Côté mécanique, la Sebring berline fait appel à deux moteurs. La version de base se fie sur un quatre cylindres de 150 chevaux. Plus rugueux que performant, il réussit tout de même à faire avancer la voiture avec une

FEU VERT

- Cabriolet aux lignes intemporelles
- Habitacle silencieux
- Consommation raisonnable
- V6 souple
- Véhicule sécuritaire

FEU ROUGE

- Ergonomie à pleurer
- Châssis flexible (cabriolet)
- Suspensions molles
- 2,4 litres peu motivé
- Finition décourageante

certaine célérité. Mais le son qu'il émet lors de telles sollicitations suffit généralement à lever le pied. Heureusement, il n'est pas offert sur le cabriolet, qui pèse tout de même 126 kilos de plus que la berline. L'autre moteur, que l'on retrouve autant dans la berline que dans le cabriolet, est un V6 de 2,7 litres qui développe 200 chevaux. Alors que prolifèrent les 3,0 et 3,5 litres, ce petit 2,7 semble bien peu armé pour affronter la concurrence. En fait, il se débrouille très bien. Il se montre assez souple et propose des temps d'accélération et de reprises assez convaincants... pour sa cylindrée. Sa sonorité, par contre, ne fait pas très sérieux. Ces deux moteurs sont accouplés à une seule transmission, soit une automatique à quatre rapports. Bien que son fonctionnement fasse preuve d'une belle transparence, un rapport supplémentaire serait apprécié pour diminuer la consommation qui se situe actuellement aux alentours de 10 litres aux cent kilomètres.

Le châssis du cabriolet, bien que renforcé aux endroits stratégiques, résiste mal aux torsions imposées par notre beau réseau routier et on le sent rapidement dépassé. Une foule de bruits de caisse nous le rappelle constamment... Le même châssis est par contre très rigide sur la berline et il n'hésite pas à aider les suspensions dans leur quête de confort. Si lesdites suspensions sont trop molles pour assurer un comportement sportif à la Sebring, elles proposent néanmoins une bonne tenue de route. Et si l'on pousse plus que de raison, la nature sous-vireuse de la voiture refait rapidement surface. L'antipatinage s'occupe alors de replacer les esprits avec une surprenante discrétion. Les freins font bien leur besogne mais éloignons de cette phrase tout qualificatif pouvant amener à penser qu'ils sont remarquables.

Si la berline commence à être démodée, le cabriolet aurait sans doute encore quelques belles années devant lui, pour autant que Chrysler se donne la peine de revoir son habitacle. Et ce n'est pas cette année qu'il y aura des changements à ce chapitre pour le cabriolet! La berline, elle, mérite de nouveaux accessoires ici et là mais rien pour écrire à sa mère. Pour terminer sur une bonne note, mentionnons que la Sebring demeure l'une des plus sécuritaires de sa catégorie, selon les tests de l'agence américaine du transport (NHTSA).

Alain Morin

Photos: Denis Duquet

DONNÉES TECHNIQUES

Modèle à l'essai:	BerlineTouring
Prix du modèle à l'essai:	26250$ - 2005
Échelle de prix:	24675$ à 37620$ - 2005
Garanties:	3 ans/60000 km, 7 ans/115000 km
Catégorie:	berline intermédiaire/cabriolet
Emp./Lon./Lar./Haut.(cm):	274/484/179/139
Poids:	1439 kg
Coffre/Réservoir:	453 litres / 61 litres
Coussins de sécurité:	frontaux et latéraux (av.)
Suspension avant:	indépendante, bras inégaux
Suspension arrière:	indépendante, multibras
Freins av./arr.:	disque (ABS)
Antipatinage/Contrôle de stabilité:	oui/non
Direction:	à crémaillère, assistée
Diamètre de braquage:	11,2 m
Pneus av./arr.:	P205/60R16
Capacité de remorquage:	454 kg

GROUPE MOTOPROPULSEUR

Moteur:	V6 de 2,7 litres 24s atmosphérique
Alésage et course	86,0 mm x 78,5 mm
Puissance:	200 ch (149 kW) à 5800 tr/min
Couple:	190 lb-pi (258 Nm) à 4850 tr/min
Rapport Poids/Puissance:	7,20 kg/ch (9,66 kg/kW)
Moteur électrique:	aucun
Autre(s) moteur(s):	4L 2,4 l 150ch à 5500tr/mn et 160lb-pi à 4200tr/mn
Transmission:	traction, automatique 4 rapports
Autre(s) transmission(s):	aucune
Accélération 0-100 km/h:	9,2 s
Reprises 80-120 km/h:	6,8 s
Freinage 100-0 km/h:	45,0 m
Vitesse maximale:	180 km/h
Consommation (100 km):	ordinaire, 9,8 litres
Autonomie (approximative):	622 km
Émissions de CO2:	4517 kg/an

DANS LA MÊME CATÉGORIE

Chevrolet Malibu - Ford Taurus - Honda Accord - Hyundai Sonata - Kia Magentis - Mazda 6 - Nissan Altima - Toyota Camry

DU NOUVEAU EN 2006

Pas de changement majeur, version Limited éliminée

HISTORIQUE DU MODÈLE

1ière génération

NOS IMPRESSIONS

Agrément de conduite:	🚗🚗🚗
Fiabilité:	🚗🚗🚗
Sécurité:	🚗🚗🚗🚗½
Qualités hivernales:	🚗🚗🚗
Espace intérieur:	🚗🚗🚗
Confort:	🚗🚗🚗½

LE CHOIX DE L'ÉQUIPE

Touring, cabriolet

TOUJOURS POPULAIRE

Les prophètes de malheur ont beau crier à tout vent que les fourgonnettes ne sont plus aussi demandées qu'auparavant. Que la popularité des « autobeaucoup » a piqué du nez. Un fait demeure : en dépit de ces affirmations pessimistes, les fourgonnettes de Chrysler continuent d'être les plus populaires sur le marché et le tandem Dodge Caravan / Grand Caravan laisse tous ses concurrents dans son sillage depuis des années, même si la concurrence est plus féroce que jamais.

Cela ne signifie pas que cette enviable situation est là pour durer jusqu'à la fin des temps. Il est primordial qu'une relève de qualité soit dévoilée d'ici peu afin de pouvoir effectuer un pas en avant en fait de design, de conception technique et mécanique. Les deux dernières générations de ces véhicules polyvalents ont été plus des efforts de raffinement que des transformations radicales. Et si l'avènement du système Stow'n Go, qui permet d'escamoter les sièges dans le plancher en quelques secondes, est un tour de force, les véhicules qui en sont dotés n'ont guère changé en fait d'apparence et de comportement.

Il est bon de souligner que seuls les modèles Grand Caravan et Town & Country peuvent être équipés de ces sièges magiques qui semblent disparaître comme par enchantement. De plus, puisqu'ils sont remisés dans le plancher, cela ne laisse plus d'espace pour permettre à l'arbre de tranmission de se rendre aux roues arrière, et il n'est donc plus possible de commander ces modèles en traction intégrale, pas plus que sur la Caravan régulière d'ailleurs. Toujours à propos du Stow'n Go, il est vrai que les sièges arrière pourraient bénéficier d'un peu plus de rembourrage et que leur assise est plus basse que la moyenne, mais ces deux inconvénients sont vite oubliés lorsqu'on peut transformer l'habitacle en vaste espace de chargement en moins de trois minutes. Et si ce genre de détail vous émoustille, la mousse utilisée pour ces sièges a été développée par la NASA pour ses vols dans l'espace. Elle est également utilisée dans les matelas TempurPedic. Mieux vaut s'arrêter là dans cette description.

Il est tout de même curieux que les ingénieurs aient complètement redessiné la plate-forme pour y installer le Stow'n Go sans pour autant apporter des modifications importantes à la silhouette. À ce sujet, le Montréalais Ralph Gilles, celui qui a dessiné les Chrysler 300 et Dodge Magnum, est à la tête d'une équipe de designers afin de donner un nouveau souffle à cette famille de fourgonnettes. Les changements attendus au cours de 2006 devraient être spectaculaires.

En attendant, la silhouette est devenue classique au fil des ans et elle se défend quand même fort bien face à ses rivales. La même chose dans l'habitacle alors que le tableau de bord est tout de même plus original que celui de plusieurs modèles lancés tout récemment. La console verticale départageant en deux parties égales la planche de bord est la signature visuelle du tableau de bord. Y sont concentrées trois buses de ventilation placées directement au-dessus des commandes du système audio. À part un curieux mécanisme de mémorisation des touches de commande de la radio et une syntonisation par commutateur à bascule,

FEU VERT
- Silhouette classique
- Système Stow'n Go
- Prix compétitifs
- Habitacle pratique
- Tenue de route saine

FEU ROUGE
- Absence de rouage intégral
- Moteur de base un peu juste
- Certaines commandes à revoir
- Sièges arrière peu rembourrés

les commandes sont simples et faciles tandis que la sonorité est bonne. Juste en dessous se trouvent les réglages de la climatisation. L'utilisation de boutons circulaires rend ces commandes très simples à opérer. Enfin, un lecteur six disques vient compléter cette hiérarchie verticale. Il faut malheureusement déplorer l'emplacement de la commande de dégagement du frein d'urgence qui nécessite qu'on se penche fortement vers le bas pour l'atteindre. L'an dernier, de multiples raffinements ont été intégrés à la cabine. Parmi ceux-ci, mentionnons des bacs de pavillons mobiles et amovibles. Enfin, des coussins de sécurité latéraux sont de série et protègent les occupants des trois rangées de sièges. Et le conducteur a l'avantage de bénéficier de la protection supplémentaire d'un protège-genoux gonflable.

LE FRUIT DE L'EXPÉRIENCE

Même si la dernière transformation de cette famille de fourgonnette a été plutôt en demi-teinte, il est important de souligner que son comportement routier et une polyvalence tout aller expliquent en grande partie la satisfaction des propriétaires. La direction est précise et son assistance bien dosée pour un véhicule de cette catégorie. Mais la principale évolution positive au fil des ans a été la suspension avant qui est passée de frustre et rétive à très homogène. En effet, elle est capable de bien absorber les imperfections de la chaussée et ne transmet plus les vibrations du train avant dans le volant.

La Caravan est la seule version courte chez Chrysler et elle doit concéder 14 cm en longueur à la Grand et à la T&C. Cela signifie moins d'espace dans l'habitacle mais, en contrepartie, une plus grande maniabilité et une moindre résistance aux vents latéraux. Peu importe le modèle sélectionné, il ne peut être livré qu'avec le moteur V6 3,3 litres de 180 chevaux. Il a beau offrir un bon rendement, il peine souvent à la tâche, surtout avec un compte complet de passagers et leurs bagages. Ce moteur constitue sans doute le seul point faible de ce Dodge. Il y a bien un autre moteur V6 au catalogue, mais ce 3,8 litres de 205 chevaux n'est livré qu'avec les Chrysler T& C et la Grand Caravan. S'il assure de meilleures accélérations et reprises, il doit s'incliner devant les V6 de Honda et Toyota en fait de rendement, de souplesse et de douceur. Enfin, la transmission de tous les modèles Chrysler et Dodge doit également concéder un rapport de moins par rapport aux transmissions automatiques cinq vitesses des Honda Odyssey, Toyota Sienna et Mazda MPV.

Denis Duquet

Photos: Alain Morin

DONNÉES TECHNIQUES

Modèle à l'essai:	Grand Caravan SE
Prix du modèle à l'essai:	37730$
Échelle de prix:	28330$ à 47350$
Garanties:	3 ans/60000 km, 7 ans/115000 km
Catégorie:	fourgonnette
Emp./Lon./Lar./Haut.(cm):	303/509/198/175
Poids:	1962 kg
Coffre/Réservoir:	566 à 1535 litres / 75 litres
Coussins de sécurité:	frontaux et latéraux (av.)
Suspension avant:	indépendante, jambes de force
Suspension arrière:	essieu rigide, ressorts elliptiques
Freins av./arr.:	disque (ABS)
Antipatinage/Contrôle de stabilité:	oui/non
Direction:	à crémaillère, assistée
Diamètre de braquage:	12,0 m
Pneus av./arr.:	P215/70R15
Capacité de remorquage:	1750 kg

GROUPE MOTOPROPULSEUR

Pneus d'origine MICHELIN

Moteur:	V6 de 3,8 litres 24s atmosphérique
Alésage et course	96,0 mm x 87,1 mm
Puissance:	205 ch (153 kW) à 5200 tr/min
Couple:	240 lb-pi (325 Nm) à 4000 tr/min
Rapport Poids/Puissance:	9,57 kg/ch (12,82 kg/kW)
Moteur électrique:	aucun
Autre(s) moteur(s):	V6 3,3 l 180ch à 5000tr/mn et 210lb-pi à 4000tr/mn
Transmission:	traction, automatique 4 rapports
Autre(s) transmission(s):	aucune
Accélération 0-100 km/h:	9,7 s
Reprises 80-120 km/h:	8,0 s
Freinage 100-0 km/h:	42,7 m
Vitesse maximale:	105 km/h
Consommation (100 km):	ordinaire, 12,4 litres
Autonomie (approximative):	605 km
Émissions de CO2:	5422 kg/an

DANS LA MÊME CATÉGORIE

Chevrolet Uplander - Ford Freestar - Honda Odyssey - Kia Sedona - Nissan Quest - Toyota Sienna

DU NOUVEAU EN 2006

Aucun changement majeur, lecteur CD capable lire MP3, Indicateur de bouchon d'essence mal fermé

HISTORIQUE DU MODÈLE

3ième génération

NOS IMPRESSIONS

Agrément de conduite:	4/4
Fiabilité:	3/4
Sécurité:	4/4
Qualités hivernales:	4/4
Espace intérieur:	4/4
Confort:	4/4

LE CHOIX DE L'ÉQUIPE

Grand Caravan SXT Stow'n Go

PAS PIRE! PAS PIRE!

Plusieurs constructeurs l'ont appris à leurs dépens. Les modèles qui ont connu des heures de gloire dans les années soixante ne subissent pas nécessairement le même sort lorsqu'ils sont commercialisés à nouveau quelques décennies plus tard. Des modèles légendaires ont sombré dans l'anonymat après un retour raté. Dodge joue donc gros en lançant le Charger encore une fois, après une interruption de plus de vingt ans.

Il faut toutefois mentionner que les décideurs ont pris des mesures pour que ce renouveau soit couronné de succès. Ils ne se sont pas fiés exclusivement au nom du modèle, mais se sont concentrés à la réalisation d'une voiture capable de convaincre les acheteurs du 21e siècle. Et la première décision prise a été de remplacer le type de carrosserie. Si le Charger original était un coupé, sa réincarnation est devenue une berline. Cet ajout de deux portières n'est pas le fruit du hasard. De nos jours, les coupés n'ont pas la cote et il aurait été suicidaire de nous le présenter sous sa forme originale. Il est possible que le demi-échec de la Chevrolet Monte Carlo ait servi de leçon, mais ce ne sont pas les gens de chez Dodge qui vont nous l'avouer.

Par ailleurs, les stylistes ont retenu quelques éléments clés de la version originale, notamment une partie avant allongée et un arrière tronqué. De plus, les rondeurs des parois latérales ont été retenues. Et pour assurer une filiation visuelle avec la première génération, la ceinture de caisse s'estompe vers le haut de façon passablement marquée. Par contre, il est relativement facile de s'installer à l'arrière et, une fois assis, l'espace pour les jambes ne fait pas défaut. Le résultat final est très intéressant. La silhouette n'est ni rétro, ni moderne et je dois avouer que Ralph Gilles et ses designers ont signé une voiture qui ne laissera personne indifférent. Et le plus captivant dans tout cela, c'est que le Charger n'est ni une réplique d'une européenne et encore moins d'une nippone.

QUATRE MOTEURS!

Si vous lisez les publications en provenance des États-Unis et découvrez que le Charger n'est livré qu'avec deux moteurs, ne sautez pas aux conclusions en lisant dans cet ouvrage qu'il y a trois moteurs au catalogue. Il ne s'agit pas d'une erreur de notre part, mais c'est la décision de la division Dodge de distribuer sur notre marché une version équipée du moteur V6 de 2,7 litres en plus du V6 de 3,5 litres et du moteur V8 HEMI de 5,7 litres.

Ce moteur V6 de 2,7 litres ne produit que 190 chevaux et il est couplé à une boîte automatique à quatre rapports. De plus, son équipement est un peu moins complet. Bref, sa présence sur notre marché ne semble justifiée que pour les parcs automobiles. C'est en partie vrai, mais il ne faut pas non plus l'ignorer. Vendue pour moins de 30 000 $, cette version est également intéressante en raison de sa frugalité.

FEU VERT

- Silhouette réussie
- Finition sérieuse
- Choix de moteur
- Tenue de route saine
- Équipement complet

FEU ROUGE

- Consommation élevée (SRT8)
- Dimensions encombrantes
- Écran de navigation petit
- Visibilité arrière moyenne

Cependant, il est certain que plus de 60 % des modèles vendus seront équipés du moteur V6 de 3,5 litres, dont les 250 chevaux assurent de bonnes accélérations et une consommation de carburant tout de même raisonnable. De plus, sa boîte automatique à cinq rapports permet de tirer de bonnes performances de ce moteur V6. Et pour les amateurs d'accélérations plus musclées, il y a bien entendu la possibilité de commander votre Charger avec le moteur V8 HEMI 5,7 litres de 340 chevaux. Toute cette cavalerie vous permet de réaliser le 0-100 km/h en 6,2 secondes. Et il est intéressant de souligner que ce moteur est doté d'un dispositif de cylindrée variable qui fait automatiquement passer la cylindrée de 5,7 litres à 2,85 litres en désactivant quatre cylindres lorsque le moteur n'est pas en charge. Il en résulte une diminution de la consommation de carburant d'environ 12 % en moyenne.

Il existe également une version à haut rendement de ce moteur alors que dix chevaux supplémentaires viennent en renforts sur les modèles R/T et Daytona R/T. Enfin, le modèle SRT8 est propulsé par un tonitruant moteur V8 HEMI de 6,1 litres d'une puissance de 425 chevaux. Soulignons que cette version sera commercialisée au début de 2006.

BEL ÉQUILIBRE

Avec sa suspension avant à bras asymétriques, sa suspension arrière indépendante à liens multiples et une répartition de poids de 50/50, cette propulsion impressionne. Ce qui signifie que cette voiture assure une tenue de route équilibrée aussi bien sur la route que sur la piste. Dans les virages serrés, la voiture est très neutre, juste avec un soupçon de sous-virage. Et si le fait de conduire une voiture dont les roues motrices sont à l'arrière et non à l'avant vous inquiète, vous serez rassurés de savoir que le système antipatinage est bien dosé. Par contre, pour l'instant, il est impossible de commander un Charger à transmission intégrale.

Finalement, les modèles R/T et Daytona R/T possèdent une suspension plus ferme et des pneus trois saisons, ce qui limite quelque peu le confort. En revanche, la tenue de route et le freinage sont à la hauteur de nos attentes.

Cette nouvelle Dodge a donc tout pour séduire l'amateur de belles et puissantes américaines, tandis que le SRT8 fait revivre les muscle cars des années soixante.

Denis Duquet

Photos: Denis Duquet

DONNÉES TECHNIQUES

Modèle à l'essai:	R/T
Prix du modèle à l'essai:	36905$
Échelle de prix:	27495$ à 41905$
Garanties:	3 ans/60000 km, 3 ans/60000 km
Catégorie:	Berline sport
Emp./Lon./Lar./Haut.(cm):	305/508/189/148
Poids:	1860 kg
Coffre/Réservoir:	460 litres / 76 litres
Coussins de sécurité:	frontaux, latéraux
Suspension avant:	indépendante, bras inégaux
Suspension arrière:	indépendante, multibras
Freins av./arr.:	disque (ABS)
Antipatinage/Contrôle de stabilité:	oui/oui
Direction:	à crémaillère, assistée
Diamètre de braquage:	11,9 m
Pneus av./arr.:	P225/60R18
Capacité de remorquage:	907 kg

Pneus d'origine MICHELIN

GROUPE MOTOPROPULSEUR

Moteur:	V8 de 5,7 litres 16s atmosphérique
Alésage et course	99,5 mm x 90,9 mm
Puissance:	340 ch (254 kW) à 5000 tr/min
Couple:	390 lb-pi à 4000 tr/min
Rapport Poids/Puissance:	5,47 kg/ch (7,32 kg/kW)
Moteur électrique:	aucun
Autre(s) moteur(s):	V6 3,5 l 250ch à 6400tr/mn et 250lb-pi à 3800tr/mn, V6 2,7 l 190ch à 6400tr/mn et 190lb-pi à 4000tr/mn, V8 6,1 l 425ch à 6200tr/mn et 420lb-pi à 6800tr/mn (SRT-8)
Transmission:	propulsion, auto. mode man. 5 rapports
Autre(s) transmission(s):	automatique 4 rapports
Accélération 0-100 km/h:	6,2 s
Reprises 80-120 km/h:	5,7 s
Freinage 100-0 km/h:	41,0 m
Vitesse maximale:	250 km/h
Consommation (100 km):	ordinaire, 13,8 litres
Autonomie (approximative):	551 km
Émissions de CO2:	n.d.

DANS LA MÊME CATÉGORIE

Acura TL - Buick Allure - Chevrolet Impala - Pontiac Grand Prix - Toyota Avalon

DU NOUVEAU EN 2006

Nouveau modèle

HISTORIQUE DU MODÈLE

5ième génération

NOS IMPRESSIONS

Agrément de conduite:	🚗🚗🚗🚗
Fiabilité:	nouveau modèle
Sécurité:	🚗🚗🚗🚗
Qualités hivernales:	🚗🚗🚗
Espace intérieur:	🚗🚗🚗🚗
Confort:	🚗🚗🚗🚗

LE CHOIX DE L'ÉQUIPE

SXT

SIMPLE CITADIN S'ABSTENIR !

Quand on a de grandes ambitions, il faut pouvoir s'en donner les moyens. Dans le monde automobile, se donner les moyens peut vouloir dire plusieurs choses : parfois c'est en se dotant d'un moteur si puissant qu'il laisse pantois les compétiteurs de la catégorie. Dans d'autres cas, c'est en remodelant un modèle déjà existant, mais en lui donnant tellement de qualités nécessaires à sa mission qu'il devient presque un incontournable. Et c'est dans cette seconde catégorie que loge le Dodge Durango, un véritable utilitaire redessiné il y a deux ans, et qui cette année revient quasiment inchangé.

Disons-le tout de suite, le Durango est un dangereux concurrent dans la catégorie des utilitaires de grande taille. Celui qui durant des années a été le vilain petit canard, une simple variation sur le thème du Dakota, possède aujourd'hui une personnalité propre et des ambitions bien précises.

MÊME VISAGE, NOUVEAUX OBJECTIFS

Auparavant, le Durango n'avait rien du petit VUS morne et sans âme. Au contraire, il disposait de toute la robustesse et de la puissance que l'on associe normalement aux modèles Dakota. Mais tout comme ceux-ci, il lui manquait quelques petits détails pour être vraiment parmi les meneurs. En fait, comme le Dakota, il se voulait un simple outil de travail, sans la sophistication qui lui permetttrait de devenir aussi un véhicule familial.

Et c'est ce que les changements survenus l'année dernière ont permis de corriger. On se retrouve donc aujourd'hui avec un VUS de grande taille qui se donne aussi de grands airs dans l'habitacle.

Ainsi, selon la version choisie, on pourra y greffer une sellerie de cuir qui, ma foi, est d'assez bonne qualité ainsi que tout un ensemble de commandes haut de gamme qui est désormais l'apanage des voitures plus luxueuses, comme le sont le lecteur DVD, le système de navigation (tous deux optionnels), et même un tableau de bord mieux pensé.

En fait, depuis le jumelage de Daimler et de Chrysler, on a senti un vent de renouveau dans le design intérieur, et le Durango n'échappe pas à la règle. Finis les intérieurs sobres et peu intéressants. Les commandes sont aujourd'hui ergonomiques, les sièges confortables, et l'ensemble plus design. Les grands cadrans à fond blanc, par exemple, sont faciles à lire et jolis à consulter, puisqu'ils sont rétroéclairés. Même l'insonorisation fait désormais figure d'exemple dans sa classe.

Dans le Durango, on a également fait beaucoup afin d'améliorer le confort de la banquette de troisième rangée. Cette banquette que l'on replie 60/40 permet, lorsqu'entièrement relevée, de loger trois adultes qui ne se battront pas entre eux pour chaque millimètre d'espace disponible.

LA LÉGENDE QUI REVIT

On ne peut même pas concevoir qu'un véhicule Dodge digne de ce nom soit vendu sans le légendaire moteur Hemi sous le capot. Bien sûr, le Durango n'échappe pas à la règle et c'est avec un V8 Hemi de

FEU VERT

Puissance disponible
Finition intérieure plus raffinée
Troisième banquette confortable
Habitacle bien insonorisé

FEU ROUGE

Dimensions imposantes
Direction engourdie
Transmission 4 vitesses peu efficace
Silhouette unique

5,7 litres développant 335 chevaux et 370 livres-pied de couple que les déclinaisons les plus luxueuses sont offertes. Notre modèle d'essai en était équipé. Avec un tel moteur, peu importe les circonstances, ça passe partout. Le véhicule a su grimper avec facilité une côte abrupte, taillée sur mesure pour lui. Il a aussi bien fait sur la route, fournissant d'étonnantes accélérations dignes de berlines nettement plus légères, et plus aérodynamiques que lui.

Évidemment, de telles performances ne vont pas sans une consommation d'essence à la mesure d'un gros moteur V8. Heureusement, cette année, Dodge a décidé d'implanter sous le capot la même technologie qui prévaut déjà sous celui de la 300C ou du Dodge Magnum. Appelé MDS (pour Multiple Displacement System), ce système permet de n'utiliser que quatre ou huit cylindres selon les besoins détectés par les capteurs du moteur. Le résultat est fulgurant : même accélération, mais 20 % d'économie d'essence. Ce qui explique que la consommation moyenne de ce mastodonte soit de 14 litres aux 100 kilomètres…

On peut bien sûr opter pour des versions moins puissantes. Encore cette année, le Durango est offert avec un moteur V8 4,7 litres de 230 chevaux, le moteur de série sur les versions à quatre roues motrices. Pour assurer un bon transfert de la puissance aux roues avec le moteur le plus puissant, on retrouve une transmission automatique à cinq rapports qui se démarque par sa souplesse. Les autres versions devront se contenter d'une transmission à quatre rapports, un peu moins précise.

Mais que l'on choisisse le moteur le plus puissant ou le moins puissant, la tenue de route du gros utilitaire est la même. Quand le besoin se fait sentir, la suspension arrière, faite de ressorts hélicoïdaux, est d'un confort surprenant et donne moins de rebonds qu'auparavant, une sensation que les passagers apprécieront sûrement.

C'est vrai que ce gros Dodge 4X4 n'a rien du petit véhicule discret et raffiné qui plaira à la gent féminine. Les hommes, eux, pourraient bien se tourner vers lui pour son look un peu macho, mais surtout pour ses grandes capacités de franchir tous les obstacles dans toutes les conditions. Attention, avec le Durango, simple citadin s'abstenir !

Marc Bouchard

Photos : Denis Duquet

DONNÉES TECHNIQUES

Modèle à l'essai :	SLT
Prix du modèle à l'essai :	46 150 $ (2005)
Échelle de prix :	42 575 $ à 52 995 $ (2005)
Garanties :	3 ans/60 000 km, 7 ans/115 000 km
Catégorie :	utilitaire sport grand format
Emp./Lon./Lar./Haut.(cm) :	303/510/193/189
Poids :	2 333 kg
Coffre/Réservoir :	538 à 3 070 litres / 102 litres
Coussins de sécurité :	frontaux, latéraux (av.), rideaux
Suspension avant :	indépendante, bras inégaux
Suspension arrière :	essieu rigide, ressorts hélicoïdaux
Freins av./arr. :	disque (ABS)
Antipatinage/Contrôle de stabilité :	oui/non
Direction :	à crémaillère, assistée
Diamètre de braquage :	12,2 m
Pneus av./arr. :	P265/75R17
Capacité de remorquage :	2 590 kg

GROUPE MOTOPROPULSEUR

Moteur :	V8 de 4,7 litres 16s atmosphérique
Alésage et course	99,3 mm x 84,1 mm
Puissance :	230 ch (172 kW) à 4 600 tr/min
Couple :	290 lb-pi (393 Nm) de 3 700 à 6 000 tr/min
Rapport Poids/Puissance :	10,14 kg/ch (13,56 kg/kW)
Moteur électrique :	aucun
Autre(s) moteur(s) :	V8 5,7 l 335ch à 5200tr/mn et 370lb-pi à 4200tr/mn (Hemi)
Transmission :	intégrale, automatique 5 rapports
Autre(s) transmission(s) :	aucune
Accélération 0-100 km/h :	8,6 s
Reprises 80-120 km/h :	5,8 s
Freinage 100-0 km/h :	43,1 m
Vitesse maximale :	185 km/h
Consommation (100 km) :	ordinaire, 16,1 litres
Autonomie (approximative) :	634 km
Émissions de CO2 :	7 151 kg/an

DANS LA MÊME CATÉGORIE

Chevrolet Tahoe - Ford Explorer - GMC Yukon - Nissan Armada - Toyota Sequoia

DU NOUVEAU EN 2006

Hayon arrière motorisé en option, système de stabilité électronique

HISTORIQUE DU MODÈLE

2ième génération

NOS IMPRESSIONS

Agrément de conduite :	🚗🚗🚗½
Fiabilité :	🚗🚗🚗🚗
Sécurité :	🚗🚗🚗🚗½
Qualités hivernales :	🚗🚗🚗🚗½
Espace intérieur :	🚗🚗🚗🚗½
Confort :	🚗🚗🚗🚗

LE CHOIX DE L'ÉQUIPE

SLT

UNE VOITURE DE BD

La première impression qui se dégage de la Dodge Magnum est que cette voiture sort tout droit d'une bande dessinée. Sa silhouette caricaturale, son arrière tronqué, son hayon arrière, son large pilier D, voilà autant d'éléments qui la démarquent de la nouvelle Charger lancée cette année. Et si vous ne suivez pas l'actualité du monde automobile, apprenez que la Chrysler 300 et la Dodge Magnum ont été lancées conjointement l'an dernier. La première était une berline et l'autre une familiale. Cette année, la Charger vient compléter le portrait de famille chez Dodge, tandis que Chrysler devrait nous proposer sa version familiale d'ici peu.

Mais ce ne sont pas nécessairement les silhouettes fort distinctives de ces deux voitures qui ont soulevé le plus les discussions, mais bien le retour à la propulsion. Après nous avoir vanté les mérites de la traction, les ingénieurs de la compagnie avaient remis cela avec leur concept de cabine avancée qui permettait d'augmenter l'habitabilité dans l'habitacle, voilà que ces dogmes sont rejetés d'un trait.

Si un tel renversement de situation est possible, c'est que les progrès techniques permettent d'offrir sur une propulsion les avantages de celle-ci sans pour autant en subir les désavantages. Parmi ceux-ci, il faut mentionner un comportement moins rassurant sur une chaussée dont le revêtement est de faible adhérence. L'arrière a alors tendance à se dérober. De nos jours, l'utilisation des systèmes antipatinage et de stabilité latérale vient corriger cette lacune. Et le fait de pouvoir concevoir des plates-formes très rigides dont l'empattement est vraiment long par rapport à la longueur hors tout de la voiture assure une meilleure habitabilité. Puisque la suspension arrière est plus rapprochée de l'arrière du véhicule, cela donne des places arrière nettement plus confortables. Il est donc plus facile de bénéficier des qualités inhérentes de la propulsion qui sont une direction plus précise, un comportement plus neutre dans les virages ainsi qu'un meilleur agrément de conduite. Pour résumer le tout, «c'est une question de feeling» comme le dit si bien le titre de la chanson de Fabienne Thibault / Richard Cocciante.

UNE ALLURE D'ENFER

L'impact visuel de cette voiture est tel que nous sommes toujours estomaqués plusieurs mois après son arrivée sur nos routes. Il est impossible de dire si elle est laide ou jolie, mais elle ne laisse personne indifférent. Sa présence sur la route ne passe pas inaperçue mais, contrairement à la plupart des autos qui font tourner les têtes sur leur passage, la Magnum est également pratique. Son hayon arrière permet de loger des objets de tous formats dans la soute à bagages, et un point d'ancrage plus avancé du hayon permet d'avoir une ouverture plus grande. Cela compense ainsi la chute de la ligne du toit vers l'arrière.

Compte tenu des dimensions générales de cette grosse américaine, les occupants auront beaucoup d'espace à leur disposition tandis que le confort des sièges est légèrement au-dessus de la moyenne. Bonne nouvelle pour les occupants des places arrière : un lecteur DVD est dorénavant offert. Il est ingénieusement placé sur la console centrale avant. Il faut également mentionner que la qualité de la finition et des matériaux est satisfaisante. Par ailleurs, le tableau de bord est un peu

FEU VERT

Choix de moteur
Version SRT8
Bonne habitabilité.
Intégrale optionnelle
Prix compétitif

FEU ROUGE

Dimensions encombrantes
Visibilité arrière
Silhouette controversée
Réticence à la propulsion
Écran LCD à agrandir

fade. Ce qui explique sans doute pourquoi des éléments en aluminium brossé y ont été ajoutés afin de rehausser la présentation.

Soulignons au passage que la position de conduite est correcte et que la visibilité 3/4 arrière n'est pas si mauvaise qu'on le dit.

VROOM ! VROOM !

L'un des arguments massue prêchant en faveur de la Magnum est son prix de base qui dépasse de peu la barrière des 30 000 $ et le vaste choix de moteurs. Le modèle SE est le plus économique de la gamme avec son moteur V6 2,7 litres de 190 chevaux couplé à une boîte automatique à quatre rapports. Vous ne pourrez pas prendre les virages sur les chapeaux de roues avec cette combinaison, mais les performances peuvent être qualifiées de correctes et la consommation de carburant raisonnable pour autant qu'on accepte ce modèle pour ce qu'il est : un véhicule pratique et économique.

En fait, le choix le plus rationnel est celui du SXT qui est équipé d'un moteur V6 3,5 litres de 250 chevaux associé à une boîte automatique à cinq rapports. Cette combinaison vous permet de boucler le 0-100 km/h en neuf secondes tandis que le rapport qualité/prix est excellent. Il y a bien entendu la version R/T équipée du moteur HEMI. Ce moteur V8 de 5,7 litres à cylindrée variable produit 340 chevaux. Vous admettrez que ça décoiffe pas à peu près ! Et si toute cette puissance vous inquiète pour la conduite hivernale, il est possible de commander ce modèle, de même que le SXT, avec une transmission intégrale à commande électronique. J'ai eu l'occasion d'en faire l'essai au cours de l'hiver 2005 et le système s'est révélé efficace et très transparent.

Finalement, pour les personnes qui ne se contentent pas de demi-mesures, il y a le Magnum SRT8 dont les 425 chevaux du moteur Hemi de 6,1 litres permettent de boucler le 0-100 km/h en 5,6 secondes et d'atteindre 160 km/h en 16,4 secondes. De quoi exciter le plus blasé des pilotes ! Cela va de soi que les pneus sont de 20 pouces tandis que les quatre freins à disque ventilés proviennent de chez Brembo.

Et le meilleur dans tout ça, c'est qu'on peu toujours transporter des madriers, des valises et que sais-je encore sans à devoir s'acheter un porte bagages.

Denis Duquet

Photos: Denis Duquet

DODGE MAGNUM

DONNÉES TECHNIQUES

Modèle à l'essai :	R/T
Prix du modèle à l'essai :	39 595 $
Échelle de prix :	28 995 $ à 42 995 $
Garanties :	3 ans/60 000 km, 7 ans/115 000 km
Catégorie :	familiale
Emp./Lon./Lar./Haut.(cm) :	305/502/188/148
Poids :	1 879 kg
Coffre/Réservoir :	770 litres / 68 litres
Coussins de sécurité :	frontaux, latéraux (av.), rideaux
Suspension avant :	indépendante, bras inégaux
Suspension arrière :	indépendante, multibras
Freins av./arr. :	disque (ABS)
Antipatinage/Contrôle de stabilité :	oui/oui
Direction :	à crémaillère, assistance variable
Diamètre de braquage :	11,9 m
Pneus av./arr. :	P225/60R18
Capacité de remorquage :	1 724 kg

GROUPE MOTOPROPULSEUR

Moteur :	V8 de 5,7 litres 16s atmosphérique
Alésage et course	99,6 mm x 90,9 mm
Puissance :	340 ch (254 kW) à 5 000 tr/min
Couple :	390 lb-pi (529 Nm) à 4 000 tr/min
Rapport Poids/Puissance :	5,53 kg/ch (7,40 kg/kW)
Moteur électrique :	aucun
Autre(s) moteur(s) :	V6 3,5 l 250ch à 6400tr/mn et 250lb-pi à 3800tr/mn, V6 2,7 l 190ch (142 kW) à 6400tr/min et 191 lb-pi (258Nm) à 4000 tr/min
Transmission :	propulsion, automatique 5 rapports
Autre(s) transmission(s) :	automatique 4 rapports
Accélération 0-100 km/h :	6,9 s
Reprises 80-120 km/h :	6,1 s
Freinage 100-0 km/h :	43,2 m
Vitesse maximale :	250 km/h
Consommation (100 km) :	ordinaire, 14,9 litres
Autonomie (approximative) :	456 km
Émissions de CO2 :	n.d.

DANS LA MÊME CATÉGORIE

Buick RendezVous - Chrysler Pacifica - Ford Freestyle - Ford Taurus

DU NOUVEAU EN 2006

Pas de changement majeur, détails aménagement extérieur, boîte auto 5 rapports avec 3,5 litres

HISTORIQUE DU MODÈLE

1[ière] génération

NOS IMPRESSIONS

Agrément de conduite :
Fiabilité :
Sécurité :
Qualités hivernales :
Espace intérieur :
Confort :

LE CHOIX DE L'ÉQUIPE

R/T AWD

LE RETOUR DU COUPÉ

Règle générale, un modèle coupé est souvent suivi d'un modèle décapotable, mais dans le cas de la Viper c'est le principe inverse qui a été retenu. Ainsi, la première génération de la Viper a vu le jour en 1992 avec le modèle cabriolet qui fut suivi en 1996 par l'arrivée du coupé GTS, et durant les sept années où les deux modèles étaient disponibles, le coupé s'est avéré beaucoup plus populaire que le cabriolet. C'est la raison pour laquelle le coupé fait actuellement un retour à la suite du lancement comme modèle 2003 de la plus récente génération de la Viper décapotable.

Sur le plan visuel, le coupé se démarque du cabriolet par son toit à double bulles qui permet au conducteur de porter un casque à bord pour rouler sur circuit, un élément apprécié d'une partie de la clientèle qui choisit régulièrement d'exploiter le potentiel de performance de la Viper dans l'environnement sécuritaire et contrôlé d'un circuit de course. De plus, les ailes arrière sont relevées d'un pouce par rapport au cabriolet, et la partie arrière comporte un diffuseur ainsi qu'un aileron fonctionnel qui permet de générer un appui aérodynamique à haute vitesse. Selon Ralph Gilles, le montréalais d'origine aujourd'hui designer chez DaimlerChrysler, il était important de donner une image plus sportive et plus agressive au coupé par l'intégration de ces éléments, pour faire suite aux commentaires recueillis auprès d'actuels propriétaires de Viper. Le contact étroit avec ce petit groupe de privilégiés permettant ainsi de bonifier l'offre de la marque, et d'assurer chez les clients un sentiment d'appartenance avec le groupe SRT (Street and Racing Technology), responsable du développement des modèles performants de Chrysler et donc de la Viper. Composé d'un petit groupe de techniciens et d'ingénieurs triés sur le volet et travaillant dans un environnement propice à l'expérimentation, le groupe SRT permet à Chrysler de générer des profits importants en réalisant des voitures exclusives en quantités limitées. Ce dernier aspect, selon lequel il n'y aura jamais assez de voitures SRT pour tous les clients qui en désirent une, est d'ailleurs considéré comme essentiel par la direction de Chrysler.

Sur le plan technique, la rigidité du châssis du coupé est accrue d'environ 15 pour cent par rapport au cabriolet et le poids du coupé est supérieur d'à peu près 70 kilos. Cependant, sur le plan mécanique les deux voitures sont identiques et sont par conséquent animées par le même moteur V10 de 8,3 litres réalisé en aluminium qui permet à la Viper d'aligner le tiercé des « 500 », soit 500 chevaux, plus de 500 livres-pied de couple et une cylindrée supérieure à 500 pouces cubes. La Viper peut donc être qualifiée de véritable brute dans la mesure où elle est totalement dépourvue de systèmes électroniques de traction asservie ou de contrôle de la stabilité. Avec autant de puissance et des pneus arrière aussi larges (P345/30ZR19), la Viper est capable d'un chrono de 4,1 secondes pour le sprint de 0 à 100 kilomètres/heure si le conducteur parvient à bien maîtriser l'embrayage au départ. Par ailleurs, il est très facile de s'amuser à laisser les traces de son passage sur la chaussée en relâchant brutalement l'embrayage en première vitesse en ayant préalablement choisi d'afficher 4000 tours/minute au tachymètre, et en accélérant à fond dès que le patinage des roues est amorcé. Cependant,

FEU VERT

Puissance phénoménale
Style unique
Tenue de route performante
Exclusivité assurée

FEU ROUGE

Performances difficilement exploitables
Chaleur intense dégagée dans l'habitacle
Confort aléatoire sur routes dégradées
Diffusion limitée
Coffre minuscule

il faudra prévoir un budget très élevé pour le remplacement des pneus arrière qui fondent comme neige au soleil lorsqu'ils sont en surchauffe. Et justement comme il est question de chaleur, précisons que l'un des points faibles de la Viper est qu'une chaleur intense se dégage rapidement dans l'habitacle car les tuyaux d'échappement sont logés dans les longerons latéraux du châssis. Vous devrez donc diriger le flot d'air du climatiseur directement sur vos pieds et vous n'aurez probablement jamais l'occasion d'utiliser le système de chauffage peu importe la température ambiante.

Sur le Circuit du Mont-Tremblant, la Viper s'est avérée très performante, non seulement en accélération, mais également au freinage et en tenue de route. Étant capable d'une accélération latérale de 1,15 G, elle colle littéralement à la piste, permettant des vitesses très élevées en virage. Au freinage, la décélération maximale est égale à 1 G grâce aux étriers Brembo à double pistons qui pincent des disques de 14 pouces à l'avant comme à l'arrière. La conduite d'une Viper sur un circuit rapide exige du pilote une concentration de tous les instants, surtout lorsqu'il roule à la limite de la voiture. Vu qu'elle est assez lourde, un léger sous-virage se manifeste en entrée de courbe et comme le moteur a du couple et de la puissance à revendre, il faut bien doser l'accélération en sortie de virage afin d'éviter le patinage excessif des roues motrices. Bref, c'est un peu de la haute voltige compte tenu du fait que la Viper est totalement dépourvue d'aides électroniques au pilotage. C'est pourquoi je conseille fortement aux conducteurs qui n'ont pas suivi une formation appropriée de s'inscrire à un cours de pilotage avancé avant de tenter d'exploiter le potentiel de performance d'une voiture aussi rapide et aussi radicale. La Viper sur circuit, c'est viscéral. Beaucoup de puissance brute, beaucoup d'adhérence, mais elle demande beaucoup de finesse de la part du conducteur, sans quoi le serpent peut mordre...

Pour la conduite de tous les jours, il faudra composer avec la chaleur intense dégagée dans l'habitacle et avec le confort tout à fait relatif sur routes dégradées, ainsi qu'avec un coffre dont le volume limitera la durée de vos déplacements. Véritable descendante de la Cobra d'une autre époque, la Viper représente l'incarnation moderne de la puissance brute à l'américaine...

Gabriel Gélinas

Photos: Denis Duquet

DONNÉES TECHNIQUES

Modèle à l'essai:	SRT-10
Prix du modèle à l'essai:	127000$
Échelle de prix:	127000$ à 128500$
Garanties:	3 ans/60000 km, 7 ans/115000 km
Catégorie:	GT
Emp./Lon./Lar./Haut.(cm):	251/446/192/123
Poids:	1546 kg
Coffre/Réservoir:	239 litres / 70 litres
Coussins de sécurité:	frontaux
Suspension avant:	indépendante, bras inégaux
Suspension arrière:	indépendante, multibras
Freins av./arr.:	disque (ABS)
Antipatinage/Contrôle de stabilité:	non/non
Direction:	à crémaillère
Diamètre de braquage:	12,3 m
Pneus av./arr.:	P275/35ZR18 / P345/30ZR19
Capacité de remorquage:	non recommandé

Pneus d'origine MICHELIN

GROUPE MOTOPROPULSEUR

Moteur:	V10 de 8,3 litres 20s atmosphérique
Alésage et course	102,4 mm x 100,6 mm
Puissance:	500 ch (373 kW) à 5600 tr/min
Couple:	525 lb-pi (712 Nm) à 4200 tr/min
Rapport Poids/Puissance:	3,09 kg/ch (4,2 kg/kW)
Moteur électrique:	aucun
Autre(s) moteur(s):	seul moteur offert
Transmission:	propulsion, manuelle 6 rapports
Autre(s) transmission(s):	aucune
Accélération 0-100 km/h:	4,2 s
Reprises 80-120 km/h:	3,8 s
Freinage 100-0 km/h:	36,5 m
Vitesse maximale:	310 km/h
Consommation (100 km):	super, 17,8 litres
Autonomie (approximative):	393 km
Émissions de CO_2:	7440 kg/an

DANS LA MÊME CATÉGORIE

Ferrari 575 Maranello - Porsche 911 Carrera

DU NOUVEAU EN 2006

Nouveau modèle SRT 10 Coupé

HISTORIQUE DU MODÈLE

2ième génération

NOS IMPRESSIONS

Agrément de conduite:	🚗🚗🚗🚗
Fiabilité:	🚗🚗🚗½
Sécurité:	🚗🚗½
Qualités hivernales:	nulles
Espace intérieur:	🚗🚗½
Confort:	🚗🚗½

LE CHOIX DE L'ÉQUIPE

SRT-10

L'ÉVOLUTION DE LA MODENA

Au cours de l'été 2005, en tant que directeur du programme Trioomph qui permet aux amateurs de conduire non seulement la F430 mais également les Lamborghini Gallardo, Aston Martin DB9, Porsche 911 Turbo et Dodge Viper, j'ai eu le privilège et le plaisir de vivre plusieurs journées exceptionnelles en compagnie de la F430 sur le fabuleux circuit du Mont-Tremblant. Cette expérience unique m'a permis un contact étroit avec la F430 qui représente l'évolution de la 360 Modena et qui l'a rapidement remplacée dans mon cœur en devenant ma voiture préférée pour la conduite sur circuit. Visuellement, la F430 ressemble à une 360 Modena qui serait allée au gym.

À l'avant, les prises d'air surdimensionnées rappellent celles qui figuraient sur la monoplace de la Scuderia en 1961, année où Phil Hill remporta le Championnat du monde pour la marque de Maranello, et servent à alimenter en air frais les deux radiateurs nécessaires pour assurer le refroidissement du moteur. À l'image de l'actuelle monoplace de F1, la F430 a également été développée en soufflerie et c'est pourquoi elle est dotée d'extracteurs à l'arrière ainsi que d'un petit aileron, deux éléments qui permettent à la voiture de générer un appui aérodynamique important à 200 kilomètres/heure. Par ailleurs, les feux arrière sont inspirés de ceux qui équipent la Ferrari Enzo, assurant ainsi une certaine filiation avec l'une des voitures les plus rapides au monde.

Par la lunette arrière, il est possible d'admirer l'œuvre d'art qu'est le tout nouveau V8 de 4,3 litres entièrement réalisé en aluminium et qui développe 490 chevaux, soit 90 de plus que le moteur de la 360 Modena, mais plus que toute autre chose, c'est le son qui accroche... À elle seule, la sonorité du moteur de la F430 vaut le prix d'entrée stratosphérique et les longs mois d'attente suite au dépôt de la commande. Réussir la signature vocale de la F430 était d'ailleurs l'une des priorités des ingénieurs responsables du développement du nouveau V8. Le résultat est absolument ahurissant et la seule autre voiture au monde qui peut se targuer d'avoir une sonorité aussi évocatrice est la Ferrari Enzo.

En accélération, la F430 est nettement plus rapide que la 360 Modena, avec une seconde et demie de moins au chrono pour le sprint de 0 à 100 kilomètres/heure, et la poussée vers l'avant accompagnée du crescendo du V8 est l'une des expériences les plus mémorables qu'il m'a été donné de vivre au volant d'une voiture de série. Opposée au bouton de démarrage localisé sur le volant se trouve la « manetinno » permettant au conducteur de contrôler plusieurs réglages de la voiture. Ainsi, la sélection des modes « Ice » ou « Low Grip » a pour effet d'assouplir les amortisseurs et de ralentir le passage des vitesses, tout en rendant l'action de la traction asservie et du système de contrôle de la stabilité plus immédiate. En modes « Sport » ou « Race », les amortisseurs deviennent plus fermes, le passage des vitesses se fait en 20 ou 15 millièmes de seconde et les aides électroniques sont plus tolérantes, permettant même de faire dériver la voiture en virage. Le mode « CST » annule l'intervention de tous ces systèmes sauf l'ABS et le différentiel qui est contrôlé électroniquement, ce qui permet une meilleure motricité en sortie de courbes. Toute cette technologie avancée est

FEU VERT

Degré de sophistication technique
Direction ultraprécise
Son du moteur à haut régime
Plus rapide qu'une Ferrari F40 ou F50

FEU ROUGE

Prix en hausse par rapport à la 360 Modena
Diffusion limitée
Usage estival seulement

directement dérivée de la F1 et permet au conducteur inexpérimenté d'apprivoiser la voiture pour ensuite exploiter son potentiel de performance graduellement. Quant au conducteur expérimenté, il trouvera son compte avec les réglages « Race » ou « CST ».

Sur le circuit, il est possible d'apprécier au plus haut point la précision extrême de la direction qui permet de placer la voiture sur la trajectoire idéale au millimètre près ainsi que l'adhérence phénoménale supérieure à 1 G en virage. Aussi, la puissance du freinage est semblable à celle d'une véritable voiture de compétition. Il m'a également été possible d'effectuer des comparaisons directes avec une autre voiture exotique italienne, soit la Lamborghini Gallardo, et de faire le constat que la F430 l'emporte sur toute la ligne en étant plus performante en accélération, au freinage ainsi qu'en tenue de route.

Quant à la version Spider, offerte avec la boîte manuelle à six rapports ou la boîte F1, précisons que son poids est supérieur de 70 kilos principalement en raison du mécanisme d'ouverture du toit souple qui est contrôlé par sept moteurs électrohydrauliques. L'absence d'un toit rigide a également eu un effet sur l'aérodynamique de la voiture, et c'est pourquoi l'aileron est plus élevé sur la Spider afin de compenser cette perte d'appui, et de restaurer la charge aérodynamique de 110 kilos à 200 kilomètres/heure. Quant à son prix, prière d'ajouter la bagatelle de quarante mille dollars à celui de la F430...

À plus d'un quart de million de dollars par exemplaire, la F430 demeure la moins chère des voitures de la marque, mais elle devient également la plus rapide de la gamme des Ferrari, exception faite de l'Enzo. Avant son arrivée, mon cœur balançait entre la 360 Modena et le trio composé des Porsche 911 Turbo, GT2 ou GT3 lorsque venait le temps de s'éclater au Circuit Mont-Tremblant. Maintenant, la F430 règne seule au sommet de mon palmarès.

Gabriel Gélinas

Photos : Ferrari

FERRARI F430

DONNÉES TECHNIQUES

Modèle à l'essai :	Coupé
Prix du modèle à l'essai :	269 258 $ (2005)
Échelle de prix :	251 595 $ (2005)
Garanties :	3 ans/km illimité, 3 ans/km illimité
Catégorie :	GT
Emp./Lon./Lar./Haut.(cm) :	260/451/192/121
Poids :	1 450 kg
Coffre/Réservoir :	250 litres / 95 litres
Coussins de sécurité :	0
Suspension avant :	indépendante, multibras
Suspension arrière :	indépendante, multibras
Freins av./arr. :	disque (ABS)
Antipatinage/Contrôle de stabilité :	oui/oui
Direction :	à crémaillère, assistée
Diamètre de braquage :	n.d.
Pneus av./arr. :	P225/35ZR19 / P285/35ZR19
Capacité de remorquage :	non recommandé

Pneus d'origine MICHELIN

GROUPE MOTOPROPULSEUR

Moteur :	V8 de 4,3 litres 40s atmosphérique
Alésage et course	92,0 mm x 81,0 mm
Puissance :	490 ch (365 kW) à 8500 tr/min
Couple :	343 lb-pi (465 Nm) à 5250 tr/min
Rapport Poids/Puissance :	2,96 kg/ch (4,02 kg/kW)
Moteur électrique :	aucun
Autre(s) moteur(s) :	seul moteur offert
Transmission :	propulsion, manuelle 6 rapports
Autre(s) transmission(s) :	séquentielle 6 rapports
Accélération 0-100 km/h :	4,0 s (constructeur)
Reprises 80-120 km/h :	n.d.
Freinage 100-0 km/h :	n.d.
Vitesse maximale :	315 km/h (constructeur)
Consommation (100 km) :	super, 18,3 litres (constructeur)
Autonomie (approximative) :	519 km
Émissions de CO2 :	8736 kg/an

DANS LA MÊME CATÉGORIE

Aston Martin DB9 - Chevrolet Corvette Z06 - Dodge Viper SRT-10 - Lamborghini Gallardo - Mercedes-Benz SL 55 AMG - Porsche 911 Turbo

DU NOUVEAU EN 2006

Tout nouveau modèle

HISTORIQUE DU MODÈLE

1ère génération

NOS IMPRESSIONS

Agrément de conduite :	5/5
Fiabilité :	nouveau modèle
Sécurité :	3½
Qualités hivernales :	nulles
Espace intérieur :	3
Confort :	3

LE CHOIX DE L'ÉQUIPE

F430 Coupé

UN MONDE À PART

Un léger tremblement dans le volant, le pilote bien attaché. D'une pression forte mais sans excès, j'écrase l'accélérateur. La voiture bondit en avant presque comme une fusée, alors que le moteur rugit littéralement de plaisir. Un frisson me parcourt le corps entier pendant que mes mains tiennent le volant avec fermeté, les yeux fixés sur la route qui défile. Bienvenue dans le monde de la Ferrari 575, une voiture qui vit dans son propre univers.

Conduire une Ferrari, c'est une sensation à nulle autre pareille. Pas question uniquement de vitesse ou de design, la conduite d'une Ferrari est une expérience en soi, une sorte de petit nirvana du pilote automobile quand on a la chance de pousser un peu la machine.

L'ÉLÉGANCE ITALIENNE

La 575 Maranello, c'est la poursuite d'une tradition amorcée par sa prédécesseure, la 550M. Cette fois, on a équipé la voiture d'un V12 de 5,75 litres, quatre arbres à cames et quatre soupapes par cylindre. Avec un tel moteur, on note une augmentation de puissance jusqu'à 515 chevaux et un imposant couple de 434 livres-pied. Mais la véritable trouvaille, c'est la disponibilité du couple à mi-régime qui permet de tirer le maximum de la voiture. Pour en arriver à de tels changements, on a modifié les cylindres, les systèmes d'injection et l'échappement, bref, un véritable remodelage du moteur, toujours monté à l'avant, contrairement aux autres Ferrari.

Aussi imposante que soit la puissance du moteur (et elle est imposante), ce qui est le plus remarquable de cette voiture c'est la transmission de type Formule un, avec les deux paliers situés derrière le volant. Historiquement, quand Ferrari a équipé sa 575 de ce système l'année dernière, il s'agissait d'une première puisque c'était la première fois qu'un V12 recevait ce genre d'équipement.

Pour assurer le bon fonctionnement des paliers, on a bien entendu évité la simple pédale d'embrayage. On a plutôt misé sur un embrayage électrohydraulique, qui permet des changements précis et ultrarapides. La vitesse de réaction dépendra cependant de la sélection du pilote, qui a le choix entre différents modes. En mode automatique, la transmission ne demande aucune intervention du conducteur, et changera de rapport doucement et souplement. Malheureusement, comme c'est le cas de la plupart des transmissions du genre (même si celle de Ferrari est nettement en avance), le temps de réaction est un peu longuet, et la puissance de la réaction un peu trop forte.

Le résultat, vu de l'extérieur, est le même que celui d'un conducteur qui débute avec un embrayage manuel. À l'intérieur, les passagers se font brasser la tête en tout sens. En levant le pied à chaque changement de vitesse, on réussit à limiter la réaction excessive.

Les plus vigoureux voudront plutôt régler cette transmission sur le mode sport. Cette fois, plus d'hésitation, mais plus d'automatisation non plus.

FEU VERT

Puissance sans limites
Sonorité à faire frissonner
Transmission de type F1
Silhouette sensuelle

FEU ROUGE

Transmission automatique trop cadencée
Accès difficile
Ergonomie de course
Espace de rangement lilliputien

En fait, seul le premier rapport sera automatiquement enclenché lorsque la voiture viendra à l'arrêt. Pour le reste, c'est le conducteur lui-même qui détermine le moment du changement, et la transmission obéit à la vitesse de l'éclair. Un bien meilleur choix, en conduite urbaine comme en conduite sportive, d'autant plus que les changements se font alors que l'on maintient l'accélérateur enfoncé.

Il ne faudrait pas oublier non plus le système d'antipatinage, celui de contrôle de la stabilité et le réglage automatique des suspensions qui permettent de corriger toute mauvaise manœuvre d'un pilote un peu moins expérimenté, et qui sont un exemple supplémentaire de la technologie imposante chez Ferrari. Et comme la plupart des supervoitures de ce genre, c'est sur la piste que l'on est capable de mieux exploiter toutes possibilités.

SIGNÉ PININFARINA

On a beau vanter les mérites de la mécanique Ferrai, c'est d'abord le style qui permet aux voitures italiennes de se démarquer. Dans les faits, c'est grâce à Pininfarina, un styliste depuis longtemps associé à la marque au cheval cabré que la silhouette de la 575 est aussi harmonieuse. Mieux encore, pour pousser plus loin le style et l'unicité, et pour souligner le 50e anniversaire de l'arrivée de Ferrari en Amérique, on a lancé l'année dernière la version cabriolet de la 575, la Superamerica. Même style, même mécanique, mais un toit rétractable nouveau genre qui, sur simple pression d'un bouton, se retire presque entièrement vers l'arrière. Mais ne courez pas chez votre concessionnaire, seulement 559 unités de ce modèle exclusif ont été fabriquées et vendues à travers le monde.

Quant à la 575 plus traditionnelle, elle profite d'un cockpit aménagé à la fois pour la performance et le confort. Performance, parce que la position de conduite est similaire à celle que l'on peut retrouver en course. Confort, parce qu'en plus de tous les aspects de la conduite sportive, on a aussi installé un tableau de bord au design impeccable, des accessoires faciles à utiliser, des matériaux d'une qualité irréprochable et un système sonore digne d'une salle de concert.

Des défauts? Probablement l'installation au volant et l'espace de rangement limité, surtout dans le coffre. Avouons que c'est sans signification quand on conduit une 575!

Bertrand Godin

Photos: Ferrari

DONNÉES TECHNIQUES

Modèle à l'essai:	F1
Prix du modèle à l'essai:	368 000 $
Échelle de prix:	365 000 $ à 385 000 $ (estimé)
Garanties:	3 ans/km illimité, 3 ans/km illimité
Catégorie:	Roadster
Emp./Lon./Lar./Haut.(cm):	250/455/193,5/128
Poids:	1 730 kg
Coffre/Réservoir:	185 litres / 105 litres
Coussins de sécurité:	frontaux
Suspension avant:	indépendante, multibras
Suspension arrière:	indépendante, multibras
Freins av./arr.:	disque (ABS)
Antipatinage/Contrôle de stabilité:	oui/oui
Direction:	à crémaillère, assistance variable
Diamètre de braquage:	11,6 m
Pneus av./arr.:	P255/40ZR18 / P295/35ZR18
Capacité de remorquage:	non recommandé

Pneus d'origine MICHELIN

GROUPE MOTOPROPULSEUR

Moteur:	V12 de 5,7 litres 48s atmosphérique
Alésage et course	89,0 mm x 77,0 mm
Puissance:	515 ch (384 kW) à 7 250 tr/min
Couple:	434 lb-pi (589 Nm) à 5 250 tr/min
Rapport Poids/Puissance:	3,36 kg/ch (4,56 kg/kW)
Moteur électrique:	aucun
Autre(s) moteur(s):	seul moteur offert
Transmission:	propulsion, séquentielle 6 rapports
Autre(s) transmission(s):	manuelle 6 rapports
Accélération 0-100 km/h:	4,5 s
Reprises 80-120 km/h:	3,7 s
Freinage 100-0 km/h:	29,5 m
Vitesse maximale:	325 km/h
Consommation (100 km):	super, 18,7 litres
Autonomie (approximative):	561 km
Émissions de CO2:	8 930 kg/an

DANS LA MÊME CATÉGORIE

Aston Martin Vanquish - Lamborghini Murcielago - Bentley Continental GT

DU NOUVEAU EN 2006

Pas de changement majeur

HISTORIQUE DU MODÈLE

1ère génération

NOS IMPRESSIONS

Agrément de conduite:	🚗🚗🚗🚗½
Fiabilité:	🚗🚗🚗½
Sécurité:	🚗🚗🚗½
Qualités hivernales:	🚗
Espace intérieur:	🚗🚗½
Confort:	🚗🚗

LE CHOIX DE L'ÉQUIPE

F1

POUR VOYAGER ENTRE AMIS

Pour les purs et durs, les modèles Ferrari quatre places ne sont qu'un compromis que la compagnie a constamment fait pour attirer une clientèle plus bourgeoise et moins intéressée par la conduite sportive. Ils ont beau lever le nez sur ces versions, il n'en demeure pas moins qu'elles sont appréciées. D'ailleurs, la 456M, était un modèle qui a toujours été en demande. Depuis l'an dernier, elle est remplacée par la 612 Scaglietti qui nous prouve que luxe, confort et performances peuvent se retrouver dans une voiture arborant le cheval cabré.

Le constructeur de Maranello aime parfois identifier ses voitures par un nom de lieu, Daytona par exemple, mais utilise rarement le nom d'une personne. Pourtant, Luca di Montezemolo, le grand patron, a décidé de faire une entorse à la tradition en voulant rendre hommage à Sergio Scaglietti. Ce carrossier de génie a produit plusieurs voitures de légende pour le Commendatore, et l'arrivée de cette berlinetta a été l'occasion de lui rendre l'hommage ultime : produire une voiture qui porte son nom. La Scaglietti, comme les voitures produites par ce dernier dans les années 50, est dotée d'une carrosserie en aluminium, mais en plus, le châssis n'est plus en tubes d'acier soudés mais de type « space frame » en alliage d'aluminium. Il s'agit en fait de la première Ferrari de tourisme à proposer du « tout alu ». L'utilisation de ce matériau plus léger a pour effet de limiter le poids de la voiture en plus d'obtenir une amélioration de la rigidité structurelle de 60 pour cent. Cette rigidité a une influence sur le confort des occupants en permettant d'utiliser des réglages de suspension moins fermes, de réduire le bruit dans l'habitacle tout en assurant une meilleure protection en cas d'impact.

L'empattement de la 612 est incroyablement long par rapport à ses concurrentes. Cet empattement géant s'explique par le désir des ingénieurs de pouvoir installer en position longitudinale le moteur V12 de 5,7 litres derrière l'essieu avant. Il s'agit quasiment d'une voiture à moteur central avant. Et afin de garantir un équilibre quasi optimal, la boîte de vitesses a été placée à l'arrière. Ce qui assure une distribution du poids de 44 pour cent à l'avant et de 56 pour cent à l'arrière. Toujours au chapitre de la technologie, la Scaglietti est dotée d'amortisseurs actifs, d'un système de contrôle de stabilité latérale et de l'antipatinage.

Autant d'éléments pour faire hurler les puristes qui ont en horreur toute aide électronique au pilotage. Une Ferrari avec un système de stabilité latérale est un véritable « char de mauviettes » selon eux. Il est possible toutefois de renverser l'argument. Avec un puissant moteur V12 de 5,7 litres produisant la bagatelle de 540 chevaux, il semble plus logique d'éviter les catastrophes et de faciliter la tâche des pilotes qui n'ont pas nécessairement le talent et les réflexes de certains. À mon avis, c'est d'autant plus sage qu'il peut y avoir deux passagers assis en arrière.

Sans doute pour ne pas trop édulcorer la fiche technique, la boîte automatique de la 456M a été abandonnée. L'acheteur a le choix entre une boîte manuelle à six rapports ou la version FIA qui utilise un embrayage électrohydraulique pour passer les rapports. Des pastilles

FEU VERT

Moteur V12
Authentique 4 places
Confort assuré
Tenue de route
Prestige

FEU ROUGE

Peinture atroce
Prix prohibitif
Silhouette controversée
Faible visibilité arrière

derrière le volant contrôlent le passage des rapports. Compte tenu du lien de cette boîte avec les Ferrari de Formule 1, cette transmission est la plus populaire.

CLIMATISATION DEUX ZONES?

Par tradition, les voitures Ferrari ont toujours eu des habitacles quasiment spartiates. Ce sont des voitures de sport et la conduite à haute vitesse n'a rien à faire avec des systèmes audio de qualité, la climatisation, les glaces à commande électrique et tout le bataclan. Pourtant, la 612 propose tout cela et plus encore. Elle est la première Ferrari à offrir la climatisation deux zones par exemple. Mais bien que le niveau de confort de cette voiture soit très poussé, le tableau de bord est très sobre. La plupart des réglages visant à personnaliser la voiture sont placés sur le volant, un peu comme en F1.

Il a toujours été de tradition de devoir se contorsionner et de baisser la tête pour s'asseoir à l'avant des grandes sportives. Cette fois, l'exercice est grandement facilité et même les conducteurs de grande taille peuvent y prendre leurs aises. Les places arrière sont d'un surprenant confort et une personne de moins de 180 cm n'aura pas de difficulté à s'y installer confortablement. L'accès aux deux places arrière nécessite un peu de souplesse, mais c'est confortable une fois assis tandis que le support latéral est digne de mention.

VITESSE ET CONFORT

La 612 est la plus grosse Ferrari jamais produite et il faut souligner le travail des stylistes de Pininfarina qui ont produit une voiture dont les lignes sont fluides et élégantes. Les parois latérales concaves évitent que la voiture paraisse trop large.

Mais, une Ferrari, c'est la conduite, et cette grosse Scaglietti ne s'en laisse pas imposer par ses concurrentes de la catégorie dont la Aston Martin Vanquish ou la Bentley Continental GT. Même lorsque l'indicateur de vitesse dépasse les 200 km, le pilote se sent en pleine confiance et la sonorité des quatre tuyaux d'échappement du V12 est une musique qui se fait apprécier. Par contre, le couple du moteur pourrait se montrer plus élevé à bas régime. Le compte-tours doit indiquer 5230 tours/minute avant que le couple optimal ne soit atteint. Il faut donc toujours piloter en maintenant le régime dans la zone des 4000 tr/min pour tirer un bon parti du moteur. C'est à ce moment que les palettes de la transmission FIA sont appréciées.

Denis Duquet

Photos: Ferrari

FERRARI 612 SCAGLIETTI

DONNÉES TECHNIQUES

Modèle à l'essai:	version unique
Prix du modèle à l'essai:	335 000$
Échelle de prix:	335 000$
Garanties:	3 ans/km illimité, 3 ans/km illimité
Catégorie:	GT
Emp./Lon./Lar./Haut.(cm):	295/490/195,5/134,5
Poids:	1 840 kg
Coffre/Réservoir:	240 litres / 110 litres
Coussins de sécurité:	frontaux et latéraux (av.)
Suspension avant:	indépendante, multibras
Suspension arrière:	indépendante, multibras
Freins av./arr.:	disque (ABS)
Antipatinage/Contrôle de stabilité:	oui/oui
Direction:	à crémaillère, assistance variable
Diamètre de braquage:	12,0 m
Pneus av./arr.:	P245/45ZR18 / P285/40ZR19
Capacité de remorquage:	non recommandé

GROUPE MOTOPROPULSEUR

Moteur:	V12 de 5,7 litres 48s atmosphérique
Alésage et course	89,0 mm x 77,0 mm
Puissance:	532 ch (397 kW) à 7250 tr/min
Couple:	434 lb-pi (589 Nm) à 5250 tr/min
Rapport Poids/Puissance:	3,46 kg/ch (4,63 kg/kW)
Moteur électrique:	aucun
Autre(s) moteur(s):	seul moteur offert
Transmission:	propulsion, séquentielle 6 rapports
Autre(s) transmission(s):	manuelle 6 rapports
Accélération 0-100 km/h:	4,2 s
Reprises 80-120 km/h:	3,8 s
Freinage 100-0 km/h:	32,3 m
Vitesse maximale:	315 km/h
Consommation (100 km):	super, 18,8 litres
Autonomie (approximative):	585 km
Émissions de CO2:	8831 kg/an

DANS LA MÊME CATÉGORIE

Aston Martin Vanquish - Bentley Continental GT - Mercedes-Benz CL65 AMG

DU NOUVEAU EN 2006

Aucun changement

HISTORIQUE DU MODÈLE

1ière génération

NOS IMPRESSIONS

Agrément de conduite:	4½
Fiabilité:	3
Sécurité:	4
Qualités hivernales:	nulles
Espace intérieur:	3½
Confort:	3½

LE CHOIX DE L'ÉQUIPE

version unique

ELLE MÉRITE LE DÉTOUR

L'année 2005 a été importante pour Ford qui a lancé au Canada pas moins de cinq modèles inédits ou revisités de fond en comble (500, Escape Hybrid, Focus, Freestyle et Mustang). Parmi ces modèles, la 500 semble bien triste. Son physique, sans être ingrat, n'a vraiment rien pour faire tourner les têtes. Alors que certains voyaient en elle la remplaçante de la Taurus, son look et ses dimensions la rapprochent davantage de la Mercury Grand Marquis!

Quoiqu'il en soit, la carrosserie de la 500 manque singulièrement de relief même si les phares avant rappellent un peu ceux des récentes Cadillac, que l'arrière ressemble à celui d'une Mercedes-Benz, et que la ligne du toit fasse un peu Volkswagen Passat. Les Américains n'ont pas encore appris à copier aussi bien que les Coréens! Le Freestyle, ce véhicule multisegment qui repose sur le même châssis est beaucoup mieux réussi au chapitre de l'esthétique.

Ford a voulu, avec sa 500, créer une automobile qui offrirait les qualités d'un VUS. C'est réussi et, mieux, on n'y retrouve pas les inconvénients! La 500 bénéficie de beaucoup d'espace intérieur et peut même recevoir un rouage intégral. Nous y reviendrons. Pour ce qui est de l'habitacle, il faut s'installer à l'arrière pour constater que Ford n'a pas lésiné sur les centimètres. Rarement a-t-on vu autant d'espace pour les jambes, les coudes et la tête dans une automobile. Vue de l'extérieur, la 500 semble plus haute que nature et ce qui peut être perçu comme un défaut esthétique devient une qualité à l'intérieur! Pourtant, même si trois adultes peuvent aisément s'asseoir sur la banquette arrière, on ne retrouve que deux appuie-têtes. Les sièges avant sont placés plutôt haut, ce qui donne l'impression qu'on est assis dans un camion et leur confort peut ne pas plaire à toutes les anatomies (en tout cas pas à la mienne!).

Au moins, conducteur et passagers bénéficient d'une visibilité sans reproches sauf lors de chutes de neige alors que l'essuie-glace gauche laisse une large bande verticale de ce caca blanc. La position de conduite ne pose aucun problème grâce au siège qui s'ajuste en profondeur et en hauteur. Le volant, lui, ne se déplace que dans ce dernier axe.

Si l'habitacle se montre aussi vaste qu'une cathédrale, il ne faut pas oublier le coffre qui peut engloutir 595 litres... ou cinq sacs de golf! Le couvercle du coffre met un temps fou à s'ouvrir (à cause de cela, ma tête a fait une rencontre fortuite avec le mécanisme d'enclenchement, qui n'a pas semblé impressionné par les quelques mots liturgiques prononcés à cette occasion), mais l'ouverture ainsi créée (celle qui donne sur le coffre...) est très grande. Malheureusement, le seuil de chargement est un tantinet trop élevé. Le dossier des sièges arrière s'abaisse facilement pour agrandir davantage l'espace de chargement. Même le dossier du siège du passager avant se replie vers l'avant si vous avez à transporter des objets longs. Simple et pratique!

SURPRISE!

La Five Hundred (en anglais, ça fait plus big!) n'est disponible qu'en version berline. Le consommateur peut choisir entre les modes traction

FEU VERT

Espace intérieur surprenant
Comportement routier sain
Confort approuvé
Version intégrale
Prix étudié

FEU ROUGE

Certains détails de présentation agaçants
Silhouette assez banale merci!
Sièges plus ou moins confortables
Transmission CVT engourdie par temps froid
Finition moindre

et intégrale, et les deux modèles se déclinent en trois livrées, soit SE, SEL et Limited. Bien entendu, la Limited propose plus d'accessoires de luxe que ses subalternes, et certains sont à considérer sérieusement comme le pédalier ajustable et les pneus de 18", par exemple. Par contre, peu importe le nombre de roues motrices ou le niveau d'équipement, le V6 de 3,0 litres développe 203 chevaux pour un couple de 207 livres-pied. C'est au chapitre des transmissions que la surprise arrive ! La livrée SE à roues avant motrices et toutes les versions à rouage intégral ont droit à une transmission automatique à rapports continuellement variables. Cette transmission fonctionne avec transparence sauf lors de grands froids où elle se révèle beaucoup plus lente à réagir. Je ne sais pas si toutes les 500 munies de ce type de transmission connaissent le même problème, mais c'était le cas avec notre véhicule d'essai. Soulignons que l'intégrale est fabriquée par Haldex et est très similaire à ce que Volvo propose sur son XC90. Ce type de rouage ne vous sortira jamais d'un trou de boue trop profond mais il améliore nettement le comportement routier. Dommage que notre essai se soit déroulé en hiver... avec des pneus quatre saisons. Ces foutues rondelles empêchaient l'intégrale de donner sa pleine mesure.

Même si 203 chevaux semblent bien peu nombreux pour mouvoir une grosse caisse comme la 500, les accélérations et reprises sont dans la bonne moyenne. On ne parle certes pas d'une voiture sport mais la tenue de route étonne. Le système de contrôle de traction intervient de façon fort transparente et, encore une fois, si les bidules en caoutchouc noir qui entouraient les jantes avaient été adaptés, il aurait encore mieux servi les intérêts du conducteur. La direction est étonnamment précise et son feedback, sans se révéler aussi intéressant que celui de la nouvelle Mustang, est à des années-lumière de ce que la Toyota Avalon, la nouvelle concurrente de la 500, propose. Malgré tout, on s'ennuie un peu au volant de la 500. Tous les ingrédients sont là mais la passion n'y est pas. Me voilà à rêver d'une 500 SVT...

La 500 pêche surtout au niveau de la finition et de la qualité de certains éléments, ainsi que de la puissance un peu juste du moteur par rapport à la concurrence (Chrysler 300 et Toyota Avalon pour ne pas les nommer). Le style est plutôt froid aussi. Malheureusement. Car la 500 est une surprise. Une très agréable surprise. Il faut juste vouloir la découvrir !

Alain Morin

Photos: Ford

DONNÉES TECHNIQUES

Modèle à l'essai :	SEL AWD
Prix du modèle à l'essai :	32 045 $ - 2005
Échelle de prix :	29 295 $ à 34 595 $ - 2005
Garanties :	3 ans/60 000 km, 5 ans/100 000 km
Catégorie :	berline grand format
Emp./Lon./Lar./Haut.(cm) :	287/510/187,5/153
Poids :	1 730 kg
Coffre/Réservoir :	595 litres / 72 litres
Coussins de sécurité :	frontaux et rideaux
Suspension avant :	indépendante, jambes de force
Suspension arrière :	indépendante, multibras
Freins av./arr. :	disque (ABS)
Antipatinage/Contrôle de stabilité :	oui/non
Direction :	à crémaillère, assistée
Diamètre de braquage :	12,2 m
Pneus av./arr. :	P215/60R17
Capacité de remorquage :	454 kg

GROUPE MOTOPROPULSEUR

Moteur :	V6 de 3,0 litres 24s atmosphérique
Alésage et course	89,0 mm x 79,5 mm
Puissance :	203 ch (151 kW) à 5 750 tr/min
Couple :	207 lb-pi (281 Nm) à 4 500 tr/min
Rapport Poids/Puissance :	8,52 kg/ch (11,46 kg/kW)
Moteur électrique :	aucun
Autre(s) moteur(s) :	seul moteur offert
Transmission :	intégrale, CVT
Autre(s) transmission(s) :	automatique 6 rapports
Accélération 0-100 km/h :	8,2 s
Reprises 80-120 km/h :	6,5 s
Freinage 100-0 km/h :	39,0 m
Vitesse maximale :	200 km/h
Consommation (100 km) :	ordinaire, 12,1 litres
Autonomie (approximative) :	595 km
Émissions de CO2 :	n.d.

DANS LA MÊME CATÉGORIE

Chevrolet Impala - Chrysler 300 - Nissan Maxima - Toyota Avalon

DU NOUVEAU EN 2006

Couleur Silver Birch, DVD disponible sur SEL et Limited, sièges cuir disponibles sur SE, système navigation disponible sur Limited

HISTORIQUE DU MODÈLE

1[ière] génération

NOS IMPRESSIONS

Agrément de conduite :	½
Fiabilité :	
Sécurité :	½
Qualités hivernales :	½
Espace intérieur :	
Confort :	

LE CHOIX DE L'ÉQUIPE

SE AWD

EN ROUTE VERS LE SOMMET !

Ford et Mazda se sont associés pour le meilleur et pour le pire. Quand ils ont consommé leur union, les deux fabricants automobiles ont mis en commun leur expertise respective et ont mis au monde de petits modèles réunissant les qualités génétiques de l'un et l'autre des parents. Avec le Mazda Tribute et le Ford Escape, deux jumeaux quasi identiques, les qualités de chacun sont visibles, et assez bien réussies, il faut l'admettre. Les changements apportés cette année sont très mineurs, mais ont tout de même permis de corriger certains petits irritants qui ont peut-être limité le succès de l'Escape depuis sa sortie.

Bien sûr, pour Ford, l'objectif clairement énoncé était de faire échec à la concurrence qui multiplie les petits utilitaires sport. Les fourgonnettes ont déjà littéralement fait la loi sur le marché automobile. Il est évident qu'aujourd'hui, les VUS sont au sommet de la popularité, enregistrant une augmentation de 34 % des ventes au Québec seulement au cours de la dernière année. Chaque marque se doit donc d'avoir le sien, et être en mesure de le mener parmi les chefs de file.

Pour y arriver, Ford a légèrement retouché quelques détails sur son Escape, mais mise surtout sur la version hybride du modèle, lancée l'année dernière, pour compléter sa poussée vers le sommet.

RIEN DE NEUF SOUS LE CAPOT

En matière de mécanique, le petit quatre cylindres de 2,3 litres est toujours installé sous le capot. Il est efficace, mais pas assez nerveux, et surtout pas tout à fait assez musclé pour déménager efficacement le poids élevé d'un véhicule qui compte parmi les plus gros de sa catégorie. En ville, il est tout de même généralement suffisant pour les besoins, et avant tout nettement moins bruyant que son grand frère.

L'autre option est donc un V6 de 3,0 litres qui lui, délivre 200 chevaux. Mais il faut savoir abreuver cette cavalerie, et la note de la consommation d'essence s'avère parfois un peu plus salée que souhaité. Malgré tout, cette dernière option (proposée sur les versions XLT et Limited) est évidemment la plus attrayante si vous désirez pousser votre petit utilitaire dans ses retranchements, à moins de ne vouloir simplement la voiture que pour le look. Car le Ford Escape offre un visage fort intéressant. Le constructeur américain a retenu le côté plus sobre des modèles de grande popularité, et de plus grande taille, que sont les Explorer. Le tout est simple, les lignes sont efficaces bref, un petit utilitaire qui a de la gueule, tout en demeurant de bon ton.

La carrosserie, monocoque, assure une bonne rigidité à l'ensemble et donne une tenue de route satisfaisante et un plus grand confort. Quant au comportement routier, sans être exemplaire, il remplit la commande. Bien entendu, comme la plupart des nouveaux utilitaires, l'Escape n'est pas vraiment conçu pour faire du hors route sauvage, mais plutôt pour en donner l'illusion. Et de ce côté, il ne déçoit pas. Il se conduit comme un véritable VUS, avec la suspension au roulis un peu plus prononcé.

FEU VERT

Moteur 4 cylindres peu bruyant
Accès au chargement facile
Traction intégrale efficace
Motorisation hybride

FEU ROUGE

Consommation élevée
Insonorisation parfois déficiente
Performances justes
Finition moins sophistiquée

Le modèle de base, à traction, offre une conduite urbaine agréable, alors que le modèle à quatre roues motrices, que j'ai testé dans des conditions idéales c'est-à-dire sur des sentiers boisés, permet de s'amuser dans des conditions plus difficiles que la moyenne. On ne ressent aucun problème de tenue de route, mais un certain inconfort à cause d'une suspension pas toujours bien adaptée.

Et attention, pas question ici de jouer à l'explorateur de forêt amazonienne car l'Escape ne suffira pas à la tâche! Disons que pour l'explorateur du dimanche, il remplira largement les attentes. Et fait intéressant, ce sont toutes ces qualités que la version hybride possède, en plus d'une cote de consommation de 8 litres aux 100 km environ. De quoi faire sourire n'importe quel automobiliste!

À LA VILLE OU DANS LES BOIS

Côté confort, les sièges fournissent un bon support pour les passagers avant. Les passagers arrière, que l'on doit malheureusement limiter à deux pour maintenir le confort, pourront aussi fort bien survivre sans trop de courbatures après de longues randonnées.

Pour tout le monde à l'intérieur cependant, le principal problème risque d'être le niveau de conversation élevé, car l'insonorisation de l'ensemble du véhicule est légèrement insuffisante. Et comme le moteur V6 est relativement bruyant, il faudra s'attendre à discuter un peu plus fort. Une petite faiblesse que l'on pardonne aisément à un utilitaire, mais qui demande un peu de patience en utilisation urbaine.

Le coffre arrière comblera les vrais amateurs de plein air qui pourront y loger tout leur matériel et qui, en cas de besoin, pourront aussi trouver du renfort en abaissant la banquette arrière (60/40) et profiteront ainsi d'un espace de rangement remarquablement grand pour ce type de véhicule.

Le design intérieur des deux versions est indéniablement et génétiquement lié à Ford. Doté d'une finition correcte (étrange, car elle est moins bonne que celle du Mazda Tribute), et d'un tableau de bord sans éclat mais soigné, sans oublier une liste d'options intéressantes, l'Escape trouve sa place à la ville comme à la campagne, pour des sorties chics comme pour des voyages de pêche.

Marc Bouchard

Photos : Denis Duquet

DONNÉES TECHNIQUES

Modèle à l'essai :	Hybride intégral
Prix du modèle à l'essai :	36295$
Échelle de prix :	22995$ à 36295$
Garanties :	3 ans/60000 km, 5 ans/100000 km
Catégorie :	utilitaire sport compact
Emp./Lon./Lar./Haut.(cm) :	262/444/178/178
Poids :	1641 kg
Coffre/Réservoir :	782 à 1855 litres / 57 litres
Coussins de sécurité :	frontaux, latéraux (av.), rideaux
Suspension avant :	indépendante, jambes de force
Suspension arrière :	indépendante, multibras
Freins av./arr. :	disque (ABS)
Antipatinage/Contrôle de stabilité :	non/non
Direction :	à crémaillère, assistée
Diamètre de braquage :	11,1 m
Pneus av./arr. :	P235/70R16
Capacité de remorquage :	454 kg

GROUPE MOTOPROPULSEUR

Moteur :	4L de 2,3 litres 16s atmosphérique
Alésage et course	87,5 mm x 94,0 mm
Puissance :	133 ch (99 kW) à 6000 tr/min
Couple :	124 lb-pi (168 Nm) à 4250 tr/min
Rapport Poids/Puissance :	12,34 kg/ch (16,58 kg/kW)
Moteur électrique :	94 ch (70kW)
Autre(s) moteur(s) :	V6 3,0 l 200ch à 6000tr/mn et 193lb-pi à 4850tr/mn, 4L 2,3 l 153ch à 5800tr/mn et 152lb-pi à 4250tr/mn
Transmission :	intégrale, CVT variable
Autre(s) transmission(s) :	traction, manuelle 5 rapports / automatique 4 rapports
Accélération 0-100 km/h :	10,3 s
Reprises 80-120 km/h :	9,9 s
Freinage 100-0 km/h :	40,3 m
Vitesse maximale :	180 km/h
Consommation (100 km) :	ordinaire, 7,4 litres
Autonomie (approximative) :	770 km
Émissions de CO2 :	3503 kg/an

DANS LA MÊME CATÉGORIE

Chevrolet Equinox - Honda CR-V - Hyundai Santa Fe - Jeep Liberty - Mazda Tribute - Mitsubishi Outlander

DU NOUVEAU EN 2006

Pas de changement majeur

HISTORIQUE DU MODÈLE

2ième génération

NOS IMPRESSIONS

Agrément de conduite :	3½
Fiabilité :	3½
Sécurité :	4
Qualités hivernales :	4
Espace intérieur :	4
Confort :	3½

LE CHOIX DE L'ÉQUIPE

Hybride AWD

NOUVEAUTÉ BIEN CACHÉE

Les choses n'allaient pas mal pour le Ford Explorer... Elles allaient très mal! Le prix de l'essence sans aucun doute, mais aussi l'encombrement des gros VUS (l'Explorer est considéré par Ford comme un véhicule utilitaire sport «moyen»!) sont en train de faire beaucoup de dommages aux ventes de ce créneau pourtant encore prometteur il n'y a pas si longtemps. Depuis un an, l'Explorer a perdu beaucoup de terrain. La nouvelle mouture de l'Explorer tombe donc à pic, même si les différences au niveau esthétiques ne sont pas aussi marquées qu'on l'aurait souhaité.

En fait, il faut un œil avisé pour rapidement différencier l'ancienne et la nouvelle version. Les parties avant et arrière, entre autres, sont toutes nouvelles de même que le capot et les ailes. L'ensemble fait plus distingué et plus harmonieux que par le passé. L'habitacle, pour sa part, a été entièrement revu ainsi que le châssis et la mécanique. Voyons cela de plus près... Le tableau de bord, tout neuf, se montre beaucoup plus facile à consulter que l'ancien et reprend des éléments du Ford F150. Les grands cadrans ronds sont bien lisibles et le volant se prend parfaitement en main. Les matériaux utilisés sont de belle qualité et les principes de l'ergonomie sont respectés, ce qui était loin d'être le cas auparavant. Les sièges se révèlent confortables, à l'instar de l'habitacle. Désormais, ils coulissent sur une plus longue distance (1,2 cm vers l'avant et autant vers l'arrière), allouant ainsi un plus grand confort pour les très grands... comme pour les très petits. Parmi toutes les innovations apportées à l'habitacle (dont la possibilité de faire basculer les sièges arrière électriquement, comme sur le Lincoln Navigator!), c'est surtout à la réduction du bruit que les ingénieurs se sont attardés. Franchement, on se croirait davantage dans une automobile que dans un véhicule supporté par un châssis de camion!

L'Explorer 2006 se décline en trois séries, soit XLT (une belle dénomination pour dire «base»), Eddie Bauer et Limited. La livrée Eddie Bauer se distingue par sa calandre différente des deux autres avec une ouverture verticale de chaque côté de la grille. Si les XLT et Eddie Bauer peuvent recevoir un V6 ou un V8, le Limited, lui, n'a droit qu'au V8. Tous ces modèles bénéficient du rouage intégral Control Trac. Mais on est loin d'un rouage intégral à la Subaru où le conducteur n'a qu'à laisser faire le travail par le système. Ici, en temps normal, la puissance est dirigée aux roues arrière jusqu'à ce qu'elles patinent. Alors, le couple est dirigé vers les roues avant sans intervention du conducteur. Cependant, celui-ci peut choisir entre les modes 4Hi et 4Lo si les conditions se détériorent vraiment. Mis rapidement à l'épreuve dans plusieurs centimètres de boue, ce système nous est apparu fort convaincant. D'ailleurs, acoquiné avec le système de stabilité latéral Roll Stability, il devient un des éléments de sécurité active des plus performants du véhicule.

Comme mentionné plus tôt, deux moteurs sont proposés. Il s'agit du même V6 de 4,0 litres qui était offert l'an dernier. Surprenant de performances et de souplesse, il se targue même d'être économique (tout est relatif...) à la pompe. Il permet, avec l'équipement approprié,

FEU VERT

Habitacle réussi
Confort assuré
Moteurs performants
Transmission six rapports
Intégrale sophistiquée

FEU ROUGE

Modifications trop timides (carrosserie)
V8 gourmand
Troisième rangée de sièges symbolique
Poids encore trop élevé
Prix épicés

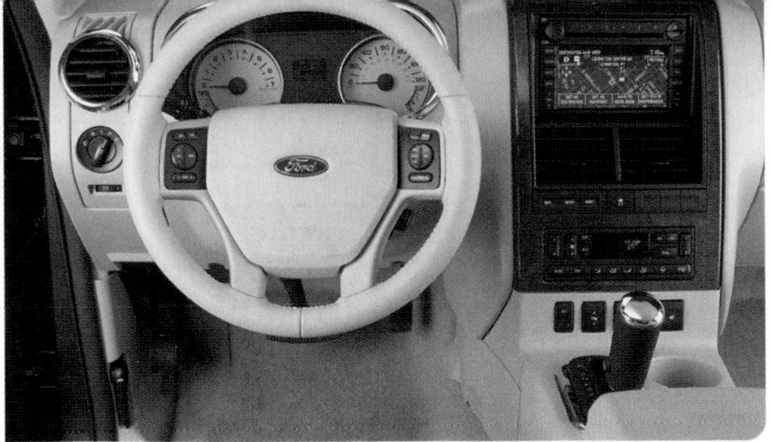

de remorquer 2330 kilos (5140 lb). Le V8 de 4,6 litres, lui, n'hésite pas à traîner 3200 kilos (7050 lb). Bien entendu, la frugalité en prend pour son rhume mais les performances sont à l'avenant. Ses 292 chevaux (53 de plus que l'an dernier) et ses 300 livres-pied de couple font toutefois amplement l'affaire ! Ce moteur partage plusieurs de ses composantes avec celui de la Mustang. Si le V6 reçoit une transmission automatique à cinq rapports, le V8 a droit, lui, à une boîte à six rapports, automatique ici aussi et toute nouvelle.

Pour supporter ces moteurs, Ford a donné à son Explorer un châssis tout neuf. Toujours de type à échelle comme sur la camionnette F150, ce cadre est 63 % plus rigide que l'ancien. Espérons que cela lui permettra d'éviter les bruits de caisse qui étaient si souvent le lot de l'Explorer de l'ancienne génération. De plus, ce cadre est étudié pour mieux absorber l'énergie lors d'un impact violent. À cadre neuf, suspensions indépendantes neuves ! Celle à l'arrière se veut plus robuste pour pouvoir remorquer davantage, elle est aussi mieux dessinée en vue d'agrandir l'espace de chargement. À l'avant aussi, les éléments de la suspension sont plus robustes. Ces nouveaux éléments suspenseurs, reliés au cadre par d'aussi nouveaux supports, rehaussent le niveau de confort déjà assez élevé de l'Explorer. Certes, ce dernier ne peut nier son châssis de camion mais on a déjà vu pire, bien pire. Les freins aussi ont été améliorés, en grande partie pour être en mesure de stopper les quelque 3200 kilos qui peuvent être remorqués. L'ABS, comme dans le modèle précédent, demeure exceptionnel de transparence et semble mieux ralentir le poids pas très « plume » de l'Explorer. Et tant qu'à y être, mentionnons que la direction aussi a été bonifiée, et il est désormais possible de sentir qu'on a, entre les mains, quelque chose qui travaille.

L'Explorer 2006 est sans contredit le meilleur Explorer jamais construit. Malheureusement, et malgré son raffinement général, sa carrosserie n'a pas reçu l'attention à laquelle elle aurait pourtant eu droit. Souhaitons que, pour Ford, ce nouvel Explorer inverse la tendance actuelle au chapitre des ventes de VUS.

Alain Morin

Photos : Ford

DONNÉES TECHNIQUES

Modèle à l'essai :	XLT
Prix du modèle à l'essai :	41 045 $
Échelle de prix :	41 045 $ à 52 345 $
Garanties :	3 ans/60 000 km, 5 ans/100 000 km
Catégorie :	utilitaire sport intermédiaire
Emp./Lon./Lar./Haut.(cm) :	289/491/187/185
Poids :	2134 kg
Coffre/Réservoir :	385 à 2430 litres / 85 litres
Coussins de sécurité :	frontaux, latéraux
Suspension avant :	essieu rigide, bras inégaux
Suspension arrière :	indépendante, bras inégaux
Freins av./arr. :	disque (ABS)
Antipatinage/Contrôle de stabilité :	oui/oui
Direction :	à crémaillère, assistée
Diamètre de braquage :	11,2 m
Pneus av./arr. :	P235/70R16
Capacité de remorquage :	2331 kg

Pneus d'origine MICHELIN

GROUPE MOTOPROPULSEUR

Moteur :	V6 de 4,0 litres 12s atmosphérique
Alésage et course	100,4 mm x 84,4 mm
Puissance :	210 ch (157 kW) à 5100 tr/min
Couple :	254 lb-pi (344 Nm) à 3700 tr/min
Rapport Poids/Puissance :	10,16 kg/ch (13,59 kg/kW)
Moteur électrique :	aucun
Autre(s) moteur(s) :	V8 4,6 l 292ch à 5750tr/mn et 300lb-pi à 3950tr/mn
Transmission :	intégrale, automatique 5 rapports
Autre(s) transmission(s) :	automatique 6 rapports
Accélération 0-100 km/h :	8,8 s
Reprises 80-120 km/h :	7,5 s
Freinage 100-0 km/h :	36,9 m
Vitesse maximale :	210 km/h
Consommation (100 km) :	ordinaire, 13,6 litres
Autonomie (approximative) :	625 km
Émissions de CO_2 :	6584 kg/an

DANS LA MÊME CATÉGORIE

Acura MDX - BMW X5 - GMC Envoy - Jeep Grand Cherokee - Mercedes-Benz Classe M - Toyota 4Runner

DU NOUVEAU EN 2006

Nouveau modèle

HISTORIQUE DU MODÈLE

4ième génération

NOS IMPRESSIONS

Agrément de conduite :	🚗🚗🚗½
Fiabilité :	nouveau modèle
Sécurité :	🚗🚗🚗🚗
Qualités hivernales :	🚗🚗🚗🚗½
Espace intérieur :	🚗🚗🚗½
Confort :	🚗🚗🚗🚗

LE CHOIX DE L'ÉQUIPE

XLT

POURTANT !

Sur les marchés canadiens et américains, je m'interroge toujours à savoir pourquoi ce constructeur ignore plusieurs véhicules dans sa gamme de modèles. La Focus en est un exemple patent. Il est vrai que ce n'est certainement pas le modèle le plus lucratif de la famille, mais il s'agit non seulement d'un véhicule qui est capable de se défendre contre les autres voitures de sa catégorie, mais il est offert en plus dans une grande variété de modèles. À part la berline, il faut ajouter les hatchback deux et cinq portes de même que la familiale.

Un bel exemple de ce que j'avance est le type de lancement attribué à la Focus l'an dernier alors qu'elle était censée avoir été transformée du tout au tout. En décembre 2003, lors de la réception de Noël de la compagnie Ford à Dearborn, la nouvelle Focus était laissée toute seule à la porte, comme une indésirable. C'est pour ainsi dire par accident que les gens la découvraient. Puis, une fois à Montréal, une présentation toute timide de quelques minutes au début du printemps et c'en était fait de la nouvelle Focus. C'était par obligation, par simple nécessité.

Pourtant, les changements apportés méritaient plus. Parmi les plus importants, il faut souligner une nouvelle calandre, un tableau de bord redessiné ainsi que de multiples améliorations de détail en fait de finition et sur le plan de la mécanique. Malheureusement, les exemplaires conduits à ce jour nous ont permis de conclure que la finition améliorée promise ne faisait pas partie des véhicules de presse. Par contre, une inspection de quelques modèles dans les salons de l'auto nous permet de croire que la situation s'est améliorée au fil des mois.

Le changement majeur dans l'habitacle est le remplacement du tableau de bord, initialement d'inspiration nettement européenne, qui a été remplacé par une version archisobre et ultracarrée. Les stylistes ont refusé d'innover et sont revenus à une disposition traditionnelle de la plupart des commandes. Ce qui devrait plaire aux consommateurs américains, généralement très conservateurs à ce chapitre. Par contre, tout est à sa place et facile d'accès. Détail intéressant en passant, selon les gabarits et le recul du siège du conducteur, certaines commandes deviennent plus ou moins accessibles.

VERSION FAMILLE

Comme la Focus est considérée comme une voiture d'entrée de gamme, les acheteurs ne sont généralement pas tellement exigeants en fait de puissance du groupe propulseur. Toutefois, au fil des années, de plus en plus de modèles concurrents étaient pourvus de moteurs plus puissants. Ford a été obligé d'abandonner son modeste moteur 2,0 litres de base d'une puissance de 110 chevaux. Il est remplacé depuis l'an dernier par un moteur de cylindrée égale, mais produisant 20 chevaux de plus. Les accélérations ont nettement plus de mordant tandis que les dépassements sont moins hasardeux.

La Focus sous toutes ses moutures est donc une honnête compacte qui a l'avantage d'être offerte en différentes carrosseries et en de

FEU VERT

Versions ST
Choix de carrosserie
Moteurs adéquats
Tenue de route honnête
Habitabilité correcte

FEU ROUGE

Moteur bruyant
Finition perfectible
Prix élevés de certaines variantes
Pneumatiques de base
Tableau de bord ennuyant

multiples niveaux d'équipement. Et il y a même un bonus depuis l'an dernier, la version ST.

OXYMORON ?

Depuis l'abandon de la Focus SVT, conduite sportive et Focus constituent un oxymoron. Il ne faut pas perdre espoir puisque la version ST du modèle ZX4, également lancée en 2005, permet aux amateurs de conduite sportive de rouler en Focus sans déprimer. En tout premier lieu, ce modèle est propulsé par le moteur Duratec 2 de 2,3 litres d'une puissance de 151 chevaux. C'est inférieur aux 170 chevaux de la défunte SVT, mais il est ainsi possible de boucler le 0-100 km/h en 7,4 secondes, ce qui la rend plus rapide et aussi nettement plus agréable à conduire qu'une Toyota Corolla XRS, continuellement trahie par son embrayage délicat. Il ne faut cependant pas limiter notre évaluation de la ST à son moteur plus puissant, son équipement plus complet ou encore à ses freins à disque aux quatre roues couplés à un système ABS.

Contrairement à presque tous les autres modèles de la Focus, la ST nous séduit par sa suspension de type européen, sa direction précise et une tenue de route capable d'aborder les courbes sans appréhension. Même les virages les plus serrés et intimidants donnent l'impression que la voiture est sur des rails. J'exagère à peine !

Pour une fois, une compagnie américaine a réussi à concocter une compacte agile, nerveuse et un tantinet sportive. Plusieurs vont déplorer sa suspension ferme et sa direction trop peu assistée, mais les gens apprécient la Volkswagen Golf pour les mêmes raisons. En plus, cette berline peut toujours jouer son rôle de voiture de la famille avec ses quatre portières et son coffre assez spacieux. Enfin, ce moteur 2,3 litres est bien adapté à la conduite en ville tout en pouvant répondre aux attentes d'un conducteur qui aime que le compte-tours soit toujours près de la zone du régime maximal.

Curieusement, la compagnie Ford ne semble pas vouloir mousser la candidature de sa Focus dans cette catégorie, laissant le champ libre à plusieurs concurrentes qui ne sont ni meilleures, ni pires. À trop vouloir privilégier la vente des gros VUS et de camionnettes plus rentables, ce constructeur se prive d'une clientèle dont il aurait pourtant bien besoin.

Denis Duquet

Photos: Alain Morin

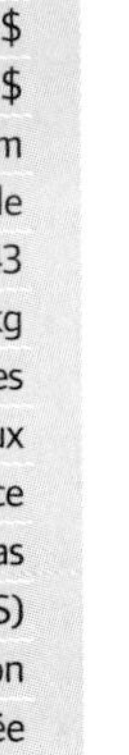

DONNÉES TECHNIQUES

Modèle à l'essai :	ZX4 ST
Prix du modèle à l'essai :	24 045 $
Échelle de prix :	17 895 $ à 28 995 $
Garanties :	3 ans/60 000 km, 5 ans/100 000 km
Catégorie :	berline compacte/hatchback/familiale
Emp./Lon./Lar./Haut.(cm) :	261/453/170/143
Poids :	1 256 kg
Coffre/Réservoir :	991 à 2 067 litres / 53,4 litres
Coussins de sécurité :	frontaux
Suspension avant :	indépendante, jambes de force
Suspension arrière :	indépendante, multibras
Freins av./arr. :	disque/tambour (ABS)
Antipatinage/Contrôle de stabilité :	oui/non
Direction :	à crémaillère, assistée
Diamètre de braquage :	10,4 m
Pneus av./arr. :	P195/60R15
Capacité de remorquage :	454 kg

Pneus d'origine MICHELIN

GROUPE MOTOPROPULSEUR

Moteur :	4L de 2,0 litres 16s atmosphérique
Alésage et course	87,5 mm x 83,1 mm
Puissance :	136 ch (101 kW) à 6 000 tr/min
Couple :	132 lb-pi (179 Nm) à 4 500 tr/min
Rapport Poids/Puissance :	9,24 kg/ch (12,44 kg/kW)
Moteur électrique :	aucun
Autre(s) moteur(s) :	4L 2,3 l 151ch à 5750tr/mn et 154lb-pi à 4250tr/mn (ST)
Transmission :	traction, automatique 4 rapports
Autre(s) transmission(s) :	manuelle 5 rapports
Accélération 0-100 km/h :	10,6 s
Reprises 80-120 km/h :	8,2 s
Freinage 100-0 km/h :	35,6 m
Vitesse maximale :	n.d.
Consommation (100 km) :	ordinaire, 9,7 litres
Autonomie (approximative) :	551 km
Émissions de CO_2 :	3 888 kg/an

DANS LA MÊME CATÉGORIE

Chevrolet Cobalt - Honda Civic - Hyundai Elantra - Kia Spectra - Mazda 3 - Nissan Sentra - Toyota Corolla - Volkswagen Golf

DU NOUVEAU EN 2006

Lecteur cd/MP3 de série, nouveaux groupes d'options, nouvelles couleurs

HISTORIQUE DU MODÈLE

2ième génération

NOS IMPRESSIONS

Agrément de conduite :	3½
Fiabilité :	3½
Sécurité :	3½
Qualités hivernales :	3
Espace intérieur :	4
Confort :	3½

LE CHOIX DE L'ÉQUIPE

ZX4 ST

ANONYMEMENT VÔTRE

Sur papier, les fourgonnettes de Ford ont toujours semblé avoir la pêche. Même la première Aerostar devait devancer, en théorie du moins, l'Autobeaucoup de Chrysler lancée quelques mois auparavant. Pourtant, dans le cadre d'un match comparatif réalisé une année plus tard, la Dodge Caravan laissait aisément dans son sillage la représentante de chez Ford. Ce constructeur a eu beau par la suite remplacer sa propulsion par la Windstar à traction avant et la doper de caractéristiques fort intéressantes, la suprématie de Chrysler n'a jamais été inquiétée. Il faudra l'entrée en scène de la Honda Odyssey pour que le classement soit chamboulé.

Qu'à cela ne tienne, il y a deux ans, Ford a décidé de transformer complètement sa fourgonnette de façon à pouvoir faire une lutte plus égale avec les nouveaux ténors de la catégorie qu'étaient devenus l'Odyssey, la Toyota Sienna, la Dodge Caravan et même la Mazda MPV. Et pour souligner l'arrivée de cette fourgonnette « entièrement renouvelée » comme on se plaît à dire si souvent dans les communiqués, la Windstar était devenue la Freestar. S'il faut s'en tenir aux affirmations de Ford, ce changement de nom était devenu nécessaire en raison des modifications majeures apportées à la fourgonnette. Si vous voulez mon avis, c'est que ce modèle était tellement similaire à la version précédente qu'il a fallu l'appeler d'un autre nom sinon le public n'aurait pas vu la différence. À vous de juger si mon interprétation est la bonne.

Il est toutefois certain que la Freestar ressemble passablement à l'ancienne Windstar avec son large capot triangulaire fortement incliné, ses phares avant affleurant et débordant sur les ailes ainsi que ses feux arrière également triangulaires. Les stylistes ont donc été très fidèles à la silhouette générale de la Windstar. Cela assure une bonne continuité d'un modèle à l'autre et certifie une meilleure valeur de revente. Mais si vous recherchez audace et créativité, mieux vaut chercher ailleurs.

ORIGINAUX S'ABSTENIR

Il est certain qu'avec une silhouette aussi sage, cette Ford intéressera davantage les bons chefs de famille que les créateurs à l'imagination débordante. Il est donc plus que normal que la même sagesse se retrouve au chapitre de l'habitacle alors que les tissus utilisés, les poignées de porte et la plupart des commandes nous rappellent le modèle antérieur. Le tableau de bord est un modèle de sobriété et de retenue. La partie inférieure arrondie est utilisée pour y loger les quatre buses de ventilation, une rare concession à la créativité, tandis que les deux buses centrales sont séparées par une pendulette analogique, sans doute pour faire « char de luxe », mais qui ne m'a pas tellement impressionné. Directement au-dessus de cet instrument se situe un coffret de rangement de bonnes dimensions qui permet de regrouper tous les menus objets qui ont généralement tendance à se retrouver dans les porte-verres. Le volant est semblable à celui du Freestyle et il en est de même de la disposition des deux principaux cadrans indicateurs. Dans les deux cas, le compte-tours est à gauche et l'indicateur de vitesse à droite. Ces deux cadrans, comme la jauge d'essence et le thermomètre sont cerclés de chrome.

Somme toute, une présentation sage et classique qui ne risque pas de déplaire. Il en est ainsi pour les commandes de la climatisation et du

FEU VERT
Bonne cote de sécurité
Finition honnête
Moteur bien adapté
Tenue de route correcte
Multiples niveaux d'équipement

FEU ROUGE
Silhouette terne
Direction peu précise
Portes motorisées lentes
Portières avant lourdes
Insonorisation à revoir

système audio qui sont regroupées dans un module carré placé en plein centre de la planche de bord. Il faut préciser que les commandes sont simples, bien situées et faciles d'utilisation. À défaut de nous éblouir par son stylisme et une conception osée, la Freestar compense aisément en étant simple et pratique. D'ailleurs, lors de son lancement, plusieurs minutes ont été consacrées à vanter les mérites du troisième siège qui pouvait se remiser dans le plancher, comme par magie. Malgré les déclarations ronflantes des présentateurs, personne n'était dupe. Ce siège, tout pratique soit-il, était la réplique de Ford à Honda, Toyota et Mazda qui avaient équipé leur fourgonnette d'un siège semblable quelques années auparavant. Celui de la Freestar est tout aussi ingénieux et peu confortable tout en n'offrant que très peu d'espace pour les jambes, comme sur les autres fourgonnettes sept places.

Il est indéniable que le niveau de confort sera meilleur si vous commandez deux sièges de type capitaine sur la deuxième rangée. Ceux-ci se replient aisément pour augmenter l'espace de rangement et peuvent même être enlevés. Si tel est le cas, assurez-vous de suivre un cours de musculation au préalable car ce ne sont pas des poids légers. Enfin, l'accès à bord est facile grâce aux portes coulissantes de chaque côté. Si vous optez pour leur motorisation, vous devrez vous armer de patience, car leur ouverture et fermeture est «trèèèès» lente. Heureusement, le hayon arrière motorisé est plus véloce.

SÉCURITÉ ET QUIÉTUDE

Solide, relativement fiable et dotée d'une plate-forme robuste, la Freestar est un moyen de transport efficace et sécuritaire. D'ailleurs, elle a obtenu les meilleures notes possible lors des tests d'impacts réalisés par le gouvernement américain. Cette fourgonnette est donc plus pratique qu'agréable à conduire. Ce qui semble normal aux yeux de plusieurs puisque sa vocation est presque exclusivement utilitaire. Si le moteur V6 de 4,2 litres convient bien au travail qu'on lui demande et que les temps d'accélérations sont sous la barre des dix secondes pour le 0-100 km/h, force est d'admettre que les personnes qui privilégient l'agrément de conduite vont s'ennuyer. À ce chapitre, la concurrence a de meilleurs arguments.

Denis Duquet

Photos: Ford

FORD FREESTAR

DONNÉES TECHNIQUES

Modèle à l'essai:	SEL
Prix du modèle à l'essai:	35545$
Échelle de prix:	28295$ à 42495$
Garanties:	3 ans/60000 km, 5 ans/100000 km
Catégorie:	fourgonnette
Emp./Lon./Lar./Haut.(cm):	307/510,5/195/175
Poids:	1943 kg
Coffre/Réservoir:	731 à 3803 litres / 98 litres
Coussins de sécurité:	frontaux et latéraux (av./arr.)
Suspension avant:	indépendante, jambes de force
Suspension arrière:	demi-ind., poutre déformante
Freins av./arr.:	disque (ABS)
Antipatinage/Contrôle de stabilité:	opt./opt.
Direction:	à crémaillère, assistée
Diamètre de braquage:	12,0 m
Pneus av./arr.:	P225/60R16
Capacité de remorquage:	1200 kg

Pneus d'origine MICHELIN

GROUPE MOTOPROPULSEUR

Moteur:	V6 de 4,2 litres 12s atmosphérique
Alésage et course	96,7 mm x 94,0 mm
Puissance:	201 ch (150 kW) à 4500 tr/min
Couple:	263 lb-pi (357 Nm) à 3750 tr/min
Rapport Poids/Puissance:	9,67 kg/ch (12,95 kg/kW)
Moteur électrique:	aucun
Autre(s) moteur(s):	seul moteur offert
Transmission:	traction, automatique 4 rapports
Autre(s) transmission(s):	aucune
Accélération 0-100 km/h:	9,6 s
Reprises 80-120 km/h:	8,5 s
Freinage 100-0 km/h:	41,0 m
Vitesse maximale:	180 km/h
Consommation (100 km):	ordinaire, 12,9 litres
Autonomie (approximative):	760 km
Émissions de CO2:	5662 kg/an

DANS LA MÊME CATÉGORIE

Chevrolet Uplander - Dodge Caravan - Honda Odyssey - Mazda MPV - Nissan Quest - Pontiac Montana SV6

DU NOUVEAU EN 2006

Aucun changement majeur, panneaux des portières redessinés, nombreux éléments maintenant de série, nouvelles couleurs

HISTORIQUE DU MODÈLE

1ère génération

NOS IMPRESSIONS

Agrément de conduite:	3½
Fiabilité:	3½
Sécurité:	5
Qualités hivernales:	3½
Espace intérieur:	4
Confort:	4

LE CHOIX DE L'ÉQUIPE

SE

L'ULTIME MULTISEGMENT

Le mot ultime peut prendre plusieurs significations. La première, c'est évidemment le summum, ce que la nature fait de mieux. Difficile d'accoler ce qualificatif au Freestyle, tout le monde en conviendra. Par contre, il faut admettre que ce véhicule atteint vraiment un autre ultime en matière de multisegment; on a tellement bien mêlé les styles et les genres, avec une silhouette trop carrée pour être aérodynamique, et trop grosse pour être un petit utilitaire, qu'on ne sait plus trop à quoi on a affaire.

Simplement en le regardant, on voit alors l'ultime multisegment, c'est-à-dire un véhicule installé quelque part entre toutes les catégories.

Quand le véhicule se met en mouvement, on change rapidement d'idée. Car en le voyant rouler, le Freestyle donne l'impression de se transformer. Il glisse sur la route avec une certaine grâce nonobstant ses dimensions imposantes. Assis derrière le volant, l'impression est encore meilleure, malgré certaines lourdeurs de conduite. Bref, le Freestyle le confirme, il est l'exemple presque parfait du véhicule pratique, et d'une polyvalence extrême.

AIR DE FAMILLE

De l'extérieur, les stylistes ont voulu conserver ce qui avait fait le succès de modèles comme l'Escape et l'Explorer, mariés à quelques lignes du F150, pour nous proposer un look aux limites du vieillot. Un choix qui sera peut-être raisonnable, puisque la silhouette saura bien vieillir, mais surtout, un choix qui permet une identification immédiate à la famille Ford. À l'intérieur, on a aussi conservé le design propre à Ford mais cette fois, personne n'y trouve à redire. La planche de bord est sobre, mais efficace, les commandes intuitives et les instruments généralement faciles à consulter. Certaines versions sont cependant munies de cadrans sombres, difficiles à déchiffrer.

Une autre bonne note aussi pour la troisième rangée de sièges, qui est celle qui offre le plus d'espace dans sa catégorie. Évidemment, pas question d'y loger des mastodontes, mais l'espace disponible est plus que raisonnable.

Pour le propulser, le Freestyle est doté d'un moteur V6 3 litres d'une puissance de 203 chevaux couplé à une transmission à rapports continuellement variables. Inspirée de Audi, cette boîte de fabrication ZF est d'une grande souplesse.

Signalons enfin qu'il est possible d'obtenir un Freestyle équipé d'une traction intégrale de bonne qualité, qui répond aux moindres besoins des conducteurs. Essayée en hiver, celle-ci a notamment permis de circuler sans trop d'hésitation, alors que les conditions routières auraient normalement exigé d'une simple traction un plus grand ralentissement.

En matière de construction, le Freestyle, c'est le petit frère de Volvo. Basé essentiellement sur le XC90, l'utilitaire maintes fois récompensé

FEU VERT

Traction intégrale
Équipement de sécurité
Freins efficaces
Transmission précise

FEU ROUGE

Direction peu bavarde
Allure peu engageante
Finition parfois déficiente
Accès arrière ardu

du constructeur suédois, le Freestyle reprend plusieurs de ses mécanismes. Du nombre, les essieux arrière indépendants, des freins à disque aux quatre roues (ce qui n'est pas rien pour un véhicule de ce genre) et une structure de sécurité calquée directement sur ce que les Suédois ont à offrir de mieux. On propose même en option un rideau gonflable pour les passagers avant et arrière, ce qui devrait être un impératif dans un véhicule à vocation familiale.

Concernant les performances sur la route, le Freestyle se défend bien, même s'il ne brûle pas le tarmac à chaque départ. Un seul moteur est au catalogue, mais il se montre bien suffisant. Pour ce qui est de l'accélération, le Freestyle fait la barbe à bon nombre de ses concurrents directs et, mine de rien, tire son épingle du jeu au départ comme en reprise.

Ajoutons à cela un freinage surprenant d'efficacité malgré le poids global du véhicule, (merci aux quatre disques) et une direction tout aussi étonnante de précision, et vous obtenez un très heureux mélange. Il est vrai cependant que la direction redonne peu de sensations au conducteur, ce qui rend la conduite plus sportive presque impossible.

PRATIQUE PARTOUT

Parce qu'on traite ici d'un multisegment, l'utilisation maximale de l'espace intérieur est indispensable. Ce qui, dans le cas du Freestyle, est une véritable réussite. Les sièges avant sont confortables et faciles d'accès pour les personnes de toute taille. Les passagers arrière devront légèrement se contorsionner pour accéder à la troisième rangée, mais y parviendront sans trop de mal (j'y suis parvenu, et je ne suis pas un modèle de souplesse et de grâce). Grand avantage, les deux rangées arrière sont surélevées, ce qui procure aux passagers une meilleure vision de la route... et de l'écran du lecteur DVD vendu en option.

Le Freestyle répond donc à la lettre aux exigences de la catégorie des multisegments. Et il répondra aux exigences de ceux qui veulent tout faire avec leur véhicule. Y compris simplement le conduire...

Marc Bouchard

Photos: Ford

FORD FREESTYLE

DONNÉES TECHNIQUES

Modèle à l'essai:	SE AWD
Prix du modèle à l'essai:	36045$
Échelle de prix:	33295$ à 43195$
Garanties:	3 ans/60000 km, 5 ans/100000 km
Catégorie:	multisegment
Emp./Lon./Lar./Haut.(cm):	287/507,5/190,5/165
Poids:	1865 kg
Coffre/Réservoir:	493 à 2413 litres / 72 litres
Coussins de sécurité:	frontaux et rideaux
Suspension avant:	indépendante, jambes de force
Suspension arrière:	indépendante, multibras
Freins av./arr.:	disque (ABS)
Antipatinage/Contrôle de stabilité:	oui/non
Direction:	à crémaillère, assistée
Diamètre de braquage:	12,2 m
Pneus av./arr.:	P215/65R17
Capacité de remorquage:	900 kg

GROUPE MOTOPROPULSEUR

Moteur:	V6 de 3,0 litres 24s atmosphérique
Alésage et course	89,0 mm x 79,5 mm
Puissance:	203 ch (151 kW) à 5750 tr/min
Couple:	207 lb-pi (281 Nm) à 4500 tr/min
Rapport Poids/Puissance:	9,19 kg/ch (12,35 kg/kW)
Moteur électrique:	aucun
Autre(s) moteur(s):	seul moteur offert
Transmission:	intégrale, CVT
Autre(s) transmission(s):	propulsion, automatique 6 rapports
Accélération 0-100 km/h:	8,7 s
Reprises 80-120 km/h:	7,6 s
Freinage 100-0 km/h:	40,1 m
Vitesse maximale:	180 km/h
Consommation (100 km):	ordinaire, 14,0 litres
Autonomie (approximative):	514 km
Émissions de CO2:	5231 kg/an

DANS LA MÊME CATÉGORIE

Buick RendezVous - Chrysler Pacifica - Nissan Murano - Toyota Highlander

DU NOUVEAU EN 2006

Système de navigation optionnel, nouvelle couleur

HISTORIQUE DU MODÈLE

1ère génération

NOS IMPRESSIONS

Agrément de conduite:	🚗🚗🚗🚗
Fiabilité:	🚗🚗🚗🚗
Sécurité:	🚗🚗🚗🚗
Qualités hivernales:	🚗🚗🚗🚗½
Espace intérieur:	🚗🚗🚗🚗½
Confort:	🚗🚗🚗🚗

LE CHOIX DE L'ÉQUIPE

SEL AWD

DU SÉRIEUX!

Alors que l'an dernier les nouveaux modèles 500 et Freestyle étaient accueillis avec tiédeur et parfois indifférence, il a fort à parier que cette berline connaîtra davantage de succès. Même si sa silhouette est assez ordinaire, force est d'admettre qu'elle est tout de même réussie tant sur le plan visuel que dynamique. Et c'est tant mieux pour Ford qui a bien besoin d'une voiture qui soit populaire. Vendre des VUS et des camionnettes c'est bien, mais les constructeurs japonais sont en train d'accaparer le marché des berlines.

Ironiquement, c'est au Japon que Ford est allé chercher son modèle destiné à lutter contre les meilleures japonaises. En effet, la Fusion prend ses origines chez Mazda alors qu'elle utilise la plate-forme et la mécanique de la Mazda 6. Vous admettrez avec moi qu'il aurait été possible de faire un pire choix.

VERSION AMÉRICAINE

Le fait de mentionner qu'un modèle est dérivé d'une plate forme connue ne signifie pas nécessairement qu'il s'agit d'une copie conforme. La Fusion utilise la même plate-forme que la Mazda 6, mais plusieurs modifications y ont été apportées afin de pouvoir offrir un comportement routier répondant aux attentes des conducteurs nord-américains. Les suspensions sont moins fermes, la réaction de la direction un peu plus feutrée. La suspension avant est à bras inégaux et celle à l'arrière de type multibras. Les deux sont boulonnées sur un châssis autonome pour plus de rigidité et une meilleure insonorisation. Le fait d'avoir allongé l'empattement de cinq centimètres a permis d'offrir des places arrière plus confortables tandis que la voie élargie explique la meilleure stabilité en ligne droite. Parfois chiches en fait d'équipement de freinage, les ingénieurs ont fait appel cette fois à des disques de freins avant et arrière beaucoup plus volumineux que la moyenne. De plus, les pastilles de freins utilisées sont censées produire moins de poussière que les plaquettes habituelles. Enfin, le modèle de base roule sur des pneus de 16 pouces tandis que des jantes de 17 pouces sont optionnelles.

Comme la plate-forme, les deux moteurs proposés sont des éléments connus. Le moteur quatre cylindres de 2,3 litres produisant 160 chevaux est utilisé sur plusieurs autres produits Ford et Mazda, tout comme l'incontournable Duratec V6 3,0 litres d'une puissance de 221 chevaux. Le quatre cylindres est offert de série avec une boîte manuelle à cinq rapports, tandis que la transmission automatique en option nous propose le même nombre de vitesses. Pour sa part, le moteur V6 ne peut être livré qu'avec une boîte automatique à six rapports. Celle-ci sera suivie plus tard dans l'année d'une transmission intégrale qui sera optionnelle.

SAGE COMME UNE IMAGE

Selon J. Mays, le grand manitou du design chez Ford, la silhouette de la Fusion est inspirée de la Ford 427, une voiture-concept présentée dans le cadre du Salon de l'auto de Detroit en 2003. Il est d'ailleurs évident que les deux parties avant ont plusieurs éléments similaires. Il faut souligner que l'avant est la partie la mieux réussie de la voiture avec sa grille de calandre constituée de trois bandes horizontales qui seront la marque de commerce

FEU VERT

Mécanique éprouvée
Bonne habitabilité
Tenue de route saine
Prix compétitif
Finition sérieuse

FEU ROUGE

Fiabilité inconnue
Silhouette anonyme
Manuelle non offerte avec V6
Certaines commandes difficiles à lire

des berlines Ford à l'avenir. Compte tenu des dimensions plus modestes de la Fusion, les stylistes n'ont pu conserver la partie arrière allongée que mettait en évidence un coffre à bagages relativement long, comme dans les années 55-60. Le toit est donc bombé tandis que le couvercle du coffre est assez court, donnant à l'ensemble une allure assez générique.

L'habitacle est mieux réussi bien que ce soit classique comme approche. Au lieu de formes délirantes comme chez Pontiac, les stylistes de Ford ont joué sur les textures et les couleurs. La plupart des plastiques utilisés sur la planche de bord sont de type mou, à l'exception du couvercle du vide-poche monté sur la partie supérieure du tableau de bord. On retrouve même une horloge analogique placée juste au milieu de la bande transversale qui sert à délimiter les parties supérieures et inférieures du tableau de bord.

L'habitabilité est impressionnante pour une voiture de cette catégorie. Les places arrière sont confortables et les «grands six pieds» s'y sentiront à l'aise. Autre avantage, il est facile de placer ses pieds sous le siège avant. Et cet espace n'a pas été acquis au détriment du coffre à bagages puisque la capacité de ce dernier est de plus de 420 litres. Soulignons enfin la grande ouverture du coffre de même que la présence de tirettes situées dans le coffre afin de faire basculer le dossier arrière vers l'avant.

BIEN NÉE

Souvent, les berlines nord-américaines nous déçoivent par leur tenue de route molasse qui vient gâter la sauce. Cette fois, ce fut une agréable surprise de me retrouver au volant d'une voiture proposant un bel équilibre. Les sensations de conduite sont généralement bonnes, tandis que la version à moteur V6, la seule essayée, s'est démarquée par une suspension confortable mais dépourvue de tout roulis ou de tangage. La direction est trop assistée, mais de peu. Elle est précise et permet d'enfiler les virages avec aplomb. D'autre part, son assistance est linéaire et il n'y a pas ce manque de «feeling» dans les virages serrés. Enfin, les freins sont progressifs et ont résisté à des sollicitations intempestives.

La Fusion ne remportera pas de prix d'élégance, son comportement routier ne délogera pas les Honda Accord et les Mazda 6, mais son équilibre général est réussi. Elle plaira donc à la majorité en raison de sa tenue de route juste ce qu'il faut et une suspension bien réglée. Si la fiabilité ne fait pas défaut, cette voiture devrait s'illustrer sur notre marché.

Denis Duquet

Photos : Denis Duquet

DONNÉES TECHNIQUES

Modèle à l'essai :	SEL
Prix du modèle à l'essai :	28295$
Échelle de prix :	22995$ à 32895$
Garanties :	3 ans/60000 km, 5 ans/100000 km
Catégorie :	berline intermédiaire
Emp./Lon./Lar./Haut.(cm) :	272,5/483/183/142
Poids :	1488 kg
Coffre/Réservoir :	442 litres / 66 litres
Coussins de sécurité :	frontaux, latéraux (av.), rideaux
Suspension avant :	indépendante, bras inégaux
Suspension arrière :	indépendante, multibras
Freins av./arr. :	disque (ABS opt.)
Antipatinage/Contrôle de stabilité :	opt./opt.
Direction :	à crémaillère, assistée
Diamètre de braquage :	12,0 m
Pneus av./arr. :	P205/60R16
Capacité de remorquage :	454 kg

Pneus d'origine MICHELIN

GROUPE MOTOPROPULSEUR

Moteur :	V6 de 3,0 litres 24s atmosphérique
Alésage et course	89,0 mm x 79,5 mm
Puissance :	221 ch (165 kW) à 6250 tr/min
Couple :	205 lb-pi (278 Nm) à 4800 tr/min
Rapport Poids/Puissance :	6,73 kg/ch (9,02 kg/kW)
Moteur électrique :	aucun
Autre(s) moteur(s) :	4L 2,3 l 160ch à 6500tr/mn et 150lb-pi à 4000tr/mn
Transmission :	traction, automatique 6 rapports
Autre(s) transmission(s) :	manuelle 5 rapports
Accélération 0-100 km/h :	7,5 s
Reprises 80-120 km/h :	6,8 s
Freinage 100-0 km/h :	40,0 m
Vitesse maximale :	200 km/h
Consommation (100 km) :	ordinaire, 11,4 litres
Autonomie (approximative) :	579 km
Émissions de CO2 :	n.d.

DANS LA MÊME CATÉGORIE

Chevrolet Malibu / Maax - Chrysler Sebring - Honda Accord - Hyundai Sonata - Mazda 6 - Nissan Altima

DU NOUVEAU EN 2006

Nouveau modèle

HISTORIQUE DU MODÈLE

1ière génération

NOS IMPRESSIONS

Agrément de conduite :	🚗🚗🚗🚗
Fiabilité :	nouveau modèle
Sécurité :	🚗🚗🚗🚗
Qualités hivernales :	🚗🚗🚗🚗
Espace intérieur :	🚗🚗🚗🚗
Confort :	🚗🚗🚗🚗

LE CHOIX DE L'ÉQUIPE

SEL

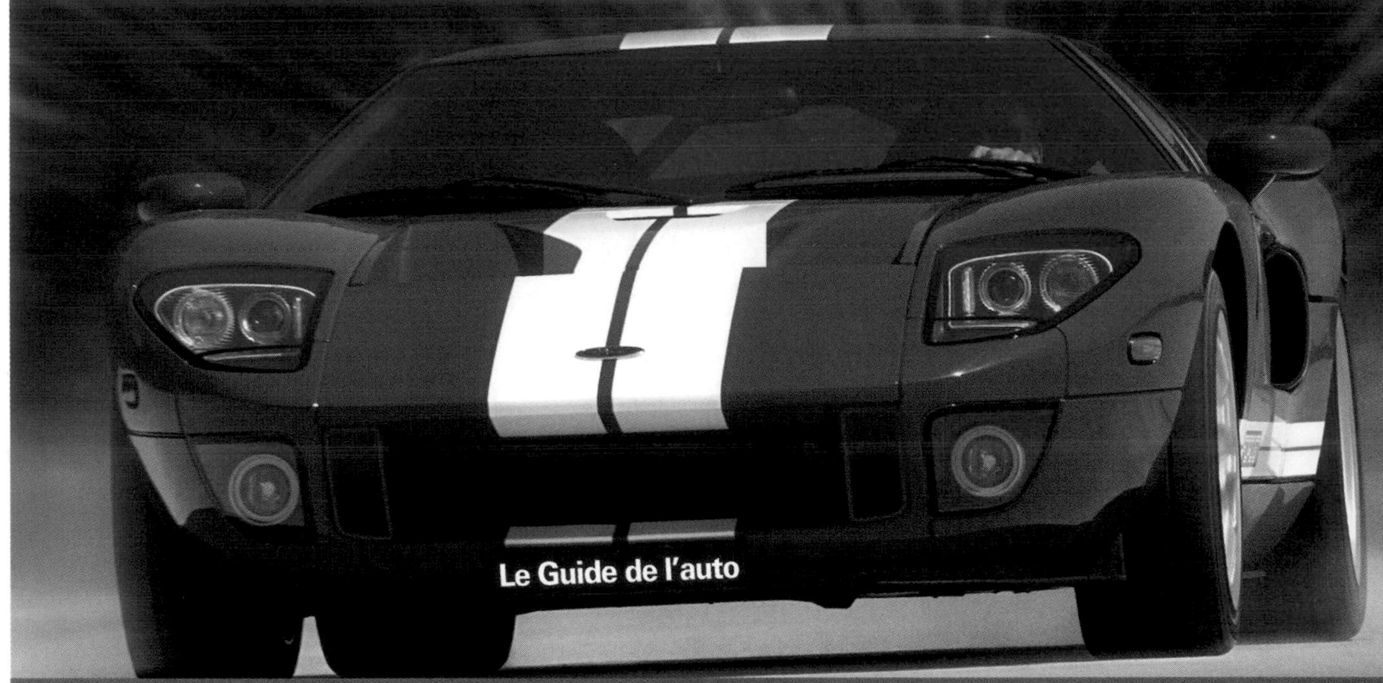

MA VOITURE DE RÊVE

Je me retiens, fortement, pour ne pas me précipiter chez le concessionnaire Ford le plus proche et commander immédiatement ma Ford GT édition spéciale 40e anniversaire. C'est un effort intense de volonté, et un simple calcul comptable quand on regarde le prix d'achat, qui m'empêchent d'acheter ce supercar qui, depuis toujours, est ma véritable voiture de rêve. Non seulement en raison de ses performances exceptionnelles, mais aussi pour tout ce qu'elle représente dans l'histoire de la course automobile.

Cette parcelle d'histoire automobile fera son entrée officiellement au Canada en 2006, après plusieurs mois de tergiversations. Mais plus que la voiture, c'est le symbole qu'elle est qui la rend aussi exceptionnelle.

FORD 3, FERRARI 0

L'histoire de la GT commence il y a 40 ans cette année, alors que le géant américain Ford avait ourdi une petite vengeance à l'égard de Enzo Ferrari. Le père de la marque italienne avait en effet utilisé des négociations bidon avec Ford pour faire monter les prix de son entreprise, qu'il a finalement vendue à Fiat. Soucieux de préserver l'image de sa compagnie, et de montrer aux Italiens qu'il savait aussi construire des automobiles de performance, Henri Ford II a commandé une voiture exceptionnelle, capable de battre les Ferrari lors de la plus célèbre course d'endurance au monde, les 24 heures du Mans. La grande histoire de la course retiendra ainsi l'arrivée de la GT40 (le 40 étant ici une unité de mesure puisqu'il décrit la hauteur totale du véhicule) sur le circuit. Et par la grande porte, puisque la voiture américaine a littéralement volé la victoire trois années consécutives avant de se retirer en pleine gloire. C'est cette page d'histoire que Ford a voulu faire renaître l'année dernière en lançant la Ford GT qui prendra d'assaut le marché canadien cette année.

Concrètement, la nouvelle version de la GT et son modèle des années 60 n'ont de commun que le nom, du moins en partie, et la philosophie qui a présidé à sa conception. Avec le retour de la GT, Ford a choisi de revenir au moteur central V8, solidement relié à un châssis ultraléger. Et quel moteur! La GT est propulsée par un moteur de 550 chevaux, développant 500 livres-pied de couple, et capable de réaliser le 0-100 km à l'heure en 4,2 secondes, soit l'équivalent de la Dodge Viper, de la Lamborghini Gallardo et de la Ferrari 612.

Au moment d'appuyer sur l'accélérateur, on ressent véritablement la poussée, un peu comme on le fait dans une voiture d'accélération. Le couple monstrueux lance la voiture avec un rugissement retentissant et les pneus de performance mordent la chaussée. Comme l'autre sportive américaine, la Viper, la GT est totalement dépourvue d'aide au pilotage électronique. Exit l'antipatinage, dehors les contrôles de traction, bienvenue dans le monde du vrai pilotage automobile. Les virages se prennent avec assurance, et même si la voiture cherche parfois à reprendre son autonomie (lire à changer de trajectoire), elle est facile à ramener dans le droit chemin, merci notamment à la répartition des masses qui permet une conduite beaucoup plus précise. On sentira avec vivacité le transfert de poids lorsque les courbes seront trop

FEU VERT
Design inspiré
Moteur racé
Tenue de route impeccable
Équipement complet

FEU ROUGE
Prix d'achat
Accès difficile aux sièges
Son du moteur peu inspirant
Disponible au compte-goutte

accentuées, mais pour le reste, la GT est une voiture prévisible et facile à dompter. Disons simplement qu'elle risque moins de mordre que ses proches rivales.

Pour atteindre des vitesses maximales, on peut aussi compter sur une transmission manuelle docile comme ce n'est pas possible. Les rapports sont courts, bien étagés, et la course même du levier est courte et précise. Bref, un jeu d'enfant qui nous permet de nous concentrer uniquement sur la conduite qui, à vitesse maximale, demande toute l'attention.

LA ROUTIÈRE

Mais la vie étant ce qu'elle est, pas question d'utiliser la Ford GT uniquement sur les circuits, à moins d'être un heureux millionnaire. La GT est aussi une voiture de route diablement efficace, contrairement à bon nombre d'autres super voitures. Étrangement, la suspension, pourtant d'une rigidité machiavélique sur le circuit, n'est pas ferme sur la route, et sa capacité sportive ne pénalise pas inutilement le conducteur. Et la transmission Ricardo si précise sur circuit répond avec douceur sur la route. Même la pédale d'embrayage est plus légère que celles de la Mustang GT.

Pour le reste, la GT regroupe ce que Ford fait de mieux en matière de finition intérieure. Les options sont nulles, il n'existe qu'une seule version, on s'est donc assuré de fournir tout ce dont les conducteurs avaient besoin, allant de la colonne de direction inclinable et télescopique au système de son Macintosh haut de gamme. Défaut majeur cependant, le son du moteur à bas régime est nettement moins intéressant que celui de ses principaux compétiteurs, surtout de la Ferrari souvent citée en exemple dans ce domaine. Autre détail non négligeable, s'asseoir dans une GT devient un véritable supplice si vous n'avez pas les dimensions d'un jockey. L'accès est difficile, la sortie encore plus puisque vous êtres littéralement enfoncé dans le siège, par ailleurs d'un grand confort.

Malgré tout, la GT est une de ces voitures qui ont marqué l'histoire et qui mérite bien de survivre encore longtemps. Bonne sur piste, agréable sur la route. La voiture de rêve je vous dis!

Bertrand Godin

Photos: Ford

DONNÉES TECHNIQUES

Modèle à l'essai:	version unique
Prix du modèle à l'essai:	184995$
Échelle de prix:	184995$
Garanties:	3 ans/60000 km, 5 ans/100000 km
Catégorie:	GT
Emp./Lon./Lar./Haut.(cm):	271/464/195/112,5
Poids:	1581 kg
Coffre/Réservoir:	45 litres / 66 litres
Coussins de sécurité:	frontaux et latéraux (av.)
Suspension avant:	indépendante, bras inégaux
Suspension arrière:	indépendante, multibras
Freins av./arr.:	disque (ABS opt.)
Antipatinage/Contrôle de stabilité:	non/non
Direction:	à crémaillère
Diamètre de braquage:	12,2 m
Pneus av./arr.:	P235/45ZR18 / P315/40ZR19
Capacité de remorquage:	non recommandé

GROUPE MOTOPROPULSEUR

Moteur:	V8 de 5,4 litres 32s surcompressé
Alésage et course	90,2 mm x 105,8 mm
Puissance:	550 ch (410 kW) à 6500 tr/min
Couple:	500 lb-pi (678 Nm) à 3750 tr/min
Rapport Poids/Puissance:	2,87 kg/ch (3,9 kg/kW)
Moteur électrique:	aucun
Autre(s) moteur(s):	seul moteur offert
Transmission:	propulsion, manuelle 6 rapports
Autre(s) transmission(s):	aucune
Accélération 0-100 km/h:	4,2 s
Reprises 80-120 km/h:	4,6 s
Freinage 100-0 km/h:	33,0 m
Vitesse maximale:	330 km/h
Consommation (100 km):	super, 18,8 litres
Autonomie (approximative):	351 km
Émissions de CO_2:	n.d.

DANS LA MÊME CATÉGORIE

Chevrolet Corvette - Dodge Viper

DU NOUVEAU EN 2006

Couleur gris tungstène (édition limitée)

HISTORIQUE DU MODÈLE

2ième génération

NOS IMPRESSIONS

Agrément de conduite:	🚘🚘🚘🚘🚘
Fiabilité:	n.d.
Sécurité:	🚘🚘🚘🚘
Qualités hivernales:	nulles
Espace intérieur:	🚘🚘🚘
Confort:	🚘🚘🚘🚘

LE CHOIX DE L'ÉQUIPE

Version unique

COUP DE CIRCUIT

Pour Ford, la Mustang s'est avérée être un véritable coup de circuit, les ventes du modèle actuel étant en hausse de 300 pour cent par rapport au modèle précédent, si bien que l'usine de Flat Rock au Michigan roule à plein régime avec deux quarts de travail pour répondre à la demande. L'absence d'une concurrence directe pour le poney-car mythique de l'histoire de la marque est l'un des facteurs qui expliquent le succès actuel de la Mustang. Certaines rumeurs font état de l'arrivée d'une éventuelle rivale en provenance de DaimlerChrysler avec la résurrection de la Dodge Challenger, un modèle coupé qui partagerait plusieurs éléments avec les contemporaines Chrysler 300, Dodge Magnum et Charger.

Pour l'heure, la Mustang poursuit seule sa route sous le soleil avec l'arrivée récente des modèles cabriolet. Quant aux changements apportés à la gamme des modèles 2006, ils se limitent à deux nouveaux designs pour les roues de 18 pouces des versions GT, à l'ajout en option de la traction asservie et de l'ABS sur les versions animées par le moteur V6, ainsi que par l'ajout d'un groupe d'éléments propres à la GT qui est aussi offert en option pour les Mustang V6, exception faite du cabriolet équipé de la conjonction du V6 et de la boîte manuelle.

Avec son capot allongé et sa partie arrière courte, la Mustang rend hommage à 40 ans d'histoire et le style des modèles actuels rappelle la Mustang Fastback rendue célèbre par le film « Bullitt ». Les responsables de la mise en marché n'ont pas hésité à ressusciter l'acteur Steve McQueen pour réaliser une publicité télé de la Mustang, et parions que la vedette américaine aurait approuvé le look de l'actuelle GT.

Quelques mois après l'arrivée des coupés, les nouveaux modèles cabriolet font donc leur entrée sur le marché en faisant un clin d'œil à la toute première Mustang, dévoilée en 1964, qui était d'ailleurs un cabriolet animé par un moteur V8. Comparativement aux versions décapotables de la génération précédente, il est clair que les nouveaux modèles font preuve d'une rigidité structurelle accrue (de l'ordre de 100 pour cent), mais lorsqu'ils sont comparés aux modèles coupés d'aujourd'hui, il devient rapidement apparent que leur structure n'est pas aussi rigide. C'est du moins le premier constat que j'ai été en mesure de faire après avoir bouclé plusieurs tours du Circuit Mont-Tremblant au volant de toutes les versions de la Mustang au cours de la même journée d'essais. Un court galop sur les routes publiques, en nettement moins bon état que le revêtement « table de billard » du circuit, n'a fait que confirmer cet état de choses en révélant la très relative faiblesse du cabriolet par rapport au coupé à cet égard, la croisée de bosses et de trous entraînant certaines vibrations. Cela dit, on est quand même à des années-lumière des problèmes de cet ordre qui affligeaient les modèles de la génération précédente. Les nouvelles Mustang cabriolet sont tout de même plus rigides que bien des décapotables actuellement sur le marché.

L'atout majeur de la Mustang GT est sans contredit son rapport performances/prix en raison du fait qu'aucune concurrente n'est en mesure de livrer 300 chevaux pour un prix aussi bas. Le moteur V8 dispose par ailleurs d'une sonorité envoûtante et la boîte manuelle est

FEU VERT

Rapport prix/performances imbattable
Style réussi
Performances du modèle GT
Châssis plus rigide

FEU ROUGE

Suspension arrière à essieu rigide
Faible maintien des sièges en virages
Espace accordé aux passagers arrière
Freinage perfectible

très bien adaptée à ce moteur performant. Pour la conduite dans l'environnement particulièrement éprouvant du circuit, j'aurais aimé pouvoir compter sur des sièges offrant plus de soutien latéral en virages ainsi que sur des freins plus endurants. Cependant, sur les routes publiques, les freins se sont avérés adéquats, et le manque de soutien latéral des sièges devenait un facteur moins important.

Pour ce qui est de la tenue de route, le principal handicap de la Mustang demeure sa suspension arrière à essieu rigide, conservée pour des questions d'économie de coûts et de respect de la tradition établie. Une suspension indépendante à l'arrière aurait permis un meilleur contact avec la route en sortie de virages sur chaussée dégradée, mais les ingénieurs de Ford ont fait un très bon travail avec les éléments à leur disposition ce qui fait que la tenue de route de la Mustang est bonne tant et aussi longtemps que la route est en bon état.

Pour ce qui est des performances des modèles équipés du V6, elles ne sont pas à dédaigner, le moteur de 4,0 litres dérivé du Ford Explorer livrant un couple de 240 livres/pied et 210 chevaux, et les boîtes automatique et manuelle comptant toutes deux cinq vitesses. Par ailleurs, pour les passionnés de performance et certains nostalgiques du passé, Ford fera revivre la belle époque des années 67 à 70 avec une version encore plus puissante et rapide de la Mustang, soit la Shelby Cobra GT500 2007, dévoilée comme voiture-concept au Salon de l'auto de New York au printemps 2005. Avec un moteur suralimenté par compresseur capable de livrer entre 450 et 500 chevaux (selon les données préliminaires), ce sera une véritable brute qui conservera la suspension arrière à essieu rigide qui sera cependant beaucoup plus ferme afin de composer avec le surcroît de puissance.

Stylée à l'image des plus belles Mustang de l'histoire, construite sur une plate-forme beaucoup plus rigide que celle de la génération précédente et animée par des moteurs plus puissants jumelés à des boîtes bien adaptées, la Mustang dispose de plusieurs atouts assurant sa réussite, d'autant plus que la concurrence directe demeure inexistante, du moins pour l'instant.

Gabriel Gélinas

Photos: Bertrand Godin

FORD MUSTANG

DONNÉES TECHNIQUES

Modèle à l'essai:	GT Cabriolet
Prix du modèle à l'essai:	39410$
Échelle de prix:	23995$ à 39410$
Garanties:	3 ans/60000 km, 5 ans/100000 km
Catégorie:	coupé/cabriolet
Emp./Lon./Lar./Haut.(cm):	272/477,5/188/141,5
Poids:	1668 kg
Coffre/Réservoir:	275 litres / 60 litres
Coussins de sécurité:	frontaux et latéraux (av.)
Suspension avant:	indépendante, jambes de force
Suspension arrière:	essieu rigide, ressorts elliptiques
Freins av./arr.:	disque (ABS)
Antipatinage/Contrôle de stabilité:	oui/non
Direction:	à crémaillère, assistée
Diamètre de braquage:	11,6 m
Pneus av./arr.:	P235/55ZR17
Capacité de remorquage:	454 kg

GROUPE MOTOPROPULSEUR

Moteur:	V8 de 4,6 litres 24s atmosphérique
Alésage et course	90,2 mm x 89,9 mm
Puissance:	300 ch (224 kW) à 5750 tr/min
Couple:	320 lb-pi (434 Nm) à 4500 tr/min
Rapport Poids/Puissance:	5,56 kg/ch (7,55 kg/kW)
Moteur électrique:	aucun
Autre(s) moteur(s):	V6 4,0 l 210ch à 5300tr/mn et 240lb-pi à 3500tr/mn
Transmission:	propulsion, manuelle 5 rapports
Autre(s) transmission(s):	automatique 5 rapports
Accélération 0-100 km/h:	5,6 s
Reprises 80-120 km/h:	5,2 s
Freinage 100-0 km/h:	38,5 m
Vitesse maximale:	240 km/h
Consommation (100 km):	ordinaire, 14,0 litres
Autonomie (approximative):	429 km
Émissions de CO2:	5568 kg/an

DANS LA MÊME CATÉGORIE

Sans équivalent

DU NOUVEAU EN 2006

Nouvelles roues de 18 pouces pour modèles GT, nouvel ensemble d'éléments de carrosserie modèles V6, groupe ABS et traction asservie pour modèles V6

HISTORIQUE DU MODÈLE

5ième génération

NOS IMPRESSIONS

Agrément de conduite:	
Fiabilité:	½
Sécurité:	½
Qualités hivernales:	½
Espace intérieur:	
Confort:	½

LE CHOIX DE L'ÉQUIPE

Coupé GT

UN DERNIER ADIEU

La Ford Taurus a jadis été la voiture la plus vendue en Amérique. Mieux encore, elle a permis à la compagnie Ford de reprendre le chemin de la rentabilité au milieu des années quatre-vingt. Et il ne faut pas ignorer le fait que la Taurus a été la première berline nord-américaine à offrir une direction moins assistée, une suspension quasiment ferme pour la catégorie et un comportement routier pratiquement européen, en plus de sa silhouette aérodynamique bien sûr. Je me souviens comme si c'était hier du lancement de la première Taurus en janvier 1985 à Hollywood, dans le même studio ou avait été tourné « Autant en emporte le vent ». C'était grandiose !

Une fois les premiers succès passés, les ingénieurs de la compagnie se sont attaqué à la seconde génération qui a été présentée dix années plus tard. Cette fois, on a voulu jouer aux fins finauds en voulant miser un peu trop sur les symboles Ford, alors que l'espace réservé à la radio était ovale, tout comme la lunette arrière et plusieurs autres éléments de la carrosserie. C'était peut-être songé, mais la voiture elle-même avait une habitabilité inférieure à la première tout en étant plus lourde et moins performante. De plus, la pompe d'assistance de la servodirection avait un débit insuffisant, ce qui nous donnait l'impression de conduire une voiture sans direction assistée dans certains virages. Des problèmes de suspension arrière et de freins sont venus affecter celle qui devait permettre à la compagnie Ford de demeurer à l'avant-plan.

Si cette berline était en avant de la concurrence au milieu des années quatre-vingt, elle a été progressivement distancée aussi bien en fait de comportement routier que de confort et de performance. En 1999, la mécanique a été revue assez sérieusement en même temps que la silhouette qui est celle que nous connaissons présentement. De plus, les freins ont été améliorés et la direction rendue plus précise et d'une assistance mieux dosée.

TROP TARD !

Mais c'était trop peu, trop tard. Malgré une troisième génération, la Taurus d'aujourd'hui ressemble encore d'assez près à celle de la première génération. À titre de comparaison, examinons la Honda Accord actuelle, la Chrysler 300 ainsi que la Nissan Maxima pour constater à quel point la Taurus a l'air vieillotte. De nos jours, le marché est tellement compétitif qu'il faut pratiquement offrir une silhouette entièrement redessinée tous les six ans au maximum. Chez Ford, on l'a pour ainsi dire clonée en 1995 et en 1999 avec les résultats qu'on connaît.

Au fur et à mesure que la concurrence était plus moderne, et plus sophistiquée, la Taurus était retouchée de peu. Et la seule fois où on a procédé à une révision majeure en 1995, ce fut raté. Il ne faut pas non plus limiter nos critiques à l'esthétique. Les deux moteurs V6 3,0 litres ne sont plus à la hauteur de la tâche, notamment le moteur Vulcan de 153 chevaux qui est plus poussif qu'autre chose. Son économie de carburant n'impressionne pas non plus, car elle est pratiquement identique à celle du moteur Duratec V6 3,0 litres de 200 chevaux. En fait, ce moteur est le seul choix logique puisqu'il est en outre plus performant.

FEU VERT

Aubaines à prévoir
Habitacle confortable
Moteur Duratec
Version familiale
Comportement routier

FEU ROUGE

Fin de carrière
Moteur V6 Vulcan
Finition approximative
Silhouette terne
Freins ABS en option

Les deux sont associés à une boîte automatique à quatre rapports qui était bonne il y a 20 ans, correcte en 2000 et dépassée de nos jours avec ses passages de vitesses parfois saccadés et souvent lents. Bref, il semble que Ford ait lancé la serviette à propos de la Taurus, il y a déjà quelques années... Les responsables du modèle ont apporté les modifications imposées par la loi et ajouté quelques éléments ici et là pour répondre aux demandes des principaux acheteurs; les parcs automobiles et les compagnies de location.

Tant et si bien que cet essai routier est le dernier de la Taurus dans cet ouvrage, attendu qu'elle sera progressivement abandonnée en 2006, au profit de la 500 qui est déjà commercialisée depuis un an.

ÉLOGE FUNÈBRE...

Puisque ce texte est davantage un éloge funèbre qu'un essai routier, attardons-nous donc à trouver des éléments positifs à écrire à son sujet! En tout premier lieu, même si la voiture avait de plus en plus de difficulté à suivre la parade des nouveautés, son comportement routier était sain, mais elle manquait d'agilité dans les virages serrés. Par contre, il faut souligner sa bonne habitabilité, sa facilité d'accès à bord et une position de conduite correcte. Sur le plan mécanique, les freins sont moyennement performants mais s'échauffent peu, tandis que la direction est adéquate sans plus. Mais si les freins résistent à la surchauffe, les distances de freinage sont très longues. Il faut également ajouter que les employés affectés à son assemblage semblent avoir jeté l'éponge eux aussi, car la qualité d'assemblage laissait voir plusieurs pièces mal installées. Par contre, sur une note plus positive, dans un certain sens du moins, cette voiture a connu de bons résultats lors des tests d'impacts gérés par le gouvernement américain.

En cours d'année, en raison de sa disparition du marché, la Taurus sera écoulée à prix d'aubaine et elle devrait intéresser les personnes à la recherche d'une voiture relativement fiable, confortable et offrant beaucoup d'espace. De plus, la version familiale est non seulement plus élégante que la berline, mais elle possède un équipement plus complet, tandis que son type de carrosserie procure une polyvalence qui ne peut être offerte avec la version quatre portes. Et tant pis si vos voisins vous demandent pourquoi vous roulez avec une voiture quasiment réservée aux parcs automobiles! Une aubaine, c'est une aubaine...

Denis Duquet

Photos: Ford

FORD TAURUS

DONNÉES TECHNIQUES

Modèle à l'essai:	SEL
Prix du modèle à l'essai:	29645$
Échelle de prix:	25095$ à 29645$
Garanties:	3 ans/60000 km, 5 ans/100000 km
Catégorie:	berline intermédiaire
Emp./Lon./Lar./Haut.(cm):	276/502/185/147
Poids:	1588 kg
Coffre/Réservoir:	481 litres / 68 litres
Coussins de sécurité:	frontaux et latéraux (av.)
Suspension avant:	indépendante, jambes de force
Suspension arrière:	indépendante, multibras
Freins av./arr.:	disque (ABS opt.)
Antipatinage/Contrôle de stabilité:	oui/non
Direction:	à crémaillère, assistance variable
Diamètre de braquage:	11,8 m
Pneus av./arr.:	P215/60R16
Capacité de remorquage:	567 kg

GROUPE MOTOPROPULSEUR

Moteur:	V6 de 3,0 litres 24s atmosphérique
Alésage et course	88,9 mm x 78,7 mm
Puissance:	200 ch (149 kW) à 5650 tr/min
Couple:	200 lb-pi (271 Nm) à 4400 tr/min
Rapport Poids/Puissance:	7,94 kg/ch (10,66 kg/kW)
Moteur électrique:	aucun
Autre(s) moteur(s):	V6 3,0 l 153ch à 5000tr/mn et 186lb-pi à 3250tr/mn
Transmission:	traction, automatique 4 rapports
Autre(s) transmission(s):	aucune
Accélération 0-100 km/h:	10,1 s
Reprises 80-120 km/h:	7,6 s
Freinage 100-0 km/h:	45,0 m
Vitesse maximale:	175 km/h
Consommation (100 km):	ordinaire, 11,6 litres
Autonomie (approximative):	586 km
Émissions de CO2:	4848 kg/an

DANS LA MÊME CATÉGORIE

Chevrolet Impala - Honda Accord - Mazda 6 - Mitsubishi Galant - Nissan Altima - Pontiac Grand Prix

DU NOUVEAU EN 2006

Aucun changement majeur, modèle en fin de carrière

HISTORIQUE DU MODÈLE

3ème génération

NOS IMPRESSIONS

Agrément de conduite:	3½
Fiabilité:	3
Sécurité:	4
Qualités hivernales:	3
Espace intérieur:	4
Confort:	3½

LE CHOIX DE L'ÉQUIPE

Familiale SEL

ET ÉCOLOGIQUE EN PLUS !

Déjà bien familière aux automobilistes d'ici, la Honda Accord figure, bon an mal an, parmi les voitures les plus vendues en Amérique. On sait reconnaître sa qualité de fabrication, son comportement sûr et son rendement sans histoire. Aux deux motorisations déjà existantes (un 4 cyl.de 160 ch. et un V6 de 240 ch), Honda en a jouté une troisième l'an dernier afin de répliquer à Toyota dont la Prius Hybride a beaucoup fait parler d'elle. Et comme c'est Honda qui a été le premier intervenant (avec la Insight) dans le groupe des amies de la planète, il n'était que normal qu'il riposte à son concurrent avec un autre modèle mi-essence, mi-électrique. D'où l'Accord Hybride.

Jusqu'à maintenant, il était difficile d'associer l'agrément de conduite à une motorisation hybride. Pour consommer moins, il fallait dire bonjour l'ennui et adieu au plaisir de conduire. Le message a été entendu, tant chez Toyota que chez Honda et cela nous vaut des modèles qui ne sont pas devenus impotents en se voyant greffer un petit moteur électrique. À ce chapitre, la dotation de l'Accord Hybride est particulièrement impressionnante puisque la voiture s'avère plus rapide que sa consœur qui s'en remet uniquement à son V6 pour l'emmener vers sa vitesse de croisière. Son groupe électrique n'est pas utilisé seulement à des fins d'économie mais pour accroître la puissance qui fait un bon de 15 chevaux tandis que le couple gagne 20 lb-pi. Il faut s'attendre à un léger sacrifice à la pompe, mais Dieu qu'il est agréable de pouvoir compter sur de solides reprises quand on veut doubler un retardataire. Par exemple, l'Accord Hybride ne met que 6 secondes environ pour bondir de 80 à 120 km/h en version automatique. C'est rassurant... et surtout plus rapide que certaines voitures qui aspirent au titre de berlines sport.

12 KILOWATTS ET 3 CYLINDRES

Contrairement à la Prius Hybride qui privilégie l'économie d'essence en ville en faisant appel au moteur électrique seulement à faible vitesse, l'hybride de chez Honda utilise ses 12 kilowatts surtout à une vitesse de croisière. En plus, à une vitesse stabilisée, 3 des 6 cylindres du moteur à essence se mettent au chômage. C'est ainsi que lors d'un voyage entre Montréal et Pohénégamook (Bas-Saint-Laurent), là où se trouve le superbe musée automobile du Domaine, notre Accord s'est contenté de 6,8 litres aux 100 km. À la ville, la courbe de consommation s'élève passablement, de sorte que l'on peut envisager une moyenne générale d'environ 8,5 litres aux 100 km. Le temps d'amortissement du montant excédentaire nécessaire à l'achat de l'Accord hybride sera plus long mais pas mal moins ennuyant si vous voulez mon avis. Par rapport à la Prius, cette Honda ne se ressent pas tellement du va-et-vient entre les moteurs et m'a semblé plus transparente à ce chapitre que la Toyota. En réalité, le néophyte n'y verra que du feu tandis que les plus attentifs ressentiront un effet de freinage plus accentué de temps à autre en raison du système qui permet de récupérer l'énergie dissipée par l'utilisation des freins. Le phénomène le plus notable reste l'arrêt du moteur à essence lors d'une immobilisation à un feu rouge et sa mise en marche instantanée dès que l'on relâche la pédale de frein. En somme, un embouteillage de 5 minutes se traduit par une consommation nulle pour un véhicule hybride.

FEU VERT

Confort et douceur de roulement
Bonne économie sur la route
Habitacle silencieux
Comportement routier sûr
Construction soignée

FEU ROUGE

Prix prohibitif
Silhouette anonyme
Économie peu évidente en ville
Ergonomie perfectible
Instrumentation limitée

UN COUP DE POUCE SVP

Malgré un équipement complet comparable à celui de la plus chère des Accord à essence, la version hybride commande un prix qui paraît un sérieux handicap à sa diffusion. On veut bien exprimer sa fibre écologique mais on souhaiterait que les gouvernements nous aident un peu dans cette démarche, comme cela se fait ailleurs au Canada et aux États-Unis. Ne serait-ce que pour le principe, un petit 1 000$ de ristourne sur la taxe de vente ou un crédit d'impôt serait apprécié. Et je vous parie que les automobilistes seraient beaucoup plus enclins à délier les cordons de la bourse pour faire l'achat d'un véhicule moins polluant.

L'autre élément dissuasif à propos des hybrides a trait à leur fiabilité à long terme. Personne encore n'a franchi les quelques centaines de milliers de kilomètres nécessaires à une évaluation plus en profondeur. Par contre, l'utilisateur d'un Ford Escape hybride m'a confié sa totale satisfaction après une trentaine de milliers de kilomètres. Personnellement, l'essai à long terme de l'Accord Hybride a vu l'odomètre dépasser les 9 000 kilomètres sans le moindre pépin mécanique.

La voiture est d'une douceur remarquable, discrète, souple et d'un confort appréciable sur de longs parcours, des qualités propres à toutes les Accord. Il en va de même des sièges et de la position de conduite qui contribuent aussi à cet état de bien-être au volant. Il n'y a vraiment que la forêt de boutons noirs autour du climatiseur et du système audio qui prête à confusion par la proximité des dits boutons. Ils vous obligent constamment à regarder vers la console pour procéder à un réglage, ce qui n'est pas tout à fait sécuritaire. J'aurais souhaité aussi un petit écran comme on en trouve un sur la Prius pour m'informer de la consommation moyenne ou instantanée de la voiture, de la charge des batteries et du fonctionnement du système hybride. Tout ce qui est offert est un petit affichage à même l'odomètre qui n'est pas très facile à consulter du coin de l'œil. Et tant qu'à y être, les gens de chez Honda pourraient faire preuve d'un peu d'imagination en différenciant l'Accord Hybride du modèle ordinaire. Pour le reste, il eût été difficile de faire mieux pour que les sceptiques soient confondus.

Jacques Duval

Photos: Honda

HONDA ACCORD / HYBRID

DONNÉES TECHNIQUES

Modèle à l'essai:	Hybride
Prix du modèle à l'essai:	36 990$ - 2005
Échelle de prix:	24 345$ à 36 990$ - 2005
Garanties:	3 ans/60 000 km, 5 ans/100 000 km
Catégorie:	berline intermédiaire/coupé
Emp./Lon./Lar./Haut.(cm):	274/481/181/145
Poids:	1 599 kg
Coffre/Réservoir:	317 litres / 64,7 litres
Coussins de sécurité:	frontaux, latéraux (av.), rideaux
Suspension avant:	indépendante, bras inégaux
Suspension arrière:	indépendante, multibras
Freins av./arr.:	disque (ABS)
Antipatinage/Contrôle de stabilité:	oui/non
Direction:	à crémaillère, assist. variable électronique
Diamètre de braquage:	11,0 m
Pneus av./arr.:	P215/60R16
Capacité de remorquage:	n.d.

Pneus d'origine MICHELIN

GROUPE MOTOPROPULSEUR

Moteur:	V6 de 3,0 litres 24s atmosphérique
Alésage et course	86,0 mm x 86,0 mm
Puissance:	240 ch (179 kW) à 6 000 tr/min
Couple:	232 lb-pi (315 Nm) à 5 000 tr/min
Rapport Poids/Puissance:	6,66 kg/ch (9,03 kg/kW)
Moteur électrique:	16 ch (12kW) et 100 lb pi (136Nm)
Autre(s) moteur(s):	4L 2,4 l 160ch à 5 500tr/mn et 161lb-pi à 4 500tr/mn, V6 3,0 l 240ch à 6 250tr/mn et 212lb-pi à 5 000tr/mn (V6 régulier)
Transmission:	traction, automatique 5 rapports
Autre(s) transmission(s):	manuelle 5 rapports et 6 rapports
Accélération 0-100 km/h:	8,8 s
Reprises 80-120 km/h:	6,1 s
Freinage 100-0 km/h:	38,8 m
Vitesse maximale:	200 km/h
Consommation (100 km):	ordinaire, 9,2 litres
Autonomie (approximative):	703 km
Émissions de CO2:	4512 kg/an

DANS LA MÊME CATÉGORIE

Chevrolet Malibu - Chrysler Sebring - Hyundai Azera - Kia Magentis - Mazda 6 - Mitsubishi Galant - Subaru Legacy - Toyota Camry - Volkswagen Passat

DU NOUVEAU EN 2006

Pas de changement majeur

HISTORIQUE DU MODÈLE

7ième génération

NOS IMPRESSIONS

Agrément de conduite:	4
Fiabilité:	4
Sécurité:	4½
Qualités hivernales:	3
Espace intérieur:	4
Confort:	3

LE CHOIX DE L'ÉQUIPE

EX V6

CONSERVER LA TÊTE

Tout un défi attendait Honda cette année. Renouveler la voiture la plus vendue depuis 1998 n'est pas une mince tâche. Il fallait plaire aux nombreux fans de la marque, innover suffisamment pour attirer ceux qui la trouvaient trop terne et tenir tête aux concurrents qui offrent maintenant d'excellentes alternatives à la traditionnelle Civic. Honda a travaillé fort et la 8e génération de cette compacte a de sérieux arguments, elle n'est pas parfaite mais ses atouts semblent suffisants pour faire battre le cœur des fidèles amateurs. En tablant sur la sécurité, la fiabilité et le plaisir de conduite, le manufacturier nippon a de bonnes chances de gagner son pari.

Soyons réaliste, malgré le fait que la Civic devrait conserver le titre de la voiture la plus vendue pour l'année 2005, ce sera par une infime marge. La Civic commençait à perdre des plumes au profit de voitures fraîchement renouvelées par d'autres manufacturiers. D'ailleurs, les résultats du match comparatif des compactes en sont la preuve. Comme Honda ne fait jamais les choses à moitié, le nouveau modèle devrait fixer les règles à suivre pour les prochaines années dans la catégorie. Quand on a vendu plus de 1,2 million d'unités de Civic, on ne veut pas passer à côté de la tradition. Bien que le modèle n'ait pas eu le temps de faire ses preuves, la fiabilité devrait une fois de plus être le point fort de cette voiture si appréciée du public.

Quatre modèles et trois motorisations sont au catalogue, les coupés, berlines, Si et hybrides forment une gamme complète. Les berlines devraient continuer de constituer la majeure partie des ventes de la Civic. L'allure du modèle quatre portes est une sage évolution qui devrait plaire à tous et le nouveau moteur de 1,8 litre suffit à la tâche. Le coupé surprend au premier coup d'œil et risque de ne pas faire l'unanimité. Une chose est certaine, ceux qui demandaient un changement marqué sont servis.

SÉCURITÉ AVANT TOUT

La structure diffuse maintenant beaucoup mieux les impacts en répartissant la force sur les montants de pare brise et dans le sous-châssis. Les occupants sont maintenant mieux protégés lors d'un impact. La Civic a d'ailleurs obtenu le meilleur résultat de sa catégorie aux tests extrêmement sévères de l'IIHS qui correspondent aux conditions routières actuelles. Par exemple, les tests d'impact dans la porte du conducteur tiennent compte du fait que les routes sont envahies par les VUS. Les amateurs de coussins gonflables seront comblés, il y a plus de coussins dans cette bagnole que dans nos salons! Les traditionnels coussins du conducteur et du passager sont accompagnés de coussins latéraux avant et de rideaux gonflables latéraux, le tout est supporté

par des appuis-têtes actifs. L'ABS et la répartition électronique du freinage sont de série sur tous les modèles de la gamme.

Derrière le volant, qui est inclinable et télescopique, on remarque tout de suite les dimensions de l'habitacle. Quatre adultes peuvent y prendre place et être très confortables. Il est possible d'en asseoir cinq en se tassant un peu. Beaucoup de travail a été réalisé pour améliorer l'ergonomie et rendre la vie facile au conducteur. Dans l'habitacle, les rangements sont nombreux, les matériaux de qualité et les glaces et serrures électriques sont appréciées. Les interrupteurs de vitre électrique sont mêmes rétros éclairés, une délicate attention. Le radio de base bénéficie de quatre hauts parleurs, lecteur CD et même MP3. Les versions berlines EX et LX et le coupé LX ont un système à 6 haut-parleurs de 160 watts tandis que les coupés EX et Si nous bombardent de 350 watts transmis par 7 haut-parleurs dont un d'extrême grave de 8 pouces.

La planche de bord est maintenant à deux niveaux, les jauges et compteurs habituellement jumelés sont mieux répartis pour plus d'efficacité, les principaux prenant place au dessus du volant. L'indicateur de vitesse est ainsi situé près de la jonction du pare-brise et il est entouré des indicateurs numériques de niveau de carburant et de température moteur. On peut donc mieux se concentrer sur la conduite et ainsi apprécier les améliorations apportées à la rigidité de la coque (35 % plus rigide) et à la suspension. Malgré le fait que les amortisseurs sont très souples sur la berline, la tenue de route est saine.

Côté moteur, l'augmentation de puissance de 25 chevaux ne se fait malheureusement pas sentir. Le poids élevé de l'ensemble, ajouté aux rapports de transmission et à la meilleure insonorisation coupent les sensations. Le nouvel accélérateur électronique ne plaira d'ailleurs pas aux amateurs de conduite inspirée puisque la réaction de l'accélérateur est lente. Ce moteur offre toutefois une excellente consommation d'essence pour une voiture compacte. Vous pourrez encore dire à votre pompiste : « y'a rien là, vas-y », lors de votre prochain plein. La nouvelle boite automatique 5 vitesses, une première dans cette catégorie, fait un excellent travail. On se demande si ça ne va pas affecter les ventes de boite manuelle, qui est tout aussi agréable à utiliser. Le coupé est plus court que la berline et l'angle de son pare-brise est plus incliné. En fait, le pare brise est plus incliné que celui de l'Acura NSX. L'arrière trapu lui donne des airs de famille avec la nouvelle Eclipse, ce qui n'est pas un défaut. La suspension du coupé est plus rigide que celle de la berline puisqu'il ne s'adresse pas exactement à la même clientèle. Je l'ai quand même trouvé confortable et les places arrière sont suffisantes.

LA BOMBE SI

Il ne faut surtout pas passer sous silence les qualités du coupé Si. Cette fois, les ingénieurs se sont surpassés. On est bien loin du modèle 2005 qui n'avait de sportif que le nom... Ce nouveau coupé Si a plusieurs des qualités qui ont fait de l'Integra Type R un icône pour les tuners de ce monde. La voiture est mieux adaptée à la conduite de tous les

jours, elle est plus souple et mieux insonorisée, mais on reconnaît le caractère d'une vraie voiture sport. Le moteur K20Z3 dérivé des Accord Type R européennes et japonaises produit 197 chevaux et un couple raisonnable de 139 livres/pieds qui le rend efficace dans la circulation. Il ne demande qu'à hurler à plus de 8000 tours. Les accélérations sont féroces, la transmission 6 vitesses se manie comme un charme (à part la faiblesse des bagues de synchronisation) et le différentiel à glissement limité (hélicoïdal) favorise les sorties de virage canon! J'ai rarement, si ce n'est jamais, conduit un Honda qui possédait une telle capacité de freinage et une endurance aussi surprenante. Vous auriez du voir Gabriel Gélinas et moi s'évertuer à tenter de prendre la Si en défaut sur un circuit. La pédale de freins est restée dure, même après 15 minutes de piste et les plaquettes n'ont pas eu de faiblesses. Les disques ventillés de 290 mm à l'avant et 259 mm à l'arrière n'y sont pas étrangers. Par chance, les sièges bien conçus offrent un meilleur support que ceux du coupé EX. L'intérieur est très bien réussi et j'adore toutes les commandes sauf celle du frein à main qui pourrait être mieux conçue.

UN PEU DE MUSIQUE

La sonorité du moteur de la Si est une œuvre musicale, les ingénieurs s'y sont particulièrement attardés. L'échappement émet un ronronnement sourd aux bas régimes moteur qui est loin d'être dérangeant, ce ronron se transforme en un hurlement qui ressemble à celui d'une moto sportive quand on monte en régime. L'entrée d'air, quand à elle, se réveille à haut régime pour émettre un son exquis aux oreilles d'un mordu. Nous sommes en droit de nous demander pourquoi certains voudront tenter de modifier une aussi belle harmonie. Il est facile de savoir où on se situe dans les tours/minute puisque le tachymètre est muni d'un témoin lumineux de rappel des hauts régimes. Le compteur lui même passe à la couleur orange de 7000 à 8000 tours et opte pour le rouge en haut de 8000 tours L'aérodynamique a été étudiée et

FEU VERT

Suspension confortable
Très bons freins (excellents sur Si)
Tenue de route du Si
Tableau de bord innovateur
Transmission automatique 5 vitesses

FEU ROUGE

Poids plus élevé que la 7e génération
Temps de réponse de l'accélérateur
Bagues de synchronisation fragiles sur Si
Roulis en virage (tous les modèles)
Allure extérieure qui est loin de faire l'unanimité

optimisée, l'aileron arrière réduit le soulèvement de 60 % et améliore la pénétration du véhicule dans l'air de trois pour cent. Le roulis est réduit de 30 %, malgré le fait que la suspension soit une référence de confort pour la catégorie.

La direction à assistance variable est un modèle en matière de précision et de plaisir d'utilisation. Les ouvertures dans le pare-chocs avant dirige l'air vers les conduites de refroidissement de freins, comme si leurs dimensions ne suffisaient pas à ralentir les élans de cette sportive. Ce modèle est une réussite totale qui devrait redorer le blason de Honda, qui souffrait du retrait de la Sir auprès d'une certaine clientèle avide de sensations fortes.

La gamme Civic pour ce millésime propose donc quatre modèles qui sauront satisfaire la plupart d'entre vous et qui devrait perpétuer la tradition des Civic : efficaces, pratiques, économiques et agréables à conduire. La qualité de finition est présente dans tous les modèles, le soucie du détail y est évident. Un véhicule qu'il sera bon de mettre sur sa liste d'épicerie de l'année 2006…

Carl Nadeau

Photos: Honda

DONNÉES TECHNIQUES

Modèle à l'essai :	Si
Prix du modèle à l'essai :	n.d.
Échelle de prix :	n.d.
Garanties :	3 ans/60000 km, 5 ans/100000 km
Catégorie :	berline compacte/coupé
Emp./Lon./Lar./Haut.(cm) :	265/440/175/136
Poids :	1178 kg
Coffre/Réservoir :	325 litres / 50 litres
Coussins de sécurité :	frontaux, latéraux (av.), rideaux
Suspension avant :	indépendante, jambes de force
Suspension arrière :	indépendante, multibras
Freins av./arr. :	disque (ABS opt.)
Antipatinage/Contrôle de stabilité :	non/non
Direction :	à crémaillère, assistance variable
Diamètre de braquage :	n.d.
Pneus av./arr. :	P215/45R17
Capacité de remorquage :	non recommandé

GROUPE MOTOPROPULSEUR

Pneus d'origine MICHELIN

Moteur :	4L de 2,0 litres 16s atmosphérique
Alésage et course	86,0 mm x 86,0 mm
Puissance :	197 ch (147 kW) à 7800 tr/min
Couple :	139 lb-pi (188 Nm) à 6200 tr/min
Rapport Poids/Puissance :	5,98 kg/ch (8,12 kg/kW)
Moteur électrique :	aucun
Autre(s) moteur(s) :	4L 1,8 l 140ch à 6300tr/mn et 128lb-pi à 4300tr/mn (tous sauf Si)
Transmission :	traction, manuelle 6 rapports
Autre(s) transmission(s) :	man. 5 rapports / traction, automatique 5 rapports
Accélération 0-100 km/h :	7,0 s (estimé)
Reprises 80-120 km/h :	n.d.
Freinage 100-0 km/h :	n.d.
Vitesse maximale :	n.d.
Consommation (100 km) :	ordinaire, 6,7 litres (constructeur)
Autonomie (approximative) :	746 km
Émissions de CO2 :	n.d.

DANS LA MÊME CATÉGORIE

Chevrolet Cobalt - Ford Focus - Hyundai Elantra - Mazda 3 - Mitsubishi Lancer - Nissan Sentra

DU NOUVEAU EN 2006

Nouveau modèle

HISTORIQUE DU MODÈLE

7ième génération

NOS IMPRESSIONS

Agrément de conduite :	🚗🚗🚗½
Fiabilité :	nouveau modèle
Sécurité :	🚗🚗🚗
Qualités hivernales :	🚗🚗🚗½
Espace intérieur :	🚗🚗🚗½
Confort :	🚗🚗🚗½

LE CHOIX DE L'ÉQUIPE

Si

HYBRIDE VERSION 06

Chez Honda, le premier chapitre de l'histoire hybride à été écrit par l'Insight, une voiture à l'allure futuriste mais dont la technologie n'était pas à la fine pointe, contrairement à sa rivale Prius de Toyota. Le deuxième chapitre nous présentait la première génération de la version hybride de la Civic, avec laquelle Honda abandonnait le look techno pour adopter l'allure conventionnelle de sa voiture la plus vendue. Récemment, l'Accord hybride nous faisait découvrir que hybride pouvait rimer avec performance et aujourd'hui c'est au tour de la Civic de bénéficier des avancées technologiques réalisées dans le domaine par Honda.

Visuellement, la version hybride se distingue de la Civic conventionnelle de huitième génération par l'ajout d'un écusson apposé sur le coffre qui est par ailleurs surplombé d'un déflecteur, par son antenne localisée sur la partie arrière du toit, par ses roues en alliage d'un style différent, ainsi que par l'ajout d'indicateurs de changements de voie localisés sur les rétroviseurs latéraux. Pour ce qui est de la planche de bord, elle est essentiellement identique à celle de la Civic conventionnelle, mais le tableau de bord présente également les indicateurs qui renseignent le conducteur sur le fonctionnement de la motorisation hybride. Quant à l'habitacle, il faut souligner le fait que l'agencement des couleurs qui est spécifique à la version hybride laisse parfois à désirer, la teinte bleue retenue pour les sièges ne s'harmonisant pas parfaitement avec les autres couleurs de l'intérieur.

Sur le plan technique, la Civic hybride continue de faire appel à un moteur quatre cylindres de 1,3 litres qui est jumelé à un moteur électrique, mais ces deux composantes de la motorisation ont été optimisées à plusieurs égards, et le nouvel ensemble livre une puissance comparable à celle d'un moteur à essence conventionnel de 1,8 litres, soit 110 chevaux. Ainsi, le moteur à essence est doté d'un système de calage variable des soupapes i-VTEC qui comporte maintenant trois phases et le moteur électrique développe une puissance correspondant à 1,5 fois celle développée par le modèle 2005. Ces changements ont été apportés en vue d'optimiser la consommation de carburant qui a été légèrement améliorée par rapport au modèle précédent déjà frugal à ce chapitre. Ils améliorent aussi les performances du véhicule, le nouveau modèle retranchant une seconde et demie au chrono lors du sprint de 0 à 100 kilomètres/heure.

Les trois phases du système i-VTEC permettent au moteur de fonctionner selon trois phases de contrôle des soupapes. Ainsi, lors de la décélération, la combustion est interrompue dans les quatre cylindres et ceux-ci sont fermés hermétiquement. Lors du départ et de l'accélération, le moteur fonctionne en mode de calage de distribution à faible régime avec assistance du moteur électrique. Lors de l'accélération rapide, le moteur passe au mode de distribution à régime élevé, toujours avec l'assistance du moteur électrique. À faible vitesse de croisière, la combustion est interrompue, les soupapes sont fermées et seul le moteur électrique fait avancer la voiture. Cette motorisation hybride fait appel au jumelage du système i-VTEC très avancé sur le plan technique ainsi qu'à un moteur électrique plus efficace et toujours aussi compact qui est au cœur de la nouvelle Civic hybride.

FEU VERT

Système hybride plus efficace
Puissance accrue
Silhouette renouvelée
Habitacle très fonctionnel

FEU ROUGE

Coût élevé à l'achat
Valeur de revente douteuse
Pneus peu performants en tenue de route
Poids élevé

C'est ce qui lui permet de marquer un net progrès en performance et en économie de carburant par rapport au modèle précédent.

La notion du plaisir de conduire est cependant toujours absente de la Civic Hybride dont la tenue de route est légèrement améliorée par rapport au modèle précédent dont les pneus étaient conçus afin de réduire la résistance au roulement au détriment des performances en virages. De plus, la pédale de frein demeure sensible en raison du système de freinage régénératif qui transforme le moteur électrique en génératrice et permet ainsi de récupérer l'énergie cinétique déployée lors du freinage pour réalimenter la batterie. À l'arrêt, le moteur à essence demeure éteint et la consommation de carburant est nulle. Il est également possible de continuer à profiter de la climatisation, même lorsque le moteur à essence est inactif puisque le compresseur du climatiseur est alors alimenté directement par le moteur électrique.

Au moment d'écrire ces lignes, Honda ne pouvait nous confirmer le prix de la Civic hybride, mais nous pouvons estimer que ce prix sera voisin de la barre des vingt-cinq mille dollars, lorsque la voiture fera son entrée chez les concessionnaires de la marque au début du mois de novembre 2005. Alors que Honda prévoit vendre par année plus de cinquante mille exemplaires de sa Civic en version berline et plus de quinze mille exemplaires en version coupé, la diffusion de la version hybride sera nettement plus limitée puisque seulement mille exemplaires de ce modèle trouveront preneur au pays par année. Le prix de l'essence ayant connu une progression spectaculaire dernièrement, il est toutefois possible que les véhicules hybrides gagnent éventuellement en popularité si la tendance actuelle se maintient, pour reprendre une expression consacrée, en ce qui a trait au prix de l'essence...

Gabriel Gélinas

Photos: Honda

DONNÉES TECHNIQUES

Modèle à l'essai:	Version unique
Prix du modèle à l'essai:	n.d.
Échelle de prix:	n.d.
Garanties:	3 ans/60000 km, 5 ans/100000 km
Catégorie:	berline compacte
Emp./Lon./Lar./Haut.(cm):	270/449/175/143,5
Poids:	1304 kg
Coffre/Réservoir:	n.d. / 50 litres
Coussins de sécurité:	frontaux, latéraux (av.), rideaux
Suspension avant:	indépendante, jambes de force
Suspension arrière:	indépendante, multibras
Freins av./arr.:	disque (ABS)
Antipatinage/Contrôle de stabilité:	non/non
Direction:	à crémaillère, assistance variable
Diamètre de braquage:	10,6 m
Pneus av./arr.:	P195/65R15
Capacité de remorquage:	non recommandé

GROUPE MOTOPROPULSEUR

Moteur:	4L de 1,3 litres 8s hybride
Alésage et course	73,0 mm x 80,0 mm
Puissance:	93 ch (69 kW) à 6000 tr/min
Couple:	89 lb-pi (121 Nm) à 4600 tr/min
Rapport Poids/Puissance:	14,02 kg/ch (19,18 kg/kW)
Moteur électrique:	17 ch (13kW) et 34 lb-pi (46Nm)
Autre(s) moteur(s):	seul moteur offert
Transmission:	traction, CVT
Autre(s) transmission(s):	aucune
Accélération 0-100 km/h:	11,5 s
Reprises 80-120 km/h:	11,0 s (estimé)
Freinage 100-0 km/h:	42,0 m
Vitesse maximale:	175 km/h
Consommation (100 km):	ordinaire, 4,5 litres (constructeur)
Autonomie (approximative):	1111 km
Émissions de CO2:	2302 kg/an

DANS LA MÊME CATÉGORIE

Toyota Prius

DU NOUVEAU EN 2006

Tout nouveau modèle

HISTORIQUE DU MODÈLE

2ième génération

NOS IMPRESSIONS

Agrément de conduite:	🚗🚗🚗½
Fiabilité:	nouveau modèle
Sécurité:	🚗🚗🚗🚗½
Qualités hivernales:	🚗🚗🚗½
Espace intérieur:	🚗🚗🚗🚗
Confort:	🚗🚗🚗½

LE CHOIX DE L'ÉQUIPE

Version unique

Photo : Marc Bouchard

UNE PETITE DOUÉE

Tous les VUS ne sont pas égaux. Tandis que certains sont handicapés par des dimensions hors-norme, un gros moteur gourmand ou encore une tenue de route passablement aléatoire, le CR-V inciterait certains embrasseurs d'arbres fortement opposés aux VUS de tout acabit à réviser leurs positions. Il est vrai que sa conception et sa mécanique ne vous permettraient pas d'aller jouer les aventuriers dans la forêt amazonienne, mais puisque plus de 90 pour cent des acheteurs de ce type de véhicule ne roulent qu'en ville, cet argument n'a pas tellement de poids.

En fait, c'est l'équilibre général de cette Honda qui la rend si attachante. Elle n'est pas exempte de défauts et nombreuses seront les personnes qui pesteront contre cette portière arrière qui s'ouvre vers la droite et qui n'est pas la trouvaille du siècle lorsqu'on est stationné dans une rue. Par contre, je dois vous avouer que cette configuration convient fort bien à l'aménagement de mon entrée puisque nous accédons à l'arrière par la gauche. Et il faut également souligner que la lunette arrière peut être ouverte indépendamment de la portière. Une caractéristique qui est appréciée de plusieurs lorsqu'on a un petit colis à déposer. Toujours au sujet de la soute à bagages, le plancher est plus bas de quelques centimètres par rapport au seuil de chargement. Ce qui peut être délicat quand on a un colis lourd à extirper du véhicule. Il est impossible de le glisser vers l'extérieur, il faut d'abord le soulever avant de le sortir. En outre, une fois la soute à bagages dégagée de tout objet, il est bon de savoir que le plancher peut être converti en table à pique-nique. Il recouvre également un espace de rangement assez profond. Et avant que vous ne croyiez que je fais une fixation sur la soute à bagages, la banquette arrière coulissante de type 60/40 permet de mieux aménager l'habitacle en fonction des passagers ou des objets à transporter.

Passons maintenant au département des plaintes. Honda n'a pas encore trouvé le moyen d'offrir plus d'espace pour les pieds au passager avant. Une personne de taille moyenne peut difficilement se croiser les jambes. Sur une autre note négative, l'insonorisation est très moyenne, tandis que les pneus Bridgestone Dueller qui équipaient notre véhicule d'essai ne venaient pas arranger la situation, bien au contraire!

Ces éléments négatifs ne réussissent pas à ternir le bilan global de cette nippone tout usage. Comme il se doit sur un véhicule Honda, la finition est impeccable, les matériaux de qualité et l'équipement relativement complet. L'habitacle n'est pas nécessairement spacieux, mais il est facile de monter à bord et les sièges seront jugés confortables par la majorité des occupants. Il est également simple de trouver une bonne position de conduite tandis que les rétroviseurs extérieurs sont efficaces. Ce qui est une bonne nouvelle puisque la visibilité arrière n'est pas fantastique. Soulignons au passage que ces rétroviseurs sont chauffants.

Le tableau de bord se démarque par ses trois gros boutons servant à régler la climatisation, tandis que le levier du frein d'urgence est constitué par le montant gauche de la console centrale de la planche de bord. C'est inédit et pratique. Le levier de vitesse des modèles à boîte

FEU VERT

- Suspension confortable
- Moteur nerveux
- Conduite agile
- Fiabilité assurée
- Conception équilibrée

FEU ROUGE

- Pneumatiques moyens
- Insonorisation perfectible
- Portière arrière controversée
- Visibilité arrière très moyenne
- Peu d'espace à l'avant

Photo: Alain Morin

automatique est placé juste à la droite de la nacelle des instruments, en plein sur la paroi du tableau de bord. C'est vraiment à la portée de la main et cet emplacement permet de dégager le passage entre les deux sièges avant, le choix de l'industrie pour y loger le levier de vitesse. Il est alors possible de se déplacer d'avant vers l'arrière sans quitter le véhicule. Une tablette amovible placée entre les sièges avant sert de console centrale lorsqu'il n'est pas nécessaire d'aller à l'arrière ou d'en revenir. Enfin, depuis l'an dernier, les commandes du régulateur de croisière et de la radio sont montées en périphérie du moyeu du volant.

PAS DE V6?

Pour plusieurs, un véhicule utilitaire sport qui n'offre pas un moteur V6, tout au moins en option, n'est pas digne de ce nom. Ces personnes n'ont certainement pas piloté un CR-V pour affirmer une telle ânerie. Non seulement cette Honda ne propose qu'un seul moteur quatre cylindres de 2,4 litres, mais ce dernier n'est offert qu'en une seule version. Ici pas de compresseur, pas de turbo, mais 160 chevaux obtenus par la simple entrée d'air dans le collecteur d'admission. Et il est important de souligner que l'appétit en hydrocarbure de ce «petit quatre» est très impressionnant puisque la consommation moyenne enregistrée cette année a été de 11,7 litres aux 100 km. Ce qui est une pitance par rapport aux gros VUS à moteur V8 qui enregistrent une consommation moyenne qui est parfois presque du double.

Et sans nous offrir des performances à couper le souffle, ce petit moteur est d'un bon rendement et nous avons toujours l'impression de rouler vite ou du moins de ne pas nous traîner sur la route. Ajoutez à cette équation une direction dont l'assistance est presque dosée à la perfection, et une suspension indépendante aux quatre roues qui avale les trous et les bosses pour nous retrouver au volant d'un véhicule très agréable à piloter. Et son court diamètre de braquage est un atout de plus. Il est vrai que son rouage intégral «Real Time» pourrait avoir un temps de réaction plus rapide. Mais nous ne parlons que de quelques millièmes de seconde et je n'ai jamais ressenti le besoin qu'il soit plus rapide.

S'il est vrai que les versions les plus huppées du CR-V sont de prix élevé, les autres modèles sont la preuve que l'utile et l'agréable peuvent se retrouver dans un même véhicule tout en consommant raisonnablement le carburant de plus en plus cher.

Denis Duquet

Photo: Marc Bouchard

HONDA CR-V

DONNÉES TECHNIQUES

Modèle à l'essai:	EX
Prix du modèle à l'essai:	31 400$
Échelle de prix:	28 995$ à 35 000$
Garanties:	3 ans/60 000 km, 5 ans/100 000 km
Catégorie:	utilitaire sport compact
Emp./Lon./Lar./Haut.(cm):	262/459/178/168
Poids:	1 506 kg
Coffre/Réservoir:	949 à 2 039 litres / 58 litres
Coussins de sécurité:	front., latéraux (av./arr.), rideaux
Suspension avant:	indépendante, jambes de force
Suspension arrière:	indépendante, jambes de force
Freins av./arr.:	disque (ABS)
Antipatinage/Contrôle de stabilité:	non/oui
Direction:	à crémaillère, assistance variable
Diamètre de braquage:	10,6 m
Pneus av./arr.:	P215/65R16
Capacité de remorquage:	680 kg

GROUPE MOTOPROPULSEUR

Moteur:	4L de 2,4 litres 16s atmosphérique
Alésage et course	87,0 mm x 99,0 mm
Puissance:	160 ch (119 kW) à 6000 tr/min
Couple:	162 lb-pi (220 Nm) à 3600 tr/min
Rapport Poids/Puissance:	9,41 kg/ch (12,66 kg/kW)
Moteur électrique:	aucun
Autre(s) moteur(s):	seul moteur offert
Transmission:	intégrale, manuelle 5 rapports
Autre(s) transmission(s):	automatique 5 rapports
Accélération 0-100 km/h:	10,5 s
Reprises 80-120 km/h:	8,9 s
Freinage 100-0 km/h:	43,0 m
Vitesse maximale:	190 km/h
Consommation (100 km):	ordinaire, 11,7 litres
Autonomie (approximative):	527 km
Émissions de CO2:	4752 kg/an

DANS LA MÊME CATÉGORIE

Chevrolet Equinox - Ford Escape - Mazda Tribute - Mitsubishi Outlander - Saturn VUE - Toyota Highlander

DU NOUVEAU EN 2006

Aucun changement majeur

HISTORIQUE DU MODÈLE

2ième génération

NOS IMPRESSIONS

Agrément de conduite:	🚗🚗🚗½
Fiabilité:	🚗🚗🚗🚗🚗
Sécurité:	🚗🚗🚗🚗½
Qualités hivernales:	🚗🚗🚗🚗½
Espace intérieur:	🚗🚗🚗🚗
Confort:	🚗🚗🚗½

LE CHOIX DE L'ÉQUIPE

EX

UN HUMMER PASSÉ À LA SÉCHEUSE !

Cette référence au fameux Hummer, les propriétaires de Element l'ont tous entendu… et deux fois plutôt qu'une ! S'il a l'allure carrée du véhicule militaire, le Honda Element ne peut prétendre offrir les mêmes capacités en conduite hors route, et ce, même s'il bénéficie de la traction intégrale, optionnelle. Heureusement, sa consommation a aussi rétréci par rapport au Hummer. Dans les deux cas, toutefois, les véhicules savent attirer l'attention et si l'un fait grincer des dents les gens de Greenpeace, l'autre fait sourire… généralement. Car on aime ou on n'aime pas la silhouette bizarre du Element.

SHOW DE CHAISES

Cette carrosserie, toute de tôle et de panneaux de plastique, à défaut d'être très aérodynamique, offre un espace de chargement exceptionnel. Le panneau arrière s'ouvre en deux parties, et celle du bas peut servir de banc lors de feux de camp ou de support lorsque vient le temps de transporter des objets longs. Remarquez qu'il est toujours possible d'enlever le toit ouvrant situé à l'arrière (mais il n'y en a pas pour les gens assis à l'avant) et de faire dépasser ledit objet. Les portes arrière latérales s'ouvrent à contresens – les pentures sont placées à l'arrière – et il n'y a pas de pilier entre ces portes et celles à l'avant. Il est donc très facile de charger des objets encombrants d'autant plus qu'il existe, dixit Honda qui possède beaucoup d'imagination, 64 configurations différentes de sièges. Personnellement, je n'ai pu que baisser le dossier des sièges avant pour former un lit de fortune avec ceux situés à l'arrière ou faire basculer les deux sièges arrière vers l'avant pour agrandir l'espace de chargement ou les enlever, tout simplement, une opération relativement complexe qui risque d'égratigner le plastique des parois intérieures. Heureusement, ces sièges ne sont pas très lourds. Il y a aussi la possibilité de les rabattre contre les parois, ce qui améliore davantage l'espace de chargement mais qui bloque toute visibilité latérale arrière. Le plancher est recouvert d'un plastique facile à laver à grande eau. Par contre, il peut se révéler glissant si vos chaussures sont mouillées. Si vous déposez des objets sur ce plancher lisse sans prendre le temps de les fixer aux crochets existants, vous en serez quitte pour les entendre passer de gauche à droite à la moindre courbe.

Le Honda Element ne semble être que sièges. Ceux d'en avant offrent un confort relatif et un support latéral pratiquement inexistant. Puisque leur assise est haute et que la surface vitrée est importante, la visibilité n'est rien de moins qu'exceptionnelle. Les sièges situés à l'arrière sont très faciles d'accès grâce à l'absence de pilier « B » mais ils se montrent aussi durs que la belle-mère d'Aurore. L'espace pour les jambes est phénoménal mais si vous mesurez plus de six pieds, votre tête risque de se frotter contre le plafond, ce qui est plutôt ironique vu la hauteur du véhicule!

Au chapitre des ironies, mentionnons que si l'extérieur crie à tue-tête sa différence, l'habitacle, lui, se fait beaucoup plus discret. À part le levier de vitesse planté au milieu de la planche comme c'est la tendance actuellement et une débauche de plastiques (au demeurant de bonne qualité), il n'y a rien pour écrire à son député. Les commandes tombent sous la main, le système audio de 270 watts de notre véhicule d'essai

FEU VERT

Style très particulier
Excellente visibilité
Habitacle polyvalent
Mécanique fiable
Bon antirouille

FEU ROUGE

Style très particulier
Version AWD peu économique
Sièges arrière inconfortables
Sensibilité aux vents latéraux
Performances en manque de Viagra (AWD)

n'est pas le meilleur de sa catégorie, les espaces de rangement pourraient être plus nombreux et le repose-pied est placé trop à l'horizontale pour être serviable.

Le Honda Element peut recevoir, moyennant supplément, une traction intégrale. Cela n'en fait pas un Jeep TJ, loin de là, mais assure une meilleure traction dans la neige ou dans le sable des plages de Malibu. Ce système, toujours un peu lent à réagir, est appelé « Real Time » et envoie la puissance aux roues qui en ont le plus besoin. Le châssis, tout comme le système intégral, est copié sur celui du CR-V et fait preuve d'une belle solidité malgré l'absence de pilier entre les portières avant et arrière. Le moteur est le 2,4 litres qui se retrouve aussi dans… le CR-V. Il développe 160 chevaux qui peinent à la tâche de traîner cette masse de plus de 1 500 kilos, 1 600 dans le cas de la version intégrale. Dans ce dernier cas, effectuer le 0-100 km/h en moins de 11 secondes relève du témoignage devant le juge Gomery. Les reprises sont un peu plus vivantes mais on ne se brise pas la nuque sur l'appuie-tête. La livrée traction (roues avant motrices) amène des performances beaucoup plus allumées, tout en consommant environ un litre de moins aux cent kilomètres.

Les suspensions sont un peu trop sèches mais ont le mérite d'être solides. Elles impriment au Element un comportement sous-vireur alors que la caisse penche un peu, ce qui est tout à fait normal dans les circonstances. Les pneus d'origine (des Goodyear Wrangler) seraient à peine dignes de se retrouver sous une brouette de jardin et crient leur désarroi à la moindre oscillation du volant. Les freins procurent des distances d'arrêt correctes et rectilignes malgré des disques à l'arrière qui semblent bien petits. Un examen des dessous du Element nous montre un bon antirouille, des fausses ailes ouvertes sur le moteur, permettant de dégager la chaleur mais aussi de salir rapidement les organes mécaniques. L'entretien ne devrait pas causer de problèmes particuliers.

Le Honda Element ne s'adresse pas à tout le monde. Il faut aimer se faire remarquer, avoir des besoins d'espace plus importants que la moyenne, ne pas privilégier la conduite sportive et, surtout, accepter ses qualités et ses défauts. Moi, je serais prêt… et vous ?

Alain Morin

Photos : Alain Morin

DONNÉES TECHNIQUES

Modèle à l'essai :	Y 4RM
Prix du modèle à l'essai :	30 430 $ - 2005
Échelle de prix :	23 900 $ à 29 100 $ - 2005
Garanties :	3 ans/60 000 km, 5 ans/100 000 km
Catégorie :	utilitaire sport compact
Emp./Lon./Lar./Haut.(cm) :	257,5/430/181,5/179
Poids :	1 625 kg
Coffre/Réservoir :	691 à 2 888 litres / 60 litres
Coussins de sécurité :	frontaux et latéraux (av.)
Suspension avant :	indépendante, jambes de force
Suspension arrière :	indépendante, leviers triangulés
Freins av./arr. :	disque (ABS, EBD)
Antipatinage/Contrôle de stabilité :	non/non
Direction :	à crémaillère, assistance variable
Diamètre de braquage :	11,1 m
Pneus av./arr. :	P215/70R16
Capacité de remorquage :	680 kg

GROUPE MOTOPROPULSEUR

Moteur :	4L de 2.4 litres 16s atmosphérique
Alésage et course	87,0 mm x 99,0 mm
Puissance :	160 ch (116 kW) à 5500 tr/min
Couple :	159 lb-pi (217 Nm) à 4500 tr/min
Rapport Poids/Puissance :	10,42 kg/ch (14,01 kg/kW)
Moteur électrique :	aucun
Autre(s) moteur(s) :	seul moteur offert
Transmission :	intégrale, automatique 4 rapports
Autre(s) transmission(s) :	manuelle 5 rapports / traction, automatique 4 rapports, manuelle 5 rapports
Accélération 0-100 km/h :	11,6 s
Reprises 80-120 km/h :	9,4 s
Freinage 100-0 km/h :	45,0 m
Vitesse maximale :	190 km/h
Consommation (100 km) :	ordinaire, 11,1 litres
Autonomie (approximative) :	541 km
Émissions de CO_2 :	4725 kg/an

DANS LA MÊME CATÉGORIE

Chevrolet HHR - Chrysler PTCruiser

DU NOUVEAU EN 2006

Nouveaux agencements de couleur (Y), nouvelles couleurs, commandes radio au volant (Y), freins ABS standard (base)

HISTORIQUE DU MODÈLE

1[ière] génération

NOS IMPRESSIONS

Agrément de conduite :	3
Fiabilité :	4
Sécurité :	3 ½
Qualités hivernales :	4
Espace intérieur :	4 ½
Confort :	3

LE CHOIX DE L'ÉQUIPE

Y 4RM

ÉVOLUTION, C'EST LE MOT !

La compagnie Honda ne suit pas les politiques adoptées par les autres constructeurs. Elle ignore souvent un créneau du marché pour s'y présenter avec quelques années de retard, mais avec un produit qui surclasse tous les autres. Par la suite, les modèles évolutifs se succèdent jusqu'à ce qu'on frappe très fort une fois de plus. C'est justement la politique adoptée pour l'Odyssey. Après une première tentative avec un produit sans doute trop en avant de son temps au milieu des années 90, la seconde génération a établi les standards de la catégorie et est devenue la référence. Puis, l'an dernier, une troisième génération était dévoilée.

Cette fois, il s'agit d'un modèle surtout évolutif, du moins quant à la silhouette, tandis qu'il y a eu du nouveau en fait de mécanique. L'habitacle a également eu droit à plusieurs changements, notamment avec la décision de placer le levier de vitesse sur la planche de bord elle-même. Ceci de même que la présence d'un important écran LCD en son centre a métamorphosé la présentation du tableau de bord. Et cet écran d'information et de navigation se transforme aussi en écran vidéo qui transmet ce que la caméra de recul permet de voir derrière le véhicule. Vous n'aurez donc pas d'excuses si jamais vous accrochez une auto dans le stationnement ou si vous roulez sur le vélo de fiston. Par contre, cet écran devient rapidement illisible dès que le soleil y projette ses rayons. Ainsi, le positionnement de ce levier de vitesse le rend facile d'accès en plus de dégager l'espace entre les sièges avant, afin de permettre aux occupants de se déplacer vers les places arrière sans avoir à sortir du véhicule.

Même si ça me semble toujours illusoire, la troisième rangée de sièges est dotée de deux bancs autonomes de type 60/40. Il est alors possible de les faire basculer individuellement dans une dépression dans le plancher. Et, dorénavant, nul besoin d'enlever les appuie-têtes pour les escamoter dans leur repère. Et si jamais ce troisième siège est occupé, il est réconfortant de savoir que des coussins de sécurité latéraux en protègent les occupants.

MOTEUR SONGÉ

Le moteur V6 de 3,5 litres était l'un des éléments positifs de l'Odyssey. Depuis l'an dernier, il joue un rôle encore plus important. Dans un premier temps, sa puissance a été portée à 255 chevaux, à la suite de multiples modifications internes. Mais ce n'est pas tout, il est également possible de commander la version VCM de ce moteur. VCM signifie « Variable Cylinder Management » ou, en traduction libre, « Gestion variable de la cylindrée ». Comme tous les mécanismes de ce genre, certains cylindres sont désactivés lorsque la charge sur le moteur est moindre. Bref, sur les modèles qui en sont équipés, E-XL et Touring, trois cylindres sont désactivés quand le véhicule est lancé. Ainsi, il sera en mode six cylindres en accélération et opérera sur trois cylindres sur l'autoroute. Et pour empêcher toute vibration parasite qui pourrait être ressentie dans le volant lors de la désactivation des cylindres, des blocs d'ancrage à commande électronique ont été mis au point. Par contre, en dépit de toute cette sophistication et des 15 chevaux additionnels, les performances sont pratiquement similaires à l'ancienne version.

FEU VERT

Mécanique sophistiquée
Tenue de route sans surprise
Insonorisation poussée
Bonne habitabilité
Polyvalence assurée

FEU ROUGE

Commandes de la radio trop basses
Absence de feedback en conduite
Roulis en virage
Silhouette anonyme
Pneumatiques moyens

Honda nous promettait des économies d'environ 10 % avec ce moteur VCM et quelques essais routiers nous ont permis de constater que les ingénieurs de la compagnie avaient dit vrai. Ces deux moteurs sont couplés à une boîte automatique à cinq rapports.

CURIEUSE IMPRESSION

La première impression qui m'est venue à l'esprit lorsque je me suis trouvé pour la première fois derrière le volant du nouvel Odyssey, c'est que le véhicule avait beaucoup grossi. Pourtant, vérification faite, cette populaire fourgonnette n'avait pas tellement pris d'embonpoint. À peine quelques millimètres ici et là. Malgré tout, j'avais toujours la sensation de conduire une fourgonnette beaucoup plus imposante. C'est probablement la présentation de la planche de bord avec sa partie centrale presque verticale et parsemée de boutons qui m'a donné cette impression.

Comme sur tout produit Honda qui se respecte, la qualité des matériaux et de la finition était impeccable. Les portières latérales à motorisation électrique s'ouvrent et se referment plus rapidement que sur la version précédente qui était sans doute la plus lente du marché. Ces portières sont dorénavant dotées de glaces latérales qui s'abaissent verticalement, à la manière de la Mazda MPV. Ajoutons également que le hayon est motorisé, un accessoire qui est peut-être un gadget, mais un gadget fort apprécié.

Malgré les impressions de gros véhicule rapportées initialement, l'Odyssey se débrouille fort bien en fait de tenue de route. Nonobstant un sous-virage quand même appréciable dans les virages serrés ainsi qu'un certain roulis de caisse, les occupants seront dorlotés. D'autant plus que le véhicule est bien insonorisé et les sièges confortables. Bref, c'est dans un cocon isolé du monde extérieur qu'on se déplace.

Et c'est justement là le problème de cette fourgonnette. Les ingénieurs ont pratiquement enlevé tout feedback de la conduite. Pour plusieurs, c'est une bonne nouvelle, mais je trouve quand même un peu regrettable que la conduite soit un peu trop aseptisée, surtout provenant d'un constructeur comme Honda.

Mais pour le reste, il est difficile de trouver à redire. C'est vraiment le vaisseau familial par excellence. Il ne lui manque plus que la traction intégrale.

Denis Duquet

Photos: Bertrand Godin

HONDA ODYSSEY

DONNÉES TECHNIQUES

Modèle à l'essai:	EX
Prix du modèle à l'essai:	35 900 $ - 2005
Échelle de prix:	32 700 $ à 46 900 $ - 2005
Garanties:	3 ans/60 000 km, 5 ans/100 000 km
Catégorie:	fourgonnette
Emp./Lon./Lar./Haut.(cm):	300,0/510,5/196/178
Poids:	2 033 kg
Coffre/Réservoir:	1 934 à 4 174 litres / 80 litres
Coussins de sécurité:	front., latéraux (av./arr.), rideaux
Suspension avant:	indépendante, jambes de force
Suspension arrière:	indépendante, multibras
Freins av./arr.:	disque (ABS)
Antipatinage/Contrôle de stabilité:	oui/oui
Direction:	à crémaillère, assistance variable
Diamètre de braquage:	11,2 m
Pneus av./arr.:	P235/65R16
Capacité de remorquage:	1 588 kg

Pneus d'origine MICHELIN

GROUPE MOTOPROPULSEUR

Moteur:	V6 de 3,5 litres 24s atmosphérique
Alésage et course	89,0 mm x 93,0 mm
Puissance:	255 ch (190 kW) à 5 750 tr/min
Couple:	250 lb-pi (339 Nm) à 5 000 tr/min
Rapport Poids/Puissance:	7,97 kg/ch (10,70 kg/kW)
Moteur électrique:	aucun
Autre(s) moteur(s):	seul moteur offert
Transmission:	traction, automatique 5 rapports
Autre(s) transmission(s):	aucune
Accélération 0-100 km/h:	10,7 s
Reprises 80-120 km/h:	8,6 s
Freinage 100-0 km/h:	43,0 m
Vitesse maximale:	195 km/h
Consommation (100 km):	ordinaire, 9,8 litres
Autonomie (approximative):	816 km
Émissions de CO2:	5 138 kg/an

DANS LA MÊME CATÉGORIE

Chevrolet Uplander - Dodge Grand Caravan - Ford Freestar - Nissan Quest - Pontiac Montana SV6 - Toyota Sienna

DU NOUVEAU EN 2006

Aucun changement majeur, volant gainé de cuir

HISTORIQUE DU MODÈLE

3ième génération

NOS IMPRESSIONS

Agrément de conduite:	4
Fiabilité:	4
Sécurité:	5
Qualités hivernales:	4 ½
Espace intérieur:	4 ½
Confort:	4 ½

LE CHOIX DE L'ÉQUIPE

EX

DÉJÀ COMPLEXÉ ?

C'est un beau lundi matin. M. Pilote est en train de prendre lentement les premières gorgées de son premier café de la semaine, tout en jasant avec ses collègues. M. Pilote affiche l'aisance de celui qui possède un emploi sûr, bien rémunéré. On lui a certes souvent reproché son manque de passion au travail, mais bon, ça fait tout de même deux années qu'il est là, alors pourquoi s'en faire. Et voilà que le patron de M. Pilote vient lui présenter un p'tit nouveau, un blanc-bec qui ne connaît rien et qui... Mais tous les yeux sont tournés vers le jeunot...

Pour les besoins de ce texte, remplaçons M. Pilote par le Honda Pilot et le p'tit morveux par le Ridgeline, la nouvelle camionnette de Honda. À moins d'arriver un beau matin avec un Pilot tout à fait extravagant, il n'y a rien à faire, le Ridgeline est la vedette incontestée de l'entreprise japonaise. Peut-être est-ce la raison pour laquelle le Pilot 2006 se prend des airs de Ridgeline avec ses nouveaux phares et sa grille remaniée ? Mentionnons aussi un aileron arrière redessiné et l'addition d'un niveau de luxe, soit EX-L Navi. Ce n'est pourtant pas avec ces quelques modifications qu'il sera plus facilement reconnaissable dans la circulation et il devrait demeurer une référence sous l'angle de l'anonymat! Mais il est de plus en plus évident que le Pilot se dirige vers une seconde génération d'ici peu. En effet, il prend son châssis de la fourgonnette Odyssey qui a été entièrement revue l'an dernier. Puisque l'Acura MDX est du même moule, on peut s'attendre aux mêmes dates de remplacement. Au moment de mettre sous presse, nous n'avions que les photos du modèle 2005 à vous présenter.

Pour l'instant, le Pilot conserve la même mécanique que l'an dernier. Le seul et unique moteur qui lui est confié demeure celui de la nouvelle Odyssey (et du Ridgeline !), soit un V6 de 3,5 litres de 255 chevaux et 250 livres-pied de couple. Ce moteur, très moderne, fait preuve d'une belle souplesse et d'une discrétion très appréciée et ne semble jamais se fatiguer même si, dans le cas du Pilot, il doit faire bouger plus de 2 000 kilos ! Il travaille main dans la main avec une transmission automatique à cinq rapports, encore une fois la seule à être offerte. Son fonctionnement est tel qu'on oublie tout simplement qu'il y a une transmission dans ce véhicule. C'est bien là le plus bel hommage qu'on peut rendre à une boîte automatique !

On retrouve aussi le système intégral VTM-4 qui, en temps normal, envoie la puissance aux roues avant. Mais dès qu'une de ces roues patine, une partie du couple est transférée au différentiel arrière dans une proportion pouvant aller jusqu'à plus de 50 % si le besoin se fait sentir. Ce système n'est pas aussi performant en conduite hors route que celui d'un Jeep Grand Cherokee, par exemple, mais il s'avère parfait pour la plupart des situations corsées rencontrées sur nos routes, l'hiver surtout ou dans la boue.

Même si la technologie prend toutes les décisions qui s'imposent concernant le choix des roues motrices, le conducteur peut bloquer le différentiel arrière pour améliorer la traction. Il faut aussi avouer que la garde au sol d'environ 20 cm n'est pas la meilleure de la catégorie,

FEU VERT

Assemblage maniaque
Habitacle vaste
Confort enthousiasmant
Fiabilité légendaire
Groupe motopropulseur bien adapté

FEU ROUGE

Un peu « dur su'l' gaz »
Direction légère
Lignes endormantes
Intégrale quelquefois lente
Changements trop discrets

mais elle permet au Pilot de passer là où une Civic et un CR-V auraient l'air fous! Par contre, la capacité maximale de remorquage n'est que de 2045 kilos (4500 lb).

Si les performances ne sont pas piquées des vers (le 0-100 est l'affaire de 9,0 secondes), le comportement routier n'est pas des plus sportifs. Supporté par des suspensions indépendantes aux quatre roues accrochées à un châssis bien né, le Pilot se conduit, comme le faisait remarquer mon collègue Gabriel Gélinas l'an dernier, comme une fourgonnette. La caisse penche passablement en virage et le roulis est impressionnant. Malgré tout, le Pilot s'accroche avec une belle énergie au pavé en dépit des pneus d'origine de bien piètre qualité. Le plus grand reproche va à la direction, aussi lente à réagir que légère à tenir. Et dans une certaine mesure, on pourrait aussi blâmer l'insonorisation, trop parfaite et qui ne laisse filtrer aucun bruit environnant. Déprimant.

C'est surtout lorsqu'on passe du temps dans l'habitacle qu'on apprécie sans doute le plus le Pilot. Les sièges, tout d'abord, se montrent confortables et peuvent accommoder les fesses... comment dire... plus larges que la moyenne. La banquette de deuxième rangée s'ajuste d'en avant en arrière, tandis que la troisième ne devrait être réservée qu'à un député n'ayant pas tenu une promesse électorale (en fouillant un peu, on peut en trouver...) Le dossier de ces deux banquettes s'abaisse de façon 60/40 pour agrandir l'espace de chargement, formant ainsi un fond plat. L'espace est alors tout simplement incroyable.

Comme déjà mentionné, une nouvelle version vient s'ajouter aux LX, EX, EX-L (cuir) et EX-L RES (Rear Entertainment System ou DVD). Il s'agit du EX-L Navi offrant le système de navigation par GPS et faisant grimper la facture encore un peu plus. Peu importe la version, la qualité de la finition ne s'avère rien de moins que fantastique. Mais le tableau de bord, malgré ses nombreux espaces de rangement, son ergonomie soignée (tous les boutons et commandes tombent sous la main) et la qualité de la plupart des matériaux, le tableau de bord, donc, commence à dater. Nul doute que la prochaine génération corrigera ce détail.

Le Honda Pilot demeure une référence en fait de qualité d'assemblage, de fiabilité, d'habitabilité et de confort. Pour la passion, il faudra attendre un peu.

Alain Morin

Photos: Honda

HONDA PILOT

DONNÉES TECHNIQUES

Modèle à l'essai:	LX
Prix du modèle à l'essai:	39000$ - 2005
Échelle de prix:	39000$ à 46200$ - 2005
Garanties:	3 ans/60000 km, 5 ans/100000 km
Catégorie:	utilitaire sport intermédiaire
Emp./Lon./Lar./Haut.(cm):	270/477,5/196/179
Poids:	2010 kg
Coffre/Réservoir:	461 à 2557 litres / 77 litres
Coussins de sécurité:	frontaux et latéraux (av.)
Suspension avant:	indépendante, jambes de force
Suspension arrière:	indépendante, multibras
Freins av./arr.:	disque (ABS)
Antipatinage/Contrôle de stabilité:	oui/oui
Direction:	à crémaillère, assistance variable électrique
Diamètre de braquage:	11,6 m
Pneus av./arr.:	P235/70R16
Capacité de remorquage:	2045 kg

GROUPE MOTOPROPULSEUR

Moteur:	V6 de 3,5 litres 24s atmosphérique
Alésage et course	89,0 mm x 93,0 mm
Puissance:	255 ch (190 kW) à 5600 tr/min
Couple:	250 lb-pi (339 Nm) à 4500 tr/min
Rapport Poids/Puissance:	7,88 kg/ch (10,58 kg/kW)
Moteur électrique:	aucun
Autre(s) moteur(s):	seul moteur offert
Transmission:	intégrale, automatique 5 rapports
Autre(s) transmission(s):	aucune
Accélération 0-100 km/h:	9,0 s
Reprises 80-120 km/h:	7,2 s
Freinage 100-0 km/h:	44,0 m
Vitesse maximale:	175 km/h
Consommation (100 km):	ordinaire, 12,8 litres
Autonomie (approximative):	602 km
Émissions de CO2:	5784 kg/an

DANS LA MÊME CATÉGORIE

Acura MDX - Chevrolet Trailblazer - Dodge Durango - Ford Explorer - GMC Envoy - Jeep Grand Cherokee - Nissan Pathfinder - Toyota Highlander

DU NOUVEAU EN 2006

Nouvelle version EX-L Navi, contrôle stabilité standard sur tous modèles, quelques détails de présentation

HISTORIQUE DU MODÈLE

1ière génération

NOS IMPRESSIONS

Agrément de conduite:	3½
Fiabilité:	4
Sécurité:	4
Qualités hivernales:	4½
Espace intérieur:	4
Confort:	3½

LE CHOIX DE L'ÉQUIPE

EX

CASQUE NON OBLIGATOIRE

Je ne suis pas un grand motocycliste. Je suis bien capable de me débrouiller un peu, mais j'avoue ne pas être particulièrement tenté par ce mode de transport. Il y a cependant un aspect de la moto que j'apprécie chaque fois que j'ai la chance d'un piloter une, c'est la sensation de puissance et de contact que l'on éprouve quand on roule. Un peu comme si on était en étroite communion avec notre bolide, et que l'on pouvait ressentir chacun de ces changements, chacune de ses réactions. Piloter devient alors un véritable plaisir.

C'est exactement ce genre d'impression que l'on éprouve quand on se retrouve au volant d'une Honda S2000. Avec un avantage supplémentaire toutefois, puisque dans ce cas, le casque n'est pas obligatoire, et on peut se laisser aller, cheveux au vent. Mais pour le reste, les sensations sont les mêmes, et la précision de la réaction de la voiture aussi.

DU PLAISIR À 7 000 TOURS

Le plus grand reproche que l'on faisait à la première génération de la S2000, lancée comme son nom l'indique au tournant du millénaire, c'était de n'offrir que des performances moyennes en milieu de régime. Il fallait en effet augmenter les révolutions du moteur jusqu'à près de 9 000 tours/minute pour pouvoir en tirer toutes les capacités.

L'année dernière, Honda a apporté d'importantes modifications, augmentant notamment la cylindrée de son petit roadster à 2,2 litres. Le résultat ne s'est pas fait sentir en puissance, car les quelque 240 chevaux du moteur sont restés bien en selle et continueront d'ailleurs de l'être encore cette année. Non, c'est plutôt en diminuant le régime moteur pour l'obtention de la puissance maximale qu'on a amélioré la conduite, augmentant du même souffle le couple à moyen régime. Ce qui a corrigé une partie du problème puisqu'il est désormais possible d'avoir beaucoup de plaisir à quelque 7 500 tours.

Pour maintenir ce plaisir, il ne faut par contre pas hésiter à jouer du levier de vitesses, et constamment se promener entre les six rapports de la boîte manuelle pour s'assurer d'être toujours au maximum. Une tâche tout de même agréable, puisque cette dernière dispose d'un levier idéalement fixé au centre de la console, à l'emplacement le plus intuitif qui soit pour le conducteur. Mécaniquement, la course est courte et ultraprécise, ce qui rend les changements de rapports amusants, et efficaces.

On trouvera aussi en 2006 une pédale d'accélération plus précise, puisqu'elle sera désormais dirigée par un système « by wire ». Finies donc les hésitations (même si elles étaient rares). Dès que l'on presse sur l'accélérateur, des capteurs électroniques déterminent avec précision l'ampleur de mouvement et la pression du pied, pour la transmettre avec efficacité au moteur. Le résultat est étonnant de précision, et de rapidité d'intervention.

La suspension, remodelée l'année dernière, n'a plus le petit côté trop rigide qu'elle présentait à l'origine. Elle est aujourd'hui capable

FEU VERT
- Silhouette galbée et séduisante
- Boîte de vitesses digne de la F1
- Suspensions sportives et confortables
- Tableau de bord unique

FEU ROUGE
- Couple absent à bas régime
- Tendance au survirage
- Espace limité dans l'habitacle
- Colonne de direction non réglable

d'absorber les aspérités routières (évidemment, dans la mesure où c'est ce que l'on exige d'une voiture sport) mais elle est surtout capable de contribuer au maintien exact d'une trajectoire précise, sans provoquer de transfert de poids inopportun. On a donc trouvé un compromis intéressant qui permet de pousser à fond la machine, et d'éviter le survirage. Et pour rendre le tout encore plus sécuritaire, on a aussi installé de série en 2006 un système de stabilité électronique qui corrigera les petites erreurs des pilotes trop enthousiastes, sans pour autant intervenir de façon trop marquée.

STYLE ET TECHNO

Ce qui m'a toujours frappé de la S2000, c'est le style raffiné, mais jamais très éloigné de la voiture de course. En matière de design, elle relève d'ailleurs du véritable défi tellement ses lignes sophistiquées sont exigeantes dans la fabrication. Un designer, d'une autre compagnie que Honda faut-il le dire, m'a candidement avoué un jour que la plus belle partie d'une automobile moderne, et la plus réussie sur le plan technique, est l'aile avant de la S2000, dont la courbe emprunte à la sensualité, tout en ne faisant aucun compromis sur la solidité.

Évidemment, seuls les spécialistes s'attardent à ce genre de constatation. Ce qui attire plutôt notre regard, c'est l'allure générale de ce petit cabriolet aux proportions bien galbées. Dans l'habitacle, on a préservé l'allure de course, et la seule présence d'un bouton de démarrage, comme c'est le cas en formule par exemple, vient rappeler l'inspiration extrême.

Le tableau de bord, dénudé, mais pas dénué d'intérêt, évoque pour sa part ceux qui ornaient les Formules Un d'il y a vingt ans. Quant aux sièges, ils sont enveloppants, offrant un support remarquable, ce qui permet de pousser un peu plus loin en trajectoire sans avoir à s'agripper inutilement au volant.

Il y a bien quelques détails, comme l'absence d'une colonne de direction réglable ou l'espace un peu étroit pour les jambes, qui pourraient être corrigés. Mais même ces défauts contribuent à faire de la S2000 une voiture unique, qui se retrouve avec bien peu de comparaisons sur le marché actuel. Ce qui n'est peut-être pas une mauvaise chose, car même si elle est facile à maîtriser, la S2000 peut aussi mordre facilement celui qui ne s'en méfie pas. À ne pas laisser entre toutes les mains!

Bertrand Godin

Photos: Honda

DONNÉES TECHNIQUES

Modèle à l'essai:	Version unique
Prix du modèle à l'essai:	49800$ - 2005
Échelle de prix:	49800$ - 2005
Garanties:	3 ans/60000 km, 5 ans/100000 km
Catégorie:	roadster
Emp./Lon./Lar./Haut.(cm):	240/412/175/127
Poids:	1290 kg
Coffre/Réservoir:	152 litres / 50 litres
Coussins de sécurité:	frontaux
Suspension avant:	indépendante, bras inégaux
Suspension arrière:	indépendante, bras inégaux
Freins av./arr.:	disque (ABS)
Antipatinage/Contrôle de stabilité:	oui/oui
Direction:	à crémaillère, assistée
Diamètre de braquage:	10,8 m
Pneus av./arr.:	P215/45R17 / P245/40R17
Capacité de remorquage:	non recommandé

GROUPE MOTOPROPULSEUR

Moteur:	4L de 2,2 litres 16s atmosphérique
Alésage et course	87,0 mm x 90,7 mm
Puissance:	240 ch (179 kW) à 7800 tr/min
Couple:	162 lb-pi (220 Nm) à 6500 tr/min
Rapport Poids/Puissance:	5,38 kg/ch (7,29 kg/kW)
Moteur électrique:	aucun
Autre(s) moteur(s):	seul moteur offert
Transmission:	propulsion, manuelle 6 rapports
Autre(s) transmission(s):	aucune
Accélération 0-100 km/h:	6,2 s
Reprises 80-120 km/h:	6,2 s
Freinage 100-0 km/h:	37,0 m
Vitesse maximale:	240 km/h
Consommation (100 km):	super, 11,1 litres
Autonomie (approximative):	450 km
Émissions de CO2.	5040 kg/an

DANS LA MÊME CATÉGORIE

Audi TT Roadster - BMW Z4 - Mercedes-Benz SLK - Porsche Boxster

DU NOUVEAU EN 2006

Accélérateur «drive by wire», desing de roue modifié, haut parleur intégré à l'appuie tete

HISTORIQUE DU MODÈLE

1[ière] génération

NOS IMPRESSIONS

Agrément de conduite:	4
Fiabilité:	4
Sécurité:	4½
Qualités hivernales:	2
Espace intérieur:	2
Confort:	3

LE CHOIX DE L'ÉQUIPE

Version unique

DOUCE DÉMESURE

Le temps passe vite! Lancé il y a trois années déjà, le Hummer H2 suscite encore la curiosité de ceux qui le croisent sur leur route. Massif comme un rocher, ce véhicule a de la prestance et quand on en aperçoit un dans son rétroviseur, notre réflexe est de se tasser du chemin. Son large grillage à 7 branches, sa silhouette corpulente ainsi que ses fenêtres carrées lui confèrent un look unique. Il impose un respect instantané. Il est maintenant recherché autant par les puristes du hors route que ceux qui ont un ego aussi large que son grillage avant.

La majorité des acheteurs de Hummer H2 ont cédé à la tentation car ils ont toujours rêvé de conduire le même véhicule qu'Arnold Schwarzenegger. Son véhicule était dérivé du renommé HUMVEE qui a transporté des soldats dans les deux guerres en Irak et le Terminator en voulait tellement un pour son usage personnel, qu'il réussit à convaincre les gens de AM General de lui fabriquer une version civile du célèbre mode de transport des GI. Après avoir dégarni son compte de banque, les constructeurs du HUMVEE créèrent finalement une version pour Arnold, et le Hummer vit le jour! Monsieur Schwarzenegger se rendit donc en Hummer aux Oscars sur Hollywood Drive, et on connaît la suite. Tout le monde en voulait un. Mais êtes-vous prêt à débourser 200 000 $ et plus, pour un véhicule qui porte dur et qui sépare le conducteur du passager par une énorme transmission installée à l'intérieur de l'habitacle?

Puisque les camions et les gros VUS connaissaient une popularité explosive dans les années '90, General Motors a eu l'idée de s'inspirer du Hummer pour créer une version plus accessible au public. Ils prirent le châssis du Silverado, pour ensuite l'associer à un gros V8 de 6,0 litres de 325 chevaux. Après, ils ont couplé le tout à une transmission automatique à 4 rapports ainsi qu'une transmission intégrale. Mais en plus, ils lui ont inséré les gènes du HUMVEE.

Quand je parle de gènes, je fais allusion à ses capacités en conduite hors route. J'ai eu la chance de rouler en H2 pendant 3 mois, ce qui m'a permis de constater qu'il a un comportement comparable au Hummer H1 sur quelques points. Premièrement, il offre un bouclier ventral en acier qui protège le moteur et les autres composantes mécaniques. De plus, le H2 possède un angle d'attaque qui lui permet d'entrer profondément dans un trou et en ressortir sans que le dessous frotte sur un rocher ou une souche. Son angle d'attaque lui permet ensuite de grimper un plan incliné de 60 degrés et l'on peut même s'immobiliser au beau milieu d'une pente raide et redémarrer sans que le véhicule ne recule. Son moteur est doté d'un couple généreux à bas régime, de sorte que les côtes se grimpent avec une grande facilité. Il est également large donc, quand on se retrouve dans une position perpendiculaire à un plan incliné, il est pratiquement impossible qu'il fasse un tonneau.

Évidemment, ce qui contribue à sa grande stabilité est son poids éléphantesque de 2 909 kg. Il est tout simplement rivé au sol et il ne bronche jamais. Mais, curieusement, on l'apprécie encore plus sur la

FEU VERT

Peut pratiquement passer partout
Stabilité sécurisante
Couple impressionnant à bas régime
Capacité de remorquage élevée
Confort et douceur de roulement

FEU ROUGE

Consommation élevée
Peu agile en ville
Accès intérieur difficile
Visibilité arrière moyenne

grand-route. Croyez-le ou non, le Hummer H2 est inébranlable sur la route et cela sous n'importe quelle condition, tandis que l'habitacle est confortable. Le châssis autonome est rigide, et son long empattement lui confère une conduite très douce. Et bien qu'il soit pourvu de pneus dont la semelle comprend des rainures agressives, l'attention portée à l'insonorisation filtre fort bien les bruits mécaniques et extérieurs. Ne vous inquiétez pas, il vous sera possible d'apprécier les subtiles notes d'une symphonie de Beethoven et de jouer dans la boue au même moment!

L'habitacle est vaste mais il faut pratiquement une échelle pour grimper à l'intérieur, du moins pour les petits enfants. Une fois à bord, nous sommes confrontés à un look moderne, surtout avec le levier de la transmission qui ressemble à une commande empruntée à un char d'assaut. Les bouches d'aération circulaires sont d'allure très contemporaine.

Les sièges ajustables garnis de cuir et chauffants ajoutent au confort général de ce monstre. La prise du volant à 4 branches est confortable, et on jouit de commandes permettant le contrôle du bout des doigts de la vitesse de croisière et du système audio. Bref, du luxe, de la robustesse, du confort tout en sachant qu'il est possible de franchir un énorme trou de boue et d'en ressortir sans problème. Vous pouvez d'ailleurs entrer dans une marre d'eau profonde de 50 cm à une vitesse que je n'écrirai pas ici et jamais vous ne le ressentirez dans le volant tellement il est stable et prévisible.

Le Hummer H2 est unique en son genre de par son look, ses capacités hors route et son confort très surprenant sur le bitume. Il est dans une classe totalement à part et c'est ce qui fait son charme. Sur une note moins positive, ne tentez pas de vous garer entre deux voitures sur un terrain d'un centre commercial, le H2 n'entre pas là. Tout comme il n'entre pas dans un lave-auto, à moins que vous désiriez changer le pincement des roues avant. Plusieurs le trouvent laid, tandis que d'autres ont les jambes molles à sa seule vue.

En terminant, il faut mentionner le H2 SUT, une version camionnette de ce gros VUS. On y retrouve toutes les qualités de la version régulière avec en plus la capacité de transporter des objets en hauteur.

Robert Jetté

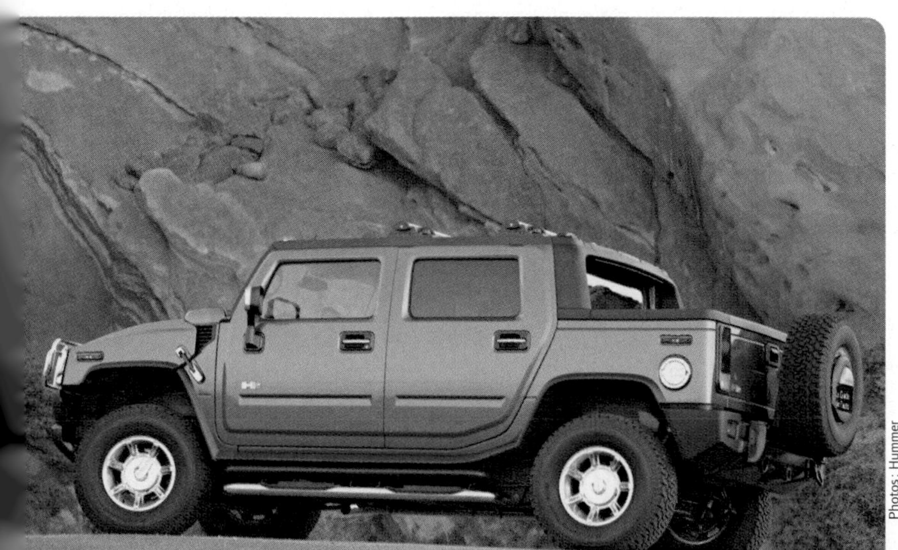

Photos: Hummer

DONNÉES TECHNIQUES

Modèle à l'essai:	CUS
Prix du modèle à l'essai:	73595$
Échelle de prix:	67085$ à 67180$
Garanties:	3 ans/60000 km, 3 ans/60000 km
Catégorie:	utilitaire sport grand format
Emp./Lon./Lar./Haut.(cm):	312/482/206/198
Poids:	2909 kg
Coffre/Réservoir:	1132 à 2451 litres / 121 litres
Coussins de sécurité:	frontaux et latéraux (av.)
Suspension avant:	indépendante, barres de torsion
Suspension arrière:	essieu rigide, multibras
Freins av./arr.:	disque (ABS)
Antipatinage/Contrôle de stabilité:	oui/non
Direction:	à crémaillère, assistance variable
Diamètre de braquage:	13,3 m
Pneus av./arr.:	LT315/70R17
Capacité de remorquage:	3040 kg

GROUPE MOTOPROPULSEUR

Moteur:	V8 de 6,0 litres 16s atmosphérique
Alésage et course	101,6 mm x 92,0 mm
Puissance:	325 ch (242 kW) à 5200 tr/min
Couple:	365 lb-pi (495 Nm) à 4 000 tr/min
Rapport Poids/Puissance:	8,95 kg/ch (12,02 kg/kW)
Moteur électrique:	aucun
Autre(s) moteur(s):	seul moteur offert
Transmission:	intégrale, automatique 4 rapports
Autre(s) transmission(s):	aucune
Accélération 0-100 km/h:	11,3 s
Reprises 80-120 km/h:	10,4 s
Freinage 100-0 km/h:	47,0 m
Vitesse maximale:	165 km/h
Consommation (100 km):	ordinaire, 19,5 litres
Autonomie (approximative):	621 km
Émissions de CO2:	n.d.

DANS LA MÊME CATÉGORIE

Infiniti QX56 - Land Rover Range Rover - Lexus LX 470 - Lincoln Navigator

DU NOUVEAU EN 2006

Édition spéciale H2, nouveaux rétroviseurs extérieurs

HISTORIQUE DU MODÈLE

1ière génération

NOS IMPRESSIONS

Agrément de conduite:	3/5
Fiabilité:	3½/5
Sécurité:	4/5
Qualités hivernales:	5/5
Espace intérieur:	4/5
Confort:	3½/5

LE CHOIX DE L'ÉQUIPE

H2 SUT

C'EST LA FAUTE À ARNOLD !

Que vous soyez un inconditionnel des gros VUS de marque Hummer ou leur ennemi juré, il est au moins facile de déterminer qui est responsable de la commercialisation de cette marque. En effet, avant d'être le gouverneur de la Californie, Arnold Schwarzenegger était la vedette de plusieurs films d'action. C'est lors d'un tournage qu'il est tombé en amour avec ce véhicule et il a été le premier civil à devenir propriétaire du célèbre Humvee de l'armée américaine. On connaît la suite. AM General, le fabriquant de ce gros véhicule militaire a décidé de le commercialiser auprès du public en tant que H1.

Ce geste étant couronné de succès, une entente a été signée avec General Motors qui a désormais le droit de distribuer les véhicules de cette marque. Partout sur la planète. En fait, la marque de commerce Hummer appartient à GM. Mieux encore, si les versions H1 et H2 sont fabriquées conjointement avec la compagnie AM General, le nouveau H3 est assemblé dans une usine GM située à Shreveport en Louisiane. Et non seulement le cadet de la famille Hummer est-il entièrement un produit GM, mais il n'a aucun lien mécanique avec les modèles H1 et H2 !

Le H1 est toujours en production et reste une icône incontournable de la civilisation américaine. Avec sa silhouette taillée au couteau, son habitacle d'un confort marqué et ses extraordinaires capacités de conduite hors route, il demeure le véhicule le plus macho sur le marché. Toutefois, ses racines militaires le réservent à une catégorie de purs et durs. Le H2 est venu consolider l'image de cette marque, mais a apporté beaucoup de raffinement et de confort. Il était dorénavant possible de jouer les gros bras sans devoir subir un inconfort aussi extrême que la nature du véhicule.

C'est un long préambule pour introduire le H3, mais je crois que c'est important de bien le situer dans la hiérarchie de la famille. Sa vocation est plus populaire en raison de son prix, mais également de sa silhouette et de ses dimensions. Même si la division Hummer ne veut pas nécessairement vendre ses produits en très grande quantité et veut continuer d'être une marque exclusive, il est certain qu'un véhicule Hummer se vendant pour 39 995 $ est appelé à connaître un certain succès.

DU SOLIDE QUAND MÊME

Pour plusieurs, un véhicule tout-terrain plus court de 15 cm et plus étroit de 16,5 cm que le H2 n'est pas un Hummer. Ces personnes sont dans l'erreur car une lignée mécanique ne se limite pas aux dimensions. Il faut surtout que le comportement d'ensemble ait une certaine filiation

avec les autres modèles de la marque. C'est justement ce que les ingénieurs de GM ont réussi à réaliser. Malgré ses dimensions plus modestes, le H3 est un petit costaud dont le comportement général s'apparente de beaucoup au H2. Et pour réduire les coûts et pouvoir compter sur des éléments mécaniques robustes, les ingénieurs ont fait appel au châssis et à la mécanique de la camionnette Chevrolet Colorado lancée il y a à peine deux ans. Donc pas question d'accuser GM de faire du neuf avec du vieux.

Toujours pour simplifier les choses, un seul moteur est offert. Il s'agit du moteur cinq cylindres en ligne de 3,5 litres du Colorado. Sa puissance est de 220 chevaux et il est couplé de série à une boîte manuelle de cinq rapports. Le catalogue des options comprend également une boîte automatique à quatre rapports. Et si le H3 peut être livré avec une transmission manuelle, c'est que ce modèle sera distribué un peu partout à travers le monde et sur des marchés où les boîtes manuelles sont en forte demande. Il y aura également des versions avec conduite à droite. Tous les modèles destinés aux marchés autres que celui de l'Amérique du Nord seront assemblés dans une usine que GM possède en Afrique du Sud.

À ce jour, l'une des principales caractéristiques de tous les Hummer est leur très grande efficacité en conduite tout terrain. D'ailleurs, les porte-parole de cette division soutiennent que si un Hummer ne peut franchir un obstacle, c'est qu'aucun autre véhicule ne peut le faire. Je suis persuadé que les gens des Jeep, Land Rover et Toyota ne sont pas d'accord, mais alors pas du tout !

Le H3 a donc été équipé d'un rouage intégral en mesure de soutenir cette réputation. Il s'agit d'un nouveau mécanisme à contrôle électrique produit par la firme Borg Warner. Il est offert en deux variantes, avec une démultipliée de 2,64 : 1 ou encore un rapport de 4,03 : 1 pour encore plus de potentiel de franchissement des obstacles. Peu importe la version choisie, il est possible de retrouver les sélections suivantes; 4 High avec différentiel ouvert; 4 High verrouillé; 4 Lo verrouillé; 4 Lo verrouillé avec différentiel arrière verrouillé. Il y a également la position neutre pour désactiver le rouage d'entraînement afin de faciliter le remorquage ou les opérations de treuillage. Il est important d'ajouter que le système de stabilité latérale Stabilitrak est également de la partie. tandis qu'un système antipatinage transfère tout le couple à une seule roue si celle-ci est la seule à posséder de la traction.

Pour les vrais amateurs de 4X4, des plaques de protection sous le châssis sont de série et les freins à disque aux quatre roues sont de type ABS et dotés d'une soupape proportionnelle de freinage pour les roues arrière. En plus de tout ce tralala, les concepteurs ont choisi des roues de 16 pouces pouvant être garnies de pneus hors route Goodyear ou de Bridgestone dont le dessin de la semelle est encore plus adapté à la conduite tout-terrain. Ils font d'ailleurs partie de groupe d'options ZM6.

HUMMER

HUMMER H3

UN AIR DE FAMILLE

L'un des secrets du succès du H1 à l'origine n'a pas été sa capacité à passer partout, mais sa silhouette pour le moins macho. Bon nombre de propriétaires de Hummer n'ont nullement envie d'aller escalader les montagnes ou traverser les rivières au volant de leur tout-terrain, mais ils aiment bien afficher leur caractère de dur de dur au volant d'un VUS à la silhouette agressive. La recette H1 a été adoptée sur le H2, et il était tout aussi logique de suivre la même philosophie pour le tout dernier de la famille. D'ailleurs, malgré des dimensions nettement plus modestes que les deux autres, le H3 a souvent été confondu pour le H2 lors de discussion avec des automobilistes rencontrés dans le cadre de notre essai. Le H3 conserve donc la grille chromée à sept ouvertures verticales qui fait toujours enrager la direction de Jeep qui crie au plagiat. Sont également de la partie une ceinture de caisse haute, des glaces latérales plus larges que hautes, des passages de roue très ouverts et débordant largement des ailes. Il faut en plus souligner que les ingénieurs n'ont pas commis la même erreur que sur le H2 alors qu'on avait bêtement placé la roue de secours pleine grandeur dans la soute à bagages. Cette trouvaille entamait sérieusement l'espace de chargement, en plus de laisser flotter en permanence dans l'habitacle une très forte odeur de caoutchouc. Dès le début cette fois, le pneu de secours est ancré à la portière arrière qui s'ouvre latéralement. Cette disposition permet de compter sur une soute à bagages de plus grande dimension, mais en contrepartie, il est difficile de refermer cette portière qui est passablement lourde en raison de la présence du pneu de secours qui y est boulonné.

Les sièges avant sont confortables pour la catégorie. Toutefois, ceux à commande manuelle du modèle de base ne m'ont pas permis de trouver le bon réglage. Une bonne note pour la banquette arrière qui s'est révélée confortable lors d'un trajet Toronto-Montréal.

FEU VERT

Silhouette réussie
Transmission intégrale efficace
Moteur sophistiqué
Boîte manuelle
Prix compétitif

FEU ROUGE

Performances moyennes
Position de conduite à revoir
Porte arrière lourde
Seuil des portières élevé
Un moteur plus puissant S.V.P. !

PRENDRE SON TEMPS

Si vous souhaitez acheter un Hummer, ce ne sera certainement pas pour effectuer d'impressionnantes accélérations puisque le H3 est relativement lent. Il lui faut plus de 12 secondes pour boucler le 0-100 km/h et cela avec deux adultes à bord et sans aucun bagage! Il est certain que ces chiffres vont grimper avec une pleine charge. Ces performances sont toutefois en harmonie avec celles des autres modèles de la marque. Ces véhicules doivent surtout être appréciés pour leur comportement routier correct et leurs performances hors route supérieures à la moyenne. La garde au sol du H3 est de 23,1 centimètres tandis que l'angle d'attaque est de 37,5 degrés et l'angle de dégagement de 35,5 degrés. Des données qui promettent de bonnes prestations en conduite hors route.

Sur la route, ce véhicule se comporte honnêtement et avec un peu de jugement au volant, vous n'aurez pas de surprises désagréables. Mais il faut toujours être patient et bien planifier ses dépassements en raison des performances relativement modestes du moteur, et de la lourdeur du véhicule faisant osciller la balance à 2132 kg. Bref, il suffit de conduire en respectant les limites de vitesse affichées et vous apprécierez ce Hummer. Si vous faites partie de la catégorie des gens pressés qui ne supportent aucun véhicule devant eux, qui roulent à fond de train et qui aiment doubler un peu partout, mieux vaut regarder ailleurs. D'autre part, ne serait pas surprenant qu'une version plus puissante avec moteur suralimenté soit proposée au cours des mois à venir.

Le H3 n'est pas de la frime en fait de conduite hors route. Il aurait d'ailleurs été quelque peu ridicule de l'affubler d'une silhouette genre «passe-partout» pour ensuite en faire un véhicule aux capacités limitées à ce chapitre. Avec les multiples possibilités de réglage de la transmission intégrale, la capacité de verrouiller les différentiels central et arrière, le tout boulonné sur un châssis robuste, voila autant d'éléments qui expliquent les bonnes manières du H3 en terrain accidenté.

Ce nouvel Hummer n'est pas parfait, loin de là. Certains détails d'aménagement, sa puissance quelque peu à la limite, une silhouette qui fait un peu trop «Jos les Gros Bras» et une porte arrière qui exige du muscle viendront en décourager certains. Cela dit, le H3 propose un bon mélange de machisme et de prestige compte tenu du prix demandé.

Denis Duquet

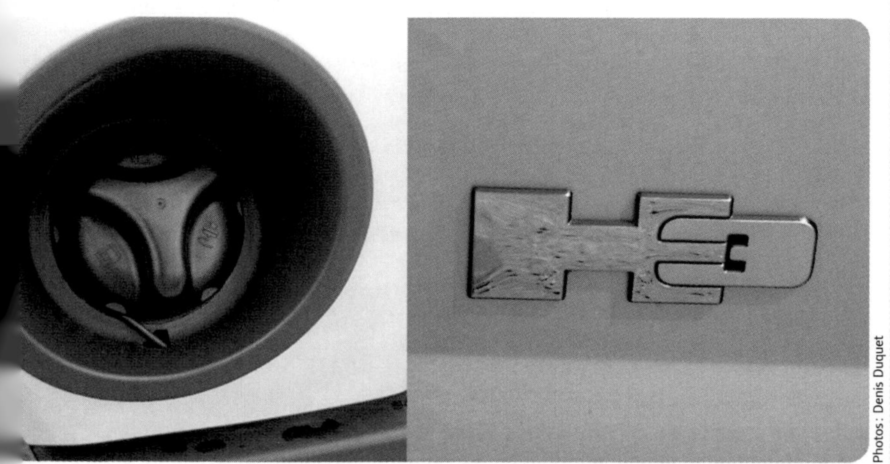

Photos: Denis Duquet

DONNÉES TECHNIQUES

Modèle à l'essai:	H3 Luxe
Prix du modèle à l'essai:	45995$
Échelle de prix:	39995$ à 46995$
Garanties:	3 ans/60000 km, 5 ans/100000 km
Catégorie:	utilitaire sport compact
Emp./Lon./Lar./Haut.(cm):	284/474/190/189
Poids:	2132 kg
Coffre/Réservoir:	835 à 1577 litres / 87 litres
Coussins de sécurité:	frontaux et latéraux (av.)
Suspension avant:	indépendante, bras inégaux
Suspension arrière:	essieu rigide, ressorts elliptiques
Freins av./arr.:	disque (ABS)
Antipatinage/Contrôle de stabilité:	oui/oui
Direction:	à crémaillère, assistée
Diamètre de braquage:	11,3 m
Pneus av./arr.:	P265/75R16
Capacité de remorquage:	2041 kg

GROUPE MOTOPROPULSEUR

Moteur:	5L de 3,5 litres 20s atmosphérique
Alésage et course	93,0 mm x 102,0 mm
Puissance:	220 ch (164 kW) à 5600 tr/min
Couple:	225 lb-pi (305 Nm) à 2800 tr/min
Rapport Poids/Puissance:	9,69 kg/ch (13,00 kg/kW)
Moteur électrique:	aucun
Autre(s) moteur(s):	seul moteur offert
Transmission:	intégrale, automatique 4 rapports
Autre(s) transmission(s):	manuelle 5 rapports
Accélération 0-100 km/h:	12,5 s
Reprises 80-120 km/h:	10,8 s
Freinage 100-0 km/h:	44,0 m
Vitesse maximale:	185 km/h
Consommation (100 km):	ordinaire, 12,9 litres
Autonomie (approximative):	674 km
Émissions de CO2:	n.d.

DANS LA MÊME CATÉGORIE

BMW X3 - Jeep Grand Cherokee - Nissan XTerra - Toyota 4Runner

DU NOUVEAU EN 2006

Nouveau modèle

HISTORIQUE DU MODÈLE

1ière génération

NOS IMPRESSIONS

Agrément de conduite:	
Fiabilité:	nouveau modèle
Sécurité:	½
Qualités hivernales:	
Espace intérieur:	½
Confort:	½

LE CHOIX DE L'ÉQUIPE

Série Aventure

AU PAYS DU GROS BON SENS

Lorsqu'une personne se met en frais d'acheter une voiture neuve, elle doit s'arracher du rêve et faire face à la réalité. En effet, tous rêvent aux voitures de luxe, mais la majorité n'a pas tellement les moyens de concrétiser ce désir. Et bien souvent, le verdict des chiffres nous incite à faire passer la raison avant les émotions. Et c'est justement en agissant de la sorte que la gamme de modèles Accent se retrouve sur notre passage. Voitures du gros bon sens, elles se vendent toutes pour moins de 20000$ et elles offrent un moyen de transport correct.

Depuis des années, la GS trois portes est la championne des bas prix . Elle possède le même moteur quatre cylindres de 1,6 litre de 104 chevaux que les autres versions, mais son équipement de base est moins étoffé. Par exemple, alors que la GSi trois portes roule sur des pneus de 14 pouces, la GS se contente de pneus de 13 pouces. Inutile d'en écrire davantage, vous comprenez la façon de procéder. Cela n'est pas une remarque offensante envers cette coréenne deux portes qui ne rechigne pas à la tâche et nous amène à bon port tout en épargnant votre porte-monnaie. Il faut bien entendu endurer un moteur plus bruyant que la moyenne et devoir se priver de quelques accessoires, mais vous aurez un grand sourire lorsque vous comptabiliserez les coûts d'exploitation de votre Accent.

Su vous trouvez la GS un peu trop dépouillée, il y a la version GSi à vocation plus sportive. Mais il faut faire attention à la terminologie «sport». Ce modèle est doté d'une suspension un peu plus ferme, de roues de 14 pouces, d'un système de verrouillage de portes de série et d'un volant garni de cuir, mais cela n'en fait pas pour autant un bolide sportif. Il se révèle toutefois beaucoup plus intéressant à piloter, surtout en raison d'un roulis moins important dans les virages et d'une direction moins floue. Par contre, ne soyez pas surpris la première fois que vous utilisez le système de verrouillage à commande électrique alors que les poussoirs des portières se déplacent avec grand bruit.

Mais compte tenu du prix, c'est tout de même fort honnête dans son ensemble. D'autant plus que la fiabilité est dans la bonne moyenne.

LES GROS MODÈLES

Les modèles deux portes chez les économiques n'ont pas le même prestige que chez les voitures de luxe où ils sont les versions les plus appréciées. Chez les voitures à bas prix, la berline est le «gros modèle» aux yeux de certains. Puisque les dimensions entre les trois, quatre et cinq portes sont pratiquement identiques, cette perception de qualité tient davantage à la silhouette qui semble faire plus cossue aux yeux de plusieurs. Pour le reste, l'équipement de série et la motorisation sont sensiblement les mêmes chez toutes les Accent. L'habitacle est confortable sur tous les modèles. On y retrouve du plastique dur partout et des tissus dont le design n'est pas tellement innovateur. Par contre, les sièges avant sont confortables, la position de conduite correcte et la finition adéquate. Toujours à propos de l'habitacle, le tableau de bord est pratique et raisonnablement élégant avec ses cadrans à chiffres noirs sur fond blanc. De plus, les commandes de la

FEU VERT

Prix compétitifs
Équipement de série correct
Moteur éprouvé
Tenue de route saine

FEU ROUGE

Insonorisation symbolique
Moteur rugueux
Places arrière petites
Absence d'ABS
Pneumatiques à revoir

climatisation sont faciles d'accès et de bonnes dimensions. Nous ne pouvons écrire la même chose à propos de la radio dont les boutons se révèlent être un test de dextérité manuelle et d'acuité visuelle !

Pour leur part, les places arrière sont passablement exiguës tout comme le coffre à bagages. C'est sans doute pour cette raison que l'Accent 5 avec son hayon arrière a été commercialisée afin d'améliorer sa capacité de transport et sa polyvalence. Et toujours à propos de ce dernier modèle, les stylistes n'ont pas été obligés de défigurer la silhouette pour y ajouter un hayon. L'intégration n'est pas trop mal réussie. Par contre, rien ne semble avoir été fait pour étoffer l'insonorisation et ce modèle, comme les autres, est très bruyant à l'intérieur de l'habitacle.

Mais cinquième portière ou pas, le comportement routier est similaire aux autres. Le moteur est toujours aussi en voix, tandis que le feedback de la direction pourrait être meilleur. Mais lorsqu'on se promène dans le rayon des aubaines, il ne faut pas non plus demander la lune. Il faut être raisonnable. Et cela s'applique au type de conduite à adopter. Même si vous vous entêtez à réaliser des accélérations spectaculaires, les résultats seront pratiquement toujours les mêmes, soit un peu moins de 11 secondes avec la boîte manuelle et un peu plus avec la transmission automatique à quatre rapports offerte en option.

Le comportement routier est correct pour le cinq portes comme pour les autres, mais il ne faut pas rouler trop vite sur une route parsemée de virages, car les limites de la plate-forme et de la suspension sont vites atteintes. L'Accent a été conçue et développée comme une petite économique et elle se comporte ainsi. Et si les freins sont corrects, il faut déplorer l'impossibilité de commander les freins ABS en option.

La situation devrait progresser avec une nouvelle génération d'Accent devant apparaître au début de 2006. Celle-ci possédera un moteur plus puissant, une plate-forme améliorée, mais sera toujours vendue à prix d'aubaine. Nous vous présentons d'ailleurs les seules photos disponibles (au moment d'aller sous presse) de la prochaine génération.

Denis Duquet

Photos : Hyundai

HYUNDAI ACCENT

DONNÉES TECHNIQUES

Modèle à l'essai :	GL 5 portes (2005)
Prix du modèle à l'essai :	16295$
Échelle de prix :	14595$ à 17500$
Garanties :	5 ans/100000 km, 7 ans/120000 km
Catégorie :	sous-compacte
Emp./Lon./Lar./Haut.(cm) :	244/426/167,5/139,5
Poids :	992 kg
Coffre/Réservoir :	375 litres / 45 litres
Coussins de sécurité :	frontaux
Suspension avant :	indépendante, jambes de force
Suspension arrière :	indépendante, multibras
Freins av./arr. :	disque/tambour
Antipatinage/Contrôle de stabilité :	non/non
Direction :	à crémaillère, assistée
Diamètre de braquage :	9,7 m
Pneus av./arr. :	P185/60R14
Capacité de remorquage :	n.d.

GROUPE MOTOPROPULSEUR

Moteur :	4L de 1,6 litre 16s atmosphérique
Alésage et course	76,5 mm x 87,0 mm
Puissance :	104 ch (78 kW) à 5800 tr/min
Couple :	106 lb-pi (144 Nm) à 3000 tr/min
Rapport Poids/Puissance :	9,54 kg/ch (12,72 kg/kW)
Moteur électrique :	aucun
Autre(s) moteur(s) :	seul moteur offert
Transmission :	traction, manuelle 5 rapports
Autre(s) transmission(s) :	automatique 4 rapports
Accélération 0-100 km/h :	12,0 s
Reprises 80-120 km/h :	11,5 s
Freinage 100-0 km/h :	43,2 m
Vitesse maximale :	175 km/h
Consommation (100 km) :	ordinaire, 8,5 litres
Autonomie (approximative) :	529 km
Émissions de CO2 :	3552 kg/an

DANS LA MÊME CATÉGORIE

Chevrolet Aveo - Kia Rio - Suzuki Swift+ - Toyota Yaris

DU NOUVEAU EN 2006

Aucun changement majeur, modèle de remplacement début 2006

HISTORIQUE DU MODÈLE

2ième génération

NOS IMPRESSIONS

Agrément de conduite :	🚗🚗🚗
Fiabilité :	🚗🚗🚗
Sécurité :	🚗
Qualités hivernales :	🚗🚗🚗½
Espace intérieur :	🚗🚗🚗
Confort :	🚗🚗🚗

LE CHOIX DE L'ÉQUIPE

GL 5 portes

OPÉRATION LUXE

La XG350 n'était pas une mauvaise voiture, mais elle ne réussissait certainement pas à s'attirer le respect qu'elle méritait. Était-ce sa silhouette qui la faisait ressembler à une Rolls-Royce miniature? Ou encore la réputation de voiture économique qui colle toujours à la marque? Quoi qu'il en soit, ce modèle ne répondait pas aux ambitions du constructeur. Cette fois, on efface tout et on recommence avec l'Azera.

Cette appellation ne posera pas de problème pour les francophones qui auront tous associé ce nom avec le mot «azur» ou «azura» en italien. Mais je ne suis pas certain que les acheteurs anglophones auront la même réaction et il se peut qu'ils confondent avec «a zero» ou «un zéro» en traduction. Il faut absolument que cette berline soit exempte d'ennuis mécaniques à ses débuts, surtout aux États-Unis, sinon les calembours vont pleuvoir. Mais l'explication officielle de ce nom est que Hyundai veut lancer sa nouvelle philosophie de la marque et nous parle de «l'ère de A à Z». Une fois de plus, cela a été imaginé en anglais et il faut donc comprendre «A to Z Era». Pour être songé, c'est songé.

Heureusement, la silhouette devrait s'attirer des commentaires plus élogieux que ceux qui ont été émis à propos de la XG 350. Sans être révolutionnaire, l'allure de cette coréenne respecte les normes en vigueur en fait de stylisme. Une fois encore, la partie arrière est celle qui caractérise davantage cette berline avec la glace de custode qui se prolonge loin en arrière, son toit fuyant, de même que le couvercle du coffre très petit. En fait, celui-ci se veut le prolongement du toit. Au premier coup d'œil, il est facile de croire que cette coréenne est un modèle hatchback.

À mon avis, la partie avant est moins bien réussie en raison d'une grille de calandre dont les rebords semblent incertains. Et je suis persuadé que l'écusson de la marque est trop rétro pour s'intégrer à un dessin moderne. Par exemple, ce n'est pas le fruit du hasard si le coupé Tiburon a un T stylisé sur son capot au lieu de l'identification usuelle. La présentation d'ensemble est correcte, sans plus, alors que tous les éléments s'intègrent visuellement les uns aux autres. Mais si cet écusson un peu vieillot ne trônait pas en plein milieu de la grille de calandre, l'esthétique y gagnerait de beaucoup.

L'habitacle est sensiblement de même souche, avec un tableau de bord élégant et fort discret. Ce qui impressionne surtout, c'est le volant avec son boudin partiellement en bois et dont le moyeu est agrémenté de nombreuses touches servant à régler la chaîne audio ainsi que le régulateur de croisière. Il faut également ajouter que la finition des modèles de préproduction examinés m'a semblé plus que correcte. En fait, la qualité de certains plastiques m'a paru supérieure à plusieurs nord-américaines de luxe. Mais ce qui est encore plus impressionnant est le niveau d'équipement de série. Le modèle de base est le GLS suivi dans la hiérarchie par le LX et finalement le Limited que l'on peut qualifier de vraiment «tout garni». Toutes les versions sont équipées de

FEU VERT

Moteur puissant
Plate-forme moderne
Équipement complet
Habitacle cossu
Système audio

FEU ROUGE

Fiabilité à découvrir
Réputation à bâtir
Performances inconnues
Valeur de revente à déterminer

serrures à verrouillage électrique, de glaces à commande électrique, de multiples lumières dans l'habitacle, de la climatisation à contrôle automatique, de commandes audio placées sur le volant, d'un régulateur de croisière, de rétroviseurs chauffants télécommandés et j'en passe. Il faut souligner la préoccupation des planificateurs d'offrir la meilleure sécurité passive en proposant un rideau gonflable latéral de série de même que des coussins latéraux pour les occupants des places avant et arrière.

Et le Limited en remet davantage avec son système audio très poussé développé par Infinity comprenant un caisson de graves et 10 haut-parleurs. On y retrouve aussi un siège à commande électrique coordonné aux rétroviseurs extérieurs, à la colonne de direction et au pédalier réglable. Et comme sur les berlines haut de gamme, ce modèle est pourvu d'un rideau arrière qui se déploie au simple toucher d'un bouton. Ce même modèle dorlote également le passager avant qui peut régler son siège à commande électrique de quatre façons. Par ailleurs, toutes les Azera sont munies d'un dossier arrière rabattable 60/40. Bref, cette Azera n'a rien de commun avec les modèles à vocation économique qui ont permis à cette marque de connaître une importante croissance sur notre marché.

NOUVEAU MOTEUR, NOUVELLE PLATE-FORME

Il aurait été peu sage pour Hyundai de trafiquer la plate-forme de la XG350 afin de l'adapter au nouveau moteur V6 3,8 litres de 265 chevaux alors que celle-ci a besoin de toutes ses ressources pour gérer les 194 chevaux du moteur V6 qui l'équipait. Ce nouveau moteur V6 est réalisé tout en aluminium et sa fiche technique est égale à celle des autres moteurs V6 proposés par la concurrence. Chez le constructeur coréen, on s'est fait un devoir de souligner que ce moteur est plus puissant que ceux équipant les Ford 500 et Buick Allure. Portant le nom de code Lambda, ce V6 est couplé à une boîte automatique à cinq rapports de type manumatique. Mais comme la plupart de ces boîtes, rares seront les personnes qui s'amuseront à passer les vitesses manuellement sur une voiture de cette catégorie. Et pour que la fiche technique soit à la hauteur des principales concurrentes, les suspensions avant sont à leviers triangulés et la suspension arrière indépendante est à liens multiples.

Bref, la table est mise et même si les délais nous ont empêchés de prendre le volant de cette coréenne BCBG, il est certain que l'Azera nous fera vite oublier la XG350.

Denis Duquet

Photos: Hyundai

HYUNDAI AZERA

DONNÉES TECHNIQUES

Modèle à l'essai:	LX
Prix du modèle à l'essai:	34895$ (estimé)
Échelle de prix:	34895$ à 38945$ (estimé)
Garanties:	5 ans/100000 km, 7 ans/120000 km
Catégorie:	berline de luxe
Emp./Lon./Lar./Haut.(cm):	278/489/185/149
Poids:	1620 kg
Coffre/Réservoir:	410 litres/ 75 litres
Coussins de sécurité:	front., latéraux (av./arr.), rideaux
Suspension avant:	essieu rigide, bras inégaux
Suspension arrière:	indépendante, multibras
Freins av./arr.:	disque (ABS)
Antipatinage/Contrôle de stabilité:	oui/non
Direction:	à crémaillère, assistance variable
Diamètre de braquage:	n.d.
Pneus av./arr.:	P235/55R17
Capacité de remorquage:	0 kg

Pneus d'origine MICHELIN

GROUPE MOTOPROPULSEUR

Moteur:	V6 de 3,8 litres 24s atmosphérique
Alésage et course	96,0 mm x 87,0 mm
Puissance:	265 ch (198 kW) à 6000 tr/min
Couple:	257 lb-pi (348 Nm) à 4500 tr/min
Rapport Poids/Puissance:	6,11 kg/ch (8,18 kg/kW)
Moteur électrique:	aucun
Autre(s) moteur(s):	seul moteur offert
Transmission:	traction, automatique 5 rapports
Autre(s) transmission(s):	aucune
Accélération 0-100 km/h:	8,4 s (estimé)
Reprises 80-120 km/h:	7,2 s (estimé)
Freinage 100-0 km/h:	40,0 m (estimé)
Vitesse maximale:	200 km/h (estimé)
Consommation (100 km):	ordinaire, n.d.
Autonomie (approximative):	n.d.
Émissions de CO2:	5280 kg/an

DANS LA MÊME CATÉGORIE

Buick Allure - Ford 500 - Kia Amanti - Nissan Maxima - Toyota Avalon

DU NOUVEAU EN 2006

Nouveau modèle

HISTORIQUE DU MODÈLE

1[ière] génération

NOS IMPRESSIONS

Agrément de conduite:	3½
Fiabilité:	Nouveau modèle
Sécurité:	4½
Qualités hivernales:	4
Espace intérieur:	4
Confort:	4½

LE CHOIX DE L'ÉQUIPE

LX

UNE BONNE VALEUR

Le fabricant coréen Hyundai est définitivement en pleine ascension. Il connaît le succès avec son petit utilitaire sport, le Tucson, et fait presque des ravages dans la catégorie des berlines intermédiaires avec la Sonata, un véhicule complètement remanié cette année et disponible à un prix concurrentiel. Malgré ces nombreux changements, Hyundai promet de revenir à la charge avec de nouveaux modèles tout au long de l'année. Mais ce n'est pas dans cette vague que l'on apportera des modifications à l'Elantra, la compacte de la famille.

Car l'Elantra continue de bien faire au niveau des ventes, répond aux besoins et est disponible dans une assez vaste variété de modèles et de finitions pour rejoindre toutes les clientèles. Bref, un choix qui continue d'indiquer la raison plutôt que la passion.

DÉCLINAISONS MULTIPLES

La berline Elantra est disponible en trois versions, la GL qui est en fait le modèle le moins équipé, la VE et la SE, le haut de gamme de la famille en mode quatre portes. D'une déclinaison à l'autre, les modifications sont infimes et tiennent davantages du petit caractère que des lettres de néon. Entre la GL et la VE, climatisation, miroir chauffant et autres gadgets du genre font la différence. La SE est plus complète avec des roues en alliage, des phares anti-brouillard, un volant et un levier de vitesse gainés de cuir, un calculateur kilométrique, un système audio à six haut-parleurs, un toit ouvrant électrique, un régulateur de vitesse ainsi que des freins antiblocage (ABS).

Mais la plus populaire des Elantra est certainement la cinq portes, regroupant les modèles GT et SE, et dont la vocation est plus sportive, avec des freins à disque aux quatre roues (alors que les berlines misent sur les freins à tambour à l'arrière). Mais attention, la définition de sportive est plus dans l'œil du conducteur que dans la réalité puisque toutes les versions ne peuvent compter que sur un seul moteur, un 4 cylindres de 2 litres tenant la bride de quelque 138 chevaux, mais mettant à profit toute la technologie du calage variable des soupapes baptisé chez Hyundai CVVT. Avec une accélération de 0 à 100 kilomètres à l'heure en 11,2 secondes, on peut parler de performances honnêtes, mais certainement pas de petite bombe.

Précisons cependant que cette puissance, bien que limitée, se répartit avec bonheur et ne fait pas véritablement sentir d'hésitation quand on utilise la berline en ville. Au contraire, elle remplit même très bien la commande et permet à l'Elantra d'être un choix intelligent pour un usage quotidien.

Jumelé à une transmission automatique à cinq rapports peu dynamique, il va de soi que l'usage est moins agréable. En revanche, si on opte pour la transmission manuelle, on trouvera certainement plus de plaisir et d'agrément de conduite. Ajoutez à cela une direction relativement précise, même si elle souffre d'un vaste élan de sommeil au centre de la trajectoire, et des suspensions sans surprise, et vous voilà au volant d'une berline plus qu'honnête.

FEU VERT

- Rapport qualité/prix exceptionnel
- Freinage efficace
- Espace intérieur suffisant
- Moteur fiable

FEU ROUGE

- Espace de rangement absent
- ABS en option
- Matériau de qualité boiteuse (GT)
- Sous-virage prononcé

SIMPLICITÉ AU MENU

L'intérieur de l'Elantra est relativement vaste, et propose un dégagement intéressant pour la tête et les jambes. L'espace est suffisant en fait pour que quatre adultes y prennent place en tout confort, cinq avec insistance. Les sièges avant sont confortables et accueillent le conducteur avec un tissu de bonne qualité, et un support suffisant. Le cuir est disponible sur la version GT, mais avec une qualité dont on préfère ne pas parler. La position de conduite n'est pas toujours de tout repos à trouver. En fait, ce sont les ajustements disponibles à l'aide de grosses molettes situées sur le côté du banc qui compliquent un peu la tâche. Devant le conducteur, deux cadrans noirs, mais malgré tout faciles à lire, une console bien aménagée et facile d'accès complètent la présentation. En revanche, les boutons de la radio sont petits (ce qui est un euphémisme) et peu aisés à manipuler.

Le seul inconvénient de cet habitacle somme toute bien réussi est l'absence de véritable coffret de rangement. Il y a bien un petit espace pour les disques sous le radio, ou un vide-poche à l'endos du siège pour les passagers arrière, mais rien de plus. On s'attendrait à un peu plus dans un véhicule à vocation nettement familiale.

En matière de conduite, l'Elantra n'a que peu de défauts. Son plus grand : elle ne possède aussi que peu de qualités. En fait, parce que les suspensions sont parfois mal adaptées, on ressent beaucoup de roulis en virage et les imperfections de la route en conduite normale.

Si on essaie de pousser un peu la machine, la caisse valse beaucoup, et le sous-virage devient chronique. Heureusement, la version GT et la version SE disposent toutes deux d'un système d'antipatinage qui limite ce désagrément. Quant au freinage, il est étonnant de puissance, dans une version comme dans l'autre. En fait, les distances de freinage sont comparables et seul l'ABS (en option car, chez Hyundai, la sécurité est malheureusement souvent optionnelle) fait un net changement.

Plutôt jolie, mais surtout nettement abordable, Elantra continuera d'occuper une bonne place dans le cœur des automobilistes du Québec. C'est vrai qu'elle a affaire à rude concurrence, mais elle a aussi de quoi leur tenir tête sans avoir honte. Surtout à ce prix.

Marc Bouchard

Photos : Hyundai

DONNÉES TECHNIQUES

Modèle à l'essai :	GT
Prix du modèle à l'essai :	20087$
Échelle de prix :	14995$ à 20895$
Garanties :	5 ans/100000 km, 7 ans/120000 km
Catégorie :	berline compacte
Emp./Lon./Lar./Haut.(cm) :	261/452/172/142,5
Poids :	1195 kg
Coffre/Réservoir :	753 litres / 55 litres
Coussins de sécurité :	frontaux
Suspension avant :	indépendante, jambes de force
Suspension arrière :	indépendante, multibras
Freins av./arr. :	disque (ABS)
Antipatinage/Contrôle de stabilité :	opt./non
Direction :	à crémaillère, assistée
Diamètre de braquage :	9,9 m
Pneus av./arr. :	P195/60R15
Capacité de remorquage :	850 kg

Pneus d'origine MICHELIN

GROUPE MOTOPROPULSEUR

Moteur :	4L de 2,0 litres 16s atmosphérique
Alésage et course	82,0 mm x 93,5 mm
Puissance :	138 ch (103 kW) à 6000 tr/min
Couple :	136 lb-pi (184 Nm) à 4500 tr/min
Rapport Poids/Puissance :	8,66 kg/ch (11,60 kg/kW)
Moteur électrique :	aucun
Autre(s) moteur(s) :	seul moteur offert
Transmission :	traction, manuelle 5 rapports
Autre(s) transmission(s) :	automatique 4 rapports
Accélération 0-100 km/h :	11,2 s
Reprises 80-120 km/h :	11,7 s
Freinage 100-0 km/h :	43,2 m
Vitesse maximale :	190 km/h
Consommation (100 km) :	ordinaire, 9,7 litres
Autonomie (approximative) :	567 km
Émissions de CO2 :	3983 kg/an

DANS LA MÊME CATÉGORIE

Chevrolet Cobalt - Ford Focus - Honda Civic - Kia Spectra - Mazda 3 - Mitsubishi Lancer - Nissan Sentra - Pontiac Pursuit - Suzuki Aerio - Toyota Corolla

DU NOUVEAU EN 2006

Pas de changement majeur

HISTORIQUE DU MODÈLE

3ième génération

NOS IMPRESSIONS

Agrément de conduite :	½
Fiabilité :	½
Sécurité :	½
Qualités hivernales :	
Espace intérieur :	
Confort :	

LE CHOIX DE L'ÉQUIPE

GT manuelle

LA STAR DE LA FAMILLE

Il y a quelques années, lorsque Hyundai a lancé son petit utilitaire Santa Fe, le véhicule attirait l'attention. Ses formes curieuses, innovatrices, attiraient à coup sûr le regard des amateurs. C'est probablement ce look différent, en plus bien sûr de ses autres qualités, qui a permis à cet utilitaire coréen de devenir la véritable star de sa propre écurie. Aujourd'hui cependant, cette époque est révolue et même s'il conserve son style unique, il n'a plus la même aura de gloire qui l'accompagne.

Il faut dire qu'il a devant lui un nouveau concurrent, venu de l'interne même, avec le Hyundai Tucson, un utilitaire encore plus petit, aux lignes moins innovatrices mais certainement aussi agréables, et à un prix bien en deçà de celui du Santa Fe.

Ce qui explique que d'ici quelques mois, le Santa Fe sera entièrement redessiné. En fait, si on en juge par les rumeurs et les commentaires glanés ici et là, le petit utilitaire deviendra grand, et calquera ses dimensions davantage sur celles du Kia Sorento, de plus grande taille. En attendant cependant, il faut continuer de vivre avec la version actuelle de cet utilitaire qui cherchera encore sa niche pour les prochains mois.

Il est certain que son design unique lui permettra de toujours se distinguer de la concurrence. Les ailes rebondies et très proéminentes lui procurent un petit air agressif qui donne l'impression de faire face à un véhicule beaucoup plus gros. Mais le Santa Fe, ce n'est pas qu'un design extérieur. C'est aussi un petit utilitaire fort intéressant, surtout pour ceux qui ne veulent pas consacrer la totalité de leur budget mensuel à leur voiture.

DU CŒUR AU VENTRE

Le Santa Fe de base, le GL, reçoit un moteur quatre cylindres de 2,4 litres développant 138 chevaux et un couple de 147 lb-pi dès 3 000 tours/minute. Il est vendu en version traction uniquement avec boîte manuelle. Vous devrez cependant vous armer d'un peu de patience, puisque le petit moteur peine un tantinet à la tâche quand vient le temps de s'activer avec ardeur.

Sur les versions GL et GLS à traction intégrale, on retrouve le moteur 6 cylindres de 2,7 litres qui produit 170 chevaux. Légèrement plus nerveux que la version de base, il suffit amplement aux besoins élémentaires de l'acheteur typique d'un utilitaire de petite taille. Il arrive toujours avec une transmission automatique à quatre rapports. Finalement, c'est sur le V6, traction intégrale GLS à transmission automatique à cinq vitesses que l'on retrouve le moteur V6 de 3,5 litres, un modèle de souplesse et de puissance pour un véhicule de cette taille. Sous le capot, il fait vibrer quelque 200 chevaux, ce qui procure au moins un peu plus de nervosité au départ. Mais attention, ces chevaux sont bien gourmands, et consomment l'essence à une vitesse remarquablement élevée.

FEU VERT

Design extérieur unique et agréable
Bon rapport qualité-prix
Confort de roulement
Moteur 3,5 litres

FEU ROUGE

Freinage un peu mou
Sièges peu confortables
Bouton de la radio trop petits
Position de conduite mal adaptée

Malheureusement, la transmission n'est pas toujours à la hauteur mais le système manumatique Shiftronic permet un peu plus de souplesse. On peut par exemple rétrograder avec aisance pour utiliser le maximum du couple de la voiture et du même coup, faciliter les dépassements. Bref, la transmission automatique est une légère contrainte, mais que l'on peut aisément outrepasser, si on accepte les délais dans la réponse du véhicule.

PETIT VUS DES VILLES

Sur la route, même s'il se conduit comme un utilitaire, le Santa Fe est tout de même très proche des voitures de tous les jours. À l'exception d'un freinage un peu mou auquel il faut s'adapter dans les premiers kilomètres, il procure une douceur de roulement digne de mention pour un véhicule de sa catégorie. Toutefois, ne poussez pas trop loin votre chance dans les bois car la traction intégrale, bien qu'efficace en ville, ne pourra jamais vous faire traverser la forêt amazonienne sans encombre. Au mieux, les champs de maïs, à condition qu'ils soient bien secs!

À l'intérieur, ce petit utilitaire renferme un espace étonnant, tant pour les bagages dans la soute, que pour les passagers. En fait, autant à l'avant qu'à l'arrière, on dispose de beaucoup de place pour les jambes et la tête. Et ce, même si la position de conduite est légèrement surélevée comme dans la plupart des utilitaires. L'espace de chargement est vaste et facile d'accès, et peut encore s'agrandir en abaissant la banquette, ce qui donne suffisamment de volume pour transporter tout votre matériel. Fait encore plus intéressant, la glace s'ouvre de façon indépendante du hayon arrière. Le tableau de bord, d'une sobriété exemplaire, est un peu décevant au premier coup d'œil. On s'habitue cependant tres rapidement aux commandes fort efficaces et faciles d'accès. Un bémol néanmoins pour la radio, dont les boutons sont beaucoup trop petits pour être agréables à utiliser.

Le seul véritable défaut du Santa Fe est en fait la position de conduite. Malgré de multiples ajustements possibles (et j'ai bien essayé de trouver le bon), les sièges ne fournissent pas un support suffisant pour être confortables durant de longues périodes.

Toutes ces qualités font cependant du Santa Fe de Hyundai un utilitaire fort intéressant, notamment en raison de son rapport qualité-prix.

Marc Bouchard

Photos: Hyundai

DONNÉES TECHNIQUES

Modèle à l'essai:	GLS V6
Prix du modèle à l'essai:	33695$ - 2005
Échelle de prix:	21395$ à 34295$ - 2005
Garanties:	5 ans/100000 km, 7 ans/120000 km
Catégorie:	utilitaire sport compact
Emp./Lon./Lar./Haut.(cm):	262/450/182/167,5
Poids:	1790 kg
Coffre/Réservoir:	864 à 2209 litres / 72 litres
Coussins de sécurité:	frontaux et latéraux (av.)
Suspension avant:	indépendante, jambes de force
Suspension arrière:	indépendante, multibras
Freins av./arr.:	disque (ABS)
Antipatinage/Contrôle de stabilité:	oui/non
Direction:	à crémaillère, assistée
Diamètre de braquage:	11,3 m
Pneus av./arr.:	P225/70R16
Capacité de remorquage:	1270 kg

GROUPE MOTOPROPULSEUR

Moteur:	V6 de 3,5 litres 24s atmosphérique
Alésage et course	93,0 mm x 85,8 mm
Puissance:	200 ch (149 kW) à 5500 tr/min
Couple:	219 lb-pi (297 Nm) à 3500 tr/min
Rapport Poids/Puissance:	8,95 kg/ch (12,01 kg/kW)
Moteur électrique:	aucun
Autre(s) moteur(s):	4L 2,4 l 138ch à 5500tr/mn et 147lb-pi à 3000tr/mn, V6 2,7 l 170ch à 6000tr/mn et 181lb-pi à 4000tr/mn
Transmission:	intégrale, automatique 5 rapports
Autre(s) transmission(s):	manuelle 5 rapports / automatique 4 rapports
Accélération 0-100 km/h:	9,8 s
Reprises 80-120 km/h:	7,5 s
Freinage 100-0 km/h:	37,2 m
Vitesse maximale:	190 km/h
Consommation (100 km):	ordinaire, 11,8 litres
Autonomie (approximative):	610 km
Émissions de CO2:	5809 kg/an

DANS LA MÊME CATÉGORIE

Ford Escape - Honda CR-V - Jeep Liberty - Kia Sorento - Mazda Tribute - Mitsubishi Outlander - Nissan X-Trail - Saturn Vue - Suzuki Grand Vitara - Toyota RAV4

DU NOUVEAU EN 2006

Aucun changement majeur

HISTORIQUE DU MODÈLE

1ière génération

NOS IMPRESSIONS

Agrément de conduite:	3
Fiabilité:	3
Sécurité:	4
Qualités hivernales:	4
Espace intérieur:	3½
Confort:	3½

LE CHOIX DE L'ÉQUIPE

GLS V6

PLUS POUR MOINS CHER

La direction de Hyundai en a fait sa ligne de conduite. Elle veut se classer au cinquième rang des constructeurs mondiaux le plus rapidement possible. Pour ce faire, il lui faut vendre de plus en plus de véhicules et surtout sur le marché nord-américain. Ce n'est donc pas le fruit du hasard si la nouvelle Sonata est plus grosse que les leaders de la catégorie que sont les Toyota Camry et Honda Accord, mais elle se veut également mieux équipée que ces dernières tout en étant vendue mois cher.

Cette nouvelle venue en est à sa cinquième génération et il s'agit de la seconde fois qu'elle est assemblée sur notre continent. Tous se souviennent de l'aventure Hyundai à Bromont alors que la Sonata y était produite. Inutile de tenter d'expliquer les causes de l'échec de cette aventure québécoise pour le constructeur coréen, mais contentons nous de dire que ce modèle était alors inconnu sur notre marché et les attentes n'ont jamais été réalisées. Cela a quand même permis à Hyundai de se positionner dans ce créneau avec une berline digne de ce nom qui a rapidement fait oublier la Stellar de triste mémoire.

Revenons au présent si vous voulez bien avec la nouvelle Sonata qui est elle aussi assemblée en Amérique. Hyundai vient de parachever la construction d'une usine toute moderne à Montgomery en Alabama. Et avec une chaîne d'assemblage sur notre continent, la direction de la compagnie entend bien rencontrer ses objectifs de vente.

Et pour ce faire, ses ingénieurs et stylistes ont concocté une voiture dotée de caractéristiques qui surpassent les leaders de la catégorie, du moins en dimensions.

LA GUERRE DES CENTIMÈTRES

Afin de ne pas être à court d'arguments lorsque vient le temps de comparer la nouvelle Sonata aux concurrentes visées que sont les Honda Accord, Toyota Camry et Nissan Altima, les planificateurs ont dessiné une voiture plus spacieuse que la concurrence. Pour ce faire, son empattement a été allongé de 2,5 cm tandis que sa longueur ainsi que la hauteur ont été accrus de 5,5 cm. L'accroissement des principales cotes ont permis à la Sonata de passer à la catégorie des grosses berlines tandis que ses concurrentes sont toujours classées comme des intermédiaires par le gouvernement fédéral américain. Et quand on sait que nos voisins du sud ont toujours une propension pour les tailles fortes, les dimensions de la nouvelle Sonata sont un

argument de plus dans la bouche des vendeurs. Cette guerre des litres et des centimètres s'est également portée au niveau du coffre à bagages. Avec ses 462 litres, le coffre de la Sonata surpasse ceux de la plupart de ses concurrentes à l'exception de celui de la Camry. Par contre l'ouverture du coffre de la coréenne pourrait être plus grande.

Et pour en rajouter une couche, les communiqués de la compagnie font état du silence dans l'habitacle qui est, selon leurs dires, supérieur aux mesures en décibel de la Camry et la Accord. Comme ce type de mesure varie énormément selon les conditions ambiantes, nous devons prendre pour acquis les chiffres fournis par Hyundai.

BIEN TOURNÉE

Lors de notre essai routier, la plupart des gens ont émis des commentaires flatteurs sur la voiture. Comme toutes les autres de cette catégorie, la silhouette est relativement sobre, mais les lignes de la carrosserie ont plu à la majorité. Ce serait par ailleurs mentir de ne pas souligner le fait que certains éléments visuels ressemblent ceux de la Honda Accord, mais il ne s'agit pas d'une copie conforme. Et ce détail vous fera sourire. Dans leur communiqué de presse, les rédacteurs du département des relations publiques ont souligné « la jupe de calandre en V, signe de victoire ».

Si la silhouette est élégante et sobre, je suis persuadé que si l'écusson Hyundai, soit la lettre « H » inclinée vers la droite et retenue dans un ovale, était plus esthétique, cette voiture serait plus jolie. La présence de ce H tourmenté nuit au coup d'œil.

Toujours au chapitre du design, le tableau de bord est constitué de matériaux de meilleure qualité tandis que la texture du plastique est mieux réussie. Par contre, le tout manque d'originalité. C'est bien assemblé, d'une ergonomie simple et efficace, mais c'est un peu tristounet comme apparence. Il faut toutefois souligner que les sièges sont plus confortables et la qualité de fabrication supérieure au modèle précédent.

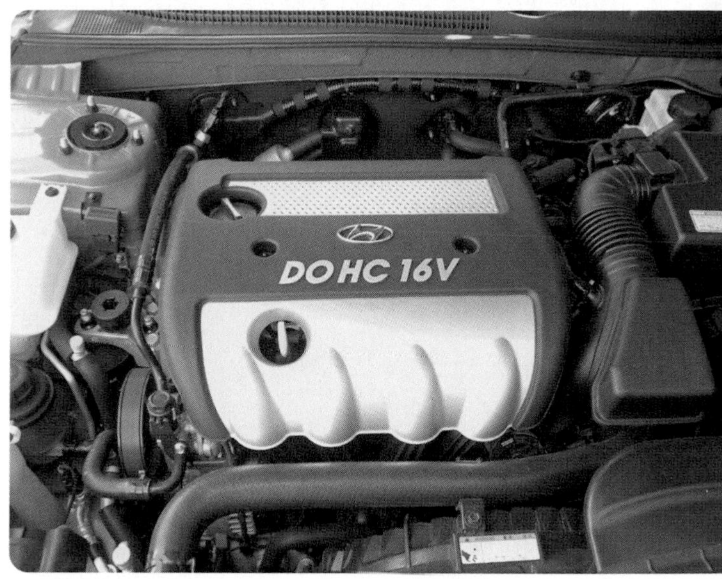

NOUVELLE MÉCANIQUE

Il est intéressant de suivre le développement de cette compagnie en analysant la progression des organes mécaniques. Chaque nouveau modèle est accompagné de moteurs qui gagnent en sophistication. Et cette cinquième génération ne fait pas exception à la règle. Le nouveau moteur quatre cylindres Theta a une cylindrée de 2,4 litres et sa puissance est de 162 chevaux. Tout en aluminium avec arbre d'équilibrage, il produit 22 chevaux de plus que le moteur quatre cylindres qu'il remplace. Il est bruyant au ralenti, mais l'insonorisation de l'habitacle filtre très bien les bruits et les vibrations tant et si bien que les occupants ne sont pas importunés. Il est livré de série avec une boîte manuelle à cinq rapports tandis que les modèles équipés du moteur V6 ne proposent qu'une boîte manumatique Shiftronic à cinq rapports. Elle peut également être couplée au moteur quatre cylindres.

HYUNDAI SONATA

Avec ses 235 chevaux, le moteur V6 de 3,3 litres marque un bond de 65 chevaux par rapport à celui de la Sonata 2005. Son bloc et la culasse sont en aluminium. En plus d'un gain de cylindrée de 600 CC, une distribution variable constante et un système d'admission plus efficace permettent d'expliquer ce gain de puissance.

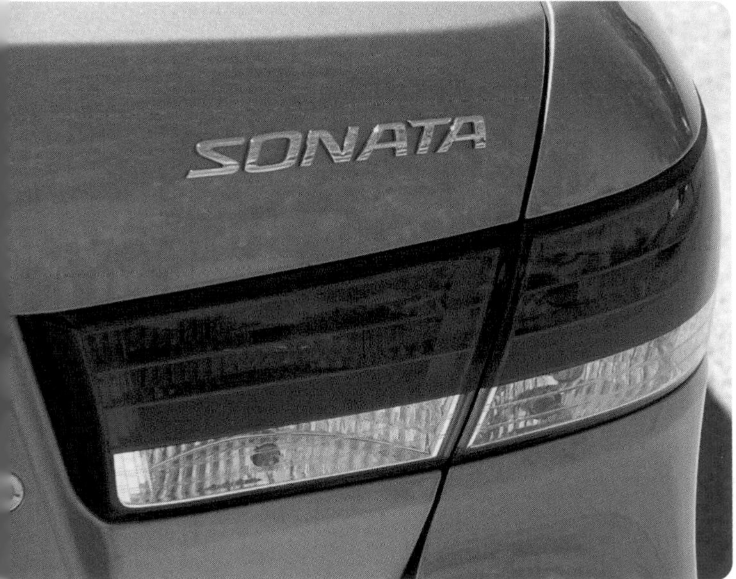

Les suspensions avant et arrière sont un autre indice de l'évolution technique de ce modèle. La suspension avant est à double leviers triangulés associés à des amortisseurs à gaz et reliée à une barre antiroulis de 26 mm sur le modèle à moteur V6. La suspension arrière se compose d'un bras oscillant, de deux bras longitudinaux et d'un bras supérieur en A. Le tout amorti par des amortisseurs à gaz et des ressorts hélicoïdaux. Il ne faut pas oublier non plus que les freins ABS sont de série sur tous les modèles à moteur V6 et en option sur la GL à moteur quatre cylindres. Enfin, seule la GLS peut être commandée avec un système de stabilité latérale disponible en option.

HONNÊTE ROUTIÈRE

Dans sa publicité et dans la majorité de ses communiqués, la direction de Hyundai fait surtout état de l'importance de l'équipement de série, des dimensions plus généreuses, de la puissance accrue des moteurs, mais elle ne fait pas tellement cas de la tenue de route. C'est sans doute prudent de ne pas trop pavoiser compte tenu que la version précédente n'était pas tellement douée à ce chapitre.

Maintenant c'est nettement mieux, surtout en raison de la rigidité accrue de la caisse. En outre, le feedback de la direction est meilleur bien que ce ne soit pas encore de même niveau que ce que la Accord ou même la Chevrolet Malibu nous proposent. La suspension est confortable et pourrait être plus ferme, certaines personnes soulignant le fait que l'amortissement soit trop spongieux. Cela a des répercussions dans les virages alors que le roulis est assez prononcé. Il faut également ajouter que le moteur V6 est un peu mieux desservi à

FEU VERT

- Nouveaux moteurs
- Habitabilité assurée
- Prix très compétitifs
- Équipement complet
- Plate-forme plus rigide

FEU ROUGE

- Fiabilité inconnue
- Tableau de bord terne
- Suspension trop molle (4 cyl)
- Moteur 4 cylindres bruyant au ralenti

ce chapitre, probablement en raison d'une barre anti roulis plus rigide. Malgré tout, si la Sonata est en mesure de faire la vie dure aux meilleures japonaises de sa catégorie en fait d'équipement, de dimensions et de rapport qualité-prix, son comportement routier demeure toujours un cran en dessous de celui de la Honda Accord, fait match nul avec la Nissan Altima tout en dépassant de peu la Camry de base. Encore faut-il nuancer ce classement en fonction des versions multiples avec leurs variations de pneumatiques et d'amortisseurs. Bref, le nouveau millésime de la Sonata marque un net pas en avant malgré un habitacle tristounet.

Et il faut souligner en terminant qu'avec des prix de vente au détail suggéré variant de 21 900$ à 26 600$, Hyundai s'est donné les moyens de brasser la cage et d'aller inquiéter les ténors de cette catégorie. Ce geste audacieux de mise en marché s'explique sans aucun doute par les le classements avantageux de fiabilité et de satisfaction des acheteurs que s'est méritée la marque au cours des deux dernières années. Nous sommes loin du désastre qu'a représenté la Stellar pour le constructeur d'Ulsan au milieu des années quatre-vingt.

Avec la nouvelle Sonata, Hyundai a pris les moyens pour être un acteur de premier plan dans la catégorie des grosses intermédiaires tandis que la nouvelle Azera s'attaque à celle des modèles d'entrée de gamme chez les intermédiaires de luxe.

Denis Duquet

Photos: Hyundai

HYUNDAI SONATA

DONNÉES TECHNIQUES

Modèle à l'essai:	GL
Prix du modèle à l'essai:	22 895$
Échelle de prix:	21 900$ à 28 000$
Garanties:	5 ans/100 000 km, 7 ans/120 000 km
Catégorie:	berline intermédiaire
Emp./Lon./Lar./Haut.(cm):	273/480/183/147,5
Poids:	1 569 kg
Coffre/Réservoir:	462 litres / 67 litres
Coussins de sécurité:	frontaux, latéraux (av.), rideaux
Suspension avant:	indépendante, bras inégaux
Suspension arrière:	indépendante, multibras
Freins av./arr.:	disque (ABS)
Antipatinage/Contrôle de stabilité:	opt./opt.
Direction:	à crémaillère, assistance variable
Diamètre de braquage:	10,9 m
Pneus av./arr.:	P215/60R16
Capacité de remorquage:	n.d.

GROUPE MOTOPROPULSEUR

Pneus d'origine MICHELIN

Moteur:	4L de 2,4 litres 16s atmosphérique
Alésage et course	88,0 mm x 97,0 mm
Puissance:	162 ch (121 kW) à 5800 tr/min
Couple:	164 lb-pi (222 Nm) à 4250 tr/min
Rapport Poids/Puissance:	9,69 kg/ch (12,97 kg/kW)
Moteur électrique:	aucun
Autre(s) moteur(s):	V6 3,3 l 235ch à 6000tr/mn et 226lb-pi à 3500tr/mn
Transmission:	traction, automatique 5 rapports
Autre(s) transmission(s):	manuelle 5 rapports / automatique 4 rapports
Accélération 0-100 km/h:	8,3 s
Reprises 80-120 km/h:	7,1 s
Freinage 100-0 km/h:	41,0 m
Vitesse maximale:	195 km/h
Consommation (100 km):	ordinaire, 10,0 litres
Autonomie (approximative):	670 km
Émissions de CO2:	4 898 kg/an

DANS LA MÊME CATÉGORIE

Chevrolet Malibu - Chrysler Sebring - Ford Taurus - Honda Accord - Kia Magentis - Mazda 6 - Mitsubishi Galant - Nissan Altima - Toyota Camry

DU NOUVEAU EN 2006

Nouveau modèle, nouveau moteur 4L, nouveau moteur V6

HISTORIQUE DU MODÈLE

5ième génération

NOS IMPRESSIONS

Agrément de conduite:	3½
Fiabilité:	nouveau modèle
Sécurité:	4½
Qualités hivernales:	4
Espace intérieur:	4½
Confort:	4

LE CHOIX DE L'ÉQUIPE

GL V6

SPORTIVE VIEILLISSANTE

C'est fou comme les gens ont la rigolade facile quand on leur parle des Pony et Stellar, deux modèles Hyundai qui ont marqué l'arrivée de la bannière coréenne au Canada, et dont la réputation reposait davantage sur leur manque de fiabilité que sur leurs performances. Puis, la rigolade a fait place à l'indifférence et, plus récemment à l'admiration. Tout cela parce que, depuis plusieurs années, Hyundai a appris et fabrique dorénavant des modèles aux lignes mieux découpées, aux performances plus remarquables, et surtout à la fiabilité grandissante. Il y a pourtant un modèle Hyundai qui a toujours fait l'unanimité, et c'est le Tiburon.

Coupés sport avant-gardistes à leur création, largement inspirés des sportives italiennes, les premiers modèles Tiburon avaient un air quasi menaçant. Un remodelage en 2003 a permis à Hyundai de frapper encore plus dans le mille en proposant une voiture aux courbes adoucies et surtout, un aileron qui perdait alors ses dimensions d'aile d'avion. Le succès est tel d'ailleurs que durant quelques années, la Tiburon est devenue le véhicule le plus volé au Canada, victime d'un trop fort pouvoir d'attraction.

La réussite est d'autant plus grande que Hyundai réussit à offrir tout cela à un prix résolument abordable (la plus chère se vendant moins de 29000$, sans les options bien entendu). Voilà probablement l'endroit où réside le succès de cette petite voiture qui non seulement attire ceux qui aiment les configurations sportives, mais aussi ceux qui préfèrent personnaliser leur voiture.

Malheureusement, il faut aussi se rendre à l'évidence, la Tiburon a vieilli, et ne réussit peut-être plus à se distinguer autant dans la masse de petites voitures sportives désormais sur le marché. Il faudra cependant s'en contenter puisque cette année rien, ou si peu, ne sera modifié sur le modèle Tiburon.

PLACES VIRTUELLES

À l'intérieur, comme dans beaucoup de coupés, tout est question d'espace. Un espace qui, bien que limité, est cependant suffisant pour le conducteur, son passager et quelques petits bagages dans le coffre. Comme dans la plupart des voitures sportives, l'espace pour les passagers arrière est plus virtuel que réel, mais peut dépanner à l'occasion. Les dossiers qui s'abaissent permettent toutefois d'agrandir un peu la capacité de chargement.

Mais soyons honnêtes, qui achète une sportive pour amener les enfants, la belle-mère et les bagages ? Ce sont plutôt les performances qui nous attireront du côté de ces petites voitures à l'allure de bolides.

PLAISIR SANS EXCÈS

De ce point de vue aussi, la Tiburon se démarque. On ne parle évidemment pas ici de puissance explosive comme le feraient les grandes sportives, mais de résultats plus que respectables.

Les vitesses de pointe sont intéressantes, les démarrages rapides et les reprises douces et vives, du moins avec le moteur 6 cylindres dont était équipée la Tuscani d'essai. Ses 172 chevaux peuvent sembler bien peu,

FEU VERT

Design toujours agréable
Moteur 6 cylindres puissant et souple
Conduite sportive intéressante
Transmission 6 rapports bien conçue

FEU ROUGE

Équipement de sécurité absent sur certains modèles
Espace arrière minuscule
Suspension rigide (Tuscani)
Sous-virage prononcé

mais offrent cependant un rapport poids-puissance plus que raisonnable. Signalons-le, la sportive Hyundai est aussi livrable avec un moteur quatre cylindres de 2,0 litres de 138 chevaux, que l'on peut affirmer un peu moins éblouissant.

Il faut aussi admettre que les six vitesses de la transmission manuelle (uniquement sur la Tuscani) permettent une grande souplesse dans les manœuvres, et ce, peu importe la vitesse de croisière. Tous les modèles sont cependant vendus avec une transmission automatique de type «Shiftronic» qui relève davantage du gadget que de l'outil indispensable.

Conduite avec un peu d'excès, la Tiburon mord la route et amorce les virages sans aucune hésitation, malgré un léger sous-virage largement causé par le poids du moteur sur le train avant. Les freins, à disque aux quatre roues, fournissent suffisamment de puissance pour agir promptement. Leur capacité de freinage intervient toutefois assez progressivement pour ne pas provoquer de réactions trop brusques, et pour faciliter la maîtrise jusqu'à l'arrêt.

Les suspensions indépendantes agissent avec souplesse, surtout dans les versions d'entrée de gamme puisqu'elles sont calibrées en mode confort. Quand on opte pour la Tuscani, on opte aussi pour le mode sport, ce qui rend leur action moins agréable en usage quotidien, mais plus performante en conduite sportive. Une faiblesse toutefois compensée par des sièges en cuir bien garnis, offrant un support latéral exceptionnel et qui moulent bien les passagers.

Le seul petit inconvénient de la Tiburon, c'est peut-être son côté sécuritaire. La Tuscani est munie d'un ensemble d'équipement de sécurité fort intéressant, incluant les freins ABS et des coussins gonflables latéraux. Mais sur les modèles d'entrée de gamme, malgré un équipement de série relativement complet, certaines de ces particularités ne sont même pas en option. Comme si la préoccupation pour la sécurité ne venait qu'avec les plus puissants modèles...

Marc Bouchard

Photos: Hyundai

HYUNDAI TIBURON

DONNÉES TECHNIQUES

Modèle à l'essai:	Tuscani
Prix du modèle à l'essai:	28795$ - 2005
Échelle de prix:	20495$ à 28795$ - 2005
Garanties:	5 ans/100000 km, 7 ans/120000 km
Catégorie:	coupé
Emp./Lon./Lar./Haut.(cm):	253/440/176/133
Poids:	1333 kg
Coffre/Réservoir:	418 litres / 55 litres
Coussins de sécurité:	frontaux et latéraux (av.)
Suspension avant:	indépendante, jambes de force
Suspension arrière:	indépendante, multibras
Freins av./arr.:	disque (ABS)
Antipatinage/Contrôle de stabilité:	non/non
Direction:	à crémaillère, assistée
Diamètre de braquage:	10,9 m
Pneus av./arr.:	P215/45R17
Capacité de remorquage:	non recommandé

Pneus d'origine MICHELIN

GROUPE MOTOPROPULSEUR

Moteur:	V6 de 2,7 litres 24s atmosphérique
Alésage et course	86,7 mm x 75,0 mm
Puissance:	172 ch (128 kW) à 6000 tr/min
Couple:	181 lb-pi (245 Nm) à 4500 tr/min
Rapport Poids/Puissance:	7,75 kg/ch (10,41 kg/kW)
Moteur électrique:	aucun
Autre(s) moteur(s):	4L 2,0 l 138ch à 6000tr/mn et 136lb-pi à 4500tr/mn
Transmission:	traction, manuelle 6 rapports
Autre(s) transmission(s):	manuelle 5 rapports / automatique 4 rapports
Accélération 0-100 km/h:	7,8 s
Reprises 80-120 km/h:	8,1 s
Freinage 100-0 km/h:	43,0 m
Vitesse maximale:	220 km/h
Consommation (100 km):	ordinaire, 11,2 litres
Autonomie (approximative):	491 km
Émissions de CO2:	5183 kg/an

DANS LA MÊME CATÉGORIE
Acura RSX - Mitsubishi Eclipse

DU NOUVEAU EN 2006
Pas de changement majeur

HISTORIQUE DU MODÈLE
3ième génération

NOS IMPRESSIONS

Agrément de conduite:	4
Fiabilité:	3½
Sécurité:	3
Qualités hivernales:	3
Espace intérieur:	2
Confort:	3½

LE CHOIX DE L'ÉQUIPE
Tuscani

NOUVELLE VISION

Hyundai nous avait tous prévenu : d'ici cinq ans, la compagnie veut se placer au 5e rang des fabricants automobiles au monde. Pour y arriver, on a tout simplement décidé de renouveler certains modèles moins populaires (même si on peut mettre en doute le choix de l'Azera), ou de créer de nouvelles entités pour devenir les chefs de file dans certains créneaux. C'est exactement cette philosophie qui a contribué à la création du Tucson, un petit VUS appelé à remplacer le Santa Fe et qui s'est déjà taillé une solide réputation.

Il faut dire que, dès le départ, Hyundai a frappé fort en offrant son petit utilitaire d'entrée de gamme pour un prix avoisinant les 20 000 $ pour le modèle de base. Une offensive remarquée dans un créneau où les premiers de classe ont plutôt l'habitude de se vendre aux environs de 30 000 $, comme c'est le cas du Rav4 de Toyota ou du CRV de Honda.

URBAIN D'ABORD

Ce n'est pas parce qu'on se vend dans la catégories des SUV que l'on en est un. De ce point de vue, le Tucson ne fait pas exception à la règle. Testé à quelques reprises sur des sentiers en mauvais état, il se défend bien, mais pas mieux ni plus mal que la plupart de ses compétiteurs. Vous vous en doutiez bien, il ne sera pas capable d'en prendre beaucoup sur des routes vraiment difficiles, même s'il réussit à tirer son épingle du jeu si le pilote a un bon coup de volant. Son rouage intégral permet de transférer jusqu'à 50 pour cent du couple aux roues avant. Le transfert se fait automatiquement et de façon assez transparente, mais peut aussi s'effectuer manuellement grâce à un bouton au tableau de bord.

Dans une zone plus urbaine, le Tucson possède assez de qualités pour être remarqué. Sa suspension travaille sans anicroche, et sa direction assez vive permet des trajectoires plus serrées telles que l'on en retrouve normalement en ville. Si vous en doutez, circulez en plein centre-ville montréalais sur l'heure de pointe, et vous comprendrez.

À plus grande vitesse, il répond bien en terme de puissance malgré des reprises parfois laborieuses, surtout quand on circule au volant d'une version équipée d'un moteur quatre cylindres. Non seulement est-il un peu chiche en performance, mais il s'avère un peu trop bruyant, obligeant les passagers à hausser légèrement le ton. Heureusement, cette situation se corrige si l'on fait plutôt appel à la version six cylindres, beaucoup plus puissante, nettement plus silencieuse mais, notez-le bien, surtout beaucoup plus gourmande.

Le moteur V6 offre une puissance adéquate pour le véhicule, malgré son poids un peu plus élevé. Son couple intéressant lui procure une réaction rapide dans toutes les situations sans oublier que la boîte automatique exploite bien la puissance disponible. Ceux qui veulent un peu plus de contrôle apprécieront le mode Shiftronic qui permet de passer manuellement les rapports. En revanche, si vous décidez d'y aller tout de même pour le moteur quatre cylindres, oubliez l'automatique et ruez-vous sur la boite manuelle à cinq rapports qui vous permettra de tirer le maximum de votre bolide.

FEU VERT

Prix d'achat raisonnable
Bon rouage intégral
Finition sans objection
Espace de chargement intéressant

FEU ROUGE

Moteur V6 assoiffé
Puissance un peu juste (4 cyl.)
Banquette arrière peu confortable
Silhouette proche du Santa Fe

Photo : Marc Bouchard

Il ne faut pas oublier non plus que le Tucson est disponible à la fois en version intégrale et en traction avant. Les modèles mettant à profit l'intégrale utilisent offrent un système envoyant 99 pour cent de la motricité aux roues avant sur chaussée sèche. Si les conditions routières se détériorent ou si une des roues patine, le système pourra transférer jusqu'à 50 pour cent de la puissance disponible aux roues arrière. De plus, une commande logée sur le tableau de bord vous permettra de verrouiller la traction intégrale en mode 50/50, jusqu'à une vitesse maximale de 35 kilomètres à l'heure.

UNE RIPOSTE BIEN ARMÉE

Le Tucson, c'est la riposte coréenne aux meneurs du marché du petit utilitaire que sont le Toyota Rav4, le Honda CR-V et le Nissan X-Trail. On concède bien quelques chevaux aux populaires japonaises que sont les Honda CR-V et Toyota Rav4, et un peu d'équipement de série, mais on prend largement les devants avec le prix. Quant au Nissan X-Trail, il n'est pas véritablement dans la course, souffrant d'une bien moins bonne finition et d'une moins grande qualité mécanique que le Hyundai.

À l'intérieur, on retrouve une finition bien réussie, mais sans grande sophistication. Le tableau de bord est sobre, les instruments faciles à consulter, mais leur esthétisme ne suscite pas grand enthousiasme. La partie centrale du tableau de bord réunit les commandes de climatisation et celles du système de sonorisation. Au volant, le Tucson propose une position de conduite légèrement surélevée, et facile à adapter peu importe la taille du conducteur. Les sièges offrent un bon support et s'avèrent bien confortables même si les rembourrages arrière surtout semblent moins bien garnis. La banquette est cependant de type 60/40. Elle peut accueillir aisément deux adultes qui ne s'y sentiront pas à l'étroit. Une troisième personne peut toujours prendre place, à condition que la randonnée soit de bien courte durée puisque la partie centrale de la banquette est dure et sans support. Cette même banquette se rabat à plat pour plus d'espace en cas de besoin, tout comme le siège du passager qui peut également être rabattu vers l'avant, histoire de pouvoir transporter de longs objets.

La popularité du Tucson à sa première année est exceptionnelle. Et si le passé est garant de l'avenir, surveillez le fabricant coréen au cours des prochains mois. Il risque fort de remplir sa promesse et de finir au 5e rang des constructeurs d'ici peu.

Marc Bouchard

Photo : Hyundai

HYUNDAI TUCSON

DONNÉES TECHNIQUES

Modèle à l'essai :	GLS
Prix du modèle à l'essai :	28725$ - 2005
Échelle de prix :	19995$ à 28725$ - 2005
Garanties :	5 ans/100000 km, 7 ans/120000 km
Catégorie :	utilitaire sport compact
Emp./Lon./Lar./Haut.(cm) :	263/432,5/183/173
Poids :	1609 kg
Coffre/Réservoir :	644 à 1856 litres / 65 litres
Coussins de sécurité :	front., latéraux (av./arr.), rideaux
Suspension avant :	indépendante, jambes de force
Suspension arrière :	indépendante, multibras
Freins av./arr. :	disque (ABS)
Antipatinage/Contrôle de stabilité :	oui/oui
Direction :	à crémaillère, assistée
Diamètre de braquage :	10,8 m
Pneus av./arr. :	P235/60R16
Capacité de remorquage :	454 kg

GROUPE MOTOPROPULSEUR

Moteur :	V6 de 2,7 litres 24s atmosphérique
Alésage et course	86,7 mm x 75,0 mm
Puissance :	173 ch (129 kW) à 6000 tr/min
Couple :	178 lb-pi (241 Nm) à 4000 tr/min
Rapport Poids/Puissance :	9,30 kg/ch (12,47 kg/kW)
Moteur électrique :	aucun
Autre(s) moteur(s) :	4L 2,0 l 140ch à 6000tr/mn et 136lb-pi à 4500tr/mn
Transmission :	intégrale, automatique 4 rapports
Autre(s) transmission(s) :	manuelle 5 rapports / traction, manuelle 5 rapports
Accélération 0-100 km/h :	10,0 s
Reprises 80-120 km/h :	9,2 s
Freinage 100-0 km/h :	39,5 m
Vitesse maximale :	185 km/h
Consommation (100 km) :	ordinaire, 12,4 litres
Autonomie (approximative) :	524 km
Émissions de CO2 :	5137 kg/an

DANS LA MÊME CATÉGORIE

Chevrolet Equinox - Ford Escape - Honda CR-V - Mitsubishi Outlander - Nissan X-Trail - Toyota Rav4

DU NOUVEAU EN 2006

Pas de changement majeur

HISTORIQUE DU MODÈLE

1ière génération

NOS IMPRESSIONS

Agrément de conduite :	3½
Fiabilité :	4
Sécurité :	4
Qualités hivernales :	4
Espace intérieur :	4
Confort :	4

LE CHOIX DE L'ÉQUIPE

GLS AWD

HOT WHEELS 101

Lorsque les responsables de la division Infiniti ont lancé le FX, ils le décrivaient comme un «guépard bionique» en faisant référence à sa silhouette athlétique et à ses performances sportives. En ce qui me concerne, j'ai toujours pensé que le FX ressemblait beaucoup à une de ces voitures miniatures au style inusité, surtout dans le cas du modèle à moteur V8 qui est chaussé de roues surdimensionnées de 20 pouces. Le concept de base de la série FX était de réussir ce croisement d'apparence contradictoire entre un coupé sport et un utilitaire, et c'est mission accomplie pour Infiniti.

De tous les véhicules sport utilitaires sur le marché, le FX est celui qui se démarque le plus par ses lignes totalement inédites et son allure sportive indéniable, l'effet visuel étant encore plus frappant avec les roues de 20 pouces (de série sur le FX45 et en option sur le FX35). La très petite surface des glaces latérales ainsi que la ligne de toit très arquée sont au nombre des éléments qui donnent au FX sa signature propre qui ne manque pas de faire tourner les têtes encore aujourd'hui, soit deux ans après son lancement sur le marché. Cette ligne de toit caractéristique au FX sera d'ailleurs imitée prochainement par certains concurrents, notamment Volkswagen qui entend proposer une version plus sportive du Touareg qui serait dotée d'une ligne de toit similaire.

C'est donc réussi pour ce qui est du style, mais il faudra repasser pour les considérations pratiques, le volume de chargement étant justement réduit en raison de la conception du véhicule. Par contre, il faut souligner le fait que le FX est doté de deux leviers localisés dans l'espace de chargement permettant facilement de faire basculer vers l'avant les dossiers des sièges arrière. Avec le FX, le mot «cockpit» prend tout son sens, puis que le siège du conducteur est réglable dans tous les sens au moyen de commandes électriques et que le bloc d'instruments se déplace verticalement avec le volant, ce qui permet de trouver rapidement la position de conduite idéale. Un bon mot également au sujet du système de navigation assistée par satellite proposé par Infiniti qui est l'un des plus faciles à utiliser de toute l'industrie automobile.

Sur la route, le caractère sportif du FX est indéniable, et sa tenue de route est impressionnante pour un véhicule de cette catégorie. À ce chapitre, j'avance que seuls les Porsche Cayenne et BMW X5 sont plus performants que le FX qui est nettement plus à l'aise en conduite sportive que la plupart des véhicules ce type. C'est donc avec un large sourire aux lèvres que j'ai roulé à bord du FX45 sur des routes sinueuses, en appréciant la précision de la direction chaque minute. En accélération, les performances du FX45 sont vraiment à la hauteur des attentes créées par la carrosserie, mais le FX35 n'est pas à dédaigner pour autant, son V6 de 3,5 litres étant très performant, et ses suspensions plus souples avec des roues de 18 pouces étant beaucoup plus adaptées aux routes du Québec.

Au nombre des équipements ajoutés dans le groupe d'options «Technologie», on retrouve un système d'avertissement qui prévient le conducteur qu'il est en train de dévier de sa voie au moyen de signaux

FEU VERT

Performances moteur (FX45)
Tenue de route impressionnante
Prix compétitifs
Look distinctif

FEU ROUGE

Confort de roulement aléatoire
Espace de chargement limité
Visibilité vers l'arrière
Système d'avertissement de déviation inefficace

lumineux et auditifs. Une caméra, localisée derrière le pare-brise, repère les lignes peintes sur la chaussée, et si le conducteur s'en approche trop ou croise ces lignes sans avoir préalablement actionné son indicateur de changement de voie, un signal lumineux apparaît au tableau de bord et un signal auditif, rappelant celui que l'on entend lorsque la ceinture de sécurité n'est pas bouclée, se fait entendre. La première fois que j'ai fait l'expérience de ce système, je roulais sur une route de campagne en conduisant de façon sportive et en utilisant la trajectoire idéale dans les virages, ce qui a eu pour effet d'affoler le système qui s'activait à chaque courbe aux points d'entrée, de corde et de sortie, alors que le véhicule n'était pas au centre de la voie... Inutile de vous dire que je n'ai pas mis de temps à trouver le commutateur permettant de le désactiver! Par ailleurs, on peut se questionner très sérieusement sur l'efficacité d'un tel système puisqu'un signal lumineux n'est d'aucune utilité pour le conducteur qui est en train de s'endormir au volant, ses yeux étant fermés, et que le signal auditif n'est pas assez fort ou strident pour réveiller un conducteur qui s'endort et qui quitte sa voie...

Le groupe d'options «Technologie», qui coûte assez cher, comprend également plusieurs autres fonctions qui permettent d'épater la galerie, par exemple un système de verrouillage/déverrouillage et antidémarrage à clé intelligente, qui commande le déverrouillage automatique de la portière lorsque le conducteur touche la poignée et permet de démarrer le véhicule en actionnant un commutateur tant et aussi longtemps que le conducteur a la clé de contact en poche. Également au programme, une caméra de recul projetant les images captées sur l'écran central ce qui est très utile, de même qu'un régulateur de vitesse intelligent avec radar qui s'avère moins efficace en hiver lorsque l'émetteur du signal radar est recouvert de neige ou de gadoue.

À mon avis, le FX35 représente un meilleur choix pour rouler sur les routes dégradées du Québec qui ne conviennent pas aux suspensions fermes et aux roues surdimensionnées du FX45. Pour ceux et celles qui recherchent le côté pratique d'un utilitaire, il vaut mieux regarder ailleurs, mais si l'agrément de conduite est un argument de taille pour vous, les FX risquent fort bien de vous séduire.

Gabriel Gélinas

Photos: Infiniti

DONNÉES TECHNIQUES

Modèle à l'essai:	FX35
Prix du modèle à l'essai:	53 200$ - 2005
Échelle de prix:	53 200$ à 69 700$ - 2005
Garanties:	4 ans/80 000 km, 6 ans/110 000 km
Catégorie:	multisegment
Emp./Lon./Lar./Haut.(cm):	285/480/192,5/167
Poids:	1 917 kg
Coffre/Réservoir:	776 à 1 710 litres / 90 litres
Coussins de sécurité:	frontaux, latéraux (av.), rideaux
Suspension avant:	indépendante, jambes de force
Suspension arrière:	indépendante, multibras
Freins av./arr.:	disque (ABS)
Antipatinage/Contrôle de stabilité:	oui/oui
Direction:	à crémaillère, assistance variable
Diamètre de braquage:	11,8 m
Pneus av./arr.:	P265/60R18
Capacité de remorquage:	1 588 kg

GROUPE MOTOPROPULSEUR

Moteur:	V6 de 3,5 litres 24s atmosphérique
Alésage et course	95,5 mm x 81,4 mm
Puissance:	280 ch (209 kW) à 6 200 tr/min
Couple:	270 lb-pi (366 Nm) à 4 800 tr/min
Rapport Poids/Puissance:	6,85 kg/ch (9,31 kg/kW)
Moteur électrique:	aucun
Autre(s) moteur(s):	V8 4,5 l 315ch à 6400tr/mn et 329lb-pi à 4000tr/mn (FX45)
Transmission:	intégrale, auto. mode man. 5 rapports
Autre(s) transmission(s):	aucune
Accélération 0-100 km/h:	7,8 s
Reprises 80-120 km/h:	6,2 s
Freinage 100-0 km/h:	43,0 m
Vitesse maximale:	220 km/h
Consommation (100 km):	super, 12,0 litres
Autonomie (approximative):	750 km
Émissions de CO2:	5 952 kg/an

DANS LA MÊME CATÉGORIE

Acura MDX - BMW X5 - Cadillac SRX - Lexus RX 330 - Mercedes-Benz Classe M - Volvo XC90

DU NOUVEAU EN 2006

Partie avant redessinée, nouvelles couleurs extérieures

HISTORIQUE DU MODÈLE

1ière génération

NOS IMPRESSIONS

Agrément de conduite:	🚗🚗🚗🚗
Fiabilité:	🚗🚗🚗🚗½
Sécurité:	🚗🚗🚗🚗
Qualités hivernales:	🚗🚗🚗🚗½
Espace intérieur:	🚗🚗🚗½
Confort:	🚗🚗🚗½

LE CHOIX DE L'ÉQUIPE

FX35

UN PEU DE SOLITUDE

Il y a des jours où l'on se sent bien seul. Et cette fois, j'avoue me sentir plutôt solitaire. Car si j'en juge par les commentaires de mes collègues journalistes, la berline Infiniti G35x est la huitième merveille du monde. Pourtant, je me sens un peu à l'écart de ce jugement. Non pas que la G35 berline ne soit pas une bonne voiture, bien au contraire. Mais certains petits détails un peu agaçants ont eu l'heur de me déplaire, et me semblent bien peu compatibles avec ce concert d'éloges.

D'entrée de jeu, il faut cependant admettre que la G35 berline est une voiture d'exception. Malgré un prix relativement abordable, elle offre des qualités de conduite de haut calibre.

UNE PETITE DÉMONE

C'est vrai que la direction de la petite berline est d'une précision démoniaque. Elle réagit en toutes circonstances avec une rapidité exceptionnelle, et transmet l'information au véhicule sans aucun délai. Mieux encore, elle fait la même chose dans l'autre sens, c'est-à-dire qu'elle ne lésine pas à transmettre au conducteur l'état réel de la route, rendant plus amusante et plus facile la conduite.

Le moteur est quant à lui un modèle du genre. Il s'agit du 6 cylindres de 3,5 litres qui équipe plusieurs Nissan et qui a remporté de nombreux honneurs au fil des ans. Il développe ses 280 chevaux un peu comme un enfant dégage son énergie : avec enthousiasme, sans retenue et... sans jamais s'essouffler !

Pour ceux que la puissance brute intéresse, la G35 n'a rien à envier à personne. Elle réalise le 0-100 kilomètres à l'heure en 6,3 secondes environ, et effectue des reprises de 80 à 120 km à l'heure en un peu plus de 6,8 secondes. Et cela, avec une transmission manumatique à 5 rapports, alors qu'une transmission manuelle à 6 rapports, particulièrement efficace, est aussi offerte.

Pour ajouter encore à cette personnalité, on l'a muni d'un système d'échappement d'une sonorité inoubliable. Ce simple petit ronron du véhicule suffit à rendre votre voisin jaloux dès que vous appuyez sur l'accélérateur.

La silhouette de la G35 est tout aussi remarquable. La fluidité des lignes, la douceur des angles et, ô bonheur, l'absence de tout aileron sur la partie arrière, lui confèrent une personnalité unique qui attire les regards et l'admiration.

Dans le cas de la G35x, il ne faut pas oublier non plus la venue d'un système de traction intégrale de haute technologie. En fait, ce système baptisé poétiquement ATTESA E-TS pour Advanced Total Traction Engineering System for All Electronic Torque Split est capable de transférer le couple des roues avant aux roues arrière en quelques millièmes de seconde. Rien de bien nouveau, mais le mode de gestion électronique de ce transfert est hautement sophistiqué, ce qui le rend

FEU VERT

Moteur puissant et efficace
Silhouette attirante
Traction intégrale de fine pointe
Direction précise

FEU ROUGE

Freinage mal équilibré
Contrôle de traction bruyant
Commandes peu ergonomiques
Consommation importante

très performant. Un mode hiver permet aussi de gérer les départs en contrôlant la pression sur la pédale d'accélérateur, ce qui évitera les dérapages imprévisibles.

L'ENVERS DE LA MÉDAILLE

Vue de cette façon, la berline ne semble posséder que des qualités. Il faut cependant y apporter des bémols. Ainsi, autant le système de traction intégrale est transparent et efficace, autant celui de contrôle de la traction ou des freins ABS est bruyant et peu discrets. Heureusement, ce vacarme ne nuit en rien à leur efficacité!

Autre problème peu agréable (rares sont les problèmes agréables cependant), la pédale de freins répond par coups plutôt qu'avec la souplesse qu'on serait en droit d'attendre. Ce genre de réaction nous force donc à doser le freinage, ou à constamment faire appel à nos ressources d'aide électronique de conduite, surtout sur chaussée glissante.

En revanche, la finition est correcte, l'équipement complet et généralement de bonne qualité. Bien sûr, il y a toujours le fameux système de navigation qui n'a pas encore compris qu'il y avait des créatures intelligentes de l'autre côté de la rivière Richelieu, mais on a au moins eu la décence de le rendre escamotable.

Les passagers sont un peu plus chanceux puisqu'ils profitent de sièges généralement confortables, et disposent d'un peu d'espace pour les jambes. Évidemment, le beau-frère de 1,90 mètre devra encore une fois opter pour le siège avant, mais le dégagement est dans la bonne moyenne.

Signalons enfin que la consommation d'essence de la G35x n'a rien à envier à un petit utilitaire, et même à un utilitaire de bonne taille. En pleine période hivernale, avec un mélange de route et de ville, je n'ai pu faire mieux qu'une consommation combinée de 12,9 litres aux 100 kilomètres.

C'est vrai, je ne voterai pas pour la G35x comme la huitième merveille du monde. Mais malgré ses quelques défauts, et avec le recul, je dois quand même rejoindre la masse des journalistes: c'est une excellente voiture, et amusante à conduire. Juste pour cela, elle mérite bien des éloges.

Marc Bouchard

Photos: Alain Morin

INFINITI G35 / G35X BERLINE

DONNÉES TECHNIQUES

Modèle à l'essai:	Premium
Prix du modèle à l'essai:	49490$ - 2005
Échelle de prix:	39990$ à 49490$ - 2005
Garanties:	4 ans/100000 km, 6 ans/110000 km
Catégorie:	berline sport
Emp./Lon./Lar./Haut.(cm):	285/474/175/147
Poids:	1673 kg
Coffre/Réservoir:	419 litres / 76 litres
Coussins de sécurité:	frontaux et latéraux (av.)
Suspension avant:	indépendante, multibras
Suspension arrière:	indépendante, multibras
Freins av./arr.:	disque (ABS)
Antipatinage/Contrôle de stabilité:	oui/oui
Direction:	à crémaillère, assistance variable
Diamètre de braquage:	11,0 m
Pneus av./arr.:	P215/55R17
Capacité de remorquage:	454 kg

GROUPE MOTOPROPULSEUR

Moteur:	V6 de 3,5 litres 24s atmosphérique
Alésage et course	95,5 mm x 81,4 mm
Puissance:	280 ch (209 kW) à 6200 tr/min
Couple:	270 lb-pi (366 Nm) à 4800 tr/min
Rapport Poids/Puissance:	5,98 kg/ch (8,00 kg/kW)
Moteur électrique:	aucun
Autre(s) moteur(s):	seul moteur offert
Transmission:	intégrale, séquentielle 5 rapports
Autre(s) transmission(s):	propulsion, manuelle 6 rapports
Accélération 0-100 km/h:	7,3 s
Reprises 80-120 km/h:	6,1 s
Freinage 100-0 km/h:	41,0 m
Vitesse maximale:	240 km/h (limitée)
Consommation (100 km):	ordinaire, 11,3 litres
Autonomie (approximative):	673 km
Émissions de CO2:	5569 kg/an

DANS LA MÊME CATÉGORIE

Audi A4 Quattro - BMW Série 3 - Cadillac CTS - Jaguar X-Type - Lexus IS 300 - Mercedes-Benz Classe C

DU NOUVEAU EN 2006

Pas de changement majeur

HISTORIQUE DU MODÈLE

1ère génération

NOS IMPRESSIONS

Agrément de conduite:	4
Fiabilité:	4
Sécurité:	4
Qualités hivernales:	4½
Espace intérieur:	3½
Confort:	3½

LE CHOIX DE L'ÉQUIPE

G35x

350 Z + CONFORT = G35 COUPÉ

Lancée sur le marché en 2003, la Infiniti G35 Coupé continue sa route en affichant toujours sa gueule d'enfer qui est beaucoup mieux réussie que celle de la simple berline et encore plus attrayante que celle de la sportive Nissan 350 Z dont elle est dérivée. En assurant une efficace conjonction entre performance, confort et luxe, la G35 Coupe est une candidate sérieuse qui mérite la considération de plusieurs types d'acheteurs.

La filiation avec la 350 Z est rapidement évidente au premier coup d'œil, mais la G35 Coupé paraît cependant plus achevée que la sportive de Nissan en raison de son châssis allongé qui la rend plus élancée, particulièrement vue de profil. Sur le plan visuel, c'est une réussite et la voiture devient encore plus frappante lorsqu'elle est équipée des jantes en alliage de 19 pouces qui sont offertes en option. Comme elle a autant de gueule, on ne se lasse tout simplement pas de la regarder et son charme opère toujours même si elle est présente sur nos routes depuis trois ans déjà.

En montant à bord, on trouve rapidement la position de conduite idéale en ajustant sans effort un siège confortable, et seule la fixation éloignée de la ceinture de sécurité nous contraint à faire une certaine contorsion afin de pouvoir l'atteindre, ce qui est d'ailleurs le cas sur la plupart des coupés sport. L'ergonomie ne prête pas flanc à la critique puisque les commandes et indicateurs sont facilement repérables, exception faite de la commande des rétroviseurs latéraux qui est dissimulée derrière le volant. Il est cependant regrettable de noter que la qualité des plastiques utilisés pour la conception de l'habitacle laisse un peu à désirer, ce qui vient quelque peu atténuer le charme de la G35 Coupé, car la présentation intérieure n'est pas en mesure d'égaler les attentes créées par sa belle carrosserie. Quant à la dotation de série, précisons qu'elle est très complète et que la G35 Coupé offre plusieurs équipements et accessoires qui ne sont généralement offerts qu'en option sur certaines voitures concurrentes, notamment des phares au xénon, une chaîne stéréo avec chargeur de six CD, ou encore un toit ouvrant, pour ne nommer que ceux-là. La G35 Coupe a beau s'afficher comme une voiture à quatre places, il faut toutefois préciser que l'espace est compté à l'arrière, surtout en ce qui a trait au dégagement limité pour la tête en raison de la ligne de toit très arquée vers l'arrière de la voiture. Quant au volume du coffre, on peut compter sur 221 litres, alors que certaines rivales font mieux à ce chapitre, notamment la Mazda RX-8 qui propose un volume de 290 litres.

Mais on n'achète pas ce genre de voiture pour des considérations pratiques, mais plutôt sur le coup de cœur que l'on ressent aux commandes, et de ce côté, la Infiniti G35 Coupé ne déçoit pas. Animée par le même moteur que celui de la Nissan 350 Z, soit le fabuleux V6 de 3,5 litres livrant 280 chevaux lorsqu'il est jumelé à la boîte automatique à cinq rapports et 298 avec la boîte manuelle, la G35 Coupé affiche des performances qui sont remarquables malgré le fait que la Infiniti affiche un poids plus élevé d'une centaine de kilos que la Nissan. En plus de

FEU VERT
Lignes réussies
Puissance moteur
Fiabilité remarquable
Bon comportement routier

FEU ROUGE
Boîte manuelle perfectible
Espace limité aux places arrière
Faible volume du coffre
Qualité des plastiques utilisés dans l'habitacle

pouvoir compter sur un moteur performant, le conducteur peut apprécier sa sonorité plus qu'agréable en accélération franche lorsque la route devient plus intéressante. En conduite normale, l'habitacle s'avère bien insonorisé ce qui fait de la G35 Coupé une excellente routière avec laquelle il est facile de dévorer des kilomètres sans ressentir d'inconfort, exception faite de celui qui est engendré par le bruit de roulement des pneus sur certains types de revêtements. Même en roulant à des vitesses supérieures à celles indiquées sur des routes secondaires, la G35 fait toujours montre d'une belle neutralité et d'un aplomb remarquable en virage. Le fait que les suspensions soient réalisées en aluminium permet de réduire le poids non suspendu de la voiture est c'est là l'un des éléments qui permettent à la G35 Coupé d'afficher un comportement routier équilibré qui représente un heureux compromis entre tenue de route et confort de roulement. Il faut également noter que la direction est à la fois précise et rapide, ce qui aide beaucoup à donner à la voiture cette agilité propre à celle d'une sportive malgré son poids plus élevé.

Dans l'environnement particulier d'un circuit de course, la G35 Coupé se tire remarquablement bien d'affaire malgré son poids élevé, et sa tendance marquée au sous-virage, dans ces conditions extrêmes. Par ailleurs, la boîte de vitesse manuelle n'est pas aussi rapide et efficace qu'elle devrait l'être sur une voiture de cette catégorie, et c'est là un bémol que nous pouvons également adresser à la Nissan 350 Z.

Dans la catégorie des coupés sport, la Infiniti G35 Coupé occupe une place de choix. Elle représente un heureux compromis entre un confort appréciable pour la conduite de tous les jours, et un comportement routier qui permet à son conducteur d'en exploiter sagement le potentiel de performance en raison de sa filiation avec la Nissan 350Z. Pour ceux et celles qui aiment toujours conduire, mais qui composent aujourd'hui moins bien avec le « brasse-camarade » qui est parfois imposé par certaines voitures sport.

Gabriel Gélinas

Photos : Infiniti

DONNÉES TECHNIQUES

Modèle à l'essai :	G35 manuelle
Prix du modèle à l'essai :	49500$ - 2005
Échelle de prix :	46100$ à 52900$ - 2005
Garanties :	4 ans/100000 km, 6 ans/110000 km
Catégorie :	coupé
Emp./Lon./Lar./Haut.(cm) :	285/463/182/139
Poids :	1582 kg
Coffre/Réservoir :	221 litres / 76 litres
Coussins de sécurité :	frontaux, latéraux (av.), rideaux
Suspension avant :	indépendante, multibras
Suspension arrière :	indépendante, multibras
Freins av./arr. :	disque (ABS)
Antipatinage/Contrôle de stabilité :	oui/oui
Direction :	à crémaillère, assistance variable
Diamètre de braquage :	11,4 m
Pneus av./arr. :	P225/50VR17 / P235/50VR17
Capacité de remorquage :	454 kg

GROUPE MOTOPROPULSEUR

Moteur :	V6 de 3,5 litres 24s atmosphérique
Alésage et course	95,5 mm x 81,4 mm
Puissance :	298 ch (222 kW) à 6400 tr/min
Couple :	260 lb-pi (353 Nm) à 4800 tr/min
Rapport Poids/Puissance :	5,31 kg/ch (7,22 kg/kW)
Moteur électrique :	aucun
Autre(s) moteur(s) :	V6 3,5 l 280ch à 6200tr/mn et 270lb-pi à 4800tr/mn (automatique)
Transmission :	propulsion, manuelle 6 rapports
Autre(s) transmission(s) :	auto. mode man. 5 rapports
Accélération 0-100 km/h :	6,8 s
Reprises 80-120 km/h :	6,5 s
Freinage 100-0 km/h :	36,9 m
Vitesse maximale :	250 km/h
Consommation (100 km) :	super, 11,5 litres
Autonomie (approximative) :	661 km
Émissions de CO2 :	5230 kg/an

DANS LA MÊME CATÉGORIE

BMW Série 3 - Chrysler Crossfire - Mazda RX-8 - Mercedes-Benz CLK320

DU NOUVEAU EN 2006

Nouveaux phares bi-xénon, quelques ajouts d'accessoires, système Rear Active Steer disponible

HISTORIQUE DU MODÈLE

1[ière] génération

NOS IMPRESSIONS

Agrément de conduite :	4½
Fiabilité :	4
Sécurité :	4
Qualités hivernales :	3
Espace intérieur :	2½
Confort :	3

LE CHOIX DE L'ÉQUIPE

Automatique, ensemble Performance

LA VOITURE DE SALOMON

Savez-vous pourquoi cet essai porte un titre aussi incongru ? C'est tout simplement que la nouvelle famille de modèles M de Infiniti me fait songer au célèbre roi Salomon, dont la sagesse était proverbiale. Si ce roi hébreu ayant vécu dix siècles avant notre ère a été reconnu pour sa sagesse, c'est qu'il préconisait les solutions de compromis. Et cet esprit semble régner chez Infiniti alors que la M35 / M45 vient offrir un compromis entre le G35 et la Q45. Cette nouvelle venue propose une silhouette similaire à la G35 et offre le moteur V8 de 4,5 litres de la Q45.

Justement, parlant de moteur, il faut se souvenir que la version précédente de la M45 n'était pas dépourvue de moyens à ce chapitre. S'il est vrai que sa silhouette était surtout destinée à faire craquer les personnes d'un certain âge, sa mécanique était passablement vitaminée avec un moteur V8 de 4,5 litres produisant 340 chevaux. Ce moteur est de retour cette année et c'est tant mieux. Par contre, curieux détail, il a perdu cinq chevaux dans l'exercice. Sans doute en raison d'une admission d'air modifiée ou pour tout simplement laisser la suprématie de la puissance à la Q45, également vendue plus cher. Malgré quelques équidés en moins, ce V8 permet de boucler le 0-100 km/h en moins de six secondes avec le groupe sport. La M35, de prix inférieur, est propulsée par l'incontournable moteur V6 3,5 litres produisant 280 chevaux dans cette version. Ces deux moteurs sont couplés respectivement à une boîte automatique à cinq rapports, de type adaptative.

Si vous êtes de celles et ceux qui visent toujours le modèle le plus branché, la M45 Sport vous séduira. Elle est équipée d'une suspension sport, du système RAS qui actionne les roues arrière en contre-braquage dans les virages pour une meilleure stabilité, de roues de 19 pouces et des pneus d'été sport. C'est la « plus plus » des M !

Ces deux nouvelles moutures de la série M étrennent également une nouvelle plate-forme ou du moins la plus récente génération de la plate-forme FM plus rigide en flexion et en torsion, alors que l'empattement est plus long de 10 cm. Ces centimètres supplémentaires augmentent l'habitabilité, améliorent le confort et la tenue de route. De plus, le capot, le couvercle du coffre et plusieurs pièces des portières sont en alliage léger, permettant ainsi une réduction de poids de 14 kg. Enfin, les suspensions avant et arrière sont ancrées à des sous-châssis afin d'obtenir une meilleure rigidité et filtrer les vibrations parasites.

Toujours à propos de la fiche technique, une version à transmission intégrale est au catalogue. Par contre, il faudra se limiter au moteur V6. Un différentiel central électromagnétique à commande électronique peut passer de la répartition 50:50 à 0:100 et l'inverse. J'ai eu l'occasion de l'essayer sur une route sèche, à moyenne vitesse, et le fonctionnement de ce mécanisme s'est avéré très transparent.

UN AIR DE...

C'est un secret de polichinelle que la M45 précédente n'ait rien bouleversé avec sa silhouette à la Cadillac DeVille. Ajoutons au passage que la Q45 ne brise rien elle non plus. Puisque la G35 fait tourner les

FEU VERT

Choix de moteurs
Intégrale optionnelle
Plate-forme rigide
Habitacle impeccable
Tenue de route saine

FEU ROUGE

Prix corsé (M45 sport)
Silhouette anonyme
Direction trop déconnectée
Ouverture de coffre petite
Places arrières

têtes en raison de son élégance, il ne faut pas se surprendre si les stylistes maison se sont inspirés de celle-ci. Le capot avant ainsi que les feux arrière sont les éléments les plus ressemblants. Les ailes sont en surplomb par rapport au capot et les feux arrière différents de ceux de la G35, mais la ressemblance est quand même assez forte. Ceux de la M sont dotés de clignotants constitués de chaque côté d'un feu vertical plus imposant. En outre, les ingénieurs ont utilisé des diodes électroluminescentes pour les feux arrière.

Le tableau de bord de la M35 / M45 est le mieux réussi de toute la famille des berlines Infiniti. Les cadrans indicateurs sont logés dans des tubes relativement profonds qui les protègent des rayons parasites. L'indicateur de vitesse et le compte-tours ont droit chacun à un cercle complet alors que les autres cadrans d'appoint logent dans des demi-cercles. Bien entendu, le cuir est omniprésent et une commande centrale placée sur le bas de la planche de bord permet d'activer plusieurs commandes à la fois. Toutefois, il faut se méfier des apparences et ce mécanisme est fort différent du I Drive de BMW même s'il lui ressemble quelque peu. Son utilisation est cependant beaucoup plus intuitive et conviviale.

CHOIX MULTIPLE

Il est donc possible de choisir entre trois modèles différents. Procédons par ordre de puissance. La M35 à propulsion donne l'impression d'être au volant d'une G35 plus grosse, plus cossue, plus silencieuse dont la plate-forme est très rigide. Les reprises du moteur sont bonnes, la direction sans faille et la tenue de route très neutre en virage. Il faut 7,7 secondes pour boucler le 0-100 km/h et quelques dixièmes de secondes de plus avec la M35X à rouage intégral en raison de son poids plus lourd.

Même si son prix de 72000$ est prohibitif, la M45 est la plus agréable à piloter. Ses reprises sont impressionnantes alors que le 80-120 est l'affaire de 4,8 secondes. Il est vrai que le poids additionnel du V8 déséquilibre quelque peu le comportement en virage, mais il s'agit de peu. Et puis, tel que mentionné ci-haut, la version sport est la plus désirable.

J'allais oublier, il est possible d'équiper les voitures M d'un système qui vous indique si vous croisez la ligne blanche en conduisant, un état de fait qui pourrait être associé à l'endormissement au volant.

Denis Duquet

Photos: Infiniti

INFINITI M35 / M45

DONNÉES TECHNIQUES

Modèle à l'essai:	M45 Sport
Prix du modèle à l'essai:	71800$
Échelle de prix:	54800$ à 74000$ (2005)
Garanties:	4 ans/80000 km, 6 ans/110000 km
Catégorie:	berline de luxe
Emp./Lon./Lar./Haut.(cm):	290/490/180/151
Poids:	1738 kg
Coffre/Réservoir:	422 litres / 76 litres
Coussins de sécurité:	front., latéraux (av./arr.), rideaux
Suspension avant:	indépendante, bras inégaux
Suspension arrière:	indépendante, multibras
Freins av./arr.:	disque (ABS)
Antipatinage/Contrôle de stabilité:	oui/oui
Direction:	à crémaillère, assistée
Diamètre de braquage:	11,2 m
Pneus av./arr.:	P245/45R18
Capacité de remorquage:	n.d.

GROUPE MOTOPROPULSEUR

Moteur:	V8 de 4,5 litres 32s atmosphérique
Alésage et course	93,0 mm x 82,7 mm
Puissance:	335 ch (250 kW) à 6400 tr/min
Couple:	340 lb-pi (461 Nm) à 4000 tr/min
Rapport Poids/Puissance:	5,19 kg/ch (6,95 kg/kW)
Moteur électrique:	aucun
Autre(s) moteur(s):	V6 3,5 l 280ch à 6200tr/mn et 270lb-pi à 4800tr/mn (M35)
Transmission:	propulsion, automatique 5 rapports
Autre(s) transmission(s):	intégrale, automatique 5 rapports
Accélération 0-100 km/h:	6,3 s
Reprises 80-120 km/h:	5,6 s
Freinage 100-0 km/h:	38,1 m
Vitesse maximale:	250 km/h
Consommation (100 km):	super, 13,6 litres
Autonomie (approximative):	559 km
Émissions de CO2:	n.d.

DANS LA MÊME CATÉGORIE

Audi A6 - BMW Série 5 - Lexus GS 430 - Mercedes-Benz Classe E - Volvo S80

DU NOUVEAU EN 2006

Nouveaux modèles, intégrale sur M35, suspension arrière orientable, avertisseur changement de voie

HISTORIQUE DU MODÈLE

2ième génération

NOS IMPRESSIONS

Agrément de conduite:	½
Fiabilité:	Nouveau modèle
Sécurité:	½
Qualités hivernales:	
Espace intérieur:	
Confort:	

LE CHOIX DE L'ÉQUIPE

M35X

TALENTUEUSE, MAIS...

Si j'étais à la direction de la division Infiniti, je me ferais un malin plaisir à remplacer l'appellation de cette voiture qui n'a jamais su tirer son épingle du jeu sur notre marché. À ses tout débuts en 1989, elle était sans doute la plus douée des voitures japonaises de haut luxe. Tout au moins en fait d'agrément de conduite, de tenue de route et de performances. Pourtant, elle a été joliment larguée par la Lexus LS400 puis par la LS430.

Sa silhouette inusitée a été jugée coupable de ce manque de succès. Plusieurs modifications par la suite et une apparence se rapprochant encore davantage de celle de la Jaguar XJS, la Q45 était toujours à la traîne. C'en était trop et une toute nouvelle génération est apparue au tournant du millénaire. La silhouette avait été modernisée, le moteur V8 de 4,5 litres trônait sous le capot, tandis que les communiqués de presse consacraient des paragraphes entiers à la puissance des phares de route. À les inspecter de près, il semble qu'une batterie antiaérienne loge sous cette lentille cristalline pendant que son jet lumineux ultra puissant tranche la nuit comme un couteau dans le beurre.

Malgré tout, les ventes sont en demi-teintes. En dépit de cette débauche d'équipement, de gadgets et de puissance, il semble que cette voiture n'a jamais offert cet amalgame si difficile à trouver qui donne de l'homogénéité à une auto. De plus, la G35 apparue presque au même moment assurait une silhouette mieux réussie, un agrément de conduite plus relevé et d'intéressantes performances; le tout à un prix nettement plus alléchant que les 90 000 $ et des poussières de la Q45.

Cette année, la situation sera encore plus difficile pour ce modèle puisqu'il faudra compter en plus sur la nouvelle M45 dont le châssis plus moderne en fait une concurrente très intimidante, d'autant plus qu'elle se vend moins cher.

Il ne faut pas lancer la serviette pour autant, car la plus luxueuse des Infiniti possède toujours un atout que ses consœurs d'écurie ne peuvent offrir : le prestige d'être la plus chère de la gamme.

TOUTE GARNIE

Comme il se doit sur une voiture de cette catégorie et de ce prix, l'équipement est plus que complet. La sellerie des sièges est en cuir, les appliques en bois véritable foisonnent sur la planche de bord, la console centrale et les garnitures des portières, tandis qu'une pléthore de boutons de toutes sortes placées sous l'écran LCD de la planche de bord vous permet de vous refroidir ou vous réchauffer selon la saison, tout en observant votre position géographique à l'écran. D'ailleurs, cet écran est relié à une caméra vidéo placée sur la partie supérieure de la plaque d'immatriculation arrière, ce qui vous permet d'avoir une vue imprenable sur l'espace derrière la voiture lors des manœuvres de recul et de stationnement. Soulignons au passage que la plupart des commandes sont intuitives à l'exception de celles réglant la climatisation qui semblent avoir été initialement conçues comme un exercice de

FEU VERT

Luxe assuré
Moteur V8 performant
Transmission efficace
Finition impeccable
Phares avant ultrapuissants

FEU ROUGE

Silhouette quelconque
Habitabilité moyenne
Prix élevé
Direction trop assistée
Tenue de route moyenne

mémorisation. Mais, j'allais oublier! La pendule analogique trône toujours au centre de la planche de bord. Sans cela, ce ne serait pas une Infiniti!

Presque aussi longue qu'une Mercedes de la Classe S, la Q45 ne possède pas une habitabilité à tout casser car ses places arrière peuvent être jugées «assez justes» et le dégagement pour la tête est également à améliorer. Et la même remarque s'applique au coffre à bagages puisque sa capacité de 385 litres est inférieure à celle d'une Chevrolet Cobalt!

IL MOTORE?

Si vous vous êtes rendu jusqu'ici dans la lecture de cet essai routier, vous êtes déjà informé de mon manque de passion pour cette berline de luxe. Mais soyez rassuré, mes impressions de conduite comportent également des notes positives, notamment au chapitre de la mécanique. Le moteur V8 4,5 litres qui tourne sous le capot en aluminium est silencieux comme pas un, et sa conception technique est à l'égal des toutes dernières nouveautés avec son bloc en alliage, son calage des soupapes constamment variable, son allumage à haute intensité et son système d'injection numérique. De plus, il est couplé à une boîte automatique à cinq rapports qui gère les passages des vitesses avec une grande douceur. De type adaptative, cette boîte, comme toutes les autres du genre, est parfois prise en défaut lorsque le conducteur accélère, lève le pied subitement pour l'enfoncer tout aussi rapidement. Il en résulte généralement une secousse dans la transmission. Mais appuyez progressivement sur l'accélérateur et les rapports s'enclenchent comme dans du beurre, tandis qu'il ne faut que sept secondes pour atteindre les 100 km/h, départ arrêté.

Même si la conception de la Q45 est récente, cette grosse berline ne possède pas un châssis aussi rigide que celui de la nouvelle M45 et cela se manifeste par une certaine mollesse dans les courbes, alors que la voiture ne réagit pas aussi rapidement et avec autant de précision que la M de la nouvelle génération. De plus, la position de conduite, l'emplacement des commandes et l'agrément de conduite en général ne sont pas au même niveau que sur la M45. La différence est subtile, mais facile à détecter. La dernière carte de la Q45 demeure le prestige de son prix et de sa position dans la hiérarchie Infiniti. Pour certains, c'est ce qui compte.

Denis Duquet

Photos: Infiniti

INFINITI Q45

DONNÉES TECHNIQUES

Modèle à l'essai:	version unique
Prix du modèle à l'essai:	88900$
Échelle de prix:	88900$ (2005)
Garanties:	4 ans/100000 km, 6 ans/110000 km
Catégorie:	berline de luxe
Emp./Lon./Lar./Haut.(cm):	287/510/184/149
Poids:	1837 kg
Coffre/Réservoir:	385 litres / 81 litres
Coussins de sécurité:	front., latéraux (av./arr.), rideaux
Suspension avant:	indépendante, jambes de force
Suspension arrière:	indépendante, multibras
Freins av./arr.:	disque (ABS)
Antipatinage/Contrôle de stabilité:	oui/oui
Direction:	à crémaillère, assist. variable électronique
Diamètre de braquage:	11,0 m
Pneus av./arr.:	P245/45R18
Capacité de remorquage:	n.d.

GROUPE MOTOPROPULSEUR

Moteur:	V8 de 4,5 litres 32s atmosphérique
Alésage et course	93,0 mm x 82,7 mm
Puissance:	340 ch (254 kW) à 6400 tr/min
Couple:	333 lb-pi (452 Nm) à 4000 tr/min
Rapport Poids/Puissance:	5,40 kg/ch (7,23 kg/kW)
Moteur électrique:	aucun
Autre(s) moteur(s):	seul moteur offert
Transmission:	propulsion, automatique 5 rapports
Autre(s) transmission(s):	aucune
Accélération 0-100 km/h:	7,2 s
Reprises 80-120 km/h:	6,1 s
Freinage 100-0 km/h:	39,3 m
Vitesse maximale:	250 km/h
Consommation (100 km):	super, 13,2 litres
Autonomie (approximative):	614 km
Émissions de CO2:	5570 kg/an

DANS LA MÊME CATÉGORIE

Acura RL - Audi A8 - BMW Série 7 - Jaguar XJ8 - Lexus LS 430 - Mercedes-Benz Classe E - Volkswagen Phaeton

DU NOUVEAU EN 2006

Option sport avec roues arr. actives, boîte de vitesses remaniée, système Bluetooth, système avertisseur de changement de voie

HISTORIQUE DU MODÈLE

2ième génération

NOS IMPRESSIONS

Agrément de conduite:	½
Fiabilité:	
Sécurité:	
Qualités hivernales:	
Espace intérieur:	½
Confort:	½

LE CHOIX DE L'ÉQUIPE

Version unique

LA CAVERNE D'ALI BABA!

Utilisant la même plateforme et partageant les mêmes organes mécaniques que les Nissan Titan et Armada, le QX56 a d'abord été conçu pour offrir un luxe indéniable à ses occupants. Ce qui ne l'empêche évidemment pas de proposer également un comportement hors route des plus impressionnants. De plus, rien n'est flamboyant sur ce véhicule et il pourrait presque passer inaperçu si ce n'était de sa taille. En fait la plus grande qualité du QX56 c'est d'être efficace en tout point, ce qui le distance de la concurrence.

Faites le tour du véhicule et vous aurez l'impression d'être tout petit à ses côtés. Ses dimensions gargantuesques sont dignes d'un camion de transport et la sensation de démesure qu'il dégage impose le respect. Tout est amplifié sur le véhicule: les rétroviseurs, les pneus, la calandre, l'empattement et la hauteur. Mais on remarquera surtout ses lignes fluides, le renflement du toit aux places arrière, les glaces affleurantes, les roues de dix-huit pouces chromées et les marchepieds qui lui confèrent un look, ma foi, assez bien réussi, qui l'éloigne de l'image «boîte carrée» si typique des VUS. Les porte-à-faux très courts et la garde au sol généreuse lui donnent également une allure qui inspire l'agilité et qui rassure le conducteur sur les capacités hors route du véhicule. Seul bémol, la partie avant, qui fait l'objet d'opinions contradictoires. Ou les phares sont trop petits ou la calandre est trop grosse, c'est au choix!

SALON INFINITI V.I.P!

Montez à bord du QX56 et vous oublierez rapidement son design extérieur. Que de luxe et surtout que d'espace! Aussitôt à l'intérieur, on est immédiatement enveloppé d'une merveilleuse odeur de cuir et agréablement impressionné par les boiseries et la finition qui confèrent une aura de richesse au véhicule. Et quelle joie de découvrir tous les gadgets de série qui équipent le QX56! Caméra de recul, système de navigation, toit ouvrant, ordinateur de bord et climatisation triple zones, tout a été pensé! On dorlote également les occupants avec des places avant très généreuses, dont les multiples ajustements permettent de trouver une position de conduite idéale. Il manque bien entendu un peu de support latéral, mais combien secondaire quand on dispose d'autant de confort! L'assise très élevée des sièges ajoute une certaine assurance et permet de voir loin, au-dessus des voitures qui nous précèdent. Quant aux places arrière, elles offrent un confort similaire et reçoivent elles aussi des sièges chauffants. Inutile de mentionner que l'espace est amplement suffisant, le meilleur dégagement de sa catégorie. Pour la troisième banquette, contrairement à la plupart des véhicules offrant cette option, on sera surpris de l'espace disponible pour les jambes et la tête. Et on ne se contente pas d'y asseoir les enfants car deux adultes y trouveront suffisamment d'espace pour y être confortables. De plus, afin d'offrir une expérience inégalée à bord du QX56, les passagers arrière profiteront de leur propre zone de climatisation/chauffage ainsi que d'un système de divertissement avec écran de 7 pouces sur lequel il est même possible d'y brancher sa console de jeux préférée!

FEU VERT

Espace intérieur impressionnant
Moteur nerveux et performant
Bonne insonorisation
Suspension ferme et bien calibrée
Accélération vive

FEU ROUGE

Certaines commandes mal positionnées
Tableau de bord ordinaire
Système de navigation au français boiteux
Commandes de la climatisation non intuitives
Certains plastiques bon marché

UN FAUVE DOMESTIQUÉ...

Évidemment, toute cette opulence et ce luxe ne pourraient être appréciés sans l'apport du puissant moteur huit cylindres de 315 chevaux. Un 5,6 litres qui en met plein la vue et qui surprend par ses prestations assez inespérées compte tenu du poids élevé du véhicule. Avec un couple de 390 lb-pi, les accélérations sont époustouflantes et les reprises vives. Et malgré ses 2571 kg, ce mammouth des routes bondit comme un félin voulant dévorer sa proie. Pour reprendre une expression populaire s'appliquant très bien ici, l'habit ne fait pas le moine!

Que ce soit pour une petite randonnée dans les bois ou pour effectuer de gros travaux, le QX56 ne décevra pas. Comme il emprunte sa mécanique et son châssis à l'Armada de Nissan, il présente les mêmes caractéristiques hors route. Châssis très rigide, capacité de remorquage de près de 4000 kg, transmission cinq vitesses avec mode remorquage et plaques protectrices sous la caisse. Mentionnons également que tous les éléments sous le véhicule sont situés à l'intérieur du châssis et qu'aucun ne le dépasse, lui conférant ainsi une garde au sol uniforme, surpassant la concurrence. En situation extrême, le QX56 démontre une incroyable agilité, ce qui est en grande partie attribuable au couple faramineux, aux immenses pneus et au fameux système «All-Mode» 4 roues motrices de Nissan. Une bonne note est aussi donnée aux suspensions qui travaillent admirablement bien sur toutes formes de pavé et qui feront apprécier les longs trajets. Il faut dire que la suspension est indépendante aux quatre roues, et qu'elle propose un correcteur d'assiette pneumatique à l'arrière, ce qui est rare sur ce type de véhicule, mais combien bénéfique. Pour arrêter ce mastodonte, les freins sont à disques aux quatre roues et munis du système EBD. Évidemment, ils sont d'une grande puissance et très bien dosés. Cependant, le véhicule d'essai présentait une pédale spongieuse et des vibrations au volant après quelques bons arrêts.

En somme, le QX56 est homogène et bien équilibré. L'ensemble de l'œuvre mérite une très bonne note. Son caractère robuste, sa mécanique exemplaire et son design intérieur luxueux amènent un équilibre difficilement atteint par un VUS de plus de 2500 kg. Et au prix de 73800$, on peut, à la limite, lui décerner ironiquement le mérite d'avoir un excellent rapport qualité/prix. Reste à savoir si vous avez les moyens de posséder ce pur sang!

Guy Desjardins

Photos: Guy Desjardins

DONNÉES TECHNIQUES

Modèle à l'essai:	version unique
Prix du modèle à l'essai:	73800$ (2005)
Échelle de prix:	73800$ (2005)
Garanties:	4 ans/100000 km, 6 ans/110000 km
Catégorie:	utilitaire sport grand format
Emp./Lon./Lar./Haut.(cm):	313/525/200/197
Poids:	2430 kg
Coffre/Réservoir:	566 à 2750 litres / 106 litres
Coussins de sécurité:	frontaux, latéraux (av.), rideaux
Suspension avant:	indépendante, bras inégaux
Suspension arrière:	indépendante, multibras
Freins av./arr.:	disque (ABS)
Antipatinage/Contrôle de stabilité:	oui/oui
Direction:	à crémaillère, assistance variable
Diamètre de braquage:	12,5 m
Pneus av./arr.:	P265/70R18
Capacité de remorquage:	3992 kg

GROUPE MOTOPROPULSEUR

Moteur:	V8 de 5,6 litres 32s atmosphérique
Alésage et course	98,0 mm x 92,0 mm
Puissance:	315 ch (235 kW) à 4900 tr/min
Couple:	390 lb-pi (529 Nm) à 3600 tr/min
Rapport Poids/Puissance:	7,71 kg/ch (10,34 kg/kW)
Moteur électrique:	aucun
Autre(s) moteur(s):	seul moteur offert
Transmission:	intégrale, automatique 5 rapports
Autre(s) transmission(s):	aucune
Accélération 0 100 km/h:	9,1 s
Reprises 80-120 km/h:	8,2 s
Freinage 100-0 km/h:	44,3 m
Vitesse maximale:	180 km/h
Consommation (100 km):	ordinaire, 17,9 litres
Autonomie (approximative):	592 km
Émissions de CO2:	7391 kg/an

DANS LA MÊME CATÉGORIE

Cadillac Escalade - Lexus LX 470 - Lincoln Navigator - Mercedes-Benz Classe G - Volkswagen Touareg

DU NOUVEAU EN 2006

Ajout de quelques accessoires, dossier 3ième rangée 60/40

HISTORIQUE DU MODÈLE

1ière génération

NOS IMPRESSIONS

Agrément de conduite:	½
Fiabilité:	
Sécurité:	½
Qualités hivernales:	½
Espace intérieur:	
Confort:	½

LE CHOIX DE L'ÉQUIPE

Version unique

MILADY LA JOLIE

Je ne suis certainement pas un conducteur de Jaguar. Le style des anglaises racées et sophistiquées ne m'a jamais attiré. Je dois bien admettre qu'elles sont magnifiques, que leurs courbes sont raffinées, et que leur mécanique rend des performances exceptionnelles. Mais d'entrée de jeu, je ne suis pas attiré. Probablement repoussé comme beaucoup par la réputation de manque de fiabilité et de coûts élevés que traînent avec elles ces voitures haut de gamme. Mais voilà que je m'assois dans une... et ma vision commence à changer.

Il faut admettre qu'après quelques heures, j'ai pris goût à l'opulence et au chic de bon ton qui règne dans l'habitacle. Et j'ai aussi apprécié les regards envieux de mes voisins d'autoroute qui fixaient avec insistance mon félin bolide. Bref, je l'avoue, un seul petit essai a suffi pour me rendre plus conciliant à l'égard de ces jolies miladys.

YOUR TEA, SIR !

La S-Type est probablement l'expression la plus ultime du chic Jaguar. Sa silhouette se marie à merveille avec la tradition qui fait que Jaguar a conservé son élégance au fil des ans. Malgré tout, on lui a insufflé un petit air de modernisme de bon aloi, qui rend la voiture encore plus désirable. Un peu comme si on avait trouvé une façon de greffer à Élisabeth II et son royal comportement le visage plus gracieux de Victoria Beckham, autre anglaise réputée.

Une fois la portière ouverte, c'est dans un monde de luxe conservateur que l'on est appelé à monter. Les cuirs de grande qualité abondent, les détails de finition sont impeccables (ce qui, avouons-le, n'est pas le cas sur toutes les Jaguar) et l'atmosphère tout entière nous donne l'impression de pénétrer dans un salon de thé. Il ne manque que George et son traditionnel «your tea Sir» pour compléter l'illusion !

Les sièges sont enveloppants, envoûtants devrais-je dire, car ils assurent un support exceptionnel à tous les points de vue. Il faut dire aussi que leurs réglages quasi infinis permettent de trouver la position de conduite idéale, peu importe notre taille ou notre poids.

La planche de bord regorge de l'équipement le plus sophistiqué. Ce qui constitue d'ailleurs une des faiblesses de l'ensemble puisque l'ergonomie de certains accessoires laisse parfois à désirer, obligeant notamment le conducteur à s'étirer plus qu'il ne le faut pour atteindre les commandes. Heureusement, celles montées au volant permettent de régler sans difficulté le système audio, et le régulateur de vitesse. Et à l'exception de quelques commandes, on a su éviter le piège de greffer des intérieurs Ford même si la marque Jaguar est totalement imbriquée au sein de la compagnie.

TROIS VERSIONS, TROIS MONDES

La S-Type, c'est à la fois docteur Jekyll et Mister Hyde. Le sympathique docteur Jekyll, c'est la version de base, c'est-à-dire la plus économique évidemment (même si à 62 000 $ la notion d'économie prend une autre définition), qui compte sur un moteur 6 cylindres en V de 3 litres développant 235 chevaux. Plutôt juste en puissance, il ne suffit pas

FEU VERT

- Lignes excitantes pour une anglaise
- Matériaux nobles
- Moteur 4,2 l haut de gamme
- Grand confort

FEU ROUGE

- Fiabilité peu améliorée
- Version de base insuffisante
- Châssis trop souple (version R)
- Direction parfois floue

réellement à la tâche quand vient le temps pour la S-Type de jouer les grandes routières, et devrait être réservé à un usage urbain où il réagit mieux, mais sans excès.

Une version plus musclée abrite un moteur de 4,2 litres V8 de 294 chevaux qui représente le juste équilibre. Souple, agréable en accélération comme en sonorité, le moteur répond aux exigences. Mais le véritable et méchant Mister Hyde, c'est la version R, affublée du même moteur 4,2 litres auquel on a greffé un compresseur volumétrique. On augmente ainsi la puissance à 390 chevaux et on ajoute une suspension active plus sportive. Le résultat est puissant certes, mais comme tous les Mister Hyde de ce monde, cette automobile peut aussi mordre celui qui tente de la diriger. Car avouons-le, la S-Type n'a pas tous les gènes nécessaires, notamment pas le châssis, pour affronter de telles performances.

Toutes les versions sont équipées d'une transmission automatique à six rapports dont les qualités sont plus théoriques que pratiques. Elle gère bien les rapports en montée, c'est exact, mais éprouve un peu de difficulté à suivre le rythme en rétrogradation, et est munie d'un mode sport dont l'influence est pratiquement indiscernable, sauf dans les cas où on abuse réellement de la voiture. Et si jamais vous vous rendiez à cette extrémité, ce sont tous les systèmes embarqués d'aide au pilotage électronique, comme la traction asservie ou la stabilité électronique, qui vous rattraperont rapidement, vous empêchant de commettre l'irréparable. Bref, une conduite sportive plutôt limitée vous attend au volant de cette S-type. Même la direction n'a pas tout à fait ce qu'il faut pour prétendre au titre de sportive. On la sent parfois floue, surtout au centre de la trajectoire, et son assistance est un peu trop insistante lorsqu'on vise des manoeuvres plus serrées. En revanche, les freins ont toute la puissance requise pour ralentir vos élans, peu importe votre enthousiasme.

On a beau la présenter comme une berline aux prétentions sportives, la S-Type n'a pas tout ce qu'il faut pour vraiment atteindre ce titre. Un peu lourde, un peu floue, bref, un peu de tout la rend trop peu efficace pour être réellement un bolide. En revanche, comme routière de classe, elle se pose un peu. Moi qui n'avais pas d'atomes crochus avec ces belles anglaises, j'ai, je l'avoue, un peu changé mon fusil d'épaule. Disons que je l'essaierais bien encore un peu, juste pour être certain!

Bertrand Godin

Photos: Jaguar

DONNÉES TECHNIQUES

Modèle à l'essai:	4.2
Prix du modèle à l'essai:	75995$ - 2005
Échelle de prix:	62795$ à 84995$ - 2005
Garanties:	4 ans/80000 km, 4 ans/80000 km
Catégorie:	berline de luxe
Emp./Lon./Lar./Haut.(cm):	291/488/206/142
Poids:	1757 kg
Coffre/Réservoir:	401 litres / 69,5 litres
Coussins de sécurité:	frontaux, latéraux (av.), rideaux
Suspension avant:	indépendante, leviers triangulés
Suspension arrière:	indépendante, leviers triangulés
Freins av./arr.:	disque (ABS)
Antipatinage/Contrôle de stabilité:	oui/oui
Direction:	à crémaillère, assistance variable
Diamètre de braquage:	11,4 m
Pneus av./arr.:	P235/50R17
Capacité de remorquage:	1850 kg

GROUPE MOTOPROPULSEUR

Pneus d'origine MICHELIN

Moteur:	V8 de 4,2 litres 32s atmosphérique
Alésage et course	86,0 mm x 90,3 mm
Puissance:	294 ch (219 kW) à 6000 tr/min
Couple:	303 lb-pi (411 Nm) à 4100 tr/min
Rapport Poids/Puissance:	5,98 kg/ch (8,13 kg/kW)
Moteur électrique:	aucun
Autre(s) moteur(s):	V6 3,0 l 235ch à 6800tr/mn et 221lb-pi à 4100tr/mn, V8 4,2 l 390ch à 6100tr/mn et 408lb-pi à 3500tr/mn (compresseur)
Transmission:	propulsion, automatique 6 rapports
Autre(s) transmission(s):	aucune
Accélération 0-100 km/h:	7,9 s
Reprises 80-120 km/h:	6,2 s
Freinage 100-0 km/h:	41,5 m
Vitesse maximale:	194 km/h (limitée)
Consommation (100 km):	super, 11,0 litres
Autonomie (approximative):	632 km
Émissions de CO2:	5470 kg/an

DANS LA MÊME CATÉGORIE

Acura RL - Audi A6 - BMW Série 5 - Infiniti M45 - Lexus GS 300/430 - Mercedes-Benz Classe E - Volvo S80

DU NOUVEAU EN 2006

Aucun changement

HISTORIQUE DU MODÈLE

1ère génération

NOS IMPRESSIONS

Agrément de conduite:	4
Fiabilité:	3
Sécurité:	4
Qualités hivernales:	3
Espace intérieur:	3 ½
Confort:	4

LE CHOIX DE L'ÉQUIPE

4,2

PLUS ÇA CHANGE...

Vous connaissez le dicton « Plus ça change, plus c'est pareil ! » ? Eh bien, cette phrase décrit à merveille la Jaguar XJ8 qui a été dévoilée en 2004 à grand renfort de publicité. En effet, la compagnie a révélé une toute nouvelle berline dotée d'une sophistication technique capable de rivaliser avec ce qu'il y a de mieux dans la catégorie des voitures de luxe. Avec une plate-forme et une carrosserie pratiquement tout en aluminium, cette « Jag » était prête à en découdre avec les ténors de sa catégorie.

Mais une erreur de jugement a certainement handicapé cette élégante britannique : elle ressemble à s'y méprendre à la version précédente. En fait, d'un simple coup d'œil, il est presque impossible de départager l'ancienne de la nouvelle. Et le plus cocasse dans tout cela, c'est que la direction de la compagnie venait justement d'affirmer haut et fort que ses stylistes étaient dorénavant tournés vers l'avenir et n'allaient plus tenter de copier le passé. Bref, il est certain qu'une voiture aussi brillante sur le plan technique méritait mieux qu'une silhouette réchauffée.

C'est comme si l'équipe chargée de dessiner la carrosserie et l'habitacle n'avait jamais rencontré les ingénieurs qui s'activaient à concocter une nouvelle plate-forme en aluminium qui servirait de base à une carrosserie autoporteuse également réalisée avec des matériaux ultralégers. Il est certain que plusieurs apprécieront ce lien visuel avec le passé, mais il aurait été possible de concilier avec plus de succès l'ancien et le nouveau, comme Mercedes l'a fait avec sa nouvelle Classe S.

Mais allure rétro ou pas, il est certain que la mécanique est à la fine pointe de la technologie avec sa plate-forme très rigide en alliage léger. Les ingénieurs ont en effet réussi à concilier légèreté et rigidité. De plus, les moteurs qui sont offerts ne sont pas à négliger, eux non plus. Dans sa version atmosphérique, le moteur V8 de 4,2 litres produit dorénavant 300 chevaux et il est couplé à une boîte automatique ZF à six rapports. Ce qui est plus que suffisant pour boucler le 0-100 km/h en moins de sept secondes. De plus, cette transmission effectue les changements de rapports avec célérité et sans à-coup. Mais ce n'est pas tout, puisque Coventry nous propose un moteur encore plus musclé. Cette fois, c'est grâce à la magie de la suralimentation que ce moteur V8 gagne en puissance pour totaliser 400 chevaux, soit 10 de plus qu'en 2005. Vous avouerez que c'est suffisant pour retrancher plus d'une seconde à votre chrono du 0-100 km/h. Soulignons par ailleurs que la vitesse de ces félins aux muscles d'acier est d'un peu moins de 249 km/h pour les versions de 390 chevaux. Il est certain que vous devrez avoir un bon avocat si jamais un policier en service vous intercepte à cette vitesse !

Les possibilités de performance de tous les modèles de la XJ8 / XJ8L exigent nécessairement une suspension capable de bien transmettre toute cette puissance au bitume, mais également de vous permettre de maintenir votre félin motorisé sur la route. Cette tâche est confiée à une suspension à bras inégaux à l'avant et multibras à l'arrière. De

FEU VERT

- Mécanique moderne
- Bonne tenue de route
- Moteurs performants
- Écrans LCD dans les appuie-têtes
- Versions allongées

FEU ROUGE

- Esthétique à revoir
- Levier de vitesse énigmatique
- Peu d'espace pour les pieds à l'avant
- Faible support latéral des sièges avant

plus, cette suspension est de type actif avec autonivellement. Bien entendu, un système de contrôle de stabilité latérale est offert de série.

BOIS ET CUIR

Avec une silhouette d'une autre époque, il était obligatoire de dessiner un habitacle à l'avenant. Une fois de plus, ce sont les arbres de la forêt tropicale et les bovins anglais qui y ont goûté... C'est donc une débauche d'appliques de bois pour le tableau de bord et de cuir fin pour les sièges et les garnitures de portières. Mais avant que vous sautiez aux conclusions pour en déduire que la déforestation amazonienne est causée par la tendance de Jaguar à utiliser des boiseries exotiques, sachez que les arbres sélectionnés sont coupés dans des fermes arboricoles faisant justement la pousse sélective d'essences exotiques. Quant au cuir, il est pris sur des bovins élevés avec grand soin pour éviter les cicatrices sur la peau et les peaux d'épaisseur inégale. Malgré tout ce soin, il faut souligner que notre voiture d'essai, placée longtemps sous le soleil, était affligée d'une odeur nauséabonde qui semblait provenir du cuir de la sellerie! Oui, oui, c'est vrai!

La finition est toujours impeccable, les appliques de bois vernies avec soin. Mais alors pourquoi les concepteurs n'ont-ils pas pris le temps de dessiner des sièges qui assurent un certain support latéral et de réserver un peu plus d'espace pour les pieds aux alentours du pédalier? Le bout de mes chaussures frottait contre la paroi pare-feu chaque fois que je mettais le pied sur l'accélérateur ou le frein... Mais en plus, l'épaisse moquette avait tendance à se glisser sous les pédales et par conséquent elle limitait la course de la pédale de frein en plus de venir actionner l'accélérateur inopinément! J'ai d'ailleurs failli encastrer ma belle «Jag» XJ8L d'essai dans une grosse bétonnière.

Les places arrière de la version régulière ne sont pas très généreuses. Ceux qui prévoient transporter fréquemment des passagers à l'arrière auraient intérêt à opter pour la version allongée. Cette année, un nouveau modèle, la Super V8 Portfolio, est le modèle le plus luxueux de toute la gamme. Personnellement je préfère la XJ-R qui associe le moteur le plus puissant au châssis à empattement habituel, ce qui assure des performances plus sportives. Cela permet également de tirer le meilleur d'une excellente tenue de route qui bénéficierait d'une direction moins assistée. Et le mot de la fin: la fiabilité est en progrès constant s'il faut se fier aux études de la firme J. D. Powers & Associés.

Denis Duquet

Photos: Jaguar

DONNÉES TECHNIQUES

Modèle à l'essai:	XJ8
Prix du modèle à l'essai:	96000$ - 2005
Échelle de prix:	87500$ à 126650$ - 2005
Garanties:	4 ans/80000 km, 4 ans/80000 km
Catégorie:	berline de grand luxe
Emp./Lon./Lar./Haut.(cm):	316/521/187/145
Poids:	1735 kg
Coffre/Réservoir:	464 litres / 75 litres
Coussins de sécurité:	frontaux, latéraux (av.), rideaux
Suspension avant:	indépendante, bras inégaux
Suspension arrière:	indépendante, multibras
Freins av./arr.:	disque (ABS)
Antipatinage/Contrôle de stabilité:	oui/oui
Direction:	à crémaillère, assistance variable
Diamètre de braquage:	11,7 m
Pneus av./arr.:	P235/50R18
Capacité de remorquage:	455 kg

GROUPE MOTOPROPULSEUR

Moteur:	V8 de 4,2 litres 32s atmosphérique
Alésage et course	86,1 mm x 90,4 mm
Puissance:	300 ch (224 kW) à 6000 tr/min
Couple:	n.d.
Rapport Poids/Puissance:	5,78 kg/ch (7,85 kg/kW)
Moteur électrique:	aucun
Autre(s) moteur(s):	V8 4,2 l 400ch à 6100tr/mn
Transmission:	propulsion, automatique 6 rapports
Autre(s) transmission(s):	aucune
Accélération 0-100 km/h:	6,7 s
Reprises 80-120 km/h:	5,5 s
Freinage 100-0 km/h:	41,7 m
Vitesse maximale:	242 km/h
Consommation (100 km):	super, 14,9 litres
Autonomie (approximative):	503 km
Émissions de CO2:	5040 kg/an

DANS LA MÊME CATÉGORIE

Audi A8 - BMW Série 5 - Infiniti Q45 - Lexus LS430 - Mercedes-Benz Classe E - Volkswagen Phaeton

DU NOUVEAU EN 2006

Moteurs plus puissants, version Portfolio, glaces insonorisantes, nouveau système de freinage

HISTORIQUE DU MODÈLE

4ième génération

NOS IMPRESSIONS

Agrément de conduite:	3½
Fiabilité:	4
Sécurité:	4½
Qualités hivernales:	3½
Espace intérieur:	3½
Confort:	4

LE CHOIX DE L'ÉQUIPE

Vanden Plas

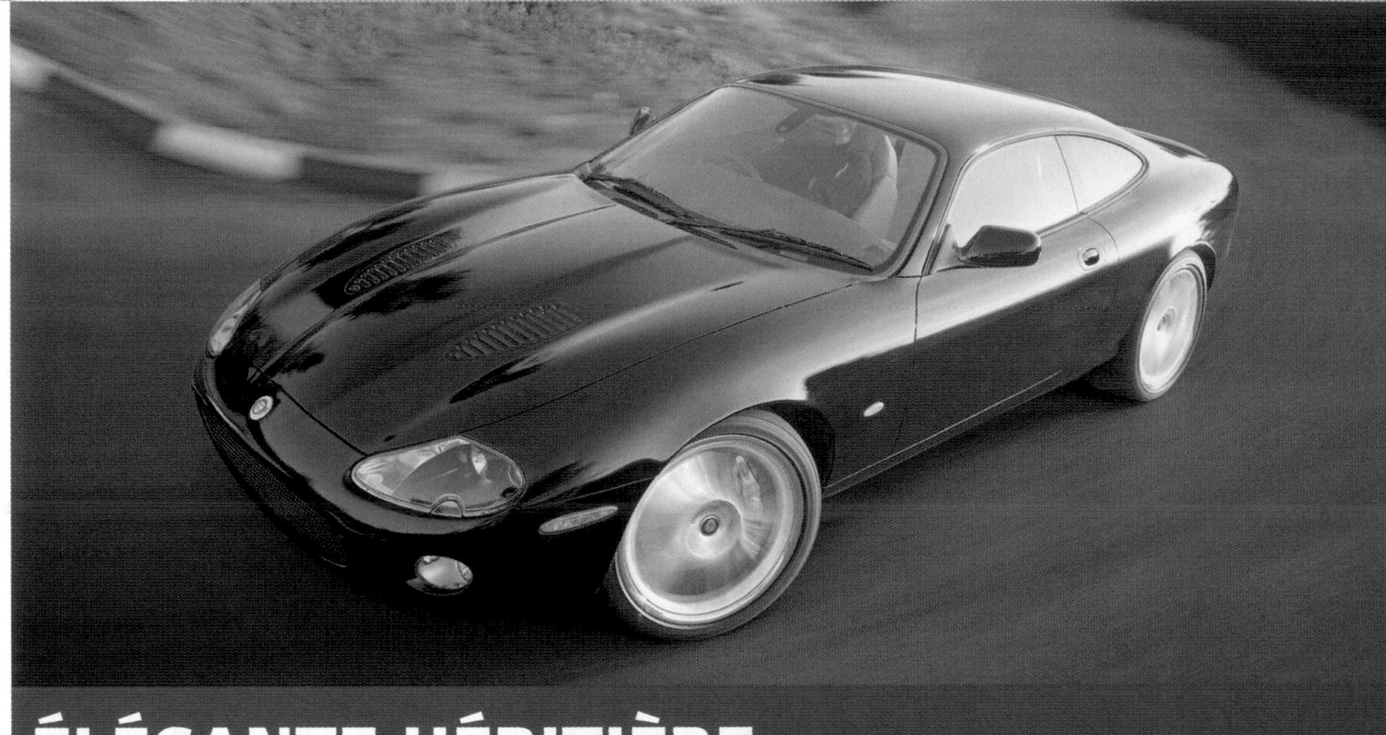

ÉLÉGANTE HÉRITIÈRE

Il est toujours difficile de succéder à une légende. En fait, la direction de Jaguar rame fort depuis que la légendaire XK-E, communément appelée E-type, a été remplacée par la XJ-K d'une incroyable laideur qui a finalement été suivie par la XK8 en 1996. Cette dernière est toujours sur le marché et a subi quand même quelques modifications. Si elle est nettement plus élégante que le modèle qu'elle remplace, force est d'admettre qu'elle ne possède pas les lignes sensuelles qui ont permis à la E-type de se retrouver au Musée d'art moderne de New York en raison de son esthétique.

En fait, chaque fois qu'une légende cède sa place, le modèle qui lui succède a la vie dure. Par contre, la nouvelle XK8 n'est pas à la hauteur de la première de la lignée, mais nous a rapidement fait oublier la XJ-K qui est le plus bel exemple de design raté de l'histoire. Quoi qu'il en soit, sa plate-forme a quand même servi de base à sa successeure et c'est tout un témoignage aux ingénieurs qui l'ont dessinée il y a deux décennies. En effet, si cette « Jag » a plusieurs faiblesses, son comportement routier est tout de même un de ses points forts. Par contre, vu que la plate-forme a de la barbe, il en résulte un habitacle exigu et étriqué. Non seulement il faut faire preuve de beaucoup de souplesse pour monter à bord, mais le pédalier est logé dans un espace très réduit qui fait la vie dure aux personnes dont les souliers sont de grandeur 44 et plus. D'ailleurs, comme l'habitacle est petit, il faut encore s'interroger quant à la pertinence des deux minuscules sièges arrière, totalement inutiles pour transporter quelque personne que ce soit. Ils servent de nacelle pour de menus colis ou pour un porte-document.

Comme toute « Jag » qui se respecte, la XK8 nous en met plein la vue avec ses cuirs finement taillés et ses appliques de bois précieux. Mais ces incontournables devraient être remplacés par des éléments plus modernes. D'autant plus que la planche de bord est totalement recouverte d'appliques en bois qui ressemblent davantage à du bois chimique qu'à tout élément ligneux. En effet, bien que ce constructeur consacre des heures et des heures à bichonner ces pièces en bois, elles s'apparentent surtout à des pièces similaires de bas de gamme vendues dans les grandes surfaces. Bref, même si le chic est ciblé, ça fait indéniablement ringard. À Coventry, les décideurs devraient réaliser que nous avons franchi le cap de l'an 2000 depuis plusieurs années.

MÉCANIQUE D'AUJOURD'HUI

Si l'habitacle tente de nous remémorer les années soixante, il faut admettre que la silhouette est bien de notre époque. Le coupé est d'une rare élégance avec sa partie arrière toute en rondeurs tandis que la grille de calandre traditionnelle a été bien intégrée. Certes, le cabriolet n'est pas aussi réussi, c'est tout de même mieux que certains autres modèles concurrents.

Bien que ce constructeur soit fier de son passé, ses ingénieurs sont définitivement intéressés à l'avenir. C'est pourquoi ce n'est pas un vénérable moteur six cylindres en ligne ou sa multiplication en moteur V12 qui ronronne sous le capot, mais bien un moteur V8 de 4,2 litres

FEU VERT
Silhouette réussie
Motorisation excellente
Version Victory
Finition sérieuse
Version R

FEU ROUGE
Accès à bord difficile
Tableau de bord trop rétro
Prix élevés
Places arrière symboliques
Coffre très petit

dont les cotes techniques sont parmi les plus impressionnantes sur le marché. Léger, compact, propre et performant, il est la fierté de la marque qui l'utilise aussi sur la S-type et la XJ8. Tout comme sur ces voitures, il est associé à une boîte automatique ZF à six rapports. Elle accomplit du bon boulot, mais elle est commandée par l'un des leviers de vitesse les plus étranges sur le marché. Initialement appelé « Randle Handle » du nom de l'ingénieur chef Jim Randle qui a été à la tête de l'ingénierie chez « Jag » pendant les années quatre-vingt et une bonne partie des années quatre-vingt-dix, ce levier se déplace dans une fente suivant un parcours sous forme de lettre « J ». En passant le levier à gauche, la boîte est en mode manumatique, mais c'est imprécis et pas tellement agréable à manipuler.

Cela n'empêche pas le moteur V8 de 4,2 litres d'utiliser ses 294 chevaux pour propulser le coupé à une vitesse de 100 km/h départ arrêté en 6,5 secondes, tandis qu'il faut trois dixièmes de seconde de plus pour effectuer le même exercice au volant du cabriolet qui est plus lourd de 91 kilogrammes. Toujours à propos de ce modèle, précisons que son toit isolé et doté d'une lunette en verre se déploie ou se referme en moins de 20 secondes.

Le comportement routier tant du coupé que du roadster est impeccable pour autant que la chaussée ne soit pas trop dégradée. À ce moment, la suspension nous paraît archisèche tandis que les pneus ont tendance à suivre les sillons dans la chaussée. Et il ne s'agit que de la version « normale ». Prenez le volant des modèles « R » avec leur moteur suralimenté par compresseur de 390 chevaux, et vous découvririez malheureusement que les imperfections de la chaussée sont davantage ressenties dans l'habitacle.

La XK8 sera remplacée l'an prochain. Avant de nous quitter, la version Victory vise à commémorer les victoires de Jaguar en Trans-AM.

Denis Duquet

Photos: Jaguar

DONNÉES TECHNIQUES

Modèle à l'essai:	XK8 Coupe
Prix du modèle à l'essai:	99 595 $ - 2005
Échelle de prix:	96 350 $ à 117 350 $ - 2005
Garanties:	4 ans/80 000 km, 4 ans/80 000 km
Catégorie:	coupé/cabriolet
Emp./Lon./Lar./Haut.(cm):	259/476/183/129
Poids:	1 801 kg
Coffre/Réservoir:	310 litres / 75 litres
Coussins de sécurité:	frontaux et latéraux (av.)
Suspension avant:	indépendante, multibras
Suspension arrière:	indépendante, multibras
Freins av./arr.:	disque (ABS)
Antipatinage/Contrôle de stabilité:	oui/oui
Direction:	à crémaillère, assistance variable
Diamètre de braquage:	11,0 m
Pneus av./arr.:	P245/45ZR17 / P255/45ZR17
Capacité de remorquage:	non recommandé

GROUPE MOTOPROPULSEUR

Moteur:	V8 de 4,2 litres 32s atmosphérique
Alésage et course	90,0 mm x 86,3 mm
Puissance:	294 ch (219 kW) à 6 000 tr/min
Couple:	310 lb-pi (420 Nm) à 4 100 tr/min
Rapport Poids/Puissance:	6,13 kg/ch (8,22 kg/kW)
Moteur électrique:	aucun
Autre(s) moteur(s):	V8 4,2 l 390ch à 6100tr/mn et 400lb-pi à 3500tr/mn (XKR)
Transmission:	propulsion, automatique 6 rapports
Autre(s) transmission(s):	aucune
Accélération 0-100 km/h:	6,6 s
Reprises 80-120 km/h:	5,6 s
Freinage 100-0 km/h:	37,0 m
Vitesse maximale:	250 km/h
Consommation (100 km):	super, 11,5 litres
Autonomie (approximative):	652 km
Émissions de CO_2:	5 330 kg/an

DANS LA MÊME CATÉGORIE

BMW Série 6 - Cadillac XLR - Lexus SC 430 - Mercedes-Benz SL

DU NOUVEAU EN 2006

Version « Victory », nouvelles roues 20" sur XKR, dernière année de production

HISTORIQUE DU MODÈLE

1ière génération

NOS IMPRESSIONS

Agrément de conduite:	½
Fiabilité:	
Sécurité:	½
Qualités hivernales:	½
Espace intérieur:	
Confort:	

LE CHOIX DE L'ÉQUIPE

XK8 cabriolet

DANS LA TOURMENTE

Malgré le fait que la X-Type soit le modèle le plus populaire chez Jaguar, son avenir à long terme est incertain. Les ventes de ce modèle n'ont jamais atteint les objectifs très ambitieux du constructeur britannique qui fait maintenant partie du portefeuille des marques de Ford. Alors que Volvo, également propriété de Ford, réussit à augmenter ses ventes, c'est tout le contraire qui se produit chez Jaguar. Les ventes de la X-Type ont chuté de plus de 35 pour cent dans les trois premiers mois de 2005 aux États-Unis, entraînant un ralentissement de la production à l'usine de Halewood qui ne fonctionnait parfois que trois jours par semaine durant certaines périodes.

Le modèle actuel de la X-Type est donc appelé à poursuivre sa route sans grands changements jusqu'en 2009, et la haute direction du Premier Automotive Group n'a toujours pas statué sur son éventuelle remplaçante. En effet, Jaguar pourrait la remplacer par un autre modèle du même genre qui n'aurait probablement pas le même nom, ou encore délaisser complètement le créneau des voitures de luxe abordables pour se concentrer sur une production réduite de modèles haut de gamme, ce qui semble être le scénario le plus probable. Il faut dire que la route n'a pas été facile pour le constructeur britannique en prise avec de sérieuses difficultés financières au moment même où la concurrence est devenue nettement plus féroce. La X-Type aura donc un cycle de vie de huit ans, soit deux ans de plus que celui des principaux modèles concurrents qui font par ailleurs l'objet de retouches ponctuelles tant au niveau des carrosseries que des motorisations. Bref, ce n'est pas la joie chez Jaguar qui n'arrive pas à suivre le défilé et le rythme imposé par ses compétiteurs.

À cela, il faut ajouter que les premiers modèles de la X-Type souffraient d'une qualité d'assemblage douteuse, et même si des efforts considérables ont été déployés par la marque pour corriger cette situation, comme en témoigne le remplacement de plus de 1 000 composantes depuis son lancement en 2001, le mal était fait dans l'esprit du public. La X-Type a donc raté son entrée en début de carrière et comme le disent souvent les Américains: «There's no second chance for first impression». Les péchés de jeunesse de même que l'avenir incertain du modèle à long terme ont de ce fait une incidence directe sur la valeur de revente de la X-Type que l'on ne peut qualifier que d'aléatoire.

Cela dit, la X-Type actuelle n'est pas dépourvue de qualités et l'ajout il y a deux ans d'un modèle familial a permis de raviver l'intérêt envers cette voiture de luxe à prix plus abordable par une polyvalence accrue et un style plus accrocheur que celui de la simple berline. La réalisation de la familiale a d'ailleurs nécessité la révision complète de la carrosserie qui est entièrement nouvelle à partir du pilier B jusqu'à l'arrière, tout en intégrant plus de 400 nouvelles pièces que l'on ne retrouve évidemment pas sur la berline. Le style est particulièrement réussi et la X-Type familiale parvient à se démarquer de la concurrence sur le plan visuel, non seulement par sa ligne distinctive, mais également par sa partie avant commune avec la berline qui incorpore élégamment les quatre phares épousés par les renflements pratiqués dans le capot.

FEU VERT

Fiabilité améliorée
Version familiale
Traction intégrale de série
Tenue de route saine

FEU ROUGE

Valeur de revente aléatoire
Volume intérieur serré
Levier de vitesse boîte automatique
Abandon probable du modèle en 2009

Sur la familiale, comme sur la berline, l'espace est compté à l'avant en raison de la planche de bord qui est plutôt massive et de la largeur de la console centrale. C'est donc un habitacle intimiste qui accueille conducteur et passager, et c'est un peu le même scénario à l'arrière, quoique le dégagement pour la tête soit plus grand à cet endroit sur la familiale que sur la berline à cause de la ligne surélevée du toit.

Depuis l'abandon du moteur V6 de 2,5 litres l'an dernier, seul le V6 de 3,0 litres se retrouve sous le capot des X-Type. Ce qui est une bonne chose pour ceux qui ont l'habitude de voyager avec armes et bagages, puisque la puissance du 2,5 litres était un peu juste lorsque la voiture était bien chargée. Il faut cependant noter que le moteur de 3,0 litres est plus bruyant que ceux de la concurrence en accélération franche, ce qui n'est pas nécessairement souhaitable compte tenu de la vocation de voiture de luxe abordable de ce modèle. La boîte automatique fait du bon travail et les changements de rapports se font en douceur, mais il faut toutefois composer avec la grille en forme de « J » qui est typique à la marque, mais qui rend le maniement du levier plus délicat en conduite sportive lorsque l'on souhaite contrôler la boîte manuellement. L'atout majeur de la X-Type est sans contredit la traction intégrale qui fait partie de l'équipement de série, et qui assure un comportement routier sûr et prévisible en conduite normale. En conduite sportive cependant, la X-Type ne peut suivre le rythme imposé par les modèles concurrents proposés par BMW et Audi qui sont nettement plus à l'aise dans ce genre de situation. Ces derniers tiennent la dragée haute à la Jaguar dont les suspensions sont calibrées avec des réglages souples afin de rehausser le confort des occupants.

Malgré les progrès réalisés en fiabilité et en qualité d'assemblage, on ne peut que se demander si ce n'est pas trop peu, trop tard pour assurer le succès à long terme de ce modèle dont la vocation première était d'amener une clientèle plus jeune et d'élargir la portée de la marque. Il faudra donc suivre l'évolution de Jaguar au sein du Premier Automotive Group pour voir si la X-Type aura une descendance ou si l'idée d'une Jaguar à prix abordable deviendra chose du passé.

Gabriel Gélinas

Photos: Jaguar

DONNÉES TECHNIQUES

Modèle à l'essai:	3.0 familiale
Prix du modèle à l'essai:	47 995 $ - 2005
Échelle de prix:	41 995 $ à 47 995 $ - 2005
Garanties:	4 ans/80 000 km, 4 ans/80 000 km
Catégorie:	berline de luxe/familiale
Emp./Lon./Lar./Haut.(cm):	271/471/200/148
Poids:	1 706 kg
Coffre/Réservoir:	455 à 1 415 litres / 61 litres
Coussins de sécurité:	frontaux, latéraux (av.), rideaux
Suspension avant:	indépendante, jambes de force
Suspension arrière:	indépendante, multibras
Freins av./arr.:	disque (ABS)
Antipatinage/Contrôle de stabilité:	oui/oui
Direction:	à crémaillère, assistance variable
Diamètre de braquage:	10,8 m
Pneus av./arr.:	P225/45HR17
Capacité de remorquage:	n.d.

GROUPE MOTOPROPULSEUR

Moteur:	V6 de 3,0 litres 24s atmosphérique
Alésage et course	89,0 mm x 80,0 mm
Puissance:	227 ch (169 kW) à 6 800 tr/min
Couple:	206 lb-pi (279 Nm) à 3 000 tr/min
Rapport Poids/Puissance:	7,52 kg/ch (10,22 kg/kW)
Moteur électrique:	aucun
Autre(s) moteur(s):	seul moteur offert
Transmission:	intégrale, automatique 5 rapports
Autre(s) transmission(s):	manuelle 5 rapports
Accélération 0-100 km/h:	7,5 s
Reprises 80-120 km/h:	6,7 s
Freinage 100-0 km/h:	36,8 m
Vitesse maximale:	230 km/h
Consommation (100 km):	super, 12,4 litres
Autonomie (approximative):	492 km
Émissions de CO2:	5 376 kg/an

DANS LA MÊME CATÉGORIE

Acura TL - Audi A4 - BMW Série 3 - Lexus IS - Mercedes-Benz Classe C - Volvo S40

DU NOUVEAU EN 2006

Partie avant redessinée, nouvelles roues de 16", technologie Bluetooth disponible

HISTORIQUE DU MODÈLE

1ière génération

NOS IMPRESSIONS

Agrément de conduite:	3 ½
Fiabilité:	3
Sécurité:	4
Qualités hivernales:	3
Espace intérieur:	3 ½
Confort:	3 ½

LE CHOIX DE L'ÉQUIPE

Familiale 3,0

SURPRISE !

Lorsque j'entendais parler du Jeep Commander avant son dévoilement, dans ma naïveté, je croyais que ce nouveau venu allait s'insérer entre le Grand Cherokee et le Liberty, un peu pour remplacer le défunt Cherokee. Mais j'ai eu droit à toute une surprise lors de son dévoilement dans le cadre du Salon de l'auto de New York. Ce Jeep est n'est pas plus petit, mais tout au moins aussi gros que le Grand Cherokee. En fait, si ses dimensions sont similaires, il a l'air plus costaud et plus gros.

Il est certain que DaimlerChrysler veut profiter de la réputation de sa division tout-terrain pour venir déranger les plans de Ford qui a renouvelé son Explorer cette année. Reste à savoir qui sortira gagnant de ce duel. L'Explorer a une longueur d'avance en raison du fait qu'il est commercialisé depuis longtemps. Mais il a été victime d'un catastrophique problème de pneus qui a terni sa réputation. Chez Jeep, on croit que la réputation de véritable tout-terrain de la marque devrait inciter les gens à se procurer un véhicule capable d'en prendre en plus d'offrir trois moteurs, dont le légendaire moteur V8 Hemi de 5,7 chevaux. Et c'est pour justement offrir des capacités de franchissements hors route supérieures à la moyenne que l'essieu arrière est rigide, un impératif selon plusieurs inconditionnels de la conduite 4X4. Une autre raison beaucoup plus simple est le fait que le Commander fait appel à la plate-forme du Grand Cherokee qui est également équipée d'un essieu rigide, et ce, pour les mêmes raisons.

Les dimensions du Commander et du Grand Cherokee sont semblables au chapitre de l'empattement tandis que le premier est légèrement plus long, plus haut et plus large. Mais c'est sa silhouette taillée au couteau qui le fait paraître beaucoup plus gros. Les designers du Commander se sont inspirés de la familiale Wyllis (1946 à 1962), du Wagoneer (1963 à 1991) et du Jeep Cherokee (1984 à 2001) pour concocter une silhouette rétro. Bien entendu, la grille de calandre à sept ouvertures verticales et les phares circulaires sont des incontournables.

Heureusement, le tableau de bord est de présentation plus moderne. Les cadrans indicateurs sont bien abrités dans une cellule rectangulaire protégée des rayons du soleil par une petite casquette. Le volant avec son moyeu arrondi contraste avec les angles équarris de la carrosserie. Un point intéressant : la qualité des matériaux et de l'assemblage est impeccable comme sur la plupart des nouveaux produits dévoilés par Chrysler.

Les sièges avant de la série de base ont été jugés moyennement inconfortables par plusieurs personnes en raison d'un manque de support lombaire. Par contre, les choses s'améliorent sur le Limited, la seule autre version proposée. Bien entendu, la troisième rangée de sièges n'est pas l'endroit le plus confortable pour voyager sur de longues distances. De plus, une fois en place, elle limite sérieusement l'espace pour les bagages. Comme il est impossible pour le moment de commander une version cinq places, il faudra faire avec. Et j'allais oublier ! Le Commander est équipé d'un rideau de sécurité gonflable qui protège les occupants de la troisième rangée. Finalement, Jeep imite

FEU VERT

Choix de moteur
Tableau de bord élégant
Transmission 5 rapports
Rideau latéral géant
Prix compétitif

FEU ROUGE

Silhouette controversée
Places 6 et 7
Sensible au vent latéral
Suspension arrière rigide

quelque peu Nissan en offrant des puits de lumière «CommandView» placés à la partie arrière du toit. Ils ne peuvent être ouverts, mais il est possible de dérouler des pare-soleil.

CHOIX MULTIPLES

La personne intéressée à s'acheter ce Jeep aura l'embarras du choix en fait de motorisation et de transmission intégrale. Trois moteurs sont au catalogue, la version la plus économique est équipée du moteur V6 3,7 litres d'une puissance de 210 chevaux. Soit dit en passant, le nouveau Ford Explorer est livré avec un moteur V6 de la même puissance. Le second moteur est le même moteur V8 4,7 litres de 235 chevaux qui est également offert sur le Grand Cherokee. Finalement, il y a l'incontournable moteur V8 5,7 Hemi de 330 chevaux dont le système de cylindrée variable devrait permettre de réduire quelque peu les factures de carburant. Tous ces moteurs sont livrés avec une boîte de vitesses automatique à cinq rapports. Les rouages intégraux Quadra-Trac I, Quadra-Trac II et le système Quadra-Drive II qui est un différentiel à glissement limité à commande électronique sont parmi les plus efficaces sur le marché.

VENT ET SOUBRESAUTS

Il est certain que plusieurs lui reprocheront sa silhouette de Hummer endimanché, mais force est d'admettre que cette boîte carrée vous gagne à sa cause. Il y a un je ne sais quoi dans sa silhouette qui vous incite à y retourner une fois le premier choc passé. De plus, si jamais vous désirez vous éclater sur les sentiers de conduite tout-terrain, vous serez en mesure d'en impressionner plusieurs. Après tout, il s'agit d'un Grand Cherokee doté d'une autre identité. Sur la route, il est certain que la suspension arrière à essieu Hotchkiss, ça sonne mieux qu'essieu rigide, ne réussit pas à avaler toutes les imperfections de la chaussée comme le ferait un essieu indépendant. Malgré tout, c'est acceptable d'autant plus que le comportement routier est sans surprise. Le véhicule est stable en virage bien qu'il faille toujours se rappeler son centre de gravité élevé. De plus, ses formes carrées ne font pas bon ménage avec les vents latéraux.

Et si le moteur V8 HEMI assure des accélérations canon, le choix le plus sage est le moteur V8 de 4,7 litres. Les performances sont meilleures que celles du moteur V6 et sa consommation inférieure à celles du HEMI.

Denis Duquet

Photos: Jeep

JEEP COMMANDER

DONNÉES TECHNIQUES

Modèle à l'essai:	Limited
Prix du modèle à l'essai:	49995$ (estimé)
Échelle de prix:	42595$ à 56995$ (estimé)
Garanties:	3 ans/60000 km, 7 ans/115000 km
Catégorie:	utilitaire sport intermédiaire
Emp./Lon./Lar./Haut.(cm):	278/479/190/183
Poids:	2289 kg
Coffre/Réservoir:	212 à 1951 litres / 77,6 litres
Coussins de sécurité:	frontaux et latéraux (av.)
Suspension avant:	indépendante, bras inégaux
Suspension arrière:	essieu rigide, ressorts hélicoïdaux
Freins av./arr.:	disque (ABS)
Antipatinage/Contrôle de stabilité:	oui/non
Direction:	à crémaillère, assistée
Diamètre de braquage:	11,2 m
Pneus av./arr.:	P245/65R17
Capacité de remorquage:	2903 kg

GROUPE MOTOPROPULSEUR

Moteur:	V8 de 4,7 litres 16s atmosphérique
Alésage et course	93,0 mm x 86,5 mm
Puissance:	235 ch (175 kW) à 4500 tr/min
Couple:	305 lb-pi (414 Nm) à 3600 tr/min
Rapport Poids/Puissance:	9,74 kg/ch (13,23 kg/kW)
Moteur électrique:	aucun
Autre(s) moteur(s):	V6 3,7 l 210ch à 5200tr/mn et 235lb-pi à 4000tr/mn, V8 5,7 l 330ch à 5000tr/mn et 375lb-pi à 4000tr/mn (Hemi)
Transmission:	intégrale, automatique 5 rapports
Autre(s) transmission(s):	aucune
Accélération 0-100 km/h:	9,5 s
Reprises 80-120 km/h:	8,4 s
Freinage 100-0 km/h:	41,8 m
Vitesse maximale:	200 km/h
Consommation (100 km):	ordinaire, 14,8 litres
Autonomie (approximative):	524 km
Émissions de CO_2:	6720 kg/an

DANS LA MÊME CATÉGORIE

Acura MDX - Dodge Durango - Ford Explorer - GMC Envoy - Honda Pilot - Lexus GX 470

DU NOUVEAU EN 2006

Nouveau modèle

HISTORIQUE DU MODÈLE

1ère génération

NOS IMPRESSIONS

Agrément de conduite:	🚗🚗🚗🚗
Fiabilité:	nouveau modèle
Sécurité:	🚗🚗🚗🚗
Qualités hivernales:	🚗🚗🚗🚗🚗
Espace intérieur:	🚗🚗🚗🚗½
Confort:	🚗🚗🚗🚗

LE CHOIX DE L'ÉQUIPE

Base

TOUJOURS RÉUSSI

Il est toujours difficile, voire délicat, de changer en profondeur quelque chose que les amateurs adorent. C'est exactement le défi auquel se sont attaqués les designers de Jeep quand ils ont entrepris de remodeler le classique Jeep Grand Cherokee l'année dernière. Défi fort bien réussi puisque le véhicule a réellement subi de grandes transformations, tout en conservant les traits qui lui sont caractéristiques. Ainsi, en regardant un de ces Grand Cherokee de dernière génération, et qui ne subit aucun changement en 2006, on a l'impression d'avoir sous les yeux le même véhicule qui a fait sa marque depuis son apparition en 1992.

La nouvelle mouture peut d'abord compter sur des dimensions relativement différentes, gagnant quelques centimètres en longueur (7,5), quelques autres en largeur (2,5), mais perdant 5 centimètres de hauteur, ce qui confère à l'ensemble une allure légèrement plus trapue, et avec un aspect plus solide.

Autre différence marquée, la partie arrière du véhicule a été redessinée. Elle est désormais plus carrée, mais surtout mieux pensée ce qui facilite par exemple l'accès à l'espace de chargement et au hayon arrière.

PLEIN À CRAQUER

C'est sous la carcasse, dans l'habitacle et sous le capot, que se situent les véritables changements. Cette fois, personne n'a lésiné et on a littéralement truffé le Grand Cherokee de nouvelle technologie, histoire de le rendre encore plus performant que ses prédécesseurs.

L'ajout le plus impressionnant, c'est dans la version Limited qu'on le retrouve alors qu'on a installé sous le capot, en option, la version 5,7 litres du légendaire moteur HEMI propre à Chrysler. Ce V8 de 330 chevaux propulse le Grand Cherokee avec force et puissance, sans jamais hésiter. Évidemment, il faut y sacrifier quelques dollars supplémentaires en essence même si, à l'instar du Chrysler 300C et du Dodge Magnum, le moteur HEMI du Grand Cherokee offre la technologie MDS (Multi Displacement System) qui désactive quatre cylindres quand les huit ne sont pas nécessaires. Si la puissance du HEMI ne vous importe pas, sachez que le Grand Cherokee est aussi offert avec un moteur V6 de 210 chevaux, et un autre V8 de 235 chevaux.

Les amateurs de performance se tourneront plutôt vers le SRT-8, une bombe de 415 chevaux équipé d'un moteur V8 de performance de 6,1 litres. Rien à voir avec le Grand Cherokee traditionnel pour ce qui est de la tenue de route, puisque tout a été mis en place pour tirer le maximum de vitesse : transmission automatique modifiée, suspension adaptée, bref, un monstre qui réalise le 0-100 en 5 secondes environ. Mais oubliez cependant la vraie nature du Jeep car il est hors de question de sortir le SRT-8 des sentiers pavés.

BON POUR LES SENTIERS

Chose étonnante, avec chacun de ces moteurs le Jeep est proposé avec une version différente de traction intégrale. La version de base dispose du Quadra-Drive I, un système efficace qui répartir le couple automatiquement presque également entre les roues avant et arrière

FEU VERT

Capacité hors route exceptionnelle
Moteur HEMI puissant
Suspensions bien réglées
Équipement complet

FEU ROUGE

Consommation d'essence
Freinage lourd
Faiblesse de finition
SRT-8 inutile

(52 % arrière et 48 % avant). Au centre du spectre, le Quadra-Drive II, une version légèrement plus évoluée que l'autre. Enfin, avec la version Limited et le moteur HEMI, de même que dans le tout nouveau Overland haut de gamme, c'est un système baptisé QuadraTrac II qui est offert de série. Cette nouvelle technologie dispose désormais d'une boîte de transfert à double vitesse, d'un différentiel autobloquant à l'avant, au centre et à l'arrière et d'un système de stabilité électronique.

L'intérieur est tout aussi impressionnant de technologie. Qui aurait cru, par exemple, qu'on verrait un jour un Jeep avec un pédalier ajustable, une chaîne stéréo Boston Acoustic haut de gamme, et toute la gamme d'accessoires dignes de voitures de luxe? On a même pensé, dans la zone de chargement à l'arrière, mettre en place un tapis réversible. Ainsi, si jamais il vous prenait l'envie de transporter quelque chose de vraiment sale, il vous suffit de retourner le tapis... et le tout est joué!

Sur la route, il faut savoir que le Grand Cherokee agit avec calme et élégance. Sur les surfaces pavées, sa tenue de route reste confortable comme elle l'a toujours été, mais sa direction est beaucoup plus précise. Sa nouvelle suspension avant à bras de longueur inégale et à multibras à l'arrière le rend beaucoup plus stable, minimisant les transferts de poids.

Hors route cependant, on se sent presque invincible. J'avoue même m'être légèrement moqué de quelques automobilistes voisins qui éprouvaient des difficultés à franchir les congères laissées par la dernière tempête de neige de l'hiver, alors que j'effectuais l'essai du Jeep...

Tout n'est évidemment pas parfait en ce bas monde et le Grand Cherokee a aussi ses défauts. La lourdeur de réaction par exemple, se fait sentir dans la direction si on conduit de façon un peu plus dynamique. Le même sentiment de lourdeur est aussi présent au freinage, spécialement lors de freinages d'urgence.

Une fois ces détails réglés, disons-le clairement : un Jeep demeure un Jeep, et les amateurs de Grand Cherokee ne seront pas du tout dépaysés.

Bertrand Godin

Photos : Denis Duquet

JEEP GRAND CHEROKEE

DONNÉES TECHNIQUES

Modèle à l'essai :	Laredo
Prix du modèle à l'essai :	39330$ - 2005
Échelle de prix :	39105$ à 48810$ - 2005
Garanties :	3 ans/60000 km, 7 ans/115000 km
Catégorie :	utilitaire sport intermédiaire
Emp./Lon./Lar./Haut.(cm) :	278/474/186/171
Poids :	1925 kg
Coffre/Réservoir :	1140 à 2000 litres / 78,7 litres
Coussins de sécurité :	frontaux et latéraux (av.)
Suspension avant :	indépendante, bras inégaux
Suspension arrière :	essieu rigide, ressorts hélicoïdaux
Freins av./arr. :	disque (ABS)
Antipatinage/Contrôle de stabilité :	oui/non
Direction :	à crémaillère, assistée
Diamètre de braquage :	11,3 m
Pneus av./arr. :	P245/70R17
Capacité de remorquage :	2903 kg

GROUPE MOTOPROPULSEUR

Moteur :	V8 de 4,7 litres 16s atmosphérique
Alésage et course	93,0 mm x 86,5 mm
Puissance :	235 ch (175 kW) à 4500 tr/min
Couple :	305 lb-pi (414 Nm) à 3600 tr/min
Rapport Poids/Puissance :	8,19 kg/ch (11,13 kg/kW)
Moteur électrique :	aucun
Autre(s) moteur(s) :	V6 3,7 l 210ch à 5200tr/mn et 235lb-pi à 4000tr/mn, V8 5,7 l 330ch à 5000tr/mn et 375lb-pi à 4000tr/mn (Hemi), V8 6,1 l 420ch à 6200tr/mn et 420lb-pi à 4800tr/mn (SRT 8)
Transmission :	intégrale, automatique 5 rapports
Autre(s) transmission(s) :	aucune
Accélération 0-100 km/h :	9,1 s
Reprises 80-120 km/h :	8,0 s
Freinage 100-0 km/h :	40,3 m
Vitesse maximale :	200 km/h
Consommation (100 km) :	ordinaire, 14,5 litres
Autonomie (approximative) :	543 km
Émissions de CO2 :	6720 kg/an

DANS LA MÊME CATÉGORIE

Acura MDX - Dodge Durango - Ford Explorer - GMC Envoy - Honda Pilot - Lexus GX 470

DU NOUVEAU EN 2006

Version SRT 8, modèle Overland, contrôle stabilité standard, système Quadra Trac II optionnel dans Laredo

HISTORIQUE DU MODÈLE

3ième génération

NOS IMPRESSIONS

Agrément de conduite :	4½
Fiabilité :	3½
Sécurité :	4
Qualités hivernales :	4
Espace intérieur :	4
Confort :	4

LE CHOIX DE L'ÉQUIPE

Laredo 4,7 litres

UNE POPULARITÉ MÉRITÉE

L'an dernier, j'ai été invité à jouer aux aventuriers en Afrique afin de mettre à l'épreuve le Jeep Liberty Turbodiesel. Et l'une des raisons qui ont motivé cette invitation était la grande popularité du Liberty au Québec. Quelque peu incrédule, je me suis mis à étudier de plus près les véhicules circulant sur les routes et j'ai été surpris de constater à quel point ce modèle était populaire. Et cette grande diffusion n'est pas le fruit du hasard puisque ce VUS compact propose plusieurs éléments qui ne sont pas le lot de la concurrence.

En tout premier, il est certain que la marque Jeep a toujours un attrait certain auprès du public. De plus, pour les spécialistes du tout-terrain, cette marque fabrique des véhicules dont les exploits en hors route ne sont pas piqués des vers. Avec un expert au volant d'un Liberty, vous êtes assuré de passer n'importe où presque, tandis qu'un néophyte sera rassuré de savoir qu'il peut théoriquement dompter pratiquement tous les obstacles.

Pour ce faire, les ingénieurs ont conçu une plate-forme très robuste en mesure de subir de mauvais traitements à répétition. Ils ont cependant fait une concession au modernisme en utilisant une suspension avant indépendante en plus de choisir une direction à crémaillère. Comme il se doit chez Jeep, il est toujours possible de choisir entre deux rouages intégraux : le Command-Trac à utilisation à temps partiel ou le Selec-Trac qui est une intégrale nous permettant de toujours rouler en quatre roues motrices. Il est vrai que les puristes recommandent le Command-Trac, mais si vous n'utilisez pas ce Jeep dans des conditions extrêmes, ce système n'est pas tellement intéressant.

Il est également certain que la silhouette fait mouche. Les stylistes ont réussi leur coup en conservant les caractéristiques visuelles de la marque, la grille de calandre aux sept ouvertures par exemple. Et il est évident que les dimensions raisonnables de ce véhicule le rendent moins intimidant en conduite urbaine.

Toutefois, ce modeste gabarit se traduit par une habitabilité très moyenne, un tableau de bord vraiment très rapproché des occupants des places avant, tandis que la soute à bagages vous obligera à choisir de petites valises car l'espace est plutôt restreint. Toujours à propos du tableau de bord, celui-ci est simple et élégant et la plupart des commandes sont faciles d'accès. Par contre, les commandes des glaces intégrées à la portière sont à revoir. Enfin, toujours concernant l'habitacle, les places arrière sont correctes pour les personnes de gabarit moyen. Toutefois, il est relativement difficile d'y accéder en raison des portières étroites.

ESCAPADE AFRICAINE

Depuis janvier 2005, il est possible de commander le moteur quatre cylindres turbo diesel 2,4 litres de 160 chevaux. Et n'allez pas croire que les ingénieurs de Daimler-Chrysler ont trafiqué en diesel le moteur à essence de la même cylindrée autrefois au catalogue. Bien au contraire, il s'agit d'un moteur Mercedes à rampe d'injection commune

FEU VERT

Moteur diesel costaud
Exceptionnel en 4X4
Silhouette aguichante
Moteur V6 puissant
Dimensions raisonnables

FEU ROUGE

V6 glouton
Habitabilité moyenne
Portières étroites
Tableau de bord intrusif
Moteur diesel rugueux

qui respecte toutes les règles de l'art en fait de combustion par compression. Il est couplé à une boîte de vitesses automatique à cinq rapports, une exclusivité à ce modèle. Sur les pistes défoncées du Botswana, le Liberty diesel a prouvé hors de tout doute ses qualités de passe-partout, mais il a également permis de me convaincre de sa robustesse. Notre véhicule d'essai avait déjà subi les mauvais traitements de plusieurs journalistes, et sa mécanique n'a jamais défailli tandis que l'intégrité de la caisse était impeccable.

Le moteur turbodiesel s'est révélé fort bien adapté à la conduite en terrain inhospitalier. Son puissant couple à bas régime permet de pouvoir compter sur ce «coup de rein mécanique» qui donne la vélocité nécessaire au véhicule pour se sortir d'une ornière ou neutraliser un raidillon. Somme toute, malgré son ronronnement passablement bruyant et une rugosité de bon aloi, ce turbodiesel fera l'affaire des amateurs de conduite tout-terrain et des personnes qui veulent moins dépenser à la pompe puisque sa consommation est de 15% inférieure à celle du moteur V6 3,7 litres.

Et si vous déplorez le fait que le diesel ne soit pas offert avec une boîte manuelle comme peut l'être le moteur V6, ne vous chagrinez pas trop. Cette boîte est correcte, mais la présence de la pédale d'embrayage vient occuper l'espace qui est réservé à votre pied.

PLUSIEURS CHOIX

Si vous aimez le panache des véhicules tout-terrain, l'allure macho des feux de brousse montés sur le toit et la souplesse d'un moteur V6, il est certain que la version Renegade sera votre dévolue.

Si le moteur accomplit du bon boulot avec ses 210 chevaux, il a un appétit presque incommensurable pour le carburant, une donnée à retenir avant d'acheter. Il y avait bien un moteur quatre cylindres à essence au catalogue, mais il était un peu malingre pour déplacer les 1900 kg et des poussières du Liberty. Ce qui explique son abandon.

Le Liberty n'est pas dépourvu de qualités en conduite urbaine et il est digne de la marque en fait de prouesses hors route. Sa grande faiblesse demeure donc la consommation du moteur V6. À vous de déterminer si vous avez l'âme d'un diéséliste!

Denis Duquet

Photos: Denis Duquet

DONNÉES TECHNIQUES

Modèle à l'essai:	Sport Turbo diesel
Prix du modèle à l'essai:	36995$
Échelle de prix:	28895$ à 37995$
Garanties:	3 ans/60000 km, 7 ans/115000 km
Catégorie:	utilitaire sport compact
Emp./Lon./Lar./Haut.(cm):	265/444/182/182
Poids:	1867 kg
Coffre/Réservoir:	821 à 1950 litres / 74 litres
Coussins de sécurité:	frontaux et latéraux (av.)
Suspension avant:	indépendante, bras inégaux
Suspension arrière:	essieu rigide, multibras
Freins av./arr.:	disque (ABS)
Antipatinage/Contrôle de stabilité:	oui/non
Direction:	à crémaillère, assistance variable
Diamètre de braquage:	10,9 m
Pneus av./arr.:	P225/75R16
Capacité de remorquage:	2268 kg

GROUPE MOTOPROPULSEUR

Moteur:	4L de 2,8 litres 16s turbodiesel
Alésage et course	94,0 mm x 100,0 mm
Puissance:	160 ch (119 kW) à 3800 tr/min
Couple:	295 lb-pi (400 Nm) à 1800 tr/min
Rapport Poids/Puissance:	11,67 kg/ch (15,69 kg/kW)
Moteur électrique:	aucun
Autre(s) moteur(s):	V6 3,7 l 210ch à 5200tr/mn et 235lb-pi à 4000tr/mn
Transmission:	4RM, automatique 5 rapports
Autre(s) transmission(s):	automatique 4 rapports / manuelle 6 rapports (V6)
Accélération 0-100 km/h:	14,2 s
Reprises 80-120 km/h:	11,4 s
Freinage 100-0 km/h:	40,0 m
Vitesse maximale:	170 km/h
Consommation (100 km):	diesel, 13,1 litres
Autonomie (approximative):	565 km
Émissions de CO2:	5808 kg/an

DANS LA MÊME CATÉGORIE

Chevrolet Equinox - Ford Escape - Honda CR-V - Mitsubishi Outlander - Nissan X-Trail - Saturn VUE - Suzuki Grand Vitara - Toyota Rav4

DU NOUVEAU EN 2006

Abandon 4L à essence, console au pavillon, système stabilité latérale de série, moteur diesel

HISTORIQUE DU MODÈLE

1[ière] génération

NOS IMPRESSIONS

Agrément de conduite:	½
Fiabilité:	
Sécurité:	½
Qualités hivernales:	½
Espace intérieur:	
Confort:	

LE CHOIX DE L'ÉQUIPE

Sport turbo diesel

LE PETIT ROI

Si vous n'avez jamais eu l'occasion de vous asseoir dans un Jeep, faites-le au moins une fois dans votre vie. Vous saurez alors rapidement ce que signifie l'expression passe-partout. Car c'est bien là la principale caractéristique des Jeep, on peut les amener à peu près n'importe où. Ce qui est particulièrement vrai avec la famille TJ, la plus robuste, et certes la plus aventurière de la bannière.

Vous avez un doute ? La simple conduite de ce genre de véhicule durant quelques heures vous convaincra. Avec un Jeep, les randonnées les plus sauvages sont à votre portée sans la moindre hésitation. Une affirmation qui est encore plus vraie depuis l'arrivée des versions Rubicon, plus extrêmes, et TJ Unlimited, une version améliorée du célèbre modèle qui sillonne les sentiers depuis plusieurs années.

Attention cependant, sa conduite n'est pas donnée à tout le monde. Il faut avoir une notion un peu élastique du confort et du plaisir de conduite pour pouvoir l'apprécier. Car sur la route, le TJ, peu importe sa déclinaison, n'a rien de la berline grand luxe. Ses capacités hors route sont certes remarquables, mais pour les rendre possibles il a fallu faire de sérieux compromis sur le confort et la tenue de route.

UN VRAI JEEP

Car le TJ, c'est le vrai de vrai, celui qui sert d'emblème à la marque depuis de nombreuses années. Sa silhouette robuste, voire rustaude, le distingue d'emblée de toute la concurrence. Concurrence qui, en fait, est quasi inexistante puisque le nombre de véhicules ayant des capacités de tout-terrain aussi développées et une aussi grande robustesse est assez rare. Bref, le TJ est encore le petit roi du tout-terrain.

Avec ce modèle, on propose certaines versions plus civilisées (si l'on peut dire) puisque l'on mise davantage sur l'espace et les performances, comme c'est le cas du TJ Unlimited. Ce dernier profite en effet d'un espace supplémentaire important, allant de 254 mm de plus d'empattement, à 330 mm de plus d'espace utilitaire aditionnel. Il est presque la familiale de la gamme quand on le compare !

Outre cet espace supplémentaire, on a aussi tenté de rendre le tout plus silencieux en installant davantage de mousse sous les moquettes et sous le tableau de bord, ce qui limite les bruits du moteur dans l'habitacle. Une modification qui est probablement une réussite, mais que je n'ai pas été en mesure de juger puisque le bruit éolien et le bruit de pneus étaient si forts dans mon modèle d'essai (équipé de la capote souple il faut le préciser) que je n'entendais même pas sonner mon téléphone portable! Alors le ronronnement du moteur ne constituait certainement pas une priorité...

Quand on circule sur la route, la suspension rigide et les larges roues conjuguent leur action pour nous faire rebondir en tout sens dès qu'on affronte des bosses trop prononcées. La direction est précise, mais le volant est tellement grand qu'on a l'impression de conduire un autobus.

FEU VERT

- Tout-terrain extrême
- Espace intérieur
- Système Command-Trac efficace
- Silhouette distinctive

FEU ROUGE

- Consommation importante
- Confort aléatoire
- Freinage inusité
- Bruit élevé dans l'habitacle

Et la consommation d'essence du moteur 6 cylindres en ligne est à l'avenant, c'est-à-dire assez importante pour calculer soigneusement ses trajets. On peut cependant opter pour une version 2,7 litres, moins puissante mais aussi moins gourmande.

LE PLAISIR AVANT TOUT

Le moteur de 4 litres développe 190 chevaux, ce qui peut sembler bien peu pour un véhicule de cette catégorie, mais le couple de 235 livres-pied, disponible à très bas régime, suffit amplement à déplacer cet aventurier avec une vélocité convenable, mais surtout avec une puissance digne des géants de ce monde. Jumelé à la transmission manuelle 6 vitesses de série sur le TJ Unlimited, le moteur nous donne l'impression de pouvoir traverser monts et vallées sans jamais s'arrêter tellement on a une sensation de puissance.

Tout le véhicule est d'ailleurs conçu spécialement pour se rendre n'importe où. En fait, trois caractéristiques principales permettent aux explorateurs d'amener leur Jeep avec eux. Ainsi, le système quatre roues motrices Command-Trac en prise temporaire achemine le couple de la transmission aux arbres de transmission avant et arrière en proportion égale. Le système de suspension Quadra-Coil colle au terrain avec ses essieux rigides, ses ressorts hélicoïdaux et ses amortisseurs à gaz. Enfin, à vide, le véhicule possède une impressionnante garde au sol de 23 cm (8,8 po). Concrètement, cela signifie que les risques sont minces que vous restiez pris avec votre Jeep dans les sentiers, à moins de vouloir escalader l'Himalaya !

On ne peut évaluer le TJ selon les mêmes critères que les autres véhicules. On est loin ici du véhicule idéal en simple conduite urbaine. Et c'est normal, puisque celui-ci est un véritable spécialiste du tout-terrain, destiné aux vrais amateurs et à ceux qui font semblant de l'être mais qui sont capables de vivre avec les compromis. Il faut l'admettre, la conduite d'un Jeep a un petit quelque chose de spécial. Se faire fouetter les cheveux l'été lorsqu'on enlève la capote, ou se sentir en toute sécurité en hiver peu importe l'état de la chaussée, valent bien quelques sacrifices. Vous risquez fort de vous en lasser rapidement cependant. Alors choisissez-vous une petite berline bien pépère pour vos sorties du dimanche, mais gardez-vous quelques dollars pour acheter un Jeep : vous saurez ainsi ce que veut dire plaisir ! Si l'aventure ne vous fait pas peur, évidemment.

Marc Bouchard

Photos: Denis Duquet

DONNÉES TECHNIQUES

Modèle à l'essai :	Rubicon
Prix du modèle à l'essai :	32005$
Échelle de prix :	26740$ à 33365$
Garanties :	3 ans/60000 km, 7 ans/115000 km
Catégorie :	utilitaire sport compact
Emp./Lon./Lar./Haut.(cm) :	237/395/169/180
Poids :	1686 kg
Coffre/Réservoir :	258 à 1557 litres / 72 litres
Coussins de sécurité :	frontaux
Suspension avant :	essieu rigide, ressorts hélicoïdaux
Suspension arrière :	essieu rigide, ressorts hélicoïdaux
Freins av./arr. :	disque (ABS opt.)
Antipatinage/Contrôle de stabilité :	non/non
Direction :	à billes, assistée
Diamètre de braquage :	10,2 m
Pneus av./arr. :	LT245/75R16
Capacité de remorquage :	900 kg

GROUPE MOTOPROPULSEUR

Moteur :	6L de 4,0 litres 12s atmosphérique
Alésage et course	98,0 mm x 87,4 mm
Puissance :	190 ch (142 kW) à 4600 tr/min
Couple :	235 lb-pi (319 Nm) à 3200 tr/min
Rapport Poids/Puissance :	8,87 kg/ch (11,87 kg/kW)
Moteur électrique :	aucun
Autre(s) moteur(s) :	4L 2,4 l 147ch à 5200tr/mn et 165lb-pi à 4000tr/mn (SE de base)
Transmission :	4RM, manuelle 6 rapports
Autre(s) transmission(s) :	automatique 4 rapports
Accélération 0-100 km/h :	10,8 s
Reprises 80-120 km/h :	10,2 s
Freinage 100-0 km/h :	42,3 m
Vitesse maximale :	150 km/h
Consommation (100 km) :	ordinaire, 16,2 litres
Autonomie (approximative) :	444 km
Émissions de CO2 :	7009 kg/an

DANS LA MÊME CATÉGORIE

Véhicule unique

DU NOUVEAU EN 2006

Nouveau groupe d'option, nouvelle couleur

HISTORIQUE DU MODÈLE

4ième génération

NOS IMPRESSIONS

Agrément de conduite :	3
Fiabilité :	3
Sécurité :	3
Qualités hivernales :	3 ½
Espace intérieur :	3
Confort :	2

LE CHOIX DE L'ÉQUIPE

Unlimited à toit souple

GENTILLE FACE À CLAQUES

Je vous le concède, la Kia Amanti n'est pas la plus belle voiture sur la Terre. Sa calandre, surtout, lui attire de nombreux quolibets. On aime ou on n'aime pas et, dans ce cas-ci, on n'aime pas souvent! On dirait que les designers, partis «sur la brosse» un vendredi soir, ont décidé de lui donner des airs de Mercedes-Benz sans trop savoir comment y parvenir! Mais la Kia Amanti, c'est bien plus, et bien mieux, qu'un faciès excentrique. Il s'agit de la voiture haut de gamme de Kia et un examen du rapport qualité/prix ajuste les perceptions.

L'Amanti se frotte à des concurrentes établies depuis des lustres et bénéficiant d'une belle réputation. Nommons seulement la Nissan Altima ou la Toyota Avalon, toute nouvelle cette année. Il y avait bien la cousine de chez Hyundai, la XG350 qui devient la Azera cette année et qui est complètement transformée, laissant l'Amanti en bien triste position pour défendre l'honneur de Kia dans le marché des voitures haut de gamme coréennes. Et qu'est-ce que l'Amanti a à offrir pour se démarquer?

MOURIR DE FAIM

Pour se faire remarquer du public, elle offre un équipement de base très relevé, un confort surprenant et un rapport qualité/prix fort avantageux. Un essai sur la route, par contre, laissera l'amateur de sensations fortes, sur son appétit... Et aussi bien dire qu'il mourrait de faim s'il devait conduire l'Amanti sur une longue distance! Le V6 de 3,5 litres développe 200 chevaux et un couple de 220 livres-pied à 3 500 tours/minute, ce qui assure des reprises convaincantes à défaut de livrer toute la marchandise sur le plan des accélérations. En effet, il ne faut que 8,0 secondes pour passer de 80 à 120 kilomètres-heure tandis que le 0-100 prend 9,6 secondes, ce qui n'est tout de même pas mal pour une cavalerie de 200 chevaux. Quoiqu'on s'attendrait à un peu plus de punch pour une voiture «haut de gamme», d'autant plus que sa sonorité en accélération est loin d'être mélodieuse. Même la transmission automatique à cinq rapports s'en mêle en passant les rapports plutôt lentement. Quant aux suspensions, elles découragent toute forme de conduite sportive et une courbe prise avec le moindrement d'entrain fait hurler les pneus. La caisse penche beaucoup et le roulis, quoique bien maîtrisé par un système de contrôle de stabilité latérale assez transparent, incite à lever rapidement le pied droit. Au moins, ces suspensions apportent une quiétude fort appréciée aux utilisateurs en gommant relativement bien les impairs de notre cher réseau routier. Les sièges avant, au demeurant très confortables, semblent avoir été dessinés en fonction d'une conduite sur route rectiligne uniquement! Compte tenu de l'utilisation anticipée de la Kia Amanti, les freins effectuent un bon boulot. Par contre, sur un des modèles essayés, le moteur avait la fâcheuse tendance à «étouffer» après un arrêt d'urgence. La direction est à l'avenant, c'est-à-dire qu'elle manque de précision et que son feedback est à peu près nul.

Malgré ces dernières phrases assassines, il y a fort à parier que le propriétaire d'une Amanti ne se plaint aucunement de ce comportement routier très conservateur. Ce qui l'intéresse davantage, c'est

FEU VERT
- Confort relevé
- Équipement de base complet
- Finition plus sérieuse
- Places arrière spacieuses
- Bon rapport qualité/prix

FEU ROUGE
- Triste valeur de revente
- Suspensions de trampoline
- Performances un peu justes
- Partie avant caricaturale
- Oubliez le plaisir de conduire

l'habitacle. Et là mes amis, il est servi à souhait! La position de conduite se trouve en criant «Kia!», et ce, même si le volant ne s'ajuste pas en profondeur, ce qui est un peu surprenant compte tenu du niveau d'équipement proposé dans l'Amanti. Une fois assis, par contre, il faut s'étirer plus que d'ordinaire pour agripper la poignée de la portière pour la refermer. J'ai trouvé les sièges un peu trop «springneux» mais quelques personnes plus âgées assises à mes côtés m'ont fustigé du regard en disant que je ne savais pas apprécier le confort! Le cuir des sièges est de qualité très ordinaire et leur gris se montre salissant. Le noir l'est moins mais il doit être l'incarnation de l'enfer en pleine canicule... Quant à la finition intérieure de notre voiture d'essai, elle faisait très professionnelle malgré quelques petits accrocs ici et là et l'amalgame de cuirs, de plastiques gris pâle et gris foncé et d'appliques de – faux – bois se montrait très esthétique. Mais ici, il s'agit d'une question de goût.

Les gros chiffres blancs sur fond noir du tableau de bord électroluminescent tombent sous les yeux comme la plupart des commandes tombent sous la main. Les espaces de rangement sont nombreux, la chaîne stéréo offre une sonorité impressionnante, ce qui n'est pas le cas du klaxon, aux notes un tantinet moumounes. Les passagers installés à l'arrière ont droit à beaucoup d'espace, même si les sièges avant sont reculés au maximum. Il y a certes trois ceintures de sécurité mais la place centrale ne se montre pas très accueillante. D'ailleurs, on ne retrouve que deux appuie-têtes. Le coffre se révèle fort logeable même s'il n'est pas très haut. Et il est dommage qu'on ne puisse abaisser les dossiers des sièges arrière pour agrandir l'espace disponible. On ne retrouve qu'une trappe à skis, difficile à ouvrir et pas très grande.

La Kia Amanti est loin d'être une mauvaise voiture. Il faut cependant éviter de la comparer à des créations qui n'ont pas la même vocation qu'elle. L'Amanti n'offre pas de performances à tout crin ou de tenue de route exceptionnelle. Mais au chapitre de l'équipement de série, elle est difficile à battre. De plus, elle offre un excellent rapport qualité/prix et sa garantie se veut très avantageuse. Dommage que la valeur de revente soit aussi basse.

Alain Morin

Photos: Kia

DONNÉES TECHNIQUES

Modèle à l'essai:	version unique
Prix du modèle à l'essai:	35995$ - 2005
Échelle de prix:	35995$ - 2005
Garanties:	5 ans/100000 km, 5 ans/100000 km
Catégorie:	berline de luxe
Emp./Lon./Lar./Haut.(cm):	280/498/185/149
Poids:	1824 kg
Coffre/Réservoir:	440 litres / 70 litres
Coussins de sécurité:	frontaux, latéraux (av.), rideaux
Suspension avant:	indépendante, jambes de force
Suspension arrière:	indépendante, multibras
Freins av./arr.:	disque (ABS)
Antipatinage/Contrôle de stabilité:	oui/oui
Direction:	à crémaillère, assistance variable
Diamètre de braquage:	11,4 m
Pneus av./arr.:	P225/60R16
Capacité de remorquage:	n.d.

GROUPE MOTOPROPULSEUR

Moteur:	V6 de 3,5 litres 24s atmosphérique
Alésage et course	93,0 mm x 85,8 mm
Puissance:	200 ch (149 kW) à 5500 tr/min
Couple:	220 lb-pi (298 Nm) à 3500 tr/min
Rapport Poids/Puissance:	9,12 kg/ch (12,24 kg/kW)
Moteur électrique:	aucun
Autre(s) moteur(s):	seul moteur offert
Transmission:	traction, automatique 5 rapports
Autre(s) transmission(s):	aucune
Accélération 0-100 km/h:	9,2 s
Reprises 80-120 km/h:	7,5 s
Freinage 100-0 km/h:	43,0 m
Vitesse maximale:	220 km/h
Consommation (100 km):	ordinaire, 12,3 litres
Autonomie (approximative):	569 km
Émissions de CO2:	5560 kg/an

DANS LA MÊME CATÉGORIE

Buick Allure - Ford 500 - Mercury Grand Marquis - Toyota Avalon

DU NOUVEAU EN 2006

Ajout d'équipement de série dans l'habitacle, trois nouvelles couleurs extérieures

HISTORIQUE DU MODÈLE

1[ière] génération

NOS IMPRESSIONS

Agrément de conduite:	3½
Fiabilité:	3½
Sécurité:	4
Qualités hivernales:	3½
Espace intérieur:	3
Confort:	4

LE CHOIX DE L'ÉQUIPE

version unique

LA MAL-AIMÉE

Kia a fait de grands pas au cours des dernières années dans le marché automobile canadien, en proposant des véhicules de relativement bonne qualité à des prix très abordables. L'exemple du Sportage, le petit utilitaire lancé cette année à un prix plus qu'accessible, est flagrant. Et comme tout le monde sait maintenant que Kia et Hyundai sont frère et sœur, on peut facilement supposer que Kia profitera de la fiabilité récemment acquise par la plupart des modèles de l'autre coréen.

Dans la gamme Kia, la mal-aimée, c'est la Magentis. Lancée en 2000, partageant la plate-forme et la mécanique de la Sonata, elle n'a jamais pu atteindre la popularité qui lui revient. Et ce, malgré un luxe étonnant, et des performances plus qu'intéressantes. Il ne lui a jamais été possible de se rendre justice.

Et pour rendre les choses encore plus difficiles, c'est contre les Chevrolet Malibu, Nissan Altima, Subaru Legacy et Mazda 6 que la Magentis doit se battre pour gruger des parts de marché. Un créneau hautement compétitif, mais où la représentante coréenne dispose d'un avantage indéniable : le prix.

Car avouons-le, pour une voiture dont le prix varie de 22 850 $ à 28 895 $, la Magentis offre une gamme complète d'accessoires et une qualité de finition étonnante.

L'ANONYME BERLINE

C'est vrai, elle ne dispose pas d'une silhouette très « glamour ». En fait, elle est un peu anonyme, à l'image par exemple de ce que la Hyundai Sonata était. Mignonne certes, mais sans plus. Le capot avant allongé et la calandre avec une grille dentelée propre à Kia sont les principaux traits caractéristiques de cette berline compacte. Mais il y a fort à parier que la Magentis profitera aussi du renouvellement complet de la Sonata et présentera un nouveau visage d'ici quelques mois.

En fait, si tout se déroule normalement, elle devrait elle aussi utiliser la nouvelle personnalité Sonata et profiter d'une architecture et d'une mécanique beaucoup plus modernes d'ici peu.

À l'intérieur, elle offre un excellent confort. Les sièges bénéficient d'un bon rembourrage, autant à l'avant qu'à l'arrière, assurant du même coup un support adéquat pour tous les passagers. Le conducteur quant à lui dispose de suffisamment de réglage pour trouver facilement et rapidement la position de conduite idéale.

Le tableau de bord qui marie garnitures de similibois et de plastique est agréable au regard. Malheureusement, et c'est là un des défauts de cet intérieur somme toute réussi, certains des matériaux utilisés ne donnent pas l'impression d'être d'aussi grande qualité que souhaité. La finition est cependant impeccable – jadis l'un des principaux problèmes des anciennes Kia - et devrait permettre à l'ensemble de conserver son style pour de longues années.

FEU VERT

Coût d'achat abordable
Équipement complet
Moteur honnête
Habitacle spacieux

FEU ROUGE

Freinage difficile
Moteur peu souple
Roulis exagéré
Silhouette anonyme

PAS SPORTIVE POUR DEUX SOUS

Sur la route, la Magentis remplit bien la commande. La puissance du moteur et la précision de la transmission automatique à quatre vitesses du véhicule fournissent des performances honnêtes, même si elles sont un peu en deçà de ce que la concurrence offre. Mais ajoutons que cela permet par ailleurs d'épargner quelques milliers de dollars supplémentaires à l'acheteur intéressé. La Magentis est aussi munie de série du système Steptronic, qui permet de jouer à la transmission manuelle même en disposant du système automatique. Et il est, ma foi assez réussi, même si les commandes sont parfois longues à être transmises à l'embrayage.

La grande faiblesse de la Magentis, c'est son freinage. Alors que sur la LX on ne retrouve que deux freins à disque, les deux autres versions proposent des freins à disque aux quatre roues avec ABS de série. La pédale est cependant un peu sensible, et entraîne rapidement, en situation plus corsée, l'intervention du système antiblocage. Les distances de freinage sont donc légèrement allongées.

Le comportement routier de l'ensemble demeure malgré tout largement acceptable. Bien sûr, la suspension un peu molle entraîne un peu de roulis quand on aborde les courbes avec un peu trop d'enthousiasme, mais rappelons le, la Magentis n'a aucune prétention sportive, et n'en possède aucune des caractéristiques. En revanche, elle a les nombreuses qualités des compactes capables de répondre aux besoins des petites familles. Elle permet, par exemple, un accès assez facile aux trois places arrière, et propose aux passagers qui s'y installent un trajet tout à fait confortable même pour de longues distances. Ce qui, admettons-le, n'est pas toujours le cas des voitures de cette catégorie.

Même le niveau sonore de la Magentis est relativement bas, ce qui augmente encore le confort de ses occupants. Le moteur offre bien quelques bruyants soubresauts lorsque sollicité avec trop de vigueur, mais rien pour écrire à sa mère. Ils sont cependant bien pires si vous avez opté pour le moteur quatre cylindres.

C'est clair, la Magentis ne sera jamais la plus populaire sur le marché. Même chez Kia on semble très discret sur ce modèle que l'on gagne pourtant à connaître.

Marc Bouchard

Photos: Kia

DONNÉES TECHNIQUES

Modèle à l'essai:	LX V6
Prix du modèle à l'essai:	25850$
Échelle de prix:	22450$ à 28850$
Garanties:	5 ans/100000 km, 5 ans/100000 km
Catégorie:	berline intermédiaire
Emp./Lon./Lar./Haut.(cm):	270/472/182/141
Poids:	1487 kg
Coffre/Réservoir:	386 litres / 65 litres
Coussins de sécurité:	frontaux et latéraux (av.)
Suspension avant:	indépendante, jambes de force
Suspension arrière:	demi-ind., poutre déformante
Freins av./arr.:	disque (ABS)
Antipatinage/Contrôle de stabilité:	oui/opt.
Direction:	à crémaillère, assistance variable
Diamètre de braquage:	10,4 m
Pneus av./arr.:	P205/55R16
Capacité de remorquage:	990 kg

Pneus d'origine MICHELIN

GROUPE MOTOPROPULSEUR

Moteur:	V6 de 2,7 litres 24s atmosphérique
Alésage et course	86,7 mm x 75,0 mm
Puissance:	170 ch (127 kW) à 6000 tr/min
Couple:	181 lb-pi (245 Nm) à 4000 tr/min
Rapport Poids/Puissance:	8,75 kg/ch (11,71 kg/kW)
Moteur électrique:	aucun
Autre(s) moteur(s):	4L 2,4 l 138ch à 5500tr/mn et 147lb-pi à 3000tr/mn
Transmission:	traction, automatique 4 rapports
Autre(s) transmission(s):	manuelle 5 rapports
Accélération 0-100 km/h:	10,0 s
Reprises 80-120 km/h:	7,5 s
Freinage 100-0 km/h:	43,0 m
Vitesse maximale:	190 km/h
Consommation (100 km):	ordinaire, 10,3 litres
Autonomie (approximative):	631 km
Émissions de CO2:	4769 kg/an

DANS LA MÊME CATÉGORIE

Chevrolet Malibu - Chrysler Sebring - Honda Accord - Hyundai Sonata - Mitsubishi Galant - Nissan Altima

DU NOUVEAU EN 2006

Pas de changement majeur

HISTORIQUE DU MODÈLE

1[ière] génération

NOS IMPRESSIONS

Agrément de conduite:	🚗🚗🚗
Fiabilité:	🚗🚗🚗½
Sécurité:	🚗🚗🚗🚗
Qualités hivernales:	🚗🚗🚗½
Espace intérieur:	🚗🚗🚗
Confort:	🚗🚗🚗🚗

LE CHOIX DE L'ÉQUIPE

LX V6

LA RELÈVE S'EN VIENT

Lorsque les gens recherchent une voiture économique, la Kia Rio fait partie de leur courte liste. Malgré les publicités optimistes de ce constructeur, il ne faut pas s'attendre à se retrouver au volant d'une Mercedes si l'on désire payer moins de 15 000 $, ce que la Rio vous permet. À ce prix, on s'assied dans une voiture qui sert davantage de moyen de transport de base que de phantasme sur roues. Pour autant que vous vous en tenez aux limites de conception de cette petite coréenne, vous serez en mesure de l'apprécier à sa juste valeur.

Et c'est justement là le problème avec cette voiture. Si les versions de base de la berline et du hatchback cinq portes sont des aubaines, les modèles mieux équipés ou encore l'ajout de quelques accessoires fait grimper les prix et l'aubaine devient moins alléchante. À un moment donné, il est plus sage de choisir la Spectra non seulement plus moderne, mais plus puissante et beaucoup mieux ficelée.

D'ailleurs, si la Rio représente pour l'instant une voiture qui est au sous-sol des aubaines chez les concessionnaires de la marque, une toute nouvelle version sera sur le marché au cours de 2006, et cela devrait permettre à Kia de vraiment offrir un produit moderne et plus intéressant sur le plan de la conduite. Le moteur 1,6 litre sera plus puissant en raison de l'utilisation d'un système de calage infiniment variable des soupapes.

Mais puisque la fin d'un modèle et l'arrivée de son successeur sont généralement marquées par des aubaines, il est toujours intéressant de savoir ce que la voiture qui quitte la scène nous propose.

L'ANCIENNE KIA

Depuis que cette compagnie a été acquise par Hyundai, les progrès en fait de qualité de véhicule et de comportement routier ont été constants. Il suffit d'examiner les nouveaux Sportage et Spectra pour constater les changements accomplis. Malheureusement, la Rio est d'une autre époque et elle est pénalisée par une conception plus ancienne que la Hyundai Accent. En fait, la Rio actuelle est une version de l'ancienne Ford Aspire de triste mémoire. C'est surtout la plate-forme qui est sa principale faiblesse, alors que son manque de rigidité et l'utilisation de pneumatiques aux performances très moyennes ne font pas bon ménage avec une conduite rapide sur une route parsemée de virages. Vous atteindrez rapidement les limites de la voiture. Bref, la Rio brille de tous ses feux lorsque vous vous dirigez à votre lieu de travail ou à un centre commercial. Et encore, il vous faudra tourner le volume de la radio pour enterrer le chant du très bruyant moteur. Cette solution vous permettra de découvrir que la chaîne stéréo est également marginale en fait de rendement. En général, l'insonorisation est l'un des points faibles de cette voiture et c'est assez éprouvant au fil des kilomètres…

Si au moins « bruyant » permettait d'enchaîner avec « performant », ce serait à demi mal ! Malheureusement, les performances sont modestes puisqu'il faut patienter plus de 12 secondes pour atteindre la vitesse de 100 km/h après un départ arrêté. Cette traction est livrée avec une boîte manuelle à cinq rapports dont la course du levier de vitesse est

FEU VERT

Prix alléchant
Version hatchback
Freins ABS de série
Bonne garantie
Confort raisonnable

FEU ROUGE

Suspension ultrasouple
Pneumatiques à revoir
Habitacle étroit
Sa remplaçante a été dévoilée
Faible valeur de revente

passablement floue. Pour ceux qui aiment l'automatique, une boîte à quatre rapports est au catalogue. Comme pour le reste de la voiture, c'est correct sans plus. Il ne faut pas oublier de mentionner que la consommation de carburant est assez élevée pour une voiture de cette cylindrée puisque nous avons observé une consommation de 8,1 litres aux cent kilomètres avec la boîte manuelle.

L'habitacle est relativement étroit tandis que les plastiques ont une apparence qui fait bon marché. Non seulement sont-ils durs au toucher, mais leur texture ne fait rien pour arranger les choses. La même remarque s'applique aux tissus des sièges qui ne sont pas trop invitants. Bref, nous sommes au pays du strict minimum.

PORTRAIT DE FAMILLE

La gamme Rio comprend deux modèles distincts, une berline et la RX-V, un hatchback cinq portes qui peut même être qualifié de familial au sens large de la catégorie. Ce dernier modèle est de loin le plus élégant des deux puisque la section arrière de la berline fait vraiment vieux jeu avec ses rondeurs. Avec son dossier rabattable 60/40, il est possible de passer d'une capacité de chargement de 702 litres à 1 254 une fois le dossier rabattu. Bref, c'est le modèle le plus pratique des deux et il est même offert en version Commodité. Il est alors doté d'un support de toit en remplacement de l'aileron arrière en plus du déverrouillage des portes à distance et de rétroviseurs chauffants. Et j'allais oublier: toutes les Rio sont dorénavant dotées de freins ABS de série.

La berline se décline en trois versions: S, RS et LS. La première se vend aux alentours de 13 000$ et à ce prix, la voiture est relativement bien équipée. Et puisque toutes les Rio sont propulsées par le même moteur 1,6 litre de 104 chevaux, les différences entre les modèles servent à augmenter le nombre d'accessoires et à relever le niveau de luxe, si on peut employer ce mot à propos d'une économique.

Il est certain que la prochaine génération de la Rio sera nettement plus jolie, plus efficace et dotée d'un moteur carrément plus puissant. Et si la version actuelle vous intéresse, vous bénéficierez d'un prix d'aubaine et de conditions d'achat avantageuses.

Denis Duquet

Photos: Kia

DONNÉES TECHNIQUES

Modèle à l'essai:	LS
Prix du modèle à l'essai:	16700$
Échelle de prix:	13295$ à 17895$
Garanties:	5 ans/100,000 km, 5 ans/100,000 km
Catégorie:	sous-compacte/familiale
Emp./Lon./Lar./Haut.(cm):	241/424/167,5/144
Poids:	1135 kg
Coffre/Réservoir:	702 à 1254 litres / 45 litres
Coussins de sécurité:	frontaux
Suspension avant:	indépendante, jambes de force
Suspension arrière:	demi-ind., poutre déformante
Freins av./arr.:	disque/tambour (ABS opt.)
Antipatinage/Contrôle de stabilité:	non/non
Direction:	à crémaillère, assistée
Diamètre de braquage:	11,8 m
Pneus av./arr.:	P175/65R14
Capacité de remorquage:	n.d.

GROUPE MOTOPROPULSEUR

Moteur:	4L de 1,6 litre 16s atmosphérique
Alésage et course	76,5 mm x 87,0 mm
Puissance:	104 ch (78 kW) à 5800 tr/min
Couple:	104 lb-pi (141 Nm) à 4700 tr/min
Rapport Poids/Puissance:	10,91 kg/ch (14,55 kg/kW)
Moteur électrique:	aucun
Autre(s) moteur(s):	seul moteur offert
Transmission:	traction, manuelle 5 rapports
Autre(s) transmission(s):	automatique 4 rapports
Accélération 0-100 km/h:	12,5 s
Reprises 80-120 km/h:	10,5 s
Freinage 100-0 km/h:	45,0 m
Vitesse maximale:	180 km/h
Consommation (100 km):	ordinaire, 7,9 litres
Autonomie (approximative):	570 km
Émissions de CO2:	3938 kg/an

DANS LA MÊME CATÉGORIE

Chevrolet Aveo - Hyundai Accent - Suzuki Aerio - Toyota Yaris

DU NOUVEAU EN 2006

Aucun changement, modèle de remplacement début 2006

HISTORIQUE DU MODÈLE

1[ière] génération

NOS IMPRESSIONS

Agrément de conduite:	
Fiabilité:	
Sécurité:	½
Qualités hivernales:	
Espace intérieur:	
Confort:	½

LE CHOIX DE L'ÉQUIPE

EX-V

CHANGEMENTS À L'HORIZON

Et l'horizon, c'est quelquefois bien près! Au moment d'aller sous presse, nous n'avions pas encore pu mettre la main sur la Sedona 2006 mais cela ne devrait tarder. Nous vous tiendrons au courant des développements dans notre magazine Le monde de l'auto. Disons simplement que cette future Sedona remplace une fourgonnette déjà très populaire, réussie à plus d'un point de vue, sécuritaire et, surtout, abordable. Mais la concurrence ayant une fâcheuse tendance à l'amélioration, la Sedona actuelle nous semble de moins en moins intéressante. Est-ce que le modèle 2006 proposera autant, ou mieux, que la concurrence?

C'est au Salon de l'auto de Chicago, en févier dernier, que Kia a choisi de présenter sa nouvelle Sedona. Comme le veut la tendance actuelle, celle qui devrait être en vente vers la fin de 2005 sera plus puissante, plus grande, plus confortable, «plus mieux» que l'ancienne version. Élaborée autour d'un tout nouveau châssis, la version 2006 proposera, enfin, une troisième rangée de sièges escamotables, corrigeant ainsi un des irritants majeurs de l'ancienne Sedona. De plus, ces sièges pourront être rabattus de façon 60/40 pour plus de polyvalence. Forte de toutes ces innovations, la fourgonnette de Kia devrait, selon l'état-major de l'entreprise coréenne, être en mesure d'affronter directement des valeurs établies telles les Honda Odyssey et Toyota Sienna.

Au chapitre de la sécurité, on retrouvera pas moins de six coussins et rideaux gonflables. Les freins, offrant l'ABS peu importe la version, seront secondés dans leur tâche par un système EDB qui répartit la puissance de freinage entre les roues. On retrouvera, aussi, un témoin de pression des pneus et des appuie-têtes dits actifs qui offrent une protection accrue en cas de collison arrière. Les systèmes de stabilité électronique ainsi que de contrôle de traction seront proposés moyennant supplément.

Du côté de la mécanique, c'est encore une fois la nouveauté qui prime. Exit le V6 3,5 litres de la vétuste version. Bienvenue au V6 de 3,8 litres de plus de 240 chevaux (comparativement à 195 auparavant), soit une augmentation d'environ 30%. Le couple aussi fait un joli bond, passant de 218 livres-pied de couple à 250! Ce moteur, le seul proposé, sera associé avec une transmission automatique à cinq rapports Spormatic, ce qui signifie qu'il sera possible de changer les vitesses manuellement. Les accélérations et reprises promettent donc de se montrer plus vigoureuses qu'avant. Même si le communiqué de presse n'en fait pas mention, il faut espérer que les ingénieurs aient beaucoup travaillé sur la réduction de la consommation d'essence. Car la Sedona de première génération levait le coude assez facilement, la tournée étant payée, en grande partie, par le poids élevé.

Ce poids, toujours lui, n'aidait pas non plus la cause du freinage. Un coup d'œil à la fiche technique nous apprend que les quatre disques seront désormais un peu plus gros. Les pneus de base prendront, eux aussi, du gallon en passant de 15" pour toutes les versions à 16" et même à 17". Ces deux éléments ne manqueront pas d'améliorer les distances de freinage, auparavant peu édifiantes. Si la suspension avant ne semble pas, sur papier du moins, avoir été modifiée, il en va autrement de celle

FEU VERT
- Garantie bien étoffée
- Rapport qualité/prix intéressant (2005)
- Comportement prévisible (2005)
- Habitacle plus spacieux (2006)
- Éléments de sécurité importants (2006)

FEU ROUGE
- Freinage épeurant (2005)
- Consommation d'ivrogne (2005)
- Modèle en fin de carrière (2005)
- Modularité du coffre pauvre (2005)
- Fiabilité à prouver (2006)

située à l'arrière, dorénavant indépendante. Il sera sans doute possible de circuler à bonne vitesse sur une route bosselée sans que l'arrière ait tendance à sautiller.

Offerte en deux livrées uniquement (LX et EX), la Sedona entend encore proposer un excellent rapport équipement/prix. Par exemple, en plus des éléments de sécurité mentionnés plus haut, on retrouvera un climatiseur à trois zones, des vitres de portes coulissantes électriques, le régulateur de vitesse, une radio AM/FM/CD et des sièges capitaines pour la deuxième rangée. La version EX offre, en plus, les phares antibrouillard, le siège du conducteur avec support lombaire ajustable électriquement, les rétroviseurs chauffants, un lecteur pouvant jouer les disques MP3 et les vitres arrière assistées électriquement. Oh, il y a plus, mais l'énumération de tous les accessoires deviendrait vite fastidieuse! Parmi les options intéressantes, mentionnons les sièges recouverts de cuir (chauffants à l'avant), un avertisseur de recul, les portes latérales et le hayon électriques, un toit ouvrant assisté et un système audio très performant incluant un système DVD et onze haut-parleurs.

Il y a fort à parier que Kia n'aura pas de difficultés à se débarrasser de ses modèles 2005, probablement en proposant au public des offres alléchantes. Il y aura sans doute matière à réflexion pour certains consommateurs qui désirent conserver leur véhicule plusieurs années puisque la Sedona 2005 est loin d'être une mauvaise affaire. Le niveau d'équipement impressionne dans un véhicule de ce prix. Au chapitre de la conduite, ce n'est pas mal non plus. La suspension se montre confortable à défaut d'être sportive (le roulis impressionne si on pousse trop dans les courbes) et l'habitacle est toujours silencieux malgré quelques bruits de vent et un moteur trop peu discret lors d'accélérations. La transmission automatique fonctionne la plupart du temps correctement et la direction, qui n'est pas un modèle de précision, fait toutefois preuve d'un feedback intéressant. Notons que la visibilité arrière est assez pénible et que la sonorité du système audio n'a rien pour émouvoir l'oreille. Heureusement, le tableau de bord est réussi et les espaces de rangement sont nombreux.

À n'en pas douter, la future Sedona devrait se révéler beaucoup plus au point que celle qu'elle remplacera. Cette dernière étant déjà bien cotée, on peut se laisser bercer par les promesses de Kia!

Alain Morin

Photos: Kia

DONNÉES TECHNIQUES

Modèle à l'essai:	LX édition anniversaire
Prix du modèle à l'essai:	26 995 $ - 2005
Échelle de prix:	26 995 $ à 31 695 $ - 2005
Garanties:	5 ans/100 000 km, 5 ans/100 000 km
Catégorie:	fourgonnette
Emp./Lon./Lar./Haut.(cm):	291/493/189,5/173
Poids:	2 136 kg
Coffre/Réservoir:	617 à 3 610 litres / 75 litres
Coussins de sécurité:	frontaux
Suspension avant:	indépendante, jambes de force
Suspension arrière:	semi-ind., multibras
Freins av./arr.:	disque/tambour (ABS)
Antipatinage/Contrôle de stabilité:	non/non
Direction:	à crémaillère, assistance variable
Diamètre de braquage:	12,6 m
Pneus av./arr.:	P215/70R15
Capacité de remorquage:	1 587 kg

Pneus d'origine MICHELIN

GROUPE MOTOPROPULSEUR

Moteur:	V6 de 3,5 litres 16s atmosphérique
Alésage et course	93,0 mm x 85,8 mm
Puissance:	195 ch (145 kW) à 5 500 tr/min
Couple:	218 lb-pi (296 Nm) à 3 500 tr/min
Rapport Poids/Puissance:	10,95 kg/ch (14,73 kg/kW)
Moteur électrique:	aucun
Autre(s) moteur(s):	seul moteur offert
Transmission:	traction, automatique 5 rapports
Autre(s) transmission(s):	aucune
Accélération 0-100 km/h:	10,3 s
Reprises 80-120 km/h:	9,0 s
Freinage 100-0 km/h:	47,0 m
Vitesse maximale:	180 km/h
Consommation (100 km):	ordinaire, 14,2 litres
Autonomie (approximative):	528 km
Émissions de CO2:	5 933 kg/an

DANS LA MÊME CATÉGORIE

Chevrolet Uplander - Dodge Caravan - Ford Freestar - Honda Odyssey - Mazda MPV - Nissan Quest

DU NOUVEAU EN 2006

Nouveau modèle à l'automne

HISTORIQUE DU MODÈLE

1ière génération

NOS IMPRESSIONS

Agrément de conduite:	🚗🚗½
Fiabilité:	🚗🚗🚗½
Sécurité:	🚗🚗🚗
Qualités hivernales:	🚗🚗🚗
Espace intérieur:	🚗🚗🚗🚗
Confort:	🚗🚗🚗½

LE CHOIX DE L'ÉQUIPE

EX

CE N'EST PAS DE LA FRIME!

Absolument inchangé en 2006 (enfin presque!), le Sorento se présente encore comme un véhicule phare pour Kia. En effet, il marque une étape importante dans l'histoire de l'entreprise coréenne. La conception, le style et la qualité générale de ce VUS sont à des lieux des ineffables véhicules proposés par Kia lors de son arrivée en Amérique. Si cette triste image change aux yeux des consommateurs, c'est en grande partie à cause du Sorento. Désormais, on ne se fait plus enfermer si on affirme qu'on possède une Kia et qu'on l'aime!

Lorsqu'on le regarde rapidement, le Sorento ressemble un peu à une Mercedes-Benz Classe M de la génération précédente. Le large pilier C incliné vers l'avant et le style général respirent la classe et le bon goût. Par contre, il faut souligner que la finition extérieure de notre Sorento EX Luxe d'essai péchait à quelques endroits. Dans l'habitacle, la finition faisait preuve de plus de sérieux et les plastiques de qualité s'ajustaient très bien aux bois (du vrai bois en plastique...) et aux cuirs plutôt ordinaires. Il faut ici souligner que la version LX (de base) fait très de base avec son environnement tout plastique. Mais peu importe la version, les commandes de la radio sont trop éloignées du pilote et peu intuitives. Ce manque d'intuition s'applique aussi à celles de la climatisation et du chauffage. De plus, j'ai trouvé difficile de bien doser la chaleur. Il y en avait toujours trop ou pas assez. L'accès aux places avant est un peu pénible puisque le véhicule est haut sur pattes. Mais une fois assis, le conducteur trouvera rapidement la bonne position de conduite, et ce, même si le volant ne s'ajuste pas en profondeur. La visibilité ne cause pas de problèmes vers l'avant mais, à cause du large pilier C auparavant cité, la visibilité arrière est plus problématique. Les places arrière sont plutôt pénibles à atteindre mais s'avèrent très confortables et l'espace pour les jambes est notable.

Tout bon VUS qui se respecte propose un espace de chargement convenable. Celui du Sorento se situe dans la bonne moyenne avec ses 1 880 litres lorsque les dossiers des sièges arrière (de type 60/40) sont rabattus, formant ainsi un fond plat. Cependant, dans l'opération, il faut relever l'assise de ces sièges et enlever les appuie-têtes avant d'abaisser les dossiers. La vitre du hayon s'ouvre indépendamment, ce qui est toujours bien apprécié et le pneu de rechange est placé sous le véhicule, ménageant par conséquent beaucoup d'espace de rangement.

MÉCANIQUE SANS SURPRISES

Le Sorento ne propose qu'un seul moteur. Il s'agit d'un V6 de 3,5 litres dont les 192 chevaux et les 217 livres-pied de couple suffisent pour déplacer avec aisance un véhicule de près de 2 000 kilos. Oh, ce n'est pas l'eldorado du «donneux-de-tickets-sur-le-bord-de-la-10» mais c'est amplement suffisant pour assurer une conduite sécuritaire et plaisante. Deux transmissions sont proposées, soit une automatique à cinq rapports avec mode manuel Steptronic et une véritable manuelle, toujours à cinq rapports. L'automatique fonctionne généralement de façon très transparente, sauf en de rares occasions où elle saccade le passage des rapports. Les freins sont à disque aux quatre roues et l'ABS arrive de série, peu importe la version. Par contre, ils n'ont pas

FEU VERT

- Carrosserie fort jolie
- Équilibre général
- Équipement complet
- Garantie sérieuse
- Capacités hors route surprenantes

FEU ROUGE

- Un peu trop goinfre
- Suspensions un peu fermes
- Hayon arrière lourd
- Freins peu motivés
- Certaines commandes complexes

montré une grande motivation dans l'accomplissement de leur tâche... Quant à la direction, elle s'avère d'une navrante légèreté.

Si les accélérations se révèlent très audibles, le silence de l'habitacle étonne dès que la vitesse de croisière est atteinte. Les suspensions, accrochées à un châssis à échelle (comme sur une camionnette) sont un peu sèches au passage de trous et de bosses, mais il faut savoir que l'essieu arrière est rigide, ce qui favorise rarement la douceur de roulement. Malgré un poids peu «plume», le transfert dudit poids est généralement bien maitrisé et la tenue de route se montre très prévisible. En courbe serrée, on sent beaucoup de roulis mais l'avant ne décroche pas. Par contre, les corps des occupants, eux, décrochent joyeusement de leurs sièges, le support latéral étant une notion encore peu connue en Corée. Parmi les bonnes nouvelles, notons que le Sorento paraît peu sensible aux vents latéraux.

PAS UN ENFANT D'ÉCOLE

Le rouage d'entraînement est sans doute l'élément le plus surprenant du Sorento. La version de base LX est, en fait, une propulsion qui peut devenir un 4X4 pur et dur avec gamme basse (Lo). Les versions EX et EX-L elles, ont droit à une intégrale constituée d'un viscocoupleur et, aussi, d'une gamme basse. Peu importe le modèle, des plaques de protection sont installées sous l'avant du véhicule et sous le réservoir d'essence. Tous ces éléments ne transforment pas un Sorento en Jeep Rubicon, mais ils lui permettent d'affronter les situations les «plus pires», pour paraphraser le défunt groupe Noir Silence et 95 % des ados... Cependant, les capacités de remorquage ne sont pas terribles puisqu'il ne peut tirer que 1 587 kilos, et ce, si la remorque possède ses propres freins.

À n'en pas douter, le Sorento est un véhicule sérieux. Sa finition, son niveau d'équipement, son prix très concurrentiel et sa belle gueule font que de plus en plus de gens songent à visiter Kia lorsque vient le temps de magasiner un gros VUS. De plus, lors d'un essai prolongé il y a deux ans, il s'est montré très fiable. Mais si le prix du pétrole continue d'augmenter, le Sorento (et l'ensemble de ses semblables) risque d'avoir de la difficulté à respirer.

Alain Morin

Photos: Kia

DONNÉES TECHNIQUES

Modèle à l'essai:	EX
Prix du modèle à l'essai:	34545$ - 2005
Échelle de prix:	29995$ à 37595$ - 2005
Garanties:	5 ans/100000 km, 5 ans/100000 km
Catégorie:	utilitaire sport intermédiaire
Emp./Lon./Lar./Haut.(cm):	271/457/188/181
Poids:	1 990 kg
Coffre/Réservoir:	889 à 1 880 litres / 80 litres
Coussins de sécurité:	frontaux et latéraux (av.)
Suspension avant:	indépendante, jambes de force
Suspension arrière:	essieu rigide, ressorts hélicoïdaux
Freins av./arr.:	disque (ABS)
Antipatinage/Contrôle de stabilité:	oui/non
Direction:	à crémaillère, assistée
Diamètre de braquage:	11,0 m
Pneus av./arr.:	P245/70R16
Capacité de remorquage:	1 587 kg

Pneus d'origine MICHELIN

GROUPE MOTOPROPULSEUR

Moteur:	V6 de 3,5 litres 24s atmosphérique
Alésage et course	93,0 mm x 85,8 mm
Puissance:	192 ch (143 kW) à 5500 tr/min
Couple:	217 lb-pi (294 Nm) à 3000 tr/min
Rapport Poids/Puissance:	10,36 kg/ch (13,92 kg/kW)
Moteur électrique:	aucun
Autre(s) moteur(s):	seul moteur offert
Transmission:	4RM, automatique 5 rapports
Autre(s) transmission(s):	manuelle 5 rapports
Accélération 0-100 km/h:	10,0 s
Reprises 80-120 km/h:	7,9 s
Freinage 100-0 km/h:	42,7 m
Vitesse maximale:	190 km/h
Consommation (100 km):	ordinaire, 14,7 litres
Autonomie (approximative):	544 km
Émissions de CO_2:	6325 kg/an

DANS LA MÊME CATÉGORIE

Chevrolet Equinox - Ford Explorer - Honda Pilot - Mitsubishi Endeavor - Nissan XTerra - Suzuki XL-7

DU NOUVEAU EN 2006

Ajustement automatique de hauteur plus disponible, nouvelles roues pour LX

HISTORIQUE DU MODÈLE

1ière génération

NOS IMPRESSIONS

Agrément de conduite:	3½
Fiabilité:	3½
Sécurité:	3½
Qualités hivernales:	4
Espace intérieur:	4
Confort:	3½

LE CHOIX DE L'ÉQUIPE

EX

LES DIEUX SONT TOMBÉS SUR LA TÊTE

En 1981, un petit film botswanais prend l'affiche et émeut tout en faisant s'écrouler de rire la planète entière. N!xau, l'interprète de Xi, le Bushman qui reçoit une bouteille de Coca-Cola sur la tête, est payé 300$ pour sa performance. Le film rapporte 66 millions et, devant un tollé de protestations, le réalisateur du film verse à N!xau 20000$. La Spectra, cette voiture qui est une bénédiction pour Kia, reçoit aujourd'hui, à la manière de N!xau, son dû. Elle mérite amplement l'attention qu'on lui porte.

La Spectra est apparue en 2002, remplaçant la Sephia. Mais elle n'avait rien de plus à offrir qu'une bonne garantie et un confort relativement agréable, et son abandon en 2004 n'a fait pleurer personne. La Spectra 2005 est d'abord apparue en version berline. Il n'a pas été long que la Spectra5, une livrée à hayon (lire hatchback), fût offerte. Depuis quelques années, la fiabilité des produits Kia s'est drôlement améliorée de même que la qualité de l'assemblage et le design, qui semblaient avoir été confiés à des non voyants. C'est du moins l'impression que nous en avions. Et les garanties de base ont de quoi faire rougir la concurrence. La Spectra s'inscrit donc dans cette philosophie d'en offrir plus pour un prix somme toute fort raisonnable. Il faut savoir que cette voiture est la cousine (pratiquement la sœur...) de la Hyundai Elantra. Les deux coréennes partagent la même plate-forme et plusieurs éléments mécaniques.

PAS SI BASIQUE QUE ÇA!

La Spectra berline jouit d'un physique plus moderne et esthétique que le modèle précédent, et se décline en trois niveaux de luxe, soit LX, LX commodité et EX. Le modèle de base (LX) n'est pas si basique que ça. On y retrouve, entre autres, pas moins de six coussins gonflables (ni la Civic ou la Corolla ou encore la Mazda3 offrent autant de protection) et un système audio AM/FM/CD à six haut-parleurs. Le groupe commodité ajoute quelques commodités (c'était trop facile!) comme la climatisation, le régulateur de vitesse et les freins à disque aux quatre roues. Quant à la EX, elle offre, en plus, les freins ABS, des roues en alliage et des phares antibrouillards.

La finition de notre Spectra d'essai manquait un peu de professionnalisme. Mais il s'agissait de broutilles et les Coréens sont en train de rejoindre les Japonais sur ce terrain. L'habitacle ne fait pas dans le très jojo avec ses trop nombreuses pièces de plastique dont la qualité s'est par contre beaucoup améliorée. Ce n'est pas encore parfait mais c'est nettement mieux qu'auparavant. Même remarque pour le tissu de suède recouvrant les sièges. Cependant, le gris pâle qu'ils portent a tendance à se salir facilement. Le siège du conducteur s'ajuste en profondeur et en hauteur, mais trouver la bonne position de conduite m'a demandé quelques réajustements dans les premières minutes de conduite (c'est le prix à payer pour avoir le corps que j'ai...) En ce qui à trait aux places arrière, je vous dirai que leur dureté ne contribue pas au confort et qu'on ne retrouve pas d'appuie-tête pour la place centrale.

FEU VERT
- Silhouette contemporaine
- Coffre spacieux (Spectra5)
- Moteur économique
- Qualité générale en net progrès
- Bonne tenue de route

FEU ROUGE
- Moteur bruyant en accélération
- Manque de puissance à bas régime
- Option ABS dispendieuse
- Pneus à rabais
- Valeur de revente encore basse

La familiale Spectra5 reprend à son compte plusieurs des remarques ci-haut mentionnées. Ce qui différencie la 5, c'est la soute à bagages qui engloutit beaucoup plus que la version berline, tout en lui donnant un air plus dynamique. Cette dernière peut contenir 345 litres mais la 5, elle, accepte jusqu'à 1 494 litres lorsque la banquette arrière est repliée. Dans le cas de la Spectra5, on retrouve aussi trois niveaux de présentation (Base, SX et SX groupe 1). Ces dénominations correspondent à peu de choses près à celles de la berline mais Kia a voulu la 5 plus sportive. On retrouve donc, d'office des suspensions sport, un lecteur de disques MP3 ainsi que des freins à disque aux quatre roues.

LES VERTUS DE L'HONNÊTETÉ

Mais il y a des choses immuables, qu'il s'agisse de la Spectra ou de la Spectra5. Par exemple, le grognement émis par le moteur lors des accélérations ne fait pas très chic. Il s'agit d'un quatre cylindres de 2,0 litres qui développe 138 chevaux et un couple de 136 livres-pied. Cette puissance est convenable mais on souhaiterait un peu plus de punch à bas régime. La transmission automatique, au fonctionnement par ailleurs sans reproches, semble bouffer du cheval autant qu'un jeune chien bouffe du divan, neuf de préférence. Quant à la manuelle à cinq rapports, son embrayage est progressif mais la course de son levier est trop longue pour prétendre à une conduite sportive. Les Goodyear Eagle de 16" qui équipaient les deux bagnoles ne méritent pas de se retrouver sous d'aussi honnêtes voitures. Ils sont bruyants et ne collent pas la voiture à la route comme ils le devraient. La Spectra est sous-vireuse de nature (l'avant veut continuer tout droit) mais un simple relâchement de l'accélérateur règle généralement le problème. Les freins sans ABS bloquent facilement et la pédale devient dure. Mais pour jouir de l'ABS, il faut cocher l'option EX (Spectra) ou SX Groupe 1 (Spectra5), ce qui ajoute entre 1 600 et 2 000 $ à la facture... Ajoutez la transmission automatique et vous vous retrouvez avec une Spectra de 21 000 $ ou une Spectra5 de près de 23 000 $. Et là, on tombe dans les plates-bandes de la Mazda3...

Avec ses Spectra et Spectra5, Kia a entre les mains, deux voitures très au point et somme toute très agréables à conduire. C'est à croire que les dieux sont tombés sur la tête! Il ne leur reste plus qu'à régler le problème des versions les plus huppées qui sont un tantinet trop chères.

Alain Morin

Photos: Kia

KIA SPECTRA / SPECTRA5

DONNÉES TECHNIQUES

Modèle à l'essai:	Spectra 5 SX (groupe 1)
Prix du modèle à l'essai:	21 095 $ - 2005
Échelle de prix:	15 995 $ à 22 695 $ - 2005
Garanties:	5 ans/100 000 km, 5 ans/100 000 km
Catégorie:	berline compacte/familiale
Emp./Lon./Lar./Haut.(cm):	261/434/173,5/147
Poids:	1 317 kg
Coffre/Réservoir:	518 à 1 494 litres / 55 litres
Coussins de sécurité:	frontaux et latéraux (av./arr.)
Suspension avant:	indépendante, jambes de force
Suspension arrière:	indépendante, multibras
Freins av./arr.:	disque (ABS opt.)
Antipatinage/Contrôle de stabilité:	opt./non
Direction:	à crémaillère, assistée
Diamètre de braquage:	10,9 m
Pneus av./arr.:	P205/50R16
Capacité de remorquage:	454 kg

GROUPE MOTOPROPULSEUR

Moteur:	4L de 2,0 litres 16s atmosphérique
Alésage et course	86,5 mm x 100,0 mm
Puissance:	138 ch (103 kW) à 6000 tr/min
Couple:	136 lb-pi (184 Nm) à 4500 tr/min
Rapport Poids/Puissance:	9,54 kg/ch (12,79 kg/kW)
Moteur électrique:	aucun
Autre(s) moteur(s):	seul moteur offert
Transmission:	traction, manuelle 5 rapports
Autre(s) transmission(s):	automatique 4 rapports
Accélération 0-100 km/h:	10,8 s
Reprises 80-120 km/h:	8,0 s
Freinage 100-0 km/h:	43,2 m
Vitesse maximale:	185 km/h
Consommation (100 km):	ordinaire, 9,8 litres
Autonomie (approximative):	561 km
Émissions de CO2:	n.d.

DANS LA MÊME CATÉGORIE

Chevrolet Cobalt - Ford Focus - Honda Civic - Hyundai Elantra - Mazda 3 - Nissan Sentra

DU NOUVEAU EN 2006

Modèle LX 4 portes éliminé, ajout et retrait d'accessoires divers, nouvelle transmission automatique 4 rapports

HISTORIQUE DU MODÈLE

2ième génération

NOS IMPRESSIONS

Agrément de conduite:	3
Fiabilité:	4
Sécurité:	4
Qualités hivernales:	2 ½
Espace intérieur:	4
Confort:	2 ½

LE CHOIX DE L'ÉQUIPE

Spectra 5 base

JOLIE TROUVAILLE

Quand Kia a fait son apparition au pays en 1999, l'un des premiers véhicules présentés à l'époque était le Sportage. Petit utilitaire construit sans grande finesse, le petit VUS à châssis autonome a gagné des adeptes... qu'il a perdu aussi rapidement devant les nombreux problèmes mécaniques du modèle. Au fil des ans, on a réussi à le rendre un peu plus fiable, mais on ne parlait pas encore de réussite, et les propriétaires de Sportage avaient un abonnement pour des visites régulières chez leur concessionnaire pour des petites corrections mécaniques.

Heureusement pour la compagnie Kia, ce temps est désormais révolu. Le Sportage à la fiabilité douteuse n'existe plus, et toute la gamme de modèles Kia, à l'image de ceux de la compagnie soeur Hyundai, sont désormais en tête de liste au niveau de la qualité initiale et de la fiabilité à long terme, du moins selon J.D. Powers.

NOUVEAU MAIS PAREIL

Quel meilleur moment alors pour relancer une version entièrement remodelée du petit utilitaire qui a fait la renommée de Kia! Et c'est ainsi qu'en 2005, on a assisté à la renaissance d'un petit Sportage au physique nettement moins ingrat que son prédécesseur, et à la mécanique plus raffinée, et plus fiable. Le nouveau Sportage partage d'ailleurs toutes ses composantes mécaniques avec le Hyundai Tucson, dévoilé pour sa part quelques mois auparavant. On n'a rien changé aux moteurs dans un cas comme dans l'autre, ils sont les mêmes, tout comme les systèmes de traction intégrale et les transmissions tant manuelles qu'automatiques.

D'autres détails ont fait l'objet d'une étude plus spécifique pour mieux correspondre à la personnalité de chacune des marques. Et certaines combinaisons sont cependant différentes et, étrangement, plus souvent à l'avantage du Kia que du Hyundai, qui est pourtant dans le camp de la maison mère des deux compagnies. D'un simple point de vue physique, il faut donner l'avantage au Sportage, que l'on a doté d'un museau plus élégant, et un arrière plus harmonieux avec une fenêtre détachée qui lui confère un véritable air d'utilitaire sport.

Autre détail non négligeable, le tableau de bord du Sportage est plus agréable au regard (ce qui ne fait cependant pas l'unanimité de tous les conducteurs, mais il ne laisse au moins personne indifférent) même si les fonctionnalités, et l'ergonomie, sont presque identiques. Mais l'avantage qui m'a certainement le plus impressionné est la présence de six coussins gonflables incluant des rideaux latéraux, dans la Sportage, alors que ces mêmes coussins ne sont même pas offerts en option sur le Hyundai.

Enfin, détail qu'il ne faut pas oublier, il est possible de munir la Sportage à la fois de la traction intégrale et du moteur 4 cylindres, alors que pour la même traction, Hyundai vous oblige à opter pour le six cylindres. Signalons que l'un comme l'autre sont offerts dans une fourchette de prix allant de 20 000$ à 30 000$ environ.

FEU VERT

Rapport qualité/prix supérieur
Coussins de sécurité
Intérieur bien aménagé
Insonorisation

FEU ROUGE

Peu de puissance à haut régime
Moteur V6 gourmand
Transmission manuelle
Moteur 4 cylindres peu puissant

SUR LA ROUTE

Évidemment, quand on parle du Sportage, on parle d'un petit utilitaire sport destiné davantage au transport urbain qu'aux véritables excursions hors route. Ceux qui voudront réellement faire une sortie à l'extérieur de la zone urbaine, et les résultats de nos essais ont contribué à le prouver, devront se rendre à l'évidence que le petit moteur de 4 cylindres et de seulement 140 chevaux est un peu juste. Il aura tendance à s'essouffler si on le sollicite un peu trop. En revanche, en strict usage urbain, il convient très bien aux exigences d'utilisation. Évidemment, comme chez Hyundai, on peut aussi opter pour le 6 cylindres de 173 chevaux, cette fois le plus puissant de sa catégorie, qui répond beaucoup mieux, mais qui commande une facture de quelques milliers de dollars de plus, et de plusieurs litres d'essence supplémentaires. Parmi les faiblesses du petit Sportage, il faut noter la mollesse de la transmission manuelle. Quand on manipule le levier et que l'on enclenche les rapports avec une certaine vigueur, on croit que tout le mécanisme baigne littéralement dans la mélasse.

Heureusement, et c'est une bien bonne nouvelle pour un véhicule à vocation urbaine aussi, la transmission automatique est plus efficace, plus précise, et permet de s'amuser quand même grâce au système manumatique qui permet d'enclencher les rapports manuellement. Pour y avoir droit, vous devrez cependant opter pour la version 6 cylindres si on veut la jumeler à la traction intégrale à prise constante. Au freinage, le petit véhicule réagit avec aplomb et sans trop plonger, même en situation d'urgence. En conduite plus agressive, le Sportage a tendance à souffrir d'un peu de roulis, mais sans excès, même dans les courbes serrées.

L'intérieur est bien aménagé, tous les sièges sont repliables pour favoriser le chargement et le confort, et les passagers arrière peuvent même compter sur une banquette arrière inclinable pour trouver une bonne position, une denrée rare dans un véhicule de cette catégorie.

Le Sportage est certainement une des belles trouvailles de la dernière année. Beaucoup de qualités, un prix abordable, et un look intéressant, il a vraiment tout pour plaire, une conclusion que ceux qui l'ont essayé partagent. Reste maintenant à voir si la fiabilité sera elle aussi au rendez-vous.

Marc Bouchard

Photos: Kia

KIA SPORTAGE

DONNÉES TECHNIQUES

Modèle à l'essai:	LX V6
Prix du modèle à l'essai:	26995$
Échelle de prix:	19995$ à 29500$
Garanties:	5 ans/100000 km, 7 ans/120000 km
Catégorie:	utilitaire sport compact
Emp./Lon./Lar./Haut.(cm):	263/435/180/169,5
Poids:	1600 kg
Coffre/Réservoir:	667 à 1879 litres / 65 litres
Coussins de sécurité:	front., latéraux (av./arr.), rideaux
Suspension avant:	indépendante, jambes de force
Suspension arrière:	indépendante, multibras
Freins av./arr.:	disque (ABS)
Antipatinage/Contrôle de stabilité:	oui/oui
Direction:	à crémaillère, assistée
Diamètre de braquage:	10,8 m
Pneus av./arr.:	P235/60R16
Capacité de remorquage:	907 kg

GROUPE MOTOPROPULSEUR

Moteur:	V6 de 2,7 litres 24s atmosphérique
Alésage et course	86,7 mm x 75,0 mm
Puissance:	173 ch (129 kW) à 6000 tr/min
Couple:	178 lb-pi (241 Nm) à 4000 tr/min
Rapport Poids/Puissance:	9,25 kg/ch (12,40 kg/kW)
Moteur électrique:	aucun
Autre(s) moteur(s):	4L 2,0 l 140ch à 6000tr/mn et 136lb-pi à 4500tr/mn
Transmission:	intégrale, automatique 4 rapports
Autre(s) transmission(s):	manuelle 5 rapports / traction, manuelle 5 rapports
Accélération 0-100 km/h:	10,0 s
Reprises 80-120 km/h:	9,2 s
Freinage 100-0 km/h:	39,5 m
Vitesse maximale:	185 km/h
Consommation (100 km):	ordinaire, 12,4 litres
Autonomie (approximative):	524 km
Émissions de CO2:	5137 kg/an

DANS LA MÊME CATÉGORIE

Chevrolet Equinox - Ford Escape - Honda CR-V - Mitsubishi Outlander - Nissan X-Trail - Toyota Rav4

DU NOUVEAU EN 2006

Nouveau modèle

HISTORIQUE DU MODÈLE

1ère génération

NOS IMPRESSIONS

Agrément de conduite:	3½ voitures
Fiabilité:	nouveau modèle
Sécurité:	4 voitures
Qualités hivernales:	4 voitures
Espace intérieur:	4 voitures
Confort:	4 voitures

LE CHOIX DE L'ÉQUIPE

LX V6

L'EXOTIQUE ITALO-ALLEMANDE

Pendant longtemps, la marque Lamborghini a vécu dans la tourmente en passant successivement aux mains de Chrysler, puis de spéculateurs avant d'être intégrée au groupe Volkswagen qui a investi des sommes colossales dans la relance de la marque de Sant'Agata. Pur produit italo-germanique, la Gallardo a été conçue en mettant à contribution l'expertise développée par Audi dans la construction de châssis en aluminium et son stylisme est l'œuvre du designer belge Luc Donckerwolke. Le mandat était de construire une rivale à la Ferrari 360 Modena (qui est maintenant remplacée par la F430) et de pouvoir offrir à la clientèle une Lamborghini à prix moindre que celui de la Murciélago.

Sa construction tout aluminium signifie que cette exotique sportive appartient à la catégorie des poids plume puisqu'elle n'affiche que 1 535 kilos à la pesée, malgré le fait qu'elle soit animée par un moteur V10 de 5,0 litres développant 500 chevaux ce qui représente tout un exploit sur le plan technique. Le style est très représentatif de la marque avec des lignes ciselées et des angles droits, mais ce qui est véritablement frappant sur le plan visuel, c'est de constater que les roues de 19 pouces semblent surdimensionnées en raison du faible gabarit de la voiture. Contrairement à la Murciélago qui est dotée de portières en élytre, celles de la Gallardo sont de conception traditionnelle et l'accès à bord s'en trouve facilité. L'habitacle est cependant très exigu et certains conducteurs dont la taille est supérieure à six pieds s'y trouveront à l'étroit, même si la colonne de direction est ajustable en hauteur et télescopique. Si vous êtes familier avec les intérieurs des voitures Audi vous vous retrouverez ici en terrain connu puisque le système de chauffage/climatisation, la chaîne stéréo et plusieurs autres commandes proviennent directement des voitures de la marque allemande. La visibilité vers l'avant est bonne, mais ça se gâte vers l'arrière, quant à l'espace de chargement localisé à l'avant de la voiture, précisons que son volume est limité à 4 pieds cubes, donc on oublie le panier à pique-nique.

Logé en position centrale, le V10 est jumelé à une boîte manuelle ordinaire à six vitesses ou encore à la boîte robotisée E-Gear. Cette dernière compte autant de rapports tout en étant dotée de paliers de commande au volant, la motricité étant livrée aux 4 roues par l'entremise d'un rouage intégral selon une répartition de deux tiers vers les roues arrière et d'un tiers vers les roues avant en conduite normale. Pour décoller rapidement avec la Gallardo, il suffit de désactiver le système de contrôle de la motricité, de sélectionner le mode sport qui commande le passage des vitesses en 12 millièmes de seconde et d'accélérer à fond. La motricité initiale est fabuleuse et le bond en avant prodigieux, courtoisie de la traction intégrale. Une fois en piste au Circuit Mont-Tremblant, la traction intégrale s'est toutefois avérée être un léger handicap puisque j'ai ressenti un peu de sous-virage, mais je dois avouer que l'adhérence était tout de même impressionnante, la Gallardo étant capable de tenir 1G en virage. Pour la conduite sur circuit, il faut cependant composer avec un point faible étant donné que les paliers de changements de vitesse demeurent fixes, et ne suivent donc pas le mouvement du volant. De plus, ils ne sont pas aussi longs que ceux de la Ferrari F430, ce qui exige une certaine gymnastique de la part du conducteur lorsque vient le temps de sélectionner le rapport supérieur en sortie de virage.

FEU VERT

- Moteur très puissant
- Style unique
- Traction intégrale
- Très bonne tenue de route

FEU ROUGE

- Prix très élevé
- Boîte robotisée E-gear peu fiable
- Faible visibilité vers l'arrière
- Habitacle exigu
- Coffre symbolique

Pour ce qui est des performances, la Gallardo était en mesure de rivaliser avec celles de la Ferrari 360 Modena, comme en témoignent les données recueillies lors de notre match comparatif de l'édition précédente du Guide de l'Auto, mais elle est maintenant carrément déclassée par la nouvelle F430 qui lui concède 10 chevaux mais qui pèse 85 kilos de moins. Sur le circuit du Mont-Tremblant, la Gallardo doit donc s'incliner devant la plus récente des voitures au cheval cabré, qui s'est montré non seulement plus rapide, mais également plus fiable. En effet, le talon d'Achille de la Gallardo s'avère être sa boîte robotisée E-Gear qui a fait défaut à plusieurs reprises. Après avoir complété plusieurs tours du circuit, la boîte a commencé à montrer des premiers signes de faiblesse, en refusant de sélectionner le premier rapport ou la marche arrière dans les puits de ravitaillement. Pour pallier cette condition inattendue, il nous a suffi de couper le contact et de redémarrer le moteur, ce qui a corrigé temporairement le problème qui s'est cependant aggravé au point où la boîte refusait carrément de fonctionner, entraînant une longue visite dans les ateliers du concessionnaire de la marque. De plus, la torture du circuit a infligé une autre blessure à la Gallardo, soit la rupture d'un point d'ancrage de la suspension arrière. Bref, un bilan qui n'est pas nécessairement reluisant au chapitre de la fiabilité pour cette voiture qui devrait faire mieux à cet égard. À sa défense, précisons que le traitement que nous lui avons infligé était beaucoup plus sévère que la simple conduite sur routes publiques, mais personnellement je m'attendais à mieux de sa part.

Mais il faut bien avouer que lorsqu'il est question de l'acquisition d'une voiture aussi exotique qu'une Ferrari ou une Lamborghini, bien des facteurs entrent en ligne de compte, que la fiabilité ne figure pas nécessairement au sommet des priorités, et que la Gallardo confère à son propriétaire une exclusivité assurée en raison de la production limitée de la marque.

Gabriel Gélinas

Photos: Lamborghini

DONNÉES TECHNIQUES

Modèle à l'essai:	version unique
Prix du modèle à l'essai:	255 000$ (2005)
Échelle de prix:	255 000$ à 265 000$ (2005)
Garanties:	2 ans/km illimité, 2 ans/km illimité
Catégorie:	GT
Emp./Lon./Lar./Haut.(cm):	256/430/190/116,5
Poids:	1 535 kg
Coffre/Réservoir:	110 litres / 90 litres
Coussins de sécurité:	frontaux et latéraux (av.)
Suspension avant:	indépendante, bras inégaux
Suspension arrière:	indépendante, multibras
Freins av./arr.:	disque (ABS)
Antipatinage/Contrôle de stabilité:	oui/oui
Direction:	à crémaillère, assistée
Diamètre de braquage:	11,5 m
Pneus av./arr.:	P235/35ZR19 / P295/30ZR19
Capacité de remorquage:	non recommandé

GROUPE MOTOPROPULSEUR

Moteur:	V10 de 5,0 litres 40s atmosphérique
Alésage et course	82,5 mm x 92,8 mm
Puissance:	500 ch (373 kW) à 7 800 tr/min
Couple:	376 lb-pi (510 Nm) à 4 500 tr/min
Rapport Poids/Puissance:	3,07 kg/ch (4,17 kg/kW)
Moteur électrique:	aucun
Autre(s) moteur(s):	seul moteur offert
Transmission:	intégrale, manuelle 6 rapports
Autre(s) transmission(s):	séquentielle 6 rapports
Accélération 0-100 km/h:	4,2 s
Reprises 80-120 km/h:	4,5 s
Freinage 100-0 km/h:	33,4 m
Vitesse maximale:	309 km/h
Consommation (100 km):	super, 19,5 litres
Autonomie (approximative):	462 km
Émissions de CO2:	n.d.

DANS LA MÊME CATÉGORIE

Aston Martin DB9 - Ferrari F430 - Porsche 911 turbo - Chevrolet Corvette Z06 - Dodge Viper SRT-10 - Mercedes-Benz SL 55 AMG

DU NOUVEAU EN 2006

Pas de changement majeur

HISTORIQUE DU MODÈLE

1[ière] génération

NOS IMPRESSIONS

Agrément de conduite:	4½
Fiabilité:	3½
Sécurité:	3½
Qualités hivernales:	2½
Espace intérieur:	3
Confort:	3

LE CHOIX DE L'ÉQUIPE

Version à boîte manuelle

LA AUDI ITALIENNE

La Murcielago, c'est la super voiture à moteur central de quatrième génération produite par Lamborghini. Elle puise ses origines dans rien de moins que les classiques et exceptionnelles Diablo, Countach et la Miura originale. Pourtant, en dépit de l'héritage, de la disposition familière de la mécanique et du moteur V12, et même si elle date de quelques années, la Murcielago n'a rien d'une voiture tournée vers le passé.

En 1998, quand Audi a pris les commandes de la compagnie italienne, on a clairement indiqué la direction à prendre : utiliser les technologies les plus récentes pour fabriquer des voitures aux performances hors du commun. La Murcielago en est le premier exemple concret, mais la petiote Gallardo qui a suivi quelques années plus tard prouve aussi que l'objectif est toujours dans la ligne de mire.

IL S'EN EST FALLU DE PEU

La Murcielago a des lignes racées et raffinées, mais il s'en est fallu de peu pour qu'elle arbore un look autrement plus sobre et moins sportif. Les anciens dirigeants avaient en effet choisi de remplacer la défunte Diablo par un modèle dont les lignes auraient permis à la Pontiac Aztek d'être un canon de beauté... Et ce sont les gens de Audi qui, à leur arrivée, ont tout simplement jeté au panier l'idée originale pour développer le concept plus raffiné. C'est d'ailleurs ce qui explique que cette Murcielago est la première de la gamme à n'avoir pas été dessinée par un Italien, mais plutôt par un Belge embauché par Audi.

En terme de construction, le bolide est construit autour d'un châssis en acier tubulaire entouré d'une carrosserie presque entièrement faite de fibre de carbone. Seuls le toit et les portières sont faits d'acier.

La puissance de la bête vient d'une version évoluée du moteur 6,0 litres V12 qui a actionné les dernières versions de la Diablo. Pour faire bonne figure et répondre aux besoins plus modernes, il compte maintenant sur une cylindrée de 6,2 litres qui produit 580 chevaux et 480 lb-pi de couple. La puissance est transportée vers les roues à l'aide d'un système intégral avancé, ne laissant aucune place à l'hésitation. Tout cela jumelé à une boîte de vitesses à six rapports traditionnelle, bien que ce mot soit un peu faible quand on traite de cette transmission exceptionnelle. Il est rare en effet qu'une boîte offre autant de rapidité d'exécution et de souplesse mécanique, ce qui permet de tirer le maximum de puissance du bolide sans perdre même une fraction de seconde. Mieux encore, la Murcielago est livrable avec une version robotisée de sa transmission, avec paliers au volant. Encore une fois, rapidité d'exécution et précision sont au programme surtout que cette version informatisée réagit encore plus rapidement que la version manuelle. On se croirait au volant d'une F1.

Toutes les versions de la Murcielago sont équipées d'amortisseurs électroniquement réglables et de dispositifs aérodynamiques actifs, y compris d'ailerons qui s'ouvriront automatiquement dès que la température du moteur s'élever afin d'augmenter l'écoulement d'air au

FEU VERT

Lignes racées
Moteur surpuissant
Transmission de course
Comportement routier de Formule Un

FEU ROUGE

Freinage peu résistant
Position assise un peu basse
Pédale à frein spongieuse
Accès à l'habitacle pour contorsionniste

moteur, assurant ainsi un meilleur refroidissement. Seul changement notable en 2006, on a modifié les pare-chocs, pour améliorer encore l'aérodynamisme.

PRÊT, PARTEZ !

Nulle part ne ressent-on davantage l'influence du constructeur Audi que lorsque l'on prend le volant de la Murcielago. Fini l'aspect rétif des anciennes Lamborghini qui obligeait les conducteurs à devenir de véritables pilotes de course ! La Lamborghini est désormais une voiture civilisée et c'est la Murcielago qui, la première, a marqué le pas dans ce sens. En simple terme de confort, en regard des normes acceptables pour une voiture aussi sportive, la Murcielago en est un bel exemple. Plus vaste que celui de ses rivales, offrant plus de dégagement pour les jambes et les épaules, l'habitacle de la bête italienne présente un espace agréable et peu contraignant, une fois qu'on y est entré. La position de conduite y est exceptionnelle, même si on se sent parfois un peu trop enfoncé sous la ceinture de caisse.

Côté comportement aussi, la Murcielago s'est assagie. En insérant des suspensions plus adaptées, on permet une meilleure stabilité en virage, sans faire nécessairement payer les passagers. En ligne droite, la voiture est d'une stabilité exemplaire et fend littéralement l'air, atteignant sur une piste une vitesse maximale excédant 325 kilomètres à l'heure. Le freinage est puissant, bien qu'ayant une tendance à l'échauffement rapide. Il faut dire que Lamborghini ne s'est pas encore converti aux freins de céramique et de fibre de carbone qui font l'apanage des autres grandes sportives.

Il y a plus de 40 ans, Lamborghini donnait naissance au concept de super voiture. Aujourd'hui, après toutes ces années, la compagnie continue d'être parmi les meneurs de la catégorie pourtant fréquentée par de grosses pointures. Mais soyons honnêtes, il manque peut-être un petit quelque chose à la Murcielago pour rivaliser vraiment avec les Porsche Carrera GT, les Ferrari Enzo ou les Mercedes SLR. Mais il y a quelque chose que la Murcielago possède, et qui manquera toujours aux autres : l'insigne du taureau, gravé sur le capot, et dans les gènes.

Bertrand Godin

Photos : Lamborghini

LAMBORGHINI MURCIELAGO

DONNÉES TECHNIQUES

Modèle à l'essai :	Version unique
Prix du modèle à l'essai :	430000$ (estimé)
Échelle de prix :	430000$ (estimé)
Garanties :	2 ans/km illimité, 2 ans/km illimité
Catégorie :	GT
Emp./Lon./Lar./Haut.(cm) :	266,5/458/204,5/113,5
Poids :	1650 kg
Coffre/Réservoir :	n.d. / 100 litres
Coussins de sécurité :	frontaux
Suspension avant :	indépendante, bras inégaux
Suspension arrière :	indépendante, bras inégaux
Freins av./arr. :	disque
Antipatinage/Contrôle de stabilité :	oui/oui
Direction :	à crémaillère, assistée
Diamètre de braquage :	12,5 m
Pneus av./arr. :	P245/35ZR18 / P335/30ZR18
Capacité de remorquage :	non recommandé

GROUPE MOTOPROPULSEUR

Moteur :	V12 de 6,2 litres 48s atmosphérique
Alésage et course	87,0 mm x 86,8 mm
Puissance :	580 ch (433 kW) à 7500 tr/min
Couple :	480 lb-pi (651 Nm) à 5400 tr/min
Rapport Poids/Puissance :	2,84 kg/ch (3,86 kg/kW)
Moteur électrique :	aucun
Autre(s) moteur(s) :	seul moteur offert
Transmission :	intégrale, manuelle 6 rapports
Autre(s) transmission(s) :	aucune
Accélération 0-100 km/h :	3,8 s
Reprises 80-120 km/h :	4,4 s
Freinage 100-0 km/h :	30,7 m
Vitesse maximale :	330 km/h
Consommation (100 km) :	super, 22,0 litres
Autonomie (approximative) :	455 km
Émissions de CO2 :	n.d.

DANS LA MÊME CATÉGORIE

Aston Martin Vanquish - Ferrari 575 Maranello - Porsche Carrera GT

DU NOUVEAU EN 2006

Pas de changement majeur

HISTORIQUE DU MODÈLE

2ième génération

NOS IMPRESSIONS

Agrément de conduite :	4½
Fiabilité :	3
Sécurité :	3½
Qualités hivernales :	3
Espace intérieur :	2½
Confort :	3

LE CHOIX DE L'ÉQUIPE

Version unique

RIDEAU

«I did it my way», chantait Frank Sinatra. Ainsi peut chanter le Freelander, à la brunante de sa vie. En effet, le successeur du Land Rover le plus abordable sur le marché devrait être annoncé au courant de l'année et nous arriver en tant que modèle 2007. Pour l'instant, il n'est donc pas surprenant d'apprendre que le Freelander, après seulement quatre années de présence en Amérique, ne reçoit aucun changement cette année. Pourtant, ce modèle est beaucoup plus prêt pour la retraite que ce que nous pouvons croire, car en Europe il officie depuis 1997.

Pour être bien honnête, les quelques modèles écoulés en 2006 seront, en fait, des 2005. Après des ventes décevantes, sans doute parce que trop européen au goût (quelquefois douteux...) des Américains, le futur Freelander sera élaboré en tenant compte du marché très lucratif des États-Unis. Comme nous le mentionnons dans Le Guide de l'auto 2005, il est bien probable que son remplaçant utilise la plate-forme des Volvo V50 et Mazda3. Les prix, selon ma boule de cristal achetée à gros prix chez Dollorama, devraient se situer aux alentours de ceux déjà en vigueur. On peut certes imaginer que les principaux irritants du modèle actuel seront éliminés et que les qualités seront préservées. Les excellents journalistes du magazine Le Monde de l'auto se feront un plaisir de vous tenir au courant de la suite des événements.

Pour l'instant, mentionnons que le Freelander a été le premier VUS compact de luxe. Jamais auparavant, nous n'avions été en présence d'un véhicule de cette catégorie offrant autant de raffinement et de luxe. Mais la compétition faisant preuve de bien peu de pitié, la chute du Land Rover a été plutôt brutale. Désormais, les Honda CR-V, Toyota RAV4 et Kia Sportage, pour ne nommer que ceux-ci, proposent pratiquement autant de luxe pour moins cher. De plus, leur fiabilité se révèle nettement supérieure. Certes, un Land Rover paraît mieux devant son entrée de garage... mais BMW offre son X3!

PERSONNAGES FICTIFS

S'il y a un domaine où le Freelander s'impose, c'est bien celui des capacités hors route même s'il repose sur une structure monocoque plutôt que sur un châssis autonome comme prescrit pour les gros efforts. Même s'il n'a pas droit comme les autres Land Rover à une boîte de transfert, il possède un rouage intégral à commande électronique et viscocoupleur ainsi qu'un système de retenue en pente. Ce système est redoutablement efficace et si le Freelander a de la difficulté à suivre son grand frère LR3 dans des conditions extrêmes, il peut toutefois passer là où CRV et Cie s'enlise facilement. Pour déplacer cette masse de 1 650 kilos, le Freelander fait appel à un V6 de 2,5 litres de 174 chevaux et 177 livres-pied de couple. Comme le «gars fatigué» du Groupe Sanguin, il en faut peu à ce moteur pour s'essouffler. Et, franchement, on souffre un peu avec lui et on souhaiterait, comme Fred Cailloux, pédaler pour l'aider! La transmission automatique à cinq rapports possède un mode manuel qui permet de passer les rapports plus rapidement. Les suspensions, indépendantes aux quatre roues, offrent un confort de bon aloi et autorisent une tenue de route correcte à

FEU VERT

- Belle gueule
- Capacités hors route étonnantes
- Confort très acceptable
- Habitacle spacieux
- Prestige du nom Land Rover

FEU ROUGE

- Modèle en fin de carrière
- Moteur trop juste
- Fiabilité ridicule
- Prix trop élevés
- Toit amovible détestable (SE3)

défaut d'être sportive. On dénote toutefois un roulis considérable si on tente de jouer les Alonso dans les courbes. Les distances de freinages sont correctes, sans plus, et l'avant plonge passablement lors d'arrêts d'urgence. La direction, un peu lourde, aurait avantage à imiter Claire Lamarche en se faisant communicatrice.

L'habitacle fait très Land Rover, surtout à cause des cuirs, de la qualité des matériaux et de certains éléments esthétiques. L'accès à bord n'est pas facile pour les grandes personnes qui risquent de se péter la fiole sur le rebord du toit. Une fois assis dans des sièges avant confortables et placés très haut, le conducteur bénéficie d'une visibilité sans faille. Le dégagement pour la tête ou les jambes ne cause aucun probleme. Tous les commentaires précédents s'appliquent aussi aux deux personnes (pas trois, de grâce) assises à l'arrière même si la banquette se révèle un peu plus dure. Le dossier de ces sièges s'abaisse de façon 60/40 pour augmenter un espace de chargement déjà surprenant. Le seuil de chargement est placé bas, mais le fait d'ouvrir la porte arrière du mauvais sens (pentures à droite) peut occasionner certains désagréments si vous êtes stationné parallèlement au trottoir. Un des commentaires les plus souvent entendus, et pas toujours dans des termes élogieux, concerne le système de climatisation/chauffage trop peu puissant pour effectuer correctement son boulot. Par contre, on retrouve plusieurs espaces de rangement (et de bonnes dimensions, ce qui est devenu très rare dans un véhicule des années 2000!)

Le Freelander est vendu en versions cinq et trois portes. Si la livrée SE (cinq portes) fait plus «prestige» que celle à trois portes (SE3), c'est que les lignes de cette dernière sont un peu spéciales avec un pilier C très incliné vers l'avant et très rapproché du pilier B. Remarquez que je n'ai pas écrit «laid». J'ai juste mentionné que c'était spécial! Il est possible de retirer et de replacer une partie du toit du SE3, mais au prix de plusieurs allusions au monde religieux. Land Rover a sûrement payé cher ses ingénieurs pour trouver un système aussi complexe et ridicule.

Même si le Freelander a marqué l'arrivée de Land Rover dans le marché des VUS compacts, bien peu vont s'en ennuyer. Vivement la prochaine génération! En espérant que la fiabilité se soit grandement améliorée...

Alain Morin

Photos: Land Rover

DONNÉES TECHNIQUES

Modèle à l'essai:	SE
Prix du modèle à l'essai:	39400$ - 2005
Échelle de prix:	35900$ à 39500$ - 2005
Garanties:	4 ans/80000 km, 4 ans/80000 km
Catégorie:	utilitaire sport compact
Emp./Lon./Lar./Haut.(cm):	256/444/181/181
Poids:	1650 kg
Coffre/Réservoir:	470 à 1190 litres / 64 litres
Coussins de sécurité:	frontaux
Suspension avant:	indépendante, jambes de force
Suspension arrière:	indépendante, jambes de force
Freins av./arr.:	disque (ABS)
Antipatinage/Contrôle de stabilité:	oui/non
Direction:	à crémaillère, assistée
Diamètre de braquage:	11,6 m
Pneus av./arr.:	P215/65R16
Capacité de remorquage:	750 kg

GROUPE MOTOPROPULSEUR

Moteur:	V6 de 2,5 litres 24s atmosphérique
Alésage et course	80,0 mm x 83,0 mm
Puissance:	174 ch (130 kW) à 6250 tr/min
Couple:	177 lb-pi (240 Nm) à 4000 tr/min
Rapport Poids/Puissance:	9,48 kg/ch (12,69 kg/kW)
Moteur électrique:	aucun
Autre(s) moteur(s):	seul moteur offert
Transmission:	intégrale, automatique 5 rapports
Autre(s) transmission(s):	aucune
Accélération 0-100 km/h:	9,5 s
Reprises 80-120 km/h:	8,1 s
Freinage 100-0 km/h:	41,0 m
Vitesse maximale:	155 km/h
Consommation (100 km):	ordinaire, 13,5 litres
Autonomie (approximative):	474 km
Émissions de CO_2:	5876 kg/an

DANS LA MÊME CATÉGORIE

Ford Escape - Honda CR-V - Jeep Liberty - Mazda Tribute - Mitsubishi Outlander - Suzuki Grand Vitara

DU NOUVEAU EN 2006

pas de changement majeur

HISTORIQUE DU MODÈLE

1[ière] génération

NOS IMPRESSIONS

Agrément de conduite:	🚗🚗🚗
Fiabilité:	🚗🚗
Sécurité:	🚗🚗🚗🚗
Qualités hivernales:	🚗🚗🚗🚗🚗
Espace intérieur:	🚗🚗🚗½
Confort:	🚗🚗🚗½

LE CHOIX DE L'ÉQUIPE

SE

CHANGEMENTS ET TRADITION

L'an dernier, le Land Rover LR3 est venu remplacer le démodé Discovery. Pour sa dernière année de production, nous avions même titré notre essai du Discovery « Une déception de 58 000 $ ». Même si ce prétentieux véhicule affichait des capacités hors route phénoménales, ses prestations sur la route, en ville surtout, auraient pu faire sacrer Sœur Angèle. De plus, son aménagement intérieur proposait de nombreuses fautes, conformes à ce que la tradition anglaise nous a habitués. Tout en demeurant parfaitement fidèle à ses origines « british », le LR3 rompt avec plusieurs irritants. Bienvenue dans le XXIe siècle, gentes personnes de Land Rover !

S'il est un domaine où le LR3 n'a – heureusement – pas rompu avec la tradition, c'est bien au niveau de la présentation. Tout en respectant la carrure typique des véhicules Land Rover, les designers ont su insuffler à cette grosse boîte de chaussures une allure aristocrate et moderne, respirant la solidité… et un charme fou ! La ligne de toit relevée à partir du pilier B (entre les portes avant et arrière), les vitres arrière débordant sur le bord du toit et la vitre asymétrique du hayon contribuent à donner au colossal véhicule une apparence quasiment frivole. Mais il ne faut pas se conter d'histoires : le LR3 est gros, très gros.

UN BRITANNIQUE ERGONOMIQUE !

L'habitacle est de la même école que la carrosserie. L'équipement de base, même dans la version la moins dispendieuse (SE) est pléthorique, et la présentation de l'infinité de boutons est tout à fait dans les normes de l'ergonomie, une situation qui aurait été absolument impossible à envisager chez Land Rover il n'y a pas si longtemps. Les plastiques sont d'excellente qualité et se marient très bien avec les cuirs fins tandis que l'assemblage fait preuve de plus de sérieux que par le passé. L'habitacle est vaste, vaste, vaste et si votre tête frotte sur le toit, c'est que vous êtes debout ! Si l'accès aux places avant ne s'attire aucun commentaire négatif, il en va autrement pour les places arrière, dont l'assise est trop haute. Mais une fois rendus, on se rend compte de leur confort. Notre véhicule d'essai était muni de la troisième banquette optionnelle qui demande une souplesse de félin juste pour y accéder. En fait, il s'agit de deux strapontins relativement confortables, éclairés par un immense toit vitré. Lorsqu'ils sont relevés, ils altèrent grandement l'espace de chargement. Cependant, quand ils sont remisés, ils autorisent un plancher plat malgré de larges interstices.

Le Land Rover LR3 est proposé en deux versions, soit SE et HSE, cette dernière se détaillant environ 6 000 $ de plus que la « simple » SE. Pour justifier son prix de près de 70 000 $, le HSE compte sur des roues de 19″ au lieu de 18″, un système Harman Kardon de 550 watts comparativement à 240 seulement pour le SE (qui, soit dit en passant, possède une très belle sonorité… alors imaginez 310 watts de plus !) et un système GPS de série, entre autres. Du côté de la mécanique, c'est du pareil au même. Les deux modèles sont mus par un très moderne V8 de 4,4 litres de 300 chevaux et 315 livres-pied de couple. Une seule transmission est offerte, soit une automatique ZF à six rapports avec possibilité de passage manuel. Le duo

FEU VERT

- Raffinement certifié
- Capacités hors route phénoménales
- Moteur performant
- Comportement routier surprenant
- Charme fou

FEU ROUGE

- Consommation importante
- Indice de fiabilité terni
- Entretien coûteux
- Poids impressionnant
- 3e banquette difficile d'accès

moteur/transmission fonctionne main dans la main et, malgré les dimensions un du véhicule, autorise des performances surprenantes.

Sur la route, le LR3 marque encore des points. Le châssis est d'une solidité à toute épreuve, les suspensions pneumatiques procurent un confort parfaitement britannique et la direction, quoique peu sensible, fait preuve de précision. En ligne droite, la stabilité, même à grande vitesse, impressionne. Le bruit provenant des gros pneus aussi! Poussé plus que de raison dans une courbe, le LR3 penche et on sent beaucoup de roulis. Heureusement, le système de stabilité latérale intervient rapidement. Les freins sont très performants... une fois. Dès le deuxième arrêt d'urgence, on sent que le poids de plus de 2400 kilos fait son œuvre et les distances s'allongent passablement. Malgré tout, le LR3 demeure un charme à conduire, et nul doute que le sentiment de sécurité qu'il procure y est pour beaucoup.

PASSE-PARTOUT

Mais ce qui fait d'un Land Rover un Land Rover, ce sont ses capacités en conduite hors route. Et contrairement à beaucoup de propriétaires de gros VUS luxueux, ceux qui possèdent un Land Rover hésitent moins à se lancer dans la bouette. Ils peuvent d'ailleurs compter sur un rouage intégral des plus sophistiqués. L'antipatinage indépendant sur chaque roue, les systèmes de stabilité latérale et de retenue en pente, ainsi que l'ABS s'unissent pour donner aux roues qui en ont le plus besoin toute la traction nécessaire. Le conducteur peut aussi intervenir pour choisir la gamme basse (Lo) ou manipuler le bouton «Terrain Response». Cette dernière commande rotative permet de choisir entre divers types de surfaces allant de «normal» à «terrain rocheux» en passant par «herbe, gravier, neige, boue, ornières et sable». De plus, le pilote a aussi la possibilité d'ajuster la hauteur du dégagement sous le véhicule (de 18,5 cm à 26,9 cm). Si un jour vous enlisez un LR3... écrivez-moi!

Alliant capacités de franchissement phénoménales, confort princier et charme aristocrate, le LR3 fera le bonheur de tous ceux qui n'ont pas peur de la triste réputation de fiabilité de Land Rover, qui ont les moyens de l'acquérir et... de le faire rouler! Jusqu'ici, le LR3 ne semble pas trop problématique.

Alain Morin

Photos: Alain Morin

LAND ROVER LR3

DONNÉES TECHNIQUES

Modèle à l'essai:	HSE
Prix du modèle à l'essai:	67500$ - 2005
Échelle de prix:	61900$ à 67900$ - 2005
Garanties:	4 ans/80000 km, 4 ans/80000 km
Catégorie:	utilitaire sport intermédiaire
Emp./Lon./Lar./Haut.(cm):	288,5/485/191,5/189
Poids:	2461 kg
Coffre/Réservoir:	2558 litres / 86 litres
Coussins de sécurité:	frontaux, latéraux (av.), rideaux
Suspension avant:	indépendante, double triangles
Suspension arrière:	indépendante, double triangles
Freins av./arr.:	disque (ABS)
Antipatinage/Contrôle de stabilité:	oui/oui
Direction:	à crémaillère, assistée
Diamètre de braquage:	11,5 m
Pneus av./arr.:	P255/60R18
Capacité de remorquage:	3500 kg

GROUPE MOTOPROPULSEUR

Moteur:	V8 de 4.4 litres 32s atmosphérique
Alésage et course	88,0 mm x 90,3 mm
Puissance:	300 ch (224 kW) à 5500 tr/min
Couple:	315 lb-pi (427 Nm) à 4000 tr/min
Rapport Poids/Puissance:	8,20 kg/ch (10,99 kg/kW)
Moteur électrique:	aucun
Autre(s) moteur(s):	V6 4,0 l 216ch à 4500tr/mn et 269lb-pi à 3000tr/mn
Transmission:	intégrale, séquentielle 6 rapports
Autre(s) transmission(s):	aucune
Accélération 0-100 km/h:	10,5 s
Reprises 80-120 km/h:	8,6 s
Freinage 100-0 km/h:	41,8 m
Vitesse maximale:	193 km/h
Consommation (100 km):	super, 15,8 litres
Autonomie (approximative):	544 km
Émissions de CO2:	n.d.

DANS LA MÊME CATÉGORIE

BMW X5 - Ford Expedition - Jeep Grand Cherokee - Mercedes-Benz Classe M

DU NOUVEAU EN 2006

Moteur V6

HISTORIQUE DU MODÈLE

1[ière] génération

NOS IMPRESSIONS

Agrément de conduite:	🚗🚗🚗½
Fiabilité:	🚗🚗🚗½
Sécurité:	🚗🚗🚗🚗½
Qualités hivernales:	🚗🚗🚗🚗🚗
Espace intérieur:	🚗🚗🚗½
Confort:	🚗🚗🚗🚗

LE CHOIX DE L'ÉQUIPE

HSE

L'ÉMANCIPATION SE POURSUIT

Alors que la compagnie Rover a cessé ses activités en mai 2005, Land Rover continue sa remontée vers la rentabilité, la fiabilité et la respectabilité. Il aura fallu les interventions successives de BMW et de Ford, l'actuel propriétaire, pour cesser la descente aux enfers de ce spécialiste de la conduite hors route. En effet, après avoir été le symbole de la conduite dans la brousse avec son Land Rover Defender et le véhicule officiel de la gentry britannique avec le Range Rover, la respectable compagnie était devenue presque une risée avec une fiabilité à faire peur et une mécanique rétro.

Les choses ont beaucoup progressé depuis, alors que le Land Rover Discovery est devenu le LR3 en 2005 et a été nommé «VUS de l'année» par plusieurs organismes. Quant au Range Rover, il a été entièrement modifié en 2002 et a retrouvé sa respectabilité. Il est important de souligner qu'aucun autre véhicule utilitaire sport ne jouit d'autant de prestige. Il y en a qui se vendent plus cher, mais aucun ne réussit à combiner le luxe, les prestations hors route et le caractère exclusif du Range.

SWOOSH! SWOOSH!

Après quatre années sur le marché dans sa nouvelle version, il était temps de moderniser quelque peu le Range Rover afin de contrer les efforts de la concurrence. De plus, puisque BMW n'a plus aucun lien commercial avec Land Rover, il était également temps de trouver un autre fournisseur pour la motorisation. En effet, le moteur V8 4,4 litres était fourni par BMW, l'ancien propriétaire de la marque.

Il aurait été très mal vu d'utiliser des moteurs fournis par Ford, plusieurs jugeant la marque américaine trop plébéienne pour fournir la composante principale d'un véhicule ciblant une clientèle de bien nantis. Il n'est donc pas surprenant qu'on se soit tourné vers Jaguar, une autre compagnie appartenant à Ford. Ce choix est d'autant plus songé que les moteurs V8 de 4,2 litres et de 4,4 litres sont de conception moderne et ont démontré leur fiabilité depuis leur entrée en service au tournant du millénaire. Le moteur 4,4 litres atmosphérique, produit 305 chevaux, ce qui est de beaucoup supérieur aux 282 chevaux du modèle 2005. Ce qui permet de retrancher une demi-seconde au traditionnel 0-100 km/h.

Mais si la direction s'en était tenue à ce seul moteur, l'unique changement aurait été l'annonce d'un nouveau fournisseur pour le groupe propulseur et l'arrivée d'une boîte automatique à six rapports. La grande nouvelle est l'arrivée sous le capot d'un moteur V8 suralimenté de 4,2 litres. Cette fois, la puissance est portée à 400 chevaux, ce qui représente une augmentation de 35% par rapport au modèle antérieur. Et pour ne pas être en reste, le couple a progressé de 25%! Encore là, la boîte automatique séquentielle ZF Command Shift à six rapports est de série. Ce moteur fait toute la différence du monde avec sa livrée de puissance très linéaire, sa douceur et son silence.

PRIORITÉ AU SUPERCHARGED

Sans vouloir diminuer la valeur de la version atmosphérique du Range Rover, il est certain que le modèle qui sera davantage en vedette cette

FEU VERT

Nouveaux moteurs
Insonorisation améliorée
Phares directionnels
Absence de roulis en virage
Fiabilité en progrès

FEU ROUGE

Prix corsé
Buses de ventilation arrière mal placées
Volant terne
Transmission parfois saccadée
Système DSC parfois trop enthousiaste

année sera le Supercharged ou SC autant en raison de la puissance de son moteur que par l'importance de son équipement. Et pour souligner la différence entre ces deux véhicules, les stylistes ont modifié ce dernier quelque peu. C'est ainsi que la grille est nouvelle. Des roues de 20 pouces font partie de son équipement de série, tandis que le design des roues en alliage est également différent de celui utilisé sur le modèle atmosphérique.

Toujours sur la version SC, la suspension a été calibrée différemment tandis que les amortisseurs pneumatiques à réglage continuel ont vu leur temps de réponse diminué. Les ingénieurs ont aussi été logiques avec les améliorations apportées au chapitre de la puissance en faisant appel à des disques ventilés de marque Brembo à l'avant comme à l'arrière. Et ces freins ne sont pas de la frime puisqu'ils ont été très efficaces à l'usage. Il ne faut pas oublier qu'ils doivent immobiliser un véhicule ayant un poids à vide d'environ 2 500 kg.

Comme il fallait s'y attendre sur une version haut de gamme, l'insonorisation a été perfectionnée. L'utilisation d'un verre plus épais pour les glaces latérales, la lunette arrière et le pare-brise de même qu'un raffinement de l'aérodynamique ont permis de réduire le bruit de la cabine de plus de 50 pour cent. Bien entendu, le rouage intégral sophistiqué à gestion électronique est de retour, permettant à ceux qui oseront s'aventurer dans des sentiers impraticables de franchir tous les obstacles avec aplomb. C'est un domaine qui départage Land Rover de la concurrence.

Au fil des années, ce constructeur a fait d'énormes progrès au chapitre du confort et de l'ergonomie. Notre modèle d'essai ne nous a posé aucun problème quant à savoir à quoi servait telle ou telle commande.

Assis haut, disposant d'une grande surface vitrée, le conducteur d'un Range se sent en pleine maîtrise. D'autant plus que la suspension pneumatique à commande électronique accomplit de l'excellent travail pour contrer le roulis en virage et le tangage au freinage. Toutefois, en reprise, les passages des rapports étaient parfois secs tandis que le système de stabilité latérale entrait en action dans les virages serrés pris à vitesse moyenne.

En conclusion, ce millésime continue la progression vers l'excellence.

Denis Duquet

Photos: Land Rover

LAND ROVER RANGE ROVER

DONNÉES TECHNIQUES

Modèle à l'essai:	Supercharged
Prix du modèle à l'essai:	118900$
Échelle de prix:	99900$ à 118900$
Garanties:	4 ans/80000 km, 4 ans/80000 km
Catégorie:	utilitaire sport grand format
Emp./Lon./Lar./Haut.(cm):	288/495/192/186
Poids:	2557 kg
Coffre/Réservoir:	530 à 1760 litres / 104,5 litres
Coussins de sécurité:	frontaux, latéraux (av.), rideaux
Suspension avant:	indépendante, jambes de force
Suspension arrière:	indépendante, multibras
Freins av./arr.:	disque (ABS)
Antipatinage/Contrôle de stabilité:	oui/oui
Direction:	à crémaillère, assistance variable
Diamètre de braquage:	11,6 m
Pneus av./arr.:	P255/55R19 / P255/50R20
Capacité de remorquage:	3500 kg

Pneus d'origine MICHELIN

GROUPE MOTOPROPULSEUR

Moteur:	V8 de 4,2 litres 32s compresseur
Alésage et course	86,0 mm x 90,3 mm
Puissance:	400 ch (298 kW) à 5750 tr/min
Couple:	420 lb-pi (570 Nm) à 3500 tr/min
Rapport Poids/Puissance:	6,39 kg/ch (8,58 kg/kW)
Moteur électrique:	aucun
Autre(s) moteur(s):	V8 4,4 l 305ch à 5750tr/mn et 325lb-pi à 4000tr/mn (HSE)
Transmission:	intégrale, automatique 6
Autre(s) transmission(s):	aucune
Accélération 0-100 km/h:	8,0 s
Reprises 80-120 km/h:	6,9 s
Freinage 100-0 km/h:	43,0 m
Vitesse maximale:	225 km/h
Consommation (100 km):	super, 16,8 litres
Autonomie (approximative):	622 km
Émissions de CO2:	n.d.

DANS LA MÊME CATÉGORIE

BMW X5 - Cadillac Escalade - Lexus LX 470 - Lincoln Navigator - Mercedes-Benz Classe M - Porsche Cayenne

DU NOUVEAU EN 2006

Version Supercharged, moteurs plus puissants, caméra de recul, modifications esthétiques

HISTORIQUE DU MODÈLE

3ième génération

NOS IMPRESSIONS

Agrément de conduite:	4
Fiabilité:	3½
Sécurité:	4½
Qualités hivernales:	4½
Espace intérieur:	3½
Confort:	4

LE CHOIX DE L'ÉQUIPE

Supercharged

SIR ROVER DE LA JUNGLE

Le soleil plombe, le vent frisquet transporte des grains de sable au gré de son humeur alors que les rochers rougeâtres donnent l'impression de scintiller à la lumière du jour. Soudain, dans la prairie, un nuage de poussière se soulève et on voit apparaître au loin une caravane d'une dizaine de véhicules, gravissant monts et collines à travers les champs désertiques. Image idyllique certes, mais une image qui rappelle bien ce qu'un Land Rover, et spécialement le tout nouveau Range Rover Sport, est capable de faire.

Tout cela, faut-il le rappeler, à l'intérieur d'un véhicule capable de performances presque dignes de voitures sports, et aménagé comme un hôtel de luxe. Bref, une combinaison exceptionnelle de résultats et de confort rarement égalé.

UN NOUVEAU GENRE

Au premier coup d'œil, le Range Rover Sport (précisons tout de suite qu'il n'a rien de commun avec le Range Rover régulier à l'exception du nom, conservé uniquement pour préserver la tradition), a tout de l'utilitaire de ville traditionnelle. Ses lignes, qui ne sont pas sans rappeler le grand frère, sont pourtant uniques. La voiture est plus courte, plus aérodynamique et son design plus dynamique. Cette allure sportive est encore rehaussée dans la version Supercharged (le RR Sport est aussi disponible en version de base), par des roues de 20 pouces, et par une calandre un peu différente dont le design permet une plus grande admission d'air.

Pour appuyer ce look, on retrouve sous le capot un moteur impressionnant, le V8 4,3 litre Supercharged puissant et doux. C'est le même genre de moteur que l'on retrouve aussi à l'intérieur des Jaguar XJR et XKR. Il réussit ainsi à développer quelque 390 chevaux, et rien de moins que 410 livres-pied de couple, capable de rivaliser ainsi avec n'importe quel compétiteur visé directement par Land Rover, soit le BMW X5 ou le Porsche Cayenne. Avec un tel moteur, on peu lancer le bolide sur les routes et franchir le cap des 100 kilomètres à l'heure en moins de 7,3 secondes. Et, détail non négligeable, c'est avec un charmant petit son de turbine que le Supercharged prend possession de la route.

De son côté, la version de base, dispose d'un V8 de 4,4 litres emprunté lui aussi directement à Jaguar. Il développe 300 chevaux à 5 500 tours-minutes, et peut compter sur un couple plus que raisonnable de 315 livres-pied à 4 000 tours-minutes. Toute cette mécanique est reliée aux roues par le biais d'une transmission automatique dite intelligente, une conception ZF. La transmission à six rapports distribue la puissance en tout temps aux quatre roues. Les rapports s'enclenchent rapidement, sans écart et de façon à peine perceptible. Mais encore une fois, il s'agit de la version de base puisque le Supercharged est livré avec une suspension doublée du système appelé Dynamic Response. En utilisant des capteurs qui mesurent la vitesse, l'angle du volant et l'accélération latérale, ce dernier peut modifier l'ajustement des barres anti-roulis, contrôlées par ordinateur. On obtient alors, à haute vitesse, un ajustement parfait en toute

FEU VERT

Moteurs ultra performants
Direction précise
Usage hors route unique
Électronique embarqué abondant

FEU ROUGE

Design conservateur
Habitacle décevant
Complexité d'utilisation des réglages
Contrôle du freinage délicat

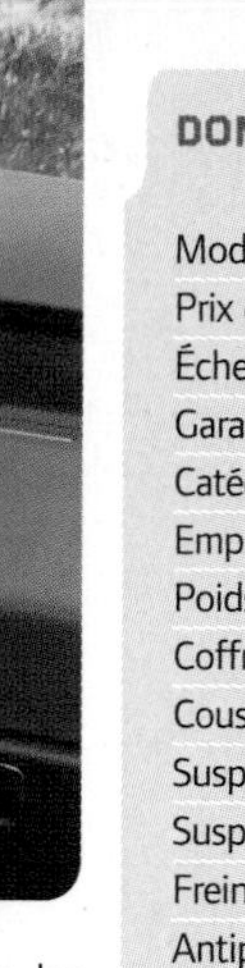

circonstance. En virage, les suspensions, rigides, absorbent pourtant toutes les imperfections de la route sans être, comme sur le Range Rover traditionnelle, remplie de cette ouate qui annule toute sensation de conduite. Quant aux freins, ils sont de bonne puissance sur la version de base, mais font appel à la technologie de Brembo avec disques ventilés aux quatre roues sur la version Supercharged. Inutile de dire que l'arrêt se fait sans hésitation, parfois presque trop brusquement.

SANS PEUR ET SANS REPROCHE

Pour véritablement tester un Range Rover sport, il ne faut pas avoir peur de se lancer à l'assaut des sentiers. Et de ce point de vue aussi, le Range Rover Sport impressionne. Il faut dire que dans ce domaine aussi, la technologie a été poussée à l'extrême. On peut par exemple utiliser l'un des cinq réglages différents accessibles sur simple pression d'un bouton placé dans la console centrale, entre les sièges avant. Chacun des différents modes est réglé électroniquement pour modifier une foule de paramètres, permettant l'usage maximal des composantes du véhicule, peu importent les circonstances. Le mode sable rend l'accélérateur plus souple, et ferme la puissance quelques dixièmes de secondes après que vous ayez lâché la pédale. Le mode neige qui nous concerne plus, agit lui aussi sur l'accélération, et sur le freinage, en plus bien entendu du transfert de puissance aux quatre roues afin d'assurer le maximum de traction.

Lors de notre essai sur des routes de montagne, c'est essentiellement le mode « rock crawling » qui a fait l'objet d'un test. Soyons honnêtes, les sentiers empruntés étaient impressionnants, de véritables murailles, et jamais le Range Rover n'a eu la moindre hésitation. Du moins, pas mal moins que le conducteur ne pouvait en avoir.

La seule faiblesse de ce tout-terrain presque sans défaut, c'est l'intérieur de l'habitacle. Moins luxueux que son grand frère Range Rover régulier, on a voulu miser sur une personnalité distincte. Malheureusement, on a un peu laissé de côté l'aspect prestigieux de ce véhicule, le rapprochant davantage du modèle d'entrée de gamme.

Avec autant de distinction, et autant d'agilité, c'est sans hésitation que je remets, au nouveau Range Rover Sport, le titre de Sir Rover de la jungle, un titre largement mérité qui rappelle à la fois son excellence sur route, et son exceptionnelle qualité d'aventurier.

Marc Bouchard

Photos: Marc Bouchard

DONNÉES TECHNIQUES

Modèle à l'essai:	Supercharged
Prix du modèle à l'essai:	93800$
Échelle de prix:	77800$ à 93800$
Garanties:	4 ans/80000 km, 4 ans/80000 km
Catégorie:	utilitaire sport grand format
Emp./Lon./Lar./Haut.(cm):	275,5/479/217/177
Poids:	2,572 kg
Coffre/Réservoir:	960 à 2013 litres / 88 litres
Coussins de sécurité:	frontaux, latéraux (av.), rideaux
Suspension avant:	ind., pneumatique jambes de force
Suspension arrière:	ind., pneumatique multibras
Freins av./arr.:	disque (ABS)
Antipatinage/Contrôle de stabilité:	oui/oui
Direction:	à crémaillère, assistance variable
Diamètre de braquage:	11,6 m
Pneus av./arr.:	275/40R20
Capacité de remorquage:	3500 kg

Pneus d'origine MICHELIN

GROUPE MOTOPROPULSEUR

Moteur:	V8 de 4,2 litres 32s compresseur
Alésage et course	86,0 mm x 90,3 mm
Puissance:	390 ch (291 kW) à 5750 tr/min
Couple:	410 lb-pi (556 Nm) à 3500 tr/min
Rapport Poids/Puissance:	6.59 kg/ch (8,84 kg/kW)
Moteur électrique:	aucun
Autre(s) moteur(s):	V8 4,4 l 300ch à 5500tr/mn et 315lb-pi à 4000tr/mn (HSE)
Transmission:	4X4, automatique 6 rapports
Autre(s) transmission(s):	aucune
Accélération 0-100 km/h:	7,6 s (constructeur)
Reprises 80-120 km/h:	n.d.
Freinage 100-0 km/h:	n.d.
Vitesse maximale:	225 km/h (constructeur)
Consommation (100 km):	super, 16,1 litres (constructeur)
Autonomie (approximative):	547 km
Émissions de CO2:	n.d.

DANS LA MÊME CATÉGORIE

BMW X5 - Cadillac Escalade - Lexus LX470 - Lincoln Navigator - Porsche Cayenne - Volkswagen Touareg

DU NOUVEAU EN 2006

Nouveau modèle

HISTORIQUE DU MODÈLE

1ière génération

NOS IMPRESSIONS

Agrément de conduite:	4 ½
Fiabilité:	nouveau modèle
Sécurité:	4 ½
Qualités hivernales:	5
Espace intérieur:	4
Confort:	4

LE CHOIX DE L'ÉQUIPE

Supercharged

CAMRY, VERSION HAUT DE GAMME

Ce n'est rien de négatif et ne le prenez surtout pas mal. Mais si vous optez pour une Lexus ES 330 lors de votre prochain achat, c'est que vous êtes riches. Ou à tout le moins, c'est que vous avez les moyens de payer le petit supplément qui sert de base à toutes les petites douceurs de ce monde. Dans le milieu automobile,ces douceurs sont baptisées luxe et finition, et c'est exactement ce que la ES 330 propose de plus que sa sœur vendue moins cher, la Toyota Camry.

S'il y en a parmi vous qui aviez encore des doutes, effacez-les. La ES et la Camry sont bien des cousines proches, partageant bon nombre de composantes mécaniques, et dotées de performances presque semblables. Ce qui ne veut pas dire qu'elles sont identiques, loin s'en faut. Car rappelons-le, les gens de Lexus aiment bien une certaine exclusivité, un aspect qu'ils livrent même avec leur berline d'entrée de gamme.

CALME ET RE CALME

La ES 330 est, à l'image de toutes ses consoeurs de même famille, le meilleur moyen de vous rendre du point A au point B dans le confort et le silence de roulement le plus absolu. Ce qui, vous en conviendrez, ne rime en rien avec plaisir ou sensations de conduite. Dans les faits, l'habitacle de la Lexus est probablement au moins aussi confortable que mon propre divan de salon. Et c'est avec le même frisson de plaisir (ô sarcasme quand tu nous tiens) qu'elle me permet de me rendre à destination.

L'intérieur est sans tache. Toutes les commandes sont placées exactement au bon endroit, les sièges offrent un confort bien au-delà de la moyenne, et parfois même un peu de support latéral si jamais l'envie vous prenait de conduire de façon plus «sportive»; les matériaux utilisés sont sobres et d'un luxe discret.

Comme toujours, les appliques en bois sont magnifiques, les cuirs dignes des plus grands noms et les plastiques impeccables. Tout cela, sans nous donner une atmosphère d'austérité que l'on retrouve trop souvent dans les berlines de luxe. Les passagers arrière profiteront aussi du confort de la banquette arrière pour autant qu'ils soient deux, et juste dans la moyenne pour une troisième personne.

On a aussi beaucoup misé sur l'insonorisation de l'ensemble, une qualité que la Lexus a de plus que la Camry, déjà pourtant relativement silencieuse. Assis dans l'habitacle de la ES 330, l'univers tout entier semble sans bruit. Le moteur est impeccablement silencieux, les pneus tiennent la route sans faire crier et même les bruits éoliens sont limités.

Ce qui dérange un peu chez cette Lexus cependant, c'est que la liste des équipements optionnels soit un peu trop longue si on la compare aux équipements de série. Ainsi, les options comme un chargeur 6 CD, le pédalier réglable, ou même des systèmes de sécurité comme le contrôle de traction et de dérapage qui doivent obligatoirement se

FEU VERT
Finition inégalée
Habitacle silencieux
Fiabilité sans reproche
Transmission automatique admirable

FEU ROUGE
Options dispendieuses
Direction trop muette
Suspensions mal adaptées
Conduite sans frissons

jumeler à des groupes d'option totalisant plusieurs milliers de dollars, ça fait rapidement grimper la facture. Avouons quand même que les sièges à la fois chauffants et climatisés, désormais de série, ainsi que les coussins gonflables multiples incluant les rideaux latéraux, ont de quoi nous réconcilier avec ce modèle.

UN PETIT SOMME AVANT DE PARTIR

Pour se marier avec cet intérieur sans reproche, et sans excès, il fallait une mécanique éprouvée. C'est exactement ce que propose le V6 de 3,3 litres qui équipe autant la ES 330 que la Camry sportive, la SE. Soyons honnête, ce n'est ni la fougue, ni l'enthousiasme juvénile qui distingue ce moteur de ces compétiteurs. Il livre, il faut l'avouer, des accélérations honorables, réalisant un 0-100 km à l'heure en 8,2 secondes, mais pas véritablement sportives. Les reprises sont aussi dynamiques (environ 6 secondes pour un 80-120) , mais encore une fois sans feed-back de vélocité. Il faut peut-être dire un remerciement tout particulier à la transmission automatique baptisée Super ECT, qui enfile les rapports ascendants et descendants avec une précision, une souplesse et une discrétion remarquable. Cette transmission, c'est un peu la marque de commerce de l'efficacité Lexus. Pour l'animer, on y retrouve des commandes électroniques dont le rôle est de modifier la pression hydraulique rendant ainsi le passage des vitesses plus souple. Mieux encore, un petit ordinateur embarqué permet à la transmission «d'apprendre» le comportement du conducteur en lisant les signaux moteurs, et d'adapter ses changements en fonction de cette réalité.

Autre détail ayant son importance, la ES est dotée de freins efficaces, assurant constance et puissance dans toutes les circonstances. Quant à la direction, c'est vrai, elle est précise mais tellement engourdie qu'elle garde pour elle toutes les sensations routières, laissant le conducteur un peu à court d'impressions. Même chose pour les suspensions qui, à moins de choisir l'option des amortisseurs pneumatiques réglables, semblent remplies de guimauve. Ce qui explique le roulis dans les virages plus prononcés et le tangage sur mauvaise route.

Cette année, les changements sur le Lexus sont pratiquement inexistants. En attendant une refonte complète, à l'image de la IS ou de la GS par exemple, la ES est une bien belle, et bien bonne voiture.

Marc Bouchard

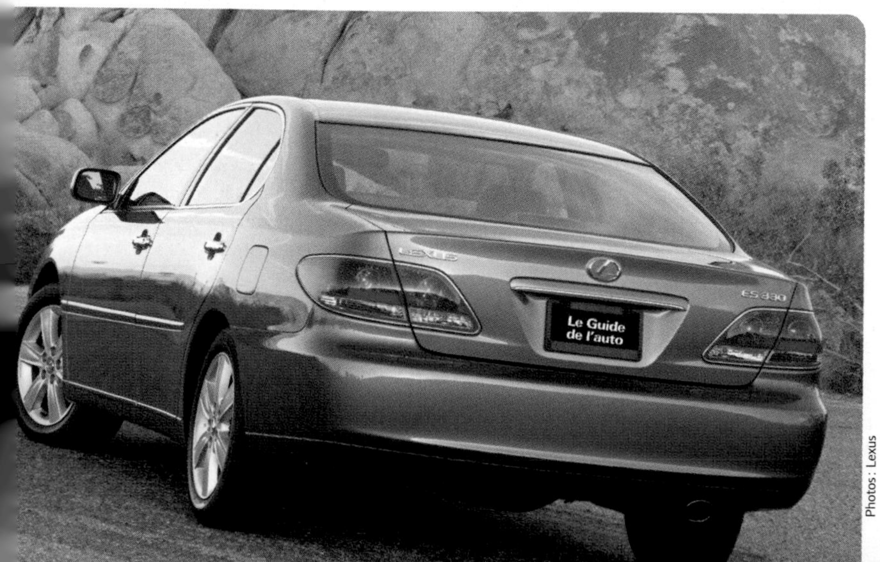

Photos: Lexus

LEXUS ES 330

DONNÉES TECHNIQUES

Modèle à l'essai:	Luxe Ultra
Prix du modèle à l'essai:	48800$ - 2005
Échelle de prix:	39900$ à 52300$ - 2005
Garanties:	4 ans/80000 km, 6 ans/110000 km
Catégorie:	berline de luxe
Emp./Lon./Lar./Haut.(cm):	272/485,5/181/145,5
Poids:	1575 kg
Coffre/Réservoir:	411 litres / 70 litres
Coussins de sécurité:	frontaux, latéraux (av.), rideaux
Suspension avant:	indépendante, jambes de force
Suspension arrière:	indépendante, multibras
Freins av./arr.:	disque (ABS)
Antipatinage/Contrôle de stabilité:	oui/oui
Direction:	à crémaillère, assistance variable
Diamètre de braquage:	11,2 m
Pneus av./arr.:	P215/55R17
Capacité de remorquage:	n.d.

Pneus d'origine MICHELIN

GROUPE MOTOPROPULSEUR

Moteur:	V6 de 3,3 litres 24s atmosphérique
Alésage et course	93,9 mm x 83,1 mm
Puissance:	225 ch (168 kW) à 5600 tr/min
Couple:	240 lb-pi (325 Nm) de 3,600 à 6100 tr/min
Rapport Poids/Puissance:	7,00 kg/ch (9,38 kg/kW)
Moteur électrique:	aucun
Autre(s) moteur(s):	seul moteur offert
Transmission:	traction, automatique 5 rapports
Autre(s) transmission(s):	aucune
Accélération 0-100 km/h:	8,2 s
Reprises 80-120 km/h:	6,1 s
Freinage 100-0 km/h:	39,0 m
Vitesse maximale:	210 km/h (limitée)
Consommation (100 km):	super, 9,5 litres
Autonomie (approximative):	737 km
Émissions de CO2:	4609 kg/an

DANS LA MÊME CATÉGORIE

Acura TL - Audi A4 - BMW Série 3 - Mercedes-Benz Classe C - Saab 9-5

DU NOUVEAU EN 2006

Pas de changement majeur

HISTORIQUE DU MODÈLE

1[ière] génération

NOS IMPRESSIONS

Agrément de conduite:	3
Fiabilité:	3½
Sécurité:	4½
Qualités hivernales:	4
Espace intérieur:	4
Confort:	4

LE CHOIX DE L'ÉQUIPE

Groupe Luxe

TOUJOURS LA PLUS DÉSIRABLE

Je dois avouer avoir un faible pour la gamme GS de Lexus. Est-ce parce qu'elle est dérivée de la Toyota Aristo dessinée par Giugiaro au début des années 90 ? Était-ce en raison de son moteur six cylindres en ligne, le seul offert au tout début ? Ou encore en raison de son panache et d'une conduite un peu moins soporifique que les autres voitures Lexus de l'époque ? Quoi qu'il en soit, elle ne me laissait pas indifférent. Surtout après l'arrivée en 2001 d'un moteur V8 de 4,3 litres sous le capot. Malgré tout, sa popularité était en demi-teinte et la direction de Lexus espère que cette nouvelle génération « aura la pêche », comme disent nos cousins français.

Lancée en 1997, les multiples évolutions ne réussissaient plus à lui permettre d'affronter une concurrence sans cesse renouvelée. Et cette fois, on a voulu faire de cette nouvelle venue le porte-étendard de la gamme, aussi bien en fait de stylisme que de raffinement mécanique. Ce choix n'est pas mauvais puisque la GS a toujours été la Lexus la plus stylisée et dont la mécanique était d'avant-plan.

OPÉRATION DESIGN

Fini le conservatisme ! Trop souvent accusés de ne pas oser prendre de risque en fait de stylisme, les studios de Lexus ont décidé de nous épater en concevant de nouveaux modèles qui seront à l'avant-garde. Pour identifier ce mouvement, les responsables utilisent le terme « L-Finesse ». Je sais, cela ressemble davantage à un produit d'hygiène féminine qu'à un concept de stylisme... Mais pour les Américains surtout, cette petite touche française vient accorder un soupçon de raffinement et de continentalité. Il est par ailleurs ironique que ce mouvement soit amorcé avec le modèle GS, celui qui était jugé le plus esthétique du lot.

Force est d'admettre que cette nouvelle philosophie des lignes et des courbes de la carrosserie a des résultats probants. La silhouette est très élégante et possède en même temps une allure trapue qui nous informe visuellement que cette voiture ne s'en laissera pas imposer. De plus, la ceinture de caisse est plus élevée afin d'obtenir plus de contraste entre les parties supérieures et inférieures de la carrosserie. Pour permettre aux occupants d'avoir quand même une bonne visibilité, l'assise des sièges a été haussée. En plus, l'accès à bord est rendu plus facile : ce que les ingénieurs appellent le « point de jonction de la hanche » est presque à la même hauteur que les sièges. On se glisse dans la GS !

S'ajoutent à ces éléments un capot ultraplat qui met ainsi en évidence la grille de calandre de même que les blocs optiques qui servent de points de fuite de la partie avant. La ceinture de caisse plus élevée facilite également la tâche des stylistes qui ont voulu dessiner une ligne de toit semblable à celle d'un coupé. Comme toute berline sport qui se

respecte, un béquet intégré au couvercle du coffre rencontre les impératifs de la catégorie. Mais cet appendice a pour effet d'améliorer l'aérodynamique de la voiture dont le coefficient de pénétration dans l'air est de 0,27. Une donnée exceptionnelle pour une voiture de ce gabarit. À ce propos, la nouvelle GS offre un empattement plus long de 5 centimètres par rapport au modèle 2005, tandis que la longueur hors tout a progressé de 2,5 centimètres.

En conclusion, la mission a été remplie et les principaux objectifs atteints. Par contre, il faut déplorer sa trop forte ressemblance avec la Toyota Avalon, vendue quelques dizaines de milliers de dollars de moins.

SUPER TECHNO

De nos jours, les voitures de luxe ne se contentent pas de dorloter leurs occupants avec un silence de roulement exceptionnel, des sièges ultraconfortables et une liste de gadgets. Elles doivent également être pourvues de ce qu'il y a de plus sophistiqué en fait de mécanique et d'aide électronique quant au pilotage. Et force est d'admettre que la nouvelle GS est très bien équipée à cet égard.

Il est quand même curieux que la division Lexus ait abandonné le moteur six cylindres en ligne qui conférait à la GS 300 une certaine exclusivité. Incidemment, les lecteurs du Guide 2005 n'avaient pas la berlue en lisant que la GS pouvait être livrée avec un moteur V6. Quelqu'un était fort distrait ou encore avait un don de prémonition lors de la rédaction de ce texte. Quoi qu'il en soit, la GS300 2006 est vraiment propulsée par un tout nouveau moteur V6 3,0 litres de 245 chevaux. Il est tout aussi doux que l'ancien six cylindres en ligne et compte 25 chevaux de plus. La GS 430 est la version toute garnie de la gamme et elle est propulsée par une version encore plus raffinée du moteur V8 de 4,3 litres dont les 300 chevaux permettent de boucler le 0 100 km/h en 5,8 secondes. Les deux moteurs se partagent la boîte automatique séquentielle à six rapports.

Si la disparition du moteur à cylindres en ligne supprime l'une des ressemblances avec les meilleures allemandes, la direction à crémaillère à assistance électrique progressive en fonction de la vitesse est nouvelle cette année. Elle est de toute évidence la réplique à Lexus aux BMW. Offert de série sur tous les modèles, son moteur électrique active la timonerie et élimine du même fait le dispositif hydraulique qui est responsable d'une consommation de carburant plus élevée. Mais ce n'est pas fini, comme le disait un comique de jadis. La GS430 est équipée de série d'un système de direction à rapport d'engrenage variable qui travaille de concert avec celle-ci. Il contrôle l'angle de direction des roues en fonction de la vitesse du véhicule. À basse vitesse, il réduit l'amplitude du mouvement que le conducteur doit appliquer au volant et l'augmente à haute vitesse dans le but de d'éliminer les réactions exagérées. Donc, lors des manœuvres de stationnement, vous n'avez pas à trop tourner le volant pour que l'angle des roues soit important. Sur la grand-route, c'est le contraire afin d'assurer une meilleure stabilité à haute vitesse.

Voilà pour la sécurité passive. Les GS peuvent être également équipées en option du système de précollision qui comprend un radar à ondes millimétriques capable de détecter la présence imminente d'un obstacle. L'ordinateur de bord ordonne alors la tension immédiate des ceintures, le passage de la suspension adaptative en mode sport. De plus, l'assistance électronique au freinage est déjà prête à fournir une puissance de freinage maximale dès que le conducteur posera le pied.

Les ingénieurs se sont ensuite amusés à combiner le système de stabilité latérale au système de freins à commandes électroniques afin de nous offrir le système VDIM ou «Gestion intégrée de la dynamique du véhicule». Nous sommes tout près de la voiture intelligente qui prévient toute perte de maîtrise avant que celle-ci ne se produise. Contrairement aux autres systèmes qui réagissent à la suite d'un dérapage.

La suspension variable adaptative, de série sur la GS 430, et la traction intégrale de la GS 300 viennent étoffer davantage la très longue fiche technique des nouvelles GS. Ajoutons que le rouage intégral est associé à un régulateur de traction électronique qui transfère le couple à la roue qui ne glisse pas sur le même essieu.

TROP PARFAITES ?

À vouloir trop peaufiner ou encore à avoir l'obsession de la perfection dans ses moindres détails, les ingénieurs en ont peut-être trop fait en matière de confort et d'insonorisation. Prenez l'habitacle par exemple, tout est exécuté à la perfection. Installé dans son siège, on ne peut que s'émerveiller devant la qualité de l'assemblage et des matériaux, de la finesse des cuirs et de la présentation en général. On se croirait assis dans une pièce d'orfèvrerie de haut niveau. Les moindres détails ont été passés au peigne fin. L'éclairage de l'habitacle est dorénavant l'affaire de 16 sources lumineuses totalisant 28 éclairages individuels. Avant de l'oublier, mentionnons la possibilité de commander un système intuitif

FEU VERT
Silhouette élégante
Moteurs performants
Sécurité active d'avant-garde
Finition hors-norme
Insonorisation exemplaire

FEU ROUGE
Agrément de conduite mitigé
Performances moyennes (V6)
Mécanique ultracomplexe
Apparentée à la Toyota Avalon
Groupes d'options onéreux

d'aide au stationnement. Celui-ci comprend un sonar ainsi qu'un afficheur sur le tableau de bord illustrant l'angle de direction des roues avant et des conseils sous forme de pictogramme afin de pouvoir stationner sans angoisse.

La planche de bord est typiquement Lexus avec ses cadrans électroluminescents ainsi que ses commandes de bonnes dimensions, faciles d'accès et d'opération. Comme sur la version précédente, l'écran de navigation est de grande taille. Il est de plus couplé à une caméra de recul qui affiche sur cet écran l'espace derrière le véhicule lorsque la transmission est en marche arrière.

Plus puissante, plus raffinée sur le plan technique, dotée d'aides au pilotage vraiment intéressantes, je m'attendais à une voiture capable d'en découdre d'égal à égal avec les Mercedes de Classe E, BMW de Série 5 sans oublier la Audi A 6. Et il est vrai que cette Lexus soutient fort bien la comparaison avec ce trio sur le plan technique et technologique. Elle les surpasse même sur certains points, notamment le système VDIM. Mais la comparaison est moins positive lorsque vient le temps de comparer non pas le comportement routier, mais le feedback de la voiture et les sensations de conduite. Rassurez-vous, les deux GS offrent une excellente tenue de route, un freinage puissant et de bonnes performances. Toutefois, le pilote et les occupants sont tellement isolés dans l'habitacle que ça devient soporifique par moments.

Je suis persuadé que la majorité des acheteurs de la nouvelle GS vont adorer leur voiture, surtout en raison de son confort, de son raffinement technique et d'une tenue de route impressionnante. Ceux qui recherchent un véhicule répondant mieux et plus rapidement tout en transmettant des sensations plus directes, devront chercher ailleurs. Ironiquement, Shigeto Miyoshi, l'ingénieur en chef du projet, nous soulignait dans le cadre du lancement que l'équipe de développement de cette voiture avait utilisé une méthode plus subjective dans le but de donner plus de personnalité à cette voiture.

Il n'en manque pas beaucoup cependant pour que cette Lexus soit reconnue comme une voiture supérieure à tous les points de vue, mais elle devra avoir plus de personnalité sur la route afin de se joindre au club sélect des berlines sport. En attendant, elle est une excellente voiture de luxe. Il lui reste à gagner le qualificatif sport.

Denis Duquet

Photos: Bertrand Godin

LEXUS GS 300 / 430

DONNÉES TECHNIQUES

Modèle à l'essai:	GS 300 propulsion
Prix du modèle à l'essai:	67100$
Échelle de prix:	64300$ à 88000$
Garanties:	4 ans/80000 km, 6 ans/110000 km
Catégorie:	berline de luxe
Emp./Lon./Lar./Haut.(cm):	285/482,5/182/142,5
Poids:	1640 kg
Coffre/Réservoir:	360 litres / 71 litres
Coussins de sécurité:	frontaux, latéraux (av.), rideaux
Suspension avant:	essieu rigide, bras inégaux
Suspension arrière:	indépendante, multibras
Freins av./arr.:	disque (ABS)
Antipatinage/Contrôle de stabilité:	oui/oui
Direction:	à crémaillère, assistance variable électrique
Diamètre de braquage:	11,2 m
Pneus av./arr.:	P225/50R17
Capacité de remorquage:	n.d.

GROUPE MOTOPROPULSEUR

Moteur:	V6 de 3,0 litres 24s atmosphérique
Alésage et course	n.d.
Puissance:	245 ch (183 kW) à 6200 tr/min
Couple:	230 lb-pi (312 Nm) à 3600 tr/min
Rapport Poids/Puissance:	6,69 kg/ch (8,96 kg/kW)
Moteur électrique:	aucun
Autre(s) moteur(s):	V8 4,3 l 300ch à 5600tr/mn et 325lb-pi à 3400tr/mn (GS430)
Transmission:	propulsion, automatique 6 rapports
Autre(s) transmission(s):	intégrale, automatique 6 rapports (GS300)
Accélération 0-100 km/h:	6,8 s
Reprises 80-120 km/h:	6,3 s
Freinage 100-0 km/h:	37,0 m
Vitesse maximale:	240 km/h (constructeur)
Consommation (100 km):	super, 10,8 litres
Autonomie (approximative):	657 km
Émissions de CO2:	n.d.

DANS LA MÊME CATÉGORIE

Acura RL - Audi A6 - BMW Série 5 - Jaguar S-Type - Mercedes-Benz Classe E - Saab 9-5

DU NOUVEAU EN 2006

Nouveau modèle, direction VGR

HISTORIQUE DU MODÈLE

3ième génération

NOS IMPRESSIONS

Agrément de conduite:	🚗🚗🚗🚗½
Fiabilité:	nouveau modèle
Sécurité:	🚗🚗🚗🚗½
Qualités hivernales:	🚗🚗🚗🚗
Espace intérieur:	🚗🚗🚗🚗
Confort:	🚗🚗🚗🚗½

LE CHOIX DE L'ÉQUIPE

GS 300 propulsion

ANTONYME PAR NATURE

Un antonyme, c'est le contraire de quelque chose, l'inverse de synonyme. Ce qui correspond parfaitement à la phrase suivante : Lexus a construit un véhicule tout-terrain. Quand on sait à quel point Lexus est synonyme de luxe, et de conduite sans reproche, on imagine mal ce nom associé dans une même phrase, au tout-terrain. Pourtant, il faut bien l'avouer, l'expérience s'est avérée réussie. En fait, même les plus ardents défenseurs de la marque ont été agréablement surpris.

Pour ce faire, on a lancé l'année dernière le GX 470, un véritable utilitaire sport, un modèle qui s'inscrit entre le multisegment de la série RX, et l'immense utilitaire de grand luxe, et de haut prix, qu'est le LX 470. Bref, un utilitaire de bonne taille, mais pour lequel on a d'abord misé sur les capacités hors route.

LE SUV QUE RIEN N'ARRÊTE

Pour atteindre de tels résultats, on a misé sur la plate-forme connue du Toyota 4Runner. On a donc utilisé le même châssis autonome et les mêmes dimensions que le Toyota dont la réputation de tout-terrain n'est plus à faire. Cette façon de faire assure une solidité hors du commun, un atout indéniable quand vient le temps de sortir des sentiers battus.

Outre le châssis, le Lexus a aussi emprunté d'autres éléments au 4Runner, notamment son moteur V8 de 4,7 litres qui développe 237 chevaux, et son système de traction intégrale hautement sophistiqué. Concrètement, en conduite normale, la puissance de la motorisation est transmise aux roues avant et arrière dans un ratio de 40/60. Le différentiel central Torsen à glissement limité s'assure cependant de modifier cette répartition si jamais la situation le commande. Ainsi, il pourra transférer la quasi-totalité du couple aux roues arrière en cas de dérapage ou lorsque les virages nécessitent un plus grand apport. Tout ce système fait toutefois sentir sa présence concernant la consommation, puisque j'ai maintenu une moyenne supérieure à 15 litres aux 100 kilomètres en moyenne.

Ce système à l'efficacité éprouvé permet au Lexus d'affronter toutes les situations sans beaucoup d'hésitations. Cependant, pour s'assurer que le VUS de luxe n'aura pas trop de difficultés, on a lui aussi injecté une bonne dose d'informatique embarquée.

Se fier uniquement aux abréviations est un peu inutile, et surtout fastidieux. Mentionnons simplement que le VUS est doté d'un système d'aide à la descente qui limite la vitesse maximale dans une pente, d'aide à la montée (qui empêche de reculer), d'un régulateur de traction actif pour les surfaces plus molles comme le sable ou la terre, de la répartition électronique de freinage, d'un système de contrôle de la stabilité latérale, de freins ABS et d'une direction assistée selon la vitesse.

Sans oublier bien sûr la suspension variable adaptative à l'avant, qui d'une simple pression du doigt permet de modifier le réglage des suspensions entre les modes confort et sport, et la possibilité de monter

FEU VERT
Technologie omniprésente
Traction intégrale bien dosée
Équipement complet
Transmission sophistiquée

FEU ROUGE
Troisième banquette inutile
Look peu raffiné
Coût élevé
Consommation sans compromis

ou descendre les suspensions complètes du véhicule pour offrir davantage de garde au sol lorsque la situation le commande. Tous ces systèmes n'ont évidemment qu'un seul but : fournir le maximum de sécurité si jamais la voiture et son conducteur se trouvaient en difficulté.

Difficile aussi d'ignorer la qualité de la transmission automatique à cinq rapports qui équipe les GX 470. Précise, douce et sans à-coups, elle transmet la puissance aux roues de façon tellement transparente qu'on oublie son existence. Et pour faciliter les démarrages dans des conditions plus difficiles, un bouton monté dans le tableau de bord permet de partir en deuxième vitesse.

SANS OUBLIER LE LUXE

Que ce soit sur la route, ou hors route, le conducteur de cette Lexus se rendra à destination avec confort, et avec tout le luxe imaginable. L'équipement de série comprend notamment des sièges en cuir chauffants aux ajustements électriques multiples, des appliques en bois d'érable, un volant de cuir et bois inclinable et télescopique, un système de climatisation automatique, une ventilation pour la troisième rangée (car le GX peut recevoir 7 passagers), un toit ouvrant, un système d'information complet incluant température extérieure, consommation d'essence et baromètre, et des essuie-glace automatiques. Il faut aussi ajouter à cela un exceptionnel système sonore Mark Levinson à 14 haut-parleurs, rien de moins, et le système de cadrans appelé Optitron, offrant des cadrans électroniques à écriture blanche.

Défaut majeur, l'accès à la troisième rangée de sièges requiert une bonne planification. Pour ce faire, il faut replier la deuxième banquette complètement vers l'avant. Tout cela pour atteindre un espace minuscule, juste bon pour de petits enfants.

Confortable, efficace, cette Lexus fait la preuve que luxe peut parfois rimer avec hors route. Car avouons-le, elle a bien tout ce qu'il faut pour faire le travail, en toutes circonstances, sans jamais perdre sa classe.

Marc Bouchard

Photos : Lexus

DONNÉES TECHNIQUES

Modèle à l'essai :	Version unique
Prix du modèle à l'essai :	67 700 $
Échelle de prix :	67 700 $ à 74 000 $
Garanties :	4 ans/80 000 km, 6 ans/110 000 km
Catégorie :	utilitaire sport intermédiaire
Emp./Lon./Lar./Haut.(cm) :	279/478/188/189,5
Poids :	2 150 kg
Coffre/Réservoir :	1 238 à 2 513 litres / 87 litres
Coussins de sécurité :	frontaux, latéraux (av.), rideaux
Suspension avant :	indépendante, bras inégaux
Suspension arrière :	essieu rigide, ressorts elliptiques
Freins av./arr. :	disque (ABS)
Antipatinage/Contrôle de stabilité :	oui/oui
Direction :	à crémaillère, assistée
Diamètre de braquage :	11,7 m
Pneus av./arr. :	P265/65R17
Capacité de remorquage :	2 948 kg

Pneus d'origine MICHELIN

GROUPE MOTOPROPULSEUR

Moteur :	V8 de 4,7 litres 32s atmosphérique
Alésage et course	94,0 mm x 84,0 mm
Puissance :	270 ch (201 kW) à 5 400 tr/min
Couple :	330 lb-pi (447 Nm) à 3 400 tr/min
Rapport Poids/Puissance :	7,96 kg/ch (10,70 kg/kW)
Moteur électrique :	aucun
Autre(s) moteur(s) :	seul moteur offert
Transmission :	intégrale, automatique 5 rapports
Autre(s) transmission(s) :	aucune
Accélération 0-100 km/h :	10,0 s
Reprises 80-120 km/h :	9,1 s
Freinage 100-0 km/h :	42,0 m
Vitesse maximale :	186 km/h
Consommation (100 km) :	super, 16,7 litres
Autonomie (approximative) :	521 km
Émissions de CO_2 :	6 528 kg/an

DANS LA MÊME CATÉGORIE

Acura MDX - BMW X5 - Cadillac Escalade - GMC Envoy - Mercedes-Benz Classe M

DU NOUVEAU EN 2006

Pas de changement majeur

HISTORIQUE DU MODÈLE

1ère génération

NOS IMPRESSIONS

Agrément de conduite :	🚗🚗🚗½
Fiabilité :	🚗🚗🚗🚗🚗
Sécurité :	🚗🚗🚗🚗½
Qualités hivernales :	🚗🚗🚗🚗🚗
Espace intérieur :	🚗🚗🚗🚗
Confort :	🚗🚗🚗🚗½

LE CHOIX DE L'ÉQUIPE

GX 470 sans le groupe Premium

LA SÉRIE 3 DANS LA MIRE

La toute première génération de la IS, lancée en 2001, était à ce point calquée sur la BMW Série 3 que Lexus avait développé un moteur six cylindres en ligne dans le but d'émuler la voiture allemande dans tous ses aspects. Cinq ans plus tard, la Série 3 est toujours dans la mire de la marque de luxe japonaise, mais la deuxième génération de la IS fait maintenant appel à une paire de moteurs V6, tout en proposant une version à traction intégrale.

Élaborée sur une plate-forme qui sert également de base à la récente GS 430, la nouvelle IS s'affiche comme étant le deuxième modèle de la marque à adopter le nouveau stylisme appelé L-Finesse propre à Lexus. Essentiellement, les lignes de la carrosserie sont très tendues vers l'avant, la ceinture de caisse est élevée et la partie arrière est à la fois surélevée et semble élargie. Cet effet de tension est donc très présent dans les formes de la voiture, ce qui lui donne une allure sportive sans toutefois lui permettre de se démarquer outre mesure dans le paysage automobile. La deuxième génération de la IS présente également des dimensions supérieures à celles de sa devancière, ce qui a permis d'augmenter le volume d'espace de l'habitacle et du coffre. La IS offre à présent plus d'espace pour les jambes des passagers arrière, corrigeant ainsi un des défauts du modèle précédent.

Trois modèles composent maintenant la gamme, soit la IS 250 offerte en propulsion avec une boîte manuelle ou automatique, la IS 250 en traction intégrale avec boîte automatique seulement ou encore la IS 350 qui n'est proposée qu'en propulsion et qu'avec l'automatique. La IS 250 fait appel à un moteur V6 de 2,5 litres qui livre 204 chevaux et 185 livres-pied de couple, des chiffres qui n'ont rien d'exceptionnel et les performances de la voiture s'en ressentent en accélération, même avec la boîte manuelle à six vitesses. Quant à la version dotée de la traction intégrale jumelée à la boîte automatique, précisons que son poids est plus élevé d'une centaine de kilos, ce qui aura pour effet d'émousser d'autant plus les performances. Pour ce qui est des motorisations, la véritable vedette c'est le tout nouveau V6 de 3,5 litres et 306 chevaux qui équipe la IS 350 et qui lui permet d'éclipser la BMW Série 3, ainsi que la Infiniti G 35 lors du sprint de 0 à 100 kilomètres/heure. Et cela, même si la seule transmission venant avec ce moteur est une automatique à six rapports qui est toutefois dotée de paliers de changement de vitesses au volant. Tous les modèles IS sont équipés de série de systèmes de contrôle dynamique de la stabilité (celui de la IS 350 est légèrement plus permissif que celui de la IS 250) qui ne peuvent malheureusement pas être désactivés, ce qui nous empêche d'exploiter pleinement tout le potentiel de performance des motorisations ou du châssis. Regrettable dans le cas d'une berline à vocation sportive... En fait, on a presque l'impression que la IS 350 exerce son charme par le brio déployé par son moteur en ligne droite, pour ensuite nous priver des sensations que l'on pourrait ressentir lors de l'accélération en sortie de virage, ce qui entraîne une grande déception. Durant des manœuvres d'évitement d'obstacles ou de transitions à haute vitesse, j'ai également noté un manque de soutien latéral des sièges.

FEU VERT

- Plus spacieuse que le modèle précédent
- Puissance du moteur de 3,5 litres
- Qualité d'assemblage
- Équipement complet

FEU ROUGE

- Agrément de conduite limité
- Manque de soutien latéral des sièges
- Performances timides du moteur de 2,5 litres
- Impossibilité de désactiver les systèmes de contrôle de la stabilité

Côté confort et luxe, tout ou à peu près est au rendez-vous et la IS propose même en option un éclairage adaptatif qui fait pivoter les phares vers l'intérieur de la courbe lors d'un virage afin d'améliorer la visibilité de nuit. La seule ombre au tableau côté confort, c'est le bruit de vent créé par les rétroviseurs latéraux surdimensionnés lorsque l'indicateur de vitesse dépasse les 120 kilomètres/heure. Tout comme la récente Série 3, le démarrage de la IS se fait au moyen d'un bouton localisé sur la planche de bord, mais la Lexus fait abstraction d'un système de télématique de style i-Drive au profit de touches ordinaires qui sont plus faciles à repérer et à déchiffrer. Quant à la qualité d'assemblage et de la finition, précisons qu'elle est conforme aux standards de la marque, c'est-à-dire exceptionnelle à tous points de vue. Parmi les caractéristiques de sécurité qui font partie de l'équipement de série, notons la présence de coussins gonflables qui se déploient à la hauteur des genoux du conducteur et du passager avant, ces deux coussins s'ajoutant aux coussins frontaux, latéraux ainsi qu'aux rideaux gonflables. Même s'il s'agit d'un nouveau modèle, il y a fort à parier que la fiabilité à long terme de la nouvelle IS sera aussi exemplaire que celle des autres véhicules de la marque.

Pour ceux et celles qui recherchent une berline sport qui met l'accent sur le luxe et le confort, la IS ne décevra pas, et elle s'inscrit parfaitement dans la philosophie qui a fait la renommée de la marque. Mais si l'agrément de conduite est au sommet des priorités, la Lexus doit encore une fois s'incliner devant la référence de la catégorie soit la BMW Série 3.

Gabriel Gélinas

Photos: Denis Duquet

DONNÉES TECHNIQUES

Modèle à l'essai:	IS 350
Prix du modèle à l'essai:	n.d.
Échelle de prix:	n.d.
Garanties:	4 ans/80000 km, 6 ans/110000 km
Catégorie:	berline sport
Emp./Lon./Lar./Haut.(cm):	273/457,5/180/142,5
Poids:	2040 kg
Coffre/Réservoir:	n.d. / 65 litres
Coussins de sécurité:	frontaux, latéraux (av.), rideaux
Suspension avant:	indépendante, bras inégaux
Suspension arrière:	indépendante, multibras
Freins av./arr.:	disque (ABS)
Antipatinage/Contrôle de stabilité:	oui/oui
Direction:	à crémaillère, assistance variable
Diamètre de braquage:	10,2 m
Pneus av./arr.:	P225/45R17 / P245/45R17
Capacité de remorquage:	n.d.

Pneus d'origine MICHELIN

GROUPE MOTOPROPULSEUR

Moteur:	V6 de 3,5 litres 24s atmosphérique
Alésage et course	n.d.
Puissance:	306 ch (228 kW) à 6400 tr/min
Couple:	277 lb-pi (376 Nm) à 4800 tr/min
Rapport Poids/Puissance:	6,67 kg/ch (9,07 kg/kW)
Moteur électrique:	aucun
Autre(s) moteur(s):	V6 2,5 l 204ch à 6400tr/mn et 185lb-pi à 4800tr/mn (IS250)
Transmission:	propulsion, automatique 6 rapports
Autre(s) transmission(s):	manuelle 6 rapports / intégrale, automatique 6 rapports (2,5 AWD)
Accélération 0-100 km/h:	6,5 s
Reprises 80-120 km/h:	5,0 s
Freinage 100-0 km/h:	n.d.
Vitesse maximale:	n.d.
Consommation (100 km):	super, n.d.
Autonomie (approximative):	n.d.
Émissions de CO2:	n.d.

DANS LA MÊME CATÉGORIE

Audi A4 - BMW Série 3 - Cadillac CTS - Infiniti G35 - Mercedes-Benz C320 - Volvo S60

DU NOUVEAU EN 2006

Tout nouveau modèle

HISTORIQUE DU MODÈLE

4ième génération

NOS IMPRESSIONS

Agrément de conduite:	🚗🚗🚗½
Fiabilité:	nouveau modèle
Sécurité:	🚗🚗🚗🚗½
Qualités hivernales:	🚗🚗🚗🚗
Espace intérieur:	🚗🚗🚗½
Confort:	🚗🚗🚗🚗

LE CHOIX DE L'ÉQUIPE

IS 350

EN ATTENDANT « L-FINESSE »

Il suffit d'examiner la silhouette de la LS 430 pour en conclure que cette version est appelée à être remplacée d'ici quelques mois par une nouvelle génération dont la silhouette sera nettement plus moderne. La présente édition peut encore plaire à certains clients dont les goûts sont conservateurs ou qui se foutent de l'allure pour se concentrer sur la mécanique et le confort, mais une refonte est devenue indispensable, Si ce n'était du au fait que la compagnie a élaboré une nouvelle politique en fait d'esthétique appelée « L-Finesse » qui rend la LS 430 obsolète.

D'ailleurs, au cours des derniers mois, les modèles GS et IS ont été renouvelés et la doyenne de la famille ne devrait pas échapper à cette nouvelle orientation esthétique. D'autant plus que ce ne sera pas superflu dans le cas de la LS dont les lignes ont été empruntées à la Mercedes Classe S d'il y a deux générations. L'avant obtus, les parois latérales planes et une lourdeur de la ligne sont autant d'éléments visuels à corriger. Et cette disparité deviendra encore plus criante lorsque Mercedes aura introduit sa nouvelle Classe S qui est nettement plus moderne elle aussi. Et il faut également souligner que la BMW Série 7 demeure tout au moins avant-gardiste, si elle n'est plus iconoclaste. Il ne reste plus que la Jaguar XJ qui conserve une allure d'une autre époque.

Cela ne signifie pas pour autant que la LS 430 soit à court d'argument ou que sa mécanique soit dépassée. En fait, elle demeure toujours la référence en fait de qualité d'assemblage, de finition et de fiabilité. Pour la petite histoire, il faut se rappeler que cette voiture a sérieusement ébranlé les luxueuses berlines allemandes à son arrivée sur le marché en raison de son incroyable qualité et d'un prix inférieur. Mais le coup de grâce a été un service impeccable et une fiabilité à toute épreuve. Et tandis que Mercedes tente de se débarrasser d'une réputation de fiabilité inégale, les propriétaires de Lexus peuvent dormir sur leurs deux oreilles à ce chapitre. D'ailleurs, Lexus demeure toujours la référence dans ce domaine. Et tandis que les concessionnaires de grandes marques européennes semblaient accorder une faveur aux clients en vendant une voiture, les concessionnaires Lexus les traitaient comme des rois. Il faut cependant souligner que la situation a été rapidement corrigée chez les européens.

PASSEZ AU SALON

La présentation de l'habitacle est plus que traditionnelle j'en conviens. Et ironiquement, elle est copiée par certains constructeurs coréens tout comme les designers japonais de la LS 430 se sont fortement inspirés du design Mercedes au tout début. En fait je devrais dire jusqu'à maintenant car le tableau de bord n'a pas tellement varié depuis plus d'une décennie. Les cadrans électroluminescents sont toujours sagement logés dans une nacelle ovoïde, l'indicateur de vitesse à droite et le compte tours à gauche. Le volant quatre branches comprend une multitude de commandes en périphérie du moyeu tandis que le boudin mi-cuir, mi-bois se prend bien en main. Et je m'émerveille toujours de constater avec quelle minutie cette voiture est assemblée. Les joints sont impeccables, les coutures des sièges semblent avoir été cousues

FEU VERT

Moteur ultra doux
Insonorisation impeccable
Finition superlative
Comportement routier sain
Équipement complet

FEU ROUGE

Direction engourdie
Roulis en virage
Agrément de conduite mitigé
Consommation élevée

par une machine guidée au laser tandis que les portières se referment comme la porte d'un gros coffre-fort.

D'ailleurs l'insonorisation de l'habitacle est sans doute similaire à celle d'une voûte. Les bruits de l'extérieur sont filtrés comme ce n'est pas possible tandis que les vibrations sont inexistantes. Je n'ai pas effectué de comparaison entre la Rolls Royce Phantom et la LS 430, mais je ne serais pas surpris que la nippone l'importe à ce concours du silence et de la stabilité. D'ailleurs, Lexus a été le premier constructeur à utiliser de l'acier «Quiet Steel» dans la construction de la plate-forme. Cet acier a pour effet d'atténuer les sons et de réduire les vibrations. Il est dorénavant sur presque toutes les berlines de luxe, peu importe leurs origines.

Comme toujours, les applique en bois sont tellement bien vernis qu'ils donnent l'impression d'être en plastique tandis que le confort des sièges est excellent à défaut de nous offrir un bon support latéral. Les places arrière sont confortables d'autant plus qu'il est possible de commander en option des sièges inclinables et dotés de vibrateurs afin de détendre les chefs d'entreprise en route à leur travail. Ceux qui préfèrent conduire seront assis sur un siège ventilé ou chauffant selon la saison tandis que le tableau de bord est dominé par un écran géant servant de centre d'information et de navigation. Il faut de plus ajouter que les commandes sont relativement intuitives et faciles d'opération. Ici, pas de I-Drive à la BMW pour vous faire damner.

SAGE COMME UNE IMAGE

Avec son moteur V8 de 4,3 litres de 290 chevaux et sa boîte automatique à six rapports, on serait en droit de s'attendre à ce que cette grosse Lexus nous offre une conduite digne de son prix. Malheureusement, les sensations de conduites sont quasiment nulles tant l'isolation de la route est grande tandis que la direction est plus ou moins déconnectée de la route. La tenue de route est bonne, mais le sous virage est important tandis que le roulis de caisse pourrait être moins omniprésent. Même la transmission effectue les passages des rapports en grande douceur, mais avec une certaine hésitation. Bref, une grande boulevardière bourrée de gadgets de toutes sortes qui est plus à l'aise sur une autoroute que sur un chemin parsemé de virages. Mais elle se fait apprécier par son confort hors norme et une fiabilité de même niveau.

Denis Duquet

Photos: Lexus

DONNÉES TECHNIQUES

Modèle à l'essai:	Premium
Prix du modèle à l'essai:	95450$
Échelle de prix:	85700$ à 106200$
Garanties:	4 ans/80000 km, 6 ans/110000 km
Catégorie:	berline de grand luxe
Emp./Long./Larg./Haut.(cm):	292,5/499,5/183/149
Poids:	1795 kg
Coffre/Réservoir:	453 litres / 84 litres
Coussins de sécurité:	frontaux, latéraux (av.), rideaux
Suspension avant:	indépendante, bras inégaux
Suspension arrière:	indépendante, multibras
Freins av./arr.:	disque (ABS)
Antipatinage/Contrôle de stabilité:	oui/oui
Direction:	à crémaillère, assistance variable
Diamètre de braquage:	10,7 m
Pneus av./arr.:	P215/45R17
Capacité de remorquage:	n.d.

GROUPE MOTOPROPULSEUR

Moteur:	V8 de 4,3 litres 32s atmosphérique
Alésage et course	91,0 mm x 82,5 mm
Puissance:	290 ch (216 kW) à 5600 tr/min
Couple:	320 lb-pi (434 Nm) à 3400 tr/min
Rapport Poids/Puissance:	6,19 kg/ch (8,31 kg/kW)
Moteur électrique:	aucun
Autre(s) moteur(s):	seul moteur offert
Transmission:	propulsion, automatique 6 rapports
Autre(s) transmission(s):	aucune
Accélération 0-100 km/h:	7,3 s
Reprises 80-120 km/h:	5,7 s
Freinage 100-0 km/h:	39,8 m
Vitesse maximale:	250 km/h
Consommation (100 km):	super, 12,7 litres
Autonomie (approximative):	661 km
Émissions de CO2:	5253 kg/an

DANS LA MÊME CATÉGORIE

Audi A8 - BMW Série 7 - Infiniti Q45 - Jaguar XJ8 - Mercedes-Benz Classe S - Volkswagen Phaeton

DU NOUVEAU EN 2006

Pas de changement majeur

HISTORIQUE DU MODÈLE

3ième génération

NOS IMPRESSIONS

Agrément de conduite:	3
Fiabilité:	4
Sécurité:	4½
Qualités hivernales:	3½
Espace intérieur:	4
Confort:	4½

LE CHOIX DE L'ÉQUIPE

Premium

UNE CRAVATE DE 600 $

La plupart d'entre nous se demande bien pourquoi payer une cravate 600$ alors qu'on peut en trouver d'aussi belles chez Zellers à 15,99$... Une vague connaissance, du haut de ses millions, m'a déjà expliqué la différence. « La qualité du matériel, le soin apporté à sa conception et à sa confection, l'exclusivité et... et c'est une Armani, tout de même! » Même si je persiste à acheter mes vêtements et accessoires dans les grandes chaînes, l'essai du Lexus LX 470 m'a convaincu que ce qui est vrai dans la mode vestimentaire peut l'être aussi dans l'automobile!

Curieusement, malgré son prix de base ahurissant (plus de 100 000 $), le LX 470 n'est pas le plus gros véhicule proposé par Toyota/Lexus. Pire, il se fait damer le pion par un prolétaire Toyota, le Sequoia. Mais pour ce qui est du raffinement, le LX 470 le dépasse d'une tête et demie! Il faut avouer que le style du LX 470 n'a rien pour éveiller les passions et pour passer inaperçu, il ne se fait à peu près pas mieux malgré les quelques changements apportés à sa carrosserie cette année. Dérivé du Toyota Land Cruiser offert sur le marché américain, il en a conservé la plupart des attributs visuels, autant à l'extérieur qu'à l'intérieur. Mais, le nom Lexus oblige, le LX 470 a droit à de nombreuses améliorations tant au niveau du châssis que de la suspension ou de l'habitacle.

UN SYSTÈME DVD À 4 800 $

Les sièges, tout d'abord, font preuve d'un confort rarement égalé sur ce type de véhicule. L'habitacle peut accueillir jusqu'à huit occupants et, croyez-le ou non, au moins sept d'entre eux n'auront absolument aucune raison de se plaindre de leur sort. La qualité des plastiques, cuirs et boiseries qui égayent la cabine semble être portée à un niveau jusque-là inexploré et ces matériaux s'imbriquent à la perfection. Le volant, fait de bois et de cuir, demeure l'un des plus beaux de l'industrie automobile (mais il ne bat pas encore celui de la Jaguar XJ8). La chaîne audio Mark Levinson fait preuve d'une sonorité exceptionnelle tandis que l'habitacle, ironiquement, procure un silence de roulement plutôt incroyable. Bien entendu, la liste des accessoires standards est aussi longue que la liste des choses à faire que ma conjointe me laisse avant de partir en vacances, et son énumération (de la liste des accessoires... et des deux listes à bien y penser!) serait fastidieuse. Le gain étant la principale raison d'être des manufacturiers automobiles, Lexus ne manque pas de facturer le gros prix pour les quelques options disponibles.

Pour justifier son prix un tantinet élevé, le LX 470 propose un moteur V8 de 4,7 litres qui allie souplesse, douceur et fiabilité. Notons que l'économie d'essence ne figure pas dans l'équation pour les gens riches et célèbres... Quoi qu'il en soit, ce moteur développe désormais une puissance de 275 chevaux, ce qui est une belle amélioration par rapport aux 235 de l'an dernier. Le couple, lui, est passé de 320 livres-pied à 332 à 3400 tours/minute. En dépit de son poids de 2450 kilos, le LX 470 se déplace avec une étonnante vélocité, toutes proportions gardées. Malgré tout, comme le disent les marins, 275 chevaux ce n'est pas la mer à boire. Une Infiniti G35 qui pèse environ 1 000 kilos de moins

FEU VERT

Confort certifié
Finition maniaque
Habitacle ultrasilencieux
Capacités hors route surprenantes
Fiabilité canine

FEU ROUGE

Lignes soporifiques
Prix indécent
Consommation obscène
Entretien coûteux
Poids imposant

en fait 280! La transmission automatique à cinq rapports fait peut-être parfois montre d'une certaine lenteur mais sa douceur fait honneur à la réputation de Lexus. Les suspensions, avec leurs ressorts pneumatiques, les supports du moteur et une quantité hallucinante de matériel insonorisant, tout est dessiné dans le but d'assurer aux occupants le plus grand calme possible. Le système AVS (Adaptive Variable Suspension) permet au conducteur de choisir parmi quatre réglages allant de confort à sport. Des capteurs électroniques s'occupent aussi de juger de la direction, des mouvements de plongée et d'inclinaison et de roulis, ce qui garantit une randonnée calme, peu importe les conditions de la route.

Comme on peut s'y attendre, le LX 470 n'a rien d'un sportif. Même s'il fait montre d'une tenue de route surprenante, son centre de gravité élevé et son poids le pénalisent grandement. La direction n'est pas vilaine, mais elle est un peu légère et imprécise quoique cela ait ses avantages dans un véhicule aux prétentions tout-terrain.

JOUER DANS LA BOUE

Car le LX 470 se débrouille hors route comme peu de VUS peuvent le faire. Au simple toucher d'un bouton, la suspension hydropneumatique s'élève ou s'abaisse de 10 cm, améliorant ainsi le passage dans des endroits difficiles ou facilitant l'accès à bord pour les occupants. Ses capacités de franchissement, le LX 470 les doit non pas à un système à quatre roues motrices pur et dur, mais plutôt à une transmission intégrale à commande électronique sophistiquée comme c'est pas possible. Le couple est distribué aux roues qui ont le plus d'adhérence sans aucune intervention du conducteur, mais ce dernier a toujours la possibilité de choisir entre les modes Hi et Lo lorsque la situation l'exige. Le système antipatinage, le système de contrôle de stabilité et les freins ABS travaillent main dans la main et permettent des prestations sécurisantes.

Summum du raffinement et de l'élégance discrète, le LX 470 est un Lexus tout ce qu'il y a de plus Lexus. La fiabilité, le confort, l'équipement pléthorique, la robustesse du châssis et les capacités tout-terrain en font un véhicule de choix. Et si, comme moi, vous trouvez que 100000$ pour vous balader c'est beaucoup d'argent, dites-vous qu'une cravate de 600$ c'est une aubaine pour certaines personnes...

Alain Morin

Photos: Denis Duquet

LEXUS LX 470

DONNÉES TECHNIQUES

Modèle à l'essai:	Version unique
Prix du modèle à l'essai:	101 400$
Échelle de prix:	101 400$
Garanties:	4 ans/80000 km, 6 ans/110000 km
Catégorie:	utilitaire sport grand format
Emp./Lon./Lar./Haut.(cm):	285/489/194/185
Poids:	2450 kg
Coffre/Réservoir:	510 à 2510 litres / 96 litres
Coussins de sécurité:	frontaux, latéraux (av.), rideaux
Suspension avant:	indépendante, barres de torsion
Suspension arrière:	indépendante, bras inégaux
Freins av./arr.:	disque (ABS)
Antipatinage/Contrôle de stabilité:	oui/oui
Direction:	à crémaillère, assistance variable
Diamètre de braquage:	12,1 m
Pneus av./arr.:	P275/60R18
Capacité de remorquage:	2948 kg

Pneus d'origine MICHELIN

GROUPE MOTOPROPULSEUR

Moteur:	V8 de 4.7 litres 32s atmosphérique
Alésage et course	94,0 mm x 84,0 mm
Puissance:	275 ch (205 kW) à 5400 tr/min
Couple:	332 lb-pi (450 Nm) à 3400 tr/min
Rapport Poids/Puissance:	8,91 kg/ch (11,95 kg/kW)
Moteur électrique:	aucun
Autre(s) moteur(s):	seul moteur offert
Transmission:	intégrale, automatique 5 rapports
Autre(s) transmission(s):	aucune
Accélération 0-100 km/h:	9,5 s (estimé)
Reprises 80-120 km/h:	7,5 s (estimé)
Freinage 100-0 km/h:	44,3 m
Vitesse maximale:	180 km/h
Consommation (100 km):	ordinaire, 18,2 litres (estimé)
Autonomie (approximative):	527 km
Émissions de CO2:	7387 kg/an

DANS LA MÊME CATÉGORIE

BMW X5 - Cadillac Escalade - Infiniti QX56 - Land Rover Range Rover - Lincoln Navigator - Mercedes-Benz Classe G

DU NOUVEAU EN 2006

Moteur plus puissant, calandre et feux arrière redessinés, système de surveillance de pression des pneus

HISTORIQUE DU MODÈLE

2ième génération

NOS IMPRESSIONS

Agrément de conduite:	2
Fiabilité:	3½
Sécurité:	3½
Qualités hivernales:	4
Espace intérieur:	3½
Confort:	4

LE CHOIX DE L'ÉQUIPE

Version unique

LE PLUS VENDU !

On ne parle pas de Lexus comme on parle des autres marques. Dans l'imagination populaire, Lexus c'est le fabricant un peu nez-en-l'air qui insuffle à tous ses véhicules une petite touche de snobisme digne des grands de ce monde. Une tendance à laquelle n'a pas échappé le RX330, un quasi utilitaire haut de gamme qui loin de se prendre lui-même pour un camion, s'identifie plutôt à une véritable voiture aux dimensions un peu exacerbées. Une personnalité qui lui colle tellement bien que, depuis son lancement il y a quelques années, le RX 330 est le véhicule Lexus le plus vendu au Canada.

Même s'il en possède toutes les caractéristiques de base, le RX 330 n'a d'utilitaire que le nom. On le confond plutôt avec une grosse familiale aux allures un peu jet-set. Bien entendu, on pourrait toujours amener un tel véhicule dans les sentiers hors route. Mais ce serait presque l'insulter tellement sa distinction et sa grâce naturelle l'attirent plutôt vers la route.

USAGE « SAUVAGE »

En fait, j'ai bien l'impression que le seul sentier «sauvage» que vous traverserez au volant de votre RX sera celui qui vous mènera d'un bout à l'autre du Plateau Mont-Royal. Aller plus loin serait risquer d'endommager inutilement une voiture qui mérite un meilleur traitement.

Mais attention : ce n'est pas parce que le Lexus serait incapable de faire face aux pires dangers! Son système de traction intégrale en prise constante offre une performance digne de mention, et répond au quart de tour aux demandes des conducteurs.

La suspension a aussi été soigneusement étudiée et est munie d'un contrôle pneumatique (en option) qui permet d'en modifier la hauteur à volonté. On peut alors la positionner en mode chargement, ou en mode hors route qui la rehausse de plusieurs centimètres. Ce qui n'assure pas nécessairement l'absorption de tous les coups, même si le mot d'ordre dans ce Lexus est clairement confort. Pour en arriver à trouver les limites des suspensions, il faut vraiment en abuser, les traiter comme de vulgaires suspensions d'utilitaires sport de bas niveau. Ce qui, vous en conviendrez, n'a rien de commun avec notre Lexus.

Ce qui rend le RX aussi différent, c'est la qualité de la finition, et ce, à tous les points de vue. À l'intérieur, le tableau de bord marie une finition plastifiée et du cuir haut de gamme à des panneaux de bois au grain si fin et si doux qu'on le retrouverait facilement dans des salons.

L'espace intérieur est abondant à l'avant (un peu moins à l'arrière), les sièges offrent un grand confort et le siège du conducteur peut se déplacer dans presque toutes les directions pour offrir la position de conduite maximale. Les sièges de la seconde rangée sont faciles à abaisser (on peut le faire d'une seule main), ce qui laisse place à beaucoup d'espace de chargement.

Le modèle est aussi équipé comme rarement le sont les utilitaires. En fait, selon le montant que vous voudrez bien dépenser (soyons honnête,

FEU VERT

- Design fluide
- Finition grand luxe
- Système hybride haut de gamme
- Confort exceptionnel

FEU ROUGE

- Direction anonyme
- Personnalité sportive absente
- Options réservées aux riches
- Dégagement de la deuxième rangée

on parle quand même de plusieurs milliers de dollars supplémentaires), il est possible d'y ajouter différentes options comme le traditionnel système de navigation par satellite (qui continue d'écarter quelques zones régionales d'importance), le système audio digne d'une salle de concert, dégageant 250 watts répartis entre les onze haut-parleurs.

RAPIDE ET PROPRE

Côté performance, le Lexus n'a rien à envier à ses principaux concurrents. Il franchit allègrement le cap de 0-100 km à l'heure en moins de 9 secondes, sans pour autant donner l'impression que son moteur de 6 cylindres et de 230 chevaux jaillira de sous le capot. Le seul défaut, c'est qu'on ressent assez vertement l'effet de couple dans le volant lorsqu'on sollicite le moteur un peu trop fort. La transmission automatique à cinq vitesses agit avec célérité et grande douceur.

Les amis de la nature plus fortunés se tourneront plutôt vers la version hybride du RX, le 400h. Le même moteur de 3,3 litres se retrouve sous le capot. On lui a cette fois adjoint un moteur électrique et une transmission à variation continue, ce qui permet de générer des économies d'essence de l'ordre de 25%, tout en obtenant une puissance totale de 268 chevaux. Pour y arriver, on a mis à profit la même technologie utilisée sur la Prius, et on y a jouté deux récupérateurs d'énergie de freinage pour assurer le plein chargement de la batterie plus rapidement. Tous ces systèmes se mélangent de façon relativement transparente, si ce n'est un léger soubresaut lorsque le moteur à essence démarre après un arrêt dans le trafic par exemple.

À l'extérieur, la Lexus a indéniablement de la gueule. Rien à voir avec ces utilitaires quasi carrés qui se ressemblent tous. Ses lignes profilées, son hayon arrière fortement incliné et ses phares bien intégrés dans l'arête du capot lui donnent un petit air incisif, mais élégant. Toutefois, ses lignes n'ont pas qu'un rôle esthétique: elles contrôlent au contraire à merveille l'effet éolien, et éliminent les sifflements.

Ajoutez à ces qualités esthétiques et mécaniques la fiabilité légendaire de Lexus, et vous obtenez certainement un chef de file dans son segment. Parce qu'il est en plus offert en version hybride, le RX est probablement un des plus beaux choix dans sa catégorie.

Marc Bouchard

Photos: Denis Duquet

DONNÉES TECHNIQUES

Modèle à l'essai:	RX 400h
Prix du modèle à l'essai:	69700$
Échelle de prix:	50200$ à 69700$
Garanties:	4 ans/80000 km, 6 ans/110000 km
Catégorie:	utilitaire sport compact
Emp./Lon./Lar./Haut.(cm):	271,5/475,5/184,5/174
Poids:	1981 kg
Coffre/Réservoir:	490 à 2050 litres / 65 litres
Coussins de sécurité:	frontaux, latéraux (av.), rideaux
Suspension avant:	indépendante, jambes de force
Suspension arrière:	indépendante, multibras
Freins av./arr.:	disque (ABS)
Antipatinage/Contrôle de stabilité:	oui/oui
Direction:	à crémaillère, assistance variable
Diamètre de braquage:	11,4 m
Pneus av./arr.:	P225/55R18
Capacité de remorquage:	1587 kg

GROUPE MOTOPROPULSEUR

Pneus d'origine MICHELIN

Moteur:	V6 de 3,3 litres 24s atmosphérique
Alésage et course	91,9 mm x 83,1 mm
Puissance:	208 ch (155 kW) à 5600 tr/min
Couple:	212 lb-pi (287 Nm) à 3600 tr/min
Rapport Poids/Puissance:	9,52 kg/ch (12,78 kg/kW)
Moteur électrique:	60 ch (45kW) et 96 lb-pi (130Nm)
Autre(s) moteur(s):	V6 3,3 l 230ch à 5600tr/mn et 242lb-pi à 3600tr/mn (RX330)
Transmission:	intégrale, CVT
Autre(s) transmission(s):	automatique 5 rapports
Accélération 0-100 km/h:	9,2 s
Reprises 80-120 km/h:	7,3 s
Freinage 100-0 km/h:	42,0 m
Vitesse maximale:	190 km/h
Consommation (100 km):	ordinaire, 8,1 litres
Autonomie (approximative):	802 km
Émissions de CO2:	n.d.

DANS LA MÊME CATÉGORIE

Acura MDX - BMW X5 - Cadillac SRX - Infiniti FX35/45 - Jeep Grand Cherokee - Mercedes-Benz Classe M

DU NOUVEAU EN 2006

Nouveau modèle hybride

HISTORIQUE DU MODÈLE

2ième génération

NOS IMPRESSIONS

Agrément de conduite:	
Fiabilité:	
Sécurité:	½
Qualités hivernales:	
Espace intérieur:	½
Confort:	

LE CHOIX DE L'ÉQUIPE

RX 400h de base

SANS FEU NI FLAMMES

Conçue afin d'affronter directement la Mercedes-Benz SL et lancée sur le marché en 2002, la SC 430 se veut le reflet de la conduite grand tourisme signée Lexus. Au programme, l'équipement de série plus que complet, le luxe ainsi que la distinction priment alors que l'agrément de conduite brille malheureusement par son absence, ce qui fait que la Lexus SC 430 est rapidement déclassée par plusieurs rivales pour ce qui est des performances et de la tenue de route.

Pour l'année 2006, la SC 430 affiche un nouveau look, les parties avant et arrière ayant été retravaillées afin de rafraîchir l'allure du coupé cabriolet de Lexus et de la rendre compatible avec la récente philosophie de stylisme de la marque appelée L-Finesse. Les roues en alliage de 18 pouces sont d'un nouveau design, et l'édition spéciale Pebble Beach lancée l'an dernier est de retour en 2006 avec ses couleurs et garnitures exclusives. Par ailleurs, la SC 430 reçoit cette année plusieurs nouveaux équipements qui font partie de la dotation de série. Du nombre, mentionnons la nouvelle boîte automatique qui compte maintenant six rapports ainsi que l'éclairage adaptatif qui oriente les phares avant vers l'intérieur de la courbe en virage ce qui améliore la visibilité lors de la conduite nocturne. De conception similaire au toit de la Mercedes-Benz SLK, celui de la SC 430 se replie ou se déploie automatiquement en 25 secondes à la simple pression d'un bouton, et plusieurs dispositifs de la voiture tels le système de chauffage-climatisation ou la chaîne stéréo s'adaptent spontanément à la conduite fermée ou découverte.

Le V8 de 4,3 litres développe une puissance de 288 chevaux, ce qui permet à la voiture d'enregistrer un chrono légèrement supérieur à six secondes pour le test d'accélération de 0 à 100 kilomètres/heure. Plus que la puissance brute, c'est la façon linéaire dont elle est transmise à la route qui impressionne davantage : l'accélération est franche, fluide et soutenue et le confort demeure tout simplement remarquable, tant et aussi longtemps que la route est en bel état. La fiche technique de la SC430 présente la liste de plusieurs systèmes de pointe soit : calage variable des soupapes, accélérateur électronique, freins ABS et système de freinage d'urgence assisté par ordinateur, traction asservie et système antidérapage VSC (Vehicle Skid Control). Tous ces éléments sont au nombre des caractéristiques techniques intégrées à ce coupé cabriolet haut de gamme.

La rigidité structurelle constitue généralement le talon d'Achille des voitures décapotables, et c'est effectivement le cas avec la SC 430 qui s'accommode très mal des routes bosselées du Québec, au point où plusieurs bruits de caisse se font entendre même avec le toit rigide en place. Avec ses 1 740 kilos, la SC 430 est une voiture assez lourde, mais comme il s'agit d'une propulsion, la répartition des masses est relativement bien équilibrée, soit 53 % à l'avant et 47 % à l'arrière. Toutefois, il ne faut pas se leurrer sur les qualités dynamiques de la SC 430 qui est à classer dans le lot des voitures Grand Tourisme plutôt que des authentiques sportives, en raison de son poids élevé, et ce, malgré les performances étincelantes de son moteur. Parmi les

FEU VERT

Silhouette inédite
Motorisation efficace
Toit rigide rétractable
Équipement complet

FEU ROUGE

Manque de rigidité structurelle
Voiture pas du tout à l'aise en conduite sportive
Places arrière aussi symboliques qu'inutiles
Volume du coffre réduit avec le toit replié

concurrentes directes, il faut compter la Jaguar XK8 qui ressemble beaucoup à la SC 430 pour ce qui est du manque d'agrément de conduite. En outre, la Lexus est facilement déclassée par la Porsche 911 Cabriolet, la Mercedes-Benz SL, la BMW Série 6 Cabriolet et la Cadillac XLR au chapitre de la tenue de route et des performances. Bref, la SC 430 c'est un peu la voiture idéale pour ceux et celles qui n'aiment pas vraiment conduire, mais qui veulent tout de même s'afficher au volant d'une voiture qui fait encore tourner les têtes aujourd'hui, soit quatre ans après son lancement.

Aucune option, autre que l'édition spéciale Pebble Beach, ne figure au catalogue de la SC 430, et le choix de l'acheteur se limitera à celui de la couleur de la carrosserie et des cuirs et bois utilisés pour l'agencement de l'habitacle. Un système audio Mark Levinson composé d'un amplificateur de 240 watts et de 9 haut-parleurs a été développé pour l'environnement acoustique de la SC 430 qui pousse le raffinement à l'extrême avec ses seuils de portières au centre desquels apparaît le nom de la marque en rétroluminescence, ce qui est du plus bel effet la nuit. Pour ce qui est de la présentation intérieure, la qualité d'assemblage est remarquable, mais l'agencement des couleurs et des textures des divers matériaux utilisés pour la réalisation de la planche de bord et de la console centrale laisse parfois à désirer. Quant aux places arrière, celles-ci sont à ce point restreintes que personne ne se risquera à s'y asseoir... Concernant le coffre, le volume d'espace est réduit au point d'être presque inutilisable lorsque le toit est replié, ce qui vous obligera à diminuer considérablement la quantité de bagages.

Somme toute, la SC 430 représente fidèlement la philosophie Lexus, c'est-à-dire celle des voitures assemblées avec un soin jaloux, dont la fiabilité est remarquable, et conçues afin d'isoler conducteur et passagers des sensations de la route. Cette dernière considération fait en sorte que les amateurs de conduite sportive seront déçus par les performances livrées par la SC 430 et devront se tourner vers des rivales dont le développement a tenu compte de l'agrément de conduite.

Gabriel Gélinas

Photos : Lexus

DONNÉES TECHNIQUES

Modèle à l'essai :	Version unique
Prix du modèle à l'essai :	89970$ - 2005
Échelle de prix :	89970 $ Version unique
Garanties :	4 ans/80000 km, 6 ans/110000 km
Catégorie :	coupé/cabriolet
Emp./Lon./Lar./Haut.(cm) :	262/453/183/135
Poids :	1742 kg
Coffre/Réservoir :	249 litres / 75 litres
Coussins de sécurité :	frontaux et latéraux (av.)
Suspension avant :	indépendante, bras inégaux
Suspension arrière :	indépendante, bras inégaux
Freins av./arr. :	disque (ABS)
Antipatinage/Contrôle de stabilité :	oui/oui
Direction :	à crémaillère, assistance variable
Diamètre de braquage :	10,8 m
Pneus av./arr. :	P245/40ZR18
Capacité de remorquage :	n.d.

GROUPE MOTOPROPULSEUR

Moteur :	V8 de 4,3 litres 32s atmosphérique
Alésage et course	91,0 mm x 82,5 mm
Puissance :	288 ch (215 kW) à 5600 tr/min
Couple :	317 lb-pi (430 Nm) à 3400 tr/min
Rapport Poids/Puissance :	6,05 kg/ch (8,22 kg/kW)
Moteur électrique :	aucun
Autre(s) moteur(s) :	seul moteur offert
Transmission :	propulsion, automatique 6 rapports
Autre(s) transmission(s) :	aucune
Accélération 0-100 km/h :	6,5 s
Reprises 80-120 km/h :	4,9 s
Freinage 100-0 km/h :	36,6 m
Vitesse maximale :	250 km/h
Consommation (100 km) :	super, 12,5 litres
Autonomie (approximative) :	600 km
Émissions de CO2 :	5520 kg/an

DANS LA MÊME CATÉGORIE

Jaguar XK8 - Mercedes-Benz SL500

DU NOUVEAU EN 2006

Nouvelle boîte automatique à six rapports, retouches esthétiques, éclairage adaptatif

HISTORIQUE DU MODÈLE

1ière génération

NOS IMPRESSIONS

Agrément de conduite :	3½
Fiabilité :	4½
Sécurité :	3
Qualités hivernales :	2½
Espace intérieur :	2½
Confort :	3

LE CHOIX DE L'ÉQUIPE

SC 430

POURTANT !

Dès qu'on prononce le mot Lincoln à un amateur de voiture branchée, cette personne roule des yeux et pousse un soupir de découragement. Lincoln, c'est la division officielle des papys et des Town Car d'aéroport. Pour ces gens, c'est la marque gériatrique par excellence. Après avoir été la chérie des amants des suspensions guimauves et des dimensions semblables à celles d'un porte-avions, cette division tente de se sortir peu à peu de cette étiquette presque suicidaire sur notre marché. Après les échecs successifs connus avec l'Aviator et le Blackwood, Dearborn essaie de remonter la pente avec de nouveaux modèles comme le Zephyr et la camionnette LT.

Pourtant, un effort de dépoussiérage a été tenté en 1999 avec le lancement de la LS qui devait justement transformer l'image de marque et attirer une clientèle beaucoup plus jeune. Pour l'occasion, les ingénieurs avaient eu le feu vert pour concevoir une plate-forme de performance qui a été également utilisée sur la défunte Thunderbird et la Jaguar Type S. Et cinq années après sa conception, elle a été choisie pour servir de base à la nouvelle Mustang. C'est dire à quel point le travail avait été bien fait.

Bref, la direction de Ford avait décidé de faire ce que les mordus des voitures sportives leur avaient demandé : produire une berline de luxe nord-américaine capable d'offrir une tenue de route à l'égale des meilleures européennes. Ce n'est pas sans raison que des ingénieurs de Ford Motorsport, impliqué en Formule Un et en Champ Car à l'époque, assistaient au lancement de la LS à l'été 1998. La plate-forme et la suspension étaient de leur conception. Ce qui explique pourquoi le comportement routier de cette américaine donne du fil à retordre à toutes ses concurrentes. Sur un circuit sinueux, la LS est non seulement capable de se défendre honorablement et de laisser plusieurs concurrentes dans son sillage, mais elle le fait avec aplomb et autorité. Certaines autos sont susceptibles d'aller chercher des temps records, mais la conduite est ardue et il faut se démener pour la garder en piste et rouler vite. La LS est tout à fait le contraire. L'assistance de la direction est juste ce qu'il faut tandis que le train arrière semble coller à la route.

La suspension bien calibrée de même que des pneumatiques performants sont le secret de cette bonne tenue de route. Mais faute de puissance, ces deux outils sont sous-utilisés. C'est ce qui se produisait avec la version à moteur V6 3,0 litres de 230 chevaux, celui-ci bouclait le 0-100 km/h en 8,9 secondes, ce qui est assez lent. Malheureusement, pour remporter le titre de sportive, il lui faut davantage de vélocité. À titre de comparaison, la Lexus RX330, un VUS urbain pas trop sportif, prend une demi-seconde de plus pour le même exercice. Pour avoir droit à l'épithète de berline sport, la Lincoln devrait pouvoir descendre sous la barre des sept secondes, ce qui était impossible avec le moteur V6. D'ailleurs, la Jaguar Type S ne fait guère mieux avec le même moteur.

C'est pourquoi le moteur V8 3,9 litres est désormais seul au catalogue. Ses 280 chevaux permettent d'améliorer les performances de façon marquée et de retrancher presque deux secondes au chrono du 0-100 km/h, ce qui est similaire à ce que la Jag peut réaliser avec son moteur V8 de 294 chevaux.

FEU VERT

- Excellente tenue de route
- Moteur V8
- Freinage efficace
- Transmission cinq rapports
- Suspensions bien calibrées

FEU ROUGE

- Dépréciation élevée
- Habitacle à revoir
- Diffusion confidentielle
- Modèle en sursis
- Forte consommation (V8)

Au tout début, il était possible de commander une version à moteur V6 équipé d'une boîte manuelle. Avec un équipement correct, mais pas nécessairement luxueux, ce modèle était bien équilibré en fait de tenue de route et le fait de pouvoir jouer du levier de vitesses et de la pédale d'embrayage ajoutait à l'agrément de conduite. Bien entendu, cette LS bien spéciale a été boudée par le public de sorte que seule une transmission automatique à cinq rapports est offerte. Si l'étagement de la boîte est correct, il faut éviter les accélérations brusques suivies d'un allègement de l'accélérateur. Cela se traduit généralement par une forte secousse de la boîte qui gère mal ces importantes modifications de couple. Et toujours au chapitre de la gestion de la puissance, le fait de rouler à haute vitesse sur une chaussée bosselée ne fait pas bon ménage avec le système antipatinage qui a tendance à s'affoler.

INCOGNITO

Il existe deux catégories d'acheteurs de voitures de luxe. Dans la première se retrouvent les gens qui veulent épater la galerie et faire savoir à leur entourage qu'ils ont réussi dans la vie. La seconde est constituée de personnes qui tiennent à ne pas se faire remarquer, qui apprécient avant tout le comportement routier et l'agrément de conduite de même que le luxe de la cabine. Il est évident que la LS a été dessinée pour répondre aux attentes de cette seconde catégorie. La silhouette est équilibrée, mais d'une sobriété extrême. Et si ce design était correct au tournant du siècle, il commence à prendre de l'âge et un peu moins d'anonymat ne ferait pas de tort. À moins que vous n'ayez témoigné à la Commission Gommery...

Bien entendu, l'habitacle est de même inspiration. Malgré des sièges en cuir et une débauche d'accessoires, les occupants ont toujours l'impression d'être à bord d'une économique. De plus, les cadrans indicateurs avec leurs chiffres gris sur fond grisâtre ne font rien pour jazzer l'atmosphère. Et Ford s'entête à utiliser ce levier des clignotants multifonction qui fait toujours damner. Il y a aussi des éléments positifs, notamment les sièges avant climatisés, l'excellente chaîne audio et un volant gainé de cuir qui se prend bien en main.

Ce bilan mi-chair, mi-poisson pourrait être rapidement transformé de façon positive avec une nouvelle silhouette et un habitacle moins sinistre.

Denis Duquet

Photos: Lincoln

LINCOLN LS

DONNÉES TECHNIQUES

Modèle à l'essai:	V8 Sport
Prix du modèle à l'essai:	57185$
Échelle de prix:	57185$ Version unique
Garanties:	4 ans/80000 km, 4 ans/80000 km
Catégorie:	berline de luxe
Emp./Lon./Lar./Haut.(cm):	291/493,5/186/142,5
Poids:	1710 kg
Coffre/Réservoir:	382 litres / 68 litres
Coussins de sécurité:	frontaux, latéraux (av.), rideaux
Suspension avant:	indépendante, bras inégaux
Suspension arrière:	indépendante, multibras
Freins av./arr.:	disque (ABS)
Antipatinage/Contrôle de stabilité:	oui/oui
Direction:	à crémaillère, assistée
Diamètre de braquage:	11,4 m
Pneus av./arr.:	P235/50R17
Capacité de remorquage:	n.d.

Pneus d'origine MICHELIN

GROUPE MOTOPROPULSEUR

Moteur:	V8 de 3,9 litres 32s atmosphérique
Alésage et course	88,9 mm x 85,0 mm
Puissance:	280 ch (209 kW) à 6000 tr/min
Couple:	286 lb-pi (388 Nm) à 4000 tr/min
Rapport Poids/Puissance:	6,11 kg/ch (8,18 kg/kW)
Moteur électrique:	aucun
Autre(s) moteur(s):	seul moteur offert
Transmission:	propulsion, automatique 5 rapports
Autre(s) transmission(s):	aucune
Accélération 0-100 km/h:	8,7 s
Reprises 80-120 km/h:	7,4 s
Freinage 100-0 km/h:	40,5 m
Vitesse maximale:	220 km/h
Consommation (100 km):	super, 14,5 litres
Autonomie (approximative):	469 km
Émissions de CO2:	5631 kg/an

DANS LA MÊME CATÉGORIE

Acura RL - Audi A6 - Jaguar S-Type - Volvo S80

DU NOUVEAU EN 2006

Abandon moteur V6, version unique , nouvelles roues

HISTORIQUE DU MODÈLE

1[ière] génération

NOS IMPRESSIONS

Agrément de conduite:	4
Fiabilité:	4
Sécurité:	3½
Qualités hivernales:	3
Espace intérieur:	2½
Confort:	4

LE CHOIX DE L'ÉQUIPE

V8 Sport

Photo: Ford

FORMATS GÉANTS

On a beau croire et dire ce que l'on voudra, l'ère des grands véhicules utilitaires ne semble pas encore révolue. Leur popularité, sans être en croissance, ne se dément tout de même pas. On a bien cru un instant que les normes environnementales plus exigeantes et les hausses successives du prix de l'essence auraient raison de ces gigantesques moyens de transport, mais rien n'y fait. Bon an, mal an, ils se retrouvent toujours chez les concessionnaires, non seulement pour leur capacité d'utilitaire, mais surtout pour le luxe que l'on y investit.

Chez Ford, le marché des utilitaires est un segment qui semble plaire, puisque le grand manufacturier américain y est un des chefs de file au monde. Il est d'ailleurs un des fabricants ayant la plus vaste gamme de produits dans ce domaine, allant du petit utilitaire comme le Escape, au gigantesque duo que sont les Lincoln Navigator et Ford Expedition.

JUMEAUX NON IDENTIQUES

Réglons la chose tout de suite, le Ford Expedition et le Lincoln Navigator partagent leurs composantes mécaniques, ce qui en fait deux machines routières presque identiques. Mais, l'identité de chaque division oblige, les gens de Lincoln ont misé énormément sur le look et le luxe, alors que ceux de chez Ford se sont contentés de compter sur les dimensions et l'espace.

Le design extérieur, par exemple, permet à n'importe quel profane de différencier les deux jumeaux américains. Chez Lincoln, on a conservé la calandre chromée à multiples rayons, symbole de la bannière. Les lignes de l'ensemble de la silhouette sont aussi beaucoup plus flatteuses sur le Navigator et font un peu oublier sa dimension. Et il y a le prestige associé à l'écusson.

Chez Ford, rien d'aussi subtil. L'Expedition partage le look du petit Ford Escape, plusieurs centimètres en plus. Rien de laid, mais rien non plus qui permet de se démarquer de la concurrence.

À l'intérieur aussi, la nuance est importante. Alors que chez Ford on propose cinq déclinaisons de finition qui comportent différents groupes d'options, Lincoln ne se tracasse pas de ces détails et offre une seule version qui inclut tous les accessoires de luxe de ce genre de modèle. On parlera alors de système de navigation, de chaîne stéréo haut de gamme, et de finition tout cuir bien entendu.

Autre nuance importante, le Ford peut recevoir huit passagers grâce à une troisième rangée de sièges aux dimensions plus généreuses. Chez Lincoln, on n'a sans doute pas voulu limiter le confort et on maintient la troisième rangée de sièges, mais pour une configuration accueillant seulement sept passagers.

Ce qui n'est pas négligeable non plus, c'est la présence d'un système de sécurité appelé Personnal Safety System qui est capable de prévoir l'arrivée d'un impact, et de contrôler la tension de la ceinture et plusieurs autres paramètres pour rendre l'habitacle plus sécuritaire.

FEU VERT

Intérieur de bon goût
Système de sécurité complet
Beaucoup d'équipement
Direction bien assistée

FEU ROUGE

Consommation excessive
Taille au-delà de la moyenne
Coût d'achat élevé
Troisième banquette difficile d'accès

Photo: Ford

UN SEUL MOTEUR

Dans un cas comme dans l'autre, c'est à un bon V8 de 5,4 litres que l'on confie la tâche de déplacer la lourde masse des mastodontes. Un moteur relativement puissant, capable de livrer 300 chevaux, et qui a subi l'année dernière une petite cure de rajeunissement. Il s'agit, en fait, du même moteur qui anime aussi la camionnette vedette de Ford, le F150.

Malgré ce changement, l'Expedition n'y a pas nécessairement gagné au change, puisque l'ancienne version avait une capacité de traction légèrement supérieure. Ce qui n'a cependant pas semblé affecter l'acheteur moyen de ce gros utilitaire pour qui les côtés pratiques du véhicule sont de plus en plus accessoires. Connaissez-vous vraiment quelqu'un qui traînera un VUS de cette dimension hors route? Il doit bien en exister quelques-uns puisque le Ford Expedition est aussi offert avec un groupe d'options 4X4, conservant le luxe de la version ordinaire, mais ajoutant des suspensions adaptées à la circulation hors route, une plaque de protection sous le ventre de la bête pour éviter les chocs trop brutaux, et un marchepied latéral tubulaire, qui m'apparaît plus un obstacle qu'un appui dans les sentiers, mais quand même.

Au volant, l'Expedition a un véritable comportement d'utilitaire et est victime de ses dimensions. En virage, on ressent un énorme roulis, provoqué notamment par la hauteur de l'ensemble, mais aussi par le poids excessif. Si malgré tout vous tentez l'impossible en courbe, un mécanisme anticapotage comprenant des capteurs d'angle de la caisse, de la vitesse et de la position du volant permet de détecter toute catastrophe imminente, et agira sur les freins pour ralentir le véhicule. Quant à la direction, elle est précise, pour un véhicule de cette taille, mais est vraiment trop assistée pour être agréable. Les freins, eux, sont puissants et honnêtes, juste ce qu'il faut pour stopper un gros bolide.

Pour ce qui est du châssis hydroformé, il est relativement rigide considérant les dimensions de la machine. Ajoutez à cela une suspension à air s'adaptant à la charge, et le système Advance Trac de Ford qui agit comme système de stabilité électronique, et vous avez tout de même un véhicule qui se comporte avec élégance et assurance, malgré des tracés parfois sinueux.

Marc Bouchard

Photo: Lincoln

DONNÉES TECHNIQUES

Modèle à l'essai:	Navigator
Prix du modèle à l'essai:	78295$
Échelle de prix:	50440$ à 77095$
Garanties:	4 ans/80000 km, 4 ans/80000 km
Catégorie:	utilitaire sport grand format
Emp./Lon./Lar./Haut.(cm):	302/527/207/198
Poids:	2613 kg
Coffre/Réservoir:	518 à 2968 litres / 106 litres
Coussins de sécurité:	frontaux, latéraux (av.), rideaux
Suspension avant:	indépendante, bras inégaux
Suspension arrière:	ind., ressorts pneumatiques
Freins av./arr.:	disque (ABS)
Antipatinage/Contrôle de stabilité:	oui/oui
Direction:	à crémaillère, assistance variable
Diamètre de braquage:	11,8 m
Pneus av./arr.:	P255/70R18
Capacité de remorquage:	3765 kg

GROUPE MOTOPROPULSEUR

Moteur:	V8 de 5,4 litres 24s atmosphérique
Alésage et course	90,2 mm x 105,8 mm
Puissance:	300 ch (224 kW) à 5000 tr/min
Couple:	365 lb-pi (495 Nm) à 3750 tr/min
Rapport Poids/Puissance:	8,71 kg/ch (11,67 kg/kW)
Moteur électrique:	aucun
Autre(s) moteur(s):	seul moteur offert
Transmission:	4X4, automatique 6 rapports
Autre(s) transmission(s):	automatique 4 rapports
Accélération 0-100 km/h:	10,1 s (constructeur)
Reprises 80-120 km/h:	8,7 s
Freinage 100-0 km/h:	43,8 m
Vitesse maximale:	190 km/h
Consommation (100 km):	ordinaire, 16,7 litres
Autonomie (approximative):	635 km
Émissions de CO2:	7009 kg/an

DANS LA MÊME CATÉGORIE

Cadillac Escalade - Chevrolet Suburban - GMC Yukon - Infiniti QX56 - Lexus LX 470 - Mercedes-Benz G500

DU NOUVEAU EN 2006

Pas de changement majeur, nouvelles couleurs

HISTORIQUE DU MODÈLE

2ième génération

NOS IMPRESSIONS

Agrément de conduite:	3½
Fiabilité:	3½
Sécurité:	4
Qualités hivernales:	4½
Espace intérieur:	5
Confort:	4

LE CHOIX DE L'ÉQUIPE

Ford Expedition XLT

PAPA, J'AI PRIS L'AUTO!

Mon âge a beau se compter en dizaines d'années, il existe encore des situations où je me sens comme un petit garçon, forcé de demande à son père la permission de faire quelque chose. Et prendre le volant d'une Lincoln Town Car est l'un de ces rares moments où l'on se croit revenu à l'adolescence. C'est tout simplement parce que le long véhicule est probablement le genre de voiture qui plaît le plus à mon père, lui qui a toujours adoré les carrosseries hors de proportion, et les voitures au confort si exubérant qu'il en fait oublier tout le reste.

Bref, la Town Car, c'est le véhicule parfait, inspiré des années 60 alors que toute la famille se faisait belle et montait dans la voiture pour se rendre chez grand-papa après la messe du dimanche.

Papa avait alors pris soin de laver soigneusement la voiture, et nous, les enfants, devions nous asseoir sur l'interminable banquette arrière, qu'il fallait partager entre frères et sœurs.

UNE MISSION BIEN PRÉCISE

Bien sûr, j'exagère un peu. Mais si peu, car s'il est une voiture que l'on dirait figée dans le temps, du moins par ses lignes, c'est bien la Town Car. Elle qui avait été appelée à remplacer la défunte Lincoln Continental à sa naissance il y a 25 ans, n'a subi que peu de changements au fil des ans, conservant sa personnalité de grande berline de luxe. Soyons cependant sérieux.

Le nombre de simples automobilistes qui se procurent une Town Car se compte presque sur le bout des doigts. La voiture est destinée tout simplement au marché des parcs automobiles d'entreprises où elle continue de briller au firmament des limousines les plus populaires.

Pour le simple mortel, la Town Car se décline en deux véritables versions: la Signature Limited, et la Designer, en plus d'une version allongée de la Signature. Mais pour plus de 30% de la clientèle, ce sont les versions corporatives qui importent. Cette fois, trois versions sont proposées et servent essentiellement à la conception de limousines pour cadres. Dans tous les cas, les seules nouveautés de l'année sont de nouvelles roues, et quelques nouvelles couleurs de carrosserie. Aucun autre changement n'a été apporté.

Évidemment, quand on parle de Lincoln Town Car, on parle de voitures aux dimensions impressionnantes. La version de base Town Car mesure par exemple plus de 547 centimètres, soit près de 15 centimètres de plus que la Jaguar XJ en version allongée! Avec de telles dimensions, inutile de préciser que l'espace dans l'habitacle est gigantesque, et peut accueillir sans difficulté six passagers confortablement installés.

Car outre l'espace, ce qui caractérise la Lincoln c'est le confort. Ne cherchez pas ici la moindre trace de design contemporain ou sportif car tout, absolument tout, est dessiné spécifiquement pour rappeler les visées nobles de la Town Car.

FEU VERT

Dégagement intérieur titanesque
Suspensions très confortables
Confort intérieur cinq étoiles
Moteur sans souci

FEU ROUGE

Dimensions himalayennes
Sensations de conduite absentes
Freinage parfois long
Design intérieur sans éclat

Ainsi, le tableau de bord est sobre mais dégage une certaine allure de richesse. Le bois, utilisé abondamment jusque sur le volant, le plastique de bon goût (on ne parle pas ici de plastiques durs, mais plutôt d'imitation presque réussie de fini cuir) et bien entendu le cuir présent partout sur la sellerie, viennent compléter le look de haute société que veut se donner le gros Lincoln.

Le plus grand défaut de cet intérieur est justement cet air sombre, aux limites de la froideur, ce qui plaît probablement à la clientèle vieillissante qui aime bien la Town Car. Ainsi, les cadrans dénudés simplement placés dans le tableau de bord n'offrent ni style ni esthétisme particulier. Ils sont faciles à lire, équipés de gros chiffres pour les rendre visibles aisément, mais oubliez ne serait-ce qu'une seule petite allusion à un possible côté branché. Le tableau de bord est à l'image de la voiture elle-même: ultraconservateur mais efficace.

CONFORT ET VOLUPTÉ

Pour propulser ce mastodonte, Lincoln a implanté sous le capot un V8 de 4,6 litres qui développe quelque 239 chevaux. Encore une fois, oubliez toute prétention de sensations de conduite. Les acheteurs de Town Car ne veut qu'une chose: se rendre à destination rapidement, sans problème, et comme s'ils étaient assis dans leur salon, ce que leur donne exactement cette grosse voiture. La direction n'est pas engourdie, mais ne transmet aucune sensation au conducteur. Le moteur est amplement suffisant pour déplacer le lourd véhicule avec efficacité, mais ne pensez même pas à faire des excès. En revanche, la suspension est exactement comme le souhaite la clientèle: souple, absorbant tous les hasards de la route sans en oublier un seul. Heureusement, lors d'un remodelage il y a quelques années, Lincoln a modifié la suspension, réduisant considérablement le débattement tout en maintenant le confort ce qui limite le roulis en virage.

J'avoue honnêtement avoir trouvé un certain réconfort à conduire cette grosse voiture en zone urbaine. Elle nous permet des déplacements de grand confort, et avec ses nombreux équipements de sécurité et d'aide à la conduite (ne pensez même pas conduire en ville sans l'aide au stationnement par exemple), elle offre une randonnée tout à fait plaisante. D'autant plus que le rayon de braquage est remarquablement court.

Marc Bouchard

Photos: Lincoln

DONNÉES TECHNIQUES

Modèle à l'essai:	Signature Limited
Prix du modèle à l'essai:	60625$
Échelle de prix:	58185$ à 65100$
Garanties:	4 ans/80000 km, 4 ans/80000 km
Catégorie:	berline grand format
Emp./Lon./Lar./Haut.(cm):	299/547/199/149
Poids:	1974 kg
Coffre/Réservoir:	595 litres / 71 litres
Coussins de sécurité:	frontaux et latéraux (av.)
Suspension avant:	indépendante, bras inégaux
Suspension arrière:	essieu rigide, ressorts elliptiques
Freins av./arr.:	disque (ABS)
Antipatinage/Contrôle de stabilité:	oui/oui
Direction:	à crémaillère, assistance variable
Diamètre de braquage:	12,4 m
Pneus av./arr.:	P225/60R17
Capacité de remorquage:	680 kg

Pneus d'origine MICHELIN

GROUPE MOTOPROPULSEUR

Moteur:	V8 de 4,6 litres 16s atmosphérique
Alésage et course	90,2 mm x 90,0 mm
Puissance:	239 ch (178 kW) à 4900 tr/min
Couple:	287 lb-pi (389 Nm) à 4100 tr/min
Rapport Poids/Puissance:	8,26 kg/ch (11,09 kg/kW)
Moteur électrique:	aucun
Autre(s) moteur(s):	seul moteur offert
Transmission:	propulsion, automatique 4 rapports
Autre(s) transmission(s):	aucune
Accélération 0-100 km/h:	9,0 s
Reprises 80-120 km/h:	7,2 s
Freinage 100-0 km/h:	44,0 m
Vitesse maximale:	180 km/h
Consommation (100 km):	ordinaire, 14,5 litres
Autonomie (approximative):	490 km
Émissions de CO_2:	5329 kg/an

DANS LA MÊME CATÉGORIE

Cadillac DeVille - Lexus LS 430

DU NOUVEAU EN 2006

Modèle en fin de carrière

HISTORIQUE DU MODÈLE

3ième génération

NOS IMPRESSIONS

Agrément de conduite:	🚗🚗🚗
Fiabilité:	🚗🚗🚗🚗
Sécurité:	🚗🚗🚗🚗
Qualités hivernales:	🚗🚗🚗
Espace intérieur:	🚗🚗🚗🚗½
Confort:	🚗🚗🚗🚗½

LE CHOIX DE L'ÉQUIPE

Signature Limited

PAS SI BÊTE QUE ÇA !

Lorsque l'annonceur au Cobo Arena de Detroit a annoncé l'arrivée de la Lincoln Zephyr lors du dévoilement de celle-ci en janvier 2005, presque tous les journalistes québécois étaient hilares. Pourquoi avait-on utilisé une appellation aussi bizarre après que le modèle du même nom se soit avéré un échec dans la gamme Ford ? Et sans oublier non plus les connotations drolatiques envers les personnes qui portent ce nom. Rappelez-vous de l'oncle Zéphyr dans Le Survenant. Une fois de plus, les décideurs américains avaient trouvé le moyen de nous faire rire.

Il faut toutefois savoir que ce nom a été choisi en raison de la première Lincoln compacte apparue en 1936 et qui portait ce nom. Il était donc logique de l'utiliser de nouveau pour le lancement de la plus petite Lincoln de la gamme. Une « petite Lincoln », voici un oxymoron de première! Mais les temps ont changé et la direction de Ford se rend bien compte que les modèles intermédiaires d'entrée de gamme dans la catégorie des voitures de luxe sont de plus en plus demandés. Et puisque ce constructeur possédait déjà dans ses filiales une plate-forme idéale pour le faire, les dirigeants sont passés rapidement de la parole aux actes. Vous vous demandez bien quelle est cette plate-forme, n'est-ce pas? Il s'agit de celle de la Mazda 6 qui a également été le choix de l'équipe de développement de la Ford Fusion.

Il est alors facile de conclure que la Fusion est une Zéphyr à bas prix et que la Ford est un meilleur achat. C'est là une conclusion que je ne partage pas. Il est vrai que les deux voitures utilisent la même mécanique, mais plusieurs différences les départagent.

UN AIR DE FAMILLE

En tout premier lieu, si les stylistes de la Ford ont tenté de lui donner un air agressif avec ses phares de route et ses feux arrière verticaux, ceux de la Zephyr ont opté pour un choix totalement contraire alors que les blocs optiques avant et arrière sont en position horizontale, tandis que la grille de calandre est dotée de rayons placés verticalement en forme de chute d'eau, comme sur les autres modèles de la marque. De plus, une bande de chrome disposée tout en haut de la ceinture de caisse ajoute une touche spéciale.

Bien entendu, comme toute Lincoln qui se respecte, la cadette de la famille nous offre un habitacle très cossu. Mais avant de parler d'appliques de bois et de cadrans indicateurs, il est surprenant de réaliser que l'espace aux places arrière est généreux pour une voiture de cette taille. Et le coffre à bagages, d'une capacité de 447 litres est tout aussi impressionnant. Quant au tableau de bord, c'est réussi sur toute la ligne. Dans un premier temps, les combinaisons de beige et de brun de même que les appliques en bois se marient fort bien. Le tout est relevé par une console centrale verticale de couleur aluminium brossé qui est d'un bel effet, tout comme les buses de ventilation de même couleur qui se démarquent vivement. Par contre, le volant avec son imposant moyeu vertical garni de boutons de commandes de couleur aluminium serait mieux adapté au Town Car. Cette présentation dans l'ensemble se distingue totalement de l'habitacle de la Ford Fusion et

FEU VERT

Silhouette élégante
Tableau de bord réussi
Boîte automatique six rapports
Bonne habitabilité
Grand coffre

FEU ROUGE

Appellation loufoque
Volant trop chargé
Réputation de la marque
Ford Fusion plus économique

plusieurs acheteurs hésitants seront convaincus lorsqu'ils auront jeté un coup d'œil au tableau de bord. En outre, la qualité de la peinture des modèles observés était très bonne, avec un minimum de fini pelure d'orange. Les fidèles de la marque vont sans doute déplorer les dimensions de cette nouvelle venue, mais retrouveront le luxe et la qualité de l'habitacle des autres modèles de la marque.

TRACTION ET V6

Depuis la disparition de la regrettable Continental en 2002, la Zephyr est le premier modèle à traction qui est commercialisé par Lincoln. Certains vont souligner le fait qu'il semble y avoir un retour des autres constructeurs nord-américains en faveur de la propulsion, mais il apparaît que la division Lincoln n'avait pas les ressources financières pour se lancer dans une telle aventure sans même savoir si une propulsion aurait plus de succès que ce modèle tout à l'avant. Et si jamais la Zephyr fait un carton, il sera toujours possible de suivre la tendance vers la propulsion si celle-ci continue de croître en popularité. À mon avis, une intégrale serait une solution encore plus intéressante.

Mais pour l'instant, cette traction est équipée du moteur V6 Duratec trois litres couplé à une boîte automatique à six rapports. Pour continuer notre évocation de la Ford Fusion, ce modèle est offert en version de base avec un moteur quatre cylindres de 2,3 litres, ce que n'offre pas la version Lincoln. Après tout, le prestige a ses exigences! Bien entendu, les suspensions avant et arrière sont indépendantes. Les ingénieurs ont même consacré beaucoup de temps à calibrer les amortisseurs afin de combiner tenue de route et confort. Compte tenu de la grande rigidité de la plate-forme, ils n'ont pas été obligés d'avoir recours à des amortisseurs trop fermes. Et si cette plate-forme est celle de la Mazda 6 au départ, elle a connu plusieurs modifications pour en améliorer la rigidité et raffiner la suspension.

Les 210 chevaux sont suffisants pour assurer un temps de 9,2 secondes pour boucler le 0-100 km/h, tandis que la transmission automatique à six rapports effectue du bon boulot. Par contre, elle semble hésiter entre le second et le troisième rapport. Enfin, la direction est d'une assistance fort bien dosée. Ce qui nous permet de conclure que la nouvelle Zephyr en surprendra plusieurs positivement. Encore faudra-t-il convaincre les acheteurs ciblés de rouler en Lincoln, une marque de papy. Du moins pour l'instant.

Denis Duquet

Photos : Lincoln

DONNÉES TECHNIQUES

Modèle à l'essai :	Version unique
Prix du modèle à l'essai :	n.d.
Échelle de prix :	35 995 $ à 43 794 $
Garanties :	4 ans/80 000 km, 4 ans/80 000 km
Catégorie :	berline de luxe
Emp./Lon./Lar./Haut.(cm) :	273/484/183/142
Poids :	1 545 kg
Coffre/Réservoir :	447 litres / 68 litres
Coussins de sécurité :	frontaux, latéraux (av.), rideaux
Suspension avant :	indépendante, bras inégaux
Suspension arrière :	indépendante, multibras
Freins av./arr. :	disque (ABS)
Antipatinage/Contrôle de stabilité :	oui/non
Direction :	à crémaillère, assistée
Diamètre de braquage :	11,3 m
Pneus av./arr. :	P225/50R17
Capacité de remorquage :	454 kg

Pneus d'origine MICHELIN

GROUPE MOTOPROPULSEUR

Moteur :	V6 de 3 litres 24s atmosphérique
Alésage et course	89,0 mm x 79,5 mm
Puissance :	210 ch (164 kW) à 6650 tr/min
Couple :	205 lb-pi (278 Nm) à 4800 tr/min
Rapport Poids/Puissance :	7,02 kg/ch (9,42 kg/kW)
Moteur électrique :	aucun
Autre(s) moteur(s) :	seul moteur offert
Transmission :	traction, automatique 6 rapports
Autre(s) transmission(s) :	aucune
Accélération 0-100 km/h :	7,9 s (estimé)
Reprises 80-120 km/h :	7,1 s (estimé)
Freinage 100-0 km/h :	n.d.
Vitesse maximale :	210 km/h (estimé)
Consommation (100 km) :	ordinaire, 12,5 litres (estimé)
Autonomie (approximative) :	544 km
Émissions de CO2 :	n.d.

DANS LA MÊME CATÉGORIE

Audi A4 - BMW Série 3 - Cadillac CTS - Mercedes-Benz Classe C

DU NOUVEAU EN 2006

Nouveau modèle

HISTORIQUE DU MODÈLE

1[ière] génération

NOS IMPRESSIONS

Agrément de conduite :	
Fiabilité :	nouveau modèle
Sécurité :	
Qualités hivernales :	
Espace intérieur :	
Confort :	½

LE CHOIX DE L'ÉQUIPE

Zephyr Navi

PROCHAIN ÉPISODE

Lorsque Ferrari a racheté Maserati en 1997, la marque de Modène était presque à l'agonie et, après avoir reçu une transfusion massive de capital, Maserati pouvait enfin redorer son blason avec l'arrivée du Coupé, suivi par le cabriolet Spyder en 1998. Depuis, le retour de la marque sur le marché nord-américain en 2002 et le lancement récent de la Quattroporte (voir autre texte), viennent consacrer la renaissance de la marque, qui s'apprête également à renouveler le Coupé et la Spyder en proposant une toute nouvelle génération dont l'arrivée a toutefois été retardée par les récentes tractations de jumelage de la marque au trident avec Alfa Roméo.

Ces nouveaux modèles seront probablement élaborés sur une variante raccourcie de la plate-forme de la Quattroporte et devraient être animés par une version de l'actuel V8 dont la cylindrée serait augmentée de 200 cc ce qui devrait lui permettre de développer 10 chevaux de plus, pour un total de 400. Le design à d'abord été confié à la firme Italdesign-Giugiaro, mais la direction de Maserati a jugé que le stylisme était trop conservateur et le projet est passé aux mains de Pininfarina qui a récemment créé la Quattroporte. Il faut donc s'attendre à ce que la nouvelle génération des Coupé et Spyder adopte une allure plus expressive. Il a été possible de distinguer une calandre agrandie sur certaines photos-espionnes de prototypes en période d'essai. Pour l'heure, Maserati continue de proposer les modèles déjà connus auxquels s'est ajoutée une nouvelle variante du Coupé appelée Maserati GranSport qui est essentiellement une version allégée du Coupé équipée de freins plus puissants, de suspensions plus fermes, de sièges sport, de jantes de 19 pouces, et dont la puissance du moteur a été portée à 400 chevaux.

Pour ce qui est des Coupé et Spyder, ceux-ci disposent toujours des 390 chevaux développés par le V8 de 4,2 litres qui est absolument magnifique à contempler lorsqu'on soulève le capot. Contrairement à plusieurs constructeurs qui masquent le moteur avec des pièces de plastique noir, Maserati vous invite à admirer la couleur rouge de la culasse et la couleur étain des tubulures d'admission. En fait, ce moteur est tellement beau à regarder qu'on pourrait le sortir de la voiture pour le recouvrir d'une plaque de verre et en faire une œuvre d'art... Il n'a cependant pas que des qualités esthétiques, puisqu'il livre beaucoup de couple et est également doté d'une limite de révolutions très élevée de 7 500 tours/minute qui s'accompagne d'une sonorité remarquable. Des deux transmissions à six rapports proposées, la boîte de type CambioCorsa dérivée de la boîte du même type développée par Ferrari est la mieux adaptée à ces voitures.

Sur la route, on constate immédiatement que le châssis du Coupé possède une rigidité exemplaire, mais que la Spyder fait justement défaut de ce côté, car elle est amputée de son toit qui est un élément important pour assurer la rigidité structurelle d'une voiture. Sur les routes de moindre qualité, ces deux Maserati nous font ressentir la moindre lézarde et le bruit de roulement est très présent. Aussi, la traversée d'une voie ferrée a pour effet de transmettre une onde de choc dans le châssis de la Spyder qui réagit plus fortement à ce passage que le Coupé, en raison du fait que son empattement est plus court,

FEU VERT
Moteur performant
Style distinctif
Design de l'habitacle
Prestige de la marque

FEU ROUGE
Manque de rigidité du châssis (Spyder)
Places arrière inutilisables (Coupé)
Rudesse des suspensions sur routes dégradées

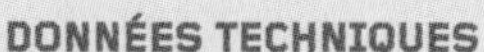

cette voiture n'étant pas dotée de places arrière. Lorsque la route est belle cependant, l'expérience de conduite est celle d'une belle symbiose entre performance et confort, puisque les suspensions pilotées électroniquement réagissent rapidement aux légères inégalités de la chaussée. Les freins surdimensionnés conçus par Brembo autorisent par ailleurs des distances d'arrêt remarquables, et le comportement en virage est très bon en raison de l'équilibre des masses de la voiture.

L'autre aspect séduisant de ces Maserati est le design de l'habitacle. Les cuirs sont de très grande qualité et la présentation originale rappelle un peu le cockpit d'un bateau sport avec des formes courbées très expressives. On apprécie au plus haut point que les designers italiens aient décidé de jouer la carte de l'originalité, tout en respectant les traditions en disposant notamment de très beaux cadrans au tableau de bord ainsi qu'une horloge analogique qui est localisée juste au-dessus de l'écran intégré à la console centrale. Si les places avant sont accueillantes et confortables, il en va tout autrement des places arrière du Coupé qui sont tout simplement inutilisables pour des adultes.

Conduire une Maserati, c'est aussi vouloir s'afficher au volant d'une voiture garante d'une certaine exclusivité puisque la diffusion de ces modèles est très limitée. Par ailleurs, la très forte concurrence livrée par des marques établies comme Porsche, Mercedes-Benz, BMW et même Jaguar fait en sorte que les progrès réalisés par Maserati demeurent modestes. Le premier chapitre étant annonciateur d'une belle relance, nous attendons maintenant le prochain épisode qui sera écrit par l'arrivée de la future génération des Coupé et Spyder.

Gabriel Gélinas

Photos: Maserati

MASERATI COUPÉ / SPYDER

DONNÉES TECHNIQUES

Modèle à l'essai:	GT
Prix du modèle à l'essai:	119400$ (2005)
Échelle de prix:	113500$ à 125361$ (2005)
Garanties:	3 ans/80000 km, 3 ans/80000 km
Catégorie:	coupé/roadster
Emp./Lon./Lar./Haut.(cm):	266/452,5/182/131
Poids:	1710 kg
Coffre/Réservoir:	315 litres / 88 litres
Coussins de sécurité:	frontaux et latéraux (av./arr.)
Suspension avant:	indépendante, bras inégaux
Suspension arrière:	indépendante, bras inégaux
Freins av./arr.:	disque (ABS)
Antipatinage/Contrôle de stabilité:	oui/oui
Direction:	à crémaillère, assistée
Diamètre de braquage:	11,5 m
Pneus av./arr.:	P235/40ZR18 / P265/35ZR18
Capacité de remorquage:	non recommandé

GROUPE MOTOPROPULSEUR

Moteur:	V8 de 4,2 litres 32s atmosphérique
Alésage et course	92,0 mm x 79,8 mm
Puissance:	390 ch (291 kW) à 7000 tr/min
Couple:	333 lb-pi (452 Nm) à 4500 tr/min
Rapport Poids/Puissance:	4,38 kg/ch (5,96 kg/kW)
Moteur électrique:	aucun
Autre(s) moteur(s):	seul moteur offert
Transmission:	propulsion, manuelle 6 rapports
Autre(s) transmission(s):	séquentielle 6 rapports
Accélération 0-100 km/h:	5,0 s
Reprises 80-120 km/h:	5,1 s
Freinage 100-0 km/h:	37,0 m
Vitesse maximale:	283 km/h
Consommation (100 km):	super, 16,0 litres
Autonomie (approximative):	550 km
Émissions de CO2:	8160 kg/an

DANS LA MÊME CATÉGORIE

Jaguar XK - Lexus SC 430 - Mercedes-Benz SL500 - Porsche 911

DU NOUVEAU EN 2006

Pas de changement majeur

HISTORIQUE DU MODÈLE

1ière génération

NOS IMPRESSIONS

Agrément de conduite:	4/5
Fiabilité:	3/5
Sécurité:	4/5
Qualités hivernales:	2/5
Espace intérieur:	3/5
Confort:	3/5

LE CHOIX DE L'ÉQUIPE

Coupé Cambiocorsa

UNE VOITURE À DÉCOUVRIR

Il faut concéder à la langue italienne qu'elle peut donner du charme et du charisme à l'appellation la plus banale. Par exemple, cette élégante berline de luxe s'appelle Quattroporte ce qui signifie «Quatre portes» ou berline si on veut simplifier encore davantage. Mais ce nom a un petit quelque chose et permet à cette auto de déjà posséder plus de charme dans son appellation que les identifications alphanumériques tant appréciées des allemands. Arrivée sur nos rives depuis peu, cette belle italienne nous propose un amalgame d'élégance et de mécanique sophistiquée que nulle autre voiture de la catégorie n'est capable de nous offrir.

Arrivée depuis moins de deux ans sur notre continent, cette Maserati est virtuellement inconnue du grand public. Pourtant, il ne s'agit pas de la première génération puisque la première Quattroporte est apparue en 1964 pour être suivie par trois autres modèles au fil des années. Celle de la quatrième génération était dérivée du Coupé Biturbo de triste mémoire et elle ne méritait pas un tel traitement. Il faut d'ailleurs souligner que cette prestigieuse marque a connu des jours tristes dans le groupe DeTomaso avant de se joindre à Ferrari. Le constructeur de Maranello a donc dépoussiéré tous les modèles de la marque au Trident avant de la revendre à Fiat au début de 2005.

LA MAGIE PININFARINA

Voilà pour la petite histoire, mais revenons à la voiture proprement dite qui est d'une esthétique toute racée. Il faut admettre que la silhouette dessinée par Pininfarina est très réussie. Surtout la partie avant avec son imposante grille de calandre sur laquelle on a fièrement accroché le trident symbolique de Maserati. Les phares rectangulaires qui l'encadrent donnent une impression de largeur à cette voiture qui est relativement étroite puisqu'elle concède 6,5 cm à la Ferrari Scaglietti avec qui elle partage plusieurs organes mécaniques. Les stylistes turinois ont également eu l'audace de placer trois petites prises d'air ovales derrière le puit de roue avant, comme sur les Buick des belles années. Mais leur intégration est excellente et plusieurs sont d'accord avec cette approche de style. Par contre, la partie arrière est moins élégante avec ses feux triangulaires qui alourdissent l'allure. Mais il faut souligner que cette présentation plus ou moins moche a un petit quelque chose de différent lorsque la voiture est en mouvement. Un jour j'ai suivi une Quattroporte pendant quelques kilomètres sur une route en lacet. Et ces feux arrière et la ligne du coffre semblaient avoir quelque chose de mystérieux.

Le design de l'habitacle est de même inspiration que celui de la carrosserie alors qu'on tente de mélanger le moderne et le classique. C'est réussi couci-couça alors que la présentation est traditionnelle. Et un détail en passant! Si vous vous demandez quelle a été l'inspiration des concepteurs de la marque Infiniti quant à la présence d'une horloge analogique en plein milieu de la planche de bord, c'est chez Maserati qu'ils ont trouvé. En effet, cette pendulette est de rigueur sur la plupart des modèles depuis des décennies et elle de nouveau en poste sur la Quattroporte. Contrairement à l'approche «joystick» adoptée par Audi et BMW sur leurs modèles de luxe, les italiens de Maranello ont préféré l'approche «boutons multiples». Ceux-ci sont relativement simples à décoder, mais comme mon expérience de la Quattroporte n'a été que de quelques heures et en terrain

FEU VERT
Moteur fabuleux
Comportement routier
Silhouette élégante
Prestige de la marque

FEU ROUGE
Position de conduite
Commandes multiples
Volant mal adapté
Places arrière

moins connu des routes californiennes, je m'en suis tenu au strict minimum quant à la manipulation des commandes. Ce fut suffisant pour découvrir que la climatisation est adéquate, ce qui n'a pas toujours été le cas sur les italiennes. Il faut également souligner que les cuirs qui recouvrent les sièges et presque tout l'habitacle sont d'une finesse exquise tandis que les sièges avant offrent un excellent support latéral. Par contre, les occupants des places arrière sont moins gâtés en fait d'espace que s'ils étaient à bord de l'une des versions allongées de la Audi A8 ou encore la BMW Série 7L par exemple. Mais l'exotisme des italiennes fait toujours son effet par rapport à la froideur germanique.

UN CAS D'EXCEPTION

Cette Maserati est de loin la plus petite des berlines de luxe européenne. Ce qui s'explique en grande partie par la vocation de berline de luxe sport qui a été dévolue à ce modèle. En effet, avec son moteur V8 passablement pointu et sa boite séquentielle à six rapports commandée par des paliers de changement des vitesses identique aux à celles du système Cambiocorsa de Ferrari, ce n'est pas nécessairement la berline du gros monsieur à complet trois pièces.

Une fois à bord et après qu'on a réussi à trouver une position de conduite correcte, ce qui n'est pas nécessairement facile, le moteur démarre en émettant un son qui est de la musique aux oreilles des amateurs de genre. Quelques coups d'accélérateur saccadés le font chanter encore d'avantage. Ce V8 de 4,2 litres produit la bagatelle de 400 chevaux et il fait sentir sa présence dès qu'on prend la route. Je n'ai jamais été un grand amateur de ces boîtes séquentielles contrôlées par palets, mais le système que Maserati appelle DuoSelect est intuitif et le passage des rapports passablement rapide. Mais ce qui m'a le plus impressionné est le feedback de la route pour une voiture de cette catégorie. On sent littéralement les pneus Pirelli P Zero Rossa mordre le bitume et la direction est précise en plus de bénéficier d'une assistance à commande électronique qui est supérieure à bien d'autres unités de même configuration. La voiture est neutre dans les virages et les freins sont puissants. Et il suffit de rouler pendant quelques kilomètres à son volant, d'examiner la liste de l'équipement de série et de prendre en considération le fabuleux moteur V8 4,2 litres pour se convaincre que la Quattroporte est une aubaine. Reste à savoir si la fiabilité sera au rendez-vous. Car, en raison de sa catégorie, il s'agit d'une voiture qui devrait être utilisée au quotidien.

Denis Duquet

Photos: Maserati

MASERATI QUATTROPORTE

DONNÉES TECHNIQUES

Modèle à l'essai:	Version unique
Prix du modèle à l'essai:	135000$ - 2005
Échelle de prix:	135000$ - 2005
Garanties:	3 ans/80,000 km, 3 ans/80,000 km
Catégorie:	berline de luxe
Emp./Lon./Lar./Haut.(cm):	306,5/505/189,5/144
Poids:	1930 kg
Coffre/Réservoir:	450 litres / 90 litres
Coussins de sécurité:	frontaux, latéraux (av.), rideaux
Suspension avant:	indépendante, bras inégaux
Suspension arrière:	indépendante, bras inégaux
Freins av./arr.:	disque (ABS)
Antipatinage/Contrôle de stabilité:	oui/oui
Direction:	à crémaillère, assistée
Diamètre de braquage:	12,3 m
Pneus av./arr.:	P245/45ZR18 / P285/40ZR18
Capacité de remorquage:	non recommandé

Pneus d'origine MICHELIN

GROUPE MOTOPROPULSEUR

Moteur:	V8 de 4,2 litres 32s
Alésage et course	92,0 mm x 79,8 mm
Puissance:	400 ch (298 kW) à 7000 tr/min
Couple:	333 lb-pi (452 Nm) à 4500 tr/min
Rapport Poids/Puissance:	4,83 kg/ch (6,56 kg/kW)
Moteur électrique:	aucun
Autre(s) moteur(s):	seul moteur offert
Transmission:	propulsion, séquentielle 6 rapports
Autre(s) transmission(s):	aucune
Accélération 0-100 km/h:	5,2 s
Reprises 80-120 km/h:	4,8 s
Freinage 100-0 km/h:	38,0 m
Vitesse maximale:	275 km/h
Consommation (100 km):	super, 17,5 litres
Autonomie (approximative):	514 km
Émissions de CO2:	8064 kg/an

DANS LA MÊME CATÉGORIE

BMW Série 7 - Jaquar XJ8 - Lexus LS 430 - Mercedes-Benz Classe S

DU NOUVEAU EN 2006

Version Executive GT, Version Sport GT

HISTORIQUE DU MODÈLE

5ième génération

NOS IMPRESSIONS

Agrément de conduite:	4½
Fiabilité:	3½
Sécurité:	3
Qualités hivernales:	1
Espace intérieur:	3
Confort:	4

LE CHOIX DE L'ÉQUIPE

Sport GT

SOMPTUEUSE LUXURE

Au risque de passer pour un hérétique, j'affirme sans ambages que la Maybach, dont le prix de base se situe bien au-delà de 400 000 $, offre le meilleur rapport prestige/prix de l'industrie. Les photos, malheureusement, ne rendent pas justice à la prestance de la Maybach. Sublimement longue et trapue malgré sa hauteur (pratiquement celle d'une Subaru Forester), elle impose le respect par ses lignes classiques et ses proportions fort équilibrées. On est loin, très loin, de la Lincoln Town Car allongée pour en faire une limousine!

Quoi qu'il en soit, ce n'est pas l'extérieur de la voiture (si un tel terme générique peut être utilisé dans le cas de la Maybach!) qui impressionne le plus. L'habitacle (encore un terme banal) tient plus du salon de château que du transport des passagers. Curieusement, seulement quatre personnes peuvent s'installer à bord. Mais puisque la Maybach (prononcez Mébâhhh en gardant la bouche bien bée) ne souffre d'aucune contrainte, je suis persuadé qu'elle peut se faire en version cinq places, moyennant un « léger » supplément. D'ailleurs, il ne se fait pas deux Maybach identiques puisqu'elles ne sont construites que sur commande et que les clients (plutôt bien nantis) y vont de leurs exigences personnelles. Ces exigences peuvent aller du simple choix de la couleur du cuir à la console X-Box! Notons que peu importe les modifications apportées, quatre personnes prennent leurs aises dans une Maybach en toute quiétude, dans un confort inouï. Chaque fauteuil est, vous l'auriez deviné, ajustable dans toutes les positions imaginables et on y retrouve un vibromasseur ainsi que des ventilateurs. Inutile de préciser que le dégagement pour les jambes n'est rien de moins que phénoménal. De là à dire que certaines Maybach ont assurément été témoins de quelques exploits charnels (on peut commander une version avec un diviseur entre le chauffeur et les passagers arrière), il n'y a qu'un pas que je franchirais avec plaisir... Et on parle ici de la « petite » 57, ce chiffre référant aux 573 cm de la carrosserie! Il y a aussi la 62...

En plus de se laisser trimballer le popotin dans de divins fauteuils, il est possible de contempler les étoiles grâce au toit panoramique ou de se détendre à l'arrière en regardant un DVD ou une émission de télé diffusée par des écrans placés dans les dossiers des sièges avant. Et n'ayez crainte, vous n'êtes pas obligés de visionner la même chose que la personne assise à vos côtés. Au plafond, trois jauges permettent aux passagers arrière de savoir à tout moment la vitesse du véhicule, l'heure ou la température. Bien entendu, minibar (il faut voir ces flûtes à champagne dessinées de façon à ne pas se renverser!), espace réfrigéré, téléphonie sans fil, rideaux à action mécanique pour plus d'intimité, chaîne stéréo extraordinaire et matériaux sortis tout droit du palais de Buckingham font partie des petits plaisirs quotidiens des propriétaires de Maybach!

À VOITURE D'EXCEPTION, MOTEUR D'EXCEPTION

Tous ces éléments se conjuguent par contre pour faire monter l'aiguille de la balance. La Maybach pèse plus de 2 700 kilos (6 000 livres). C'est trois Hyundai Accent, ça! Pour déplacer cette imposante masse,

FEU VERT

- Prestigieuse au cube
- Confort surnaturel
- Puissance fabuleuse
- Habitacle criant de silence
- Expérience d'achat ultime

FEU ROUGE

- Prix démentiel
- Dimensions indécentes
- Agrément de conduite nul
- Consommation torrentielle
- Fiabilité incertaine (électronique)

Mercedes-Benz (quoi, vous ne saviez pas que Maybach appartient à Mercedes-Benz?) Mercedes-Benz, donc, a recours à un moteur V12 biturbo de 550 chevaux et 663 livres-pied de couple. Je ne sais pas si ces chiffres vous intéressent, mais dites-vous qu'ils permettent à la Maybach de littéralement «décoller» dès que le feu passe au vert et que les dépassements, peu importe la vitesse du véhicule qui vous précède, se font avec une aisance émouvante. Lors de mon essai (court, faut-il préciser), je n'ai pris aucune note sur le fonctionnement de la transmission. C'est donc dire qu'elle fait parfaitement son boulot, soit celui de se faire oublier. La tenue de cap est tout simplement fantastique et les freins, qui ont tout de même une lourde tâche à accomplir, se révèlent aussi impériaux que le reste de la voiture.

Malgré tout, le chauffeur risque de s'ennuyer de sa mère la plupart du temps, même si la pléthore de boutons et commandes mis à sa disposition devait l'occuper un bon moment. La direction se montre trop légère et, lois physiques obligent, la caisse penche passablement dans les virages pris avec le moindrement d'enthousiasme. Mais le confort est à tout moment préservé et il faudrait vraiment pousser la machine pour que Monsieur le Président, vérifiant ses notes avant sa rencontre mensuelle avec les actionnaires, se doute que le chauffeur va un peu trop vite. Le silence de l'habitacle ajoute à cette impression, vague au début mais plus marquée à mesure que les kilomètres s'additionnent au compteur, qu'une Maybach est infiniment plus agréable à vivre quand on n'a pas à la conduire. Et puis, ça ne vire pas sur un «dix cennes». Reculer dans un espace exigu demande autant de concentration que de sang-froid!

Mais tout n'est pas rose dans la stratosphère des marques pour multimillionnaires. Les ventes ne sont pas aussi élevées que prévu et on envisage que seulement 500 Maybach 2005 pourraient avoir trouvé preneur. Ce qui, selon moi, représente déjà un grand nombre, compte tenu du prix demandé. Peut-être que mes moyens financiers me permettront d'ici une ou deux années, de me procurer une Maybach de «pauvre», basée sur la Classe S de Mercedes-Benz et affrontant directement la Bentley Flying Spur. On parle ici d'une berline et probablement d'un cabriolet, sur le marché en 2007 ou 2008. En attendant, je continue de donner 3$ par semaine à Loto-Québec...

Alain Morin

Photos: Maybach

MAYBACH 57/62

DONNÉES TECHNIQUES

Modèle à l'essai:	57
Prix du modèle à l'essai:	330000$ (US)
Échelle de prix:	310000$ (US)
Garanties:	4 ans/km illimité, 4 ans/km illimité
Catégorie:	berline de grand luxe
Emp./Lon./Lar./Haut.(cm):	339/573/198/157
Poids:	2735 kg
Coffre/Réservoir:	605 litres / 110 litres
Coussins de sécurité:	front., latéraux, rideaux, genoux
Suspension avant:	indépendante, bras inégaux
Suspension arrière:	indépendante, multibras
Freins av./arr.:	disque (ABS)
Antipatinage/Contrôle de stabilité:	oui/oui
Direction:	à billes, assistée
Diamètre de braquage:	14,8 m
Pneus av./arr.:	P275/50R19
Capacité de remorquage:	n.d.

GROUPE MOTOPROPULSEUR

Pneus d'origine MICHELIN

Moteur:	V12 de 5,5 litres 3,6s biturbo
Alésage et course	116,0 mm x 140,0 mm
Puissance:	550 ch (410 kW) à 5250 tr/min
Couple:	663 lb-pi (899 Nm) à 2300 tr/min
Rapport Poids/Puissance:	4,97 kg/ch (6,67 kg/kW)
Moteur électrique:	aucun
Autre(s) moteur(s):	V12 6,0 l 612ch et 734lb-pi (57S)
Transmission:	propulsion, séquentielle 5 rapports
Autre(s) transmission(s):	aucune
Accélération 0-100 km/h:	5,2 s
Reprises 80-120 km/h:	5,3 s
Freinage 100-0 km/h:	40,0 m
Vitesse maximale:	250 km/h
Consommation (100 km):	super, 16,0 litres
Autonomie (approximative):	688 km
Émissions de CO2:	n.d.

DANS LA MÊME CATÉGORIE

Bentley Arnage - Rolls-Royce Phantom

DU NOUVEAU EN 2006

Version 57S... à plus de 400000$ US!

HISTORIQUE DU MODÈLE

1ière génération

NOS IMPRESSIONS

Agrément de conduite:	4½
Fiabilité:	5
Sécurité:	5
Qualités hivernales:	4
Espace intérieur:	5
Confort:	5

LE CHOIX DE L'ÉQUIPE

62

TOUT SIMPLEMENT EXQUISE !

Malgré une recette gagnante, de nombreux éloges et un avenir s'annonçant prometteur pour sa compacte Protégé, les dirigeants de Mazda ont tout de même pris une sage décision en 2004 avec le retrait du modèle et la venue de la 3. Le pari était audacieux mais les résultats furent probants, le constructeur nippon venait de récréer un premier de classe. En ce millésime 2006, la 3 fête son troisième anniversaire et comme un bon vin, elle a bien vieilli, atteignant une douce maturité et restant d'une homogénéité exemplaire. Elle procure toujours cette sensation de plaisir et continue d'émerveiller nos sens !

Dans une catégorie où règnent fiabilité, économie de carburant et banalité, Mazda joue d'audace avec la 3 et vient éliminer cette troisième variable en proposant une voiture originale et surprenante à bien des égards. En fait, chez Mazda, on prend un plaisir fou depuis un certain temps à concevoir les voitures et les résultats reflètent fidèlement le slogan : zoom, zoom !... oh pardon, au Québec c'est vroum, vroum !

À LA MODE EUROPÉENNE!

Bien malin celui qui est capable de trouver des traits japonais à cette voiture car sous l'insigne Mazda se cache en fait une voiture typiquement européenne. Allure racée, comportement fougueux et lignes sportives s'inspirent directement des meilleures voitures du vieux continent. La voiture d'essai, la berline GT, proposait les options GFX et le groupe cuir, comprenant entre autres des roues en alliage de 17 pouces, un toit ouvrant, des bas de caisse sport et des sièges avant chauffants recouverts de cuir. L'effet est accrocheur et la voiture est un plaisir à regarder autant pour la berline que pour la version cinq portes. Les éloges se poursuivent à l'intérieur avec la position de conduite qui se trouve aisément, bénéficiant de tous les ajustements nécessaires. Les sièges offrent un bon support, et les appuie-têtes placés pour être efficaces. Par contre, l'assise est courte et ne fournit que peu de soutien aux cuisses pour les personnes de grande taille ce qui finit par fatiguer sur de longs trajets. Le volant se prend bien en main et est ajustable autant en hauteur qu'en profondeur. Sur la GT, les commandes de la radio et du régulateur de vitesse sont disponibles au volant et s'avèrent très utiles. Mentionnons également que le levier de vitesse est bien positionné et que les rangements sont nombreux et bien placés. Quant au tableau de bord, il se distingue tout particulièrement par une présentation classique rappelant celles des modèles Audi et BMW. Ajoutons que la finition, autant intérieure qu'extérieure, est excellente, que les plastiques sont de qualité et que les garnitures de type carbone sont bien dosées. Bonne note aussi pour l'espace arrière qui étonne par son habitabilité et par ses sièges très confortables. Malheureusement, on ne peut pas en dire autant du système audio qui offre une qualité sonore moyenne et présente une interface non conviviale. De plus, de par cette nouvelle présentation, il sera évidemment impossible de substituer le système à une radio habituelle plus performante.

GERMANO-JAPONAISE...

Toutefois, sur le plan technique rien à redire, la mécanique est digne de mention. Bien que la comparaison avec un modèle comme la Audi A3

FEU VERT

Agrément de conduite
Châssis rigide
Sièges
Habitabilité
Design

FEU ROUGE

Consommation
Système audio
Prix de la version GT
Visibilité arrière

Photo : Denis Duquet

soit inappropriée et injuste, disons seulement que les ingénieurs de la Mazda 3 n'ont pas lésiné sur les moyens afin de lui donner un caractère sportif digne des meilleures voitures allemandes. Et le moteur 2,3 litres y est pour beaucoup. Introduit l'an dernier, il vient compléter la gamme en offrant l'agrément de conduite qui manquait au moteur 2,0 litres. Nerveux et développant un bon couple, il procure des reprises satisfaisantes et une sonorité intéressante. Bref, si vous avez un peu de Schumacher en vous, optez pour le 2,3 litres de la version GT, sinon il sera plus sage de choisir le 2,0 litres qui est tout aussi fiable et surtout plus économique. Par contre, quel que soit le moteur choisi, les transmissions offertes sont irréprochables. La version manuelle avec ses 5 rapports est un plaisir à manier et le passage des vitesses se fait en douceur. Pour ceux n'ayant pas l'âme sportive, deux transmissions automatiques sont aussi proposées. La version 4 rapports sur les modèles GS et GX, et une 5 vitesses pour la GT, toutes deux offrant un intéressant mode séquentiel. Et question de freiner vos ardeurs, la 3 possède des freins à disque aux quatre roues sur tous les modèles mais sans l'antiblocage sur le modèle de base. En option également, le système de répartition de freinage électronique qui procure, en tandem avec l'ABS, une efficacité d'immobilisation surprenante et rassurante. Dans l'ensemble, le comportement routier de cette voiture fait preuve d'un bel équilibre. La direction est précise, et l'assistance bien dosée, le châssis rigide à souhait et les suspensions bien calibrées offrant à la fois une tenue de route sportive et une douceur de roulement acceptable. N'eut été d'une consommation d'essence un peu élevée, la 3 aurait damé le pion à tous ses adversaires à tout point de vue.

À BON VIN, POINT D'ENSEIGNE !

Les bonnes choses se recommandent d'elles-mêmes et Mazda n'a certainement pas besoin de publicité pour répandre sa petite berline, car une voiture comme la 3 représente toujours un choix des plus logiques dans cette catégorie. Mais le fait d'avoir remporté le match comparatif de sa catégorie ne nuira pas non plus.

Gabriel Gélinas

Photo : Didier Constant

DONNÉES TECHNIQUES

Modèle à l'essai :	berline GT avec groupes luxe et GFX
Prix du modèle à l'essai :	23835$
Échelle de prix :	16495$ à 21695$
Garanties :	3 ans/80000 km, 5 ans/100000 km
Catégorie :	berline compacte/familiale
Emp./Lon./Lar./Haut.(cm) :	264/454/175,5/146,5
Poids :	1272 kg
Coffre/Réservoir :	323 litres / 55 litres
Coussins de sécurité :	frontaux
Suspension avant :	indépendante, jambes de force
Suspension arrière :	indépendante, multibras
Freins av./arr. :	disque (ABS)
Antipatinage/Contrôle de stabilité :	non/non
Direction :	à crémaillère, assistée
Diamètre de braquage :	10,4 m
Pneus av./arr. :	P205/50R17
Capacité de remorquage :	n.d.

GROUPE MOTOPROPULSEUR

Moteur :	4L de 2,3 litres 16s atmosphérique
Alésage et course	87.5 mm x 94.0 mm
Puissance :	160 ch (119 kW) à 6 500 tr/min
Couple :	150 lb-pi (203 Nm) à 4 500 tr/min
Rapport Poids/Puissance :	7,95 kg/ch (10,69 kg/kW)
Moteur électrique :	aucun
Autre(s) moteur(s) :	4L 2,0 l 150ch à 6500tr/mn et 135lb-pi à 4500tr/mn
Transmission :	traction, manuelle 5 rapports
Autre(s) transmission(s) :	automatique 4 rapports / automatique 5 rapports
Accélération 0-100 km/h :	8,2 s
Reprises 80-120 km/h :	7,8 s
Freinage 100-0 km/h :	40,0 m
Vitesse maximale :	188 km/h
Consommation (100 km) :	ordinaire, 8,4 litres
Autonomie (approximative) :	655 km
Émissions de CO2 :	3923 kg/an

DANS LA MÊME CATÉGORIE

Chevrolet Optra - Ford Focus - Honda Civic - Mitsubishi Lancer - Nissan Sentra - Subaru Impreza

DU NOUVEAU EN 2006

Pas de changement majeur

HISTORIQUE DU MODÈLE

1ière génération

NOS IMPRESSIONS

Agrément de conduite :	4 ½
Fiabilité :	4
Sécurité :	3
Qualités hivernales :	3 ½
Espace intérieur :	3 ½
Confort :	4

LE CHOIX DE L'ÉQUIPE

GT

ORIGINALE ET BIEN ÉQUIPÉE

Mazda est un constructeur qui ne craint pas d'innover. Au cours des dernières années, il nous a proposé le moteur rotatif, le roadster le plus populaire de l'histoire, la seule berline hatchback sur le marché, la Mazda 6 Sport, et voilà que la Mazda 5 se veut la seule fourgonnette compacte en Amérique. Cette audace a parfois coûté cher tandis que certaines réussites ont été spectaculaires. Il faut cependant avouer que la compagnie a récemment enregistré une série de succès avec ses nouveaux modèles et il semble que la nouvelle Mazda 5 poursuivra sur cette lancée.

Pour décrire ce nouveau modèle, il suffit de souligner qu'il s'agit en fait d'une fourgonnette développée à partir de la Mazda3, dont la longueur hors tout a été allongée de 13 cm et l'empattement de 11 centimètres afin de pouvoir accueillir six occupants dans un confort plus que raisonnable. Et puisque les assises mécaniques ainsi que la motorisation proviennent de la voiture la plus populaire de son segment, les chances de réussite sont bonnes. Il semble toutefois exact d'affirmer que les concepteurs de la «5» ne se sont pas fiés au succès de l'une pour prendre les choses à la légère dans l'élaboration de l'autre. La dernière-née de ce constructeur a été élaborée avec soin.

LE DESIGN : UN DÉFI

Même si la vocation de la Mazda5 sera essentiellement utilitaire, il est tout aussi important que sa silhouette ne le démontre pas trop. Part exemple, la Mazda3 Sport est en fait une familiale ou tout au moins un véhicule cinq portes, mais son apparence nous fait davantage songer à des prestations sportives qu'à une grande capacité de chargement. Les stylistes affectés à la «5» lui ont donné une forme cunéiforme en raison de son capot avant fortement incliné vers l'avant. De plus, la présence de deux phares antibrouillard et d'une grande prise d'air ajoute à cette allure sport. Soulignons au passage que les rétroviseurs extérieurs, avec leur partie centrale en relief, contribuent à accentuer cette impression.

La partie arrière d'un véhicule de cette catégorie est toujours un élément difficile pour les stylistes. Le hayon vertical, la hauteur hors tout laissent peu de place à l'imagination. Pourtant, les concepteurs d'Hiroshima ont joué d'astuce en dessinant un pavillon qui donne l'impression de descendre vers l'arrière alors que c'est tout simplement la lunette arrière qui est de forme trapézoïdale en raison de l'élévation de la ceinture de caisse. De plus, ils ont placé les feux arrière à la même hauteur que les glaces latérales. Aussi, le bloc optique est triangulaire tandis que la

lentille transparente permet aux feux isolés l'un de l'autre de se mettre en évidence. C'est comme si un amateur de tuning s'était amusé à dessiner la partie arrière!

La nouvelle «5» a belle apparence même si je ne suis pas certain que les gens apprécieront ces feux arrière bien longtemps. Par contre, le véhicule ne paraît pas trop petit et les proportions sont presque idéales. Il ne semble ni trop court, ni trop haut. S'il faut se fier aux commentaires recueillis pendant notre essai, la silhouette est bien perçue.

Puisque cette fourgonnette est en partie dérivée de la Mazda 3, les responsables de l'élaboration du tableau de bord ont dû faire avec l'infrastructure des commandes. Comme sur la berline, le centre d'information surplombe les commandes de la radio qui dominent à leur tour trois gros boutons de commande du chauffage et de la climatisation. Tous ces éléments sont regroupés dans un module en relief argenté. Toutefois, le soleil occulte facilement l'affichage de l'écran LCD du centre d'information. Par contre, les buses de ventilation sont placées de chaque côté de ce module, ce qui est plus efficace que les deux buses placées en position supérieure sur la Mazda3. Et tandis que les cadrans indicateurs de cette dernière sont regroupés dans trois anneaux cerclés de gris, sur la fourgonnette ils sont logés dans un hémicycle alors que le compte-tours à gauche et l'indicateur de vitesse à droite cohabitent dans un espace similaire. Puis, à leur droite, on retrouve la jauge de carburant et le thermomètre. Soulignons au passage que le levier de vitesse est monté en porte à faux sur la planche de bord, comme sur plusieurs fourgonnettes européennes.

Les sièges avant sont confortables, la position de conduite est bonne surtout en raison du fait que le volant est réglable en hauteur et en profondeur. Par contre, les grands gabarits de 1 m 95 et plus risquent de trouver que le dégagement pour les jambes est un peu juste, par conséquent il leur faudra ajuster l'inclinaison du dossier pour obtenir plus de confort. Même si ses dimensions sont «songées», la Mazda5 est en mesure d'accueillir six occupants. Si les sièges de la seconde rangée sont confortables, la banquette 50/50 de la troisième rangée

est exclusivement réservée à des enfants. Et comme il est impossible de faire des miracles, avec six personnes à bord, l'espace pour les bagages est alors passablement réduit. Soulignons que les portes coulissantes de la version GT sont dotées d'un petit moteur électrique qui complète la fermeture de cette portière une fois que celle-ci est en fin de course.

PRESQUE TOUT ÉQUIPÉE

Deux modèles sont au catalogue, soit le GS qui se veut la version de base tandis que le GT est mieux équipé notamment avec des rideaux de sécurité latéraux, des roues de 17 pouces, un régulateur de vitesse avec commandes sur le volant, un pommeau de levier de vitesse et le boudin de volant garni de cuir. Pour le reste, les deux versions sont pratiquement identiques et la liste de l'équipement de série est très longue. En fait, les deux principales options sont la boîte manumatique à quatre rapports et le système de climatisation avec commande de température automatique. Il faut de plus ajouter que la qualité des matériaux dans l'habitacle semble être celle d'un véhicule vendu beaucoup plus cher. Il est évident que les responsables de la mise en marché ont travaillé plusieurs heures afin de pouvoir offrir un véhicule aussi bien équipé à un tel prix.

Force est d'admettre que le fait d'utiliser la même plate-forme et la même mécanique que la Mazda3 Sport a ainsi permis de réaliser des économies qui ont été reportées sur le niveau d'équipement. Par contre, cette fois, seule la version de 157 chevaux du moteur quatre cylindres de 2,3 litres a été utilisée. Ce qui est plus que logique compte tenu de la vocation de ce véhicule. La boîte manuelle à cinq rapports est de série tandis que l'automatique à quatre rapports est optionnelle. Par contre, dans un monde parfait, cette dernière aurait pu être à cinq rapports également. Et contrairement à presque toutes les autres fourgonnettes, la suspension arrière est indépendante. Les ingénieurs ont par ailleurs calibré celle-ci en fonction de la hauteur supérieure de la Mazda5 par rapport à la Mazda3 Sport. Enfin, les freins à disque sont aux quatre roues et le système ABS est de série. Il faut d'ailleurs féliciter Mazda pour cette dernière caractéristique.

SOURIRE AUX LÈVRES

Dans le cadre du lancement de cette nouvelle venue, Mazda a invité les journalistes à rouler plusieurs centaines de kilomètres au volant de leur dernière création. Environnement urbain, autoroute et même plus d'une centaine de kilomètres sur de difficiles routes en gravelle, la «5» en a vu de toutes les couleurs et l'opinion générale était unanime : c'est réussi ! Un avis que je partage amplement. Il est certain que ce n'est pas un foudre de guerre avec un temps d'accélération de 9,3 secondes pour les 0-100 km/h avec la boîte manuelle et d'environ 10 secondes avec l'automatique, mais il ne faut pas perdre de vue que nous sommes au volant d'une fourgonnette. Pour caractériser les performances, il n'est pas faux de les qualifier de très bien adaptées. Notre consommation ville et route combinée a été de 10,2 litres aux 100 km.

FEU VERT

Tenue de route saine
Équipement complet
Prix compétitif
Moteur bien adapté
Habitacle polyvalent

FEU ROUGE

Centre d'information occulté par le soleil
Troisième rangée exiguë
Visibilité arrière
Feedback de la direction à revoir

L'élément le plus positif de cette fourgonnette est son agrément de conduite, sa neutralité dans les virages et la précision de la direction. Celle-ci est à assistance électrohydraulique et nous déconnecte quelque peu du feeling de la route, mais c'est quand même bien. Malgré un centre de gravité plus élevé que la moyenne, le roulis est peu prononcé, le freinage progressif et on a la sensation de toujours être en parfaite maîtrise. Et même si l'on ressent la pression des vents latéraux sur la caisse, le véhicule demeure très stable. En plus, l'avant ne plonge pas lors du freinage.

Il y a bien quelques bémols, notamment un certain manque d'homogénéité entre les deuxième et troisième rapports de la boîte manuelle, la difficulté de lire l'affichage central et les places de la troisième rangée quasiment symboliques, mais ce ne sont que des broutilles compte tenu de l'homogénéité de l'ensemble et de l'excellent rapport qualité-prix. Cette Mazda tout aller connaît beaucoup de succès en Europe, et devrait également être populaire au Canada et certainement au Québec. Et elle se mérite sans ambages le titre de «Voiture de l'année» du Guide de l'Auto 2006!

Denis Duquet

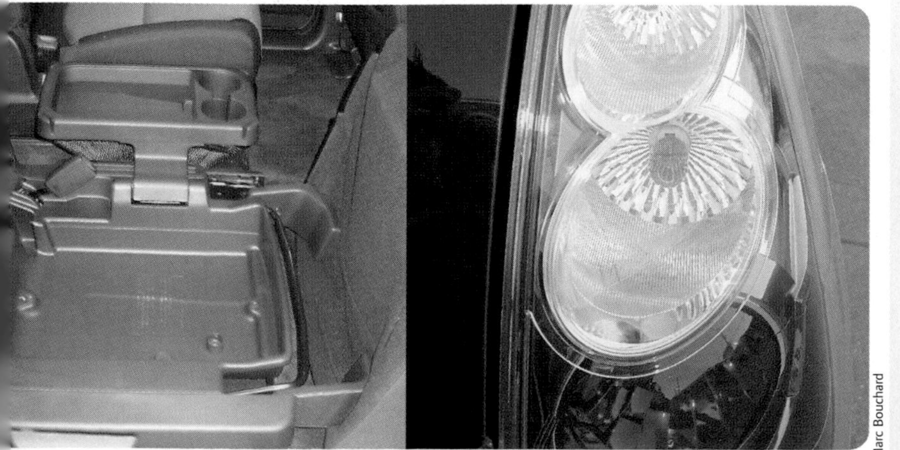

Photos: Marc Bouchard

DONNÉES TECHNIQUES

Modèle à l'essai:	GT
Prix du modèle à l'essai:	24895$
Échelle de prix:	19995$ à 26090$
Garanties:	3 ans/80000 km, 5 ans/100000 km
Catégorie:	fourgonnette
Emp./Lon./Lar./Haut.(cm):	275/461/175,5/163
Poids:	1512 kg
Coffre/Réservoir:	1256 litres / 60 litres
Coussins de sécurité:	frontaux, latéraux (av.), rideaux
Suspension avant:	indépendante, jambes de force
Suspension arrière:	indépendante, multibras
Freins av./arr.:	disque (ABS)
Antipatinage/Contrôle de stabilité:	non/non
Direction:	à crémaillère, assistance variable électrique
Diamètre de braquage:	10,6 m
Pneus av./arr.:	P205/50R17
Capacité de remorquage:	n.d.

GROUPE MOTOPROPULSEUR

Moteur:	4L de 2,3 litres 16s atmosphérique
Alésage et course	87,5 mm x 94,0 mm
Puissance:	157 ch (117 kW) à 6500 tr/min
Couple:	148 lb-pi (201 Nm) à 4500 tr/min
Rapport Poids/Puissance:	9,63 kg/ch (12,92 kg/kW)
Moteur électrique:	aucun
Autre(s) moteur(s):	seul moteur offert
Transmission:	traction, manuelle 5 rapports
Autre(s) transmission(s):	automatique 4 rapports
Accélération 0-100 km/h:	8,8 s
Reprises 80-120 km/h:	7,7 s
Freinage 100-0 km/h:	42,5 m
Vitesse maximale:	192 km/h (constructeur)
Consommation (100 km):	ordinaire, 9,8 litres
Autonomie (approximative):	612 km
Émissions de CO2:	n.d.

DANS LA MÊME CATÉGORIE

Chevrolet HHR - Chrysler PTCruiser - Pontiac Vibe - Toyota Matrix

DU NOUVEAU EN 2006

Nouveau modèle

HISTORIQUE DU MODÈLE

1ière génération

NOS IMPRESSIONS

Agrément de conduite:	🚗🚗🚗🚗
Fiabilité:	nouveau modèle
Sécurité:	🚗🚗🚗🚗½
Qualités hivernales:	🚗🚗🚗🚗
Espace intérieur:	🚗🚗🚗🚗
Confort:	🚗🚗🚗🚗

LE CHOIX DE L'ÉQUIPE

GT

SOURIRE OBLIGATOIRE

J'ai toujours détesté perdre. Quand je prenais le volant, sur n'importe quel circuit du monde, c'était pour gagner, peu importe les conditions (attention, je ne dis pas peu importe les méthodes car j'ai constamment respecté les règles de près). Ce désir de victoire se trahit encore aujourd'hui chaque fois que je touche à un volant dans un climat de compétition. Même si cette compétition n'est en fait qu'un simulateur virtuel, et que la voiture que je conduis n'existe que dans l'esprit de ses créateurs via mon ordinateur. Bref, la deuxième place et moi n'avons jamais fait bon ménage! Et c'est exactement ce que Mazda s'est dit lorsqu'ils ont lancé la Mazda6.

La réalité, c'est que l'on a créé une berline familiale dont l'ambition n'est rien de moins que de dominer ce créneau hautement compétitif, et ce, à tous les points de vue. N'en déplaise à la compétition, il semble bien que Mazda ait réussi son pari puisque sa Mazda6 est certainement un des chefs de file de sa catégorie, pour ne pas dire LE chef.

Je ne veux rien enlever aux Honda Accord et Toyota Camry de ce monde, mais il faut avouer que Mazda a réussi à produire un véhicule dont les qualités de confort et d'espace sont au moins équivalentes à la compétition, tout en lui insufflant des propriétés dynamiques plus amusantes que ses rivales.

CONDUIRE AVEC LE SOURIRE

Tous ceux qui me connaissent vous le diront, il n'y a rien de plus important pour moi que d'avoir un maximum de sensations quand je conduis une voiture. Comme pilote automobile, c'est d'ailleurs la première qualité qu'il faut développer puisque notre rôle est aussi et surtout de ressentir notre bolide, et de transmettre ces sensations à nos ingénieurs pour améliorer les réglages.

Dans ce domaine, la Mazda6, peu importe sa version, est un modèle du genre. Au volant de la berline, on ressent chaque virage, chaque bosse non pas comme un désagrément, mais comme un enchaînement de conditions qui font corps avec la voiture. En fait, on ressent tellement bien cet environnement que l'on réussit à adapter son style de conduite aisément pour tirer le maximum de la voiture. Et pas nécessairement à haute vitesse, faut-il le rappeler, mais plutôt à un rythme qui nous permet de tout apprécier... avec le sourire.

Sous le capot de la berline, un moteur quatre cylindres de 2,3 litres développant 160 chevaux qui, il faut l'admettre, est extrêmement performant. En fait, il répond tellement bien à la commande, peu importe les circonstances, qu'il serait probablement mon premier choix de la gamme si ce n'était sa consommation, avouons-le, un peu élevée. Notons cependant que cette gourmandise excessive est presque la marque de commerce de Mazda qui parvient difficilement à la contrôler dans toute sa gamme. La version sport et la version familiale sont pour leur part équipées d'un moteur V6 de 3,0 litres qui développe 220 chevaux et 192 livres-pied de couple. Un moteur capable de performances au-delà de la moyenne, souple et avec une accélération linéaire.

FEU VERT
- Silhouette dynamique
- Moteur 4 cylindres efficaces
- Planche de bord bien conçue
- Transmission sport précise

FEU ROUGE
- Consommation élevée
- Habitacle peu spacieux
- Freinage parfois hésitant
- Accès au coffre difficile

Jumelée à ces moteurs, une transmission manuelle à cinq vitesses agréable, mais peut-être pas aussi précise qu'on le souhaiterait. Mécaniquement cependant, les vitesses s'enclenchent sans hésitation, et la course de levier est suffisamment courte. Il est aussi possible d'opter pour une transmission automatique à 5 rapports (I4) ou à 6 rapports avec mode sport dans le cas des moteurs de 3,0 litres. Cette dernière a subi quelques modifications en 2006, les rapports ayant changé pour la rendre plus performante.

Mais ces versions plus standard ne sont qu'une partie de l'offensive Mazda qui a décidé cette année de se lancer dans la course à la performance en dévoilant une version Mazdaspeed de sa série 6. Cette nouvelle voiture de performance, vendue uniquement en traction intégrale, dispose d'un moteur 6 cylindres 2,3 litres turbo à injection directe. Une mécanique qui nourrit quelque 284 chevaux, et environ 280 livres-pied de couple transmis aux roues par le biais d'une transmission six vitesses de type sport.

Cette dernière, développée spécifiquement pour la Mazdaspeed, utilise des rapports différents, concentrant le couple à bas régime pour des accélérations rapides, et avec de basses révolutions pour des randonnées à vitesse constante. Mais son entrée en scène est perpétuellement retardée.

VISION MODERNE

À l'intérieur de la Mazda6, peu importe sa version (car rappelons-le, la 6 est offerte comme berline quatre ou cinq portes, comme familiale ou en version Mazdaspeed, chacune ayant leurs propres propositions d'équipement), le look est résolument moderne.

Le plus grand défaut dans l'habitacle, c'est probablement le dégagement. Les passagers avant n'auront pas trop à souffrir, le conducteur surtout pouvant aisément se trouver une position de conduite agréable et efficace avec un bon support. Mais ceux assis derrière devront accepter de sacrifier un peu de leur espace vital pour compléter la randonnée…

Ce petit sacrifice ne fera pas oublier cependant la précision de la conduite et la tenue de route exceptionnelle de la voiture. Attention, au volant d'une Mazda6, sourire obligatoire!

Bertrand Godin

Photos: Mazda

DONNÉES TECHNIQUES

Modèle à l'essai:	Wagon
Prix du modèle à l'essai:	32995$ - 2005
Échelle de prix:	23795$ à 32995$ - 2005
Garanties:	3 ans/80000 km, 5 ans/100000 km
Catégorie:	berline intermédiaire/familiale/hatchback
Emp./Lon./Lar./Haut.(cm):	267,5/477/178/145,5
Poids:	1548 kg
Coffre/Réservoir:	559 à 856 litres / 68 litres
Coussins de sécurité:	frontaux et latéraux (av./arr.)
Suspension avant:	indépendante, bras inégaux
Suspension arrière:	indépendante, multibras
Freins av./arr.:	disque (ABS)
Antipatinage/Contrôle de stabilité:	oui/non
Direction:	à crémaillère, assistance variable
Diamètre de braquage:	11,8 m
Pneus av./arr.:	P205/60R16
Capacité de remorquage:	n.d.

Pneus d'origine MICHELIN

GROUPE MOTOPROPULSEUR

Moteur:	V6 de 3,0 litres 24s atmosphérique
Alésage et course	89,0 mm x 79,5 mm
Puissance:	220 ch (164 kW) à 6300 tr/min
Couple:	192 lb-pi (260 Nm) à 5000 tr/min
Rapport Poids/Puissance:	7,04 kg/ch (9,56 kg/kW)
Moteur électrique:	aucun
Autre(s) moteur(s):	4L 2,3 l 160ch à 6000tr/mn et 155lb-pi à 4000tr/mn
Transmission:	traction, automatique 5 rapports
Autre(s) transmission(s):	manuelle 5 rapports / automatique 6 rapports
Accélération 0-100 km/h:	7,7 s
Reprises 80-120 km/h:	6,6 s
Freinage 100-0 km/h:	39,0 m
Vitesse maximale:	210 km/h
Consommation (100 km):	ordinaire, 12,2 litres
Autonomie (approximative):	557 km
Émissions de CO2:	4872 kg/an

DANS LA MÊME CATÉGORIE

Honda Accord - Hyundai Sonata - Kia Magentis - Mitsubishi Galant - Nissan Altima - Toyota Camry

DU NOUVEAU EN 2006

Abandon de la transmission auto 4 rapports, freins avant plus grands, retouches esthétiques, phares au xénon std sur Sport GT

HISTORIQUE DU MODÈLE

1ère génération

NOS IMPRESSIONS

Agrément de conduite:	4
Fiabilité:	4
Sécurité:	4
Qualités hivernales:	4
Espace intérieur:	3½
Confort:	3½

LE CHOIX DE L'ÉQUIPE

GT

AIMEZ-MOI !

Depuis son entrée dans la grande famille Ford, Mazda n'a cessé d'étonner avec le renouvellement de ses modèles. Qu'on pense à la RX-8, à la 6, à la 3 et dernièrement à la MX-5 et la venue de la 5, les modèles ont tous contribué au récent succès de l'entreprise et ont pratiquement raflé tous les prix décernés ces dernières années. Tous les modèles? Malheureusement pas. En effet, la MPV se fait bien discrète et reste dans l'ombre en faisant acte de présence tout au plus. Espérons toutefois que le renouvellement prévu pour 2007 amènera un vent de fraîcheur.

Entretemps, la cuvée 2006 revient inchangée. Il serait quand même injuste de penser que Mazda nous propose un produit désuet et dénudé de technologie. La plupart des caractéristiques disponibles chez les modèles concurrents sont présentes sur la MPV. De plus, la «petite» fourgonnette dispose d'un atout indéniable par rapport à ses concurrents: l'agrément de conduite. En fait, son plus grand défaut est probablement son âge, car elle semble avec nous depuis une éternité et la cure de rajeunissement majeure tarde à venir. Il n'est donc pas surprenant qu'elle représente souvent le dernier choix sur la liste d'épicerie!

BELLE GUEULE

Si l'on pense à l'achat d'une fourgonnette, c'est que, dans la plupart des cas, la famille s'agrandit. On désire alors s'offrir un mode de transport qui soit à la fois conservateur, pratique et qui comblera tous nos besoins. La plupart des fourgonnettes répondent bien à ces critères, mais la MPV se démarque toutefois en proposant un design extérieur accrocheur et des dimensions intéressantes. Effectivement, et c'est au goût de chacun, les lignes sont particulièrement réussies et ajoutons que l'avant semble provenir de la 3, ce qui en soit est un compliment. De plus, pour les adeptes du «bien paraître», la MPV peut être livrée en version GT. Ce modèle possède des jupes de bas de caisse, des phares antibrouillard, des jantes de 17 pouces et un immense toit ouvrant. En comparaison, le modèle de base semble vraiment dépouillé. Si l'extérieur affiche une touche sportive et un tantinet audacieuse, il en est autrement pour l'intérieur qui propose un aménagement classique et sans fioritures. Les rangements sont nombreux et les commandes placées à portée de la main. Mentionnons également que le levier de vitesse est toujours monté sur la colonne de direction et qu'il cache encore les commandes de la climatisation et de la radio. Aussi, comme la MPV est la moins large des fourgonnettes offertes sur le marché, il n'est pas surprenant de constater que la circulation entre les sièges est un peu ardue et gagnerait en facilité si l'espace affichait quelques centimètres de plus. Par contre, le dégagement pour les jambes est suffisant à l'avant mais un peu juste aux places arrière. Inutile de dire qu'avec sept personnes à bord, vous aurez quelques bagages sur vos genoux car l'espace disponible derrière la dernière banquette est compté. Par ailleurs, il faut féliciter Mazda d'avoir eu l'heureuse idée d'intégrer des fenêtres qui s'abaissent aux portes coulissantes.

DÉDOUBLEMENT DE PERSONNALITÉ

Bien qu'il s'agisse d'une fourgonnette, le véhicule saura vous satisfaire par ses performances, à condition de ne pas être trop exigeant. Son

FEU VERT

- Comportement routier
- Finition exemplaire
- Climatisation efficace
- Gabarit intéressant

FEU ROUGE

- Portes coulissantes étroites
- Sièges médians lourds
- Puissance du moteur juste
- Transmission saccadée

moteur V6 de 3,0 litres et ses 200 chevaux procurent des accélérations et des reprises satisfaisantes mais sans plus! La tenue de route du véhicule étonne car la fourgonnette colle littéralement à la route et l'arrière ne dérape qu'en situations extrêmes. Les suspensions sont bien dosées et ce n'est que sur de très mauvais revêtements que l'arrière cherche à se dérober. Bien sûr, le volant pourrait bénéficier d'un peu moins d'assistance, mais avouons qu'une fois en ville, on appréciera le dosage au moment d'effectuer les manœuvres de stationnement. Autant la MPV peut surprendre, autant elle peut décevoir. C'est qu'avec toute la famille à bord (lire ici plus de 4 passagers et leurs bagages), les choses se corsent et la fourgonnette montre alors un certain relâchement, voire une morosité chronique. La tenue de route devient molle, le freinage difficile à doser et la puissance nettement insuffisante pour manœuvrer avec aisance. Et comme en fait également foi sa faible capacité de remorquage (1 361 kg), le véhicule n'a vraisemblablement pas été conçu pour affronter de lourdes charges. Autre irritant, la transmission. Bien qu'elle dispose de 5 vitesses, ce qui pourrait sembler un atout face à certains concurrents, le passage des rapports devient exaspérant. Que ce soit, sur l'autoroute, en ville ou sur parcours montagneux, il est très fréquent que la transmission doive rétrograder, d'un, deux ou même trois rapports afin d'obtenir la puissance nécessaire. Imaginez alors le rituel sur les routes d'une région comme Charlevoix avec 4 enfants à bord et une roulotte de camping à l'arrière! Il est donc évident que tout ce manège n'aide en rien à économiser sur le carburant et entraîne inévitablement une hausse de la consommation et des coûts.

CHOIX CALCULÉ

Bien que la plupart des fourgonnettes aient tendance à augmenter en volume, Mazda propose encore cette année une MPV aux dimensions inchangées. Cependant, le véhicule dispose toujours d'atouts lui permettant de rivaliser avec la concurrence et son équipement complet lui permet de combler la plupart des besoins rencontrés. Vendue à un prix abordable par rapport à ses rivales, la MPV affiche un rapport qualité/prix des plus intéressants. Reste à savoir pourquoi la clientèle ne se bouscule pas aux portes des concessionnaires!

Guy Desjardins

Photos: Mazda

MAZDA MPV

DONNÉES TECHNIQUES

Modèle à l'essai:	GT
Prix du modèle à l'essai:	36795$ (2005)
Échelle de prix:	26895$ à 36795$ (2005)
Garanties:	3 ans/80000 km, 5 ans/100000 km
Catégorie:	fourgonnette
Emp./Lon./Lar./Haut.(cm):	284/481/183/175,5
Poids:	1 699 kg
Coffre/Réservoir:	487 à 3526 litres / 75 litres
Coussins de sécurité:	frontaux et latéraux (av.)
Suspension avant:	indépendante, jambes de force
Suspension arrière:	essieu rigide, ressorts hélicoïdaux
Freins av./arr.:	disque (ABS)
Antipatinage/Contrôle de stabilité:	oui/non
Direction:	à crémaillère, assistance variable
Diamètre de braquage:	11,4 m
Pneus av./arr.:	P215/60R17
Capacité de remorquage:	1361 kg

GROUPE MOTOPROPULSEUR

Moteur:	V6 de 3,0 litres 24s atmosphérique
Alésage et course	89,0 mm x 79,5 mm
Puissance:	200 ch (149 kW) à 6200 tr/min
Couple:	200 lb-pi (271 Nm) à 3000 tr/min
Rapport Poids/Puissance:	8,50 kg/ch (11,40 kg/kW)
Moteur électrique:	aucun
Autre(s) moteur(s):	seul moteur offert
Transmission:	traction, automatique 5 rapports
Autre(s) transmission(s):	aucune
Accélération 0-100 km/h:	10,2 s
Reprises 80-120 km/h:	9,4 s
Freinage 100-0 km/h:	41,2 m
Vitesse maximale:	175 km/h
Consommation (100 km):	ordinaire, 11,7 litres
Autonomie (approximative):	641 km
Émissions de CO2:	5412 kg/an

DANS LA MÊME CATÉGORIE

Chevrolet Uplander - Dodge Caravan - Ford Freestar - Honda Odyssey - Kia Sedona - Toyota Sienna

DU NOUVEAU EN 2006

Nouvelles couleurs extérieures

HISTORIQUE DU MODÈLE

2ième génération

NOS IMPRESSIONS

Agrément de conduite:	🚗🚗🚗🚗
Fiabilité:	🚗🚗🚗🚗
Sécurité:	🚗🚗🚗🚗
Qualités hivernales:	🚗🚗🚗🚗
Espace intérieur:	🚗🚗🚗½
Confort:	🚗🚗🚗🚗

LE CHOIX DE L'ÉQUIPE

GT

NOUVELLE MATURITÉ

Quand on s'appelle Miata, on n'a définitivement plus besoin de présentation. Le petit cabriolet sport, reconnu par le Livre des records Guiness, avec plus de 770 000 unités vendues, sillonne nos routes depuis plus de 15 ans. Inutile de dire qu'en décidant de créer une troisième génération de Miata entièrement refaite et rebaptisée, Mazda misait gros. En fait, c'est à une véritable icône que le fabricant japonais s'attaquait, et les risques de déplaire aux mordus du petit roadster étaient grands.

Mais un essai est plus que convaincant et il n'y a cependant aucune inquiétude à avoir, les maniaques seront bien servis. Les simples amateurs de petits cabriolets abordables et amusants seront aussi ravis car la nouvelle Miata, qui sera désormais baptisée MX-5 Miata, a tout conservé des qualités de sa prédécesseure, en plus d'y ajouter une certaine maturité, un niveau de sophistication plus élevé.

JINBA ITAI

Jinba Itai, ou quand le cavalier et la monture ne font qu'un; c'est la psychologie qui a présidé au remodelage de la toute nouvelle MX5. Au Japon, Jinba Itai, c'est l'expression de l'unité entre le cavalier archer qui doit toucher une cible alors que son cheval est au galop. C'est cette direction qu'on a voulu prendre en recréant la MX5 et en modifiant suffisamment le comportement pour réussir à donner l'impression à l'automobiliste que sa voiture est une composante de lui-même. Stratégie marketing ou pas, il faut admettre que la conduite de la MX5 est désormais plus souple, plus douce, et qu'on ne s'y sent plus comme dans un kart.

En fait, il ne reste plus rien de commun entre la version et la voiture de deuxième génération. Tout au plus a-t-on conservé une seule lumière latérale, et encore, elle n'est de mise que sur les versions européennes!

Malgré ce remodelage radical, la MX-5 n'a que peu perdu de sa personnalité originale. À l'extérieur, la voiture a légèrement changé. On lui a donné des passages de roue quelque peu inspirés de la RX-8, un avant remodelé, plus large, mais regroupant toujours les éléments indispensables de la marque : une grille ovale, des phares allongés en diagonale et un apparent logo Mazda au centre de la calandre.

Une fois à l'intérieur de la voiture cependant, même pour un oeil non exercé, les changements sont évidents. On a apporté une plus grande

attention aux détails, ainsi qu'à la finition de l'ensemble. On a par exemple repositionné le frein à main du côté du passager, comme dans la RX-8; installé quatre porte-verres, dont deux dans les portières qui sont beaucoup plus ergonomiques que les autres. Les sièges de cuir de la version GT sont confortables et assurent un excellent support latéral.

En revanche, les journées de grande chaleur, ces sièges noirs respirent peu, et font littéralement suer les occupants du petit véhicule, ce qui étonne sur une voiture synonyme d'été.

Les sièges en tissu, quant à eux, nous font moins souffrir de la chaleur, mais leur confort laisse à désirer, notamment en raison leur maigre rembourrage. Ils sont cependant plus profonds, garantissant du même coup un meilleur support latéral.

Signalons que dans l'habitacle, on retrouve aussi une chaîne audio Bose 6 haut-parleurs, conçue spécifiquement pour la MX-5 et qui tient compte de tous les détails intérieurs pour ajuster le son diffusé. Elle prend notamment en considération la surface intérieure, la présence ou non du toit souple ou rigide, et la présence ou non d'un passager à droite du conducteur.

Le changement le moins agréable, même s'il donne peut-être un plus grand sentiment de sécurité, c'est la modification de la hauteur de la ceinture de caisse. Plus basse, comme elle l'était auparavant, elle permettait une visibilité accrue, alors que la nouvelle hauteur donne plutôt l'impression de diminuer l'espace intérieur. Ce qui est, avouons-le, une simple impression puisque le dégagement est similaire, voire supérieur à l'ancienne version, grâce notamment à un châssis plus long, plus large, et à un empattement plus long de quelques millimètres.

Mais qui dit dimensions plus grandes, dit aussi habituellement poids plus élevé, ce qui dans une petite décapotable comme la Miata peut causer de graves problèmes. Heureusement, un usage intensif de l'aluminium a permis de réduire ce gain de poids jusqu'à une valeur symbolique, la version de troisième génération gagnant moins de 75 kilos par rapport à la précédente.

MÉCANIQUE SURVOLTÉE

En plus de tous ces détails de finition, il convient de signaler que la mécanique a aussi été complètement refaite. La MX-5 dispose d'un nouveau moteur de 2,0 litres, d'une puissance fortement accrue de 170 chevaux, soit presque l'équivalent de la Miata Mazdaspeed 2005. Malgré cet ajout, on sent encore qu'il y aurait de la place pour l'amélioration.

Le moteur offre cependant une grande souplesse, peu importe les conditions. Sur la route, à plus haut régime, il propose un peu de puissance, mais surtout une sonorité renouvelée grâce au double échappement nouvellement installé. À plus bas régime, il est plus

hésitant, mais permet tout de même un usage intéressant dans un secteur plus urbanisé.

La transmission manuelle à six rapports courts (cinq sur la GX) rend bien les accélérations, même si mécaniquement, certains des modèles essayés éprouvaient de la difficulté à séparer la 4e de la 6e vitesse. Quant à la transmission automatique séquentielle offerte en option sur les versions GS et GT, elle est d'une rapidité déconcertante. Bien sûr, on pourra s'étonner de choisir une automatique sur un modèle sport, mais sa réaction est tellement rapide et précise qu'elle en vaut bien la peine. Et le fait que l'on puisse changer les rapports directement sur le volant comme on le fait en Formule Un, lui confère un petit air plus sportif encore.

Le jugement est le même pour la direction, d'une hypersensibilité et d'une grande précision, fournissant réellement une abondance de sensations tout en garantissant le maintien exact d'une trajectoire déterminée. Lorsqu'on la pousse à bout, la MX5 a conservé aussi le petit côté frissonnant de la conduite. Sur une route bosselée, on a l'impression parfois que l'arrière s'allège complètement. Puis, les pneus plus larges et le surplus de puissance (rappelons que la Miata est une propulsion) reprennent rapidement le dessus, sans compter la rigidité accrue de 15 % du nouveau châssis, pour permettre de tout remettre en place comme si de rien n'était. En fait, c'est exactement pour ce genre de sensation que la Miata a toujours été populaire et la nouvelle version a su conserver ce caractère unique.

Au freinage, le petit roadster fait aussi bonne figure et s'arrête promptement, sans que le conducteur doive s'échiner sur la pédale. La tenue de route est impressionnante, surtout avec la version GS, équipée de pneus plus gros, d'un contrôle de traction efficace et de barres antiroulis de plus grandes dimensions, qui permettent de limiter considérablement les mouvements impromptus de la caisse en virage serré.

FEU VERT

Transmission automatique haut de gamme
Habitacle plus spacieux
Freinage bien balancé
Direction sensible

FEU ROUGE

Moteur peu puissant
Transmission pas toujours précise
Version MazdaSpeed en attente
Sièges en tissu peu confortables

Dernier détail, on a conservé le toit rétractable en toile, qui une fois fermé, procure un roulement plus silencieux que jamais. On a cependant simplifié le fonctionnement du bidule en lui installant un seul loquet. Pour le mettre en place, une pression sur un bouton situé entre les deux sièges, et le toit s'élève un peu. D'une seule main, il est alors facile de le mettre en place et de verrouiller le loquet central sans souffrir de tendinite, tout cela en quelques secondes. Notons qu'un toit rigide est aussi proposé.

DE LA PUISSANCE À VENIR

Bref, la nouvelle MX5 (il faudra bien s'habituer au nom qui sera de mise l'an prochain) est résolument passée à l'histoire en regroupant les anciens points positifs de la version, additionnés de quelques nouveaux aspects. Tout cela, signalons-le, en conservant la fourchette de prix abordables qui a toujours caractérisé la Miata.

Quatre versions sont offertes: la GX de base, la GS avec ses roues plus grandes et le contrôle de traction, ainsi que la GT, la plus luxueuse avec sa finition tout cuir et une transmission manuelle six rapports. Une petite quantité, à peine 150 MX5 Special Edition seront aussi livrées au Canada sur les 3500 produites au monde. Mais attention, même en version de base, la nouvelle MX5 propose une liste d'équipement de série plus longue que jamais. Parmi ceux-ci, les commandes au volant, le volant inclinable et les pneus plus larges ne sont pas les moindres.

Quant à la version Mazdaspeed basée sur la nouvelle version, elle ne sera pas sur le marché avant au moins une année. Mais on chuchote entre les branches qu'elle pourrait atteindre 240 chevaux, ce qui vaut bien quelques mois d'attente.

Chose certaine, la nouvelle MX5 perdra peut-être quelques admirateurs bien qu'elle ait conservé son style original, mais elle se fera un vaste cercle de nouveaux amis, car on la sent vraiment plus mature, comme une oeuvre que l'on viendrait d'achever. Shime ga hatasemashita! ou mission accomplie, comme on dit chez nous.

Marc Bouchard

Photos: Marc Bouchard

MAZDA MX5

DONNÉES TECHNIQUES

Modèle à l'essai:	GS
Prix du modèle à l'essai:	30995$
Échelle de prix:	27995$ à 34995$
Garanties:	3 ans/80000 km, 5 ans/100000 km
Catégorie:	roadster
Emp./Lon./Lar./Haut.(cm):	233/399/172/124,5
Poids:	1134 kg
Coffre/Réservoir:	150 litres / 48 litres
Coussins de sécurité:	frontaux
Suspension avant:	indépendante, bras inégaux
Suspension arrière:	indépendante, multibras
Freins av./arr.:	disque (ABS)
Antipatinage/Contrôle de stabilité:	non/non
Direction:	à crémaillère, assistance variable
Diamètre de braquage:	9,4 m
Pneus av./arr.:	P205/45R17
Capacité de remorquage:	non recommandé

Pneus d'origine MICHELIN

GROUPE MOTOPROPULSEUR

Moteur:	4L de 2,0 litres 16s atmosphérique
Alésage et course	87,5 mm x 83,1 mm
Puissance:	170 ch (127 kW) à 6700 tr/min
Couple:	140 lb-pi (190 Nm) à 5000 tr/min
Rapport Poids/Puissance:	6,67 kg/ch (8,93 kg/kW)
Moteur électrique:	aucun
Autre(s) moteur(s):	4L 2,0 l 166ch à 6700tr/mn et 140lb-pi à 5000tr/mn (transmission automatique)
Transmission:	propulsion, manuelle 6 rapports
Autre(s) transmission(s):	manuelle 5 rapports / automatique 6 rapports avec mode manuel
Accélération 0-100 km/h:	7,5 s
Reprises 80-120 km/h:	8,0 s
Freinage 100-0 km/h:	37,2 m
Vitesse maximale:	206 km/h
Consommation (100 km):	super, 9,7 litres
Autonomie (approximative):	495 km
Émissions de CO2:	n.d.

DANS LA MÊME CATÉGORIE

Ford Mustang - Mitsubishi Eclipse - Pontiac Solstice - Toyota Camry Solara - Volkswagen New Beetle

DU NOUVEAU EN 2006

Nouveau modèle

HISTORIQUE DU MODÈLE

3ième génération

NOS IMPRESSIONS

Agrément de conduite:	4½
Fiabilité:	nouveau modèle
Sécurité:	3½
Qualités hivernales:	2
Espace intérieur:	3
Confort:	3½

LE CHOIX DE L'ÉQUIPE

GT 6 rapports

Photo : Marc Bouchard

POUR CONSOMMATEURS AVERTIS

Tenez-vous le pour dit : la Mazda RX-8 n'est pas un modèle de sobriété et n'a toujours pas rallié le club des AA. Son moteur rotatif consommait et consomme invariablement une quantité appréciable d'hydrocarbures en dépit des efforts de la firme japonaise pour tempérer sa gloutonnerie. Élue « voiture de l'année » par Le Guide de l'auto 2004 en vertu de l'originalité de sa carrosserie de coupé 4 portes et de sa mécanique inédite, sinon nouvelle, la RX-8 offre encore un bel agrément de conduite. Disons toutefois qu'il est quelque peu terni par cette consommation irritante et dans une certaine mesure par une fiabilité sur laquelle il y lieu de s'interroger.

Au premier contact, la Mazda RX-8 déploie tout son charme, celui d'un coupé pouvant transporter à l'occasion (je dis bien à l'occasion), deux personnes de taille moyenne à l'arrière, d'autant plus que l'accès y est facilité par l'utilisation de ces portes antagonistes que l'on appelle plus souvent « portes suicide », même si personne n'a encore été en mesure de nous dire précisément l'origine de l'expression. Bref, les portes s'ouvrent dans le sens contraire de la pratique courante et la RX-8 passe outre au pilier central, sans conséquence funeste sur la rigidité de la caisse. Malgré tout, la ligne n'est pas spectaculaire, bien que réussie. À l'intérieur toutefois, le discours est différent puisque les petites pincées d'originalité ne manquent pas. Ainsi, les rappels à la forme triangulaire des rotors du moteur sont nombreux et de bon aloi. Ceux situés au centre des appuie-têtes notamment ne passent pas inaperçus.

TROIS FOIS MOINS DE PIÈCES

La discrétion du groupe propulseur vous plonge dans un habitacle paisible et ce n'est qu'en poussant le birotor près de son régime maximal de 9000 tours/minute qu'il adopte une sonorité sportive pas du tout déplaisante à l'oreille. Et cela se fait avec une totale absence de vibrations qui démontre de façon assez explicite que le rotatif se caractérise par son très faible nombre de pièces mobiles qui est de 3, soit 163 de moins que dans un six cylindres traditionnel. Si l'on poursuit dans cette veine, un V6 compte en moyenne 230 pièces contre seulement 70 dans les moteurs reprenant le principe de fonctionnement d'un moteur à turbine, comme celui mis au point dans les années 60 par le Dr Félix Wankel, le père du rotatif. Est-il besoin d'ajouter que ce type de moteur est à la fois léger et très compact ?

Cela a évidemment de belles répercussions sur le comportement routier et je me souviens encore d'avoir passé tout un après-midi à faire du slalom avec la voiture sans ressentir la moindre fatigue. Ce coupé 4 portes Mazda est d'une agilité étonnante et se manie pratiquement comme un kart avec le concours d'une direction vive et dont la précision ne cesse d'étonner. En conduite sportive, il faut se garder de laisser le moteur descendre sous les 4000 tours/minute, au risque de perdre le rythme dans une enfilade de virages. Car, aussi bien le dire tout de suite, le moteur rotatif de la RX-8 est l'équivalent en cylindrée d'un moteur classique de 1,3 litre. Il ne faut donc pas compter sur son couple à bas régime pour impressionner parents, voisins ou amis. Les chiffres sont d'ailleurs éloquents à ce sujet puisqu'avec la boîte manuelle à 6 rapports (un délice à utiliser en

FEU VERT

Maniabilité exceptionnelle
Moteur inédit
Un coupé 4 portes
Boîte manuelle engageante
Prix attrayant

FEU ROUGE

Consommation importante
Faible couple du moteur
Places arrières occasionnelles
Visibilité limitée vers l'arrière

Photo: Alain Morin

passant), on mettra près de 8 secondes à passer de 80 à 120 km/h en restant en 4e vitesse. Quant aux accélérations, elles souffrent elles aussi du manque de vigueur du moteur à bas et moyen régime. En somme, on ne fait pas du drag de rue avec n'importe qui au volant d'une RX-8 et il faut savoir choisir ses adversaires.

UNE MÉCANIQUE QUI INQUIÈTE

En plus de sa consommation débraillée, le moteur rotatif n'apparaît pas non plus à l'abri des incidents mécaniques. En cours d'essai, je me suis amusé à le pousser à sa limite permise de 9000 tours/minute pour me rendre compte qu'il tolère mal un tel traitement. Un témoin lumineux est apparu au tableau de bord, indiquant une déficience du moteur et celui-ci a connu une chute sensible de sa puissance. Tout est par la suite rentré dans l'ordre, mais disons que j'avais perdu le goût de récidiver.

Après le vent d'enthousiasme qui a soufflé sur la Mazda RX-8 lors de son apparition sur le marché, la voiture n'a pas vraiment été à la hauteur de la bordée de louanges qu'elle a reçue. Certes, sa carrosserie de coupé 4 portes est innovatrice et son moteur rotatif est d'une douceur à faire réfléchir les ingénieurs de BMW, mais la voiture que j'ai réessayée récemment m'a fait déchanter à plusieurs points de vue. Au lancement de la RX-8, Mazda avait proclamé bien haut qu'elle avait enfin réussi à résoudre les problèmes inhérents au moteur rotatif, ce qui est une demi-vérité. Ce moteur traîne toujours avec lui ce qui a fait capituler tous les autres constructeurs, c'est-à-dire sa consommation déraisonnable d'essence et d'huile. Avec l'essence à 1 $ le litre, une consommation de 13 à 14 litres aux 100 km fait cruellement réfléchir. Vantons aussi la présentation intérieure très originale et un aspect pratique plus invitant que dans plusieurs voitures de sport. En revanche, le confort de la suspension est dérangeant et on a toujours l'impression que l'amortissement est assuré par des ressorts en bois avec un claquement bien caractéristique. En somme, le moteur rotatif est selon toute vraisemblance arrivé en bout de ligne et même la vaillance et le talent des ingénieurs de Mazda n'auront pas suffi à en faire une solution viable.

Jacques Duval

Photo: Marc Bouchard

MAZDA RX-8

DONNÉES TECHNIQUES

Modèle à l'essai:	GT
Prix du modèle à l'essai:	39995$ - 2005
Échelle de prix:	36995$ à 42995$ - 2005
Garanties:	3 ans/80000 km, 5 ans/100000 km
Catégorie:	GT
Emp./Lon./Lar./Haut.(cm):	270/442/177/134
Poids:	1365 kg
Coffre/Réservoir:	290 litres / 60 litres
Coussins de sécurité:	frontaux, latéraux (av.), rideaux
Suspension avant:	indépendante, bras inégaux
Suspension arrière:	indépendante, multibras
Freins av./arr.:	disque (ABS)
Antipatinage/Contrôle de stabilité:	oui/oui
Direction:	à crémaillère, assist. variable électronique
Diamètre de braquage:	10,6 m
Pneus av./arr.:	P225/45R18
Capacité de remorquage:	non recommandé

GROUPE MOTOPROPULSEUR

Moteur:	Rotatif de 1,3 litre
Alésage et course	n.d.
Puissance:	238 ch (177 kW) à 8500 tr/min
Couple:	159 lb-pi (216 Nm) à 5500 tr/min
Rapport Poids/Puissance:	5,74 kg/ch (7,8 kg/kW)
Moteur électrique:	aucun
Autre(s) moteur(s):	Rotatif 1,3 l 212ch à n.d. tr/mn et 159lb-pi à n.d. tr/mn (automatique)
Transmission:	propulsion, manuelle 6 rapports
Autre(s) transmission(s):	automatique 4 rapports
Accélération 0-100 km/h:	6,7 s
Reprises 80-120 km/h:	7,9 s (4ieme)
Freinage 100-0 km/h:	35,0 m
Vitesse maximale:	235 km/h
Consommation (100 km):	super, 13,5 litres
Autonomie (approximative):	444 km
Émissions de CO2:	5366 kg/an

DANS LA MÊME CATÉGORIE

BMW 330Ci - Chrysler Crossfire - Honda Accord Coupé - Infiniti G35 Coupé - Nissan 350Z

DU NOUVEAU EN 2006

Nouvelle transmission automatique six rapports, moteur (avec automatique) plus puissant, système d'entrée sans clé (GT), nouvelle couleur (gris galaxie)

HISTORIQUE DU MODÈLE

1ière génération

NOS IMPRESSIONS

Agrément de conduite:	●●●● ½
Fiabilité:	●●●●
Sécurité:	●●● ½
Qualités hivernales:	●●● ½
Espace intérieur:	●●●
Confort:	●●●●

LE CHOIX DE L'ÉQUIPE

GT manuelle

DOUÉ MAIS GOURMAND

Même si c'est un peu déprimant d'y penser, il faut aussi être réaliste : quand le Guide de l'Auto arrive, l'automne est à nos portes. Et il faut se rappeler que l'hiver succédera rapidement à l'automne. Bref, il est temps d'envisager de remiser son cabriolet pour plutôt s'asseoir dans un petit utilitaire qui aura plus sa place sur nos chemins hivernaux. Le choix est vaste, et les qualités des différents modèles nombreuses. Il n'en demeure pas moins qu'il faut parfois trancher, en fonction de nos besoins mais aussi selon les qualités réelles de chacun des modèles.

En revanche, certains modèles restent des valeurs sûres. C'est notamment le cas du Mazda Tribute, un petit utilitaire dont la réputation n'est plus à faire et qui se classe bon an mal an parmi les meilleurs de sa catégorie, même s'il est aussi l'un des plus gourmands. Un problème que Mazda n'a jamais pu corriger depuis sa création.

UNE GAMME IMPOSANTE

La plus grande qualité du modèle, c'est certainement le caractère nettement plus sportif que ses concurrents qu'il propose au conducteur. Bien sûr, le modèle GX avec son moteur 4 cylindres de 153 chevaux est un peu juste pour être agréable. Il subira en 2006 quelques modifications, alors que l'on changera les poussoirs mécaniques. Signalons aussi que seul ce genre de modèle peut recevoir une transmission manuelle à cinq rapports. Toutes les autres versions, deux ou quatre roues motrices, sont livrées avec une boîte automatique.

En revanche, le Tribute se décline aussi en version GX-V6, GS et GT, toutes trois équipées du moteur Duratec V6 de 3 litres avec la boîte automatique 4 vitesses, probablement la plus agréable et la mieux adaptée de toute la compétition.

La puissance de 200 chevaux permet d'obtenir un comportement nettement plus proche du terme utilitaire sportif. Le moteur a d'ailleurs été jugé suffisamment efficace pour qu'il ne fasse l'objet d'aucune modification majeure pour l'an 2006 même s'il profite d'une puissance limitée. Une sollicitation trop vive au démarrage ne lui rend pas justice, mais il se reprend quand il augmente de régime.

En fait, outre l'abandon de quelques modèles avec des groupes d'options spécifiques (on perdra par exemple le GX-V6 de base, sans groupe d'options), le Mazda Tribute ne subira pas de grands changements au cours des prochains mois. Mais pourquoi changer une formule qui, jusqu'à maintenant, s'est avérée gagnante, si l'on en juge par les chiffres de vente, du moins ? Ainsi, en 2005, le Tribute a subi une hausse de ses ventes de 29 % avec 905 unités vendues au Québec seulement, devant le Toyota Rav-4 mais loin derrière le Honda CRV.

Sur la route et hors route, la suspension arrière n'est pas particulièrement bien réglée en raison de son débattement trop important, ce qui provoque parfois, lorsque la chaussée est trop accidentée, des ruades inquiétantes de même qu'une certaine instabilité.

FEU VERT

Traction intégrale efficace
Finition intérieure supérieure
Transmission automatique précise
Lignes extérieures réussies

FEU ROUGE

Forte consommation d'essence
Insonorisation déficiente
Peu de couple à bas régime
Suspension mal adaptée

Heureusement, parce que le système de traction intégrale est un modèle du genre pour un petit utilitaire, n'importe qui peut s'amuser au volant du Tribute. Facile à conduire sur des chemins bien carrossés, il est tout aussi agréable en conduite hors route, même si, il faut bien l'admettre, ses dimensions réduites et sa garde au sol pas tout à fait assez élevée (comme tous les modèles de sa catégorie ou presque) l'empêchent de prétendre au titre de véhicule tout-terrain.

La direction est cependant fort précise et d'une assistance bien dosée, ce qui agrémente encore la conduite. En y additionnant un moteur intéressant, et une transmission d'une grande efficacité, on atteint de bons niveaux. Même si, en fait de confort, Mazda aurait peut-être encore un peu de travail à faire, sans parler du niveau de consommation d'essence dont le calcul suffit à faire frémir n'importe quel amateur et qui correspond à plus de 13,5 litres aux 100 kilomètres, en moyenne.

UN DE PLUS

Alors que c'est souvent dans l'habitacle que la sauce se gâte un peu avec ces modèles de petits utilitaires, le cas du Tribute fait un peu exception. Il est vrai que l'on trouve encore un peu trop de plastique bon marché dans la console centrale et le tableau de bord, mais ce dernier, au fini aluminium brossé,rend bien justice à la qualité générale du véhicule, notamment par le sérieux de sa finition. Il faut également souligner que les commandes sont généralement simples à utiliser, et faciles d'accès.

Les sièges sont confortables, mais leur support latéral est moyen. Quant à l'insonorisation de l'habitacle, elle est loin d'être impeccable, mais les sons qui y parviennent ne sont pas tous liés directement au moteur ou au vent qui contourne la cabine. Il s'agit plutôt d'un bruit de roulement provoqué par des pneus de série un peu déficients.

Le Mazda Tribute, c'est donc le choix de la raison. Par ses capacités hors route intéressantes bien que limitées, il permet une utilisation un peu plus aventurière. Par son comportement routier, il privilégie ceux qui aiment les sensations de conduite. Et parce qu'il dispose d'un système de traction intégrale efficace, il favorise la sécurité.

Marc Bouchard

Photos: Denis Duquet

DONNÉES TECHNIQUES

Modèle à l'essai:	GT
Prix du modèle à l'essai:	25 995 $
Échelle de prix:	24 595 $ à 35 595 $
Garanties:	3 ans/80 000 km, 3 ans/80 000 km
Catégorie:	utilitaire sport compact
Emp./Lon./Lar./Haut.(cm):	262/443/183/178
Poids:	1 583 kg
Coffre/Réservoir:	841 à 1 892 litres / 62 litres
Coussins de sécurité:	frontaux et latéraux (av.)
Suspension avant:	indépendante, jambes de force
Suspension arrière:	indépendante, multibras
Freins av./arr.:	disque (ABS)
Antipatinage/Contrôle de stabilité:	non/non
Direction:	à crémaillère, assistée
Diamètre de braquage:	11,7 m
Pneus av./arr.:	P235/70R16
Capacité de remorquage:	1 588 kg

GROUPE MOTOPROPULSEUR

Moteur:	6L de 3,0 litres 24s atmosphérique
Alésage et course	89,0 mm x 79,5 mm
Puissance:	200 ch (149 kW) à 6 000 tr/min
Couple:	193 lb-pi (262 Nm) à 4 850 tr/min
Rapport Poids/Puissance:	7,92 kg/ch (10,62 kg/kW)
Moteur électrique:	aucun
Autre(s) moteur(s):	4L 2,3 l 153ch à 5 800tr/mn et 152lb-pi à 4 250tr/mn
Transmission:	intégrale, automatique 4 rapports
Autre(s) transmission(s):	manuelle 5 rapports
Accélération 0-100 km/h:	11,9 s
Reprises 80-120 km/h:	10,0 s
Freinage 100-0 km/h:	41,0 m
Vitesse maximale:	180 km/h
Consommation (100 km):	ordinaire, 12,5 litres
Autonomie (approximative):	496 km
Émissions de CO2:	5 663 kg/an

DANS LA MÊME CATÉGORIE

Chevrolet Equinox - Ford Escape - Honda CR-V - Hyundai Santa Fe - Mitsubishi Outlander - Toyota RAV4

DU NOUVEAU EN 2006

Mécanisme de soupapes modifié

HISTORIQUE DU MODÈLE

2ième génération

NOS IMPRESSIONS

Agrément de conduite:	3½
Fiabilité:	3½
Sécurité:	4
Qualités hivernales:	4
Espace intérieur:	4
Confort:	4

LE CHOIX DE L'ÉQUIPE

GX V6 4RM

Photo : Denis Duquet

DE A À B

Lorsque la compagnie Mercedes s'est lancée dans la fabrication de petites voitures, elle a commencé par un modèle qui était identifié par la première lettre de l'alphabet et nous avons connu la Classe A. Jugée trop petite pour notre marché ou plutôt en fonction des critères de nos amis les Américains, cette voiture n'est jamais venue sur nos rives. Nos voisins du Sud ont demandé une voiture plus grosse, plus large et dotée d'un moteur plus puissant. Les ingénieurs de Stuttgart les ont écoutés et ont conçu un véhicule répondant à leurs attentes. Ils l'ont appelé, vous l'aurez deviné, la Classe B !

Mais le plus curieux dans toute cette histoire, c'est que cette voiture n'ira pas, du moins pour l'instant, sur le marché des États-Unis. La direction de la compagnie dans ce pays a en effet décidé de porter son choix sur la Vision R, un autre véhicule multifonction plus gros et plus puissant dérivé du prototype GST dévoilé au Salon de l'auto de Detroit, il y a trois ans. La Vision B sera donc une exclusivité canadienne.

Comme ce fut le cas avec la SMART, les automobilistes canadiens bénéficient d'une exclusivité qui leur permet d'avoir accès à des véhicules offrant plusieurs caractéristiques uniques tout en étant vraiment capable de s'illustrer sur des marchés spéciaux. Mais contrairement à la lilliputienne SMART Fortwo dont la vocation est essentiellement urbaine, la Vision B est appelée à remplir des tâches beaucoup plus diversifiées et à se démarquer sur les autoroutes. Pourtant, cette nouvelle venue chez Mercedes est une voiture qui risque d'intéresser bien des gens, pas seulement pour son étoile d'argent affichée sur la grille de calandre, mais aussi pour sa polyvalence. En effet, ce véhicule multifonction est de dimensions assez réduites tandis que son habitabilité est celle d'une voiture beaucoup plus grosse.

UNE HISTOIRE DE SANDWICH

Chez Mercedes, les ingénieurs font la loi ou presque. Et ceux qui sont responsables de la sécurité des véhicules semblent avoir davantage de pouvoir. C'est du moins ma conclusion. Effectivement, lorsque la direction de la marque à l'étoile argentée a décidé de commercialiser une sous-compacte, les responsables de la sécurité sont intervenus en soulignant que même si les dimensions de la future Classe A étaient réduites, celle-ci devait offrir la même sécurité que les grosses berlines de la marque. Pour ce faire, les ingénieurs ont développé un châssis innovateur et fort ingénieux qu'ils définissent être de type sandwich. Le moteur transversal - une traction - et la transmission sont partiellement logés en dessous de la caisse. Par conséquent, en cas d'impact frontal

Photo : Denis Duquet

toute la motorisation est poussée sous le véhicule, un avantage marqué au chapitre de la sécurité puisque le moteur ne peut pénétrer dans la cabine et blesser les passagers avant. Cette disposition mécanique possède également l'avantage de maximiser l'habitabilité. Un atout important pour une petite voiture.

Photo : Denis Duquet

Respectant l'ordre de l'alphabet, les décideurs ont donc conçu pour la Classe B un véhicule plus long, plus haut et plus luxueux que celui de la Classe A. Toujours dans le but d'optimiser l'espace dans l'habitacle et d'assurer une bonne sécurité, la construction de type sandwich a été retenue. D'ailleurs, la hauteur du plancher est sans doute la première chose que l'on remarque en montant à bord. Ce n'est pas désagréable étant donné que l'assise des sièges est élevée et le dégagement pour la tête supérieur à la moyenne. En fait, l'habitabilité de ce petit véhicule de 427 cm de long est vraiment digne de mention. Les places avant sont non seulement confortables et spacieuses, mais les occupants (même grands !) de la banquette arrière ont tout l'espace nécessaire et plus encore. Ces mesures n'ont pas été obtenues au détriment de la soute à bagages puisque la capacité de celle-ci est de 544 litres avec le dossier arrière en place et de 2 245 litres une fois le siège arrière de type 70/30 entièrement replié. Détail d'importance, le dossier arrière se replie complètement à plat et il n'est pas nécessaire d'enlever les appuie-têtes dans cette opération.

Lorsqu'on mentionne une Mercedes pour moins de 32 000 $, prix du modèle de base, il est facile d'en conclure qu'on a économisé un peu partout dans la qualité des matériaux et qu'il s'agit d'une Mercedes à rabais. Il est certain que des économies ont été réalisées quelque part, mais ce n'est pas dans l'habitacle. Le tableau de bord, le tissu des sièges, la texture des plastiques, c'est du Mercedes tout craché. Et pour poursuivre dans la tendance de rajeunissement du stylisme de la marque, le design intérieur est plus agressif. Le volant à quatre branches de type sport donne le ton à la présentation générale. L'indicateur de vitesse et le compte-tours sont enchâssés dans une nacelle à fond gris. Cet agencement fait ressortir davantage les cadrans indicateurs à fond noir et chiffres blancs. Pour donner le plus d'ensoleillement possible à l'intérieur, il est possible de commander un toit ouvrant dont les dimensions sont vraiment hors-norme. Et pour ne pas se faire damer le pion par la concurrence, la Vision B est la première d'une longue liste de véhicules Mercedes a être équipée de série d'une interface de lecteur MP3 I-Pod. Vous placez votre I-Pod dans le réceptacle prévu situé dans le coffre à gants et c'est fait. Vous actionnez ensuite votre lecteur I-Pod par l'intermédiaire des commandes placées sur le volant.

L'extérieur nous rappelle celui de la Classe A mais en proposant des éléments visuels plus agressifs. C'est très esthétique étant donné qu'il s'agit d'un véhicule à cinq portes dont la vocation est surtout utilitaire. Les passages d'aile en relief, le capot plongeant et une paroi latérale agrémentée d'une indentation dont la lèvre supérieure se poursuit jusqu'au feu arrière, tous ces éléments font paraître le véhicule plus long et moins haut.

Photo : Denis Duquet

MERCEDES-BENZ VISION B

Photo : Denis Duquet

VOCATION PRATIQUE

À moins d'avoir des problèmes à évaluer leurs priorités, il est certain que les personnes qui achèteront la Vision B l'auront choisi en raison de son caractère polyvalent et multifonctionnel. Ces gens ne devraient pas confondre, du moins en théorie, ce véhicule à hayon avec une sportive.

Photo : Denis Duquet

Si tel est le cas, ils seront déçus car la « B » est équipée de groupes propulseurs plus robustes que performants. Par exemple, le modèle de base est livré avec un moteur quatre cylindres 2,0 litres de 136 chevaux couplé à une boîte manuelle à cinq rapports.

Pour les pilotes qui aiment en avoir davantage sous le pied, vous prenez ce moteur 2,0 litres, vous y boulonnez un turbo, ajoutez un rapport à la boîte manuelle et vous bénéficiez d'une version de 193 chevaux capable de boucler le 0-100 km/h en moins de huit secondes. Les transmissions à rapports continuellement variables sont de plus en plus populaires en Europe sur les petites voitures. Mercedes se joint au cortège avec une boîte automatique AUTOTRONIC de type continuellement variable. Celle-ci fait bon ménage avec le moteur turbo, mais avec le moteur atmosphérique c'est moins intéressant.

En plus d'être le seul modèle de la gamme Mercedes venu en Amérique du Nord à proposer la traction, la Vision B est également la seule à être équipée d'un essieu arrière de type elliptique. Cette configuration permet d'abaisser le seuil du coffre à bagage et d'éliminer les intrusions des amortisseurs dans l'habitacle. Il faut par contre souligner qu'en raison de la construction de type sandwich de la plate-forme, il est impossible d'offrir ce véhicule avec une transmission intégrale.

LES SPORTIFS ET LES PRATIQUES

Il est certain que les personnes préférant une voiture dont les performances et le comportement général sont de nature sportive ne seront pas tellement entichées par la Vision B. Le profil élevé de cette

FEU VERT

Habitabilité impressionnante
Tenue de route sans surprise
Équipement complet
Places arrière spacieuses
Prix compétitif

FEU ROUGE

Performances moyennes
Moteur atmosphérique limite
Seuil élevé
Pneumatiques bruyants

Photo: Mercedes-Benz

automobile est contraire à leur conception d'une voiture élégante. Et si les gens pratiques salivent devant son habitabilité impressionnante et sa polyvalence, nos sportifs sont de glace. Bref, il faut appartenir à la catégorie des gens pratiques pour apprécier. Et si les sportifs lèvent le nez sur les performances et les accélérations, les pratiques seront d'accord pour affirmer que le comportement routier est agréable dans la conduite de tous les jours. D'autre part, le moteur turbo plus incisif et offrant de meilleures accélérations est sans aucun doute un choix à considérer en premier. La version atmosphérique de ce 2,0 litres est correcte avec la boîte manuelle, mais cette combinaison ne plaira pas à tous avec la boîte CVT. Avec cette dernière, il faut opter pour le mode sport et ne pas avoir peur d'intervenir. Détail intéressant, cette boîte possède un étagement électronique similaire à des rapports sur une transmission traditionnelle. En conduite urbaine, avec le moteur atmosphérique, c'est très pratique.

La tenue de route est sans surprise alors que le roulis en virage est bien maîtrisé malgré le centre de gravité plutôt élevé. Et si vous vous énervez un peu trop le pied droit dans les virages, un très efficace système de stabilité latérale vous permet de demeurer sur la route.

Vendue pour moins de 35 000$ pour le modèle de base, la Vision B a plusieurs atouts dans son jeu. Il faudra par contre la juger pour ce qu'elle est et non pas tenter de la mesurer aux Classe C ou E et encore moins à la Vision R.

Denis Duquet

Photos: Denis Duquet

DONNÉES TECHNIQUES

Modèle à l'essai:	Turbo
Prix du modèle à l'essai:	41 500$ (estimé)
Échelle de prix:	33 500$ à 46 000$ (estimé)
Garanties:	4 ans/80,000 km, 5 ans/120,000 km
Catégorie:	multisegment
Emp./Lon./Lar./Haut.(cm):	278/427/178/160
Poids:	1 295 kg
Coffre/Réservoir:	544 à 2 245 litres / 54 litres
Coussins de sécurité:	frontaux et latéraux (av.)
Suspension avant:	indépendante, jambes de force
Suspension arrière:	demi-ind., essieu parabolique
Freins av./arr.:	disque (ABS)
Antipatinage/Contrôle de stabilité:	oui/oui
Direction:	à crémaillère, assistance variable électrique
Diamètre de braquage:	11,9 m
Pneus av./arr.:	P205/55R16
Capacité de remorquage:	n.d.

GROUPE MOTOPROPULSEUR

Moteur:	4L de 2,0 litres 8s turbocompressé
Alésage et course	83,0 mm x 94,0 mm
Puissance:	193 ch (144 kW) à 5 000 tr/min
Couple:	206 lb-pi (279 Nm) à 1 800 tr/min
Rapport Poids/Puissance:	6,71 kg/ch (8,99 kg/kW)
Moteur électrique:	aucun
Autre(s) moteur(s):	4L 2,0 l 134ch à 5750tr/mn et 136lb-pi à 3 500tr/mn
Transmission:	traction, manuelle 6 rapports
Autre(s) transmission(s):	CVT / manuelle 5 rapports
Accélération 0-100 km/h:	7,7 s
Reprises 80-120 km/h:	7,0 s
Freinage 100-0 km/h:	42,0 m
Vitesse maximale:	190 km/h
Consommation (100 km):	super, 10,7 litres
Autonomie (approximative):	505 km
Émissions de CO2:	n.d.

DANS LA MÊME CATÉGORIE

Chevrolet HHR - Chrysler PT Cruiser - Mazda 5 - Pontiac Vibe - Toyota Matrix

DU NOUVEAU EN 2006

Nouveau modèle, moteur 2,0 litres, transmission CVT, boîte manuelle 6 rapports (Turbo)

HISTORIQUE DU MODÈLE

1[ière] génération

NOS IMPRESSIONS

Agrément de conduite:	🚗🚗🚗½
Fiabilité:	nouveau modèle
Sécurité:	🚗🚗🚗🚗
Qualités hivernales:	🚗🚗🚗🚗
Espace intérieur:	🚗🚗🚗🚗
Confort:	🚗🚗🚗½

LE CHOIX DE L'ÉQUIPE

Turbo manuelle

EN ATTENDANT 2007

Pour Mercedes-Benz, la Classe C représente le pain et le beurre. Cette série d'entrée de gamme devait être modifiée du tout au tout cette année, mais semble-t-il que nous devrons attendre l'an prochain pour profiter de cette refonte. Pourtant, la très germanique entreprise ne laisse pas végéter ses modèles même s'ils sont en fin de carrière. Pas moins de six nouveaux moteurs sont offerts dans la Classe C. Et même si plusieurs avançaient (ou souhaitaient?) la disparition du Coupé en 2006, il n'en est rien. Mieux, il a droit à un nouveau moteur!

Chez Mercedes-Benz, la nomenclature des modèles est tout ce qu'il y a de plus simple... Outre la Classe C, on retrouve les Classe CL, CLK, B, G, E, M, R, S, SL, SLK et SLR. Et chacune de ces séries se décline en plusieurs modèles sauf la SLR, qui tient plus de la Formule Un que de l'automobile. Dans la Classe C, par exemple, il y a les C 230 Coupé Sport, C 230 berline, C 280, C 350 et C 55 AMG, chacun de ces modèles pouvant, bien entendu, présenter plusieurs variations. C'est trop facile... De plus, comme nous le verrons au prochain paragraphe, ce n'est pas toujours la cylindrée du moteur qui donne sa dénomination au modèle. Cette année, et sans que personne ne s'en plaigne, on ne rencontre aucun quatre cylindres dans la Classe C. Il est plus désolant, par contre, de ne plus retrouver de familiale. L'arrivée de la Classe B y est certainement pour quelque chose.

LE COUPÉ SPORT...

Si la Classe C Coupé Sport a toujours été un peu boudée en raison de sa configuration hatchback, il faut avouer qu'il s'agit d'une Mercedes-Benz à part entière. La solidité du châssis, les nombreux éléments de sécurité autant active que passive ainsi que le sentiment de conduite nous le rappellent constamment. Et l'arrivée cette année du V6 2,5 litres, le seul moteur proposé pour ce modèle, devrait redorer un peu le blason terni du Coupé Sport. De plus, ce V6 (qui équipe aussi les C 230 d'entrée de gamme) n'aura aucune difficulté à faire oublier le quatre cylindres de 2,3 litres ou pire, le 1,8 litre surcompressé, qui se révélait rugueux et pas assez performant. Les 201 chevaux du 2,5 litres se montrent à la fois plus volontaires, s'essoufflent moins rapidement et émettent une sonorité indéniablement plus musicale que celle des vieilles picouilles du quatre cylindres. Remarquez qu'on est encore loin de la sonorité du V8 de la SLR...

LES BERLINES...

Le modèle C 280 ajoute par contre un peu plus de punch avec son V6 de 3,0 litres associé à une automatique à sept rapports (dire qu'il y a à peine quelques années, les boîtes automatiques de certaines voitures ne disposaient que de trois rapports!). Cette transmission réduit la consommation d'essence tout en autorisant des passages de rapports plus rapides (je parle ici de la 7 rapports, pas de la 3...) La C 280 est aussi offerte avec l'excellent système intégral 4Matic qui ne s'arrime qu'à une automatique à cinq rapports, ajoutant environ 85 kilos à la voiture, mais qui améliore considérablement l'adhérence en virage ou sur surface glissante. Ce système répartit automatiquement, et sans intervention aucune du conducteur, la puissance aux roues en ayant

FEU VERT
Châssis rigide
Éléments de sécurité notables
Intégrale 4Matic performante
Finition exemplaire
Version AMG exclusive

FEU ROUGE
Familiale abandonnée
Options scandaleuses
Essence super seulement
Fiabilité écorchée
Version AMG dispendieuse

le plus besoin, mais toujours en tentant de préserver les sensations uniques d'une propulsion (roues arrière motrices). Avec son V6 de 3,5 litres, la C 350 propose des accélérations et des reprises assez vives, merci. Encore une fois, cette livrée est proposée avec le système 4Matic.

... ET L'AMG !

Même si elle n'a pas droit à l'intégrale, la C 55 AMG demeure le modèle de Classe C le plus intéressant. AMG, une division de Mercedes-Benz qui « améliore » quelques-uns de ses véhicules depuis les années 60, donne ici à la Classe C toutes ses lettres de noblesse. Outre un moteur plus puissant, cette AMG a droit à des suspensions modifiées, des pneus plus larges et bien d'autres éléments axés sur la performance. Bien entendu, avec un prix largement au-delà des 70000$, on est en droit de s'attendre à un peu d'exclusivité.

Peu importe la version, tous les modèles de la Classe C possèdent des éléments communs. Le châssis fait preuve d'une rigidité exemplaire et les suspensions qui y sont accrochées sont à la fois fermes et confortables, un dosage rarement égalé dans l'industrie. Mais il ne faudrait pas croire que ces Mercedes peuvent « planter » une BMW de série 3 dans une série de courbes. Si cette dernière joue la carte de la sportivité à tout crin, Mercedes lorgne plutôt du côté du confort.

L'habitacle, à la fois austère et pratique, ne se distingue pas particulièrement concernant l'habitabilité. Les sièges réussissent à être fermes et confortables même si on souhaiterait qu'ils retiennent mieux le dos en virage. Le levier du régulateur de vitesse est souvent confondu avec le clignotant et il faut prendre un moment pour comprendre les subtilités de certaines commandes. Il est à noter que Mercedes semble avoir une phobie des lecteurs à six CD. Serait-ce une façon de nous faire payer le gros prix (1490$) pour obtenir en option ce que plusieurs coréennes offrent en équipement de base ?

Dans l'attente d'une refonte complète, la Classe C 2006 se veut sans doute la plus achevée à ce jour. Alors, rêvons à la prochaine génération !

Alain Morin

Photos : Mercedes-Benz

MERCEDES-BENZ CLASSE C

DONNÉES TECHNIQUES

Modèle à l'essai :	C 350 4Matic
Prix du modèle à l'essai :	57200$
Échelle de prix :	36950$ à 73600$
Garanties :	4 ans/80000 km, 5 ans/120000 km
Catégorie :	berline intermédiaire/coupé
Emp./Lon./Lar./Haut.(cm) :	271,5/453/173/140
Poids :	1671 kg
Coffre/Réservoir :	345 litres / 62 litres
Coussins de sécurité :	frontaux, latéraux (av.), rideaux
Suspension avant :	indépendante, bras inégaux
Suspension arrière :	indépendante, multibras
Freins av./arr. :	disque (ABS)
Antipatinage/Contrôle de stabilité :	oui/oui
Direction :	à crémaillère, assistance variable
Diamètre de braquage :	10,7 m
Pneus av./arr. :	P205/55HR16
Capacité de remorquage :	454 kg

Pneus d'origine MICHELIN

GROUPE MOTOPROPULSEUR

Moteur :	V6 de 3,5 litres 24s atmosphérique
Alésage et course	n/a
Puissance :	268 ch (200 kW) à 6000 tr/min
Couple :	258 lb-pi (350 Nm) de 2400 à 5000 tr/min
Rapport Poids/Puissance :	6,24 kg/ch (8,36 kg/kW)
Moteur électrique :	aucun
Autre(s) moteur(s) :	V6 2,5 l 201ch et 181lb-pi, V6 3,0 l 228ch et 221lb-pi, V8 5,5 l 362ch et 376lb-pi (AMG)
Transmission :	propulsion, automatique 5 rapports
Autre(s) transmission(s) :	manuelle 6 rapports / intégrale, automatque 7 rapports
Accélération 0-100 km/h :	7,8 s
Reprises 80-120 km/h :	5,8 s
Freinage 100-0 km/h :	42,0 m
Vitesse maximale :	225 km/h
Consommation (100 km) :	super, 11,3 litres
Autonomie (approximative) :	549 km
Émissions de CO2 :	n.d.

DANS LA MÊME CATÉGORIE

Acura TL - Audi A4 - BMW Série 3 - Cadillac CTS - Infiniti G35 - Jaguar X-Type

DU NOUVEAU EN 2006

Moteur 4 cylindres abandonné, familiale abandonnée, cylindrée des moteurs augmentée, transmission auto 7 disponible (sauf 4Matic)

HISTORIQUE DU MODÈLE

2ième génération

NOS IMPRESSIONS

Agrément de conduite :	4
Fiabilité :	4
Sécurité :	4½
Qualités hivernales :	4½
Espace intérieur :	3½
Confort :	4

LE CHOIX DE L'ÉQUIPE

C 320 4Matic

VARIATIONS SUR THÈME

Pour 2006, Mercedes-Benz bonifie son offre avec de nouveaux modèles de la Classe E qui comprend maintenant six berlines et trois familiales, dotées de moteurs dont la puissance varie de 201 à 476 chevaux. Pratique et polyvalente, la gamme des Classe E continue de proposer des modèles à propulsion ainsi que des tractions intégrales par l'entremise du rouage 4Matic, choisi par 40 pour cent des acheteurs canadiens.

On ne peut parler de Mercedes-Benz et de la Classe E sans passer sous silence la contre-performance de la marque en ce qui a trait à la fiabilité. En effet, en avril 2005, Mercedes-Benz annonçait un rappel de 1,3 million de véhicules afin de corriger certains problèmes affectant le régulateur de voltage sur les modèles dotés de moteurs de six et huit cylindres construits entre juin 2001 et novembre 2004. Aussi, sur les modèles de Classe E et CLS produits entre janvier 2002 et janvier 2005, une révision du système informatique contrôlant la batterie à dû être effectuée, et les systèmes de freinage des Classe E, SL et CLS construits depuis juin 2001 ont dû être revus et corrigés.

Ce bilan peu reluisant au chapitre de la fiabilité a eu une incidence directe sur le taux de satisfaction de la clientèle et l'image de la marque en a évidemment beaucoup souffert. Échaudé par cette situation, la direction de Mercedes-Benz a promis de corriger rapidement le tir en moins de 12 mois en lançant une offensive tous azimuts sur le contrôle de la qualité, tout en réparant les ponts avec la clientèle ayant éprouvée des problèmes avec des véhicules acquis récemment. L'avenir nous dira si les mécanismes et procédures mis en place seront efficaces, mais pour l'instant nous devons toujours émettre un avertissement de fiabilité inégale.

Par ailleurs la Classe E, dont la génération actuelle à été redessinée en 2003, devra faire face à une concurrence à l'interne avec l'arrivée de la Classe R dont certains modèles auront un prix comparable avec la familiale de Classe E dotée de la traction intégrale. Parmi les changements apportés pour 2006 aux berlines et aux familiales, notons le remplacement du moteur V6 de 3,2 litres par un moteur de même configuration mais dont la cylindrée est maintenant de 3,5 litres ce qui signifie que la puissance développée se chiffre désormais à 268 chevaux plutôt que 221 dans le cas des E 320 qui étaient au catalogue l'an dernier. En ce qui a trait aux autres motorisations, elles demeurent inchangées avec le retour du moteur diesel à injection directe de 3,2 litres lancé l'an dernier sur le marché canadien, ainsi que le retour des moteurs V8 de 5,0 litres en version atmosphérique sur les modèles E 500 ou en version suralimentée par compresseur sur les E 55 AMG. Autre changement notoire, les modèles à propulsion sont maintenant dotés d'une boîte automatique à sept rapports, alors que les modèles équipés du rouage intégral 4Matic ainsi que les modèles AMG continuent de faire appel à une boîte automatique qui ne compte que cinq rapports.

Au volant d'une Classe E, on est tout de suite mis en confiance par la rigidité exemplaire du châssis qui donne l'impression que la voiture est

FEU VERT
- Disponibilité du moteur diesel
- Châssis très rigide
- Polyvalence du modèle familial
- Disponibilité de la traction intégrale 4Matic
- Boîte automatique à sept rapports

FEU ROUGE
- Fiabilité inégale
- Prix élevés
- Longue et coûteuse liste d'options
- Dégagement pour les jambes aux places arrière

taillée d'un seul bloc plutôt qu'assemblée avec de nombreuses composantes. Cette rigidité du châssis permet aux ingénieurs d'adopter des calibrations plutôt souples pour les suspensions ce qui assure une bonne tenue de route, mais surtout un confort serein dans le cas de ces voitures dont le développement est justement axé sur les notions de luxe, de silence et de confort. Le bémol, c'est que cette grande rigidité du châssis se traduit également par un poids plus élevé qui a pour effet d'émousser la performance de la voiture en tenue de route. Moins sportive qu'une BMW Série 5 ou même qu'une Audi A6, la Classe E se démarque par son comportement souple et une belle neutralité en virages, surtout dans le cas des versions équipées du rouage intégral 4Matic.

L'habitacle est spacieux à l'avant, mais ça se gâte un peu pour ce qui est du dégagement accordé pour les jambes des passagers prenant place à l'arrière où l'espace est compté. Par ailleurs, les versions familiales se démarquent par leur polyvalence et par leur capacité de chargement qui n'a rien à envier à plusieurs véhicules sport utilitaires qui ne peuvent l'égaler à ce chapitre. La qualité des matériaux utilisés pour la confection de la planche de bord et de la console centrale ne prête pas flanc à la critique, et l'insonorisation de l'habitacle demeure remarquable même à des vitesses dépassant largement les limites permises. Pour ce qui est des équipements offerts en option, précisons que la liste est à la fois longue et coûteuse. À titre d'exemple, mentionnons le fait que le système audio plus performant avec chargeur de 6 CD est à classer dans le rang des options, la Classe E n'offrant de série qu'un simple lecteur CD avec radio AM/FM.

Pratique et polyvalente, la familiale 4Matic de Classe E représente une alternative valable aux véhicules sport utilitaires tout en proposant un agrément de conduite bonifié par le biais d'un centre de gravité moins élevé. La gamme des Classe E est à ce point variée que l'acheteur peut facilement y trouver son compte, pourvu qu'il soit prêt à composer avec une fiabilité inégale.

Gabriel Gélinas

Photos: Mercedes-Benz

DONNÉES TECHNIQUES

Modèle à l'essai:	E 500
Prix du modèle à l'essai:	84600$
Échelle de prix:	74300$ à 117745$
Garanties:	4 ans/80000 km, 5 ans/120000 km
Catégorie:	berline de luxe/familiale
Emp./Lon./Lar./Haut.(cm):	285/482/181/145
Poids:	1730 kg
Coffre/Réservoir:	450 litres / 80 litres
Coussins de sécurité:	frontaux, latéraux (av.), rideaux
Suspension avant:	indépendante, multibras
Suspension arrière:	indépendante, multibras
Freins av./arr.:	disque (ABS)
Antipatinage/Contrôle de stabilité:	oui/oui
Direction:	à crémaillère, assistance variable
Diamètre de braquage:	11,4 m
Pneus av./arr.:	P245/45R17
Capacité de remorquage:	n.d.

Pneus d'origine MICHELIN

GROUPE MOTOPROPULSEUR

Moteur:	V8 de 5,0 litres 24s atmosphérique
Alésage et course	97,0 mm x 84,0 mm
Puissance:	302 ch (225 kW) à 5600 tr/min
Couple:	339 lb-pi (460 Nm) de 2700 à 4250 tr/min
Rapport Poids/Puissance:	5,73 kg/ch (7,79 kg/kW)
Moteur électrique:	aucun
Autre(s) moteur(s):	6L 3,5 l 201ch et 369lb-pi (E 320 CDI), V6 3,5 l 268ch et 258lb-pi (E 350), V8 5,0 l 469ch et 516lb-pi (E 55 AMG)
Transmission:	propulsion, automatique 7 rapports
Autre(s) transmission(s):	automatique 5 rapports / intégrale, automatique 5 rapports
Accélération 0-100 km/h:	6,5 s
Reprises 80-120 km/h:	5,7 s
Freinage 100-0 km/h:	37,2 m
Vitesse maximale:	220 km/h
Consommation (100 km):	super, 14,1 litres
Autonomie (approximative):	567 km
Émissions de CO_2:	6190 kg/an

DANS LA MÊME CATÉGORIE

Audi A6 - BMW Série 5 - Infiniti M45 - Jaguar S-Type - Lexus GS 430 - Saab 9-5 - Volvo S80

DU NOUVEAU EN 2006

Nouveau moteur de 3,5 litres, Boîte automatique à sept rapports sur modèles à propulsion (sauf AMG)

HISTORIQUE DU MODÈLE

3ième génération

NOS IMPRESSIONS

Agrément de conduite:	4
Fiabilité:	3
Sécurité:	4½
Qualités hivernales:	4
Espace intérieur:	3½
Confort:	4

LE CHOIX DE L'ÉQUIPE

E 500 4Matic

LE RIDICULE NE TUE PAS...

On aura beau gratifier l'immense VUS de Mercedes-Benz de tous les noms et crier à tue-tête qu'il est aussi utile sur nos routes qu'un marteau dans les mains d'une couturière, n'empêche qu'il continue son gros bonhomme de chemin... tout simplement parce qu'il se trouve des gens pour l'acheter. C'est la loi, bien simple, de l'offre et de la demande. Eh oui, certaines personnes demandent à être vues à dix kilomètres à la ronde et veulent dépenser autant d'argent pour de l'essence que moi pour mon hypothèque!

Quoi qu'il en soit, ce Mercedes Classe G devrait en être à sa dernière année sous cette forme aussi carrée qu'un réfrigérateur et qui date du temps du disco. En effet, la même année où Donna Summer chantait Bad Girls, que Mère Teresa recevait le prix Nobel de la Paix et qu'un certain Gilles Villeneuve sur sa Ferrari terminait deuxième au championnat du monde de Formule Un, Mercedes-Benz accouchait de cette énormité. Déjà à l'époque, on était bouche bée devant autant de présence (d'insolence serait peut-être plus juste!). Alors imaginez aujourd'hui, alors que l'on commence à s'habituer aux Smart...

Aussi incroyable que cela puisse paraître, le G 500 (en fait, son vrai nom est Gelandewagen mais, pour alléger le texte, nous utiliserons la dénomination G 500), le G 500, donc, n'est pas le plus gros véhicule à fréquenter nos routes. Il est plus petit que les Hummer H2, Chevrolet Suburban, Land Rover Range Rover ou même que le Porsche Cayenne! Mais son style gossé à la hache le fait paraître plus gros qu'il ne l'est en réalité.

S'il affiche des airs de durs, le G500 peut parfaitement en avoir aussi la chanson. Le modèle de base (quoiqu'un tel qualificatif soit très peu approprié...) se vend la bagatelle de 112 000$. Pour ce dérisoire prix, le propriétaire a droit à un V8 de 5,0 litres de 292 chevaux et d'un généreux couple de 336 livres-pied à 2800 tours/minute. Une seule transmission est offerte, soit une automatique à cinq rapports au fonctionnement sans reproches. Évidemment, avec un poids oscillant aux alentours de 2500 kilos et un coefficient de pénétration dans l'air à peine meilleur que celui de mon cabanon, la consommation d'essence égale celle d'un toxicomane en manque. Et «môssieur» n'exige que du super... Le comble, c'est que cette grosse masse est quasiment aussi polluante qu'une usine tristement célèbre de Valleyfield!

Vous pensiez avoir tout lu? Eh bien sachez qu'il existe une version plus excentrique du G 500! Le G55, préparé par AMG, la filiale sportive de Mercedes, fait preuve de performances étonnantes. Naturellement, avec un V8 de 5,5 litres surcompressé de 469 chevaux et 516 livres-pied de couple, on est en droit de s'attendre à en avoir pour les 152 000$ investis... Pour ce qui est de la consommation, elle ne figure même pas sur le site Internet du constructeur, sans doute gêné...

On a beau se moquer du G 500 (ou du G 55 AMG, c'est selon), il faut admettre que ses capacités hors route ne sont rien de moins que

FEU VERT

- Capacités hors route hallucinantes
- Performances étonnantes
- Visibilité hors pair
- Habitacle de type «église»
- Équipement de base relevé

FEU ROUGE

- Comportement routier pauvre
- Consommation éhontée
- Incroyablement polluant
- Design dépassé
- Rapport qualité/prix ridicule

phénoménales. Il s'agit d'un système 4X4 à prise constante, c'est-à-dire que les quatre roues sont toujours « embrayées ». Le conducteur peut choisir la gamme de rapports qui convient (4Lo) sans avoir à immobiliser le véhicule. Il peut aussi, au simple toucher d'un bouton, bloquer les différentiels avant, arrière et central. À ce moment, la puissance est distribuée de façon égale entre chaque roue. Si vous réussissez à enliser le G 500, c'est que A) vous avez manqué de jugement et même un bulldozer ne serait pas passé là B) que vous ne savez pas vous servir d'un 4X4 malgré vos millions C) les deux réponses précédentes. Il faut aussi mentionner que grâce à ses roues placées presque sans porte-à-faux, les angles d'approche et d'éloignement du G 500 sont très marqués. Il peut ainsi descendre ou monter des pentes fortes sans que ses pare-chocs touchent terre. Bien entendu, le dégagement entre le sol et le dessous du véhicule, recouvert de plaques de protection, est suffisant pour éviter la plupart des bûches et des embûches.

LE PIED RESPECTUEUX

Si le G 500 impressionne dans la boue, il en va tout autrement sur la route. Sa direction à billes est d'une imprécision notoire et les suspensions font preuve d'une trop importante mollesse. À haute vitesse (110 km/h et plus), le sentiment de sécurité fait rapidement place à l'instinct de survie et on lève le pied. Et si jamais vous vouliez défier les lois de la physique, dans une bretelle d'autoroute par exemple, le système de contrôle de la stabilité aura tôt fait de calmer vos ardeurs.

Tout véhicule de plus de 100000$ se doit d'être le moindrement luxueux. À ce chapitre, le G 500 ne déçoit pas! Bois et cuirs choisis côtoient des plastiques de qualité. Les rares options (système audio harman/kardon, cellulaire activé par la voix et aide au stationnement) sont très dispendieuses. Mais il s'agit ici d'un commentaire de journaliste automobile, individu invariablement pauvre! Le G 55 AMG, pour justifier son injustifiable prix, propose une liste d'équipement de base encore plus complète.

Le G 500, et, surtout le G 55 AMG, sont des véhicules d'une navrante inutilité étant donné que plusieurs autres 4X4 démontrent autant d'aptitudes en hors route, tout en étant plus civilisés sur la route. Le Land Rover Range Rover, par exemple, est moins carré, plus discret et pollue moins. Mais il ne fait pas « suer » le peuple autant qu'un Classe G!

Alain Morin

Photos : Mercedes-Benz

MERCEDES-BENZ CLASSE G

DONNÉES TECHNIQUES

Modèle à l'essai :	G500
Prix du modèle à l'essai :	111 900$ - 2005
Échelle de prix :	111 900$ à 152 450$ - 2005
Garanties :	4 ans/80000 km, 5 ans/120000 km
Catégorie :	utilitaire sport grand format
Emp./Lon./Lar./Haut.(cm) :	285/468/176/194,5
Poids :	2 460 kg
Coffre/Réservoir :	1 280 à 2 250 litres / 96 litres
Coussins de sécurité :	frontaux
Suspension avant :	essieu rigide, ressorts hélicoïdaux
Suspension arrière :	essieu rigide, ressorts hélicoïdaux
Freins av./arr. :	disque (ABS)
Antipatinage/Contrôle de stabilité :	oui/oui
Direction :	à billes, assistée
Diamètre de braquage :	13,3 m
Pneus av./arr. :	P265/60R18
Capacité de remorquage :	3175 kg

Pneus d'origine MICHELIN

GROUPE MOTOPROPULSEUR

Moteur :	V8 de 5,0 litres 24s atmosphérique
Alésage et course	97,0 mm x 84,0 mm
Puissance :	292 ch (218 kW) à 5500 tr/min
Couple :	336 lb-pi (456 Nm) de 2800 à 4000 tr/min
Rapport Poids/Puissance :	8,42 kg/ch (11,28 kg/kW)
Moteur électrique :	aucun
Autre(s) moteur(s) :	V8 5.5 l 469ch à 5500tr/mn et 516lb-pi à 2800tr/mn (AMG)
Transmission :	4X4, automatique 5 rapports
Autre(s) transmission(s) :	aucune
Accélération 0-100 km/h :	9,7 s
Reprises 80-120 km/h :	7,7 s
Freinage 100-0 km/h :	47,1 m
Vitesse maximale :	190 km/h
Consommation (100 km) :	super, 16,7 litres
Autonomie (approximative) :	575 km
Émissions de CO2 :	8041 kg/an

DANS LA MÊME CATÉGORIE

Hummer H2 - Infiniti QX56 - Land Rover Range Rover - Lexus LX 470

DU NOUVEAU EN 2006

pas de changement majeur

HISTORIQUE DU MODÈLE

1[ière] génération

NOS IMPRESSIONS

Agrément de conduite :	3½
Fiabilité :	4
Sécurité :	4
Qualités hivernales :	5
Espace intérieur :	4
Confort :	3½

LE CHOIX DE L'ÉQUIPE

G500

LA PREUVE!

La nouvelle Classe M de Mercedes-Benz est la preuve que ce constructeur a appris de ses maladresses de la première génération. Elle nous fournit également la certitude que les designers de Stuttgart ont le coup de crayon plus audacieux que par le passé. Elle indique aussi que l'approche de la première génération avait fait son temps. La ML de la nouvelle génération est définitivement un grand pas en avant et nous permet de croire que ce constructeur de prestige est également capable d'assembler des véhicules de qualité sur notre continent.

Il faut se souvenir que la première version de la ML a été dévoilée en 1997 et qu'elle marquait la première incursion d'un constructeur de prestige dans le lucratif marché des VUS. Mercedes fabriquait bien le Gelandewagon aux origines militaires, mais c'était trop radical et onéreux pour une grande diffusion. C'est ainsi que les ingénieurs ont travaillé sur un nouveau design avec châssis autonome, traction intégrale avec antipatinage et silhouette inspirée d'assez près d'une grosse familiale. C'est d'ailleurs cet agrégat de caractéristiques qui explique la grande popularité de cette Mercedes.

Et puisque le marché ciblé pour ce véhicule était celui de l'Amérique du Nord, le plus important au monde, il a été décidé de l'assembler aux États-Unis, à Tuscaloosa dans l'Alabama. Cette région est davantage reconnue pour la chasse aux écureuils, la boisson frelatée et la ségrégation raciale que pour ses usines d'automobiles. Une fois de plus, Mercedes a joué d'audace en s'implantant en plein coeur du pays des rednecks, vous savez ces gens qui lisent la Bible d'une main tout en tenant un fusil de l'autre.

Si le concept était attrayant, la qualité d'assemblage et des matériaux laissait fortement à désirer. La plupart des fournisseurs étaient nord-américains, ce qui expliquait sans doute des matériaux similaires à ceux utilisés sur les modèles de bas de gamme de General Motors. Et il était évident que les employés de l'atelier de peinture ne maîtrisaient pas tout à fait leur équipement. Sur certaines unités, la qualité de la peinture était effroyable. Imaginez sur une Mercedes! Dans l'habitacle, il n'y avait pas que les matériaux qui étaient pris en défaut, l'ergonomie était également pointée du doigt.

Nombreux ont été les acheteurs qui ont fermé les yeux sur ces lacunes. La silhouette réussie, les dimensions presque idéales et le prix plus que compétitif, voilà autant d'arguments qui ont convaincu les gens. Ils ont découvert par la suite que le moteur V6 était rugueux, la finition exécrable et le siège arrière modulaire impossible à ouvrir ou fermer.

Les multiples révisions qui se sont poursuivies ont finalement permis de mener ce produit à un niveau de qualité digne de la marque.

FINI LE CHÂSSIS AUTONOME

Alors que la première Classe M avait une vocation presque essentiellement citadine en raison de son rouage intégral aux possibilités plutôt limitées, elle était dotée d'un châssis autonome. Une solution plus utilisée sur les 4X4 purs et durs. Cette fois, la seconde génération est pourvue d'un rouage intégral beaucoup plus efficace et polyvalent qui nous permet de rouler hors route dans des conditions difficiles. Pourtant, le châssis autonome est remplacé par un ensemble monocoque plus léger et plus rigide. Les ingénieurs interrogés nous avouent qu'ils ont beaucoup appris et que leur solution plus moderne est également plus solide. Par la même occasion, ils ont sérieusement modifié les suspensions indépendantes avant et arrière. Celles-ci sont d'ailleurs montées respectivement sur un châssis autonome pour plus de rigidité.

Ce changement majeur opéré, il était logique de poursuivre en dotant la nouvelle venue d'un rouage intégral à la hauteur des aspirations de la marque. Cette fois, c'est du sérieux et il est possible de commander plusieurs variantes de ce système. C'est ainsi que le groupe d'équipement Off Road comprend une boîte de transfert dotée d'une démultipliée, de la possibilité de verrouiller les différentiels de la boîte de transfert et celui de l'essieu arrière, tandis que le système AIRMATIC permet de soulever ou d'abaisser la suspension afin d'augmenter ou réduire la garde au sol de 30, 80 et 110 millimètres à l'aide d'un bouton placé sur le tableau de bord. En plus, la suspension est abaissée de 15 mm sous le niveau normal lorsque le véhicule roule à plus de 140 km/h!

Les groupes propulseurs ont également bénéficié d'importantes modifications. En fait, le rugueux moteur V6 3,7 litres est remplacé par un tout nouveau moteur V6 de 272 chevaux qui produit 37 chevaux de plus. Et si le moteur V8 5,0 litres semble avoir été reconduit, il a connu plusieurs raffinements et modifications qui ont permis de porter la puissance à 306 chevaux. Les deux sont couplés à une boîte automatique de type manumatique à sept rapports.

Et si vous êtes un diéséliste inconditionnel, vous serez heureux d'apprendre l'arrivée sur notre marché de la ML 320D propulsée par un tout nouveau moteur V6 diesel 3,0 litres de 224 chevaux et un couple de camion-remorque ou presque. Mais il faudra attendre en 2006 pour avoir la chance de piloter la MD 320D sur nos routes. Un petit galop d'essai lors de la présentation de la ML en Provence m'a convaincu des qualités de ce moteur.

UN LOOK D'ENFER

La ML de la première génération avait son lot de faiblesses, mais sa silhouette a permis de convaincre plusieurs acheteurs. Il faut bien admettre que celle-ci faisait l'unanimité par son élégance. C'est moins vrai huit années plus tard, mais c'était très branché à la fin des années 90. C'est pourtant de la petite bière à côté de la nouvelle génération dont le dynamisme des lignes en fait dorénavant la référence de la

catégorie. Par rapport à elle, le Land Rover LR3 a l'air d'un fourgon funéraire avec ses parois planes tandis que la Lexus RX 330 semble avoir pris un coup de vieux. C'est réussi et pas à peu près. Le capot plongeant, le pilier C dirigé vers l'avant, les prises d'air jumelées placées sur la partie arrière du capot, l'importante rainure latérale sur les parois, la grille de calandre avec ses trois bandes horizontales parsemées de petits orifices rectangulaires, tous ces éléments se conjuguent pour marier le caractère sportif et pratique de la ML.

Les passages des roues en relief bien en évidence ajoutent à la prestance et lui donnent un petit air plus costaud. Et en prévision d'excursions sur des parcours très accidentés, on a placé des plaques de protection sous les pare-chocs avant et arrière. Cet accessoire est fonctionnel en plus de donner un aspect macho.

Cette fois, les modifications apportées à l'habitacle nous prouvent que les stylistes ont écouté les suggestions du public. Le tableau de bord est typiquement Mercedes tout en agençant très harmonieusement certains éléments traditionnels de la marque et d'autres de facture plus moderne. Le volant de type sport est l'élément le mieux réussi tandis que les deux buses de ventilation centrale viennent relever le tout. Malheureusement, quelqu'un s'est entêté à conserver les commandes de réglage des sièges sur le côté gauche de la base du siège alors que toutes les autres Mercedes ont une commande sur le rebord supérieur de la portière, un choix nettement meilleur.

Les places avant et arrière sont confortables tandis que le dégagement pour la tête et les jambes est bon. Il faut également souligner que la qualité des matériaux et de l'assemblage est en net progrès. Il faut malheureusement déplorer l'absence d'une caméra de recul intégré à l'écran du système de navigation. Sur une note plus positive, le coffre à bagages est très, très spacieux.

FEU VERT

Silhouette réussie
Moteurs bien adaptés
Rouage intégral efficace
Boîte 7 rapports
Tenue de route saine

FEU ROUGE

Absence de caméra de recul
Pédale de frein sensible
Diesel en attente
Certaines options onéreuses
Passages des rapports parfois lents

LA RÉFÉRENCE

À ses débuts, la Classe M est devenue la référence en raison de sa nouveauté. Cette fois, elle a droit à ce qualificatif en raison de sa performance et de son comportement routier. Le moteur V6 de la ML 350 est beaucoup moins rugueux que son prédécesseur et ses chevaux supplémentaires permettent de boucler le 0-100 km/h en 8,4 secondes. Par contre, la transmission automatique à sept vitesses est quelque peu paresseuse pour passer les rapports. L'utilisation des pastilles du système de sélection manuelle placées derrière le volant permettrait de se retrouver aux alentours de 8 secondes pour cet exercice. Toujours à propos des vitesses, le sélecteur est dorénavant un petit levier monté sur la colonne de direction et il est très facile d'utilisation.

Mais je dois avouer que le moteur qui m'a le plus impressionné est le moteur V8 5,0 litres. Ce dernier est plus nerveux, et assure de meilleures reprises que le moteur V6. Le 0-100 km/h permet de réduire le temps du 0-100 km/h de 1,5 seconde. Et il peut être livré avec des roues de 19 pouces qui contribuent à la tenue de route et au confort.

La tenue de route et le confort de la suspension ont fortement progressé sur cette nouvelle version. Il y a toujours un certain sous virage tandis qu'il faut se souvenir que le centre de gravité est plus élevé que sur une berline. Par contre, l'agrément de conduite est excellent pour la catégorie. En boni, les joints d'expansion sont devenus presque imperceptibles. De plus, la direction est plus précise que précédemment. Toutefois, le moteur V6 est toujours un peu rugueux. Enfin, il faut un peu de temps pour moduler la pédale de frein correctement, surtout que ces freins sont très sensibles et très puissants.

Cette nouvelle génération nous permet également de nous aventurer sans appréhension dans des endroits peu hospitaliers. Le système 4Matic de base est efficace, mais il l'est encore plus lorsqu'associé aux différentiels verrouillables de l'option Off Road et à la suspension pneumatique AIRMATIC. Porsche Cayenne et Range Rover ne laisseront plus la ML derrière elles dans les ornières.

Cette fois, la nouvelle Classe M répond de loin à nos attentes.

Denis Duquet

Photos: Denis Duquet

DONNÉES TECHNIQUES

Modèle à l'essai:	ML 500
Prix du modèle à l'essai:	75300$
Échelle de prix:	55750$ à 79900$
Garanties:	4 ans/80000 km, 5 ans/120000 km
Catégorie:	utilitaire sport intermédiaire
Emp./Lon./Lar./Haut.(cm):	291,5/479/191/181,5
Poids:	2185 kg
Coffre/Réservoir:	833 à 2050 litres / 83 litres
Coussins de sécurité:	frontaux, latéraux (av.), rideaux
Suspension avant:	indépendante, barres de torsion
Suspension arrière:	indépendante, multibras
Freins av./arr.:	disque (ABS)
Antipatinage/Contrôle de stabilité:	oui/oui
Direction:	à crémaillère, assistance variable
Diamètre de braquage:	11,6 m
Pneus av./arr.:	P255/55R18
Capacité de remorquage:	n.d.

Pneus d'origine MICHELIN

GROUPE MOTOPROPULSEUR

Moteur:	V8 de 5,0 litres 24s atmosphérique
Alésage et course	96,8 mm x 84,0 mm
Puissance:	302 ch (225 kW) à 5600 tr/min
Couple:	339 lb-pi (460 Nm) de 2,700 à 4750 tr/min
Rapport Poids/Puissance:	7,24 kg/ch (9,71 kg/kW)
Moteur électrique:	aucun
Autre(s) moteur(s):	V6 3,5 l 268ch à 6000tr/mn et 258lb-pi à 2400 à 5000tr/mn (ML350)
Transmission:	intégrale, séquentielle 7 rapports
Autre(s) transmission(s):	aucune
Accélération 0-100 km/h:	6,9 s
Reprises 80-120 km/h:	6,1 s
Freinage 100-0 km/h:	36,4 m
Vitesse maximale:	210 km/h
Consommation (100 km):	super, 14,6 litres
Autonomie (approximative):	568 km
Émissions de CO2:	n.d.

DANS LA MÊME CATÉGORIE

Acura MDX - BMW X5 - Cadillac SRX - Infiniti FX35/45 - Lexus LX 470 - Range Rover Land Rover

DU NOUVEAU EN 2006

Nouveau modèle, boîte 7 rapports, nouveau moteur V6

HISTORIQUE DU MODÈLE

2ième génération

NOS IMPRESSIONS

Agrément de conduite:	
Fiabilité:	nouveau modèle
Sécurité:	½
Qualités hivernales:	½
Espace intérieur:	
Confort:	

LE CHOIX DE L'ÉQUIPE

ML 350

Photo: Denis Duquet

LUXE PRATIQUE

Une familiale ferait généralement l'affaire, mais les lois de la mise en marché insistent pour que la concurrence ne profite pas seule d'un segment du marché. Et puisque Mercedes n'était pas encore présent dans le marché des véhicules multifonctions de luxe, la haute direction a décidé d'investir le marché nord-américain avec deux véhicules du genre. Le premier est la Vision B qui est réservée au seul marché canadien. Jugée trop petite et pas assez luxueuse pour l'image de la marque aux États-Unis, la Vision B ne peut donc y rejoindre la Vision R qui se veut le nec plus ultra de la catégorie.

Il faut également ajouter que le géant de Stuttgart est seul pour l'instant dans cette catégorie puisque ses rivaux de toujours que sont Audi et BMW n'ont pas encore décidé si le jeu en valait la chandelle. Je suis persuadé que si jamais la R 350 et la R 500 sont un tantinet populaires, vous allez voir déferler des modèles de tous genres provenant aussi bien d'Allemagne, du Japon et des États-Unis. C'est d'ailleurs dans ce pays que la nouvelle Classe R sera assemblée. Et si elle est produite à l'usine Mercedes de Vance en Alabama, c'est tout simplement que la «R» emprunte sa plate-forme et ses organes mécaniques à la Classe M. Mais si la mécanique est la même, la silhouette est plus sophistiquée tandis que l'habitacle est nettement plus luxueux. De plus, ce véhicule six places accueille ses occupants sur trois rangées et chacun d'entre eux bénéficie d'un confort supérieur à celui de la ML qui devient davantage coureur des bois que véhicule urbain. Pour sa part, la Classe R possède la même transmission intégrale, mais est plus à son aise en ville.

PREMIÈRE CLASSE

De profil, elle ressemble à une longue fourgonnette dotée de quatre portières traditionnelles. Toutefois, certains loustics ont préféré parler de «silhouette de corbillard». S'il est vrai que cette Mercedes ne brise rien en fait de design, il y a bien pire sur le marché. Il ne faut pas perdre de vue non plus qu'il s'agit d'un véhicule dont les dimensions sont imposantes. À titre de comparaison, il est plus long de 35 cm par rapport à la classe M et est également plus long qu'une berline de Classe S ou encore que la Cadillac Escalade.

Pas surprenant que six personnes puissent y voyager en tout confort. Chacun se déplace bien assis dans un siège baquet et avec une fenêtre individuelle. Selon Mercedes, les sièges avant offrent autant d'espace que ceux de la Classe S, ceux de la seconde rangée en ont autant qu'une Classe E, tandis que les occupants de la troisième rangée pourraient être assis à l'avant d'une Classe C et ne verraient pas la différence. De là à souligner une affinité avec les voyages en première classe, il n'y a qu'un pas que nous franchissons sans hésitation. Du moins en ce qui concerne les deux premières rangées. Pour la troisième, il s'agit de la classe affaires. Et si jamais vous décidez de voyager seul ou à deux, toutes ces banquettes se rabattent assez facilement pour former une soute à bagages de 2 406 litres. Les amateurs du genre seront heureux de savoir qu'un toit ouvrant de 179 cm de long, oui 179 cm vous avez bien lu, est également proposé.

FEU VERT

- Choix de moteurs
- Transmission intégrale
- Habitabilité assurée
- Tenue de route rassurante
- Équipement complet

FEU ROUGE

- Prix élevé
- Silhouette controversée
- Troisième rangée moins confortable
- Visibilité arrière

Photo : Mercedes-Benz

Selon les exigences de la tendance actuelle, les systèmes audio et vidéo se doivent d'être de la partie. Comme la Vision B, la « R » est dotée d'une interface iPod, placée dans le coffre à gants, qui vous permet d'écouter votre collection audio tout en roulant. Bien entendu, un lecteur DVD est relié à deux écrans afin que tous les passagers puissent ne rien manquer de l'action. Enfin, soulignons qu'il est possible de commander un hayon à ouverture et fermeture motorisée, un autre élément venant ajouter au luxe et à la commodité de ce véhicule.

POLYVALENCE ASSURÉE

Il est certain que les propriétaires d'un véhicule de la Classe R seront prêts à faire face à toute éventualité. Tandis que la Vision B est un véhicule pratique et économique doté d'une surprenante habitabilité. Il est cependant équipé de moteurs quatre cylindres et il est impossible de commander une transmission intégrale. Sa grande soeur, la Vision R, est dans une toute autre classe. Non seulement son habitacle est archiluxueux, mais elle peut être livrée avec un moteur V6 de 3,5 litres de 268 chevaux ou encore un moteur V8 de 5,0 litres produisant 302 chevaux. Les deux sont associés à une boîte automatique à sept rapports. Et comme la Classe M, la R est dotée de trois différentiels et d'un système de contrôle de traction associé. C'est le véhicule idéal pour les amateurs de ski qui aiment se rendre partout tout en se payant du bon temps.

Il est vrai que le moteur V6 n'a pas le punch du V8, mais sa puissance suffit si l'on ne prévoit pas être trop lourdement chargé. Par contre, les muscles du V8 seront appréciés des personnes aimant voyager avec toute la famille ou qui ont beaucoup d'amis. Et malgré ses dimensions assez impressionnantes, cette grosse Mercedes se débrouille fort honorablement sur une route sinueuse. Je me suis même surpris à m'amuser à changer de rapports en utilisant les pastilles de passage des vitesses placées derrière le volant qui se prend bien en main, soit dit en passant. Enfin, la suspension optionnelle AirMatic améliore la situation.

Bref, c'est un véhicule qui est bien réalisé mais dont la silhouette ne fera pas l'unanimité. Et reste à savoir si l'arrivée de cette nouvelle Classe R ne viendra pas tout simplement cannibaliser les ventes de la familiale de la Classe E ou du VUS qu'est la Classe M.

Denis Duquet

Photo : Denis Duquet

MERCEDES BENZ CLASSE R

DONNÉES TECHNIQUES

Modèle à l'essai :	R 350
Prix du modèle à l'essai :	68 900 $ (estimé)
Échelle de prix :	65 000 $ à 85 000 $ (estimé)
Garanties :	4 ans/80 000 km, 5 ans/120 000 km
Catégorie :	multisegment
Emp./Long./Larg./Haut.(cm) :	321/515/217/166
Poids :	2225 kg
Coffre/Réservoir :	266 à 2 044 litres / 95 litres
Coussins de sécurité :	frontaux, latéraux (av.), rideaux
Suspension avant :	indépendante, bras inégaux
Suspension arrière :	indépendante, multibras
Freins av./arr. :	disque (ABS)
Antipatinage/Contrôle de stabilité :	oui/oui
Direction :	à crémaillère, assistance variable
Diamètre de braquage :	12,4 m
Pneus av./arr. :	P255/50R19
Capacité de remorquage :	n.d.

Pneus d'origine MICHELIN

GROUPE MOTOPROPULSEUR

Moteur :	V6 de 3,5 litres 32s atmosphérique
Alésage et course	92,9 mm x 86,0 mm
Puissance :	268 ch (200 kW) à 6000 tr/min
Couple :	258 lb-pi (350 Nm) de 2400 à 5000 tr/min
Rapport Poids/Puissance :	8,30 kg/ch (11,13 kg/kW)
Moteur électrique :	aucun
Autre(s) moteur(s) :	V8 5,0 l 302ch à 5600tr/mn et 339lb-pi à 2400 à 4750tr/mn
Transmission :	intégrale, auto. mode man. 7 rapports
Autre(s) transmission(s) :	aucune
Accélération 0-100 km/h :	8,1 s
Reprises 80-120 km/h :	7,2 s
Freinage 100-0 km/h :	42,0 m
Vitesse maximale :	210 km/h
Consommation (100 km) :	super, 13,8 litres
Autonomie (approximative) :	688 km
Émissions de CO2 :	n.d.

DANS LA MÊME CATÉGORIE

BMW X5 - Chrysler Town&Country - Chrysler Pacifica - Infiniti FX35/45 - Lexus RX 330/400h

DU NOUVEAU EN 2006

Nouveau modèle

HISTORIQUE DU MODÈLE

1[ière] génération

NOS IMPRESSIONS

Agrément de conduite :	
Fiabilité :	nouveau modèle
Sécurité :	
Qualités hivernales :	
Espace intérieur :	½
Confort :	

LE CHOIX DE L'ÉQUIPE

R 350

LA RELÈVE ARRIVE

Pour Mercedes-Benz, la période chevauchant 2005 et 2006 en sera une de transition pour son modèle faisant office de vitrine technologique, soit la Classe S. En effet, les modèles 2006, qui ne présentent aucun changement majeur par rapport aux 2005, seront vendus jusqu'à la fin de 2005 et feront place à une toute nouvelle génération de la Classe S, soit les modèles 2007 qui seront en vente au Canada dès le début de 2006.

La déclinaison des modèles 2007 de la Classe S et leur mise en marché suivra donc l'échéancier suivant. Au début de 2006 arrivera la S500 avec son nouveau moteur V8, et elle sera suivie au printemps par la S600 dotée du moteur V12. Par la suite, la S450 4Matic en versions à empattement standard et allongé arrivera à l'automne 2006, ainsi que la S500 4Matic. Précisons par ailleurs qu'au Canada seule la S450 4Matic sera offerte en versions à empattement standard et allongé, tous les autres modèles étant dotés de l'empattement allongé. Voilà donc pour la disponibilité des modèles à motorisation courante, aucune date n'ayant encore été annoncée pour la commercialisation sur notre marché de la version à motorisation hybride diesel-électricité de la Classe S, dévoilée au Salon de l'auto de Francfort à l'automne 2005, et dont le groupe motopropulseur représente une évolution du système hybride P1/2 dévoilé par Mercedes-Benz à l'occasion du Salon de l'auto de Detroit en janvier 2005.

Pour Mercedes-Benz, il est crucial que le lancement de la nouvelle Classe S soit couronné de succès et que cette voiture ne soit pas affligée de pépins techniques, afin de faire oublier le plus rapidement possible la campagne de rappel de 1,3 million de véhicules de la marque en 2005. Les attentes sont donc élevées chez la clientèle et la nouvelle S devra affronter une redoutable concurrence directe livrée par les BMW Série 7 et Audi A8. Plus longue de 43mm, plus large de 20 mm et plus haute que le modèle qu'elle remplace, la nouvelle Classe S présente également un empattement allongé de 70 mm et sera probablement plus chère puisque les premiers échos font état d'une augmentation des prix variant de 5000 à 6000 euros selon les modèles.

Pour ce qui est du design, la nouvelle génération représente une évolution du style classique propre à la marque, mais affiche une présence plus forte et des angles plus prononcés. Concernant l'habitacle, il est évident que Mercedes-Benz s'est librement inspiré de la Série 7 de BMW et de son système i-Drive, puisque l'écran témoin du système télématique COMAND est localisé à la même hauteur que le bloc d'instruments, et que ce système est désormais actionné non seulement par une série de boutons mais également par un bouton placé sur la console centrale. De plus, le traditionnel levier de vitesse de la boîte automatique fait maintenant place à un petit levier situé à la droite de la colonne direction qui commande électroniquement la boîte de vitesses. Tout comme sur la Série 7, il suffit de déplacer le levier vers le haut pour sélectionner la marche arrière, vers le bas pour engager sur «Drive» et d'appuyer sur le bouton localisé au bout du

FEU VERT

Confort assuré
Technologie prouvée
Prestige assuré
Bonne tenue de route

FEU ROUGE

Modèle en fin de série
Fiabilité à prouver
Prix prohibitif

levier pour choisir « Park ». Le volant est également doté de commutateurs permettant la sélection manuelle des rapports de la boîte automatique à 7 rapports. La S500 sera le premier modèle vendu au Canada, et sa motorisation est assurée par un nouveau V8 doté de quatre soupapes par cylindre qui seront contrôlées par un système de calage variable. La cylindrée a été augmentée tout comme la puissance et le couple. Quant à la S600, elle fera appel à un moteur V12 développant plus de 500 chevaux.

Parmi les prouesses technologiques de la nouvelle Classe S, relevons le fait que plusieurs systèmes déjà existants ont été optimisés pour servir la nouvelle génération. Du nombre, le régulateur de vitesse intelligent Distronic est maintenant remplacé par une version plus avancée connue sous le nom de Distronic Plus qui est intégrée au système PRE-SAFE et qui fait partie des équipements offerts en option. Comme son nom l'indique, en plus de maintenir une distance sécuritaire avec la voiture qui précède par l'entremise d'un radar sur autoroute, cette nouvelle version devient aussi efficace en ville. En effet, dans la circulation dense, le radar tient compte du flot de la circulation environnante et le système peut développer rapidement une pression maximale des freins en cas de situation d'urgence, et ce, même si le conducteur ne réagit pas assez promptement lui-même. Quant au système PRE-SAFE, qui a été lancé en 2002 et qui a pour mission de « préparer » la voiture avant un impact en resserrant automatiquement les ceintures de sécurité, en positionnant les sièges avant dans la configuration optimale et en fermant le toit ouvrant, précisons qu'il commande toujours ces fonctions en plus d'accomplir celles-ci : il relève les glaces latérales afin qu'elles servent de points d'appui aux rideaux gonflables, tout en gonflant une partie des coussins des sièges qui viennent remplir la même fonction d'appui pour le déploiement des coussins latéraux, les occupants seront ainsi mieux protégés en cas d'impact majeur. Toujours au chapitre de la sécurité, la Classe S 2007 sera équipée d'un système de vision nocturne assuré par deux projecteurs de rayons infrarouges qui balayeront la route, et par une caméra infrarouge montée dans le pare-brise qui recevra les reflets des objets illuminés par les projecteurs et qui relayera ces images à un écran témoin localisé dans le bloc d'instruments.

Véritable vitrine technologique du savoir-faire de la marque, la Classe S poursuit sur cette lancée avec la nouvelle génération de la plus grande et plus luxueuse des berlines de la marque.

Gabriel Gélinas

Photos : Bertrand Godin

MERCEDES-BENZ CLASSE S

DONNÉES TECHNIQUES

Modèle à l'essai :	S600
Prix du modèle à l'essai :	190900$
Échelle de prix :	106500$ à 227900$
Garanties :	4 ans/80000 km, 5 ans/120000 km
Catégorie :	berline de grand luxe
Emp./Lon./Lar./Haut.(cm) :	308,5/516/186/145
Poids :	2090 kg
Coffre/Réservoir :	436 litres / 88 litres
Coussins de sécurité :	front., latéraux (av./arr.), rideaux
Suspension avant :	indépendante, multibras
Suspension arrière :	indépendante, multibras
Freins av./arr. :	disque (ABS)
Antipatinage/Contrôle de stabilité :	oui/oui
Direction :	à crémaillère, assistance variable
Diamètre de braquage :	n.d.
Pneus av./arr. :	P245/45ZR18
Capacité de remorquage :	750 kg

Pneus d'origine MICHELIN

GROUPE MOTOPROPULSEUR

Moteur :	V12 de 5,5 litres 36s biturbo
Alésage et course	82,0 mm x 87,0 mm
Puissance :	493 ch (368 kW) à 5000 tr/min
Couple :	590 lb-pi (800 Nm) de 1800 à 3500 tr/min
Rapport Poids/Puissance :	4,24 kg/ch (5,76 kg/kW)
Moteur électrique :	aucun
Autre(s) moteur(s) :	V12 6,0 l 604ch et 738lb-pi (S65 AMG), V8 4,3 l 275ch et 295lb-pi (S430), V8 5,0 l 302ch et 339lb-pi (S500), V8 5,5 l 493ch et 516lb-pi (S55 AMG)
Transmission :	propulsion, automatique 7 rapports
Autre(s) transmission(s) :	automatique 5 rapports / intégrale, automatique 5 rapports
Accélération 0-100 km/h :	4,8 s
Reprises 80-120 km/h :	3,5 s
Freinage 100-0 km/h :	37,0 m
Vitesse maximale :	250 km/h
Consommation (100 km) :	super, 15,0 litres
Autonomie (approximative) :	587 km
Émissions de CO2 :	n.d.

DANS LA MÊME CATÉGORIE

Audi A8 - BMW Série 7 - Jaguar XJR - Lexus LS 430 - Volkswagen Phaeton

DU NOUVEAU EN 2006

Modèle S65 AMG nouveau, nouvelles roues 19" sur S55 AMG, série sera complètement renouvellée durant l'année

HISTORIQUE DU MODÈLE

4ième génération

NOS IMPRESSIONS

Agrément de conduite :	4½
Fiabilité :	3½
Sécurité :	5
Qualités hivernales :	4
Espace intérieur :	4½
Confort :	4½

LE CHOIX DE L'ÉQUIPE

S500

LA SYNTHÈSE DU RAFFINEMENT

Votre budget, en tout cas certainement le mien, ne me permettra jamais de posséder ce genre de voiture. Rassurez-vous, nous ne sommes pas les seuls à ne pouvoir nous le permettre. En fait, si vous croisez une Mercedes-Benz CL sur la route, courez vous acheter un billet de loterie. Car malgré toutes ces qualités, il ne s'agit pas de la voiture la plus accessible du monde. Son coût d'achat de plus de 200 000 $ suffit en effet à décourager les plus enthousiastes. Dommage, car ses qualités sont bien au-delà de la simple considération financière.

La CL, qui est en fait une Classe S en version coupé et améliorée, est une véritable synthèse de ce que Mercedes-Benz fait de mieux. Que ce soit dans ses versions de base (!) que sont les CL 500 et CL 600, ou encore dans les versions de performance CL55 et CL 65 AMG, ces magnifiques machines atteignent des sommets de raffinement et de compétence.

UN JOYAU MÉCANIQUE

À tous les points de vue, cette Mercedes est un pur joyau. Sous le capot de la version CL500 par exemple, un moteur V8 de 5,0 litres ne développant rien de moins que 302 chevaux avec un silence et une souplesse extraordinaires. Pour sa sœur, la CL600, on parlera plutôt d'un moteur de 5,5 litres, un V12 qui abrite une cavalerie de 493 chevaux, et 590 livres-pied de couple à un très bas régime de seulement 1 800 tours/minute.

Évidemment, les maniaques pourront aussi tenter d'atteindre la vitesse de la lumière avec les versions AMG équipées d'un moteur V12 de 6,0 litres (CL65 AMG), et ayant comme puissance la bagatelle de 604 chevaux. Bref, un monstre de puissance. Pour maîtriser cette puissance, Mercedes a littéralement dévalisé le centre informatique le plus proche, et a doté son luxueux coupé de toute la panoplie d'équipements de sécurité et d'aide au pilotage embarqué, à commencer pas sa désormais célèbre transmission automatique à 7 rapports, la seule au monde du genre, développée et mise au point par Mercedes elle-même.

Au nombre des ajouts, le système de ESP, pour Electronic Stability Control, est intéressant puisqu'il permet des corrections de trajectoire lorsque, entraînée par un excès d'enthousiasme, la puissante voiture a quelques difficultés à maintenir sa trajectoire.

Une suspension adaptative, baptisée ABC permet aussi de contrôler par ordinateur la rigidité et le débattement des amortisseurs, ce qui garantie une fois de plus une solide tenue de route. C'est d'ailleurs l'ordinateur de bord qui effectuera les modifications quand la vitesse l'exigera. Une situation qui devrait se produire assez peu souvent chez nous, puisqu'elle est réglée pour être modifiée à partir de 140 km à l'heure. Il faut aussi compter sur les systèmes d'assistance au freinage, que ce soit en cas d'urgence ou en trajectoire normale, pour s'assurer de distances d'arrêt sécuritaires et sans risque. Bref, ce n'est pas parce que la CL a un moteur, disons-le, assez viril, qu'elle constitue un danger sur la route. Bien au contraire.

FEU VERT

Moteur exceptionnel
Équipement de sécurité unique
Aide au pilotage sophistiquée
Finition raffinée

FEU ROUGE

Prix d'achat titanesque
Accessoires parfois complexes
Places arrière limitées
Apparence sobre

En fait, même à haute vitesse, le coupé s'engage dans les trajectoires avec assurance, ne laissant aucune place à l'hésitation. Bien sûr, en raison de sa taille et de sa lourdeur, le coupé CL n'est pas aussi agile que ses concurrents à véritable vocation sportive, ou même que les plus petits modèles frères, mais il permet une randonnée confortable et sécuritaire en toutes circonstances.

UN JOYAU D'ÉQUIPEMENT

Outre le moteur, la CL trône aussi au sommet de la liste en matière de raffinement dans l'habitacle, et dans les équipements. Elle est bien sûr munie d'un système d'entrée sans clé, qui permet au conducteur de laisser la clé dans sa poche. Un petit émetteur fixé dans la clé entre en contact avec la voiture, et permet de déverrouiller la portière dès qu'on y pose la main. Le même système est utilisé aussi pour la mise en marche du moteur, qui s'effectue d'une simple pression du doigt.

Une fois la portière ouverte on pénètre dans un sanctuaire de sophistication. Les sièges avant sont enveloppants, et fournissent à la fois climatisation et chauffage, selon les besoins. Les ajustements sont presque infinis, ce qui permet de trouver rapidement et avec précision la position de conduite idéale. Seul bémol, les passagers arrière devront être de plus petite taille, puisque la banquette, bien que confortable, n'offre que peu de support aux cuisses. Et comme dans tous les coupés, l'espace y est limité.

Le tableau de bord quant à lui regorge de tous les signes communs à la famille Mercedes Benz. La richesse des cuirs utilisés par exemple ou la souplesse des matériaux de finition permettent de dégager une allure quasi princière. Chose étonnante, malgré ce haut niveau de qualité, on ne ressent pas l'atmosphère souvent froide et austère de ce genre de voiture. Au contraire, l'intérieur de la CL a un petit quelque chose de convivial.

Cette année, la CL revient inchangée. On croyait pourtant qu'elle subirait un remodelage complet, elle qui date déjà de plusieurs années, mais il semble qu'on attendra une année encore avant de procéder aux changements attendus. Mais peu importe son âge, la CL est une voiture qui ne vieillit pas. Du moins, si elle le fait, elle le fait avec grâce et élégance, et continue d'être un véritable joyau au sein de la grande famille Mercedes-Benz.

Marc Bouchard

Photos : Mercedes-Benz

MERCEDES-BENZ CL

DONNÉES TECHNIQUES

Modèle à l'essai :	CL500
Prix du modèle à l'essai :	142850$
Échelle de prix :	138750$ à 254500$
Garanties :	4 ans/80000 km, 4 ans/80000 km
Catégorie :	coupé
Emp./Lon./Lar./Haut.(cm) :	288,5/499/186/141
Poids :	1853 kg
Coffre/Réservoir :	348 litres / 88 litres
Coussins de sécurité :	frontaux, latéraux (av.), rideaux
Suspension avant :	indépendante, multibras
Suspension arrière :	indépendante, multibras
Freins av./arr. :	disque (ABS)
Antipatinage/Contrôle de stabilité :	oui/oui
Direction :	à crémaillère, assistance variable
Diamètre de braquage :	11,5 m
Pneus av./arr. :	P225/55R17
Capacité de remorquage :	n.d.

Pneus d'origine MICHELIN

GROUPE MOTOPROPULSEUR

Moteur :	V8 de 5,0 litres 36s atmosphérique
Alésage et course	97,0 mm x 84,0 mm
Puissance :	302 ch (225 kW) à 5600 tr/min
Couple :	339 lb-pi (460 Nm) à 4250 tr/min
Rapport Poids/Puissance :	6,14 kg/ch (8,24 kg/kW)
Moteur électrique :	aucun
Autre(s) moteur(s) :	V12 5,5 l 493ch à 5000tr/mn et 590lb-pi à 1800tr/mn, V8 5,5 l 493ch à 5500tr/mn et 516lb-pi à 4250tr/mn, V12 6,0 l 604ch à 5500tr/mn et 738lb-pi à 3000tr/mn
Transmission :	propulsion, automatique 7 rapports
Autre(s) transmission(s) :	automatique 5 rapports
Accélération 0-100 km/h :	6,3 s
Reprises 80-120 km/h :	6,1 s
Freinage 100-0 km/h :	38,1 m
Vitesse maximale :	250 km/h
Consommation (100 km) :	super, 17,2 litres
Autonomie (approximative) :	512 km
Émissions de CO2 :	5855 kg/an

DANS LA MÊME CATÉGORIE

Bentley Continental GT - BMW Série 6 - Maserati Coupé - Jaguar XK

DU NOUVEAU EN 2006

Pas de changement majeur

HISTORIQUE DU MODÈLE

1ière génération

NOS IMPRESSIONS

Agrément de conduite :	4½
Fiabilité :	4
Sécurité :	4½
Qualités hivernales :	3½
Espace intérieur :	3½
Confort :	4½

LE CHOIX DE L'ÉQUIPE

CL600

JOYEUX DUO !

Le constructeur de Stuttgart possède la gamme de modèles la plus importante de toute l'industrie automobile européenne. Et comme si ce n'était pas assez, son catalogue s'accroît de versions à vocation plus pratique. Mais ce n'est pas le cas de la CLK qui est vendue en version coupé et cabriolet. En fait, les deux modèles se complètent l'un et l'autre puisque le cabriolet quatre places ne serait certainement pas commercialisé si ce n'était de la présence du coupé. Et ce dernier modèle n'aurait sans doute pas vu le jour si la direction n'avait pas envisagé la version décapotable!

Tout ce charabia pour vous dire qu'il était pratique pour Mercedes de créer un coupé et un cabriolet à partir de la même plate-forme car il était ainsi possible de faire des économies et de permettre la réalisation du projet. Le fait d'utiliser la plate-forme de la Classe C est un autre argument pour le contrôle des coûts.

Cet amalgame s'est concrétisé en ce tandem coupé/cabriolet qui est de vocation beaucoup plus grand tourisme que sportive, à l'exception de la version AMG bien entendu. Et c'est justement ce mélange d'exclusivité et de confort qui explique leur popularité puisque Mercedes en a vendu plus de 200000 unités de par le monde depuis le lancement de cette classe en mai 2002.

Malgré ces succès, il était temps d'apporter des modifications afin de ne pas être dépassé par la concurrence, d'autant plus que BMW vient de commercialiser sa nouvelle Série 3 qui comprend une version deux portes. Au chapitre de la carrosserie, le pare-choc avant a été redessiné tandis que la prise d'air qu'il incorpore est dorénavant plus grande. La grille de calandre est également modifiée, et les roues en alliage sont d'un dessin différent selon les versions d'équipement. Enfin, les moteurs ont aussi eu droit à des améliorations tant en accroissement de la cylindrée que de la puissance. Le moteur V6 voit sa cylindrée passer de 3,2 litres à 3,5 litres et sa puissance de 215 chevaux à 268 chevaux. Toujours dans cette poussée de modernisation de la mécanique, la boîte automatique est à sept rapports.

Le moteur V8 5,0 litres conserve la même puissance soit 302 chevaux. Ce qui rend le modèle CLK 500 moins intéressant même si ce gros moteur V8 permet de jouir d'accélérations sportives, c'est le poids additionnel qui a un effet négatif sur la tenue de route en virage. Avec ce poids plus à l'avant, la voiture sous-vire en entrée de virage et il faut placer le nez de la voiture loin dans le point de corde afin de minimiser cette tendance. Et, bien entendu, sa consommation est supérieure à celle du moteur V6. Gavée de chevaux supplémentaires en 2006, la CLK 350 devient une voiture plus équilibrée, plus performante et également plus agile. Avec 215 chevaux l'an dernier, elle traînait de la patte face au CLK 500, mais cette fois, c'est une tout autre affaire.

COUPÉ OU CABRIOLET?

Pusique la CLK est offerte en version coupé. ou décapotable, il est difficile de choisir puisque les deux sont quasiment identiques aussi bien au chapitre de l'habitacle que des performances. Il est vrai que le cabriolet est

FEU VERT

- Choix de moteurs
- Boîte automatique à 7 rapports
- Finition sérieuse
- Tenue de route saine
- Sécurité assurée

FEU ROUGE

- Places arrière exiguës (cabriolet)
- Certaines commandes complexes
- Options nombreuses et coûteuses
- Sièges fermes

plus lourd et donc moins performant tout en étant un peu moins à l'aise dans les courbes serrées, mais la différence est vraiment très minime. Et si vous faites partie des personnes qui croient qu'un cabriolet ça ne roule pas en hiver, vous devez savoir que la capote de la CLK cabriolet est constituée de plusieurs épaisseurs de matériaux isolants. Ajoutez une lunette arrière en verre avec dégivreur et vous avez une décapotable capable de rouler toute l'année sous notre climat! Mais ne vous faites pas trop d'illusions sur les places arrière qui ne peuvent accommoder que des personnes de très petite taille... ou aimant souffrir.

Le coupé est mieux servi à ce niveau puisqu'il n'est pas obligatoire de réserver un espace pour remiser le toit. De plus, il est moins lourd et un peu plus agile en conduite. Et pour les amateurs de gadgets, les deux versions sont dotées d'un bras qui se déploie pour vous permettre d'atteindre la ceinture de sécurité plus facilement lorsque vous montez à l'avant. Soulignons au passage que l'habitacle est typiquement Mercedes avec ses sièges fermes, ses appliques en bois et les mêmes commandes que sur la plupart des autres modèles. Cette année, toutes les CLK sont équipées du système d'appuie-tête NECK-PRO qui permet à l'appuie-tête de se positionner de façon optimale en cas de choc arrière.

La conduite n'est pas sportive, le feedback de la route est plutôt filtré par rapport à une BMW par exemple, mais on a l'impression de conduire une voiture solide comme le roc à défaut de nous fournir des émotions. Il faut ajouter que la direction a été améliorée au fil des années et elle nous transmet davantage les sensations de la route.

Les versions habituelles de la CLK visent davantage les grandes randonnées, le confort et un certain agrément de conduite. La CLK AMG a pour mission de vous décoiffer si vous êtes au volant du cabriolet ou de vous impressionner si vous optez pour le coupé. Avec son moteur V8 5,5 litres de 362 chevaux, le CLK 55 bénéficie également de plusieurs modifications extérieures, notamment un nez avant remodelé, des jupes latérales et des feux arrière plus distincts. Au chapitre de la mécanique, les roues de 18 pouces sont stoppées par de gros disques ventilés et perforés. Bien entendu, la suspension est abaissée et dotée d'amortisseurs plus fermes. Et de larges pneus de 225/40R18 à l'avant et 255/35R18 à l'arrière vous assurent une bonne adhérence dans les virages. Que vous aimiez la conduite en douceur ou plus musclée, la gamme CLK devrait vous permettre de trouver ce que vous recherchez. Si vous en avez les ressources financières, bien entendu.

Denis Duquet

Photos : Mercedes-Benz

DONNÉES TECHNIQUES

Modèle à l'essai :	CLK 350 Coupe
Prix du modèle à l'essai :	84 900 $
Échelle de prix :	65 290 $ à 112 050 $
Garanties :	4 ans/80 000 km, 5 ans/120 000 km
Catégorie :	coupé/cabriolet
Emp./Lon./Lar./Haut.(cm) :	271,5/464/174/141
Poids :	1 626 kg
Coffre/Réservoir :	276 à 390 litres / 70 litres
Coussins de sécurité :	front., latéraux (av./arr.), rideaux
Suspension avant :	indépendante, jambes de force
Suspension arrière :	indépendante, multibras
Freins av./arr. :	disque (ABS)
Antipatinage/Contrôle de stabilité :	oui/oui
Direction :	à crémaillère, assistée
Diamètre de braquage :	10,8 m
Pneus av./arr. :	P225/45ZR17 / P245/40ZR17
Capacité de remorquage :	n.d.

Pneus d'origine MICHELIN

GROUPE MOTOPROPULSEUR

Moteur :	V6 de 3,5 litres 24s atmosphérique
Alésage et course	97,0 mm x 84,0 mm
Puissance :	268 ch (200 kW) à 6 000 tr/min
Couple :	258 lb-pi (350 Nm) de 2 400 à 5 000 tr/min
Rapport Poids/Puissance :	6,07 kg/ch (8,13 kg/kW)
Moteur électrique :	aucun
Autre(s) moteur(s) :	V8 5,0 l 302ch à 5 600tr/mn et 339lb-pi à 2 700tr/mn (CLK500), V8 5,5 l 362ch à 5 750tr/mn et 376lb-pi à 4 000tr/mn (CLK55 AMG)
Transmission :	propulsion, automatique 7 rapports
Autre(s) transmission(s) :	automatique 5 rapports (AMG)
Accélération 0-100 km/h :	6,6 s
Reprises 80-120 km/h :	4,7 s
Freinage 100-0 km/h :	35,6 m
Vitesse maximale :	250 km/h
Consommation (100 km) :	super, 12,8 litres
Autonomie (approximative) :	547 km
Émissions de CO2 :	n.d.

DANS LA MÊME CATÉGORIE

Audi A4 Cabriolet - BMW 330Ci - Nissan 350Z Roadster

DU NOUVEAU EN 2006

Nouveau moteur V6, nouveaux phares bi-xénon actif, aménagement intérieur révisé, boîte auto 7 rapports de série (sauf AMG)

HISTORIQUE DU MODÈLE

2ième génération

NOS IMPRESSIONS

Agrément de conduite :	4½
Fiabilité :	3
Sécurité :	4
Qualités hivernales :	3½
Espace intérieur :	3½
Confort :	3½

LE CHOIX DE L'ÉQUIPE

CLK350 Coupé

HAUTE COUTURE

Mercedes-Benz n'a mis qu'un an à faire évoluer la voiture-concept CLS, présentée au Salon de l'auto de Francfort en 2003, du stade de prototype à celui d'une voiture produite en série. Une période de développement record qui s'explique par le fait que la nouvelle CLS est largement dérivée de la berline de Classe E, bien qu'elle soit habillée d'une carrosserie beaucoup plus fluide et élégante, conçue afin de provoquer une réaction émotive chez le public. Les responsables du marketing de la marque n'ont d'ailleurs pas manqué l'occasion de présenter la CLS comme étant le « premier coupé à quatre portes ».

La CLS retient la calandre classique de la marque, mais les phares qui s'étendent presque sur le capot lui donnent un visage plus épuré. De profil, on remarque la ceinture de caisse élevée ainsi que la courbe fuyante du toit vers l'arrière, deux éléments qui font en sorte que la voiture semble avoir fondu sous un soleil aride, un peu comme les célèbres montres de Salvador Dali.

En s'installant à bord, on constate que les glaces latérales sont dépourvues de cadre, et que l'habitacle propose quatre places bien définies plutôt que cinq. Les passagers montant à l'arrière bénéficieront d'un très bon dégagement pour les jambes, la CLS étant plus spacieuse à cet endroit que la BMW Série 6. Par contre le dégagement pour la tête est limité par la ligne du toit. Assis derrière, l'on se sent soit protégé et enveloppé par la voiture ou un peu claustrophobe en raison de la ceinture de caisse très élevée et de l'étroitesse des glaces latérales. À l'avant, la planche de bord présente les commandes et les interrupteurs typiques de la Classe E, mais les concepteurs ont pris soin d'agrémenter la présentation par l'ajout de discrets appliqués de chrome ceinturant les instruments, les buses de ventilation et le pommeau du levier de vitesse. La qualité de la finition intérieure est sans reproches et les fidèles de la marque se retrouveront en territoire connu.

UNE E ÉVOLUÉE

Sur le plan technique, les suspensions, la direction et les freins de la Classe E ont été modifiés afin d'équiper la CLS dont les voies ont par ailleurs été élargies. Ainsi, la direction est plus rapide que celle de la Classe E et les freins sont plus performants. Quant aux éléments suspenseurs, la CLS fait appel à la suspension pneumatique Airmatic dotée de trois niveaux de calibration. En circulant sur certaines rues dégradées de Montréal, les suspensions calibrées aux réglages les plus souples absorbaient sereinement toutes les irrégularités de la chaussée, laissant conducteur et passager sous le charme d'un confort absolu. Sur les routes secondaires, il vaut mieux opter pour les deux niveaux de calibration plus sportifs puisque l'expérience de conduite est bonifiée en tenue de route et que la plongée vers l'avant est mieux maîtrisée lors de freinages intenses. Cela dit, l'expérience de conduite de la CLS 500 dans ces conditions est typique de Mercedes-Benz, à savoir que le conducteur demeure toujours légèrement déconnecté de la route, la voiture nous isolant quelque peu des sensations, ce qui fait qu'il est moins facile de bien sentir la CLS en conduite sportive. À ce chapitre, la conduite d'une CLS n'est pas aussi directe que celle d'une BMW Série 6, et la Mercedes-Benz semble vouloir nous communiquer que ce n'est pas nécessairement une bonne idée de pousser une voiture de 2 195 kilos à

FEU VERT

Allure distinctive
Freins performants
Moteurs puissants
Comportement routier sûr

FEU ROUGE

Dégagement pour la tête aux places arrière
Visibilité limitée
Prix élevé

la limite en conduite sportive. Pour ce qui est des motorisations, la grande nouveauté est l'adoption d'une nouvelle boîte Geartronic à sept rapports qui équipe la CLS 500 dotée du V8 de 5,0 litres développant 302 chevaux.

Évidemment, toute la panoplie d'aides électroniques à la conduite répond «présente!» lorsque les conditions le demandent. La CLS est équipée de série du système de contrôle de la stabilité (ESP – Electronic Stability Control) et du système de freinage électrohydraulique Sensotronic qui permet à la voiture de s'immobiliser sur la plus courte distance possible lorsque le système détecte que le conducteur vient de transférer rapidement son pied de l'accélérateur à la pédale de frein. En augmentant la pression hydraulique et en positionnant instantanément les plaquettes de frein juste sur les disques de façon à ce que l'effort de freinage maximum soit libéré dès que le conducteur applique les freins, la distance totale d'arrêt se trouve réduite. L'efficacité de ce système a même été testée par un collègue qui a réussi à immobiliser sa CLS à quelques centimètres d'une voiture qui venait de s'arrêter soudainement. Malheureusement pour lui, la voiture qui le suivait (une Mercedes-Benz de Classe C, si ma mémoire est bonne) n'a pas été en mesure de s'arrêter à temps et a promptement embouti la CLS, mais par bonheur personne n'a été blessé dans cet accident.

À la CLS 500 s'ajoute une version développée par AMG qui est animée par un moteur V8 de 5,4 litres suralimenté par un compresseur développant 469 chevaux qui est jumelé à la boîte automatique Speedshift, qui elle-même compte cinq rapports. La CLS55 AMG est également dotée de suspensions dont la calibration est nettement plus ferme, et de disques de frein surdimensionnés par rapport à la CLS 500. De plus, sur la CLS55 AMG, le système de contrôle de la stabilité ESP permet de gérer la puissance accrue de ce modèle en appliquant les freins à une seule roue pour transférer le couple à celle qui bénéficie d'une meilleure adhérence, ce qui produit essentiellement le même effet qu'un différentiel à glissement limité.

Gabriel Gélinas

Photos: Denis Duquet

DONNÉES TECHNIQUES

Modèle à l'essai:	CLS500
Prix du modèle à l'essai:	92600$
Échelle de prix:	92600$ à 125600$
Garanties:	4 ans/80000 km, 5 ans/120000 km
Catégorie:	berline de luxe
Emp./Lon./Lar./Haut.(cm):	285/491/187/139
Poids:	1810 kg
Coffre/Réservoir:	450 litres / 80 litres
Coussins de sécurité:	frontaux, latéraux (av.), rideaux
Suspension avant:	indépendante, bras inégaux
Suspension arrière:	indépendante, multibras
Freins av./arr.:	disque (ABS)
Antipatinage/Contrôle de stabilité:	oui/oui
Direction:	à crémaillère, assistée
Diamètre de braquage:	n.d.
Pneus av./arr.:	P245/40ZR18 / P275/35ZR18
Capacité de remorquage:	non recommandé

Pneus d'origine MICHELIN

GROUPE MOTOPROPULSEUR

Moteur:	V8 de 5,0 litres 24s atmosphérique
Alésage et course	97,0 mm x 84,0 mm
Puissance:	302 ch (225 kW) à 5600 tr/min
Couple:	339 lb-pi (460 Nm) de 2700 à 4250 tr/min
Rapport Poids/Puissance:	5,99 kg/ch (8,15 kg/kW)
Moteur électrique:	aucun
Autre(s) moteur(s):	V8 5,5 l 469ch à 6100tr/mn et 516lb-pi à 2650 à 4500tr/mn (AMG)
Transmission:	propulsion, automatique 7 rapports
Autre(s) transmission(s):	aucune
Accélération 0-100 km/h:	6,1 s
Reprises 80-120 km/h:	5,3 s
Freinage 100-0 km/h:	n.d.
Vitesse maximale:	250 km/h
Consommation (100 km):	super, 13,5 litres
Autonomie (approximative):	593 km
Émissions de CO2:	n.d.

DANS LA MÊME CATÉGORIE

Infiniti Q45 - Lexus GS 430 - Volvo S60R

DU NOUVEAU EN 2006

Pas de changement majeur

HISTORIQUE DU MODÈLE

1ière génération

NOS IMPRESSIONS

Agrément de conduite:	4½
Fiabilité:	3½
Sécurité:	5
Qualités hivernales:	4
Espace intérieur:	4
Confort:	4½

LE CHOIX DE L'ÉQUIPE

CLS500

PERSONNALITÉS MULTIPLES

Descendante directe de la célèbre « Gullwing » avec laquelle Mercedes-Benz remporta la démentielle course mexicaine « Carrera Panamericana », l'actuelle SL de neuvième génération dévoilée en 2003 poursuit sa route en proposant à son conducteur une expérience hors du commun, soit celle de rouler à la fois au volant d'un coupé et d'un cabriolet, tout en appréciant un niveau de luxe et de confort inégalé dans les deux cas.

Si la SL est dotée de personnalités multiples, c'est que la gamme est composée de quatre modèles animés par des moteurs V8 et V12 dont la puissance varie du simple au double, soit de 302 à 604 chevaux... Au sommet de la pyramide se trouve la SL 65 AMG qui est la plus puissante et la plus rapide des variantes développées par Mercedes-Benz avec la collaboration des ingénieurs de chez AMG. La carte maîtresse de ce modèle est sans contredit son moteur V12 de 6,0 litres qui est suralimenté par deux turbocompresseurs ce qui lui permet de développer 604 chevaux, mais surtout 738 livres-pied de couple, ce qui est absolument phénoménal.

Au volant de la SL 65 AMG, la poussée est remarquable, et les manœuvres de dépassement deviennent incroyablement faciles. Il suffit de repérer un espace et d'écraser l'accélérateur pour sentir la voiture bondir vers l'avant, en réponse au léger délai causé par le rétrogradage ultrarapide de la boîte à cinq rapports. Cette boîte constitue d'ailleurs l'un des points faibles de la SL 65 AMG puisqu'elle ne compte justement que cinq rapports, alors que le modèle de base SL 500 (si on peut le qualifier ainsi) est doté d'une boîte automatique qui en compte sept. Le V12 biturbo de la SL 65 AMG livre tellement de puissance et de couple que cette légère déficience n'affecte pas les performances en accélération. Mais elle a cependant une incidence directe sur la consommation de carburant qui se trouverait bonifiée par l'ajout des deux rapports supplémentaires en entraînant une baisse du régime moteur une fois la vitesse de croisière atteinte.

Sur la route, la gamme des SL est handicapée par un poids très élevé, ce qui fait que la puissance de 302 chevaux livrée par le moteur de la SL 500 paraît un peu juste. Dans les virages, il devient rapidement apparent que les SL n'apprécient pas les enchaînements et les transitions rapides au même point qu'une authentique sportive comme une Porsche 911. La qualité première de la SL étant d'assurer le confort du conducteur et du passager, les suspensions sont calibrées avec des réglages plus souples qui s'accommodent nettement mieux des routes dégradées qui sont notre lot au Québec, mais qui ne mettent pas nécessairement le conducteur en confiance lorsque celui-ci tente de pousser la voiture à la limite. Comme la SL est donc axée sur le confort, on a affaire à une voiture qui ne rechigne pas quand vient le temps de s'amuser, mais qui nous rappelle vite à l'ordre par le truchement des aides électroniques à la conduite qui interviennent beaucoup plus rapidement sur cette voiture que sur une BMW de Série 6 ou sur une sportive de Stuttgart. Cette calibration plus rapide et plus sensible du système ESP (Electronic Stability

FEU VERT

Boîte automatique à sept rapports (SL500)
Confort de roulement
Ligne classique
Puissance moteur (SL600 et SL65 AMG)

FEU ROUGE

Prix élevé
Poids élevé
Volume du coffre (toit remisé)
Puissance un peu juste du moteur 5,0 litres

Control) permet par ailleurs d'assurer que le conducteur d'une SL ne regrette pas amèrement son excès d'enthousiasme. Soulignons par ailleurs que les versions AMG sont équipées de freins nettement plus performants et mieux adaptés aux vitesses plus élevées que ces modèles sont en mesure d'atteindre.

BALAI MÉCANIQUE

À l'instar de la SLK, la génération actuelle de la SL est dotée d'un toit articulé dont le fonctionnement ne cesse d'émerveiller, même s'il ajoute beaucoup de poids à la voiture. Vu de l'extérieur, le balai mécanique enclenché par la seule pression d'un bouton produit toujours l'étonnement des passants et des autres automobilistes. Avec le toit en place, le silence qui règne à bord nous ferait croire que la SL est dotée d'un toit rigide tellement l'isolement des bruits de la route est réussi. Ce système typique aux SL et SLK de Mercedes-Benz a d'ailleurs trouvé son écho chez d'autres constructeurs, notamment chez Lexus avec la SC430, alors que d'autres comptent commercialiser bientôt des modèles équipés de cette même technologie, comme Volvo avec la C70 ou encore BMW avec une éventuelle variante de la Série 3. La ligne des SL est d'un classicisme indéniable et l'habitacle propose cet environnement intimiste typique d'une deux places, doublé ici d'une ambiance feutrée créée par le design et la qualité des matériaux. Comme il s'agit à la fois d'un coupé et d'un cabriolet, précisons que la SL est dotée d'un arceau de sécurité qui se déploie automatiquement si l'ordinateur de bord détecte l'imminence d'un capotage.

Nettement moins sportive qu'une Porsche 911 Turbo et un peu moins agile qu'une BMW 645i Cabriolet, la SL de Mercedes-Benz est une authentique voiture de Grand Tourisme, capable de rouler à des vitesses élevées tout en transportant conducteur et passager sur de longues distances en tout confort. Quant aux versions développées par AMG, elles sont dans une catégorie à part en ce qui a trait à la puissance moteur, surtout dans le cas de la phénoménale SL65 AMG.

Gabriel Gélinas

Photos: Mercedes-Benz

DONNÉES TECHNIQUES

Modèle à l'essai:	SL55 AMG
Prix du modèle à l'essai:	176300$
Échelle de prix:	133100$ à 259950$
Garanties:	4 ans/100000 km, 5 ans/120000 km
Catégorie:	coupé/cabriolet
Emp./Lon./Lar./Haut.(cm):	256/453,5/183/130
Poids:	1920 kg
Coffre/Réservoir:	235 à 317 litres / 80 litres
Coussins de sécurité:	frontaux, latéraux (av.), rideaux
Suspension avant:	indépendante, bras inégaux
Suspension arrière:	indépendante, multibras
Freins av./arr.:	disque (ABS)
Antipatinage/Contrôle de stabilité:	oui/oui
Direction:	à crémaillère, assistance variable électrique
Diamètre de braquage:	11,0 m
Pneus av./arr.:	P255/40R18 / P285/35R18
Capacité de remorquage:	non recommandé

Pneus d'origine MICHELIN

GROUPE MOTOPROPULSEUR

Moteur:	V8 de 5,5 litres 24s turbocompressé
Alésage et course	97,0 mm x 92,0 mm
Puissance:	493 ch (368 kW) à 6100 tr/min
Couple:	516 lb-pi de 2750 à 4000 tr/min
Rapport Poids/Puissance:	3,89 kg/ch (5,29 kg/kW)
Moteur électrique:	aucun
Autre(s) moteur(s):	V8 5,0 l 302ch à 5600tr/mn et 339lb-pi à 2700tr/mn (SL500), V12 5,5 l 493ch à 5000tr/mn et 590lb-pi à 1800tr/mn (SL600), V12 6,0 l 604ch à 4800tr/mn et 738lb-pi à 2000tr/mn (SL65 AMG - biturbo)
Transmission:	propulsion, automatique 5 rapports
Autre(s) transmission(s):	automatique 7 rapports
Accélération 0-100 km/h:	4,7 s
Reprises 80-120 km/h:	3,2 s
Freinage 100-0 km/h:	36,3 m
Vitesse maximale:	250 km/h
Consommation (100 km):	super, 15,0 litres
Autonomie (approximative):	533 km
Émissions de CO2:	6910 kg/an

DANS LA MÊME CATÉGORIE

Cadillac XLR - Dodge Viper - Jaguar XKR - Lexus SC 430 - Porsche 911 turbo

DU NOUVEAU EN 2006

Pas de changement majeur, nouvelles roues optionnelles (SL500 et SL600), nouvelles couleurs

HISTORIQUE DU MODÈLE

9ème génération

NOS IMPRESSIONS

Agrément de conduite:	4½
Fiabilité:	4
Sécurité:	4
Qualités hivernales:	2½
Espace intérieur:	3
Confort:	3

LE CHOIX DE L'ÉQUIPE

SL500

CONVERTIE EN SPORTIVE

Après avoir roulé sa bosse pendant 8 ans, le petit coupé roadster de Mercedes-Benz, le SLK, a fait peau neuve l'an dernier. Pour compléter les brèves impressions de conduite recueillies lors de son lancement dans les Baléares, je me suis assuré d'en faire un essai plus approfondi sur nos très chères routes québécoises. Plus long et plus large, le modèle a changé de physionomie et d'appellation numérique. Côté look, le SLK 2006 adopte un air de famille, de grande famille. En effet, il ressemble à la super spectaculaire SLR McLaren, la Mercedes la plus chère, la plus rapide et la plus exclusive. Personne ne s'en plaindra étant donné que le coup d'œil fait recette.

À part son nouveau costume, le roadster SLK se fait cadeau d'un moteur V6 tout neuf de 3,5 litres et 268 chevaux qui, combiné à la nouvelle boîte manuelle à 6 rapports, offre des performances dignes d'une Porsche Boxster S. Et le confort général de la voiture est très supérieur à celui de sa rivale allemande. Plus agile qu'avant et bonifiée par le guidage nettement plus précis de sa boîte de vitesses manuelle, la voiture est un charme à conduire sur de petites routes en lacets. Pour l'année modèle 2006, Mercedes propose une version moins chère de la SLK, la 280, curieusement pourvue d'un V6 3 litres de 228 chevaux. À un prix de 59 950 $, elle vous permettra d'économiser 5 450 $... pour payer vos factures d'essence.

Mais, ne mettons pas la charrue avant les bœufs et voyons un peu ce que la dernière SLK a à offrir par rapport au modèle de première génération.

MÊME LE TOIT EST PLUS RAPIDE!

Quand Christophe Horn, le responsable de la mise au point, a présenté son nouveau-né à la presse, au musée Palau de Palma de Majorque, il a souligné que l'on avait tenu compte des critiques adressées à l'ancienne SLK. On a notamment agrandi le coffre de 63 litres et réduit à 22 secondes le temps nécessaire pour abaisser ou remonter le toit. À ce propos, l'espace pour les bagages est toujours très mesuré lorsque le toit rigide s'y est réfugié, et celui-ci était à l'origine de craquements lors de mon second essai réalisé par temps plutôt froid. Ce couvre-chef, rappelons-le, permet au cabriolet SLK de retrouver toute l'étanchéité d'un coupé grâce à un toit métallique qui disparaît dans le coffre au simple toucher d'un bouton. Comme pour la plupart de ses modèles, Mercedes a fait passer la SLK dans les ateliers d'AMG où on l'a notamment armé d'un V8 de 360 chevaux. Sauf qu'avec le V6 précité, j'ai mesuré un 0-100 km/h en 5,6 secondes. Assez vite merci, selon moi. Même avec l'automatique à 7 vitesses (sic), les palettes sous le volant autorisent des changements de rapports aussi vifs qu'une boîte séquentielle robotisée sans incidence fâcheuse sur les performances. Par contre, le comportement de cette version est davantage axé sur le confort et elle est carrément moins sportive. La direction par exemple n'a pas la précision tranchante que l'on souhaiterait tout en étant un peu détachée de l'état du revêtement.

Plusieurs diront que le moteur est trop doux pour s'associer à une voiture de sport ou que la suspension est trop souple mais il reste que l'agrément de conduite est bien présent. Néanmoins, on aura avantage à miser sur une SLK manuelle pour une conduite sportive engagée. Autrement, la voiture accuse son poids et la tendance au sous-virage est plus marquée.

FEU VERT

Agrément de conduite en hausse
Toit dur au point
Confort d'une GT
V6 3,5 litres très performant
Chauffe-cou génial

FEU ROUGE

Adieu aux bagages
Direction détachée de la route
Bruits de caisse en hiver
Faible instrumentation

LA SAISON DES CABRIOS PROLONGÉE. Mercedes a aussi mis au point une peinture antiégratignures mais l'innovation la plus appréciée toutefois est ce que l'on appelle le Air Scarf ou, si vous aimez mieux, le foulard invisible. Cet accessoire, anodin en soit, pourrait bien révolutionner le monde des cabriolets. Il consiste en un aérateur logé dans l'appuie-tête au niveau du cou. Par temps frais, l'aérateur souffle de l'air chaud au conducteur et à son passager avec pour conséquence que l'on peut rouler à ciel ouvert et prolonger de plusieurs semaines la saison des cabriolets. J'ai eu l'occasion d'en vérifier l'efficacité par une soirée fraîche et le résultat est très convaincant. On peut même dire que la saison des cabriolets s'en trouve prolongée d'un bon trois semaines dans les deux sens (printemps-automne). Génial… rien de moins! D'ailleurs, tout le système de climatisation est d'une efficacité remarquable, y compris le «chauffe-foufounes». Là où ce modèle fait défaut à son image sportive, c'est du côté de l'instrumentation qui se limite au compte-tours (qui enchâsse la jauge à essence) et à l'indicateur de vitesse. Les autres données se terrent dans les entrailles d'un centre de données aussi récalcitrant que les autres à fournir des informations convivialement.

On n'a jamais pu porter un jugement critique sur la finition d'une Mercedes et cela ne commencera pas avec celle-ci qui semble construite avec grand soin. La visibilité plutôt moche de la première version de la SLK ne fait plus partie des reproches à faire à la nouvelle. Les sièges ne sont pas parfaits (à mon goût) pour de longues randonnées mais plusieurs s'en accommoderont facilement.

Le coupé-roadster SLK de Mercedes avait été distancé par ses concurrents depuis quelques années mais, dans sa dernière version, il se repositionne tout en haut de l'échelle dans la catégorie des voitures qui font plaisir. Il n'y a pas de meilleure recette pour revivre vos 20 ans.

Jacques Duval

Photos: Didier Constant

DONNÉES TECHNIQUES

Modèle à l'essai:	SLK350
Prix du modèle à l'essai:	65400$
Échelle de prix:	55950$ à 84050$
Garanties:	4 ans/80000 km, 5 ans/120000 km
Catégorie:	roadster
Emp./Lon./Lar./Haut.(cm):	243/409/179/127
Poids:	1465 kg
Coffre/Réservoir:	185 à 277 litres / 70 litres
Coussins de sécurité:	frontaux et latéraux (av.)
Suspension avant:	indépendante, multibras
Suspension arrière:	indépendante, multibras
Freins av./arr.:	disque (ABS)
Antipatinage/Contrôle de stabilité:	oui/oui
Direction:	à crémaillère, assistée
Diamètre de braquage:	10,6 m
Pneus av./arr.:	P225/45ZR17 / P245/40ZR17
Capacité de remorquage:	non recommandé

Pneus d'origine MICHELIN

GROUPE MOTOPROPULSEUR

Moteur:	V6 de 3,5 litres 24s atmosphérique
Alésage et course	92,9 mm x 86,0 mm
Puissance:	268 ch (200 kW) à 6000 tr/min
Couple:	258 lb-pi de 2400 à 5000 tr/min
Rapport Poids/Puissance:	5.47 kg/ch (7.44 kg/kW)
Moteur électrique:	aucun
Autre(s) moteur(s):	V8 5,5 l 362ch à 6000tr/mn et 376lb-pi à 3500tr/mn (SLK55 AMG), V6 3,0 l 228ch à 6000tr/mn et 221lb-pi à 2700 à 5000tr/mn (SLK280)
Transmission:	propulsion, manuelle 6 rapports
Autre(s) transmission(s):	automatique 7 rapports
Accélération 0-100 km/h:	5,6 s
Reprises 80-120 km/h:	5,5 s
Freinage 100-0 km/h:	37,0 m
Vitesse maximale:	250 km/h
Consommation (100 km):	super, 11,7 litres
Autonomie (approximative):	598 km
Émissions de CO2:	6096 kg/an

DANS LA MÊME CATÉGORIE

Audi TT - BMW Z4 - Porsche Boxster - Honda S2000

DU NOUVEAU EN 2006

Addition d'un moteur 3,0 litres, climatiseur automatique standard sur SLK350, quelques nouvelles options, Storm Red remplace le Firemist Red

HISTORIQUE DU MODÈLE

2ième génération

NOS IMPRESSIONS

Agrément de conduite:	🚗🚗🚗🚗½
Fiabilité:	🚗🚗🚗🚗
Sécurité:	🚗🚗🚗🚗
Qualités hivernales:	🚗🚗🚗
Espace intérieur:	🚗🚗🚗
Confort:	🚗🚗🚗🚗

LE CHOIX DE L'ÉQUIPE

SLK350

SURPRENANTE DOYENNE

Je n'avais que 6 ou 7 ans lorsqu'un oncle s'est pointé dans la cour de mes parents au volant de sa rutilante Mercury Grand Marquis de l'année. Elle venait tout juste de faire son apparition, et sa taille, associée au luxe intérieur, la rendait désirable pour n'importe quel amateur d'automobile. C'était en 1975, l'époque où les grandes américaines avaient encore la cote auprès d'une clientèle à la recherche de super confort. Depuis, ces personnes ont vieilli, mais la Grand Marquis continue d'offrir les mêmes qualités, modernisme en plus.

Car il faut l'avouer, elle a conservé la sobriété de sa silhouette, mais a considérablement rajeuni l'ensemble de ses composantes mécaniques, ce qui en fait dorénavant une voiture efficace, sans toutefois ajouter la sophistication et le raffinement des dernières technologies.

FINI LES BATEAUX

Aujourd'hui comme hier, les Grand Marquis sont populaires auprès d'une clientèle, disons plus âgée, ou auprès des entreprises qui en font leur choix pour leur parc automobile. Cela ne signifie pas pour autant que ses composantes sont d'une autre époque. Au fil des années, sa mécanique s'est adaptée aux technologies du jour et elle est devenue beaucoup plus dynamique. Vous seriez étonné de voir qu'elle peut vous transporter ailleurs qu'aux parties de bingo du mardi après-midi !

La plus grande modification, et qui a rendu le plus fier service à la voiture, c'est l'utilisation d'un châssis autonome qui est dorénavant doté de longerons hydroformés. Ce qui a permis de rendre la structure de la grande voiture plus rigide de 24 %. Il faut ajouter à cela d'importantes modifications aux suspensions, les rendant plus efficaces. La Grand Marquis (tout comme la Crown Victoria de Ford d'ailleurs, ainsi que la Lincoln Town Car), fait partie d'un club devenu très limité de nos jours : celui des berlines dont la carrosserie est montée sur un châssis autoportant alors que la majorité des autres véhicules utilise plutôt un monocoque. La différence est remarquable en terme de solidité et, aspect non négligeable, de durabilité puisque le châssis demeure inébranlable durant de longues années. Autre particularité de ces grandes américaines, on emploie des suspensions à essieu rigide à l'arrière au lieu des suspensions indépendantes que l'on retrouve sur la majorité des voitures. Cette fois, c'est l'usage commercial et policier qui prime : les acheteurs commerciaux considèrent ce type de suspension plus économique en réparations et aussi plus solide. Théoriquement, ce genre de suspension est moins efficace contre les chocs et les soubresauts provoqués par des chaussées dégradées. Pour compenser, on utilise des coussinets répartis un peu partout dans la structure, ce qui permet d'absorber la plupart des chocs avec une certaine douceur. De plus, l'utilisation d'une barre Watts à la suspension arrière élimine le roulis et le tangage comme c'est souvent l'apanage des suspensions mal adaptées.

Ce serait mentir de dire que tout est parfait, et la direction de la Grand Marquis, malgré l'utilisation d'un système à crémaillère, est encore floue,

FEU VERT

Confort exceptionnel
Habitacle spacieux
Comportement dynamique étonnant
Coffre arrière caverneux

FEU ROUGE

Silhouette vieillissante
Direction engourdie
Accélération peu convaincante
Freinage longuet

pour ne pas dire brumeuse comme un matin de pluie, peu importe la vitesse. Quant à la mécanique, elle est puissante (on parle quand même d'une propulsion équipée d'un V8 de 4,6 litres développant 224 chevaux), mais linéaire, c'est-à-dire que les accélérations se font progressivement, sans être brusques. Un peu trop linéaire en fait, ce qui donne parfois l'impression que le moteur ne suffira pas à la tâche. Mais il finit toujours par y parvenir.

UNE AFFAIRE D'ESPACE

La Grand Marquis a une silhouette d'une sobriété exemplaire. Et si vous l'achetez blanche, vous risquez de laisser croire à votre entourage que vous faites partie d'un corps policier. En fait, peu importe la couleur, elle est plutôt anonyme. Ce n'est d'ailleurs que rarement pour le look que l'on achète ce genre de voiture. Ses dimensions en revanche ont de quoi attirer tous les compliments. À l'intérieur, les occupants auront un espace plus que suffisant, peu importe le siège qu'ils occupent. À l'arrière, le dégagement pour la tête et les épaules est à peu près équivalent à celui de mon salon. Jumelez cet espace à des sièges de cuir d'un grand confort et à des fenêtres grandes comme des vitrines, et vous vous croirez somptueusement installé dans une serre quatre saisons.

Dans le coffre aussi l'espace est gigantesque, le seuil assez bas pour être facilement accessible, et l'ouverture grande comme une grotte. Il est donc facile d'y loger autant de sacs de golf que de passagers dans la voiture. Et évidemment, la liste d'accessoires est longue comme la carrosserie de la Grand Marquis!

Cette année, la voiture présente des petits changements à la grille avant, et rien de plus. On maintient aussi quatre versions de la Grand Marquis, les GS Convenience, LS Premium, LES et LS Ultimate, dont la plupart sont d'abord destinées à être des véhicules commerciaux. Mais la surprise pourrait bien venir de la bannière Ford. Alors que le Crown Victoria n'existait plus qu'en version Heavy-Duty pour les taxis, et Police Interceptor, il semble bien qu'il pourrait refaire une apparition comme voiture de route, avec sensiblement les mêmes spécifications techniques que la Grand Marquis, comme c'est le cas aux États-Unis.

Avec une telle fiche, on ne doit plus rire de la Grand Marquis. Rappelez-vous que l'on doit traiter les doyens avec respect, ils ont encore beaucoup à nous apprendre.

Bertrand Godin

Photos: Mercury

MERCURY GRAND MARQUIS

DONNÉES TECHNIQUES

Modèle à l'essai:	GS
Prix du modèle à l'essai:	37200$ - 2005
Échelle de prix:	36735$ à 41465$ - 2005
Garanties:	3 ans/60000 km, 5 ans/100000 km
Catégorie:	berline grand format
Emp./Lon./Lar./Haut.(cm):	289/538/199/144
Poids:	1875 kg
Coffre/Réservoir:	583 litres / 71 litres
Coussins de sécurité:	frontaux et latéraux (av.)
Suspension avant:	indépendante, bras inégaux
Suspension arrière:	essieu rigide, ressorts hélicoïdaux
Freins av./arr.:	disque (ABS)
Antipatinage/Contrôle de stabilité:	opt./non
Direction:	à crémaillère, assistée
Diamètre de braquage:	12,0 m
Pneus av./arr.:	P225/60R16
Capacité de remorquage:	680 kg

Pneus d'origine MICHELIN

GROUPE MOTOPROPULSEUR

Moteur:	V8 de 4,6 litres 16s atmosphérique
Alésage et course	90,0 mm x 90,0 mm
Puissance:	224 ch (167 kW) à 4800 tr/min
Couple:	272 lb-pi (369 Nm) à 4000 tr/min
Rapport Poids/Puissance:	8,37 kg/ch (11,36 kg/kW)
Moteur électrique:	aucun
Autre(s) moteur(s):	seul moteur offert
Transmission:	propulsion, automatique 4 rapports
Autre(s) transmission(s):	aucune
Accélération 0-100 km/h:	8,9 s
Reprises 80-120 km/h:	7,4 s
Freinage 100-0 km/h:	39,4 m
Vitesse maximale:	190 km/h
Consommation (100 km):	ordinaire, 13,8 litres
Autonomie (approximative):	514 km
Émissions de CO2:	5456 kg/an

DANS LA MÊME CATÉGORIE

Chrysler 300 - Kia Amanti - Toyota Avalon

DU NOUVEAU EN 2006

Jantes 16 po aluminium, nouvelle calandre, nouvelle couleur de peinture métalisée

HISTORIQUE DU MODÈLE

4ième génération

NOS IMPRESSIONS

Agrément de conduite:	🚗🚗½
Fiabilité:	🚗🚗🚗🚗
Sécurité:	🚗🚗🚗🚗
Qualités hivernales:	🚗🚗🚗½
Espace intérieur:	🚗🚗🚗🚗
Confort:	🚗🚗🚗🚗

LE CHOIX DE L'ÉQUIPE

LS

RETOUR AUX TEMPS MODERNES

La Mini, c'est plus qu'une voiture, c'est un véritable symbole. Légendaire dans sa première mouture qui date d'une trentaine d'années, elle est tout aussi convoitée dans sa version moderne, reprise par BMW. Il faut dire qu'elle a de quoi plaire. Les gens de chez BMW qui ont relancé la marque en 2002 ont vraiment tout mis en oeuvre pour développer un véritable petit bijou. Et pour compléter la gamme, ils ont lancé l'année dernière une version cabriolet encore plus populaire que l'original.

Côté design, il n'y a évidemment rien à redire. Même si les dimensions de l'originale ont été gonflées aux stéroïdes (la version contemporaine est plus longue de 60 centimètres que celle des années 70 ce qui n'est pas rien), on a réussi à conserver les proportions et le style.

On a tout de même apporté des ajustements à la silhouette et à certains détails pour lui donner un air définitivement plus moderne, ce qui donne un mariage réussi sur toute la ligne.

COMME UN COCKPIT

À l'intérieur, le design est exceptionnel. Dans notre modèle d'essai par exemple, la finition du tableau de bord réussit à marier à la fois le style très moderne du design, et un petit aspect nostalgique. Quant aux instruments, leur intégration dans un concept qui s'approche davantage du cockpit d'avion que du panneau traditionnel, est exceptionnellement réussie.

Il faut l'admettre, les cadrans sont aussi une réussite complète. Au centre, un énorme cadran indique la vitesse à laquelle vous roulez. Juste au-dessus du volant, un autre cadran, plus petit mais de peu, indique le régime moteur. Un petit indicateur électronique que l'on contrôle manuellement peut aussi y indiquer la vitesse actuelle, ainsi que différentes autres informations pratiques.

Au volant de notre modèle d'essai, toutes les commandes de régulateur de vitesse et du système audio (même si certaines sont dissimulées derrière le volant) sont faciles d'accès, et simples à comprendre. Seuls quelques boutons installés au centre de la console centrale sont peu accessibles, et leur taille est si petite qu'ils sont difficiles à manipuler.

Les sièges sont enveloppants, offrent un bon support et laissent suffisamment d'espace pour la tête et les jambes. Armez-vous de patience par contre pour assurer les réglages qui sont toujours manuels, et avec une mollette digne des années 70. Comme quoi le rétro a laissé sa marque.

À l'arrière, l'espace est évidemment plus limité. Pas question par exemple, de laisser notre rédacteur en chef s'asseoir à l'arrière. Son gabarit imposant l'empêcherait purement et simplement d'accéder à ces places. Mentionnons enfin que le coffre arrière, déjà minuscule sur la Mini traditionnelle, prend des allures microscopiques dans le cabriolet.

FEU VERT

Design exceptionnel
Conduite ultraprécise
Sensations de conduite uniques
Version cabriolet réussie

FEU ROUGE

Coffre arrière minuscule
Moteur de base trop juste
Craquements de caisse en conduite
Visibilité arrière réduite

DONNÉES TECHNIQUES

Modèle à l'essai:	S Cabriolet
Prix du modèle à l'essai:	36500$ - 2005
Échelle de prix:	23500 $ à 36500$ - 2005
Garanties:	4 ans/80000 km, 4 ans/80000 km
Catégorie:	coupé/cabriolet
Emp./Lon./Lar./Haut.(cm):	247/365,5/169/142
Poids:	1290 kg
Coffre/Réservoir:	150 litres / 50 litres
Coussins de sécurité:	frontaux et latéraux (av.)
Suspension avant:	indépendante, bras inégaux
Suspension arrière:	indépendante, multibras
Freins av./arr.:	disque (ABS)
Antipatinage/Contrôle de stabilité:	oui/oui
Direction:	à crémaillère, assistée
Diamètre de braquage:	10,6 m
Pneus av./arr.:	P205/45ZR17
Capacité de remorquage:	non recommandé

GROUPE MOTOPROPULSEUR

Moteur:	4L de 1,6 litres 16s surcompressé
Alésage et course	77,0 mm x 85,1 mm
Puissance:	168 ch (125 kW) à 6000 tr/min
Couple:	162 lb-pi (220 Nm) à 4000 tr/min
Rapport Poids/Puissance:	7,68 kg/ch (10,32 kg/kW)
Moteur électrique:	aucun
Autre(s) moteur(s):	4L 1,6 l 115ch à 6000tr/mn et 110lb-pi à 4500tr/mn
Transmission:	traction, manuelle 6 rapports
Autre(s) transmission(s):	auto. 6 rapports / CVT
Accélération 0-100 km/h:	7,3 s
Reprises 80-120 km/h:	8,2 s
Freinage 100-0 km/h:	41,1 m
Vitesse maximale:	215 km/h
Consommation (100 km):	super, 11,2 litres
Autonomie (approximative):	446 km
Émissions de CO2:	3935 kg/an

PETITE ET PAS NERVEUSE

En revanche, dès que l'on prend la route, on oublie assez facilement ces petits désagréments. À condition cependant d'aimer la conduite sportive, et de n'être pas trop rébarbatif aux suspensions un peu rigides.

Le moteur de la version de base est un peu juste avec ses 115 chevaux, mais la version S suralimentée permet d'aller chercher jusqu'à 168 chevaux, ce qui est nettement plus agréable. Et ce, même si les démarrages sont loin d'être foudroyants, ou les reprises explosives. C'est d'ailleurs la principale déception de la voiture: elle n'est peut-être pas aussi nerveuse qu'on l'aurait souhaité.

Qu'à cela ne tienne cependant, elle fournit tellement de plaisir de conduite en toute circonstance que cette légère faiblesse est vite pardonnée. L'accélération est précise et les rapports bien répartis, ce qui permet d'avoir de la puissance à toutes les plages de chacun des six rapports de la transmission manuelle. Une transmission à cinq rapports ainsi qu'une autre à variation continue sont offertes en option.

Quant à la direction, elle est directe et répond au quart de tour à toute demande. On se croirait presque au volant d'un kart tellement la petite voiture donne l'impression de pouvoir se faufiler dans n'importe quelle trajectoire. Même la version cabriolet bénéficie de la même agilité, rigidité structurelle en prime puisqu'on a renforcé la coque pour y arriver.

UNE SUITE LOGIQUE

Évidemment, une fois la Mini sur sa lancée, il fallait une suite aussi forte. Et cette suite, logiquement, c'était la version cabriolet. Inutile de dire l'effet quand on voit cette Mini sans le haut.

On a réussi un excellent coup en installant une capote souple au lieu d'un toit rigide. D'une simple pression du doigt, on peut actionner le mécanisme, même en roulant.

Marc Bouchard

DANS LA MÊME CATÉGORIE

Acura RSX - Ford Focus ST - Honda Civic Si - Mazda MX5 - Volkswagen Golf GTI - Volkswagen New Beetle Cabrio

DU NOUVEAU EN 2006

Nouveau groupe d'options John Cooper

HISTORIQUE DU MODÈLE

2ième génération

NOS IMPRESSIONS

Agrément de conduite:	4
Fiabilité:	2½
Sécurité:	3
Qualités hivernales:	3
Espace intérieur:	3
Confort:	3½

LE CHOIX DE L'ÉQUIPE

S cabrio

Photos: Mini

LA FIN D'UNE ÉPOPÉE ?

Ne cherchez pas les points communs entre la Mitsubishi Eclipse de quatrième génération, lancée en juin dernier, et les anciennes versions. Outre le nom, que l'on a conservé parce qu'il évoque beaucoup de rêves pour de nombreux automobilistes, la nouvelle Eclipse est totalement différente de tout ce qui a été fait dans le passé. Et cette nouvelle voiture, qui a connu aussi sa part de problèmes depuis son lancement, pourrait bien ramener Mitsubishi sur le chemin de la rentabilité si elle remplit ses promesses.

Disons-le, personne n'enviait le sort du manufacturier japonais. Les problèmes financiers liés notamment à des incitatifs d'achat trop généreux, et le refus de DaimlerChrysler d'investir davantage, avaient sérieusement compromis la crédibilité du fabricant automobile Mitsubishi.

Pourtant, malgré ce fort vent de face, Mitsubishi a réussi à se tenir debout, proposant pour attirer la clientèle une garantie de 10 ans, la plus longue offerte dans l'industrie. Pendant ce temps, les administrateurs se chargeaient de restructurer la compagnie, pendant que les ingénieurs tentaient d'élaborer les nouveaux produits qui serviront de base à la relance.

Depuis quelques semaines, les bonnes nouvelles ont commencé à déferler. De nouveaux partenaires financiers ont permis de consolider les opérations pour les prochaines années, et on a enfin lancé un modèle, la toute nouvelle Éclipse, capable de rallier ceux qui doutaient encore de la capacité de Mitsu de produire des voitures excitantes. Cependant, ceux qui souhaitaient la version convertible, appelée Spyder, devront attendre au printemps 2006 avant qu'elle ne fasse son apparition. Mitsubishi ne pouvait tout faire en même temps !

VÉRITABLE RENAISSANCE

Précisons-le tout de suite, la nouvelle Eclipse n'a, heureusement diront les mauvaises langues, rien de commun avec l'ancienne. Elle a été entièrement reconstruite sur de nouvelles bases, du châssis au moteur.

Présentée en janvier dernier au salon de l'Auto à Detroit, elle s'était attiré les éloges non seulement des fanatiques de la marque, mais aussi du public en général. Comme c'est souvent le cas, la version définitive est un peu moins audacieuse, mais quel contraste avec l'ancienne version aux lignes démodées !

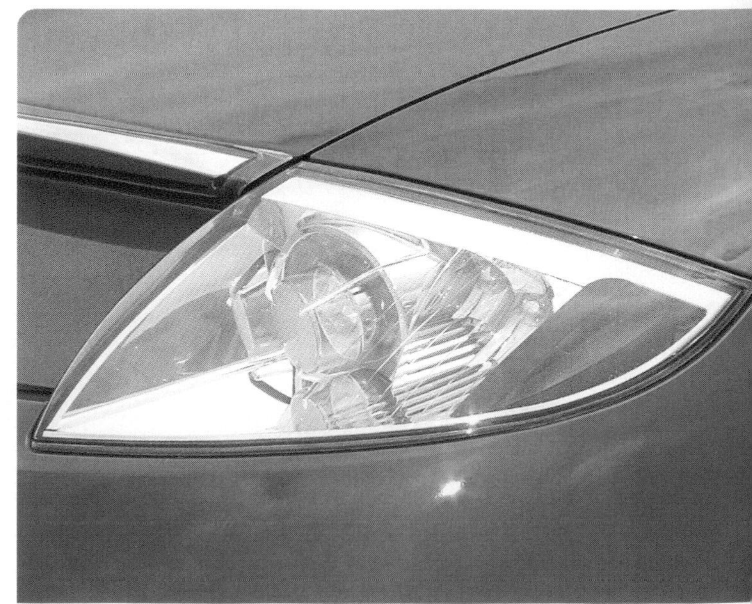

La nouvelle silhouette de l'Eclipse est un véritable amalgame des plus belles réussites dans le créneau des coupés sport. Elle arbore par exemple un arrière qui n'est pas sans rappeler la Audi TT, mais a conservé la calandre à deux orifices que l'on retrouve aussi sur la Mitsubishi Galant par exemple. Bref, un joyeux mélange, auquel on a ajouté un petit air exotique, peut-être dicté par la couleur orangée de notre modèle d'essai.

Partout, de tous les côtés, la silhouette a des lignes arrondies, et ces rondeurs sont accentuées sur les ailes avant. La ceinture de caisse élevée, et le toit bombé viennent confirmer cette vision nouvelle, donnant un petit air sensuel à l'ensemble. Les mordus de l'Eclipse ne seront pas déçus, et ces lignes devraient lui valoir un tout nouveau fan-club.

Au sujet des dimensions, la nouvelle version gagne deux centimètres d'empattement, et quelque sept centimètres de longueur totale, ce qui n'est pas à négliger. Mais c'est en largeur que la principale différence se remarque, puisque de ce côté, elle a engraissé de plus de huit centimètres. Ce nouvel espace n'est cependant pas transmis à l'intérieur de l'habitacle, où le dégagement est assez juste pour ceux qui ne font pas partie des dimensions percentiles utilisées dans l'industrie.

UN INTÉRIEUR DE CLASSE

Mitsubishi a aussi misé sur l'audace à l'intérieur. La planche de bord est d'un modernisme simple, sans artifices, et les cadrans ronds faciles à lire viennent compléter le tout. Notons cependant la beauté de l'ensemble la noirceur venue, alors qu'un rétroéclairage bleuté vient donner air moderne, sans équivoque.

Les sièges, de faux Recaro, fournissent un support latéral impeccable, et un confort haut de gamme pour une voiture de cette catégorie. En fait, peu importe les mouvements brusques du petit bolide, ou la durée de la randonnée, vous trouverez aisément une bonne position de conduite. On se glisse dans ces sièges comme on entrerait dans un gant de cuir; on fait corps avec ce dernier, un peu comme dans une seconde peau.

Évidemment, comme il fallait s'y attendre dans un coupé sport, ce confort est réservé aux passagers avant. Ceux qui monteront à l'arrière, malgré le bon support des sièges, devront accepter d'avoir les genoux dans le visage tout au long de la randonnée. Même mon fiston de six ans m'a demandé d'avancer mon siège pour lui laisser un peu de place!

Pour ajouter au modernisme de la présentation, cet intérieur est disponible en version deux tons, une coquetterie dont profitent aussi les sièges qui jumellent à la fois cuir et suède.

Mentionnons que dans la version quatre cylindres du GS, comme dans la version GT équipée d'un V6, la liste d'équipement de série est assez complète. Mais les véritables mordus opteront sans doute pour la version Premium qui permet notamment de greffer à la chaîne stéréo Rockford Fosgate de 650 watts, un haut-parleur de graves directement

MITSUBISHI ECLIPSE

dans le hayon arrière. Et croyez-moi, les multiples réglages de cette chaîne, jumelés à la capacité exceptionnelle de ce gros haut-parleur permettent de rendre justice à n'importe quel style musical. Un style que vos voisins auront aussi l'occasion d'entendre cependant si vous utilisez l'appareil au maximum de ses capacités.

TROP GROS, TROP LOURD

Les ingénieurs ont redessiné à la fois l'extérieur, mais aussi toute la mécanique de ce véhicule phare de la marque. Dans la version GS, qui est en fait le modèle de base, on retrouve un moteur de quatre cylindres de 162 chevaux et d'un couple de 162 livres-pied.

Évidemment, on ne pouvait laisser une Mitsubishi coupé sport uniquement avec un moteur peu puissant. Il fallait donc miser sur une nouvelle technologie, la MIVEC, que l'on a jumelée à un 6 cylindres en V sous le capot de la version GT. MIVEC, c'est en fait l'appellation Mitsubishi pour le calage variable des soupapes, une technologie déjà en place sur bon nombre de modèles concurrents. Ainsi équipée, la Eclipse pourra profiter de quelque 263 chevaux, et de 260 li-pi de couple accessible à un aussi bas régime que 4500 tours/minute.

Le moteur prend rapidement son élan et, en laissant monter un peu le régime moteur, on réussit à faire des départs fulgurants. Malheureusement, on a l'impression que la nouvelle Eclipse n'a pas réellement été conçue pour autant de puissance. Au démarrage, le couple se transfère avec vigueur dans le volant, entraînant parfois d'aussi brusques qu'impromptus changements de direction. En courbe, le châssis, pas assez rigide, résiste difficilement à la torsion engendrée par le véhicule plongé à toute vapeur dans le virage.

Ce qui explique sans doute pourquoi j'ai largement préféré le petit quatre cylindres. En fait de poids, le gros moteur est tellement lourd qu'il impose une charge supplémentaire au train avant, limitant du

FEU VERT

Silhouette exotique
Habitacle audacieux
Freins féroces
Moteur V6 agressif

FEU ROUGE

Effet de couple présent
Espace arrière symbolique
Transmission automatique un peu lente
Châssis trop souple

même coup la maniabilité de l'ensemble. Au moment de notre essai, j'ai pu circuler sur des routes sinueuses, enfilant quelques virages un peu serrés. Le gros MIVEC de 263 chevaux enregistrait certes les vitesses de pointe les plus impressionnantes, mais il fallait perdre quelques secondes en virage alors que le poids excessif nous entraînait dans un sous-virage remarquable. Le ralentissement devenait obligatoire.

En revanche, le 4 cylindres est nettement plus maniable. Sur le même parcours, les vitesses atteintes en courbe étaient supérieures avec le petit modèle, malgré le grand écart de puissance brute.

Fait à signaler, tant la GS que la GT disposent de pneus de série insuffisants pour la tâche. Dans les deux cas, une trop grande sollicitation fait entendre un crissement de mécontentement à la moindre friction, alors que l'adhérence est facilement rendue à la limite. Pour le tester, il faut cependant désactiver le contrôle de traction installé de série sur toutes les versions.

Grande tristesse, la GS doit se contenter d'une transmission manuelle à cinq rapports, ou automatique à quatre rapports. Des rapports qui sont toujours trop longs, et qui, en mode automatique, ne sont pas aussi rapides que l'on souhaiterait. En revanche, ceux qui opteront pour la GT auront droit à la transmission manuelle à 6 vitesses plus efficace dont les rapports correspondent mieux à la plage de puissance du moteur.

On ne peut parler de la Eclipse sans traiter aussi des freins, qui ont fait l'objet de deux rappels avant même sa sortie officielle chez les concessionnaires... Lors de notre essai, les freins se sont avérés tout aussi puissants sur l'une et l'autre des versions. Notons cependant que sur la V6, les freins à disque ventilés aux quatre roues et un système Brembo à l'avant, nous faisait plus fortement sentir leur présence, et demandait une certaine retenue du conducteur.

Avec de telles qualités, sans prétendre au titre de grande sportive, la Mitsubishi Eclipse devrait permettre de réconcilier les amateurs avec la marque, et certainement de gagner de nouveaux adeptes.

Marc Bouchard

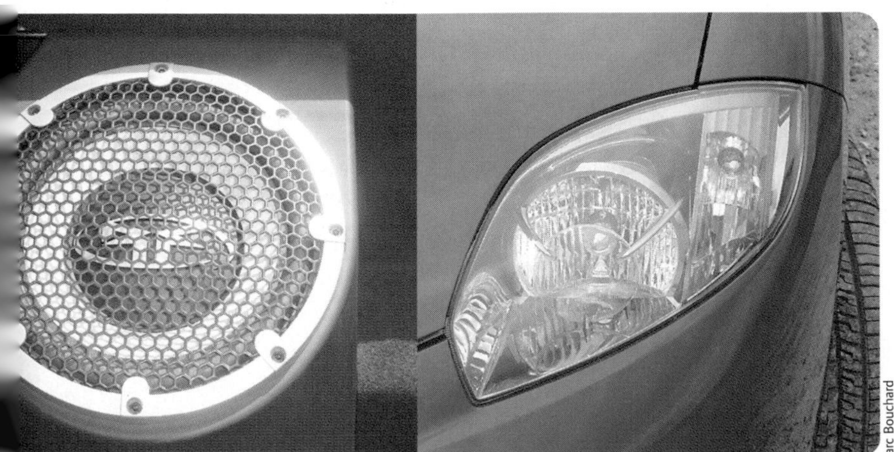

Photos: Marc Bouchard

MITSUBISHI ECLIPSE

DONNÉES TECHNIQUES

Modèle à l'essai:	GT
Prix du modèle à l'essai:	33198$
Échelle de prix:	25498$ à 34198$
Garanties:	5 ans/10000 km, 10 ans/160000 km
Catégorie:	coupé/
Emp./Lon./Lar./Haut.(cm):	257,5/456,5/183,5/136
Poids:	1945 kg
Coffre/Réservoir:	445 litres / 62 litres
Coussins de sécurité:	frontaux et latéraux (av.)
Suspension avant:	indépendante, jambes de force
Suspension arrière:	indépendante, multibras
Freins av./arr.:	disque (ABS)
Antipatinage/Contrôle de stabilité:	oui/non
Direction:	à crémaillère, assistance variable
Diamètre de braquage:	12,2 m
Pneus av./arr.:	P225/50R17
Capacité de remorquage:	non recommandé

GROUPE MOTOPROPULSEUR

Moteur:	V6 de 3,8 litres 24s atmosphérique
Alésage et course	95,0 mm x 90,0 mm
Puissance:	263 ch (196 kW) à 5750 tr/min
Couple:	260 lb-pi (353 Nm) à 4500 tr/min
Rapport Poids/Puissance:	7,40 kg/ch (9,92 kg/kW)
Moteur électrique:	aucun
Autre(s) moteur(s):	4L 2,4 l 162ch à 6000tr/mn et 162lb-pi à 4000tr/mn
Transmission:	traction, manuelle 6 rapports
Autre(s) transmission(s):	automatique 5 rapports / manuelle 5 rapports
Accélération 0-100 km/h:	6,2 s
Reprises 80-120 km/h:	6,5 s
Freinage 100-0 km/h:	39,7 m
Vitesse maximale:	215 km/h
Consommation (100 km):	ordinaire, 11,8 litres
Autonomie (approximative):	525 km
Émissions de CO2:	n.d.

DANS LA MÊME CATÉGORIE

Acura RSX - Ford Mustang - Hyundai Tiburon

DU NOUVEAU EN 2006

Nouveau modèle

HISTORIQUE DU MODÈLE

4ième génération

NOS IMPRESSIONS

Agrément de conduite:	🚗🚗🚗🚗
Fiabilité:	nouveau modèle
Sécurité:	🚗🚗🚗½
Qualités hivernales:	🚗🚗½
Espace intérieur:	🚗🚗🚗½
Confort:	🚗🚗🚗½

LE CHOIX DE L'ÉQUIPE

GS manuelle

LA DOUÉE DE LA FAMILLE

Il faut l'avouer, la compagnie Mitsubishi en est une aux multiples personnalités. Sur les marchés américains et européens, on y pense d'abord comme à un fabricant de voitures sport de renom, grâce à la Lancer Evolution que les mordus de performances du Canada bavent d'envie de voir rouler sur nos routes. Mais il ne faudrait pas non plus négliger la personnalité plus utilitaire de la compagnie, celle qui lui fait construire des VUS renommés qui lui ont permis de se démarquer en compétition internationale. Et dans le domaine, même si la concurrence est féroce, Mitsubishi réussit à tirer son épingle du jeu.

Un de ces succès, c'est certainement l'Endeavor, un utilitaire sport intermédiaire, lancé il y a deux ans et qui constitue probablement une des meilleures valeurs de sa catégorie, tout fabricant confondu.

L'Endeavor, c'est davantage un véhicule multisegment qu'un véritable utilitaire sport. Pour répondre à cette définition, un véhicule doit être directement dérivé d'une plate-forme de voiture et doit avoir une mission résolument urbaine. Deux caractéristiques qui s'appliquent sans hésitation à l'Endeavor, qui est construit sur la même plate-forme que la Galant.

Quant à la mission urbaine, là non plus aucune hésitation puisque la voiture ne possède aucun élément qui pourrait permettre de l'exploiter en dehors des sentiers battus.

UNE MÉCANIQUE ÉPROUVÉE

Inchangé ou presque depuis son lancement en 2004, l'Endeavor peut toujours compter sur un moteur V6 de 3,8 litres dégageant une certaine aura de respectabilité, lui qui s'est jusqu'à présent acquitté de sa tâche avec enthousiasme, ne s'attirant aucune critique de la part des utilisateurs qui n'ont au contraire que de bons mots à son endroit.

Son pire défaut probablement, c'est qu'il donne parfois l'impression de peiner fortement pour lancer ses 225 chevaux. Le résultat n'est pas réellement décevant (une accélération de 0 à 100 kilomètres à l'heure en 9 secondes environ), mais ne décoiffera personne au passage.

Pour communiquer toute la puissance aux roues, le moteur est couplé à une transmission automatique à quatre rapports, la seule disponible au catalogue. Une boîte étonnamment efficace, même quand on utilise le système Sportronic qui permet d'enclencher les vitesses manuellement. Elle répond même avec précision et célérité.

Évidemment, comme tout bon utilitaire qui se respecte, l'Endeavor est vendu en version deux roues motrices ou traction intégrale à prise constante. Le système utilise un différentiel central à viscocouplage, qui permet de répartir les quelque 255 livres-pied de couple dans une proportion de 50/50 entre les roues avant et arrière.

En matière de comportement routier, l'Endeavor est surprenant. Malgré son centre de gravité élevé, il tient la route avec une certaine assurance, et ne tangue pas constamment sous l'effet du transfert de poids. Il est bien entendu légèrement sensible aux vents latéraux, mais sans excès.

FEU VERT

Transmission efficace
Habitacle vaste et spacieux
Large ouverture de chargement
Tenue de route intéressante
Commandes ergonomiques

FEU ROUGE

Design unique
Freinage parfois laborieux
Pas de troisième banquette
Incertitude sur l'avenir de Mitsubishi
Moteur aux performances moyennes

La direction est assez douce pour être agréable et se présente comme un bon compromis entre l'anonymat complet et l'excès d'information.

Seul le freinage est perfectible, se montrant parfois spongieux et un peu lent en réaction. Les distances de freinage ne sont d'ailleurs pas impressionnantes.

HABITACLE SPACIEUX

Parce qu'il se veut surtout un véhicule familial, l'Endeavor offre un habitacle capable de répondre aux exigences de cette clientèle même si certains éléments sont étrangement absents des options proposées. Ainsi, impossible d'obtenir une troisième banquette pour ce modèle, bien que l'espace intérieur permet de croire qu'elle serait une des moins inconfortables de sa catégorie. Cet espace est cependant bien réparti entre tous les passagers, ce qui laisse un dégagement impressionnant tant pour le conducteur et son acolyte que pour les enfants assis derrière. On ne retrouve pas non plus de système de guidage satellite, et seules les versions Limited et XLS proposent, en option, un système multimédia.

Le tableau de bord est résolument moderne. Les cadrans sont clairs, de lecture facile et offrent un rétroéclairage bleuté du plus bel effet. La console centrale, qui abrite les commandes de sonorisation et de climatisation ainsi qu'un écran LCD d'information sur le véhicule, joue peut-être l'effet un peu trop fort. Le fini aluminium brossé jumelé aux larges boutons symétriquement disposés s'inspirent davantage du module spatial que du confort douillet d'un habitacle ciblant le luxe. Heureusement, les boutons de commande ne requièrent pas de doigts de chirurgien pour être manipulés, et sont aisément accessibles.

Le volant, pas très esthétique mais efficace, permet d'abriter les commandes de la chaîne stéréo Infinity (de bonne qualité) sur la version Limited.

Si ce n'était de l'incertitude qui pèse sur Mitsubishi, l'Endeavor serait certainement promis à un bel avenir. Il constitue une belle découverte, et un des meilleurs rapports de sa catégorie.

Marc Bouchard

Photos : Alain Morin

DONNÉES TECHNIQUES

Modèle à l'essai :	Limited
Prix du modèle à l'essai :	42698$ - 2005
Échelle de prix :	34298$ à 43848$ - 2005
Garanties :	5 ans/100000 km, 10 ans/160000 km
Catégorie :	utilitaire sport intermédiaire
Emp./Lon./Lar./Haut.(cm) :	275/483/187/177
Poids :	1885 kg
Coffre/Réservoir :	1153 à 2163 litres / 81 litres
Coussins de sécurité :	frontaux et latéraux (av.)
Suspension avant :	indépendante, jambes de force
Suspension arrière :	indépendante, multibras
Freins av./arr. :	disque (ABS)
Antipatinage/Contrôle de stabilité :	oui/oui
Direction :	à crémaillère, assistance variable
Diamètre de braquage :	12,5 m
Pneus av./arr. :	P235/65R17
Capacité de remorquage :	907 kg

GROUPE MOTOPROPULSEUR

Moteur :	V6 de 3,8 litres 24s atmosphérique
Alésage et course	95,0 mm x 90,0 mm
Puissance :	225 ch (168 kW) à 5000 tr/min
Couple :	255 lb-pi (346 Nm) à 3750 tr/min
Rapport Poids/Puissance :	8,38 kg/ch (11,22 kg/kW)
Moteur électrique :	aucun
Autre(s) moteur(s) :	seul moteur offert
Transmission :	intégrale, auto. mode man. 4 rapports
Autre(s) transmission(s) :	traction,
Accélération 0-100 km/h :	8,9 s
Reprises 80-120 km/h :	7,3 s
Freinage 100-0 km/h :	43,0 m
Vitesse maximale :	195 km/h
Consommation (100 km) :	super, 12,5 litres
Autonomie (approximative) :	648 km
Émissions de CO2 :	5809 kg/an

DANS LA MÊME CATÉGORIE

Acura MDX - Honda Pilot - Kia Sorento - Nissan Pathfinder - Toyota Highlander

DU NOUVEAU EN 2006

Pas de changement majeur

HISTORIQUE DU MODÈLE

1[ière] génération

NOS IMPRESSIONS

Agrément de conduite :	½
Fiabilité :	½
Sécurité :	
Qualités hivernales :	
Espace intérieur :	½
Confort :	

LE CHOIX DE L'ÉQUIPE

Limited AWD

C'EST BON, DES PATATES

Dans une industrie où les nouveautés se succèdent à un rythme d'enfer, où les innovations font parfois foi de réussite ou d'échec, et où l'apparence a souvent le dessus sur la technique, la Mitsubishi Galant a bien peu à proposer pour se démarquer. D'autant plus que le public n'est pas sans être au courant des déboires financiers, des scandales et des défections des hauts cadres de l'entreprise nippone. Tout ça pour dire que la Galant n'est pas une mauvaise voiture mais qu'elle n'a rien pour l'aider à s'élever au-dessus du lot.

Lorsqu'on affronte des performers solides comme les Honda Accord, Mazda 6 et Toyota Camry, mieux vaut posséder des munitions en quantité industrielle ou être blindé à l'os. J'ai bien peur que la Galant n'ait ni l'un ni l'autre ! Mais prise individuellement, sans souffrir de la terrible comparaison, elle se débrouille très bien. Au chapitre du style extérieur, par exemple. Sans proposer une ligne révolutionnaire, la carrosserie de la Galant se montre très moderne. Si la partie avant peut être confondue avec un produit Pontiac, la partie arrière, elle, se fait plus exclusive. Les phares, assez ordinaires pour les livrées régulières, sont beaucoup plus stylisés dans la GTS. En fait, sous certains angles, on croirait avoir affaire à une grosse mouche mécanique ! Par contre, et là ça fait mal, la finition de notre voiture d'essai était tout simplement atroce. Les jonctions entre les panneaux de carrosserie se révélaient très larges mais rarement de la même largeur entre le début et la fin desdites jonctions, une porte sur quatre était mal ajustée et le pare-chocs arrière n'était pas agrafé correctement sur le côté droit.

SALADE DE PATATES

L'habitacle s'attire un peu les mêmes remarques. L'ensemble n'est pas vilain pour l'œil mais il ne faut pas y regarder de trop près. Le volant est, à mon humble avis, d'une laideur rarement aussi bien étudiée. Heureusement, il se prend aisément en main. Les commandes sont généralement accessibles, mais pour rejoindre la buse de ventilation située à gauche du conducteur, il faut posséder un bras d'une longueur anormale. La qualité des matériaux fait preuve d'un évident manque de recherche ou de moyens. Du côté de la finition, ce n'est guère plus reluisant.

À tout le moins, les sièges sont confortables même si la position de conduite est un peu difficile à trouver. Avec leurs chiffres bleus, les jauges du tableau de bord se révèlent franchement belles le soir venu. La sonorité du système audio Infinity se montre fort intéressante et le climatiseur, à défaut d'être silencieux, est compétent en période caniculaire. J'imagine que le chauffage doit l'être autant lors des grands froids ! Dommage cependant qu'il soit si difficile de bien doser la température dans l'habitacle. L'espace intérieur ne fait pas défaut, sauf peut-être en hauteur si la voiture est munie du toit ouvrant électrique. Le coffre, dont l'accès est très élevé, propose un espace de chargement convenable mais les sièges arrière ne s'abaissent pas. Et le son du couvercle lorsqu'il se referme attire invariablement un sourire condescendant… Parlant des sièges arrière, mentionnons que l'espace réservé aux jambes est extraordinaire et que toutes les places sont confortables, même celle du milieu !

FEU VERT

- Châssis très solide
- Moteur V6 performant
- Confort certifié
- Habitacle spacieux
- Lignes réussies

FEU ROUGE

- Manque de raffinement général
- Finition ridicule
- Dossiers arrière fixes
- Sportivité à peu près nulle
- Mauvaise réputation de la marque

La gamme Galant dispose de deux moteurs. Tout d'abord, on retrouve un quatre cylindres de 2,4 litres de 160 chevaux. Un peu rugueux, il se débrouille tout de même assez bien et consomme moins que le V6, une donnée qui n'est pas à négliger par les temps qui courent. Une transmission automatique à quatre rapports lui est assignée. Les livrées plus luxueuses LS et GTS, elles, ont droit au V6 de 3,8 litres de 230 chevaux. Mais c'est davantage le couple de 250 livres-pied disponible à 4000 tours/minute qui impressionne. Combiné à une boîte automatique à quatre rapports avec passage manuel des rapports Sportronic, ce moteur offre des performances solides et les dépassements ne l'effraient guère. Il faut noter que la transmission est d'une belle transparence même si le passage entre le premier et le deuxième rapport prend quelquefois un peu de temps. Une boîte à cinq rapports permettrait d'économiser un peu d'essence. Même si la Galant est une traction (roues avant motrices), le volant se garde bien de démontrer un effet de couple.

PATATES PILÉES

Puisque le moteur de la Galant fait montre d'une surprenante agilité, on serait porté à croire que le comportement routier en ferait autant... Et non! Conduite dans le respect des vitesses légales et du bon sens, jamais une Galant ne décevra son pilote. Mais brusquée le moindrement, elle démontre un tempérament beaucoup moins enjoué. Malgré ses suspensions aux prétentions «sportives», notre Galant GTS d'essai affichait une nette propension au sous-virage. Sans doute que de bons pneus auraient pu améliorer le comportement routier, tout en étant plus silencieux. En manœuvre brusque d'évitement, le volant démontre un durcissement éhonté. Les modèles V6 reçoivent un système antipatinage relativement discret et efficace. Les versions quatre cylindres doivent se contenter de suspensions ordinaires, plus axées sur le confort (celles la GTS tapent un peu dur à l'occasion), et l'antipatinage n'est pas offert, même en option. Dommage. Les freins ABS, de série avec le moteur V6, effectuent des arrêts rectilignes et relativement courts.

Non, la Galant n'est pas une mauvaise voiture. Mais elle ne peut prétendre déloger, ou même ébranler, les chefs de file de la catégorie. Des patates, c'est bon mais peu importe la façon dont on les apprête, ça demeure des patates. Les concurrentes, elles, font plutôt partie du dessert. Dommage, car malheureusement, on ne se nourrit pas que de sucré!

Alain Morin

Photos : Alain Morin

MITSUBISHI GALANT

DONNÉES TECHNIQUES

Modèle à l'essai:	GTS
Prix du modèle à l'essai:	34343$ - 2005
Échelle de prix:	23948$ à 33348$ - 2005
Garanties:	3 ans/60000 km, 5 ans/100000 km
Catégorie:	berline intermédiaire
Emp./Lon./Lar./Haut.(cm):	275/483,5/184/147.5
Poids:	1655 kg
Coffre/Réservoir:	377 litres / 62 litres
Coussins de sécurité:	frontaux
Suspension avant:	indépendante, jambes de force
Suspension arrière:	indépendante, multibras
Freins av./arr.:	disque (ABS opt.)
Antipatinage/Contrôle de stabilité:	non/non
Direction:	à crémaillère, assistée
Diamètre de braquage:	13,2 m
Pneus av./arr.:	P215/55R17
Capacité de remorquage:	455 kg

GROUPE MOTOPROPULSEUR

Moteur:	V6 de 3,8 litres 24s atmosphérique
Alésage et course	95,0 mm x 90,0 mm
Puissance:	230 ch (172 kW) à 5250 tr/min
Couple:	250 lb-pi (339 Nm) à 4000 tr/min
Rapport Poids/Puissance:	7,20 kg/ch (9,62 kg/kW)
Moteur électrique:	aucun
Autre(s) moteur(s):	4L 2,4 l 160ch à 5500tr/mn et 157lb-pi à 4000tr/mn
Transmission:	traction, automatique 4 rapports
Autre(s) transmission(s):	auto. mode man. 4 rapports
Accélération 0-100 km/h:	8,4 s
Reprises 80-120 km/h:	5,6 s
Freinage 100-0 km/h:	42,0 m
Vitesse maximale:	185 km/h
Consommation (100 km):	ordinaire, 12,6 litres
Autonomie (approximative):	492 km
Émissions de CO2:	4970 kg/an

DANS LA MÊME CATÉGORIE

Chevrolet Malibu - Honda Accord - Mazda 6 - Nissan Altima - Pontiac G6 - Toyota Camry

DU NOUVEAU EN 2006

Pas de changement majeur

HISTORIQUE DU MODÈLE

3ième génération

NOS IMPRESSIONS

Agrément de conduite:	½
Fiabilité:	½
Sécurité:	
Qualités hivernales:	
Espace intérieur:	½
Confort:	½

LE CHOIX DE L'ÉQUIPE

GTS

TOUJOURS EN PLACE

Il était difficile en tant que chroniqueur automobile de donner le feu vert à toute personne désireuse de se procurer un produit Mitsubishi. En effet, cette marque subissait revers par-dessus revers, aussi bien au Japon qu'en Amérique du Nord. À peine arrivée sur notre marché, cette marque naviguait sur des eaux agitées et plusieurs ne donnaient pas cher de sa présence sur notre territoire. Il était donc délicat de recommander l'achat d'un produit qui risque de disparaître du marché en cours d'année. Cette crainte semble maintenant estompée. En effet, d'importants investisseurs japonais ont assuré la survie financière de ce constructeur.

La situation est par conséquent moins précaire et la direction de Mitsubishi au Canada ne cesse de nous répéter que la compagnie est au Canada pour y rester, point final. Et il faut également ajouter que ces véhicules sont couverts par une garantie plus que rassurante. Celle-ci est de cinq ans 100000 km et de 10 ans 160000 kilomètres sur le groupe motopropulseur. Mais c'est un peu de la poudre aux yeux puisque les automobilistes roulent à peu près 20000 kilomètres par année. En se fiant à cette moyenne, cette fameuse garantie de 10 ans en sera une de huit ans et non pas de dix. Mais c'est tout de même supérieur à la moyenne en fait de protection.

Dans ces circonstances, la Mitsubishi Lancer mérite qu'on s'y intéresse, du moins dans certaines versions.

LA FAMILIALE OUT

Ce constructeur a une curieuse façon de faire les choses. Par exemple, il ne cesse de nous vanter les mérites de son légendaire modèle EVO dont le moteur de 300 chevaux et la traction intégrale font saliver plus d'un enthousiaste. Mais il y a un hic! Ce modèle n'est pas encore distribué au Canada. Sa mention peut bien servir d'illustration des capacités technologiques de Mitsubishi, mais une fois qu'on le sait, il serait bon de passer à autre chose. À force de le répéter, c'est comme si on nous disait: «Vous savez, nos produits sont très moyens, mais nous avons la EVO.» Et il est faux de croire que ce dernier modèle a quelque chose à voir avec les Lancer courantes.

Enfin, dans le but d'étoffer sa gamme de modèles en sol canadien, Mitsubishi Canada lançait l'an dernier la Sportback, une version familiale de la Lancer qui ciblait le marché des Mazda 3 Sport et Ford Focus familiale. Il semble que cet exercice n'ait pas porté fruit puisque ce modèle n'est plus au catalogue. Et croyez-moi, c'est tant mieux!

L'accent est donc mis sur la berline qui se décline en trois versions allant de l'économique ES à la Ralliart, sans oublier la O-Z Rally.

DEUX MOTEURS, UN SEUL CHOIX

Il est vrai que le modèle ES se vendant quasiment pour une pitance est à considérer si on recherche une compacte d'une bonne habitabilité, dotée d'un équipement correct et protégée par une garantie sérieuse. Toutefois, il faudra vivre avec une silhouette fort dépouillée qui réussit de moins en moins à cacher son âge. Les deux autres modèles sont équipés d'un aileron arrière qui fait des merveilles pour donner un coup

FEU VERT

Prix compétitif
Moteur 2,4 litres
Garantie rassurante
Équipement complet

FEU ROUGE

Silhouette anonyme
Insonorisation à revoir
Moteur 2,0 litres rugueux
Valeur de revente incertaine

de jeune à la silhouette. Sur la ES, il faut débourser plus de 500$ pour cet accessoire. Ce qui va à l'encontre de la vocation économique de ce modèle. Et la présentation de l'habitacle fait vraiment bas de gamme.

La mécanique ne vient pas à la rescousse non plus. Le moteur quatre cylindres en ligne 2,0 litres ne produit que 120 chevaux, ce qui en fait l'un des véhicules les moins puissants de la catégorie. Et en plus, son rendement est moyen. Quant à la boîte automatique à quatre rapports proposée en option, elle a beau posséder un système d'adaptation des passages qui s'adapte à votre style de conduite, ça n'arrange pas les performances. Bref, une voiture économique et honnête dotée de prestations à la hauteur de son prix.

La O-Z Rally est tout au moins plus élégante avec ses roues en alliage, son aileron arrière et un habitacle de présentation beaucoup mieux réussie que sur la ES. Les cadrans sont à fond blanc, le pommeau du levier de vitesse et la poignée du frein de stationnement sont gainés de cuir, tandis que le système audio comprend un lecteur de disques CD relié à un ampli de 140 watts. Tout semble bien agencé, mais là où le bât blesse, c'est de savoir que cette berline déguisée en sportive n'est dotée que du moteur 2,0 litres de 120 chevaux. Ce moteur nous permet de découvrir que ce modèle est mieux insonorisé que la version ES, mais que c'est tout de même insuffisant. La tenue de route est améliorée grâce à la présence de pneus de 15 pouces. Néanmoins, les performances ne sont pas à la hauteur de l'appellation.

Le modèle haut de gamme est le Ralliart et son équipement est le plus complet de toute la gamme Lancer. L'élément le plus positif de cette version est sans aucun doute le moteur quatre cylindres de 2,4 litres dont les 162 chevaux permettent d'obtenir des accélérations dignes de ce nom. Ces chevaux additionnels permettent de tirer un meilleur parti de la suspension sport et des roues de série de 16 pouces. Il faut également ajouter que le Ralliart est le seul Lancer doté de quatre freins à disque, et le seul à posséder des freins ABS ainsi que la répartition électronique de freinage.

Il est vrai que sa conduite à haute vitesse nous fait découvrir les limites de sa plate-forme qui pourrait être plus rigide, mais pour un prix d'environ 23 000$, c'est à considérer. D'autant plus que la survie de Mitsubishi au Canada semble assurée pour le moment.

Denis Duquet

Photos: Mitsubishi

DONNÉES TECHNIQUES

Modèle à l'essai:	Ralliart
Prix du modèle à l'essai:	22 499$ - 2005
Échelle de prix:	16 495$ à 26 595$
Garanties:	3 ans/60 000 km, 5 ans/100 000 km
Catégorie:	berline compacte
Emp./Lon./Lar./Haut.(cm):	260/458,5/169,5/140
Poids:	1 225 kg
Coffre/Réservoir:	320 litres / 50 litres
Coussins de sécurité:	frontaux
Suspension avant:	indépendante, jambes de force
Suspension arrière:	indépendante, multibras
Freins av./arr.:	disque (ABS)
Antipatinage/Contrôle de stabilité:	non/non
Direction:	à crémaillère, assistée
Diamètre de braquage:	10,3 m
Pneus av./arr.:	P195/60R15
Capacité de remorquage:	454 kg

GROUPE MOTOPROPULSEUR

Moteur:	4L de 2,4 litres 16s atmosphérique
Alésage et course	86,5 mm x 100,0 mm
Puissance:	162 ch (121 kW) à 5750 tr/min
Couple:	162 lb-pi (220 Nm) à 4000 tr/min
Rapport Poids/Puissance:	7,56 kg/ch (10,12 kg/kW)
Moteur électrique:	aucun
Autre(s) moteur(s):	4L 2,0 l 120ch à 5500tr/mn et 130lb-pi à 4250tr/mn
Transmission:	traction, manuelle 5 rapports
Autre(s) transmission(s):	automatique 4 rapports
Accélération 0-100 km/h:	8,8 s
Reprises 80-120 km/h:	7,5 s
Freinage 100-0 km/h:	44,0 m
Vitesse maximale:	190 km/h
Consommation (100 km):	ordinaire, 8,6 litres
Autonomie (approximative):	581 km
Émissions de CO2:	4194 kg/an

DANS LA MÊME CATÉGORIE

Chevrolet Cobalt - Ford Focus - Honda Civic - Hyundai Elantra - Mazda 3 - Pontiac Pursuit - Saturn Ion - Toyota Corolla

DU NOUVEAU EN 2006

Pas de changement majeur

HISTORIQUE DU MODÈLE

4ième génération

NOS IMPRESSIONS

Agrément de conduite:	3
Fiabilité:	3 ½
Sécurité:	3
Qualités hivernales:	3 ½
Espace intérieur:	3 ½
Confort:	4

LE CHOIX DE L'ÉQUIPE

Ralliart

DANS LA FOSSE COMMUNE

Quand les choses peuvent aller mal, c'est sûr qu'elles vont mal. À peine trois ans après les débuts de Mitsubishi au Canada, la marque japonaise a bien failli mourrir de sa belle mort. Inutile de revenir sur tous ces avatars qui ont marqué les dernières années. Mitsubishi est désormais en mode survie et tout ce que ne participe pas ou entrave cette quête du futur doit être banni. C'est ainsi que le Montero, ce gros VUS impopulaire, fera ses adieux dès la fin de 2006. Après ça ira sûrement mieux.

Lorsque Mitsubishi a débuté au Canada en septembre 2002, elle présentait deux Montero tout à fait différents, l'un haut de gamme, l'autre plus sportif. Le Limited est ainsi devenu le Montero tout court, suite à l'abandon de l'hilarant Montero Sport après l'année modèle 2003, aussi sportif que l'auteur de ces lignes. Il n'est donc pas surprenant d'apprendre que le Montero nous revient inchangé pour sa dernière année sur le marché. Marché qui a drôlement évolué depuis les cinq dernières années. Et comme le Montero était déjà un peu dépassé lors de son arrivée au Canada il y a trois ans...

Malgré tout, le Montero mérite qu'on s'y attarde. Il affiche une belle gueule et nul doute que son physique imposant inspire un sentiment de confiance à bien des gens. Grâce à sa garde au sol très élevée (21,9 cm), il peut franchir bien des obstacles mais, en revanche, accéder aux sièges demande quasiment des talents d'alpiniste! Une fois assis cependant, ils se révèlent confortables à défaut d'offrir un bon support latéral. La visibilité vers l'avant ne cause aucun problème même si les appuie-têtes des sièges arrière et le pneu de secours, placé sur la porte arrière, compliquent la vie du conducteur, surtout en manœuvres de stationnement. Toujours au chapitre des sièges, mentionnons que si ceux de la deuxième rangée sont relativement confortables, ceux de la troisième rangée ne conviennent qu'à... à personne finalement tellement ils sont durs et trop bas tout en offrant trop peu d'espace pour les jambes!

Le tableau de bord n'est pas vilain à regarder malgré son style désuet. Si les jauges sont faciles à consulter en tout temps, le moindre rayon de soleil vient mettre K.O. l'écran central multifonction et celui du système audio, au demeurant fort agréable à écouter. Les appliques de bois, les plastiques de bonne qualité et le cuir se marient harmonieusement, mais il faut souligner que la plupart des espaces de rangement sont difficiles d'accès pour le conducteur. Quelques instants auparavant, ledit conducteur aura assurément pesté contre la neige ou la pluie qui aura déferlé sur son siège après avoir ouvert sa portière...

PERFORMANCES TERRE-À-TERRE

Affichant un poids frôlant celui d'une navette spatiale, le Montero ne peut, avec son V6 de 3,8 litres de 215 chevaux et 248 livres-pied de couple, prétendre offrir les mêmes performances que son stratosphérique concurrent. Il faut plus de 12 secondes pour réaliser le 0-100 km/h quoique les reprises entre 80 et 120 km/h s'effectuent en un peu plus de 8,3 secondes, ce qui est nettement plus intéressant. La transmission automatique à cinq rapports, la seule disponible, est accompagnée d'un

FEU VERT

- Châssis hyper solide
- Capacités hors route étonnantes
- Confort relevé
- Consommation agréable
- Transmission automatique bien adaptée

FEU ROUGE

- Valeur de revente déprimante
- Performances ternes
- Tenue de route délicate
- Freinages pénibles
- Troisième banquette inutile

mode de passage manuel des rapports. Les accélérations ne sont peut-être pas plus excitantes, mais au moins on a l'impression de participer à «l'événement»! En mode automatique, les rapports se succèdent sans heurts et se montrent bien étagés. Au châssis très rigide du Montero, Mitsubishi a accroché des suspensions résolument axées sur le confort. Un coin de rue pris le moindrement vite fait pencher la caisse et l'absence de support latéral des sièges n'arrange pas les choses. Le système antipatinage et antidérapage fait des merveilles pour tenir le lourdaud sur la route, et ce, en toute transparence. Avec de telles suspensions, il n'est pas surprenant de constater que le véhicule se montre sensible aux vents latéraux. Lors d'un freinage d'urgence, on espère toujours voir se déployer les parachutes de la navette spatiale mais le Montero ne peut compter que sur ses quatre disques. À tout le moins, l'ABS fait preuve d'une discrétion exemplaire.

S'il est une chose que le Montero fait avec grâce, c'est bien de se promener hors des sentiers battus. À l'aide de son système d'entraînement Active-Trac, le Montero passe de deux roues motrices à l'intégrale ou aux quatre roues motrices (offrant deux modes – 4Hi et 4Lo avec verrouillage du différentiel central). Les capacités de franchissement sont tout simplement ahurissantes et nul doute que dans des conditions difficiles, le Montero peut suivre sans difficulté un Land Rover deux fois plus dispendieux. Les pneus de route sont sans doute la plus importante limite à ce génial système d'entraînement. Mais dans la plupart des conditions, le mode deux roues motrices, en plus d'économiser de l'essence, se montre parfaitement adapté. Parlant d'essence, nous avons maintenu une moyenne très appréciée de près de 15 litres aux cent kilomètres en conduite hivernale, en mode deux et quatre roues motrices.

Malgré plusieurs commentaires plutôt durs, le Montero n'est pas un vilain véhicule. Mais pour un prix de détail de près de 50 000$, nous croyons que plusieurs autres VUS offrent davantage. À commencer par une valeur de revente bien plus intéressante. Déjà que les problèmes de Mitsubishi ne font rien pour aider la situation, il faut aussi considérer que le Montero se laisse mourir, littéralement.

Alain Morin

Photos: Mitsubishi

DONNÉES TECHNIQUES

Modèle à l'essai:	version unique
Prix du modèle à l'essai:	48 558$
Échelle de prix:	48 558$
Garanties:	3 ans/60 000 km, 5 ans/100 000 km
Catégorie:	utilitaire sport intermédiaire
Emp./Lon./Lar./Haut.(cm):	278/483/189,5/181,5
Poids:	2170 kg
Coffre/Réservoir:	1127 à 2730 litres / 90 litres
Coussins de sécurité:	frontaux et latéraux (av.)
Suspension avant:	indépendante, bras inégaux
Suspension arrière:	indépendante, multibras
Freins av./arr.:	disque (ABS)
Antipatinage/Contrôle de stabilité:	oui/oui
Direction:	à crémaillère, assistance variable
Diamètre de braquage:	11,3 m
Pneus av./arr.:	P265/60R16
Capacité de remorquage:	2268 kg

GROUPE MOTOPROPULSEUR

Moteur:	V6 de 3,8 litres 24s atmosphérique
Alésage et course	93,0 mm x 85,8 mm
Puissance:	215 ch (160 kW) à 5500 tr/min
Couple:	248 lb-pi (336 Nm) à 3250 tr/min
Rapport Poids/Puissance:	10,09 kg/ch (13,56 kg/kW)
Moteur électrique:	aucun
Autre(s) moteur(s):	seul moteur offert
Transmission:	intégrale, auto. mode man. 5 rapports
Autre(s) transmission(s):	aucune
Accélération 0-100 km/h:	12,2 s
Reprises 80-120 km/h:	8,3 s
Freinage 100-0 km/h:	47,5 m
Vitesse maximale:	190 km/h
Consommation (100 km):	ordinaire, 14,7 litres
Autonomie (approximative):	612 km
Émissions de CO_2:	6481 kg/an

DANS LA MÊME CATÉGORIE

Acura MDX - BMW X5 - Dodge Durango - Ford Explorer - GMC Envoy - Nissan Pathfinder - Toyota 4Runner

DU NOUVEAU EN 2006

Pas de changement majeur

HISTORIQUE DU MODÈLE

3ième génération

NOS IMPRESSIONS

Agrément de conduite:	3
Fiabilité:	3
Sécurité:	3½
Qualités hivernales:	4
Espace intérieur:	4
Confort:	4½

LE CHOIX DE L'ÉQUIPE

version unique

Photo : Marc Bouchard

SYMPA !

Dans la vie, on a l'impression que certaines personnes ne font presque rien et le succès leur sourit. D'autres en revanche travaillent fort, font exactement ce qu'ils doivent faire, réussissent même parfois à en faire un peu plus. Malgré cela, rien n'est facile pour eux, et ils doivent souvent attendre de longues périodes avant d'atteindre finalement leur objectif. C'est précisément le chemin qu'a suivi Mitsubishi et son petit VUS Outlander depuis son lancement il y a quelques années. Comme si, par un hasard malheureux, le mauvais sort s'acharnait sur eux.

Évidemment me direz-vous, la compagnie n'est pas exempte de mauvaises décisions, ou de produits boiteux. Ce qui est tout à fait exact et loin de moi l'idée de vous contredire. Mais quand vient le temps de parler de petit VUS à saveur urbaine, on se serait attendu à de meilleurs résultats du Outlander qui ne souffre pourtant pas de défauts majeurs et pour lequel son fabricant a su éviter les pièges.

LA VILLE, PAS LA FERME

C'est certain que le petit Outlander n'a rien d'un véhicule extrême, et se retrouve en situation beaucoup plus confortable dans les rues du centre-ville montréalais que dans les sentiers des Laurentides par exemple. Quoique, il faut l'avouer, il ne se débrouille pas si mal là non plus.

En simple terme de look, le Outlander est sans aucun doute une réussite. Même si certains jugent sa grille avant un peu démodée, à l'image des anciens Oldsmobile, admettons que l'ensemble est plutôt réussi, et que l'aspect général a un air plus agressif que la moyenne des VUS. Quand on le regarde, on le croirait tout petit, à peine plus grand qu'une simple voiture familiale. Pourtant, mesures prises, il est comparable en dimensions (son empattement de 262 centimètres par exemple) avec ses principaux rivaux de catégorie que sont le CR-V de Honda, ou le Rav4 de Toyota. Le seul moteur offert est un 4 cylindres de 2,4 litres qui produit 160 chevaux, et 162 livres-pied de couple. Parce que le véhicule est assez lourd (1 570 kilos), le moteur ne réussit pas à surmonter ce handicap et démontre un flagrant manque de puissance, surtout à bas régime. Une situation qui change un peu cependant quand on opte pour la transmission manuelle à cinq rapports que Mitsubishi a proposée l'année dernière, et qui permet une meilleure modulation de la puissance. En revanche, la transmission automatique, malgré toute son ardeur, peine à suivre les efforts du moteur quand on le sollicite trop.

Construit sur la plate-forme du Lancer, la petite berline de la famille, le Outlander n'impressionne guère non plus par sa conduite et sa tenue de route. Le châssis est rigide, mais manque un peu de support quand vient le temps d'aborder des virages avec insistance. Ce qui, sur la Lancer, ne constitue pas un handicap majeur mais prend sur le Outlander, dont les proportions sont bien différentes, une dimension nettement plus impressionnante.

La traction intégrale par contre est efficace et remplit sa mission sans hésitation. Testée dans des sentiers légèrement accidentés, elle a réussi

FEU VERT

- Design agressif
- Finition de bon aloi
- Équipement complet
- Rouage intégral efficace

FEU ROUGE

- Moteur hésitant
- Transmission automatique lente
- Accès au chargement difficile
- Direction à peine correcte

Photo: Mitsubishi

à franchir les obstacles sans aucun problème, alors que d'autres membres de sa catégorie souffraient un peu plus. Notons que le Outlander est aussi offert en traction, une configuration qui colle mieux à son rôle de véhicule urbain. Enfin, précisons que la suspension souffre d'un débattement parfois un peu long, un défaut que l'on ressent surtout dans des conditions extrêmes. Ce grand écart intervient particulièrement en virage, alors qu'il provoque un peu de tangage et de roulis de caisse. Une direction correcte, mais sans plus, et des freins à disque plutôt efficaces viennent compléter cet agencement mécanique.

UN PETIT AIR ENCOURAGEANT

Malgré ces quelques défauts, le Outlander est sympathique. Même l'habitacle, qui n'a pourtant rien d'exceptionnel, dégage un petit air encourageant.

Le tableau de bord utilise des matériaux simples, mais de bon ton. On y retrouve par exemple du plastique de relative qualité, du tissu résistant sur les sièges, et des matériaux utilisant quelques motifs à l'allure moderne. Pour le reste, la planche de bord est quasi dénudée, presque trop. Les cadrans blancs sont faciles à lire et profitent d'un rétroéclairage puissant sans être agressant, ce qui rend la consultation de nuit plus agréable. Les boutons de la climatisation sont situés au centre de la console, et sont eux aussi d'une simplicité déconcertante.

La position de conduite est correcte, les réglages manuels faciles à effectuer, et les sièges offrent un bon confort en toutes circonstances. Les places arrière sont acceptables pour tous les membres de la famille. L'espace de chargement est vaste, mais difficile d'accès en raison d'un seuil trop élevé. Il n'est pas non plus possible d'ouvrir la fenêtre séparément du hayon, contrairement à plusieurs de ses concurrents. Là où le Outlander prend du galon, c'est dans la liste d'équipements de série.

Pas parfait, le Outlander n'en demeure pas moins un véhicule sympathique, au point où il devient un choix à considérer quand vient le temps de s'acheter un véhicule pour la famille.

Marc Bouchard

Photo : Marc Bouchard

DONNÉES TECHNIQUES

Modèle à l'essai :	Limited
Prix du modèle à l'essai :	34750$ - 2005
Échelle de prix :	23348$ à 33048$ - 2005
Garanties :	5 ans/100000 km, 10 ans/160000 km
Catégorie :	utilitaire sport compact
Emp./Lon./Lar./Haut.(cm) :	262,5/455/175/168,5
Poids :	1570 kg
Coffre/Réservoir :	420 à 1708 litres / 59 litres
Coussins de sécurité :	frontaux et latéraux (av.)
Suspension avant :	indépendante, jambes de force
Suspension arrière :	indépendante, multibras
Freins av./arr. :	disque (ABS)
Antipatinage/Contrôle de stabilité :	non/non
Direction :	à crémaillère, assistée
Diamètre de braquage :	11,4 m
Pneus av./arr. :	P225/60R17
Capacité de remorquage :	680 kg

GROUPE MOTOPROPULSEUR

Moteur :	4L de 2,4 litres 16s atmosphérique
Alésage et course	86,5 mm x 100,0 mm
Puissance :	160 ch (119 kW) à 5750 tr/min
Couple :	162 lb-pi (220 Nm) à 4000 tr/min
Rapport Poids/Puissance :	9,81 kg/ch (13,19 kg/kW)
Moteur électrique :	aucun
Autre(s) moteur(s) :	seul moteur offert
Transmission :	intégrale, automatique 4 rapports
Autre(s) transmission(s) :	manuelle 5 rapports / traction, automatique 4 rapports
Accélération 0-100 km/h :	11,2 s
Reprises 80-120 km/h :	10,1 s
Freinage 100-0 km/h :	45,4 m
Vitesse maximale :	185 km/h
Consommation (100 km) :	ordinaire, 11,7 litres
Autonomie (approximative) :	504 km
Émissions de CO2 :	4897 kg/an

DANS LA MÊME CATÉGORIE

Chevrolet Equinox - Ford Escape - Honda CR-V - Hyundai Tucson - Jeep Liberty - Kia sportage - Nissan X-Trail - Pontiac Torrent - Subaru Forester - Toyota Rav4

DU NOUVEAU EN 2006

Pas de changement majeur

HISTORIQUE DU MODÈLE

1ière génération

NOS IMPRESSIONS

Agrément de conduite :	4 ½
Fiabilité :	4
Sécurité :	3 ½
Qualités hivernales :	3 ½
Espace intérieur :	3 ½
Confort :	3 ½

LE CHOIX DE L'ÉQUIPE

XLS AWD

JAPANIMATION

L'année 2005 a marqué le 35e anniversaire de la série des voitures Z chez Nissan, la toute première 240Z ayant été lancée en 1969 en tant que modèle 1970. En plus de marquer cette occasion en lançant une version spéciale animée par un moteur de 300 chevaux, l'année 2005 a également permis à Nissan de dévoiler la toute première Z Cabriolet de l'histoire de la marque, puisque toutes les voitures de cette lignée étaient auparavant exclusivement des coupés. Il y a déjà eu un Z cabriolet il y a environ une décennie, mais il s'est limité à quelques exemplaires.

Élaborée à partir la plate-forme au nom de code FM qui sert de base à plusieurs voitures et véhicules sport utilitaires des marques Nissan et Infiniti, la 350Z réussit à se démarquer des autres produits qui partagent cette même architecture par le biais d'une carrosserie au style moderne. En fait, de tous les autres véhicules réalisés sur la base de cette plate-forme, seule la Infiniti G35 Coupe parvient à établir une filiation avec la 350Z sur le plan visuel. Avec ses lignes tendues, sa ceinture de caisse élevée et son gabarit relativement compact, la Z est toujours frappante, surtout dans le cas du coupé qui est mieux réussi à cet égard que le cabriolet.

Au volant de la 350Z, on est tout de suite surpris de constater jusqu'à quel point on est assis très bas dans la voiture, ce qui s'avère être un léger handicap dans le cas du modèle cabriolet avec le toit en place puisque la visibilité vers l'arrière et sur les côtés laisse à désirer. Pour abaisser le toit, il suffit de relâcher le mécanisme de fermeture et d'actionner le bouton de commande, le processus prend environ 20 secondes. Par contre, on doit serrer les freins pour que s'opère cette transformation alors que d'autres constructeurs (notamment Porsche) ont réussi à mettre au point des toits souples qui peuvent être repliés ou déployés tandis que la voiture est en marche, tant et aussi longtemps que la vitesse ne dépasse pas les 50 kilomètres/heure. Dans le cas du coupé ainsi que du cabriolet, la qualité des matériaux utilisés pour la réalisation de l'habitacle laisse un peu à désirer et l'ambiance est plutôt froide. Il faut cependant accorder une bonne note à la 350Z sur le plan de l'ergonomie, puisque le bloc d'instruments se déplace verticalement avec la colonne de direction permettant ainsi une lecture efficace des instruments peu importe le réglage choisi pour la position du volant. Les connaisseurs se souviendront que la défunte Porsche 928 était équipée d'un système semblable. L'habitacle est assez spacieux pour accommoder deux adultes de grande taille et les sièges offrent un bon soutien latéral en virage.

Sur la route, la rigidité du châssis de la 350Z coupé est sans faille, et le modèle cabriolet impressionne également même s'il ne peut égaler le coupé à cet égard. L'envers de la médaille, c'est que cette belle rigidité du châssis a un prix qui prend ici la forme d'un poids élevé. Avec un poids variant de 1 465 à 1 497 kilos, la 350Z coupé n'est pas légère et le modèle cabriolet affiche un poids encore plus élevé en raison des éléments de structure ajoutés au plancher de la voiture afin de la rigidifier pour compenser la perte du toit. Cela dit, la 350Z a beau être une voiture lourde, sa répartition des masses est presque idéale puisque 53 pour cent du poids est localisé sur le train avant et 47 pour cent sur

FEU VERT

Lignes réussies
Habitacle confortable
Couple du moteur
Freinage puissant

FEU ROUGE

Poids élevé
Qualité des plastiques utilisés pour l'intérieur
Direction surassistée
Volume du coffre et espaces de rangement

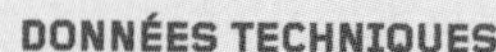

le train arrière, avec le résultat que la voiture affiche une belle neutralité sur la route, alors que sur circuit un léger sous-virage se fait immédiatement sentir. C'est également lorsque l'on roule à des vitesses supérieures à celles autorisées par la loi que l'on se rend compte que la direction est légèrement surassistée. La 350Z a beau être équipée d'une direction à assistance variable en fonction de la vitesse, l'assistance demeure trop présente lorsque le rythme est plus rapide ce qui nous empêche de bien «sentir» la voiture dans les longs virages rapides, où une direction moins assistée et un volant plus «lourd» permettraient une communion plus étroite et directe entre le conducteur et la route. Sur le plan technique, précisons que les suspensions de la 350Z sont composées d'éléments réalisés en aluminium avec amortisseurs à gaz et barres antiroulis qui s'avèrent efficaces pour contrôler le roulis en virage et la plongée vers l'avant au freinage.

Sous le capot, le moteur V6 de 3,5 litres (nom de code VQ) mérite tous nos éloges. C'est l'un des meilleurs moteurs de l'industrie et c'est pourquoi les marques Nissan et Infiniti l'utilisent à toutes les sauces. Greffé à la Z, ce moteur livre une puissance de 287 chevaux, mais surtout un couple maximal de 274 livres-pied à 4800 tours/minute. Ce couple élevé signifie qu'il n'est pas absolument nécessaire de rétrograder pour effectuer certaines manœuvres tel un dépassement ou une entrée sur la voie rapide, il suffit d'enfoncer l'accélérateur et de laisser le V6 faire son travail. La poussée est très linéaire et elle est également accompagnée d'une sonorité envoûtante.

Polyvalente, remarquablement bien équipée, et plutôt agile malgré son poids élevé, la 350Z est une sportive équilibrée. Elle n'offre pas une conduite aussi directe ou aussi intense qu'une Honda S2000, une Mazda RX-8 ou une Porsche Boxster, mais elle possède des qualités indéniables qui en font une sportive à considérer.

Gabriel Gélinas

Photos: Nissan

DONNÉES TECHNIQUES

Modèle à l'essai:	Performance
Prix du modèle à l'essai:	45698$ - 2005
Échelle de prix:	45698$ à 55698$ - 2005
Garanties:	3 ans/60000 km, 5 ans/100000 km
Catégorie:	coupé/cabriolet
Emp./Lon./Lar./Haut.(cm):	265/430/182/131,5
Poids:	1463 kg
Coffre/Réservoir:	193 litres / 76 litres
Coussins de sécurité:	frontaux, latéraux (av.), rideaux
Suspension avant:	indépendante, bras inégaux
Suspension arrière:	indépendante, multibras
Freins av./arr.:	disque (ABS)
Antipatinage/Contrôle de stabilité:	oui/oui
Direction:	à crémaillère, assistance variable
Diamètre de braquage:	10,8 m
Pneus av./arr.:	P225/45R18 / P245/45R18
Capacité de remorquage:	non recommandé

GROUPE MOTOPROPULSEUR

Moteur:	V6 de 3,5 litres 24s atmosphérique
Alésage et course	95,5 mm x 81,6 mm
Puissance:	287 ch (214 kW) à 6200 tr/min
Couple:	274 lb-pi (372 Nm) à 4800 tr/min
Rapport Poids/Puissance:	5,1 kg/ch (6,93 kg/kW)
Moteur électrique:	aucun
Autre(s) moteur(s):	seul moteur offert
Transmission:	propulsion, manuelle 6 rapports
Autre(s) transmission(s):	automatique 5 rapports
Accélération 0-100 km/h:	5,9 s
Reprises 80-120 km/h:	6,0 s
Freinage 100-0 km/h:	34,0 m
Vitesse maximale:	250 km/h
Consommation (100 km):	super, 11,0 litres
Autonomie (approximative):	691 km
Émissions de CO2:	4944 kg/an

DANS LA MÊME CATÉGORIE

Audi TT - BMW Z4 - Chrysler Crossfire - Honda S2000 - Mercedes-Benz SLK - Porsche Boxster

DU NOUVEAU EN 2006

Révision esthétique

HISTORIQUE DU MODÈLE

1ière génération

NOS IMPRESSIONS

Agrément de conduite:	4
Fiabilité:	3½
Sécurité:	3½
Qualités hivernales:	2½
Espace intérieur:	3
Confort:	3½

LE CHOIX DE L'ÉQUIPE

Performance, manuelle

UNE BELLE MATURITÉ

L'Altima a été l'une des premières voitures Nissan de l'ère Carlos Ghosn lors de son arrivée sur notre marché en 2002. Elle a causé une onde de choc surtout en raison de sa silhouette qui était vraiment audacieuse. Elle était la première d'une série d'automobiles aux allures toutes plus spectaculaires les unes que les autres. De nos jours, «plus spectaculaire» semble être plutôt «traditionnel», mais elle était dans une classe à part il y a quatre ans. Elle est un témoignage de la rapidité des transformations dans le monde automobile. Cesser de progresser est la certitude d'être dépassé par la concurrence. C'est pour cette raison que ce modèle a bénéficié de plusieurs modifications extérieures et intérieures l'an dernier.

Les changements à la silhouette avaient pour but de l'harmoniser avec la Maxima totalement transformée il y a deux ans. Malgré tout, il y a des différences marquées. Si le capot est plus ou moins semblable, la grille de calandre de l'Altima n'est pas séparée en sa partie centrale par un triangle chromé, tandis que ses feux arrière sont dotés d'une lentille cristalline alors que ceux de la Maxima sont rouges. Par contre, la ligne du pavillon, la présence d'une fausse glace de ventilation arrière, un couvercle de coffre plat avec bavette trapézoïdale, voilà plusieurs similitudes entre ces deux berlines. Elles ont donc plusieurs points en commun mais se démarquent aisément l'une de l'autre sur le plan visuel. C'est moins évident au chapitre de l'habitacle alors que les deux tableaux de bord ont la même architecture avec les trois cadrans circulaires, le volant à trois branches garnies d'appliques en aluminium brossé, l'écran central de navigation et plusieurs autres points similaires. Il faut préciser que l'Altima a connu plusieurs améliorations dans l'habitacle l'an dernier. Auparavant, la piètre qualité des plastiques, un assemblage inadéquat, des cadrans indicateurs difficiles à lire, des sièges plus ou moins confortables, voilà autant de correctifs qui devaient être apportés et qui l'ont été. D'ailleurs, des propriétaires de modèles 2005 rencontrés au cours de l'année nous ont fait part de leur satisfaction à ce chapitre.

POURQUOI PAS LE 4 CYLINDRES?

Comme c'est le cas avec la majorité des modèles, nous sommes toujours portés à adopter celui qui possède le moteur le plus puissant et qui assure des performances plus sportives. Aussi, presque dans tous les domaines, nous avons tendance à désirer ce qui est plus gros, plus rapide et malheureusement plus cher. Qu'il s'agisse d'ordinateurs, de cuisinières, de téléviseurs, plus c'est gros et puissant, mieux c'est. C'est la même rengaine avec la motorisation des automobiles. Il est certain que le moteur V6 de 3,5 litres de l'Altima est un moteur impressionnant avec sa puissance de 250 chevaux et son couple de 249 lb-pi. Il est de plus associé à une boîte manumatique à cinq rapports sur le modèle SE. Par contre, sa présence sous le capot assure une répartition du poids moins intéressante. En outre, en accélération, l'effet de couple dans le volant est toujours violent. Et dernier argument en faveur du moteur quatre cylindres, ce moteur V6 carbure au super.

Le moteur quatre cylindres de 2,5 litres n'est pas une mauviette avec une puissance de 175 chevaux. Il peut être commandé avec la boîte manuelle à cinq rapports de série ou encore l'automatique quatre rapports optionnelle. Plus léger, il rend la voiture plus agile, et en accélération, l'effet de couple dans le volant est à peine perceptible. Il

FEU VERT
- Silhouette élégante
- Moteurs fiables
- Choix de modèles
- Bonne habitabilité
- Position de conduite confortable

FEU ROUGE
- Effet de couple dans le volant
- Suspension arrière à revoir
- Effet de couple (V6)
- Finition inégale

est vrai qu'il concède environ une seconde et demie au modèle à moteur V6 pour boucler le 0-100 km/h, mais cette disparité est vite oubliée à la pompe alors que la consommation varie de deux à trois litres aux 100 km en faveur du moteur 2,5 litres.

Mais moteur V6 ou pas, l'Altima est encore handicapée par une suspension qui n'est pas toujours capable d'avaler les aspérités de la chaussée. Un gros cahot ou une bosse proéminente prend facilement l'essieu arrière en défaut. Pourtant, elle est indépendante, à bras multiples. Il faut également souligner que le rayon de braquage est relativement important, ce qui nuit à sa maniabilité.

Peu importe la version, l'Altima est tout de même une berline intéressante même si les limites de la suspension la handicapent par rapport aux Toyota Camry, Honda Accord et Volkswagen Passat pour ne nommer que celles-ci.

LA SE-R !

Depuis le printemps dernier, Nissan propose une version plus sportive de l'Altima, la SE-R. Comme sur la Sentra qui est elle aussi affublée de cette même dénomination, elle est pourvue d'un moteur plus puissant et d'un plus haut rendement. La puissance du moteur V6 est de 260 chevaux et le couple de 251 lb-pi. Mais le couple maximal est obtenu à un régime moindre, ce qui assure des accélérations plus incisives alors qu'on retranche au moins une seconde au temps d'accélération de 0-100 km/h.

Toutefois, le but de ce type de modèle n'est pas d'aller rapidement uniquement en ligne droite. Ce qui explique la présence d'une suspension dotée de ressorts plus rigides, d'amortisseurs plus fermes et de barres antiroulis de plus gros diamètre. Elle roule également sur des pneus plus larges et à semelles plus performantes. Alors que les versions courantes sont équipées d'un pneu de grosseur maximale de 17 pouces, la SE-R se paie des pneus d'été P225/45R18.

Bien entendu, la présentation extérieure est quelque peu modifiée afin que les gens se rendent compte que vous êtes au volant d'un véhicule plus sportif. Certains vous envieront, mais sans savoir que la suspension très ferme de ce modèle rend la vie misérable sur un long trajet...

Denis Duquet

Photos: Nissan

DONNÉES TECHNIQUES

Modèle à l'essai:	3.5SE
Prix du modèle à l'essai:	31295$ (2005)
Échelle de prix:	24098$ à 37895$ (2005)
Garanties:	3 ans/60000 km, 5 ans/100000 km
Catégorie:	berline intermédiaire
Emp./Lon./Lar./Haut.(cm):	280/486/179/147
Poids:	1375 kg
Coffre/Réservoir:	442 litres / 76 litres
Coussins de sécurité:	frontaux et latéraux (av.)
Suspension avant:	indépendante, jambes de force
Suspension arrière:	indépendante, multibras
Freins av./arr.:	disque (ABS)
Antipatinage/Contrôle de stabilité:	oui/oui
Direction:	à crémaillère, assistance variable
Diamètre de braquage:	11,8 m
Pneus av./arr.:	P215/55R17
Capacité de remorquage:	n.d.

GROUPE MOTOPROPULSEUR

Moteur:	V6 de 3,5 litres 24s atmosphérique
Alésage et course	95,5 mm x 81,4 mm
Puissance:	250 ch (186 kW) à 5800 tr/min
Couple:	249 lb-pi (338 Nm) à 4400 tr/min
Rapport Poids/Puissance:	5,50 kg/ch (7,39 kg/kW)
Moteur électrique:	aucun
Autre(s) moteur(s):	4L 2,5 l 175ch à 6000tr/mn et 180lb-pi à 4000tr/mn, V6 3,5 l 260ch à 6000tr/mn et 251lb-pi à 3600tr/mn (SE-R)
Transmission:	traction, automatique 5 rapports
Autre(s) transmission(s):	automatique 4 rapports (4 cyl) / manuelle 5 rapports
Accélération 0-100 km/h:	7,4 s
Reprises 80-120 km/h:	6,8 s
Freinage 100-0 km/h:	40,9 m
Vitesse maximale:	200 km/h
Consommation (100 km):	super, 13,5 litres
Autonomie (approximative):	563 km
Émissions de CO2:	4956 kg/an

DANS LA MÊME CATÉGORIE

Chrysler Sebring - Honda Accord - Hyundai Sonata - Kia Magentis - Mazda 6 - Mitsubishi Galant - Toyota Camry - Volkswagen Passat

DU NOUVEAU EN 2006

Aucun changement majeur, nouveaux groupes d'options

HISTORIQUE DU MODÈLE

3ième génération

NOS IMPRESSIONS

Agrément de conduite:	🚗🚗🚗🚗½
Fiabilité:	🚗🚗🚗½
Sécurité:	🚗🚗🚗½
Qualités hivernales:	🚗🚗🚗½
Espace intérieur:	🚗🚗🚗🚗
Confort:	🚗🚗🚗½

LE CHOIX DE L'ÉQUIPE

3,5 SE

GROSSE POINTURE

La compagnie Nissan a subi une véritable cure de rajeunissement. Depuis l'arrivée de son nouveau dirigeant, Carlos Ghosn, le fabricant japonais a complètement changé sa façon de faire, modifiant à la fois technologie et design des voitures. Pour le plus grand bonheur des amateurs, d'ailleurs. Mais les décisions de Nissan sont parfois imprévisibles. Je ne connais personne par exemple qui aurait pu prédire que ce constructeur serait présent dans tous les créneaux des utilitaires sport, du plus grand au plus petit. Et pourtant, c'est exactement ce que l'on nous réserve.

Et le plus grand, c'est certainement l'Armada (on a aboli la notion de Pathfinder qui y était associé à son lancement en 2004), un gigantesque VUS aux dimensions titanesques qui possède la même mécanique que la camionnette Titan et la même plate-forme. Ce qui explique qu'il soit capable de rivaliser en taille et en puissance avec tous les compétiteurs sur le marché.

VÉRITABLE GRAND FORMAT

L'Armada, c'est l'utilitaire grand format dans sa quintessence : gros, fort, bien équipé, mais surtout aussi doté des détails de sophistication qui permettent un usage urbain tout comme un usage hors route. Il est immense, et sa consommation d'essence est évidemment à l'avenant. Son gros moteur de 5,6 litres V8 qui développe 305 chevaux à 4900 tr/min rend assurément assez coûteuse l'utilisation de cet utilitaire avec une consommation de plus de 19 litres aux 100 kilomètres en usage urbain. Alors, imaginez lorsqu'on le sort des sentiers battus ! Pour être tout à fait franc, il a presque fallu prévoir une allocation spéciale uniquement pour s'assurer que notre essai routier serait complet.

Il faut cependant admettre que le moteur qui anime l'Armada est impressionnant. Il se démène avec vigueur pour entraîner le mastodonte sur les routes à bonne vitesse, et sans trop d'hésitation. Quand vient le temps de tracter, l'Armada est aussi au rendez-vous grâce à son couple exceptionnel de 385 livres-pied. Si cette donnée vous laisse perplexe, disons qu'il est capable de tirer sans trop forcer jusqu'à 4128 kg (9100 livres), ce qui en fait l'un des plus puissants de sa catégorie.

Pour y arriver, on a installé une transmission automatique à 5 rapports avec mode remorquage, et un système de traction à quatre roues motrices à contrôle automatique qui transfère le couple jusqu'à un pourcentage de 50-50 selon les besoins. La suspension, bien adaptée sur une chaussée plus cahoteuse, rend évidemment très confortable toute promenade pour les passagers, car ils ne se font pas balancer aux quatre coins de la cabine. Mais on aurait peut-être souhaité se faire brasser un peu plus, histoire de prouver que l'on conduit bien un utilitaire sport !

Bien qu'il soit très puissant, l'Armada est loin d'être maniable. Il a un rayon de braquage important, parmi les plus importants en fait, et possède une direction qui est parfois floue en ligne droite, surtout quand la vitesse augmente. Comme quoi, on a beau avoir la puissance de l'ogre, il est difficile d'avoir aussi la délicatesse du Petit Poucet !

FEU VERT

- Mécanique surprenante
- Espace intérieur titanesque
- Rouage intégral
- Suspension sans surprise
- Grande polyvalence

FEU ROUGE

- Consommation élevée
- Direction parfois floue
- Finition à revoir
- Accessoires coûteux
- Dimensions exagérées

LE CONFORT D'UN SALON

Tout cela, dans un enrobage relativement luxueux, muni de tous les accessoires nécessaires, et même parfois superflus, mais ô combien agréables à posséder! Les sièges avant par exemple, sont à réglages électriques multiples et sur la version LE disposent aussi d'une mémorisation du réglage. L'Armada est aussi vendu avec un système de navigation par satellite à guidage vocal (qui comme tous les systèmes du genre ne dessert que les principales zones urbaines du Québec, alors oubliez les randonnées dans la jolie campagne). On peut aussi, si on accepte de défrayer les coûts de l'ensemble Technologie, jouir d'une caméra de recul facilitant les manœuvres de stationnement de cet imposant utilitaire sport. Et bien sûr, cela ajoute aussi un lecteur de DVD qui ravit à coup sûr les enfants assis sur la banquette arrière.

Cette banquette de deuxième rangée peut d'ailleurs être remplacée par des sièges capitaines, entre lesquels est installée une console de rangement de grand format garnie de porte-verres de grande dimension. On y retrouve aussi les commandes vidéo, ainsi que les réglages du système de ventilation. Un véritable habitacle complet, cadrans de tableau de bord en moins. L'Armada est aussi muni d'une troisième rangée qui, en raison des grandes dimensions du véhicule, offre suffisamment d'espace pour la tête et les jambes. Mieux encore, cette troisième rangée peut être rabattue complètement à plat et ainsi dégager un vaste espace de chargement.

Mais, car il y a toujours un mais, il manque quelque chose au gros Armada pour être vraiment le VUS parfait. Oui, c'est vrai, il bouge avec vigueur et les passagers sont à l'aise. Il est aussi exact qu'il est fort, a une silhouette remarquable et possède un système digne des meilleurs utilitaires en matière de traction. Mais malgré tout cela, on cherche encore le plaisir de la conduite. Normal, sans doute avec un véhicule de cette taille, mais on se surprend à souhaiter davantage.

On ne passe vraiment pas inaperçu au volant de ce mastodonte, surtout quand on fréquente une zone un peu plus urbaine. Malheureusement, en dépit de toutes ces qualités, le conducteur risque fort de se sentir un peu perdu et un peu seul au volant de cet immense utilitaire. On est toujours un peu seul quand on est aussi haut...

Marc Bouchard

Photos: Nissan

NISSAN ARMADA

DONNÉES TECHNIQUES

Modèle à l'essai:	SE
Prix du modèle à l'essai:	53898$
Échelle de prix:	53898$ à 58898$
Garanties:	3 ans/60000 km, 5 ans/100000 km
Catégorie:	utilitaire sport grand format
Emp./Lon./Lar./Haut.(cm):	313/525,5/200/197,5
Poids:	2340 kg
Coffre/Réservoir:	566 à 2750 litres / 106 litres
Coussins de sécurité:	frontaux, latéraux (av.), rideaux
Suspension avant:	indépendante, jambes de force
Suspension arrière:	indépendante, multibras
Freins av./arr.:	disque (ABS)
Antipatinage/Contrôle de stabilité:	oui/oui
Direction:	à crémaillère, assistance variable
Diamètre de braquage:	12,5 m
Pneus av./arr.:	P265/70R18
Capacité de remorquage:	4128 kg

GROUPE MOTOPROPULSEUR

Moteur:	V8 de 5,6 litres 32s atmosphérique
Alésage et course	98,0 mm x 92,0 mm
Puissance:	305 ch (227 kW) à 4900 tr/min
Couple:	385 lb-pi (522 Nm) à 3600 tr/min
Rapport Poids/Puissance:	7,67 kg/ch (10,31 kg/kW)
Moteur électrique:	aucun
Autre(s) moteur(s):	seul moteur offert
Transmission:	intégrale, automatique 5 rapports
Autre(s) transmission(s):	aucune
Accélération 0-100 km/h:	7,5 s
Reprises 80-120 km/h:	6,0 s
Freinage 100-0 km/h:	42,1 m
Vitesse maximale:	180 km/h
Consommation (100 km):	super, 17,4 litres
Autonomie (approximative):	609 km
Émissions de CO2:	7343 kg/an

DANS LA MÊME CATÉGORIE

Chevrolet Tahoe - Chevrolet Suburban - Ford Expedition - Toyota Sequoia

DU NOUVEAU EN 2006

Pas de changement majeur

HISTORIQUE DU MODÈLE

1ière génération

NOS IMPRESSIONS

Agrément de conduite:	🚗🚗🚗½
Fiabilité:	🚗🚗🚗🚗
Sécurité:	🚗🚗🚗🚗½
Qualités hivernales:	🚗🚗🚗🚗½
Espace intérieur:	🚗🚗🚗🚗🚗
Confort:	🚗🚗🚗🚗½

LE CHOIX DE L'ÉQUIPE

SE

LE DESIGN NE PEUT TOUT FAIRE

Jadis une paisible berline bourgeoise aux lignes plutôt conservatrices, la Maxima est devenue une voiture de designer avec sa silhouette très épurée dont plusieurs des éléments semblent avoir été inspirés par la Z, la référence chez Nissan en fait de stylisme. Cette conversion en voiture BCBG en 2004 a également permis à la plus grosse berline de ce constructeur de se démarquer davantage de l'Altima qui lui chauffait le pare-choc arrière en look, en performance mais pas en prix.

Toujours au chapitre du stylisme, il faut souligner que les photos ne rendent pas justice à cette nippone dont l'apparence est beaucoup plus typée lorsqu'on peut la regarder de près. Son capot avant plongeant doté d'un léger renflement au centre semble provenir de la Z, tout comme les blocs optiques et les passages de roue. Les stylistes ont également remis ça à l'arrière avec des feux de position presque similaires, mais plus gros sur la Maxima. Et si le tableau de bord de la berline se démarque quelque peu du coupé, il faut retenir son instrumentation semblable avec trois cadrans indicateurs circulaires, son volant trois branches dont les rayons sont garnis d'appliques en aluminium brossé, de même que le large écran à affichage par cristaux liquides. Tous des éléments plus ou moins similaires entre ces deux modèles. Pour certains, ces emprunts ont pour but d'accentuer le caractère sportif de la Maxima, tandis que d'autres interprètent cette utilisation comme un manque d'imagination. Parions que la vraie raison est un souci d'économie. Ce n'est pas par miracle si ce constructeur a su recouvrer sa santé financière d'une façon aussi spectaculaire, mais en faisant un choix judicieux des éléments disponibles.

Et la similitude ne s'arrête pas là, car la Maxima est équipée du même moteur V6 de 3,5 litres. Cette fois, il produit 265 chevaux, soit 12 de moins que celui de la Z. De plus, ce moteur est monté transversalement sur la berline, tandis que le coupé sport est une propulsion. Dans les deux cas, une boîte manuelle à six rapports et une boîte manumatique à cinq vitesses sont offertes.

MAXI TRIO !

La famille Maxima se décline en trois modèles distincts ou en un Maxi trio si vous appréciez ce genre de calembour. Le modèle d'entrée de gamme est la SE cinq places qui est également la Maxima la plus sportive avec ses roues de 18 pouces, sa boîte manuelle à six rapports avec course de levier plus courte et son original toit Skyview. Celui-ci n'est pas ouvrant, mais est constitué de deux puits de lumière longitudinaux et parallèles. Il est impossible de les ouvrir, mais un ingénieux volet permet de les obturer. Vous pouvez par ailleurs commander en option le toit ouvrant habituel, mais vous perdez alors le Skyview. Quel dilemme !

La seconde version dans la hiérarchie Maxima est la SE quatre places. Vous avez bien lu, la banquette arrière est remplacée par deux sièges baquets individuels séparés l'un de l'autre par une imposante console centrale. Cette originalité vous fait perdre le dossier arrière 60/40 des

FEU VERT

Moteur efficace
Équipement complet
Silhouette dynamique
Bonne habitabilité
Rapport qualité/prix SE cinq places

FEU ROUGE

Important effet de couple
Suspension sèche (SE)
Qualité des matériaux à revoir
Finition inégale
Diamètre de braquage

deux autres modèles et vous devez vous contenter d'une trappe de passage pour les skis et autres objets longs. Comme le modèle à cinq places, la suspension est de type sport et la boîte manuelle est de série. Par contre, la liste d'équipement de base est plus étoffée. Les spécialistes de la mise en marché ont tenté de concilier le luxe et le sport. D'ailleurs, son prix est similaire à celui du modèle de luxe, la SL.

Cette fois, impossible de pouvoir commander la boîte manuelle. Seule l'automatique est au programme. Les roues sont des roues de 17 pouces sur lesquelles sont montés des pneus moins larges et de profil plus élevé afin d'améliorer le niveau de confort. En harmonie avec cette monte pneumatique, la suspension est plus souple. Enfin, cette fois, le toit ouvrant habituel est de série tandis que le toit Skyview est optionnel. Elle s'adresse aux automobilistes recherchant davantage le confort que les performances même si le moteur demeure le même.

CARLOS DOIT RAGER

Si les concepteurs ont fait preuve de beaucoup d'ingéniosité et d'esprit innovateur dans la conception de cette voiture, tout n'est pas parfait. En premier lieu, il faut déplorer un important effet de couple dans le volant sur les trois modèles. Et particulièrement sur les modèles équipés de la boîte manuelle. Le passage des rapports est court et précis, et l'étagement bien adapté, mais ça «tire allègrement dans le volant». Il semble que les ingénieurs de Nissan soient incapables de corriger ce problème qui est encore plus évident sur l'Altima V6. Il faut donc se limiter à accélérer en douceur ou se cramponner au volant. Carlos Ghosn doit rager de savoir que le problème perdure, lui qui n'apprécie pas ce genre de situation. Et il faut également souligner que la suspension sport des deux modèles SE ne convient pas nécessairement à nos routes. Ce qui doit expliquer les bruits de caisse entendus sur toutes les Maxima essayées à ce jour. Enfin, sur une voiture de ce prix, la qualité des matériaux et d'assemblage pourrait être meilleure.

Finalement, si la tenue de route est bonne, l'agilité n'est pas au rendez-vous et que dire d'un diamètre de braquage de plus de 12 mètres? Et il s'agit des chiffres de la compagnie alors que, vérification faite, il serait plus juste de parler de 13,4 mètres. Il est toujours possible de se consoler en contemplant sa silhouette et en jouissant de son habitabilité. Que voulez-vous, rien n'est parfait, même pas la Maxima!

Denis Duquet

Photos: Nissan

NISSAN MAXIMA

DONNÉES TECHNIQUES

Modèle à l'essai:	SE 4 places
Prix du modèle à l'essai:	42200$
Échelle de prix:	35000$ à 44595$
Garanties:	3 ans/60000 km, 5 ans/100000 km
Catégorie:	berline intermédiaire
Emp./Lon./Lar./Haut.(cm):	282,5/491/182/148
Poids:	1571 kg
Coffre/Réservoir:	439 litres / 76 litres
Coussins de sécurité:	frontaux, latéraux (av.), rideaux
Suspension avant:	indépendante, jambes de force
Suspension arrière:	indépendante, multibras
Freins av./arr.:	disque (ABS)
Antipatinage/Contrôle de stabilité:	oui/oui
Direction:	à crémaillère, assistance variable
Diamètre de braquage:	12,2 m
Pneus av./arr.:	P245/45R18
Capacité de remorquage:	454 kg

GROUPE MOTOPROPULSEUR

Moteur:	V6 de 3,5 litres 24s atmosphérique
Alésage et course	95,5 mm x 81,4 mm
Puissance:	265 ch (198 kW) à 5800 tr/min
Couple:	255 lb-pi (346 Nm) à 4400 tr/min
Rapport Poids/Puissance:	5,93 kg/ch (7,93 kg/kW)
Moteur électrique:	aucun
Autre(s) moteur(s):	seul moteur offert
Transmission:	traction, automatique 5 rapports
Autre(s) transmission(s):	manuelle 6 rapports (SE)
Accélération 0-100 km/h:	7,2 s
Reprises 80-120 km/h:	5,8 s
Freinage 100-0 km/h:	43,8 m
Vitesse maximale:	225 km/h
Consommation (100 km):	super, 12,9 litres
Autonomie (approximative):	589 km
Émissions de CO2:	4956 kg/an

DANS LA MÊME CATÉGORIE

Acura TL - Lexus ES 330 - Pontiac Grand Prix - Saab 9-3 - Volkswagen Passat - Volvo S60

DU NOUVEAU EN 2006

Aucun changement majeur, rétroviseurs extérieurs basculants, affichage écran amélioré

HISTORIQUE DU MODÈLE

5ième génération

NOS IMPRESSIONS

Agrément de conduite:	4
Fiabilité:	2 ½
Sécurité:	4
Qualités hivernales:	2 ½
Espace intérieur:	4
Confort:	2 ½

LE CHOIX DE L'ÉQUIPE

SE 4 places automatique

LA VOITURE AU LARGE SOURIRE

La marque nippone Nissan était quasi moribonde lorsque, il a quelques années, le désormais célèbre Carlos Ghosn a repris les rênes de l'entreprise pour la ramener vers la rentabilité. Un des gestes les plus importants posés pour redresser la compagnie a été d'offrir une gamme entièrement renouvelée de véhicules. Pour ce faire, on a opté pour un design moderne, presque futuriste, qui a frappé l'imaginaire des acheteurs d'automobile. Dans ce domaine, la plus belle réussite est encore la Nissan Murano, une voiture multisegment dont les lignes sont sans conteste plus proches de l'œuvre d'art que du simple design industriel.

Quelques années après son lancement en 2003, la Murano continue de faire tourner les têtes tant son style est unique et rafraîchissant. Et contrairement à ce que bon nombre de spécialistes croyaient, les lignes de la voiture n'ont rien de démodé.

En fait, quand on est au volant d'une Murano, rien ne sert d'essayer d'être discret. Même si on la voit quotidiennement sur les routes, elle attire tout de même les yeux des passants. Le modèle est assez facile à reconnaître. Il dispose d'une part d'une grande calandre chromée dont la grille, aux coins recourbés vers le haut, rappelle une bouche. Une bouche souriante d'ailleurs, ce qui rend la Murano sympathique. À l'arrière, le hayon tout en courbes et en rondeurs évoque celui des FX d'Infiniti, la série sœur haut de gamme de Nissan.

La Nissan Murano n'a ni la stature habituelle d'un véhicule utilitaire sport, que les fabricants s'efforcent, dirait-on, de conserver aussi carré que possible, ni celle d'une voiture familiale. Autant par sa taille que par son design, elle se situe quelque part entre les deux et frappe directement à la porte des multisegments. Mais aussi unique est-elle par sa silhouette, aussi unique est-elle par son comportement routier et son design intérieur. Contrairement aux traditionnels utilitaires, les designers n'ont pas sacrifié l'espace au look. L'habitacle offre du dégagement tant à l'avant qu'à l'arrière, et les espaces de rangement sont nombreux et immenses, aux quatre coins de la cabine.

Le tableau de bord se marie avec la personnalité de la voiture. Les instruments sont logés dans une console centrale facilement accessible, tandis que les cadrans sont insérés dans un élément ajouté au-dessus du tableau de bord traditionnel, leur permettant d'être plus près du conducteur. Certains ont d'ailleurs trouvé qu'ils étaient trop près, puisqu'ils sont situés dans un angle de vision légèrement inhabituel auquel on s'habitue cependant rapidement. Petit défaut, mais rien de sérieux, certains des accessoires sont peu intuitifs dans leur fonctionnement, et d'autres sont un peu trop éloignés du conducteur, comme la prise 12 volts située loin sous la console du côté du passager.

Quant à la finition intérieure de plastique et d'aluminium brossé, elle est particulièrement soignée malgré quelques faiblesses.

DES AIRS DE FAMILLE

Bien qu'elle soit unique en son genre chez Nissan, la Murano partage tout de même de nombreuses composantes avec ses sœurs. Ainsi, c'est

FEU VERT

Silhouette sexy
Espace abondant
Tenue de route compétente
Transmission efficace

FEU ROUGE

Finition déficiente par endroit
Craquements douteux
Ergonomie à revoir
Traction intégrale limitée

sur la plate-forme de la Altima, et de la Maxima par voie de conséquence que le véhicule a été conçu. Sous le capot, un moteur V6 de 3,5 litres, est le même que l'on retrouve dans d'autres modèles de la famille, notamment les FX d'Infiniti. Il est fiable et assez silencieux, et n'est pas avare de ses 245 chevaux, même si ceux-ci semblent un peu juste compte tenu du poids du véhicule.

L'ensemble est relié à une transmission Xtronic continuellement variable qui permet une utilisation quasi illimitée du nombre de rapports, conservant en tout temps le régime moteur à son niveau maximal. Une transmission qui nous épargne les affres des à-coups provoqués par les changements d'engrenage des boîtes hydrauliques. Bien sûr, les démarrages sont un peu moins foudroyants, mais elle se comporte avec une souplesse incroyable, et on ressent un petit frisson en entendant le léger bruit de turbine de la CVT. Notons qu'il est aussi possible d'obtenir une transmission automatique à 6 rapports avec mode manuel, mais uniquement sur la version SE.

Parce que la Murano est un utilitaire par définition, il est possible de l'équiper d'une traction intégrale. Toutefois, il est fortement déconseillé de l'amener en dehors des sentiers battus, au risque de vous retrouver coincé pour longtemps.

Comme dans la plupart des modèles du genre, cette transmission intégrale transmet d'abord toute la puissance aux roues avant. Si ces dernières patinent, le couple sera alors transféré aux roues arrière selon les besoins, et jusqu'à un maximum de 50 %. Vous pourrez alors vous tirer d'un mauvais pas quand la charrue aura laissé une congère trop grosse devant chez vous, mais pas question de braver les sentiers sauvages de l'Abitibi avec un tel système réactif !

Ajoutez à ce véhicule des roues de 18 pouces et une suspension efficace, et vous obtiendrez une tenue de route exceptionnelle et d'une grande stabilité. En revanche, vous devrez vous contenter d'une direction assez peu communicative, laissant le conducteur sans trop de relations avec la route.

Lancée en 2003, presque inchangée depuis, la Murano est un heureux mélange entre un utilitaire et une voiture. Tout cela avec style et élégance. Que demander de mieux ?

Marc Bouchard

Photos : Nissan

DONNÉES TECHNIQUES

Modèle à l'essai :	SL 4RM
Prix du modèle à l'essai :	40 700 $
Échelle de prix :	38 198 $ à 47 598 $
Garanties :	3 ans/60 000 km, 5 ans/100 000 km
Catégorie :	multisegment
Emp./Lon./Lar./Haut.(cm) :	282/476,5/188/171
Poids :	1 813 kg
Coffre/Réservoir :	923 à 2 311 litres / 82 litres
Coussins de sécurité :	frontaux, latéraux (av.), rideaux
Suspension avant :	indépendante, bras inégaux
Suspension arrière :	indépendante, multibras
Freins av./arr. :	disque (ABS)
Antipatinage/Contrôle de stabilité :	oui/oui (SE)
Direction :	à crémaillère, assistance variable
Diamètre de braquage :	11,4 m
Pneus av./arr. :	P235/65R18
Capacité de remorquage :	3 500 kg

GROUPE MOTOPROPULSEUR

Moteur :	V6 de 3,5 litres 24s atmosphérique
Alésage et course	95,5 mm x 81,4 mm
Puissance :	245 ch (183 kW) à 5 800 tr/min
Couple :	246 lb-pi (334 Nm) à 4 400 tr/min
Rapport Poids/Puissance :	7,40 kg/ch (9,91 kg/kW)
Moteur électrique :	aucun
Autre(s) moteur(s) :	seul moteur offert
Transmission :	intégrale, CVT mode man. 6 rapports
Autre(s) transmission(s) :	automatique, 6 rapports
Accélération 0-100 km/h :	8,4 s
Reprises 80-120 km/h :	7,1 s
Freinage 100-0 km/h :	38,5 m
Vitesse maximale :	195 km/h
Consommation (100 km) :	super, 11,8 litres
Autonomie (approximative) :	695 km
Émissions de CO2 :	5 089 kg/an

DANS LA MÊME CATÉGORIE

Honda Pilot - Mitsubishi Endeavor - Subaru Forester XT - Toyota Highlander - Volkswagen Touareg

DU NOUVEAU EN 2006

Quelques changements cosmétiques, nouveaux accessoires ajoutés

HISTORIQUE DU MODÈLE

1ière génération

NOS IMPRESSIONS

Agrément de conduite :	
Fiabilité :	½
Sécurité :	
Qualités hivernales :	
Espace intérieur :	
Confort :	

LE CHOIX DE L'ÉQUIPE

SL 4RM

TARZAN DU DIMANCHE

C'est un secret de polichinelle, et tous les constructeurs le savent bien : les acheteurs de véhicules utilitaires sport s'en servent exceptionnellement pour les mener sur des sentiers difficiles. En fait, ces VUS servent plutôt à conduire en ville une petite famille d'aventuriers urbains. Ce qui n'empêche pas les constructeurs de concevoir des véhicules capables de grimper l'Everest, et d'en redemander, comme le Nissan Pathfinder, complètement redessiné l'an dernier.

Quand je parle d'escalader la plus haute montagne du monde, j'exagère un peu. N'empêche que les capacités hors route de la nouvelle version du Pathfinder sont carrément supérieures à ce que le conducteur moyen utilisera. Un choix que les dirigeants de Nissan assument fort bien, puisqu'ils sont conscients que les acheteurs de Pathfinder sont des aventuriers dans l'âme, des pères de famille (eh oui, le pourcentage d'homme est nettement plus élevé) qui se consacrent à leur rôle, mais qui aimeraient bien jouer à Tarzan de temps en temps. C'est justement ce que propose ce Nissan tout-terrain.

Les changements apportés l'an dernier sur le gros utilitaire japonais sont nombreux, mais le plus important est certainement le châssis. Alors qu'auparavant, il se contentait d'un châssis monocoque, il repose désormais sur une plate-forme en échelle, comme les camions. Les résultats en terme de rigidité et de solidité sont évidemment exceptionnels. Il s'agit d'un élément partagé avec le gigantesque Armada et la camionnette Titan.

MASSE FOIS PUISSANCE

Sous le capot, un bruyant, mais efficace, moteur de 270 chevaux et de 291 livres-pied de couple, est capable de déplacer la masse du Pathfinder avec une étonnante prestance, compte tenu du poids de l'ensemble. Le moteur est lui aussi un partage, puisqu'il est une version camionnette du célèbre V6 3,5 litres qui propulse la grande majorité des modèles Nissan. Cette fois, la cylindrée a été portée à 4,0 litres. Malgré un poids important et un puissant moteur, la consommation d'essence est relativement raisonnable. Inutile, évidemment, de comparer votre Pathfinder à votre petite Sentra, mais en comparaison de ses prédécesseurs, il gagne un bon 2 à 3 litres aux 100 kilomètres, ce qui n'est pas négligeable.

Jumelée au moteur, on retrouve dorénavant une transmission automatique 5 rapports (la manuelle est désormais chose du passé) plutôt efficace, qui fonctionne avec une douceur étonnante. Au Canada, toutes les versions du Pathfinder sont offertes en quatre roues motrices, à temps partiel. Les modèles XE (de base) et SE (même la version officielle Off Road) doivent cependant se contenter d'un système simple qui répartit le couple 50-50 entre les roues avant et arrière. En revanche, la version la plus luxueuse (celle que j'ai essayée et qui était même dotée d'un lecteur DVD pour les passagers arrière) est équipée d'un bouton qui permet de régler la boîte de transfert en mode manuel ou automatique.

FEU VERT
Espace intérieur vaste
Capacités hors route
Habitacle silencieux
Moteur puissant

FEU ROUGE
Freinage ardu
Tenue de route parfois déficiente
Troisième banquette
Sièges peu confortables

FOLIE DE BROUSSE

Pour faire bonne figure hors route, on a installé de série sur le nouveau Pathfinder un ensemble de systèmes électroniques susceptibles de venir en aide à n'importe qui désireux de tenter sa chance dans les sentiers boueux. Ainsi, outre les traditionnels freins ABS, le Path (comme on l'appelle familièrement) dispose d'un équipement sophistiqué regroupé sous le nom de Vehicle Stability Control, qui se charge d'éviter les dérapages latéraux ou qui vient à la rescousse lors de manœuvres plus risquées sur chaussées glissantes, ou durant nos folies de brousse devant lesquelles le Pathfinder ne rechigne pas.

Pour aider dans les pentes, on a aussi installé un Dowhill Assist, c'est-à-dire un système qui contrôle la vitesse de la descente dans une pente abrupte, sans même que le conducteur n'ait à appuyer sur l'accélérateur. Le même principe s'applique aussi à reculons, un système particulièrement utile lorsque vient le temps de faire un stationnement parallèle dans une côte abrupte.

Sur chaussée asphaltée, le Pathfinder se comporte comme un charme. Étonnamment silencieux, l'habitacle est confortable et spacieux (le contraire aurait été surprenant quand on regarde le véhicule). La direction est précise sans être sportive, comme on s'y attend d'un utilitaire. Le véhicule se manie avec une certaine stabilité, même si parfois, lorsque l'enthousiasme nous emporte, il a une légère tendance à vouloir dévier rapidement de sa trajectoire en virage serré. Mais les systèmes électroniques corrigent promptement, quoique bruyamment, les petites erreurs.

Le freinage, quant à lui, est encore perfectible. Sans doute en raison de l'imposante masse, ou tout simplement parce que le système a besoin de certains ajustements, il faut appuyer avec une certaine vigueur et sans trop d'hésitation pour espérer s'arrêter dans un délai respectable, contrairement à plusieurs de ses concurrents de même taille.

Avec cette génération de Pathfinder, Nissan fait encore la preuve qu'il est possible de construire des utilitaires au comportement amusant, même sur la route. Et parce qu'il dispose d'un équipement de pointe, et même d'options haut de gamme, le Pathfinder plaira à tous les aventuriers du dimanche, tout en étant capable de mener la petite famille à bon port. À la condition, bien sûr, de ne pas s'en laisser imposer par les dimensions de la bête!

Marc Bouchard

Photos: Nissan

DONNÉES TECHNIQUES

Modèle à l'essai:	LE
Prix du modèle à l'essai:	38595$
Échelle de prix:	36798$ à 47198$
Garanties:	3 ans/60000 km, 5 ans/100000 km
Catégorie:	utilitaire sport intermédiaire
Emp./Lon./Lar./Haut.(cm):	285/474/185/177,5
Poids:	2095 kg
Coffre/Réservoir:	190 à 2090 litres / 90 litres
Coussins de sécurité:	frontaux, latéraux (av.), rideaux
Suspension avant:	indépendante, bras inégaux
Suspension arrière:	indépendante, multibras
Freins av./arr.:	disque (ABS)
Antipatinage/Contrôle de stabilité:	oui/oui
Direction:	à crémaillère, assistance variable
Diamètre de braquage:	11,9 m
Pneus av./arr.:	P265/70R17
Capacité de remorquage:	2270 kg

GROUPE MOTOPROPULSEUR

Moteur:	V6 de 4,0 litres 24s atmosphérique
Alésage et course	95,5 mm x 92,0 mm
Puissance:	270 ch (201 kW) à 5600 tr/min
Couple:	291 lb-pi (395 Nm) à 4000 tr/min
Rapport Poids/Puissance:	7,76 kg/ch (10,42 kg/kW)
Moteur électrique:	aucun
Autre(s) moteur(s):	seul moteur offert
Transmission:	4X4, automatique 5 rapports
Autre(s) transmission(s):	aucune
Accélération 0-100 km/h:	8,9 s
Reprises 80-120 km/h:	7,8 s
Freinage 100-0 km/h:	42,0 m
Vitesse maximale:	185 km/h
Consommation (100 km):	super, 14,5 litres
Autonomie (approximative):	621 km
Émissions de CO2:	7243 kg/an

DANS LA MÊME CATÉGORIE

Acura MDX - Chevrolet Trailblazer - Dodge Durango - Ford Explorer - Honda Pilot - Jeep Grand Cherokee

DU NOUVEAU EN 2006

Pas de changement majeur

HISTORIQUE DU MODÈLE

4ième génération

NOS IMPRESSIONS

Agrément de conduite:	4
Fiabilité:	4 ½
Sécurité:	4 ½
Qualités hivernales:	4 ½
Espace intérieur:	4 ½
Confort:	4 ½

LE CHOIX DE L'ÉQUIPE

SE

UNE HISTOIRE DE STYLE

La fourgonnette n'a plus bonne presse. Les mordus de la fourgonnette se sont peu à peu intéressés davantage aux utilitaires sport, et on laissait aux mamans de sportifs le soin de rouler au volant de ces gros véhicules. Pire encore, une récente statistique publiée aux États-Unis semble indiquer que les hommes qui conduisent des fourgonnettes ne le font surtout pas par passion, mais plutôt par obligation. Ils ont donc la fâcheuse habitude de conduire leur gros bolide comme s'il s'agissait d'une voiture sport, et de se plaindre du comportement routier de leur fourgonnette!

Les grands fabricants ont bien compris ce principe, et tendent à rendre les fourgonnettes plus attrayantes. À ce chapitre, Nissan avait lancé une sérieuse offensive en dévoilant, en 2004, la Quest remodelée qui avait un petit quelque chose de séduisant que l'on n'associait généralement pas aux modèles du genre.

Avec le recul cependant, la Quest est devenue beaucoup plus anonyme, et ses nombreux défauts de fabrication, notamment l'usage de matériaux peu adaptés et de plastiques «cheap» ont considérablement réduit l'engouement pour la nippone fourgonnette.

UNIQUE EN SON GENRE

Quand on a renouvelé le modèle il y a deux ans, Nissan a fait appel à des groupes témoins de mères de famille pour les conseiller sur la forme que devrait prendre la fourgonnette. Ce qui explique le côté très recherché de l'esthétisme de la Quest qui, dans ce domaine, tant à l'intérieur qu'à l'extérieur, détrône toutes ses rivales.

À l'avant, des phares surdimensionnés sont insérés dans l'arête du capot, ce qui confère au véhicule un regard sympathique. Sur les ailes et tout au long de la carrosserie, on a pris soin de conserver cette arête, ce qui vient arrondir considérablement la silhouette de l'ensemble au lieu des traditionnelles portes planes des autres modèles.

Ces courbes donnent aussi l'illusion que la fourgonnette est de taille moyenne, alors qu'elle est au contraire nettement plus longue que la plupart de ses rivales. Cette longueur supplémentaire, on la retrouve surtout dans les portes latérales coulissantes arrière qui sont plus longues d'une dizaine de centimètres par rapport aux portes habituelles. L'accès à la troisième rangée de sièges est donc plus facile, sans obliger personne à faire des contorsions dignes du Cirque du soleil.

Ce qui attire davantage le regard cependant, mais qui n'a jamais fait l'unanimité, c'est l'intérieur. Au centre, entre les deux sièges, on retrouve une petite structure qui ressemble à s'y méprendre à un évier sur pied de salle de bain stylisé. Une comparaison d'autant plus facile que cette colonne a un fini similigranit incroyablement ressemblant. Au sommet de cette colonne, on retrouve les commandes de chauffage, de climatisation et de tous les systèmes de divertissement. Tout au long de la colonne, des petits espaces de rangement simples, discrets et faciles d'accès.

FEU VERT

Silhouette exceptionnelle
Moteur souple
Habitacle bien aménagé
Dégagement titanesque

FEU ROUGE

Mauvaise visibilité à l'angle mort
Sensibilité aux cahots
Grandes dimensions de la caisse extérieure
Bruits de caisse incessants

Pour compléter le tout, c'est juste au-dessus de la colonne, c'est-à-dire au centre même du tableau de bord, que l'on a posé les cadrans indicateurs.

UN 3 ET DEMI MEUBLÉ

Ce qui rend une fourgonnette indispensable, c'est son aménagement intérieur, non seulement pour la conduite mais aussi pour les passagers. Dans ce secteur, la Quest a une longueur d'avance. Comme cela se voit de plus en plus, la troisième banquette (qui n'a rien du grand confort mais n'est tout de même pas si horrible) peut dorénavant se dissimuler complètement dans le plancher laissant une surface presque droite pour empiler de la marchandise.

La voiture étant plus grande, l'espace intérieur est vaste, et propose un dégagement unique pour sa catégorie. Une fois meublé, on pourrait pratiquement y aménager des chambres…

Mentionnons aussi en terme d'aménagement la possibilité d'obtenir le toit Skyview (uniquement sur la SE, même si le modèle se décline en trois versions), ce toit ouvrant inspiré de la Maxima qui consiste en quatre fenêtres impossibles à ouvrir mais que l'on peut recouvrir à l'aide de stores.

On ne sait trop si c'est ce Skyview, ou la conception même de la fourgonnette, mais les bruits de caisse multiples dont est affligée la Quest sont tellement dérangeants, qu'ils finissent par être plus faciles à remarquer que ses nombreuses qualités…

Pour traîner tout cela, on a mis sous le capot le moteur V6 de 3,5 litres qui a fait la renommée de Nissan, à la différence que cette fois, il est limité à 240 chevaux pour les besoins de la cause. Selon la version choisie, il sera jumelé à une transmission automatique de 4 ou 5 rapports dont la souplesse et la douceur ne sont plus à vanter bien que, en reprise, elle laisse parfois à désirer (4 rapports), et même si la puissance est légèrement inférieure à ses principales rivales de la catégorie.

La direction répond avec efficacité et souplesse et la suspension corrige les bosses avec douceur et constance. Seul reproche, la longueur même du véhicule le rend plus sensible aux chaussées bosselées.

Marc Bouchard

Photos: Nissan

DONNÉES TECHNIQUES

Modèle à l'essai:	SL
Prix du modèle à l'essai:	36398$
Échelle de prix:	31698$ à 45998$
Garanties:	3 ans/60000 km, 5 ans/100000 km
Catégorie:	fourgonnette
Emp./Lon./Lar./Haut.(cm):	315/518,5/197/178
Poids:	1888 kg
Coffre/Réservoir:	926 à 6000 litres / 76 litres
Coussins de sécurité:	frontaux, latéraux (av.), rideaux
Suspension avant:	indépendante, jambes de force
Suspension arrière:	indépendante, multibras
Freins av./arr.:	disque (ABS)
Antipatinage/Contrôle de stabilité:	oui/oui
Direction:	à crémaillère, assistance variable
Diamètre de braquage:	n.d.
Pneus av./arr.:	P225/60R17
Capacité de remorquage:	1588 kg

GROUPE MOTOPROPULSEUR

Pneus d'origine MICHELIN

Moteur:	V6 de 3,5 litres 24s atmosphérique
Alésage et course	95,5 mm x 81,4 mm
Puissance:	240 ch (179 kW) à 5800 tr/min
Couple:	242 lb-pi (328 Nm) à 4400 tr/min
Rapport Poids/Puissance:	7,87 kg/ch (10,55 kg/kW)
Moteur électrique:	aucun
Autre(s) moteur(s):	seul moteur offert
Transmission:	traction, automatique 5 rapports
Autre(s) transmission(s):	automatique 4 rapports
Accélération 0-100 km/h:	9,6 s
Reprises 80-120 km/h:	7,1 s
Freinage 100-0 km/h:	41,0 m
Vitesse maximale:	185 km/h
Consommation (100 km):	ordinaire, 13,9 litres
Autonomie (approximative):	547 km
Émissions de CO2:	5280 kg/an

DANS LA MÊME CATÉGORIE

Dodge Grand Caravan - Ford Freestar - Honda Odyssey - Kia Sedona - Pontiac Montana SV6 - Toyota Sienna

DU NOUVEAU EN 2006

Pas de changement majeur

HISTORIQUE DU MODÈLE

2ième génération

NOS IMPRESSIONS

Agrément de conduite:	4
Fiabilité:	3½
Sécurité:	4
Qualités hivernales:	4
Espace intérieur:	5
Confort:	4

LE CHOIX DE L'ÉQUIPE

SL

MERCI AUX GROUPES CIBLES

Avant de mettre un produit sur le marché, les spécialistes du marketing ont souvent recours aux groupes cibles. Des consommateurs, qui ne sont pas des experts, sont amenés à donner leurs opinions sur un produit et ainsi confirmer, ou infirmer, les prévisions des décideurs de l'entreprise. Si des changements sont requis, il n'est pas trop tard puisque le produit n'a pas encore été lancé officiellement. Il faut croire que les gens de Nissan n'avaient pas fait leurs devoirs correctement étant donné qu'à la suite de ces sondages, la direction a décidé de retarder de quelques mois le lancement de la nouvelle Sentra.

Au moment d'écrire ces lignes, nous ne savons à peu près rien de cette future voiture, sinon qu'elle devrait reprendre les lignes générales des Altima et Maxima et qu'elle pourrait arriver tard durant l'année modèle 2006. Nous vous tiendrons au courant des développements via notre magazine Le monde de l'auto (un peu d'autopromotion n'a jamais fait de tort!)

Pour ce qui est de la Sentra actuelle, on retrouve donc toujours le modèle de base 1,8 (et quand on dit de base, on veut dire de BASE), la 1,8 Special Edition, la 1,8 S (bizarrement, la SE est moins équipée que la S!), la SE-R et la SE-R Spec-V. D'entrée de jeu, admettons que peu importe la version, les lignes de la Sentra sont dépassées. Déjà, lors de la refonte de 2001, elles n'étaient pas dans le coup, alors imaginez aujourd'hui! De plus, tous les concurrents ont, depuis, présenté de nouvelles créations, beaucoup plus modernes, tant au niveau esthétique que technique.

Parlant de technique, mentionnons qu'il existe deux Sentra. L'ennuyante et la sportive, offertes en version berline uniquement. Mais les choses sont rarement aussi claires et l'ennuyante possède de belles qualités, tandis que la sportive ne l'est peut-être pas autant que ses lettres d'appel le font croire. Pour les 1,8, 1,8SE et 1,8 S, on retrouve donc le 1,8 litre de 126 chevaux et 129 livres-pied de couple. Les accélérations et reprises ne sont pas mauvaises, mais l'arrivée d'une certaine Mazda3 est venue reléguer la compétition au niveau du deuxième sous sol! Les plus grandes qualités de ce moteur? Son faible appétit en carburant (une donnée qu'on ne peut plus négliger) et sa fiabilité. Passons sous silence le grognement désabusé qu'il émet lorsqu'il est sollicité. Ce moteur, vaillant malgré tout, est associé à une transmission manuelle à cinq rapports ou à une automatique à quatre vitesses offerte en option. Cette dernière boîte a souvent tendance à bien prendre son temps pour passer les rapports.

PARADOXES

Les versions SE-R et SE-R Spec-V ont toutefois droit à un moteur quatre cylindres en aluminium de 2,5 litres passablement plus dégourdi. La première reçoit une écurie 165 chevaux et 175 livres-pied de couple tandis que la seconde mérite dix chevaux et cinq livres-pied de couple supplémentaires. Ce moteur, peu importe sa puissance, n'est sans doute pas le plus doux qui soit mais il retranche au moins deux secondes aux temps d'accélérations par rapport au 1,8 litre... tout en imprimant à la direction un effet de couple très important. La boîte manuelle à six rapports de la SE-R Spec V se manie comme un charme et ses rapports

FEU VERT

Moteur 1,8 litre peu gourmand
Moteur 2,5 litres très performant
Suspensions confortables
Freins Brembo solides (SE-R Spec V)
Assemblage de qualité

FEU ROUGE

Lignes désolantes
Châssis peu rigide
Effet de couple important (SE-R Spec V)
SE-R avec automatique seulement
Places arrière exiguës

rapprochés favorisent des montées en régime pas piquées des vers. Par contre, la SE-R tout court ne peut recevoir que l'automatique à quatre rapports, une aberration pour une voiture aux prétentions sportives. Poussée à la limite, la SE-R ou SE-R Spec-V prouve hors de tout doute les carences du châssis en sous-virant effrontément, un comportement beaucoup moins marqué dans les versions de base. Et c'est un peu surprenant, compte tenu des roues de 15" au lieu de 16" pour la SE-R et 17" pour la SE-R Spec-V. Quant aux suspensions, elles se révèlent beaucoup plus confortables dans les 1,8, 1,8 SE et 1,8S que dans les autres versions où elles brassent les occupants comme des boules de Loto-Québec! Les freins, eux, réussissent à stopper la Sentra sur une distance un peu longue et l'ABS est optionnel (sauf sur la 1,8 de base où ils sont tout simplement proscrits). Pour respecter la vocation sportive de la SE-R Spec-V, des freins Brembo sont offerts dans le «Brembo Package» qui comprend aussi un toit ouvrant électrique, un système audio de 300 watts et un système antivol.

Au chapitre de l'aménagement intérieur, les designers ont opté pour un ensemble de type «pratico-platte» accompagné d'accessoires signés Classical Neutral. Le résultat n'est certes pas vilain, mais pourrait entraîner une grave chute de volonté de vivre si un être humain y était exposé trop longtemps. Heureusement, l'habitacle se révèle silencieux (sauf lorsque l'accélérateur est enfoncé) et la qualité de l'assemblage ne peut être prise en défaut. Les sièges sont confortables et celui du conducteur se règle en hauteur. Les gens assis à l'arrière doivent être de préférence de petite taille. Le dossier de la banquette se rabat de façon 60/40, augmentant ainsi un espace de chargement qui n'est tout de même pas si mal!

Malgré de belles qualités, la Sentra actuelle ne fait plus le poids, autant au niveau du look que des performances. Nul doute que la prochaine génération corrigera au moins quelques-unes de ces lacunes.

Alain Morin

Photos: Nissan

NISSAN SENTRA

DONNÉES TECHNIQUES

Modèle à l'essai:	S
Prix du modèle à l'essai:	19995$ - 2005
Échelle de prix:	15698$ à 22098$ - 2005
Garanties:	3 ans/60000 km, 5 ans/100000 km
Catégorie:	berline compacte
Emp./Lon./Lar./Haut.(cm):	253,5/451/171/141
Poids:	1170 kg
Coffre/Réservoir:	329 litres / 50 litres
Coussins de sécurité:	frontaux et latéraux (av.)
Suspension avant:	indépendante, jambes de force
Suspension arrière:	demi-ind., poutre déformante
Freins av./arr.:	disque/tambour (ABS opt.)
Antipatinage/Contrôle de stabilité:	non/non
Direction:	à crémaillère, assistance variable
Diamètre de braquage:	10,6 m
Pneus av./arr.:	P195/60R15
Capacité de remorquage:	455 kg

GROUPE MOTOPROPULSEUR

Moteur:	4L de 1,8 litre 16s atmosphérique
Alésage et course	80,0 mm x 88,0 mm
Puissance:	126 ch (94 kW) à 6000 tr/min
Couple:	129 lb-pi (175 Nm) à 2400 tr/min
Rapport Poids/Puissance:	9,29 kg/ch (12,45 kg/kW)
Moteur électrique:	aucun
Autre(s) moteur(s):	4L 2,5 l 165ch à 6000tr/mn et 175lb-pi à 4000tr/mn, 4L 2,5 l 175ch à 6000tr/mn et 180lb-pi à 4000tr/mn
Transmission:	traction, manuelle 5 rapports
Autre(s) transmission(s):	manuelle 6 rapports / automatique 4 rapports
Accélération 0-100 km/h:	10,2 s
Reprises 80-120 km/h:	9,7 s
Freinage 100-0 km/h:	41,3 m
Vitesse maximale:	185 km/h
Consommation (100 km):	ordinaire, 7,6 litres
Autonomie (approximative):	658 km
Émissions de CO2:	3502 kg/an

DANS LA MÊME CATÉGORIE

Chevrolet Cobalt - Ford Focus - Honda Civic - Hyundai Elantra - Kia Spectra - Mazda 3

DU NOUVEAU EN 2006

Nouvelles couleur extérireures, changements mineurs à l'intérieur

HISTORIQUE DU MODÈLE

3ième génération

NOS IMPRESSIONS

Agrément de conduite:	🚗🚗🚗½
Fiabilité:	🚗🚗🚗🚗
Sécurité:	🚗🚗🚗½
Qualités hivernales:	🚗🚗🚗½
Espace intérieur:	🚗🚗🚗½
Confort:	🚗🚗🚗½

LE CHOIX DE L'ÉQUIPE

SE-R

PAS JUSTE POUR LA JUNGLE URBAINE

Par les temps qui courent, les choses bougent vite dans le domaine de l'automobile et du VUS, et les manufacturiers doivent démontrer une grande facilité d'adaptation. Comme le dit si bien mon chat à la pauvre petite araignée toute recroquevillée, c'est la loi de la jungle et seuls les plus forts en sortiront vivants. Nissan n'est sans doute pas le constructeur le plus puissant sur la planète, mais admettons qu'il se donne des outils plutôt solides pour pouvoir frapper dans le tas. Le X-Terra, renouvelé l'automne dernier, fait partie des « marteaux » de Nissan.

Le X-Terra de première génération, apparu en 1999, était construit sur la même plate-forme que la camionnette Frontier. C'est encore vrai en 2006, mais le marché de la camionnette s'étant considérablement transformé depuis les sept dernières années, le Frontier avait besoin d'un traitement aux hormones. Le X-Terra a donc suivi la même cure et ses dimensions se montrent désormais plus généreuses. Le niveau de raffinement a pris la même tangente.

Pour élaborer son X-Terra, Nissan s'est donc servi de la plate-forme F-Alpha qui a été renforcée aux endroits stratégiques pour mieux servir les intérêts d'un VUS. En fait, le X-Terra se situe entre le VUS urbain (Honda CR-V ou Hyundai SantaFe, par exemple) et le VUS pur et dur (Jeep Grand Cherokee ou Nissan Pathfinder). Sans afficher la nonchalance d'un Jeep TJ devant une montagne bourrée d'embûches, le X-Terra se tire fort bien d'affaire dans à peu près toutes les situations corsées. En fait, si ça ne passe pas avec un X-Terra c'est que vous devriez rester chez-vous !

Le X-Terra se présente en trois niveaux de présentation soit S, Tout-Terrain (Off Road en bon français) et SE. Tous reçoivent un V6 de 4,0 litres développant 265 chevaux et un bon 284 livres-pied de couple. Ce moteur d'architecture moderne se révèle performant sur la route tout en consommant relativement peu, compte tenu du poids et de la vocation du véhicule. Le 0-100 est l'affaire de 7,9 secondes tandis qu'une reprise 80-120 ne dure que 6,2 secondes. Les versions S et Off Road ont droit à une transmission manuelle à six rapports à la course longue qui évoque les bons vieux « trucks ». Heureusement, l'embrayage se montre très bien dosé et offre peu de résistance à la jambe gauche, rappelant ainsi qu'on n'a plus les « trucks » qu'on avait ! Il y a toujours la possibilité d'opter pour une automatique à cinq rapports qui vient d'office avec les modèles SE. Cette boîte ne s'attire aucune critique négative... ou positive. Elle est là, elle fait bien son boulot, point à la ligne. Les suspensions, sèches, rappellent le comportement d'un camion mais, malgré la présence d'un essieu rigide à l'arrière, les sautillements sont passablement réduits. Voilà une des plus nettes améliorations par rapport au modèle précédent. D'ailleurs, les ingénieurs de Nissan ont même installé des coussinets sur les côtés du châssis pour absorber les vibrations. Les freins s'acquittent de leur tâche avec plus ou moins de succès. Certes, l'ABS se montre fort discret sur une voie pavée mais il intervient quelquefois trop rapidement sur une surface meuble. Aussi, l'avant plonge beaucoup en cas de freinage brusque, une situation due, sans doute, plus à la dimension réduite des plaquettes et disques situés

FEU VERT

Capacités hors route impressionnantes
Comportement civilisé
Bon antirouille
Moteur 4,0 litres moderne
Soute à bagages bien aménagée

FEU ROUGE

Suspensions sèches
Freins peu endurants
Tenue de route très peu sportive
Certains plastiques bon marché
Accès à bord pénible

à l'arrière qu'à un affaissement de la suspension avant. De plus, la pédale est spongieuse et les distances d'arrêt sont quelquefois longuettes. On aura compris qu'une conduite sportive est dénuée de tout intérêt! La caisse penche, le roulis est impressionnant et l'intervention du système de contrôle de traction se traduit par un bruit peu encourageant. De toute façon, les pneus BFGoodrich Long Trail de notre véhicule d'essai sont beaucoup plus à l'aise dans la boue que sur l'asphalte!

En conduite hors route, le X-Terra profite de ses 9,5 pouces (24,1 cm) de dégagement au sol et d'un système de traction efficace. Les éléments mécaniques sont bien protégés mais une plaque de protection supplémentaire sous le réservoir d'essence ne serait pas superflue. C'est la livrée Off Road qui invite le plus à quitter les sentiers battus. Ce modèle jouit d'un différentiel arrière autobloquant, d'assistances électroniques aidant à démarrer en pleine côte ou prenant en charge l'adhérence en descente et d'amortisseurs Bilstein conçus spécialement pour la conduite hors route. Peu importe le modèle, le conducteur peut engager les quatre roues motrices sans immobiliser le véhicule et choisir entre deux modes, soit 4hi et 4lo, ce dernier étant réservé aux terrains vraiment accidentés.

Au chapitre de la convivialité, le X-Terra se compare avantageusement à ses rivaux. Malgré la hauteur de la caisse, l'accès aux places avant est facile pour autant que vous puissiez prendre appui sur un marchepied... disponible uniquement avec la version SE! Quant à l'accès aux places arrière, il est compliqué, marchepied ou pas! L'instrumentation qui s'offre au pilote est complète et l'appareil audio peut recevoir six CD et lire les fichiers MP3. La soute à bagages impressionne par ses dimensions et aussi par son aménagement. On y retrouve plusieurs espaces de rangement et les dossiers des sièges arrière s'abaissent pour former un fond plat. Malheureusement, on ne peut les abaisser à partir de l'arrière. Il faut impérativement passer par les portières. La qualité des plastiques porte à se questionner: notre véhicule d'essai avait à peine 2000 km et la poignée intérieure pour refermer le hayon était déjà cassée!

Avec le X-Terra, Nissan possède un atout majeur. Avec des prix oscillant de 33000$ à 38000$, cet utilitaire sport - plus utilitaire que sport - saura trouver plusieurs adeptes. D'autant plus que certains ne peuvent résister à son allure macho!

Alain Morin

Photos: Nissan

NISSAN X-TERRA

DONNÉES TECHNIQUES

Modèle à l'essai:	SE
Prix du modèle à l'essai:	37498$ - 2005
Échelle de prix:	32898$ à 38995$ - 2005
Garanties:	3 ans/60000 km, 5 ans/100000 km
Catégorie:	utilitaire sport compact
Emp./Long./Larg./Haut.(cm):	270/454/185/185
Poids:	1995 kg
Coffre/Réservoir:	997 à 1861 litres / 80 litres
Coussins de sécurité:	frontaux
Suspension avant:	indépendante, multibras
Suspension arrière:	essieu rigide, ressorts elliptiques
Freins av./arr.:	disque (ABS)
Antipatinage/Contrôle de stabilité:	oui/non
Direction:	à crémaillère, assistance variable
Diamètre de braquage:	11,3 m
Pneus av./arr.:	P265/65R17
Capacité de remorquage:	2268 kg

GROUPE MOTOPROPULSEUR

Moteur:	V6 de 4,0 litres 24s atmosphérique
Alésage et course	95,5 mm x 92,0 mm
Puissance:	265 ch (198 kW) à 5600 tr/min
Couple:	284 lb-pi (385 Nm) à 4000 tr/min
Rapport Poids/Puissance:	7,53 kg/ch (10,08 kg/kW)
Moteur électrique:	aucun
Autre(s) moteur(s):	seul moteur offert
Transmission:	4X4, manuelle 6 rapports
Autre(s) transmission(s):	automatique 5 rapports
Accélération 0-100 km/h:	7,9 s
Reprises 80-120 km/h:	6,2 s
Freinage 100-0 km/h:	42,0 m
Vitesse maximale:	195 km/h
Consommation (100 km):	ordinaire, 14,8 litres
Autonomie (approximative):	541 km
Émissions de CO2:	n.d.

DANS LA MÊME CATÉGORIE

Ford Escape - Honda CR-V - Hyundai Santa Fe - Jeep Liberty - Kia Sorento - Mazda Tribute - Toyota Rav4

DU NOUVEAU EN 2006

Quelques retouches intérieures, une nouvelle couleur

HISTORIQUE DU MODÈLE

2ième génération

NOS IMPRESSIONS

Agrément de conduite:	🚗🚗🚗½
Fiabilité:	🚗🚗🚗🚗
Sécurité:	🚗🚗🚗🚗
Qualités hivernales:	🚗🚗🚗🚗½
Espace intérieur:	🚗🚗🚗🚗
Confort:	🚗🚗🚗🚗

LE CHOIX DE L'ÉQUIPE

SE 4X4

DRÔLE DE MOINEAU

Le marché des véhicules utilitaires compacts en comprend plusieurs qui ne manquent pas d'originalité, mais force est d'admettre que le Nissan X-Trail fait figure d'exception. De loin, il ressemble au Honda CR-V. Mais dès qu'on s'en approche, il semble que de multiples modifications génétiques ont frappé ce Nissan. Par exemple, comme le CR-V, les feux arrière sont montés en position verticale le long du hayon. Mais, contrairement à son concurrent, ces feux n'occupent que la partie supérieure. Et si les stylistes de Honda ont dessiné un pilier C incliné vers l'avant, celui du X-Trail est tout à fait vertical.

Malgré ces différences et beaucoup d'autres, les deux silhouettes ont une certaine similitude. Et cela n'est certainement pas le fruit du hasard puisque les dimensions de ces deux VUS sont similaires et l'empattement identique. Bref, après que Honda ait connu beaucoup de succès avec le CR-V dès sa commercialisation au milieu des années quatre-vingt-dix, Nissan a répliqué en 2000 avec ce VUS qui donne d'ailleurs du fil à retordre au CR-V sur le marché mondial. Il faut également souligner que ce Nissan tout-terrain est une exclusivité canadienne puisque nos voisins du Sud ne peuvent se le procurer. Il semble que la direction de ce constructeur aux É.-U. ait décidé de se concentrer sur les ventes du gros Armada à moteur V8, répondant davantage aux goûts des Américains.

Si la silhouette est quelque peu «originale», certains la trouvent carrément laide, le tableau de bord est vraiment dans une classe à part et cela n'est pas nécessairement positif. En effet, les stylistes semblent avoir été inspirés par les chaînes audio des années soixante-dix avec cet aluminium brossé et une multitude de boutons. En contraste, les trois boutons de commande de la climatisation sont plus de notre époque. Il ne serait pas erroné de croire que les personnes chargées de la conception de cette planche de bord ont fouillé dans les réserves de vieilles pièces pour nous concocter quelque chose de baroque. Non seulement les lois de l'ergonomie sont bafouées à de multiples reprises, mais celles de l'esthétique le sont également. Ce design échevelé concerne aussi le volant qui semble avoir été emprunté à une sportive. Et il faut croire que la conduite du X-Trail donne chaud puisqu'une buse de ventilation est placée directement en face du conducteur, là où devraient se trouver les cadrans indicateurs. Ceux-ci ont été localisés au centre, juste sur le dessus de la planche de bord. Ils sont quand même assez faciles de consultation, mais ce serait mieux s'ils étaient davantage dirigés vers le pilote. Bref, il est curieux de constater la popularité du X-Trail sur presque tous les marchés malgré une apparence tout de même controversée. Heureusement que sa soute à bagages est de bonne capacité. Et si cela peut faire la différence, une benne de rangement est placée sur le dessus du tableau de bord, comme sur la fourgonnette Quest. Enfin, les espaces de rangement sont multiples. On y retrouve même deux coffres à gants.

FIABLE MAIS GROGNON

Si plusieurs modèles concurrents dans cette catégorie proposent un moteur quatre cylindres ou un V6, le X-Trail vous simplifie la tâche en offrant un seul groupe propulseur. Il s'agit d'un moteur quatre cylindres

FEU VERT
Toit ouvrant géant
Mécanique solide
Équipement complet
Rouage intégral efficace
Nombreux espaces de rangement

FEU ROUGE
Tableau de bord anarchique
Banquette arrière peu confortable
Moteur bruyant
Tenue de route moyenne
Pneumatiques à revoir

de 2,5 litres dont la puissance est de 165 chevaux. Bruyant et parfois rugueux, ce moteur offre des performances dans la moyenne de la catégorie avec un temps de 9,9 secondes avec la boîte manuelle à cinq rapports. Il est également possible de commander en option la transmission automatique à quatre rapports. Peu importe si la transmission est manuelle ou automatique, le moteur semble toujours travailler fort. Mais cette impression s'explique surtout par sa sonorité qui le rend grognon dès qu'on appuie sur le champignon. Par contre, sa consommation est raisonnable avec une moyenne de 11,3 litres aux 100 km et il s'abreuve avec de l'essence ordinaire.

Deux modes de transmission sont au catalogue. Le modèle le plus économique est une simple traction. Ce qui conviendra à plusieurs personnes, notamment les citadins qui utilisent ces VUS en tant que grosse familiale. Et pour compenser le manque de propulsion aux roues arrière, il est possible d'enclencher le mode « neige » qui réduit la puissance du moteur et optimise la motricité afin de vous permettre de vous sortir d'une mauvaise situation.

Contrairement à plusieurs autres VUS compacts, le rouage intégral peut être réglé par le conducteur afin de l'adapter aux conditions du moment. Appelé « All Mode », il vous permet de rouler en mode traction alors que seules les roues avant sont motorisées. Par contre, si vous sélectionnez le mode « Auto », le couple se transfère automatiquement aux roues arrière jusqu'à une moyenne de 50 %. Enfin, et c'est là la bonne nouvelle, optez pour le réglage « Lock » et vous vous retrouvez au volant d'un vrai 4X4 alors que la puissance est répartie de façon permanente aux roues avant et arrière. Ce qui signifie que le X-Trail vous permettra d'être un peu plus aventureux en conduite hors route. Mais il faut y aller avec modération étant donné que le châssis est autoporteur et qu'il n'y a pas de plaques de protection sous le véhicule. En plus, le silencieux arrière est vulnérable aux chocs si jamais le sentier devient impraticable.

Curieusement, malgré sa silhouette biscornue, son habitacle assez particulier et un moteur relativement bruyant, le X-Trail nous accroche car il possède du caractère. De plus, à défaut de nous assurer une tenue de route sportive, c'est tout de même convenable compte tenu de l'utilisation anticipée de ce véhicule. Il faut enfin ajouter que l'équipement est complet par rapport au prix.

Denis Duquet

Photos: Denis Duquet

DONNÉES TECHNIQUES

Modèle à l'essai:	SE 4RM
Prix du modèle à l'essai:	32 998 $
Échelle de prix:	26 495 $ à 36 000 $
Garanties:	3 ans/60 000 km, 5 ans/100 000 km
Catégorie:	utilitaire sport compact
Emp./Lon./Lar./Haut.(cm):	262/445,5/176,5/167
Poids:	1 488 kg
Coffre/Réservoir:	827 à 2 061 litres / 60 litres
Coussins de sécurité:	frontaux et latéraux (av.)
Suspension avant:	indépendante, jambes de force
Suspension arrière:	indépendante, multibras
Freins av./arr.:	disque (ABS)
Antipatinage/Contrôle de stabilité:	oui/oui
Direction:	à crémaillère, assistance variable
Diamètre de braquage:	10,6 m
Pneus av./arr.:	P215/65R16
Capacité de remorquage:	907 kg

GROUPE MOTOPROPULSEUR

Moteur:	4L de 2,5 litres 16s atmosphérique
Alésage et course	89,0 mm x 100,0 mm
Puissance:	165 ch (123 kW) à 6000 tr/min
Couple:	170 lb-pi (231 Nm) à 4000 tr/min
Rapport Poids/Puissance:	9,02 kg/ch (12,10 kg/kW)
Moteur électrique:	aucun
Autre(s) moteur(s):	seul moteur offert
Transmission:	intégrale, manuelle 5 rapports
Autre(s) transmission(s):	traction, automatique 4 rapports
Accélération 0-100 km/h:	10,0 s
Reprises 80-120 km/h:	8,7 s
Freinage 100-0 km/h:	n.d.
Vitesse maximale:	180 km/h
Consommation (100 km):	ordinaire, 11,3 litres
Autonomie (approximative):	504 km
Émissions de CO2:	n.d.

DANS LA MÊME CATÉGORIE

Chevrolet Equinox - Ford Escape - Honda CR-V - Jeep Liberty - Mazda Tribute - Mitsubishi Outlander - Subaru Forester - Toyota RAV4

DU NOUVEAU EN 2006

Aucun changement majeur

HISTORIQUE DU MODÈLE

1[ière] génération

NOS IMPRESSIONS

Agrément de conduite:	🚗🚗🚗½
Fiabilité:	🚗🚗🚗🚗
Sécurité:	🚗🚗🚗🚗
Qualités hivernales:	🚗🚗🚗🚗
Espace intérieur:	🚗🚗🚗½
Confort:	🚗🚗🚗½

LE CHOIX DE L'ÉQUIPE

SE 4RM

LE RENOUVEAU DE PONTIAC

Pontiac a toujours été la marque exubérante de General Motors. Alors que les autres divisions y allaient de créations toutes plus discrètes les unes que les autres, Pontiac présentait les mêmes modèles mais en y ajoutant nombre d'accessoires « rehaussant » le côté visuel. C'est ainsi que les larges moulures de bas de caisse ont connu leurs heures de gloire! De plus, il fallait être culotté pour présenter un certain Aztek... Mais ce temps semble bien révolu, heureusement diront certains. La G6, dévoilée l'an dernier, en est la plus belle preuve.

La G6 remplace la mémorable (mais pas nécessairement pour les bonnes raisons...) Grand Am. Certes, les gens de chez Pontiac auraient pu conserver le même nom mais les deux voitures sont tellement différentes qu'ils ne voulaient créer aucune confusion. Et ce n'est pas seulement le style qui change. Ce sont les dimensions et, plus important, la personnalité qui se révèle tout à fait différente. Tout d'abord dévoilée en livrée berline uniquement, la gamme G6 accueille une version coupé cette année. La partie arrière de ce coupé rappelle un peu celle des Toyota Camry et Solara. Et, un peu plus tard, une livrée décapotable fera son apparition. Autant la berline que le coupé G6 ont droit à un nouveau modèle, soit le GTP, résolument plus sportif.

Tout d'abord, comme mentionné plus haut, félicitons les designers de Pontiac pour la sobriété et l'équilibre des lignes de la G6. Certes, on ne se retourne pas sur son passage mais ce design ne sera pas démodé demain matin. Par rapport à la Grand Am, toutes les dimensions ont augmenté. Il n'est donc pas étonnant de retrouver un habitacle fort logeable et confortable où, dans la pure tradition GM, le pire côtoie le mieux. Les sièges avant sont douillets et, plutôt surprenant, retiennent bien en virage. Les gens voulant monter à l'arrière se cogneront peut-être le coco contre la ligne de toit. Mais une fois rendus, ils profitent au moins d'un bon dégagement pour les jambes et les coudes, alors que la tête frotte facilement sur le toit si ce dernier est muni du toit ouvrant Panoramic, une option de 2275$. Ce toit, qui s'ouvre bien grand en quatre parties, est quasiment un miracle de la technologie. Par contre, un ami mécanicien me confiait ses craintes au sujet de l'ajustement de tous ces panneaux après un accident. Pour en revenir aux places arrière, soulignons que leur accès est un peu plus compliqué dans le coupé mais ce n'est pas aussi dramatique qu'on pourrait le croire. La qualité de la finition de l'habitacle, autrefois le cauchemar de General Motors, s'est nettement améliorée ces derniers temps mais il reste encore du chemin à faire. Les plastiques, par exemple, sont loin d'être de très bonne qualité. On a déjà vu pire mais quelques coréennes moins coûteuses font mieux à ce chapitre. De plus, on peut déplorer le manque d'espaces de rangement, d'autant plus que la conception de cette voiture est très récente et que les CD, verres fumés et cellulaires étaient inventés à ce moment... Le coffre est assez logeable et la possibilité de baisser les dossiers des sièges arrière augmente ses capacités.

Côté moteur, la version de base a droit à un quatre cylindres de 2,4 litres associé, obligatoirement, avec la transmission automatique à quatre rapports. Le V6 de 3,5 litres est aussi prêt à ronronner, moyennant

FEU VERT

Lignes contemporaines
Habitacle spacieux
Finition améliorée
Comportement routier honnête
Freins solides

FEU ROUGE

Boîte automatique à quatre rapports seulement
Toit Panoramic coûteux (et fiable?)
Aucun antirouille
Pauvre qualité des matériaux
Grand rayon de braquage

supplément. La livrée GT se révèle bien plus intéressante avec son moteur 3,5 litres. Ses 201 chevaux et 222 livres-pied de couple assurent des performances correctes à défaut de se montrer grisantes. Le 0-100 se tasse en moins de 8 secondes, ce qui n'est tout de même pas rien. La version GTP, elle, fait confiance au V6 de 3,9 litres de 240 chevaux pour se mouvoir avec une vélocité certaine. On lui a assigné une automatique à quatre rapports seulement ou, en option, une manuelle à six rapports. Si la G6 de base a droit à des pneus de 16", la GT reçoit des 17" et la GTP des semelles de 18". Parlant de pneus, soulignons que ceux de base sont à proscrire, car en plus de ne pas démontrer une trop grande propension à coller au bitume, ils beuglent à chaque coin de rue. Les freins à disque avec ABS (de série sur les GT et GTP et en option sur le modèle de base) proposent des décélérations convaincantes et sécuritaires. Malgré tout, on ne peut pas dire que la Pontiac G6 est une sportive à tout crin. Les suspensions indépendantes, accrochées à un châssis d'une édifiante rigidité, autorisent cependant une tenue de route très sûre. L'antipatinage, heureusement, vient rattraper les causes perdues.

Si la carrosserie et l'habitacle de la G6 ont été l'objet de profondes études, les ingénieurs semblent avoir un peu oublié le dessous. Un rapide examen lorsque la voiture se retrouve sur un élévateur démontre qu'aucun antirouille n'a été appliqué (sur notre voiture du moins), que le frein à main à câble aura tôt fait de rouiller à cause du sel et du calcium et que l'échappement, fabriqué d'une seule pièce à partir du joint flexible jusqu'à l'arrière coûtera une fortune à remplacer. Pour le bien des consommateurs, des «jobbeurs» s'occuperont assurément de façonner un échappement en plusieurs parties.

Malgré quelques restrictions, dont les principales sont adressées à la qualité de certains matériaux et aux moteurs plus ou moins modernes, la G6 est une voiture qui marquera Pontiac.

Alain Morin

Photos: Pontiac

DONNÉES TECHNIQUES

Modèle à l'essai:	GT berline
Prix du modèle à l'essai:	30955$
Échelle de prix:	23160$ à 29885$
Garanties:	3 ans/60000 km, 3 ans/60000 km
Catégorie:	berline compacte/coupé
Emp./Lon./Lar./Haut.(cm):	285/480/179/143
Poids:	1555 kg
Coffre/Réservoir:	396 litres / 64 litres
Coussins de sécurité:	frontaux, latéraux (av.), rideaux
Suspension avant:	indépendante, jambes de force
Suspension arrière:	indépendante, multibras
Freins av./arr.:	disque (ABS)
Antipatinage/Contrôle de stabilité:	oui/non
Direction:	à crémaillère, assistance variable électrique
Diamètre de braquage:	11,6 m
Pneus av./arr.:	P225/50R17
Capacité de remorquage:	453 kg

GROUPE MOTOPROPULSEUR

Moteur:	V6 de 3.5 litres 12s atmosphérique
Alésage et course	94.0 mm x 84.0 mm
Puissance:	201 ch (150 kW) à 5,800 tr/min
Couple:	222 lb-pi (301 Nm) à 3,200 tr/min
Rapport Poids/Puissance:	7.74 kg/ch (10.37 kg/kW)
Moteur électrique:	aucun
Autre(s) moteur(s):	4L 2.4 l 167ch à 6300tr/mn et 162lb-pi à 4500tr/mn (Base) V6 3.9 l 240ch à 5900tr/mn et 241lb-pi à 2800tr/mn (GTP)
Transmission:	traction, automatique 4 rapports
Autre(s) transmission(s):	manuelle 6 rapports
Accélération 0-100 km/h:	7,9 s
Reprises 80-120 km/h:	7,0 s
Freinage 100-0 km/h:	41,0 m
Vitesse maximale:	190 km/h
Consommation (100 km):	ordinaire, 10,8 litres
Autonomie (approximative):	593 km
Émissions de CO2:	n.d.

DANS LA MÊME CATÉGORIE

Chrysler Sebring - Ford Taurus - Honda Accord - Mazda 6 - Nissan Altima

DU NOUVEAU EN 2006

Versions coupé + GTP, version cabriolet (à venir), moteur 2,4 litres, quelques couleurs et roues nouvelles

HISTORIQUE DU MODÈLE

1[ière] génération

NOS IMPRESSIONS

Agrément de conduite:	🚗🚗🚗🚗
Fiabilité:	🚗🚗🚗½
Sécurité:	🚗🚗🚗
Qualités hivernales:	🚗🚗🚗½
Espace intérieur:	🚗🚗🚗🚗
Confort:	🚗🚗🚗🚗

LE CHOIX DE L'ÉQUIPE

GT

Photo : Denis Duquet

C'ÉTAIT TROP BEAU !

Lorsque la Grand Prix a été dévoilée en 2004, nous avons eu l'agréable surprise de découvrir une Pontiac dépouillée de ses artifices habituels que sont les panneaux de bas de caisse, les pièces en plastique au profil tourmenté et un habitacle décoré comme un arbre de Noël. Sous l'impulsion de Bob Lutz, le tzar des nouveaux produits de GM à l'époque, les stylistes avaient conçu un habitacle sobre et une silhouette dénuée de tout artifice. Mais voilà, chassez le naturel et il revient au galop !

Bob Lutz a été muté à la direction des produits globaux de GM. Et il semble que dès qu'il avait le dos tourné, les responsables de ce modèle retournaient à leurs anciennes habitudes. Ce qui explique sans doute l'arrivée d'une Édition Spéciale qui sera offerte sur les modèles Grand Prix et Grand Prix GT. Cette version sera maquillée avec une grille de calandre de couleur harmonisée à celle de la carrosserie, des bouts de tuyaux d'échappement chromés de même que des jupes latérales de type « effet de sol ». Et j'allais oublier, on a mis du chrome. Bref, je vous parie que ces « décorations » vont s'ajouter au fil des années et que la Grand Prix aura à nouveau l'air d'un arbre de Noël d'ici deux ou trois ans. Au moins, cette année, il suffit de ne pas choisir l'Édition Spéciale pour ne pas avoir une GP trop fardée.

Cela dit, il est difficile de critiquer les dirigeants de la division Pontiac d'avoir recours à ces artifices, car il semble que l'acheteur traditionnel de cette marque aime avoir un véhicule qui ressemble à ce que les Américains appellent un « pimp car » ou « voiture de proxénète » en traduction libre. Donc, plus la GP sera fardée, plus elle sera populaire. Et puisque les ventes de cette dernière ne sont pas tellement encourageantes, la tendance au maquillage devrait se poursuivre.

CHANGEMENT DE CAP

La politique initiale de cette voiture n'a pas été modifiée uniquement au chapitre de l'apparence, elle l'a également été en ce qui concerne les groupes propulseurs. Toujours selon l'ami Bob, la Grand Prix se voulait une voiture nord-américaine se comportant comme une européenne. Le moteur V6 3,8 litres en version atmosphérique ou suralimentée assure de bonnes performances pour la catégorie, tout en étant fiable et relativement peu affamé en carburant, malgré ses soupapes en tête et une conception mécanique qui remonte presque à des décennies. Du moins, la version atmosphérique puisque l'ajout d'un compresseur pour porter la puissance de 200 à 260 chevaux a eu un effet négatif sur la fiabilité.

Compte tenu de l'image de berline sport que la Grand Prix est censée refléter, ce groupe propulseur est un curieux choix. Il est vrai qu'il accélère rapidement pour s'essouffler par la suite. De plus, il est relativement bruyant. Enfin, la boîte de vitesses automatique à quatre rapports est d'une fiabilité et d'une efficacité exemplaires, mais une voiture ciblant un public de conducteurs enthousiastes devrait avoir au moins une boîte à cinq ou même six rapports.

FEU VERT

- Moteur V8
- Tenue de route saine
- Tableau de bord pratique
- Silhouette toujours élégante
- Équipement complet

FEU ROUGE

- Éléments décoratifs de retour
- Suspension ferme
- Places arrière peu confortables
- Transmission manumatique TAPshift
- Visibilité arrière

Photo: Marc Bouchard

C'est sans doute pour combler cette lacune que les ingénieurs ont décidé d'utiliser un moteur V8 de 303 chevaux afin de permettre aux propriétaires de la GXP, la Grand prix ultime selon GM, d'avoir du pep sous la pédale. Cette décision signifie que ce moteur, généralement destiné aux camionnettes, a dû être modifié pour être monté sous le capot de cette traction. Il offre le système de cylindrée variable qui permet d'économiser lorsque le moteur n'est pas en charge. Dans ces conditions, ce V8 se transforme en moteur V4. La consommation de carburant est ainsi réduite de 12 à 15 pour cent.

ATTENTION ÇA PORTE DUR !

L'habitacle est quand même de bonne conception avec des sièges confortables, un tableau de bord élégant tout de même et une finition qui semble avoir progressé au fil des mois. Par contre, les occupants des places arrière sont toujours mal servis. Non seulement la banquette est trop basse, mais le dégagement pour les jambes et la tête est moyen tandis que la ceinture de caisse, très haute, nuit à la visibilité.

De plus, cette voiture est dotée d'une suspension très ferme qui convient assez mal à nos routes. Chaque trou ou bosse rencontrés se traduit par une violente secousse dans la suspension. En fait, seule la Grand Prix de base peut être considérée comme confortable. Au moins, la tenue de route est bonne et s'améliore graduellement quand on grimpe dans la hiérarchie des modèles. Tant et si bien que la GXP est la plus performante, et celle qui tient mieux la route, mais aux dépens du confort. Il est certain que les pneus de 18 pouces à taille basse ne font rien pour arranger les choses…

L'arrivée du moteur V8 sous le capot assure de meilleures performances mais, cette masse supérieure vient rompre l'équilibre et la voiture a toujours tendance à chasser de l'avant dans les virages serrés. Par contre, dans une courbe à long rayon, cette Pontiac s'accroche avec détermination. Et si vous perdez la maîtrise, cette GXP est dotée de freins à disque ventilés aux quatre roues.

Somme toute, la Pontiac Grand Prix a été modifiée cette année, mais il me semble que ces changements ne sont pas nécessairement le remède qu'il fallait pour secouer les ventes. Les inconditionnels de la marque se réjouiront, mais il serait surprenant que ces changements intéressent ceux qui magasinent chez les marques concurrentes.

Denis Duquet

Photo: Marc Bouchard

PONTIAC GRAND PRIX

DONNÉES TECHNIQUES

Modèle à l'essai:	base
Prix du modèle à l'essai:	28995$
Échelle de prix:	25885$ à 36235$
Garanties:	3 ans/60000 km, 3 ans/60000 km
Catégorie:	berline grand format
Emp./Lon./Lar./Haut.(cm):	280/504/187/141
Poids:	1577 kg
Coffre/Réservoir:	453 litres / 64 litres
Coussins de sécurité:	frontaux et latéraux (av.)
Suspension avant:	indépendante, jambes de force
Suspension arrière:	indépendante, multibras
Freins av./arr.:	disque (ABS)
Antipatinage/Contrôle de stabilité:	oui/oui
Direction:	à crémaillère, assistance variable
Diamètre de braquage:	11,3 m
Pneus av./arr.:	P225/60R16
Capacité de remorquage:	454 kg

GROUPE MOTOPROPULSEUR

Moteur:	V6 de 3,8 litres 12s atmosphérique
Alesage et course	96,5 mm x 86,4 mm
Puissance:	200 ch (149 kW) à 5200 tr/min
Couple:	230 lb-pi (312 Nm) à 4300 tr/min
Rapport Poids/Puissance:	7,89 kg/ch (10,58 kg/kW)
Moteur électrique:	aucun
Autre(s) moteur(s):	V6 3,8 l 260ch à 5400tr/mn et 280lb-pi à 3600tr/mn (surcompressé), V8 5,3 l 303ch à 5600tr/mn et 323lb-pi à 4400tr/mn (GXP)
Transmission:	traction, automatique 4 rapports
Autre(s) transmission(s):	aucune
Accélération 0-100 km/h:	8,4 s
Reprises 80-120 km/h:	7,2 s
Freinage 100-0 km/h:	43,2 m
Vitesse maximale:	175 km/h
Consommation (100 km):	ordinaire, 11,7 litres
Autonomie (approximative):	547 km
Émissions de CO2:	4885 kg/an

DANS LA MÊME CATÉGORIE

Acura TL - Chrysler 300 - Honda Accord - Nissan Maxima

DU NOUVEAU EN 2006

Moteur V8, version Édition Spéciale (sur base et GT), roues 17 pouces en option sur modèle de base, nouvelles couleurs

HISTORIQUE DU MODÈLE

6ième génération

NOS IMPRESSIONS

Agrément de conduite:	3½
Fiabilité:	3½
Sécurité:	3½
Qualités hivernales:	3½
Espace intérieur:	4
Confort:	3

LE CHOIX DE L'ÉQUIPE

Base

Photo: Didier Constant

LA MIATA AMÉRICAINE

À l'image de la Miata (maintenant connue sous l'appellation MX-5), qui a permis à Mazda de dynamiser sa marque, la Solstice entreprend sa carrière avec le même objectif pour la division Pontiac et, par extension, pour General Motors. Les comparaisons entre ces deux voitures sont inévitables: toutes deux sont des roadsters dans le sens classique du terme, et toutes deux rendent hommage aux petites voitures sport britanniques de la fin des années cinquante et du début des années soixante.

En 2002, au Salon de l'auto de Détroit, la voiture-concept Pontiac Solstice avait «volé le show» comme on le dit communément. Mais on était encore loin de la réalité puisque le prototype dévoilé avait été construit à la hâte en moins de quatre mois en puisant allègrement dans l'éventail de composantes conçues pour certains modèles de General Motors. Ainsi, la voiture-concept était équipée d'une suspension arrière empruntée à une Buick Rendezvous, et sa suspension avant était celle d'une Pontiac Grand Am. De plus, General Motors ne disposait alors d'aucune plate-forme nécessaire à l'éventuelle production en série d'un tel modèle, comme l'avouait assez candidement Bob Lutz, responsable du développement des nouveaux modèles pour le géant de l'automobile et le principal instigateur du projet Solstice. La réaction de la part de la presse spécialisée et du public fut immédiate et à ce point enthousiaste que Lutz et ses ingénieurs ont dû créer en vingt-sept mois la plate-forme Kappa, une toute nouvelle architecture nécessaire à la réalisation de la Solstice et qui pourrait également servir de base pour le développement d'autres nouveaux modèles.

La Solstice est de conception similaire à la Corvette, dans la mesure où les procédés de fabrication sont semblables. Les châssis de ces deux voitures fait appel à des éléments hydroformés ainsi qu'à une «colonne vertébrale» centrale, mais les similitudes s'arrêtent là puisque la plate-forme Kappa ne partage aucun élément avec celle de la Corvette. Le fait que General Motors se soit donné la peine de développer une nouvelle plate-forme pour ce modèle témoigne de la volonté du géant américain de se tailler une place de choix dans le créneau des véhicules à vocation spécialisée. En effet, par le passé, si un modèle n'avait pas le potentiel de se vendre à plus de 250 000 exemplaires, les efforts pour le développer étaient là, mais les moyens sont modestes. J'ai encore en mémoire la Pontiac Fiero qui était un concept alléchant, qui possédait une silhouette accrocheuse, mais dont la mécanique avait été bricolée avec des composantes mécaniques de bas de gamme provenant de la Chevrolet Chevette et de la Citation pour ne nommer que les meilleures.

Photo: Didier Constant

Il faut de plus ajouter que Chevrolet a développé la nouvelle HHR avec autant de sérieux. Et compte tenu des coûts engendrés par le développement de la plate-forme Kappa, il est certain que des modèles en seront dérivés par les autres divisions. La Saturn Sky sera la première à se joindre à l'équipe Kappa puis ce devrait être au tour de la Chevrolet Nomad. Visuellement, le modèle de série est remarquablement fidèle au concept dévoilé en 2002. Tous les éléments de design qui ont assuré l'impact du prototype se retrouvent aujourd'hui sur la Solstice qui affiche toujours une calandre surdimensionnée qui respecte la tendance amorcée par plusieurs autres constructeurs automobiles récemment. Côté design, c'est plus que réussi. La Solstice a un look d'enfer qui va provoquer des coups de foudre, son attrait est indéniable et cet aspect est son point fort le plus évident. Pour ce qui est des dimensions, il est important de préciser que le modèle de production de la Solstice est plus grand que le prototype avec quatre pouces de plus en longueur et cinq pouces de plus en hauteur, alors que sa largeur est presque identique à celle de la Corvette, à un pouce près.

Pour les besoins de ce compte-rendu, j'ai eu l'occasion de rouler au volant d'un modèle de préproduction, c'est-à-dire d'un exemplaire construit avant la mise en marche de la chaîne de montage et de la production en série. Règle générale, les modèles de préproduction présentent parfois des lacunes en ce qui a trait à l'ajustement des pièces. C'était le cas avec cet exemplaire de la Solstice puisque l'on pouvait percevoir un bruit de vent assez persistant avec le toit en place. Au volant, il est facile d'adopter la position de conduite idéale et la disposition des pédales permet de réussir la manœuvre du talon-pointe qui consiste à augmenter le régime moteur pour rétrograder en douceur tout en freinant, ce qui sera particulièrement apprécié de tous les amateurs de conduite sportive. L'autre aspect qui ne manquera pas d'impressionner ce groupe, c'est la rigidité du châssis de la Solstice, un facteur important afin d'assurer une bonne tenue de route qui est d'ailleurs assez remarquable. Ajoutez à cela une direction très précise ainsi qu'un équilibrage quasi parfait des masses entre les trains avant et arrière, et on obtient une bonne recette pour ce qui est de la tenue de route qui est presque trop performante compte tenu de la puissance du moteur.

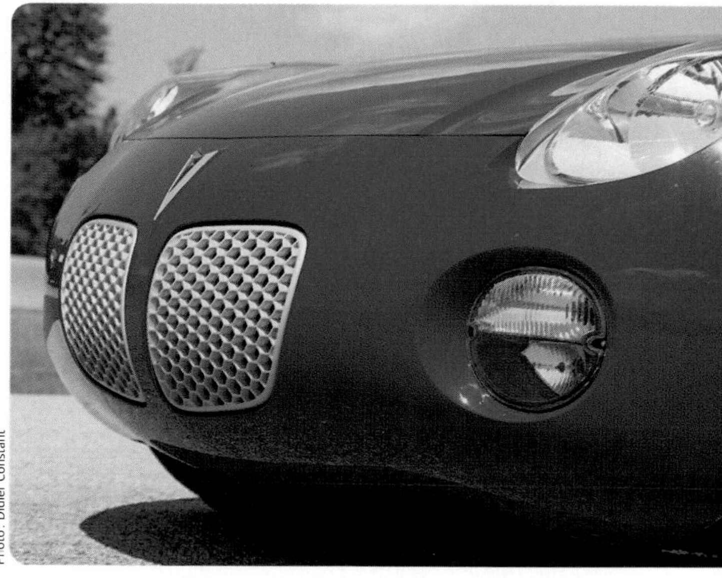
Photo : Didier Constant

En effet, le 4 cylindres Ecotec de 2,4 litres adapté pour la Solstice ne livre que 177 chevaux à un régime moteur élevé de 6600 tours/minute et son couple maximum de 166 livres-pied est atteint à 4800 tours/minute. Comme la Solstice est chaussée de pneus surdimensionnés qui conviennent plus à une voiture équipée d'un moteur de 250 chevaux, on se retrouve avec trop de caoutchouc sur la route pour la puissance du moteur, et cela a une incidence directe sur l'agrément de conduite qui n'est pas aussi élevé puisque l'on a toujours l'impression de manquer de puissance en accélération à la sortie d'un virage. Ajoutez à cela le fait que la Solstice est une voiture assez lourde avec ses 1 297 kilos, et l'on se met à rêver d'une voiture plus légère avec un moteur plus performant pour exploiter plus efficacement la très bonne tenue de route de la Solstice. De ce côté, certaines rumeurs font état de la venue prochaine d'une version GT à moteur turbocompressé, ce qui permettrait à Pontiac de boucler la boucle car la voiture-concept était justement

Photo : GMC

Photo : Didier Constant

dotée d'une telle motorisation, ainsi que d'affronter directement des rivales plus performantes comme la BMW Z4 ou la Honda S2000.

Pour ses débuts, la Solstice ne sera proposée qu'avec une boîte manuelle à cinq vitesses, puisque la boîte automatique à cinq rapports ne sera offerte qu'en janvier 2006. Au sujet de la boîte manuelle, précisons qu'elle provient de la compagnie Aisin qui a également conçu la boîte de vitesses de la Honda S2000. Cette transmission fonctionne remarquablement bien sur la Solstice, comme j'ai été en mesure de le constater en roulant sur une route sinueuse comportant à la fois des virages et des changements d'élévation, ce qui m'a permis de remarquer que les sièges en cuir offerts en option sont déficients quant au soutien latéral en virage.

Photo : Didier Constant

Pour ce qui est de la vic à bord, on s'aperçoit rapidement que la qualité des plastiques utilisés dans la conception de l'habitacle laisse à désirer. On ne peut aussi que déplorer le manque d'espaces de rangement ainsi que la localisation saugrenue des porte-verres qui prennent la forme d'un tiroir logé entre les deux sièges, obligent conducteur et passager à se retourner et à pratiquer des contorsions pour pouvoir les atteindre. Ridicule. De plus, le volume du coffre est réduit en raison du fait que le réservoir d'essence crée une bosse dans le plancher du coffre! C'est à se demander si GM réussira un jour à concevoir une voiture sport abordable sans qu'elle comporte une bosse quelque part, comme c'était le cas avec les défuntes Camaro et Firebird où le convertisseur catalytique empiétait sur l'espace accordé aux pieds du passager avant… Pour le côté pratique, on repassera, d'autant plus que lorsque le toit souple est replié, on peut à peine loger deux porte-documents dans le coffre et rien d'autre.

Il faut d'ailleurs s'interroger sérieusement sur le manque d'espace de rangement dans le coffre une fois le toit baissé. Plusieurs cabriolets

FEU VERT

Look d'enfer
Châssis rigide
Tenue de route performante
Direction précise

FEU ROUGE

Poids élevé
Qualité des plastiques utilisés pour l'intérieur
Volume du coffre et espaces de rangement
Manque de soutien latéral (sièges en cuir)

Photo: Pontiac

sont dépouillés d'une bonne partie du coffre lorsque le toit souple est replié, mais cette fois c'est l'anéantissement total. Si vous voulez partir en voyage en profitant de beau temps et du soleil en abaissant la capote, vous devrez mettre en pratique le thème « Mon bikini, ma brosse à dent » d'une ancienne campagne publicitaire d'une compagnie aérienne. Même une petite mallette pourra difficilement trouver place à l'arrière. Il est toujours aberrant qu'une compagnie de l'envergure de GM ne puisse pas trouver une solution plus pratique. Bref, vous devrez voyager avec le toit en place et vos bagages dans le coffre. Une fois à destination, les valises devront être rangées pour rouler cheveux au vent, du moins s'il vous en reste.

Dans un avenir rapproché, General Motors offrira un toit rigide qui pourra équiper la voiture durant les mois d'hiver. Il est également possible que de nouvelles versions de la Solstice voient le jour prochainement, soit un modèle allégé avec toit fixe qui pourrait être inscrit en compétition qui viendrait s'ajouter à la Solstice GT à moteur turbocompressé décrite ci-haut. Par ailleurs, la plate-forme Kappa servira de base au cabriolet Saturn Sky, ainsi qu'à une voiture de marque Opel qui sera exportée sur le marché européen exclusivement, cette marque ne faisant pas partie du paysage automobile nord-américain.

Essentiellement, la Solstice est une Miata « Made in USA », et sa mission est de redorer le blason de Pontiac ainsi que de General Motors. Pour ce faire, la Solstice peut compter sur des qualités indéniables, mais il est regrettable qu'elle soit aussi lourde, ce qui s'avère être son handicap majeur. Avec moins de kilos et plus de chevaux, on aurait pu crier au génie, mais pour l'instant on se contente d'un bravo tout de même bien senti.

Gabriel Gélinas

Photo: Didier Constant

PONTIAC SOLSTICE

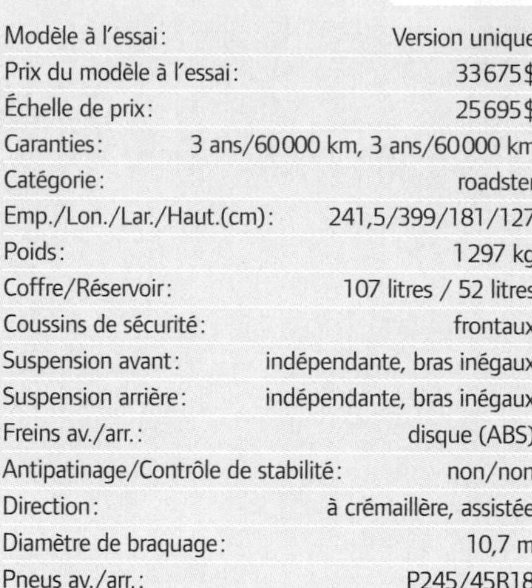

DONNÉES TECHNIQUES

Modèle à l'essai:	Version unique
Prix du modèle à l'essai:	33675$
Échelle de prix:	25695$
Garanties:	3 ans/60000 km, 3 ans/60000 km
Catégorie:	roadster
Emp./Lon./Lar./Haut.(cm):	241,5/399/181/127
Poids:	1297 kg
Coffre/Réservoir:	107 litres / 52 litres
Coussins de sécurité:	frontaux
Suspension avant:	indépendante, bras inégaux
Suspension arrière:	indépendante, bras inégaux
Freins av./arr.:	disque (ABS)
Antipatinage/Contrôle de stabilité:	non/non
Direction:	à crémaillère, assistée
Diamètre de braquage:	10,7 m
Pneus av./arr.:	P245/45R18
Capacité de remorquage:	non recommandé

GROUPE MOTOPROPULSEUR

Moteur:	4L de 2,4 litres 16s atmosphérique
Alésage et course	88,0 mm x 98,0 mm
Puissance:	177 ch (132 kW) à 6600 tr/min
Couple:	166 lb-pi (225 Nm) à 4800 tr/min
Rapport Poids/Puissance:	7,33 kg/ch (9,98 kg/kW)
Moteur électrique:	aucun
Autre(s) moteur(s):	seul moteur offert
Transmission:	propulsion, manuelle 5 rapports
Autre(s) transmission(s):	automatique 5 rapports
Accélération 0-100 km/h:	7,8 s
Reprises 80-120 km/h:	n.d.
Freinage 100-0 km/h:	n.d.
Vitesse maximale:	n.d.
Consommation (100 km):	ordinaire, 10,0 litres (constructeur)
Autonomie (approximative):	520 km
Émissions de CO2:	n.d.

DANS LA MÊME CATÉGORIE

BMW Z4 - Chrysler Crossfire - Honda S2000 - Mazda MX-5

DU NOUVEAU EN 2006

Tout nouveau modèle

HISTORIQUE DU MODÈLE

1ière génération

NOS IMPRESSIONS

Agrément de conduite:	🚗🚗🚗½
Fiabilité:	nouveau modèle
Sécurité:	🚗🚗🚗
Qualités hivernales:	🚗
Espace intérieur:	🚗🚗🚗
Confort:	🚗🚗🚗

LE CHOIX DE L'ÉQUIPE

Version unique

Photo : Alain Morin

PLUTÔT UNE RIVIÈRE TRANQUILLE

Les concessionnaires Pontiac n'avaient pas, jusqu'à cette année, de VUS à offrir à leurs clients. Certes, ils proposaient l'Aztek, mais les acheteurs ne se bousculaient pas aux portes de ce véhicule procurant un comportement routier étonnant. Quant à la Vibe, elle tient plus de la familiale que du véhicule utilitaire sport. Avec le nouveau Torrent, Pontiac offre un VUS tout ce qu'il y a de plus politiquement correct. Et qui plus est, déjà éprouvé, car il s'agit en fait, d'un Chevrolet Equinox (ou d'un Saturn VUE) revu pour répondre aux critères de Pontiac. Modifications réussies?

Mais, tout d'abord, quelles sont les différences entre les deux protagonistes? Au chapitre du design, la grille, surtout, se montre très différente et rappelle immédiatement que nous avons affaire à un produit Pontiac. Personnellement, je préfère la partie avant du Torrent que je considère moins lourde que celle de l'Equinox avec ses gros phares. Dans l'habitacle, il y a bien quelques détails de présentation qui diffèrent mais c'est principalement le volant, marqué encore une fois du sceau Pontiac qui s'impose. Outre ces considérations esthétiques, le Torrent reçoit une suspension plus sportive que celle de l'Equinox. Nous y reviendrons. En fait, c'est davantage au niveau de la mise en marché que les divergences seront les plus marquées. Pour l'instant, les dirigeants de Pontiac ne voient pas l'urgence d'offrir des rabais incitatifs aux consommateurs. D'un autre côté, le Torrent coûte environ 1 200$ de plus que l'Equinox, peu importe la version. Tout comme ce dernier, le Torrent est fabriqué à l'usine Ingersoll, en Ontario. Et, puisque le jumeau de chez Chevrolet a été presque entièrement conçu à Oshawa, au CREC (Central Regional Engineering Center), ainsi va le Pontiac!

BELLE SAGESSE

Parlant de versions, le Torrent est offert en livrées traction (roues avant motrices) et intégrale. Chacune de ces livrées se décline en variantes régulière et sport. Le choix de moteurs et de transmissions est très élaboré pour autant que le consommateur choisisse impérativement le V6 de 3,4 litres et la transmission automatique à cinq rapports! Le 3,4 litres, qui commence à dater, continue d'offrir des performances valables même s'il n'est pas le plus puissant de sa catégorie. Si sa sonorité ne fait pas très sport, il répond sans hésiter aux sollicitations de l'accélérateur. Un 0-100 km/h s'effectue en 10,2 secondes tandis qu'une reprise entre 80 et 120 km/h dure 8,3 secondes. La consommation d'essence se situe dans la bonne moyenne pour la catégorie avec 10,6 litres aux cent kilomètres. Quant à la transmission à cinq rapports, elle fonctionne avec une transparence inouïe et le passage des vitesses s'effectue rapidement et tout en douceur.

Avec son empattement plus long que celui des autres représentants du créneau des VUS compact, le Torrent propose une conduite tout en douceur. Les suspensions sont certainement axées sur le confort malgré les prétentions sportives que tentent de nous démontrer les gens de chez Pontiac. Il faudrait essayer un Torrent et un Equinox un après l'autre pour, sans doute, remarquer une différence notable au niveau des suspensions. Le châssis fait preuve d'une belle rigidité et autorise une capacité de remorquage de 1 588 kilos (3 500 livres). Pour stopper sa masse de

FEU VERT

Esthétique réussie
Mécanique fiable
Véhicule confortable
Construit au Canada
Siège arrière bien pensé

FEU ROUGE

Sportivité timide
Suspensions souples
Un seul moteur proposé
Faibles capacités hors route
Direction insensible

Photo: Pontiac

1660 kilos, le Torrent fait appel à des freins à disque à l'avant et à tambour à l'arrière. Si jamais un comité quelconque décernait un jour un prix au Torrent, ce ne sera assurément pas pour son freinage! Bien que les arrêts soient rectilignes, l'avant plonge passablement et les distances sont un peu trop longues. De plus, l'ABS est assez peu discret. La direction électrique est tout le contraire! Très peu communicative, elle fait tout de même preuve d'une certaine précision tandis que le diamètre de braquage se mesure quasiment en kilomètres...

Lors du lancement du Torrent, nous n'avons pu mettre la main sur l'intégrale. Mais puisqu'il s'agit du même rouage que celui de l'Equinox on peut affirmer sans trop se tromper, que son fonctionnement est imperceptible sur surfaces sèches, mais qu'une virée dans un trou de «bouette» le moindrement profond mettra en évidence ses capacités réduites. Il s'agit d'un VUS «de neige» seulement!

QUELQUES SACRIFICES

Les sièges avant se révèlent confortables et faciles d'accès mais la banquette arrière fait preuve de moins de rigueur. Curieusement, la place centrale n'est pas inconfortable, gracieuseté, entre autres, d'un plancher parfaitement plat. Il est cependant dommage que les vitres arrière n'ouvrent qu'aux trois quarts. Au rayon du «dommage», soulignons qu'on ne retrouve aucune poignée de maintien dans l'habitacle. Ledit habitacle ne démontre pas un niveau de finition très élevé, en grande partie à cause des plastiques de qualité quelquefois douteuse. Le silence de roulement n'est perturbé que par le système audio aux performances très correctes (pour le prix) ou par le son du moteur en accélération, nettement moins mélodieux.

Relativement polyvalent, le Torrent propose une banquette arrière ajustable en profondeur, une bénédiction lorsqu'on veut transporter des objets imposants. Le dossier du siège du passager avant se rabat pour assurer encore plus de place. Dans l'espace de chargement, on retrouve la fameuse tablette de l'Equinox qui peut se transformer en table à pique-nique en plus d'offrir ce que GM appelle affectueusement le «Cargo Storage System», un fragile ensemble permettant de retenir les sacs d'épicerie.

Loin du torrent qui déferle au printemps lors de la fonte des neiges, le Torrent fait plutôt penser à une rivière bien paisible. Oublions le rafting et vive les pique-niques romantiques!

Alain Morin

Photo: Alain Morin

PONTIAC TORRENT

DONNÉES TECHNIQUES

OnStar de GM Canada

Modèle à l'essai:	FWD
Prix du modèle à l'essai:	26585$
Échelle de prix:	26585$ à 31500$
Garanties:	3 ans/60000 km, 3 ans/60000 km
Catégorie:	utilitaire sport compact
Emp./Lon./Lar./Haut.(cm):	286/479,5/181/170
Poids:	1660 kg
Coffre/Réservoir:	912 à 1943 litres / 62,8 litres
Coussins de sécurité:	frontaux et rideaux
Suspension avant:	indépendante, jambes de force
Suspension arrière:	indépendante, multibras
Freins av./arr.:	disque/tambour (ABS)
Antipatinage/Contrôle de stabilité:	oui/non
Direction:	à crémaillère, assistance variable
Diamètre de braquage:	12,7 m
Pneus av./arr.:	P235/65R16
Capacité de remorquage:	1588 kg

GROUPE MOTOPROPULSEUR

Moteur:	V6 de 3,4 litres 12s atmosphérique
Alésage et course	92,0 mm x 84,0 mm
Puissance:	185 ch (138 kW) à 5200 tr/min
Couple:	210 lb-pi (285 Nm) à 3800 tr/min
Rapport Poids/Puissance:	8,97 kg/ch (12,03 kg/kW)
Moteur électrique:	aucun
Autre(s) moteur(s):	seul moteur offert
Transmission:	traction, automatique 5 rapports
Autre(s) transmission(s):	intégrale, automatique 5 rapports
Accélération 0-100 km/h:	10,2 s
Reprises 80-120 km/h:	8,3 s
Freinage 100-0 km/h:	41,2 m
Vitesse maximale:	220 km/h (estimé)
Consommation (100 km):	ordinaire, 11,0 litres
Autonomie (approximative):	571 km
Émissions de CO2:	n.d.

DANS LA MÊME CATÉGORIE

Ford Escape - Jeep Liberty - Honda CR-V - Hyundai Santa Fe - Mazda Tribute - Kia Sorento - Toyota Rav4

DU NOUVEAU EN 2006

Nouveau modèle

HISTORIQUE DU MODÈLE

1ère génération

NOS IMPRESSIONS

Agrément de conduite:	3½
Fiabilité:	nouveau modèle
Sécurité:	3½
Qualités hivernales:	4½
Espace intérieur:	4
Confort:	4

LE CHOIX DE L'ÉQUIPE

Base AWD

ET L'AUTRE ?

Selon certains, la voiture économique idéale pour l'Amérique du Nord serait celle qui aurait été dessinée par un constructeur nord-américain, qui posséderait une mécanique japonaise et qui serait produite sur notre continent. La Pontiac Vibe répond à la lettre à cette description. La majorité de la silhouette et du tableau de bord a été dessinée chez Pontiac, tandis que la mécanique provient de chez Toyota, tout comme la plate-forme. De plus, elle est assemblée à l'usine NUMI que Toyota et GM partagent en Californie.

Pourtant, bien que la Vibe soit populaire, plusieurs acheteurs semblent hésitants à entrer dans la salle de démonstration d'un concessionnaire Pontiac. Le hic, c'est que bien des gens n'ont pas tellement confiance dans les marques nord-américaines. Ils craignent le pire et j'ai même rencontré quelqu'un à qui on donnait littéralement une Sunfire et qui était angoissé à l'idée de rouler en Pontiac ! Malgré des statistiques qui prouvent le contraire, nombreux sont les acheteurs qui ont des préjugés envers un produit nord-américain. Si la Vibe était assemblée dans la même usine que la Toyota Matrix à Cambridge au nord-ouest de Toronto, leur angoisse pourrait être vite éliminée. Mais, ce n'est pas le cas. Elle est produite dans une usine à part et leur confiance s'étiole. De plus, il faut bien avouer que la réputation de fiabilité des produits Toyota n'est pas sans avoir un effet sur la valeur de revente d'un véhicule. Plusieurs acheteurs n'ont aucune inquiétude quant à la fiabilité éventuelle de la Pontiac, mais se rendent chez Toyota juste pour se rassurer quant à la valeur de revente en fin de contrat. Ils risquent pourtant d'être déçus de l'accueil qu'ils recevront. Plusieurs lecteurs nous ont communiqué leur déception face à un personnel de vente arrogant et peu enclin à écouter les besoins des clients. Leur réponse est toujours la même : « Vous savez, chez Toyota, c'est ce qui se fait de mieux et tout le monde veut en acheter ! »

LE POSITIF MAINTENANT !

Il ne faut pas délaisser la Vibe pour autant. Non seulement sa fiabilité est jugée égale à celle de sa jumelle japonaise, mais le niveau de satisfaction des propriétaires de Vibe est plus élevé que celui des propriétaires de Matrix. Et plusieurs apprécient davantage sa silhouette qui a un peu plus de chien dans le nez. Mais c'est là affaire de goûts personnels. Par contre, le tableau de bord est identique dans les deux cas et vient jazzer l'habitacle dont les matériaux sont généralement de couleur terne. Nous avons comparé la finition de ces deux sœurs ennemies et le verdict a été nul.

Il est toutefois vrai que les modèles Pontiac affichent un prix de détail suggéré plus élevé que celui des Toyota. Du moins en général, mais c'est tout simplement que leur équipement est plus complet. Toujours sur une note positive, il faut ajouter que l'habitabilité est très bonne, les places arrière surprenantes pour un véhicule de ces dimensions et la soute à bagages capable d'en prendre en plus de posséder un seuil de chargement relativement bas. Par contre, il faut décrier le cache-bagages qui ressemble à un truc bricolé tard le soir.

FEU VERT

- Habitacle polyvalent
- Équipement complet
- Silhouette toujours moderne
- Mécanique fiable
- Choix de modèles

FEU ROUGE

- Moteur bruyant
- Suspension arrière sèche
- Performances marginales
- Visibilité arrière
- Version GT décevante

CHOIX DIFFICILE

L'accès à bord est facile et les sièges avant confortables. Bref, voilà une compacte qui promet si on se fie à ce premier contact. Mais les choses se gâtent lorsqu'on lance le moteur. Ce petit quatre cylindres de 1,8 litre est bruyant à tous les régimes et il doit travailler fort pour déplacer cette masse de 1 300 kg. Ses 130 chevaux sont toujours sollicités et il faut aimer jouer du levier de vitesse. La course de celui-ci est plus ou moins précise. La boîte automatique à quatre rapports est fiable et effectue des passages relativement rapides, mais les régimes semblent constamment plus élevés.

Le piètre confort de la suspension ne vient pas arranger les choses puisque l'essieu arrière à poutre déformante n'est pas toujours en mesure de dompter nos routes dégradées, et le train arrière sautille lorsque la voiture roule sans rien dans le coffre. Il est toutefois possible de commander une version avec suspension arrière indépendante. Il s'agit de la version à rouage intégral. Le prix à payer est que le moteur ne produit plus que 123 chevaux et seule la boîte automatique est disponible. Cela améliore le confort et le comportement sur surfaces détrempées, mais il faut être patient. Par contre, un troisième choix nous est offert : le modèle GT avec son moteur à haut rendement de 170 chevaux semble être une solution intéressante. Malheureusement, il faut alors retourner à la suspension demi-indépendante du modèle de base, tandis que ce moteur emprunté à la défunte Celica GT possède une bande de puissance très étroite en plus d'être relié à un embrayage délicat qui ne s'engage que sur une très courte plage. Et oubliez la boîte automatique qui émascule carrément les performances de ce moteur !

Il est donc difficile de trouver la bonne combinaison. À l'origine, c'était une bonne idée d'utiliser la plate-forme et la mécanique de la Toyota Corolla pour la Vibe et la Matrix, mais leurs limites sont plus évidentes sur ces deux mini familiales dont l'habitacle monospace a pour effet d'amplifier les bruits mécaniques. Il semble aussi que la plate-forme, moins rigide, réussit moins efficacement à se démarquer sur les mauvaises routes. En plus, le profil élevé de la caisse ne fait pas bon ménage avec les vents latéraux.

Si ces inconvénients ne vous inquiètent pas, le Vibe ou la Matrix sont des véhicules d'une certaine élégance qui sont également agiles dans la circulation urbaine et dont l'habitacle peut être configuré de multiples façons.

Denis Duquet

Photos : pontiac

DONNÉES TECHNIQUES

Modèle à l'essai :	Base
Prix du modèle à l'essai :	21 895 $
Échelle de prix :	19 900 $ à 28 000 $
Garanties :	3 ans/60 000 km, 3 ans/60 000 km
Catégorie :	hatchback
Emp./Lon./Lar./Haut.(cm) :	260/436,5/177,5/158
Poids :	1 225 kg
Coffre/Réservoir :	547 à 1 532 litres / 50 litres
Coussins de sécurité :	frontaux et rideaux (opt)
Suspension avant :	indépendante, jambes de force
Suspension arrière :	indépendante, leviers triangulés
Freins av./arr. :	disque (ABS)
Antipatinage/Contrôle de stabilité :	non/non
Direction :	à crémaillère, assistée
Diamètre de braquage :	11,2 m
Pneus av./arr. :	P205/55R16
Capacité de remorquage :	680 kg

GROUPE MOTOPROPULSEUR

Moteur :	4L de 1,8 litre 16s atmosphérique
Alésage et course	79,0 mm x 91,5 mm
Puissance :	130 ch (97 kW) à 6000 tr/min
Couple :	170 lb-pi (231 Nm) à 4200 tr/min
Rapport Poids/Puissance :	9,42 kg/ch (12,63 kg/kW)
Moteur électrique :	aucun
Autre(s) moteur(s) :	4L 1,8 l 170ch à 7600tr/mn et 127lb-pi à 4400tr/mn (GT), 4L 1,8 l 123ch à 6000tr/mn et 118lb-pi à 4200tr/mn (intégrale)
Transmission :	traction, manuelle 5 rapports
Autre(s) transmission(s) :	manuelle 6 rapports / automatique 4 rapports (TI)
Accélération 0-100 km/h :	10,1 s
Reprises 80-120 km/h :	9,4 s
Freinage 100-0 km/h :	42,3 m
Vitesse maximale :	165 km/h
Consommation (100 km) :	ordinaire, 7,5 litres
Autonomie (approximative) :	667 km
Émissions de CO2 :	3 273 kg/an

DANS LA MÊME CATÉGORIE

Chrysler PTCruiser - Ford Focus - Mazda 3 Sport - Suzuki Aerio - Toyota Matrix

DU NOUVEAU EN 2006

Pas de changement majeur, nouvelle couleur extérieure, système audio amélioré

HISTORIQUE DU MODÈLE

1ière génération

NOS IMPRESSIONS

Agrément de conduite :	½
Fiabilité :	
Sécurité :	½
Qualités hivernales :	
Espace intérieur :	½
Confort :	½

LE CHOIX DE L'ÉQUIPE

Base

MOI AUSSI J'EN VEUX UNE !

Les succès de l'un font l'envie de l'autre. Après que la division Chevrolet eut connu des chiffres de vente très intéressants avec sa petite Aveo, il était normal que Pontiac, sa division sœur dans le créneau des voitures économiques, réclame son dû également. Presque depuis toujours, la division des sensations fortes, lire Pontiac, a tenté de s'immiscer dans ce marché d'entrée de gamme qui réussit si bien à Chevrolet. Cette fois, les responsables de cette division croient avoir trouvé la bonne solution avec cette petite coréenne qui, contrairement à l'Aveo, est une exclusivité canadienne.

Il faut par ailleurs souligner la tendance aquatique que semble prendre Pontiac pour la désignation de ses nouveaux modèles. En effet, après la Wave qui signifie vague en anglais, il ne faut pas oublier le Torrent, la réplique du Chevrolet Equinox.

Mais avant de parler d'autre chose, ne tentez pas de démarquer la Pontiac Wave de la Chevrolet Aveo puisque les deux sont quasiment identiques, à quelques détails près. Ce duo est d'ailleurs assemblé par GM DAT en Corée, le fruit de l'achat par GM de la division automobile de l'ancien empire Daewoo qui a connu une spectaculaire faillite au tournant du siècle. Somme toute, la différence entre les deux sœurs ennemies se résume à des grilles de calandre différentes et les écussons des marques respectives.

Lancée tout récemment, il est normal que les changements soient minimes pour 2006. Cette année, il faut souligner la présence de coussins gonflables à déploiement progressif et un capteur de présence sur le siège du passager. Toujours au chapitre de la sécurité, les appuie-têtes avant peuvent être réglés en hauteur et en inclinaison, tandis que le régulateur de croisière est à commande électronique. Parmi les autres améliorations pour 2006, mentionnons de nouveaux enjoliveurs de roues, une nouvelle couleur de l'habitacle et de nouveaux tissus pour les sièges. Bref, une foule de petits détails d'aménagement et de fonctionnement. Mais la meilleure nouvelle est l'amélioration des réglages de la suspension afin d'améliorer le feed-back de la direction et de diminuer le roulis en virage.

UNE BELLE GUEULE

Comme vous allez le découvrir un peu plus loin, la Wave est loin d'être la voiture idéale que nous décrit la publicité de la marque. Par contre, il est difficile de trouver à redire quant à la silhouette et le design de l'habitacle. La raison en est bien simple, cette voiture, tout comme l'Aveo, a été dessinée par le légendaire styliste italien Giugiaro. Non! General Motors n'a pas décidé de faire appel au styliste italien pour donner plus de punch au design de ses modèles. C'est tout simplement que la défunte compagnie Daewoo faisait pratiquement toujours dessiner ses voitures par Giugiaro afin de s'assurer d'être dans le coup en fait de design. Cela n'a pas toujours été vrai, mais cette politique a porté fruit dans le cas de la Wave.

Cette affirmation est du moins véridique dans le cas du hatchback cinq portes dont la sympathique silhouette nous offre une petite touche sport

FEU VERT
- Prix compétitif
- Silhouette alléchante
- Tableau de bord attrayant
- Agile en ville
- Version cinq portes

FEU ROUGE
- Sensible au vent latéral
- Performances moyennes
- Freinage moyen
- Absence de coussins latéraux

qui plaît à coup sûr. Je suis moins enthousiaste à propos de la berline. La partie avant est identique au modèle hatchback, mais l'arrière est moche. Par contre, cet arrière-train protubérant permet d'offrir un coffre à bagages de bonnes dimensions pour la catégorie. Avec quatre occupants à bord, ce coffre a une plus grande capacité de rangement que le hatchback. Mais ce dernier prend sa revanche lorsque la banquette arrière est abaissée.

Je dois avouer que le tableau de bord est le plus réussi de sa catégorie. Comme toujours, GM nous propose des plastiques durs, mais le tout est joliment ficelé avec le jeu de couleurs contrastantes des éléments du tableau de bord qui est du plus bel effet. Et quelqu'un a eu la bonne idée de placer le commutateur des signaux d'urgence en plein centre de la planche de bord. Rouge vif, ce bouton met du punch à l'ensemble et il est impossible de le manquer. Il faut également accorder de bonnes notes au volant à quatre branches qui est de type sport, et convenant fort bien à cet environnement jeune et décontracté.

Toutefois, les tissus des sièges me semblent fragiles bien que leur motif soit élégant. La banquette arrière qui se retourne pour abaisser le dossier nous dévoile une construction qui ne paraît pas trop robuste et dont les agrafes semblent avoir envie de lâcher rapidement. Mais, s'il faut se fier aux autres véhicules coréens construits de la même manière, ça devrait tenir le coup.

UTILITAIRE D'ABORD

Les stylistes ont beau lui avoir donné une silhouette agréable et dessiné un habitacle de tendance sport, la Wave est essentiellement un outil de transport urbain. Son moteur 1,6 litre à double arbre à cames en tête ne produit que 103 chevaux, ce qui est un peu en retrait par rapport à plusieurs concurrentes. Et encore, ça me paraît être des chevaux coréens qui semblent moins fougueux que les équidés nippons. Relativement rugueux et bruyant, ce moteur est d'une conception moderne, mais son rendement est moyen. Par ailleurs, il ne se débrouille pas trop mal avec la boîte automatique à quatre rapports vendue en option. À défaut de performances supérieures à la moyenne, le comportement routier est dans la moyenne de la catégorie. Sensible aux vents latéraux, cette Pontiac est avant tout une citadine qui se stationne sur moins que rien, relativement agile dans le trafic et dont la version hatchback se fait apprécier par sa polyvalence.

Denis Duquet

Photos: Marc Bouchard

DONNÉES TECHNIQUES

Modèle à l'essai:	LS hatchback
Prix du modèle à l'essai:	17510$
Échelle de prix:	11795$ à 15995$
Garanties:	3 ans/60000 km, 3 ans/60000 km
Catégorie:	sous-compacte
Emp./Lon./Lar./Haut.(cm):	248/423/167/149
Poids:	1070 kg
Coffre/Réservoir:	200 à 1190 litres / 45 litres
Coussins de sécurité:	frontaux
Suspension avant:	indépendante, jambes de force
Suspension arrière:	demi-ind., poutre déformante
Freins av./arr.:	disque/tambour (ABS opt.)
Antipatinage/Contrôle de stabilité:	non/non
Direction:	à crémaillère, assistée
Diamètre de braquage:	9,8 m
Pneus av./arr.:	P185/60R14
Capacité de remorquage:	non recommandé

GROUPE MOTOPROPULSEUR

Moteur:	4L de 1,6 litres 16s atmosphérique
Alésage et course	79,0 mm x 81,5 mm
Puissance:	103 ch (77 kW) à 6000 tr/min
Couple:	107 lb-pi (145 Nm) à 3600 tr/min
Rapport Poids/Puissance:	10,39 kg/ch (13,90 kg/kW)
Moteur électrique:	aucun
Autre(s) moteur(s):	seul moteur offert
Transmission:	traction, manuelle 5 rapports
Autre(s) transmission(s):	automatique 4 rapports
Accélération 0-100 km/h:	10,2 s
Reprises 80-120 km/h:	9,4 s
Freinage 100-0 km/h:	41,0 m
Vitesse maximale:	175 km/h
Consommation (100 km):	ordinaire, 6,8 litres
Autonomie (approximative):	662 km
Émissions de CO_2:	3580 kg/an

DANS LA MÊME CATÉGORIE

Chevrolet Aveo - Hyundai Accent - Kia Rio
Suzuki Swift+ - Toyota Yaris

DU NOUVEAU EN 2006

Aucun changement majeur, suspension révisée, nouveaux enjoliveurs, nouveau régulateur de croisière

HISTORIQUE DU MODÈLE

1[ière] génération

NOS IMPRESSIONS

Agrément de conduite:
Fiabilité: ½
Sécurité:
Qualités hivernales:
Espace intérieur:
Confort:

LE CHOIX DE L'ÉQUIPE

Hatchback

SPORTIVE PAR EXCELLENCE

Après le lancement des 911 Carrera et Carrera S l'an dernier, l'année en cours nous a permis d'accueillir les versions cabriolet ainsi que les récentes Carrera 4 et 4S à traction intégrale. La 911 Carrera demeure donc encore dans l'actualité et elle continuera d'y rester avec l'arrivée imminente de ses autres déclinaisons que sont les GT3 et Turbo. Pour Porsche, les prochains mois s'annoncent prometteurs, avec le lancement de la nouvelle Cayman. Celle-ci sera suivie d'ici 2008 ou 2009 de la nouvelle Panamera à quatre portes dont le concept a été dévoilé au Salon de l'auto de Francfort cet automne.

Avec les années, la 911 Carrera est devenue l'une des voitures mythiques de l'histoire de l'automobile et elle demeure l'une des sportives les plus accomplies suscitant la convoitise de tous les passionnés d'automobile. Plus que tout cela, lorsqu'on pense à Porsche, on pense tout de suite à la 911 Carrera qui a transcendé les époques, alors que d'autres modèles de la marque tels que les 944, 924, 928 et j'en passe n'ont pas survécu à l'inexorable marche du temps.

Sur le plan technique, ce qui fait la spécificité de la 911 Carrera c'est bien sûr sa conception du «tout à l'arrière», moteur et transmission étant justement logés à cet endroit ce qui lui permet une excellente motricité et une maniabilité exceptionnelle. Toutefois, cette configuration n'est pas idéale pour l'équilibrage des masses, mais Porsche a depuis quelques années accompli des miracles pour assagir le comportement routier de la 911 qui était autrefois une voiture caractérielle et difficile à maîtriser pour un conducteur inexpérimenté. Aujourd'hui, la 911 Carrera demeure une sportive extrêmement performante qui est maintenant doublée d'une routière efficace, avec l'ajout de dispositifs très sophistiqués tels que le PSM (Porsche Stability Management) qui est le système de contrôle de la stabilité le plus efficace et performant de tous les dispositifs du genre, toutes marques confondues.

Cet été j'ai eu l'occasion de rouler à plusieurs reprises sur le circuit du Mont-Tremblant au volant d'un coupé Carrera S à boîte manuelle, équipé des freins en composite de céramique PCCB (Porsche Ceramic Composite Brake), une option ajoutant la bagatelle de 11 400 dollars à la facture, ainsi que de l'option Sport Chrono (1 290 dollars) qui agit à la fois sur le système PSM en le rendant plus permissif, ainsi que sur les suspensions qui passent en mode sport en devenant plus fermes. Pour ce qui est des distances de freinage, je n'ai pas noté de réduction majeure par rapport aux freins ordinaires avec disques en acier, mais j'ai toutefois été en mesure d'apprécier le fait que les freins en céramique étaient plus endurants. En effet, je n'ai constaté que peu ou pas de perte d'efficacité au freinage même après plusieurs tours de circuit, alors que les disques de freins en acier perdent graduellement de leur efficacité en s'échauffant au fil des tours. Pour pleinement apprécier le degré de sophistication technique de la 911 Carrera et sa tenue de route phénoménale, bref ce qui fait sa spécificité, il faut absolument la conduire sur un circuit ce qui est rendu possible en devenant membre d'un des nombreux clubs Porsche qui organisent des événements sur circuit sur une base régulière. Selon moi, les conducteurs de Porsche qui ne tirent pas avantage de cette occasion passent à côté d'une expérience qui leur ferait prendre conscience des limites très élevées de

FEU VERT

Lignes intemporelles
Moteurs puissants
Tenue de route impressionnante
Option Sport Chrono Plus
Freins très performants

FEU ROUGE

Prix élevé
Coûts d'utilisation élevés
Places arrière symboliques

la 911 Carrera, et ils ne comprendront jamais véritablement pourquoi cette voiture est à ce point exceptionnelle. Oui, il est possible d'apprécier cette voiture en la conduisant sur les routes publiques, mais pour l'apprécier à sa juste valeur, il faut faire l'effort de se rendre sur un circuit.

Parmi les bémols, soulignons le fait que les places arrière sont encore et toujours symboliques, et que les coûts d'utilisation d'une 911 Carrera sont élevés. À titre d'exemple, les pneus qui offrent une adhérence phénoménale s'usent rapidement si bien que l'on doit changer les pneus arrière tous les dix mille kilomètres, ce qui entraîne un déboursé d'environ 1 500 dollars... Aussi, il faut remplacer les quatre pneus tous les vingt mille kilomètres pour un coût approximatif de 2 600 dollars. Bref, ce n'est pas qu'à l'achat qu'une 911 Carrera coûte cher...

Suivant le principe des variations sur thème propre aux générations plus récentes de la 911 Carrera, la version GT3 devrait arriver sur le marché vers la fin de 2005. Cette variante à la fois allégée et plus performante devrait être capable de livrer 400 chevaux, et sera également équipée d'un aileron arrière surélevé. Au début de 2006 suivra la 911 Turbo dont le moteur devrait produire 480 chevaux, soit 36 de plus que les 444 chevaux développés par l'actuelle 911 Turbo S. De plus, la nouvelle 911 Turbo deviendra la première Porsche à recevoir une boîte séquentielle à double embrayage, semblable à la boîte DSG (Direct Sequential Gearbox) développée par Audi.

Lorsque vient le temps d'évaluer les voitures sport, on peut certes faire des comparaisons directes entre certains modèles, mais la 911 Carrera est dans une classe à part. C'est l'une des rares voitures que l'on peut conduire docilement sur les routes publiques jusqu'à un circuit de course pour la pousser à la limite dans un environnement contrôlé et ensuite reprendre la route sans que la voiture n'ait souffert de la torture infligée. Avec une gamme aussi étendue de modèles, l'acheteur potentiel d'une 911 Carrera se retrouve avec l'embarras du choix et avec la possibilité de choisir la version qui convient le plus à ses désirs ou à sa richesse.

Gabriel Gélinas

Photos: Bertrand Godin

PORSCHE 911 CARRERA

DONNÉES TECHNIQUES

Modèle à l'essai:	Carrera S
Prix du modèle à l'essai:	147 600$
Échelle de prix:	100 400$ à 147 600$
Garanties:	4 ans/80 000 km, 4 ans/80 000 km
Catégorie:	coupé/cabriolet
Emp./Lon./Lar./Haut.(cm):	235/446/181/130
Poids:	1,424 kg
Coffre/Réservoir:	135 litres / 64 litres
Coussins de sécurité:	frontaux, latéraux (av.), rideaux
Suspension avant:	indépendante, jambes de force
Suspension arrière:	indépendante, multibras
Freins av./arr.:	disque (ABS)
Antipatinage/Contrôle de stabilité:	oui/oui
Direction:	à crémaillère, assistance variable
Diamètre de braquage:	10,8 m
Pneus av./arr.:	P235/35ZR19 / P295/30ZR19
Capacité de remorquage:	non recommandé

GROUPE MOTOPROPULSEUR

Pneus d'origine MICHELIN

Moteur:	H6 de 3,8 litres 24s atmosphérique
Alésage et course	99,0 mm x 82,8 mm
Puissance:	355 ch (265 kW) à 6600 tr/min
Couple:	295 lb-pi (400 Nm) à 4600 tr/min
Rapport Poids/Puissance:	4,01 kg/ch (5,46 kg/kW)
Moteur électrique:	aucun
Autre(s) moteur(s):	H6 3,6 l 325ch à 6800tr/mn et 273lb-pi à 4250tr/mn (Carrera)
Transmission:	propulsion, manuelle 6 rapports
Autre(s) transmission(s):	automatique 5 rapports / intégrale, manuelle 6 rapports
Accélération 0-100 km/h:	4,6 s
Reprises 80-120 km/h:	n.d.
Freinage 100-0 km/h:	37,3 m
Vitesse maximale:	293 km/h
Consommation (100 km):	super, 11,6 litres
Autonomie (approximative):	552 km
Émissions de CO2:	n.d.

DANS LA MÊME CATÉGORIE

Aston Martin DB9 - Chevrolet Corvette - Dodge Viper - Mercedes-Benz SL500

DU NOUVEAU EN 2006

Arrivée des versions Carrera 4 et 4S

HISTORIQUE DU MODÈLE

7ième génération

NOS IMPRESSIONS

Agrément de conduite:	4½
Fiabilité:	4
Sécurité:	4½
Qualités hivernales:	2½
Espace intérieur:	3½
Confort:	3

LE CHOIX DE L'ÉQUIPE

Carrera S

Photo : Didier Constant

COMME UN TOUR DE MANÈGE !

Je suis né pour conduire une Porsche. Attention, cette affirmation n'a rien de prétentieux. Il s'agit d'un simple constat de la réalité, point à la ligne. Et parce que je suis quelqu'un de raisonnable, voire de sensé, je me contenterai simplement de la Boxster, la petite sportive d'entrée de gamme du célèbre constructeur germanique. Parce que petite ou grande, la Porsche me fait comme un gant. Elle me procure des sensations que seule la plus haute des montagnes russes peut me fournir. Conduire une Porsche, c'est le même frisson qu'un tour de manège.

Il est vrai que mes goûts peuvent sembler un peu au-dessus de la moyenne, mais encore une fois, cela n'a rien du snobisme ou de la prétention. Je me suis plutôt rendu compte que, si j'en avais les moyens (ce qui n'est pas exactement le cas), la Porsche Boxster serait un des choix les plus raisonnables.

NOUVEAU STYLE, ANCIENNE PERSONNALITÉ

Ce qu'il faut comprendre, c'est simplement qu'il est rare qu'un modèle d'entrée de gamme comme l'est la Boxster chez Porsche, procure autant de sensations. Presque autant en fait que peuvent le faire les plus raffinées et nettement plus dispendieuses Carrera et Carrera S par exemple.

Il faut dire qu'au cours des derniers mois, la Boxster a subi des changements majeurs, modifiant la quasi-totalité de ses composantes, mais conservant tout de même la personnalité, le style, et l'intense frisson de plaisir propre à la marque. Le design intérieur a été conservé, mais à l'extérieur on a un peu remodelé le tout pour lui donner plus de charisme, et des dimensions un peu plus grandes.

Pour animer cette voiture, on compte toujours sur le modèle de base ayant un moteur 6 cylindres à plat, refroidi par liquide, de 2,7 litres qui produit maintenant 240 chevaux tandis que la Boxster S a droit à un groupe de 3,2 litres qui livre à présent 280 chevaux. Dans un cas comme dans l'autre, on parle de machines de puissance pure. À la moindre sollicitation, on sent bondir le bolide, et on entend rugir le moteur.

Jumelée à ce moteur performant (qui réalise quand même le 0-100 en moins de 5,4 secondes), une transmission manuelle à cinq rapports (six sur la version S) achemine la puissance aux roues... et le plaisir au conducteur. Ultraprécise, presque à l'image d'une boîte de course, la transmission nous permet de savourer le moment précis où s'enclenche la bonne vitesse, l'instant exact où la puissance fait s'envoler le régime moteur. Les moins aventuriers pourront se contenter de la boîte automatique, munie d'un système Tiptronic d'une redoutable efficacité et qui, étonnamment, ne détonne pas dans le paysage d'un bolide aussi sportif.

Malgré toute cette puissance, la haute vitesse n'est pas un besoin quand on conduit une Porsche. Le petit frisson se fait sentir dès que le régime moteur aborde les 4000 tours, même en première. Un simple changement de vitesse, et le conducteur saisit tout le plaisir de la conduite de précision. Une sensation sans doute imputable au tout nouveau design de la Boxster, qui intègre notamment un filtre à air plus

FEU VERT
Design agréable
Moteur puissant et souple
Transmission ultraprécise
Freinage digne d'une F1

FEU ROUGE
Espace intérieur réduit
Ergonomie déficiente
Visibilité arrière microscopique
Pas de pneu de secours

Photo : Porsche

puissant, et une entrée d'air redoublée. Appuyée d'un nouveau dessin du système moteur, cette entrée d'air permet de faire opérer le moteur comme deux moteurs trois cylindres séparés. Le résultat est donc une augmentation considérable du couple, à un régime aussi bas que 1 500 tours/minute.

Que ce soit en version «ordinaire», ou en version S, la Porsche utilise des freins remodelés, composé de freins à disque ventilés et d'un système à quatre pistons. Pour limiter l'effort du conducteur, on a aussi augmenté de 18% la puissance de l'assistance, ce qui facilite freinage et maîtrise. En fait, le tout est tellement sensible, qu'on a l'impression de contrôler directement sous le pied les pistons eux-mêmes. Et pour ceux qui n'en sont pas encore satisfaits, la S est aussi livrable avec les incroyables freins de céramique.

BÊTE TECHNIQUE

La Boxster a beau être une véritable bête de race, dont l'inspiration provient de la racine même de Porsche, on n'a pas non plus négligé la haute technologie en la redessinant pour une deuxième génération. Tout comme sur la 911, on offre sur la Boxster des systèmes capables de rivaliser avec n'importe quel ordinateur de maison. On peut, par exemple, opter pour le système de gestion actif de la suspension, qui permet d'ajuster manuellement ou automatiquement le débattement et le contrôle de suspension.

D'une simple pression du doigt, on lui confère une mode plus sportif, réduisant le débattement et facilitant la conduite dynamique. Mais même laissé en mode normal, le système de gestion utilisera des accéléromètres localisés dans les suspensions avant et arrière pour évaluer le type de suspension nécessaire, et durcir, le cas échéant, les amortisseurs.

Pour évaluer le tout, on peut aussi munir la Boxster d'un système appelé Sport Chrono plus, véritable ingénieur de bord qui nous indique les données techniques du moteur, et permet même d'intervenir sur les différents régimes. Il est évidemment utilisé davantage sur des circuits que sur la route. Avec toutes ces avancées technologiques, et les performances à la hauteur, plus besoin de payer au-delà de 100 000$ pour la 911. La petite Boxster procure autant de plaisir pour beaucoup moins cher. Un peu comme si on conduisait une petite voiture de course, conçue vraiment pour la route.

Bertrand Godin

Photo : Didier Constant

PORSCHE BOXSTER

DONNÉES TECHNIQUES

Modèle à l'essai :	S
Prix du modèle à l'essai :	77 900$ - 2005
Échelle de prix :	64 100$ à 77 900$ - 2005
Garanties :	4 ans/80 000 km, 4 ans/80 000 km
Catégorie :	roadster
Emp./Lon./Lar./Haut.(cm) :	241,5/432/178/129
Poids :	1 329 kg
Coffre/Réservoir :	260 litres / 64 litres
Coussins de sécurité :	frontaux et latéraux (av.)
Suspension avant :	indépendante, jambes de force
Suspension arrière :	indépendante, jambes de force
Freins av./arr. :	disque (ABS)
Antipatinage/Contrôle de stabilité :	oui/oui
Direction :	à crémaillère, assistée
Diamètre de braquage :	11,0 m
Pneus av./arr. :	P235/40ZR18 / P265/40ZR18
Capacité de remorquage :	non recommandé

GROUPE MOTOPROPULSEUR

Pneus d'origine MICHELIN

Moteur :	H6 de 3,2 litres 24s atmosphérique
Alésage et course	93,0 mm x 78,0 mm
Puissance :	280 ch (209 kW) à 6 200 tr/min
Couple :	236 lb-pi (320 Nm) de 4700 à 6 000 tr/min
Rapport Poids/Puissance :	4,75 kg/ch (6,45 kg/kW)
Moteur électrique :	aucun
Autre(s) moteur(s) :	H6 2,7 l 240ch à 6 400tr/mn et 199lb-pi à 4700tr/mn
Transmission :	propulsion, manuelle 6 rapports
Autre(s) transmission(s) :	automatique 5 rapports / manuelle 5 rapports
Accélération 0-100 km/h :	5,2 s
Reprises 80-120 km/h :	6,8 s
Freinage 100-0 km/h :	36,6 m
Vitesse maximale :	260 km/h
Consommation (100 km) :	super, 10,5 litres
Autonomie (approximative) :	610 km
Émissions de CO2 :	n.d.

DANS LA MÊME CATÉGORIE

Audi TT Roadster - BMW Z4 - Honda S2000 - Mercedes-Benz CLK

DU NOUVEAU EN 2006

Pas de changement majeur

HISTORIQUE DU MODÈLE

2ième génération

NOS IMPRESSIONS

Agrément de conduite :	4½
Fiabilité :	3
Sécurité :	3½
Qualités hivernales :	2½
Espace intérieur :	2½
Confort :	2

LE CHOIX DE L'ÉQUIPE

S

DÉMONSTRATION D'EXPERTISE

La surprise à été totale à l'occasion du dévoilement du véhicule concept Carrera GT qui a eu lieu à l'automne 2000 au Musée du Louvre en marge du Mondial de l'automobile de Paris. En effet, personne ne s'attendait à ce que Porsche présente une super voiture sport conçue dans le plus grand secret comme une vitrine technologique faisant la démonstration de l'expertise technique de la marque. Plusieurs années plus tard, la Carrera GT devenait un modèle de série dont la production sera limitée à seulement 1 500 exemplaires. Avis aux intéressés, 343 de ces voitures ont déjà trouvé preneur aux États-Unis et 19 au Canada en date du mois de mai 2005.

Plus de 70 brevets ont été déposés à la suite de la conception de la Carrera GT qui représente en quelque sorte une voiture de course qui a été «apprivoisée» pour pouvoir circuler sur des routes publiques. Sur le plan technique, le défi était de taille. En effet comment s'y prendre pour permettre au commun des mortels de conduire une voiture construite avec des matériaux aussi exotiques que la fibre de carbone et animée par un moteur de 612 chevaux? La réponse, ou plutôt les réponses sont arrivées suite à un long et complexe processus de développement mené par l'équipe d'ingénieurs de Porsche avec la précieuse collaboration du double Champion du Monde des rallyes, Walter Rorhl qui a agi comme le principal pilote d'essai chargé de la mise au point de la Carrera GT.

Le moteur de la Carrera GT est un 10 cylindres à configuration en «V» de 68 degrés, plutôt qu'un moteur de type «boxer» à cylindres opposés, ce qui a permis de localiser les échappements sous les rangées de cylindres afin de placer le moteur le plus bas possible dans la voiture en vue d'abaisser le centre de gravité au maximum. Le vilebrequin du moteur est donc localisé à seulement 3,9 pouces du sol, et le poids du moteur de 612 chevaux n'est que de 472 livres... Comme la Carrera GT est équipée d'une transmission manuelle courante à six rapports, plutôt que d'une boîte séquentielle de type F1 (Ferrari, Maserati, BMW, Audi...), elle est également équipée d'un embrayage avec disques réalisés en composite de carbone, dont la taille est réduite de 50 pour cent par rapport à un embrayage ordinaire. Il s'agit à la fois un tour de force sur le plan technique et le principal point faible de la voiture, la manœuvre de débrayage étant délicate au point où la meilleure technique pour la conduite sur route consiste à relâcher doucement et complètement la pédale avant d'accélérer, afin de ne pas caler le moteur. Sur la piste, je mettais plutôt 3 500 tours au compteur avant de croiser rapidement les pédales, mais le bond en avant est tellement rapide qu'il vaut mieux s'assurer d'avoir beaucoup d'espace devant soi. La poussée de la Carrera GT est tout simplement ahurissante, la voiture s'arrache à la vitesse de l'éclair, et cette poussée n'arrête jamais, contrairement à certaines voitures sport où la poussée est très forte en première et en deuxième mais qui s'essouffle par la suite. De 0 à 100 kilomètres/heure en 3,9 secondes, de 0 à 200 kilomètres/heure en 9,9 secondes, et une vitesse maximale limitée à 330 kilomètres/heure. Cette poussée phénoménale se double d'une sonorité qui l'est tout autant, puisque le moteur de la Carrera GT «sonne» presque comme celui d'une Formule Un, bien que sa limite de révolutions soit fixée à 8 000 tours/minute.

FEU VERT

Tenue de route absolument phénoménale
Puissance moteur exceptionnelle
Usage de technologies développées en course
Freinage hyper puissant
Exclusivité assurée

FEU ROUGE

Prix astronomique
Embrayage difficilement modulable
Usage limité
Garde au sol négligeable

Sur le circuit très rapide de Mosport, tous les virages se négocient en troisième vitesse, sauf le virage 2 qui demande la quatrième... Sur la piste, la Carrera GT est une voiture très sensible à la moindre sollicitation, le châssis est parfaitement équilibré mais la transition entre une voiture collée à la piste et une voiture en glissade se fait avec la rapidité presque instantanée propre à une voiture de course. Après deux tours, je me sentais assez à l'aise pour faire crier les pneus dans au moins trois virages du circuit, ce qui en dit long sur l'excellent comportement de la GT. La stabilité à très haute vitesse, 260 kilomètres/heure sur la ligne droite arrière à Mosport, est impressionnante ceci est dû au fait que le châssis en fibre de carbone, dérivé de la GT1 victorieuse aux 24 Heures du Mans en 1998 et qui ne pèse que 220 livres, est équipé à la fois d'un aileron mobile qui se déploie à 120 kilomètres/heure mais surtout d'un diffuseur localisé à l'arrière de la voiture, qui fait le gros du travail à cet égard. Sur la route, la Carrera GT est très sensible à la qualité du revêtement et la moindre lézarde sera télégraphiée jusque dans le volant, mais le confort est carrément surprenant et seules les bosses importantes vont en faire en sorte que le châssis entre en contact avec le sol, la garde au sol étant sérieusement limitée.

Parmi les changements apportés à la Carrera GT pour sa deuxième année de production notons l'adoption de nouveaux sièges qui sont à la fois plus larges et ajustables, histoire de mieux accommoder certains conducteurs, et que de nouvelles couleurs de carrosserie sont maintenant au catalogue. De plus, la lunette arrière est maintenant réalisée en verre plutôt qu'en plastique, le numéro du châssis est désormais gravé sur la console centrale, et un chargeur de batterie est livré avec la voiture afin de maintenir la charge lorsque celle-ci n'est pas utilisée pendant une période prolongée. Par ailleurs, la Carrera GT est équipée entre autres, de la climatisation, d'un téléphone et d'un système audio avec lecteur CD, et le pommeau du levier de vitesses en bois représente un hommage à la Porsche 917 de compétition.

Voiture de course avec plaque d'immatriculation. Performances démentielles à couper le souffle. Démonstration des prouesses techniques de véritables génies de l'automobile. Jouet ultime pour millionnaires désoeuvrés en quête des émotions les plus fortes. Ces quelques mots suffisent à décrire ce qu'est la Carrera GT, l'une des deux voitures de série les plus rapides au monde, l'autre étant la Ferrari Enzo.

Gabriel Gélinas

Photos: Bertrand Godin

DONNÉES TECHNIQUES

Modèle à l'essai:	version unique
Prix du modèle à l'essai:	440000$ (US)
Échelle de prix:	440000$ (US)
Garanties:	4 ans/80000 km, 4 ans/80000 km
Catégorie:	GT
Emp./Lon./Lar./Haut.(cm):	273/461/192/167
Poids:	1380 kg
Coffre/Réservoir:	76 litres / 92 litres
Coussins de sécurité:	frontaux et latéraux (av.)
Suspension avant:	indépendante, multibras
Suspension arrière:	indépendante, multibras
Freins av./arr.:	disque (ABS)
Antipatinage/Contrôle de stabilité:	oui/oui
Direction:	à crémaillère, assistée
Diamètre de braquage:	n.d.
Pneus av./arr.:	P265/35ZR19 / P335/30ZR20
Capacité de remorquage:	non recommandé

GROUPE MOTOPROPULSEUR

Pneus d'origine MICHELIN

Moteur:	V10 de 5,7 litres 40s atmosphérique
Alésage et course	98,0 mm x 76,0 mm
Puissance:	612 ch (451 kW) à 8000 tr/min
Couple:	435 lb-pi (590 Nm) à 5750 tr/min
Rapport Poids/Puissance:	2,28 kg/ch (3,1 kg/kW)
Moteur électrique:	aucun
Autre(s) moteur(s):	seul moteur offert
Transmission:	propulsion, manuelle 6 rapports
Autre(s) transmission(s):	aucune
Accélération 0-100 km/h:	3,9 s
Reprises 80-120 km/h:	6,9 s
Freinage 100-0 km/h:	n.d.
Vitesse maximale:	330 km/h
Consommation (100 km):	super, 17,0 litres
Autonomie (approximative):	541 km
Émissions de CO2:	n.d.

DANS LA MÊME CATÉGORIE

Ferrari Enzo - Lamborghini Murcielago - Mercedes-Benz SLR

DU NOUVEAU EN 2006

Nouveaux sièges, nouvelles couleurs, lunette arrière en verre

HISTORIQUE DU MODÈLE

1[ière] génération

NOS IMPRESSIONS

Agrément de conduite:	5/5
Fiabilité:	n.d.
Sécurité:	4/5
Qualités hivernales:	nulles
Espace intérieur:	3/5
Confort:	3/5

LE CHOIX DE L'ÉQUIPE

Version unique

LE COLLECTEUR DE FONDS

Il est toujours vrai que le Cayenne demeure un VUS doué, mais passablement inutile en raison de son prix et de sa sophistication. Malgré de bonnes qualités en conduite hors route, il est fort peu probable que ses propriétaires aillent passer les week-ends à érafler la peinture contre les branches d'arbres ou s'enliser dans la boue jusqu'aux essieux. Avec son importante capacité de remorquage, son aménagement raffiné et sa mécanique passablement bien fignolée, c'est davantage un véhicule multifonctions à caractère urbain qu'autre chose. Mais le Cayenne c'est également beaucoup plus que cela.

En effet, malgré son prix élevé et sa silhouette pour le moins controversée, il a connu beaucoup de succès auprès d'une clientèle gagnée d'avance à la marque ou convaincue en raison des prestations du véhicule. Cela a permis d'engranger des millions de dollars supplémentaires qui ont été sagement utilisés par le constructeur de Zuffenhausen. Ce dernier a ainsi eu les ressources financières pour développer le nouveau Cayman et la Panamera, la première berline dans l'histoire de la marque. Ce seul fait justifie amplement la présence du Cayenne sur notre marché.

JOYEUX TRIO

Pour mieux comprendre ce véhicule, il faut savoir que Porsche est une compagnie riche en ressources humaines, mais dont les moyens techniques sont tout de même limités. Ce qui explique pourquoi elle s'est associée avec Volkswagen pour développer conjointement ce modèle. Cette collaboration a surtout porté sur la plate-forme et le moteur V6 qui est venu s'ajouter aux deux moteurs V8 maison. Ce moteur V6 de 3,2 litres produit une puissance de 247 chevaux. Ce serait amplement suffisant en plusieurs circonstances, mais il est un peu fluet sur un véhicule de 2355 kg! Les ingénieurs l'ont compris et nous offrent la possibilité de le coupler à une boîte manuelle à six rapports. C'est correct, mais attendez-vous à jouer du levier de vitesse. Et si vous préférez que la transmission rétrograde fréquemment pour vous, la boîte manumatique à six rapports est disponible. Il s'agit de la même boîte Tiptronic qui équipe les modèles S et Turbo dont le moteur V8 convient beaucoup mieux à la nature de la bête.

Sur la version S, ce moteur V8 atmosphérique de 4,5 litres produit 350 chevaux! Ça peut sembler beaucoup de prime abord. Mais lorsqu'on sait que le Cayenne est un véhicule de plus de deux tonnes, c'est presque juste ce qu'il faut. Seule l'automatique Tiptronic à six rapports fabriquée par Aisin est offerte avec les moteurs V8. Le passage des vitesses en mode manumatique est passablement lent par rapport à ce que Mercedes nous offre sur la ML, par exemple. Et ce, même en utilisant les pastilles de commande placées derrière le volant.

La direction de Porsche savait qu'un moteur de 340 chevaux suffirait amplement. Mais il fallait placer ce véhicule dans une classe à part, offrir quelque chose de plus spectaculaire. Et vous savez maintenant que ce «petit quelque chose de différent» était une version turbocompressée de ce même moteur V8 de 4,5 litres. Cette fois, les deux turbos portent la puissance à 450 chevaux. Cela se traduit par un temps d'accélération

FEU VERT
Moteurs V8
Rouage intégral efficace
Freinage impressionnant
Suspension réglable
Bonne capacité de remorquage

FEU ROUGE
Moteur V6 trop juste
Prix élevé (turbo)
Silhouette caricaturale
Bruits de caisse
Finition inégale

d'un peu plus de sept secondes. C'est plus que ce que la compagnie affirme, mais drôlement véloce pour un mastodonte de deux tonnes et demi! Et si ce détail vous intéresse, la vitesse maximale est de 266 km.

Pas besoin d'avoir séjourné à l'École Polytechnique pour savoir qu'un véhicule de cette puissance doit bénéficier d'un rouage intégral considérablement affûté afin de pouvoir canaliser toute cette puissance aux roues motrices. Le Cayenne est pourvu d'un mécanisme de contrôle de la traction qui privilégie d'abord la motricité des roues arrière. Celles-ci reçoivent 62 % du couple dans des conditions normales. Cette répartition variera par la suite en fonction de l'adhérence individuelle des roues. Le tout est commandé par l'électronique et s'est révélé très efficace aussi bien en conduite sur pavé sec que mouillé ou enneigé. Il faut aussi ajouter que le modèle turbo est doté en équipement de série d'un système de stabilité latérale et d'une suspension active. Celle-ci est à action pneumatique et peut hausser la garde au sol jusqu'à 27,3 cm ou encore l'abaisser jusqu'à un minimum de 19 cm. La S peut également en être pourvue par le biais du catalogue des options.

LES PLUS ET LES MOINS

Peu importe le modèle sélectionné, le Porsche Cayenne soulève toujours des débats. Aussi bien en raison de sa mécanique, de sa silhouette que de sa pertinence sur le marché. Il est vrai que ses lignes ne lui feront jamais gagner un concours d'élégance. Par contre, nous nous y sommes habitués au fil des ans et cette voiture semble bien vieillir sur le plan visuel. Malgré tout, l'habitacle commence déjà à démontrer des signes de fatigue. Le choix des plastiques et la présentation générale ne sont plus dans le ton. Toutefois, une bonne note pour les cadrans indicateurs faciles à consulter et les sièges avant confortables en plus d'offrir un bon support latéral. Nous ne pouvons malheureusement passer sous silence le fait que tous les Cayenne essayés au cours des deux dernières années laissent entendre des bruits de caisse tandis que certains éléments décoratifs étaient abîmés ou manquants.

Sur les routes secondaires, sur l'autoroute, hors sentier et même en ville, le Cayenne est tout un véhicule. Son poids important, ses dimensions encombrantes et même son centre de gravité élevé sont censés l'handicaper. Il tient pourtant la route comme une berline sport, tout en étant capable de tracter une remorque de 3175 kg. Qui dit mieux?

Denis Duquet

Photos: Marc Bouchard

DONNÉES TECHNIQUES

Modèle à l'essai:	S
Prix du modèle à l'essai:	85000$
Échelle de prix:	80400$ à 140000$
Garanties:	4 ans/80000 km, 4 ans/80000 km
Catégorie:	utilitaire sport intermédiaire
Emp./Lon./Lar./Haut.(cm):	285,5/479/192/170
Poids:	2355 kg
Coffre/Réservoir:	540 à 1770 litres / 100 litres
Coussins de sécurité:	frontaux, latéraux (av.), rideaux
Suspension avant:	indépendante, jambes de force
Suspension arrière:	indépendante, jambes de force
Freins av./arr.:	disque (ABS)
Antipatinage/Contrôle de stabilité:	oui/oui
Direction:	à crémaillère, assistée
Diamètre de braquage:	11,9 m
Pneus av./arr.:	P255/55R18 / P275/40R20
Capacité de remorquage:	3500 kg

Pneus d'origine MICHELIN

GROUPE MOTOPROPULSEUR

Moteur:	V8 de 4,5 litres 32s biturbo
Alésage et course	93,0 mm x 83,0 mm
Puissance:	450 ch (336 kw) à 6000 tr/min
Couple:	457 lb-pi (620 Nm) à 2250 tr/min
Rapport Poids/Puissance:	6,93 kg/ch (9,27 kg/kW)
Moteur électrique:	aucun
Autre(s) moteur(s):	V8 4,5 l 340ch à 6000tr/mn et 310lb-pi à 5500tr/mn (Turbo), V6 3,2 l 250ch à 6000tr/mn et 229lb-pi à 2500tr/mn
Transmission:	intégrale, séquentielle 6 rapports
Autre(s) transmission(s):	manuelle 6 rapports
Accélération 0-100 km/h:	7,8 s
Reprises 80-120 km/h:	6,9 s
Freinage 100-0 km/h:	38,0 m
Vitesse maximale:	241 km/h
Consommation (100 km):	super, 15,4 litres
Autonomie (approximative):	649 km
Émissions de CO2:	7231 kg/an

DANS LA MÊME CATÉGORIE

BMW X5 - Cadillac SRX - Infiniti FX45 - Mercedes-Benz Classe M - Land Rover Range Rover - Volkswagen Touareg - Volvo XC90

DU NOUVEAU EN 2006

Aucun changement majeur

HISTORIQUE DU MODÈLE

1ière génération

NOS IMPRESSIONS

Agrément de conduite:	4½
Fiabilité:	3½
Sécurité:	4
Qualités hivernales:	4
Espace intérieur:	4
Confort:	4

LE CHOIX DE L'ÉQUIPE

S

LE GOÛT DES RICHES

La Phantom nous apparaît fort étrange en photo et je puis vous affirmer qu'elle paraît encore plus bizarre lorsqu'on a l'occasion de l'examiner de plus près. Avec sa grille de calandre ultra massive, ses angles aigus et un encombrement digne d'un camion d'éboueur, cette Rolls de la dernière cuvée semble être la résultante du croisement d'un corbillard avec un camion Freightliner. Et je devrais changer de marque de camion par rectitude politique puisque Freightliner appartient à Mercedes et Rolls Royce à BMW.

Depuis des décennies les Rolls-Royce étaient reconnues pour le manque d'attrait de leur silhouette, et la Phantom conserve la taille de beluga des modèles antérieurs et fait presque l'unanimité par son manque d'élégance. Mais le démoniaque Chris Bangle, le styliste en chef de BMW à l'époque, en a rajouté une couche en laissant ses designers y aller d'une calandre monstrueuse encadrée par deux petits phares de route rectangulaires qui offrent tout un contraste. Et cette présentation excentrique est accentuée par l'absence d'un pare-choc visible et de phares antibrouillard circulaires. Toujours pour assurer le contraste, la partie arrière est tout ce qu'il y a de commun.

Bref, Monsieur Bangle, vous avez trouvé une autre occasion de vous faire des ennemis! Pour la petite histoire, rappelons que Chris Bangle est le responsable de la transformation du design chez BMW, et plusieurs ne lui pardonnent pas encore les nouvelles silhouettes de la Série 7 et de la Série 5.

LOURDEUR ET CONTREPLAQUÉ

Mais il n'y a pas que l'extérieur qui fasse jaser. Sur cette voiture, tout est plus lourd que la moyenne. Ouvrir une portière par exemple procure la même sensation qu'ouvrir un coffre-fort tant elle est lourde et épaisse. Et puisque les gens riches et célèbres sont allergiques aux gouttes de pluie, on y retrouve un porte-parapluie dissimulé. Comme à la belle époque, les portières arrière sont du type suicide: elles s'ouvrent donc vers l'arrière afin de faciliter l'accès à la banquette arrière. Bien entendu, celle-ci est aussi confortable que le davenport de votre grand-mère et ça fait toujours un petit effet que de glisser son postérieur sur les cuirs les plus fins utilisés pour la sellerie de tous les sièges. Sachez qu'une version allongée sera offerte en 2006, comme si la version ordinaire n'était pas assez encombrante... Cette nouvelle venue assurera encore plus de prestige à son propriétaire, tandis que le dégagement pour les jambes à l'arrière sera maintenant hors norme puisque la voiture est allongée de 25 cm derrière le pilier B. Et si ce détail vous intéresse, il est possible de commander la Phantom avec deux sièges arrière individuels. Les multiples réglages vous feront croire que vous êtes à bord de votre avion privé. D'autant plus que des écrans individuels sont nichés dans le dossier des sièges avant. Vous serez en mesure d'y écouter vos DVD préférés ou encore de jouer à des jeux vidéo. Cette dernière éventualité sera cependant considérée comme «very shocking» par la majorité des gens bien.

Si les occupants des places arrière sont choyés, le conducteur et son passager sont moins bien traités. Les sièges sont corrects, mais ces

FEU VERT

Matériaux sans faille
Moteur bien adapté
Prestige assuré
Version allongée
Performances surprenantes

FEU ROUGE

Silhouette délirante
Prix exhorbitant
Roulis important
Portières très lourdes
Tableau de bord dépouillé

occupants ne jouissent pas d'autant d'espace qu'à l'arrière car ils ont sous le nez une planche de bord - avec de multiples appliques en bois exotique - qui a certainement coûté quelques billots à la forêt amazonienne. Pour le reste, c'est quasiment copié sur un camion lourd avec un volant de type industriel, trois cadrans circulaires sans flafla et une foule de boutons de commandes empruntés à des accessoires ménagers de Grande-Bretagne.

Traditionnellement, les Rolls étaient faites pour être conduites par un chauffeur et, bien entendu, ce dernier n'avait droit qu'au strict minimum. Avec la Phantom lancée en janvier 2003, la tradition a été respectée. Une astuce toutefois, le panneau accueillant la montre de bord bascule pour faire place à un écran multifonctionnel. En passant, si quelqu'un veut s'attaquer à la statuette montée sur le radiateur, celle-ci se rétracte comme par enchantement.

MOINS DE SIX SECONDES!

Avec un empattement presque équivalent à la longueur hors tout d'une sous-compacte et un poids de deux tonnes et demie, la Phantom ne fait pas dans la subtilité. Il n'est donc pas surprenant de retrouver sous le capot un imposant moteur V12 de 6,8 litres produisant 453 chevaux et un couple de 531 lb pi. Contrairement aux anciens gros moteurs V8 fournis par Chrysler dans les années d'après-guerre, ce moteur est fabriqué par BMW, le propriétaire actuel de la marque. Couplé à une boîte automatique à six rapports reliée aux roues arrière, ce groupe propulseur permet de boucler le 0-100 km/h en moins de six secondes. C'est toute une sensation que de rouler à haute vitesse avec un véhicule de ce gabarit, de ce poids et de ce prix! Heureusement que la puissance de freinage a été bien mesurée. Il est même possible d'immobiliser cette grosse chose en moins de 40 mètres.

Si les performances sont de la partie, l'agrément de conduite n'est même pas une option puisque le pilote a l'impression d'être aux commandes d'un char d'assaut déguisé en voiture de luxe! Le sous-virage est important et les changements de voie semblent être le fait d'un pachyderme et non d'une voiture vendue plus d'un demi-million de dollars.

Mais, que voulez-vous? Les riches ont le droit d'afficher leur mauvais goût et de se procurer des objets roulants hors norme. C'est la seule façon de justifier l'existence de la Phantom.

Denis Duquet

Photos: Rolls-Royce

ROLLS-ROYCE PHANTOM

DONNÉES TECHNIQUES

Modèle à l'essai:	Base
Prix du modèle à l'essai:	470000$ (2005)
Échelle de prix:	470000$ (2005)
Garanties:	4 ans/km illimité, 4 ans/km illimité
Catégorie:	berline de grand luxe
Emp./Lon./Lar./Haut.(cm):	357/583/199/163
Poids:	2485 kg
Coffre/Réservoir:	460 litres / 100 litres
Coussins de sécurité:	front., latéraux (av./arr.), rideaux
Suspension avant:	indépendante, bras inégaux
Suspension arrière:	indépendante, multibras
Freins av./arr.:	disque (ABS)
Antipatinage/Contrôle de stabilité:	oui/oui
Direction:	à crémaillère, assistance variable
Diamètre de braquage:	13,8 m
Pneus av./arr.:	P265/40R20
Capacité de remorquage:	n.d.

Pneus d'origine MICHELIN

GROUPE MOTOPROPULSEUR

Moteur:	V12 de 6,8 litres 48s atmosphérique
Alésage et course	92,0 mm x 84,6 mm
Puissance:	453 ch (338 kW) à 5350 tr/min
Couple:	531 lb-pi (720 Nm) à 3500 tr/min
Rapport Poids/Puissance:	5,49 kg/ch (7,35 kg/kW)
Moteur électrique:	aucun
Autre(s) moteur(s):	seul moteur offert
Transmission:	propulsion, automatique 6 rapports
Autre(s) transmission(s):	aucune
Accélération 0-100 km/h:	5,9 s
Reprises 80-120 km/h:	6,5 s (estimé)
Freinage 100-0 km/h:	39,0 m (estimé)
Vitesse maximale:	209 km/h (estimé)
Consommation (100 km):	super, 15,9 litres
Autonomie (approximative):	629 km
Émissions de CO2:	7344 kg/an

DANS LA MÊME CATÉGORIE

Bentley Arnage - Maybach 57/62

DU NOUVEAU EN 2006

Version allongée, modèle Conway Stewart

HISTORIQUE DU MODÈLE

7ième génération

NOS IMPRESSIONS

Agrément de conduite:	3½
Fiabilité:	4½
Sécurité:	5
Qualités hivernales:	3
Espace intérieur:	5
Confort:	5

LE CHOIX DE L'ÉQUIPE

Base

UNE BELLE HISTOIRE D'UN SOIR

Un enfant, ça a beau vous décrocher un rêve, n'empêche qu'on ne sait jamais comment il tournera plus tard... Aura-t-il plus de gènes de papa ou de maman? Saura-t-il faire son chemin dans la vie? Nul doute que les ingénieurs de Subaru et de Saab ont eu le même type de réflexions lorsque General Motors leur a demandé d'accoucher d'une voiture! On pourrait pratiquement dire que Subaru avait, en la Impreza, la mère porteuse tandis que Saab fournissait la semence. Après une grossesse pas très difficile, semble-t-il, la Saab 9-2x voyait le jour!

En fait, c'est la nécessité pour Saab d'offrir, sans trop investir de sous, une voiture d'entrée de gamme avec traction intégrale qui a mené à cette naissance. General Motors n'a eu qu'à faire son choix parmi la pléthore d'entreprises qui sont sous sa férule ou qui sont partenaires (comme Subaru) pour trouver le bébé parfait. Même si la Saab 92x ressemble beaucoup à la Subaru Impreza, il faut noter que les stylistes de Saab ont su lui donner des attributs pour qu'elle se démarque. La partie avant, en premier lieu, nous semble beaucoup plus réussie (lire moins torturée) tout en gardant un look très «saabien». Les différences sont par contre moins perceptibles à l'arrière et dans l'habitacle. Au niveau de la mécanique, plusieurs éléments ont été revus dans le but de les mettre au diapason de la réputation Saab. Nous y reviendrons.

PLUS CARTÉSIENNE QU'UNE SAAB

Dans l'habitacle, comme nous le disions, les références à l'Impreza sont beaucoup plus nombreuses mais l'ensemble fait plus raffiné. Notons, au grand dam des amateurs purs et durs de Saab, que la clé de contact ne se trouve pas sur la console mais plutôt sur la colonne de direction, comme la plupart des véhicules de la planète... Ce sont plutôt les sièges qui font consensus avec leur tissu rugueux qui semble peu adapté pour un usage quotidien et qui ramasse les poils et les cheveux comme Séraphin ses sous. Les sièges recouverts de cuir, optionnels, sont plus conviviaux et offrent un meilleur support latéral. La position de conduite idéale se trouve facilement et le confort n'est jamais remis en question. Les sièges arrière sont durs, proposent peu de dégagement pour les jambes si les sièges avant sont reculés un tant soit peu et on ne retrouve aucun porte-verres ou espace de rangement. La visibilité ne cause aucun problème même si l'imposante bosse sur le capot dérange lors des premiers contacts. Au chapitre des plaintes, mentionnons le système de chauffage, à la puissance trop juste pour assurer un réchauffement rapide de l'habitacle durant les grands froids hivernaux. J'imagine que le phénomène inverse est aussi vrai durant une canicule!

La Saab 92x se décline en deux versions, soit Linear et Aero. La Linear fait office d'entrée de gamme et est, naturellement, moins nantie au niveau de l'équipement de base que l'Aero. Dans la Linear, le climatiseur n'est pas automatique, le système audio ne propose qu'un lecteur CD et quatre haut-parleurs, tandis que l'Aero offre un lecteur six CD et six haut-parleurs (et comme la qualité sonore de ce dernier est assez ordinaire, je vous laisse juger de celui de la Linear...). Le toit ouvrant électrique n'est l'affaire que de l'Aero. Profitons de cette

FEU VERT

- Rouage intégral performant
- Moteur 227 chevaux éveillé
- Conduite sportive
- Direction agréable
- Stabilité impressionnante

FEU ROUGE

- Rouage d'entraînement bruyant
- Places arrière étriquées
- Suspensions un peu sèches (Aero)
- Automatique moins bien adaptée
- Chauffage un peu juste

occasion pour dire qu'il s'agit probablement du plus petit offert sur le marché. Saab a pensé à nous, pauvres habitants du nord en proposant le groupe «climat froid» qui comprend des sièges avant et des rétroviseurs extérieurs chauffants ainsi qu'un dégivreur d'essuie-glace.

DES GÈNES DE SUBARU

Mais ce qui nous plaît, c'est davantage la traction intégrale Subaru. Ce système demeure l'un des plus transparents et des plus performants sur le marché et est offert en équipement de base sur les deux modèles. Dans la Linear, on retrouve un quatre cylindres à plat de 2,5 litres de 165 chevaux jumelé à une transmission manuelle à cinq rapports. Bien qu'un peu rugueux, ce moteur semble increvable et offre des prestations tout de même intéressantes, et ce, même lorsqu'il est associé à la transmission automatique à quatre rapports. Malgré tout, nous lui préférons la manuelle, agréable à manipuler. Le modèle Aero, lui, reçoit le quatre cylindres de 2,0 litres turbocompressé de 227 chevaux de la Subaru WRX. Inutile de préciser que ses performances sont de loin plus allèchantes que celles du 2,5 litres! Mais il consomme plus d'essence et du super en plus... En ces temps de hausses abusives des prix de l'essence, c'est un pensez-y-bien.

Peu importe qu'il s'agisse de la Linear ou de l'Aero, la tenue de route impressionne. Avec ses suspensions plus axées sur la sportivité, l'Aero fait preuve, à des vitesses très illégales, d'une stabilité rassurante. L'hiver dernier, lors d'une tempête de neige et de grésil, notre pilote Bertrand Godin nous a fait une impressionnante démonstration des capacités et surtout de la stabilité de la 9-2x (chaussée de Bridgestone Blizzak) dans dix centimètres de gadoue sur l'autoroute Métropolitaine! La direction précise et le feedback juste parfait ajoutent au plaisir de conduire et, malgré l'imposante cavalerie, on ne ressent jamais d'effet de couple grâce au rouage intégral. Les freins se montrent toujours solides même après plusieurs arrêts d'urgence.

Quoi qu'en disent certains penseurs, la Saab 9-2x est bien plus qu'une Impreza luxueuse. Les modifications apportées à sa carrosserie, son équipement de base et le soin donné aux réglages des différents éléments mécaniques font de la 9-2x une voiture distincte... mais plus chère!

Alain Morin

Photos: Saab

SAAB 9-2X

DONNÉES TECHNIQUES

Modèle à l'essai:	Aero
Prix du modèle à l'essai:	37735$ - 2005
Échelle de prix:	25900$ à 27000$ - 2006
Garanties:	4 ans/80000 km, 4 ans/80000 km
Catégorie:	familiale
Emp./Lon./Lar./Haut.(cm):	252,5/446/169,5/146,5
Poids:	1442 kg
Coffre/Réservoir:	790 litres / 60 litres
Coussins de sécurité:	frontaux et latéraux (av.)
Suspension avant:	indépendante, jambes de force
Suspension arrière:	indépendante, jambes de force
Freins av./arr.:	disque (ABS)
Antipatinage/Contrôle de stabilité:	oui/non
Direction:	à crémaillère, assistée
Diamètre de braquage:	10,8 m
Pneus av./arr.:	P215/45R17
Capacité de remorquage:	454 kg

GROUPE MOTOPROPULSEUR

Moteur:	H4 de 2,0 litres 16s turbocompressé
Alésage et course	92,0 mm x 75,0 mm
Puissance:	227 ch (169 kW) à 5500 tr/min
Couple:	217 lb-pi (294 Nm) à 4000 tr/min
Rapport Poids/Puissance:	6,35 kg/ch (8,53 kg/kW)
Moteur électrique:	aucun
Autre(s) moteur(s):	H4 2,5 l 165ch à 5600tr/mn et 166lb-pi à 4000tr/mn
Transmission:	intégrale, manuelle 5 rapports
Autre(s) transmission(s):	automatique 4 rapports
Accélération 0-100 km/h:	6,1 s
Reprises 80-120 km/h:	6,0 s
Freinage 100-0 km/h:	39,9 m
Vitesse maximale:	225 km/h
Consommation (100 km):	super, 11,1 litres
Autonomie (approximative):	541 km
Émissions de CO2:	4930 kg/an

DANS LA MÊME CATÉGORIE

Audi A3 - Subaru Impreza - Volvo V50

DU NOUVEAU EN 2006

Aucun changement

HISTORIQUE DU MODÈLE

1ière génération

NOS IMPRESSIONS

Agrément de conduite:	4½
Fiabilité:	4½
Sécurité:	4½
Qualités hivernales:	4½
Espace intérieur:	3
Confort:	3½

LE CHOIX DE L'ÉQUIPE

Aero

DANS LE PELOTON

Alors que les 9-2x et 9-7x sont essentiellement des véhicules de marque Subaru et Chevrolet qui ont reçu l'insigne de la marque suédoise, la 9-3 conserve la signature génétique de Saab même si elle partage sa plate-forme Epsilon avec d'autres véhicules développés pour alimenter diverses divisions de General Motors. Pour 2006, la gamme des 9-3 s'enrichit d'une familiale appelée Sport Combi, histoire de concurrencer directement les modèles de ce genre alignés par Audi, BMW, Jaguar, Mercedes-Benz ainsi que Volvo. Les modèles Aero reçoivent à présent un moteur V6 turbocompressé, et les versions Linear et Arc ont été jumelées en un seul modèle de base.

Le nouveau modèle Sport Combi s'inscrit donc dans la lignée des modèles à cinq portes de la marque, dont les débuts remontent à 1959 avec le modèle Saab 95. Comme c'est maintenant le cas pour toutes les versions de la 9-3, deux variantes du Sport Combi sont offertes soit le modèle de base ou le modèle Aero, tous deux animés par des moteurs turbocompressés, Saab ayant été le premier constructeur à introduire la turbocompression sur les modèles de grande série à la fin des années soixante-dix.

Pour ce qui est du style, le modèle Sport Combi retient la ligne classique de la marque tout en étant efficace sur le plan de l'aérodynamique puisque le coefficient de traînée n'est que de 0,33. Concernant les considérations pratiques, précisons que le volume de chargement de la 9-3 Sport Combi n'est pas tout à fait aussi élevé que celui d'une Volvo V50, mais que la Saab propose également un espace de rangement localisé sous le plancher de l'aire de chargement, ce qui permet d'y cacher certains articles de valeur.

Le moteur V6 turbo qui équipe désormais les versions Aero des berlines, cabriolets, et Sport Combi a été développé à partir du V6 de 2,8 litres à 24 soupapes avec calage variable et doubles arbres à cames en tête et conçu par General Motors. Moteur auquel on a greffé un turbocompresseur Mitsubishi afin de porter la puissance à 250 chevaux et le couple à 258 livres/pied. Il est important de préciser que la livrée de la puissance est plus linéaire et graduelle avec ce moteur qu'avec les autres motorisations turbocompressées de la marque et que l'effet de couple en accélération franche est nettement moins présent malgré la puissance supplémentaire. La sonorité s'en trouve par ailleurs bonifiée, le système d'échappement étant composé de deux silencieux plutôt que d'un seul. Ce nouveau V6 est jumelé à une boîte manuelle à six vitesses ou encore à une boîte automatique qui compte également six rapports. Quant aux versions de base des berlines, cabriolets et Sport Combi, elles font toujours appel au moteur quatre cylindres de 2,0 litres avec turbocompresseur qui livre 210 chevaux, et aux boîtes manuelle et automatique qui comptent cinq rapports.

Au volant de la Saab 9-3, on est tout de suite confronté à certaines particularités qui rendent ces voitures uniques dans l'industrie automobile, à commencer par la position de la clé de contact qui est localisée sur le plancher entre les deux sièges avant, plutôt que sur la planche de bord. Cet emplacement particulier a été choisi il y a très longtemps pour des raisons de sécurité. Les concepteurs de la marque

FEU VERT
Style unique
Nouveau moteur V6 turbocompressé
Rigidité du châssis
Freins performants

FEU ROUGE
Prix élevé des cabriolets
Places arrière symboliques (cabriolets)
Écran de navigation petit
Absence de la traction intégrale

faisaient valoir qu'en cas d'accident, le genou du conducteur ne vient pas percuter le trousseau de clés, mais plutôt une partie de la planche de bord qui a été justement conçue pour absorber le choc. Quant aux commandes du système de chauffage/climatisation et de la chaîne stéréo, précisons qu'elles nécessitent une certaine période d'adaptation et que l'écran du système de navigation est trop petit pour être facilement lisible.

Sur la route, la première caractéristique qui frappe chez la Saab 9-3, c'est la rigidité de sa structure. En effet, même les modèles cabriolets se défendent bien à cet égard, alors que c'est souvent le principal point faible des décapotables. Les suspensions sont particulièrement bien étudiées parce qu'elles possèdent un bon débattement, ce qui est un plus au niveau du confort, et il faut noter que la suspension arrière multibras a été calibrée afin de donner à la 9-3 plus d'adhérence et de stabilité en virage. Le résultat est probant, mais la 9-3 n'est pas en mesure d'égaler les ténors de la catégorie en ce qui a trait à la tenue de route sportive et à l'agrément de conduite, en raison d'une direction trop légère qui ne communique pas parfaitement les sensations de la route.

La plate-forme Epsilon, sur laquelle est élaborée la Saab 9-3, sera entièrement revue en 2008, et permettra également l'adoption de la traction intégrale, ce qui laisse entrevoir la possibilité que Saab propose éventuellement ce type de rouage afin de pouvoir opposer une concurrence directe aux rivales qui en sont présentement équipées. Au chapitre de la fiabilité, la 9-3 est le modèle qui se défend le mieux, mais le bilan de la marque n'est pas très reluisant à cet égard, puisque Saab compte toujours 286 défauts par 100 véhicules, alors que la moyenne de l'industrie est de 237, selon le sondage mené par la firme américaine J.D. Power en 2005 mesurant la fiabilité des véhicules ayant trois ans d'usure. À titre d'information complémentaire, les marques Saab et Audi sont les deux seules qui n'ont pas amélioré leurs résultats par rapport à ceux enregistrés l'an dernier, et cela a une incidence directe sur la valeur de revente des modèles de la marque suédoise. Il faut cependant préciser que la 9-3 a été entièrement redessinée en 2003, et que l'on s'attend à ce qu'elle permette à Saab de redorer son blason l'an prochain, alors que la fiabilité des modèles 2003 sera mesurée par ce même sondage annuel, puisque les premiers échos s'avèrent favorables à cet égard.

Gabriel Gélinas

Photos: Saab

DONNÉES TECHNIQUES

Modèle à l'essai:	SportCombi
Prix du modèle à l'essai:	36400$
Échelle de prix:	34900$ à 59000$
Garanties:	4 ans/80000 km, 4 ans/80000 km
Catégorie:	berline sport/familiale/cabriolet
Emp./Lon./Lar./Haut.(cm):	267,5/465/175/144
Poids:	1490 kg
Coffre/Réservoir:	419 à 1275 litres / 62 litres
Coussins de sécurité:	frontaux et latéraux (av.)
Suspension avant:	indépendante, jambes de force
Suspension arrière:	indépendante, multibras
Freins av./arr.:	disque (ABS)
Antipatinage/Contrôle de stabilité:	oui/oui
Direction:	à crémaillère, assistance variable
Diamètre de braquage:	10,8 m
Pneus av./arr.:	P235/45R17
Capacité de remorquage:	990 kg

GROUPE MOTOPROPULSEUR

Moteur:	V6 de 2,8 litres 24s turbocompressé
Alésage et course	89,0 mm x 74,8 mm
Puissance:	250 ch (186 kW) à 5500 tr/min
Couple:	258 lb-pi (350 Nm) à 2000 tr/min
Rapport Poids/Puissance:	5,96 kg/ch (8,1 kg/kW)
Moteur électrique:	aucun
Autre(s) moteur(s):	4L 2,0 l 210ch à 5500tr/mn et 221lb-pi à 2500tr/mn (turbo)
Transmission:	traction, manuelle 6 rapports
Autre(s) transmission(s):	automatique 6 rapports / manuelle 5 rapports
Accélération 0-100 km/h:	7,0 s
Reprises 80-120 km/h:	n.d.
Freinage 100-0 km/h:	39,4 m
Vitesse maximale:	225 km/h
Consommation (100 km):	super, n.d.
Autonomie (approximative):	n.d.
Émissions de CO2:	4359 kg/an

DANS LA MÊME CATÉGORIE

Audi A4 - BMW Série 3 - Volvo S60 - Jaguar X-Type - Mercedes-Benz Classe C - Cadillac CTS / CTS-V

DU NOUVEAU EN 2006

Nouveau modèle SportCombi, moteurs turbo pour tous les modèles Aero, fusion des modèles Arc et Linear

HISTORIQUE DU MODÈLE

1[ière] génération

NOS IMPRESSIONS

Agrément de conduite:
Fiabilité:
Sécurité: ½
Qualités hivernales:
Espace intérieur: ½
Confort:

LE CHOIX DE L'ÉQUIPE

SportCombi

UN SECRET MÉCONNU

Avertissement: ce texte est rédigé par une personne dont l'enthousiasme à l'égard de Saab n'a d'égal que son admiration pour Ayrton Senna. Pas question de mettre en doute mon objectivité légendaire, car je ne me suis pas fait influencer. Mais il faut que je l'admette, de tout temps, les Saab ont fait partie de mes véhicules fétiches. Je m'engage tout de même à vous dire la vérité sans détour. Je saurai résister à la pression de mes émotions, et je vous dirai la vérité. Je le jure. Que voulez-vous, professionnalisme oblige!

Car, pour être tout à fait franc, la Saab 9-5, le modèle le plus gros et le plus âgé de la lignée de ces excentriques suédoises, m'a, au premier coup d'oeil, un peu déçu. Ce qui distinguait Saab il y a quelques années encore, c'était son hayon distinct. Aujourd'hui, la bannière a abandonné ce trait de personnalité, et on a l'impression de se retrouver en face d'une simple berline d'inspiration vaguement américaine.

Quand on y regarde plus attentivement cependant, on retrouve bien le charme de la lignée suédoise. Les lignes sont nettement associées aux anciennes versions, le coffre continue d'être plus haut et plus court que la concurrence, et la calandre est sans aucun doute signée Saab. Fiou! Je peux enfin respirer, on ne m'a pas berné.

UNE VRAIE ROUTIÈRE

Détail superficiel direz-vous, mais quand on prend la route, on se retrouve alors au volant d'une berline sport de grande classe, et cela se sent. Les accélérations sont nerveuses, mais en douceur, un peu comme dans un avion. On ressent la puissance, mais elle se dégage avec suffisamment de souplesse pour rendre le départ confortable.

Le plus grand défaut de la 9-5, c'est plutôt la disponibilité de ses moteurs. En déclinaison berline, elle propose des moteurs de 2,3 litres de 220 et 250 chevaux jumelés à une transmission automatique ou manuelle à 5 rapports, offrant chaque fois une précision remarquable. En revanche, la version familiale Linear (les Arc et Aero sont aussi offertes en familiale) de base doit se contenter d'un moteur de 185 chevaux, nettement trop peu puissant pour mouvoir avec véhémence le plus lourd véhicule.

Grâce à une direction précise, et à un confort de roulement amélioré, la 9-5 nous conduit sans encombre sur tous les types de surface, et dans tous les types de tracés. Mais pas question d'y aller de façon agressive. La Saab 9-5 est d'abord et avant tout une berline de luxe aux prétentions sportives, mais certainement pas autant que ses rivales allemandes par exemple. Pas grave, puisqu'elle répond aussi à un autre type de demande.

La voiture est également munie de toutes les aides à la conduite possibles et imaginables: ABS, bien sûr, mais aussi répartition électronique du freinage, contrôle de traction, antipatinage, etc. On lui a même greffé un système de contrôle du freinage en virage et un autre système qui modifie légèrement l'angle des roues lorsque les virages sont trop prononcés.

FEU VERT

Moteur turbo performant
Confort de l'habitacle
Accélération vive mais linéaire
Finition exemplaire

FEU ROUGE

Silhouette plus anonyme
Places arrière peu confortables
Frein à main mal situé
Moteur de base anémique (Linear)

LE CHARME SUÉDOIS

Bien que Saab ait laissé tomber certains aspects de sa personnalité, on a conservé le charme suédois. Impression confirmée d'ailleurs quand je me suis assis derrière le volant. La finition intérieure est impeccable, et adaptée à chacun des modèles, que ce soit la version Arc ou Aero. Et même la Linear, malgré que cette dernière ne soit proposée qu'en version familiale. En fait, même si le cuir est présent partout, les couleurs et les détails diffèrent d'une version à l'autre.

En revanche, toutes ont un tableau de bord composé de trois cadrans, et d'une console centrale bien (trop) équipée. On y retrouve en fait une multitude de boutons, dont l'utilité n'est pas toujours évidente ou intuitive. Il faut donc s'arrêter pendant de longues minutes pour en étudier le fonctionnement avant d'être vraiment efficace.

En haut de la console de notre modèle d'essai emprunté à un propriétaire privé puisque les 9-5 ne sont pas légion chez le fabricant, un ordinateur de bord transmet une foule d'informations, allant de la distance parcourue jusqu'à la vitesse moyenne, en passant par la consommation, le temps écoulé depuis le départ, etc. On peut y ajouter un téléphone sans fil compatible avec la technologie Bluetooth, et bien entendu compter sur le dépannage du système OnStar de GM.

Au volant, les multiples réglages du siège hyper confortable, et les ajustements d'un volant télescopique gainé de cuir et ajustable en hauteur, permettent de trouver la position de conduite idéale en moins de temps qu'il n'en faut pour dire le prix complet de la voiture.

Dernier clin d'oeil très Saab, la clé de contact s'insère dans ce qui paraît être un simple trou, au milieu de la console entre le conducteur et le passager. C'est aussi dans cette console que l'on a glissé la poignée de frein à main encastrée, ce qui donne un air sophistiqué à l'ensemble. Mais le frein de sécurité est tellement mal situé qu'une poussée un peu trop brusque et les doigts se retrouvent coincés sous la poignée...

Le charme de la 9-5, c'est qu'elle est méconnue. Et elle le demeurera, du moins dans sa version actuelle, puisque une 9-5 rafraîchie s'apprête à être dévoilée.

Bertrand Godin

Photos: Saab

DONNÉES TECHNIQUES

Modèle à l'essai:	Aero berline (2005)
Prix du modèle à l'essai:	43000$ - 2005
Échelle de prix:	41000$ à 55000$ - 2005
Garanties:	4 ans/80000 km, 4 ans/80000 km
Catégorie:	berline de luxe
Emp./Lon./Lar./Haut.(cm):	207/483/179/145
Poids:	1295 kg
Coffre/Réservoir:	450 litres / 70 litres
Coussins de sécurité:	frontaux et latéraux (av.)
Suspension avant:	indépendante, jambes de force
Suspension arrière:	indépendante, multibras
Freins av./arr.:	disque (ABS)
Antipatinage/Contrôle de stabilité:	oui/oui
Direction:	à crémaillère, assistée
Diamètre de braquage:	11,3 m
Pneus av./arr.:	P215/55R16
Capacité de remorquage:	n.d.

GROUPE MOTOPROPULSEUR

Moteur:	4L de 2,3 litres 16s turbocompressé
Alésage et course	90,0 mm x 90,0 mm
Puissance:	220 ch (164 kW) à 5500 tr/min
Couple:	228 lb-pi (309 Nm) de 1,800 à 4000 tr/min
Rapport Poids/Puissance:	5,89 kg/ch (7,99 kg/kW)
Moteur électrique:	aucun
Autre(s) moteur(s):	4L 2,3 l 185ch à 5500tr/mn et 207lb-pi à 1800 à 3500tr/mn, 4L 2,3 l 250ch à 5300tr/mn et 258lb-pi à 1900 à 4000tr/mn
Transmission:	traction, manuelle 5 rapports
Autre(s) transmission(s):	automatique 5 rapports
Accélération 0-100 km/h:	7,8 s
Reprises 80-120 km/h:	6,9 s
Freinage 100-0 km/h:	41,8 m
Vitesse maximale:	210 km/h
Consommation (100 km):	super, 9,6 litres
Autonomie (approximative):	729 km
Émissions de CO2:	4704 kg/an

DANS LA MÊME CATÉGORIE

Acura TL - Audi A6 - BMW Série 5 - Mercedes-Benz Classe E - Volvo S80

DU NOUVEAU EN 2006

Pas de changement majeur

HISTORIQUE DU MODÈLE

1ière génération

NOS IMPRESSIONS

Agrément de conduite:	3 ½
Fiabilité:	3 ½
Sécurité:	4 ½
Qualités hivernales:	4
Espace intérieur:	4
Confort:	4

LE CHOIX DE L'ÉQUIPE

Linear

SUÉDOISE D'ADOPTION

De nos jours, pour survivre sur un marché engorgé, il est obligatoire d'avoir plusieurs modèles dans son catalogue. Cela peut sembler contradictoire, mais c'est la règle. Les constructeurs qui se limitent à un ou deux produits voient leur clientèle les délaisser pour choisir un véhicule d'un autre manufacturier. Pour remédier à cette situation, la compagnie de Trollhattan a déjà élargi son offre avec la 9-2x empruntée à Subaru et elle propose dorénavant un VUS intermédiaire avec la 9-7x.

Mais puisque Saab n'est pas une compagnie qui dispose de ressources financières inépuisables pour développer de nouveaux produits, elle doit se tourner vers un fournisseur qui serait en mesure de lui procurer, presque clé en main, le véhicule désiré. Étant donné que Saab fait partie de la grande famille de General Motors, c'est son propriétaire qui s'est chargé de fournir la mécanique. Et les recherches ont été relativement courtes car c'est ni plus ni moins la défunte Oldsmobile Bravada qui a servi de base. Et il est important de corriger une information erronée véhiculée par bien des chroniqueurs automobiles qui se contentent de décrire cette Saab comme étant un dérivé du Chevrolet Trailblazer. S'il est vrai que la Bravada et la Trailblazer se partageaient le même châssis et le même moteur, le rouage intégral ainsi que le calibrage de la suspension étaient totalement différents. Ce qui explique pourquoi la Bravada avait un comportement plus voiture sur la route tandis que le Chevrolet s'apparentait davantage au camion. Et cette affirmation s'est vérifiée à la conduite du 9-7x.

LA « SAABIFICATION » D'UNE AMÉRICAINE

Adapter une voiture d'une autre marque est un exercice périlleux qui risque d'antagoniser les inconditionnels. Et cette affirmation est particulièrement vraie dans le cas de Saab dont les propriétaires sont d'une fidélité quasiment fanatique. Et quand on connaît le peu d'estime que ces gens ont pour tout produit de facture nord-américaine, on était dans le trouble ou presque dès la case départ.

Et puisque le produit final est très bien réussi, il faut rendre hommage aussi bien aux stylistes qu'aux ingénieurs. Sur le plan esthétique, il a fallu avoir beaucoup d'ingéniosité et d'imagination pour transformer une ancienne Oldsmobile en Saab. Il était sans doute impossible aux designers de couper par ci, de rallonger par là. Les dimensions demeurant donc sensiblement les mêmes, il leur a fallu avoir du doigté, d'autant plus qu'il leur fallait respecter la grille de calandre de la marque suédoise. Il est vrai que la présentation extérieure n'est pas spectaculaire, mais c'est une caractéristique de toutes les Saab. Par contre, vue de face, la ressemblance aux autres modèles de la gamme est indéniable. C'est moins évident à l'arrière, mais cela importe moins. Soulignons au passage la présence d'un porte-bagages en aluminium brossé qui donne un peu plus de mordant à la présentation générale. Des pneus de 18 pouces et des jantes très esthétiques contribuent à donner une allure plus sportive.

FEU VERT

Silhouette équilibrée
Habitacle confortable
Suspension arrière pneumatique
Choix de moteurs
Tenue de route saine

FEU ROUGE

Prix élevé
Boîte à quatre rapports
Compresseur de suspension bruyant
Certaines commandes à revoir
Texture des plastiques à la GM

MOTEURS AMÉRICAINS, RÉGLAGES SUÉDOIS

Compte tenu de ses origines et de ses dimensions, il aurait été impensable que Saab place l'un de ses moteurs sous le capot. Une fois encore, c'est la mécanique originale qui a été choisie. Pour les amateurs de moteurs à double arbre à cames en tête, d'allumage sans fil et de plusieurs autres caractéristiques très modernes, c'est le moteur six cylindres en ligne de 4,2 litres qui a été choisi. En fait, sa consommation moyenne est de 16 litres aux 100 km, tandis que celle du moteur V8 de 5,2 litres est de 15,1 litres aux 100 km. Pourtant, ce moteur est plus puissant, 300 chevaux vs 290 chevaux, et son couple est nettement supérieur. Ces chiffres confirment l'efficacité du système de cylindrée variable utilisé sur ce moteur.

Soulignons en terminant que la transmission intégrale s'accomplit bien de sa tâche. Nous avons roulé sur des routes fort détrempées alors que des trombes d'eau nous tombaient dessus et aucune glissade n'a été remarquée. Mais c'est un système qui est étiqueté toute route et non pas tout-terrain.

BELLE EXÉCUTION

Il faut préciser que la nouvelle 9-7x n'est pas le genre de véhicule qui vous accroche par sa silhouette, ses performances ou encore son prestige comme la Mercedes-Benz ML 500. Par contre, à l'usage, c'est un véhicule qui possède de belles qualités et qui devrait initialement plaire aux amateurs de la marque. C'est d'ailleurs ce marché qui est avant tout visé.

Les ingénieurs de Saab ont raffermi la suspension, modifié l'ancrage de la direction et sa démultiplication. Il en résulte un véhicule qui se conduit fort bien, qui est confortable même sur mauvaise route et dont le comportement routier est sain en général. Dans les courbes serrées, la verticalité de la 9-7x est sentie, mais c'est quand même fort homogène tandis que les freins, rendus plus gros, sont efficaces et progressifs. Et soulignons également un diamètre de braquage très court.

La version à moteur six cylindres est quasiment aussi véloce, mais il faut que la boîte de vitesse demeure plus longtemps sur un rapport, notamment dans les côtes. Le moteur V8 a plus de muscles à bas régime et son couple supérieur le rend plus apte au remorquage. Au risque de déplaire aux amateurs de soupapes en tête, ce moteur à tiges et culbuteurs est mon préféré.

Denis Duquet

Photos: Jim Fets

SAAB 9-7X

DONNÉES TECHNIQUES

Modèle à l'essai:	9-7X V8
Prix du modèle à l'essai:	53400$
Échelle de prix:	50900$ à 55000$
Garanties:	4 ans/80000 km, 4 ans/80000 km
Catégorie:	utilitaire sport intermédiaire
Emp./Lon./Lar./Haut.(cm):	287/481/191,5/174
Poids:	2169 kg
Coffre/Réservoir:	1127 à 2268 litres / 83 litres
Coussins de sécurité:	frontaux et rideaux
Suspension avant:	indépendante, bras inégaux
Suspension arrière:	essieu rigide, ressorts hélicoïdaux
Freins av./arr.:	disque (ABS)
Antipatinage/Contrôle de stabilité:	oui/oui
Direction:	à crémaillère, assistée
Diamètre de braquage:	n.d.
Pneus av./arr.:	P255/55R18
Capacité de remorquage:	2948 kg

GROUPE MOTOPROPULSEUR

Moteur:	V8 de 5,3 litres 16s atmosphérique
Alésage et course	96,0 mm x 92,0 mm
Puissance:	300 ch (224 kW) à 5200 tr/min
Couple:	330 lb-pi (447 Nm) à 4000 tr/min
Rapport Poids/Puissance:	7,23 kg/ch (9,68 kg/kW)
Moteur électrique:	aucun
Autre(s) moteur(s):	6L 4,2 l 291ch à 6000tr/mn et 277lb-pi à 3600tr/mn
Transmission:	intégrale, automatique 4 rapports
Autre(s) transmission(s):	aucune
Accélération 0-100 km/h:	8,8 s
Reprises 80-120 km/h:	7,7 s
Freinage 100-0 km/h:	41,0 m
Vitesse maximale:	190 km/h
Consommation (100 km):	ordinaire, 15,4 litres
Autonomie (approximative):	539 km
Émissions de CO2:	n.d.

DANS LA MÊME CATÉGORIE

Volvo XC90 - Jeep Grand Cherokee - Lexus GX470 - Toyota 4Runner - Infiniti FX35/45

DU NOUVEAU EN 2006

Nouveau modèle, moteur V8 cylindrée variable, système ESC

HISTORIQUE DU MODÈLE

1ière génération

NOS IMPRESSIONS

Agrément de conduite:	4
Fiabilité:	nouveau modèle
Sécurité:	4½
Qualités hivernales:	5
Espace intérieur:	4
Confort:	4

LE CHOIX DE L'ÉQUIPE

Version V8

FANTASME, QUAND TU NOUS TIENS !

Certaines voitures sont tout simplement faites pour être des trophées. Des objets de fantasme que l'on souhaite essayer une fois dans sa vie, uniquement pour le bonheur de pouvoir dire qu'on l'a fait. C'est exactement ce qu'est la Saleen S7. Car comment imaginer en effet que quelqu'un voudrait sérieusement se balader quotidiennement au volant de ce qui est la plus puissante, et une des plus dispendieuses, voitures de série actuellement sur le marché ?

En fait, la S7 est l'une des rares voitures conçues à la fois pour la route, et pour la piste où elle est capable de performances dignes des plus racées monoplaces. Dans sa catégorie, où elle doit affronter les Mercedes SLR, Lamborghini Murcielago et Porsche Carrera GT, elle est certainement la plus polyvalente, et une des plus impressionnantes.

UNIQUE EN TOUS POINTS

Attention, quand je dis impressionnante, ce n'est pas uniquement avec le chronomètre en main que je l'affirme. Jeter un seul regard sur cette super voiture suffit pour en tomber amoureux fou. Rarement a-t-on vu une silhouette à la fois aussi racée, aussi moderne, et qui rappelle à la fois les grandes sportives italiennes et les bolides de course les plus puissants.

Derrière ce design unique, on ne retrouve pas de grands génies italiens, ni d'ingénieurs allemands. C'est plutôt un Américain, Steve Saleen, dont la réputation concernant la modification de voitures (ceux qui ont vu les Mustang Saleen s'en souviennent) n'est plus à faire. Et c'est pour mettre à profit cette expertise qu'il a choisi, avec son équipe, de concevoir un bolide à la fois musclé et raffiné. Ainsi est née la S7. Pour le look, la S7 n'est à nulle autre pareille. Les portières en papillon, qui s'élèvent sur leur axe comme des ailes, donnent l'impression que la voiture veut prendre son envol. Les multiples prises d'air surdimensionnées, les courbes prononcées à l'avant et l'habitacle avancé en raison du moteur central sont autant de signes distinctifs de la S7.

La caisse elle-même descend presque jusqu'au sol, englobant littéralement les pneus (des Pirelli P-Zero Rosso de 19 et 20 pouces, à profil performance évidemment) afin de contrer tout effet de friction. Bref, tout dans ce profil est destiné à donner du style, mais aussi à en faire une véritable flèche capable de filer malgré les vents de face. Rappelons-nous en effet que cette voiture est d'abord construite pour participer à des courses renommées comme les 24 heures du Mans.

UN PEU PLUS HAUT

Dans le cas de la Saleen S7, parler de puissance de moteur est presque un euphémisme. Déjà, l'an dernier, elle possédait une des mécaniques les plus performantes. Mais cette année, on a voulu pousser la machine un peu plus haut et on a remodelé le V8 de 7,0 litres qui animait la voiture pour l'amener dorénavant jusqu'à 750 chevaux. Pour y arriver, un tout nouveau système biturbo engouffre l'air dans le moteur, augmentant aussi le couple jusqu'à 700 livres-pied. La beauté de la chose, c'est que

FEU VERT
Exclusivité assurée
Puissance astronomique
Direction comme un scalpel
Freinage de F1

FEU ROUGE
Prix himalayen
Suspension trop rigide
Garde au sol trop basse pour nos routes
Embrayage pour expert

c'est l'atelier Saleen qui développe lui-même toute sa motorisation. Avec une telle puissance, la S7 fait arrêter le chronomètre à 3,4 secondes pour le 0-100 kilomètres (retranchant un dixième sur l'année dernière). Mais le plus impressionnant demeure le quart de mille, réussi selon certains essayeurs, en moins de 11,3 secondes! Pour y arriver, une accélération instantanée, pas du tout retardée par l'arrivée du turbo, et une puissance tellement grande qu'on a l'impression de littéralement s'enfoncer dans le siège. C'est le même genre de sensation que j'éprouvais alors que je poussais à fond la machine quand je courais en monoplace. Tout cela, peu importe à quel des six rapports de vitesse vous êtes puisque le couple, abondant, est disponible à tous les régimes.

Ce qui permet de telles performances, outre le moteur lui-même, c'est la conception de la voiture. Construite sur un châssis intégral en majeure partie composé d'aluminium, la voiture profite d'un allègement maximal sans pour autant sacrifier à l'extrême rigidité. Pour enrober tout cela, une carrosserie presque toute en fibre de carbone vient donner encore plus de légèreté à l'ensemble, et solidifie davantage la structure.

On ne peut propulser un tel bolide sans prévoir un moyen efficace de le freiner en bout de ligne droite. On a donc mis à profit des freins à disque ventilés de compétition que la compagnie Brembo a spécifiquement dessinés pour la S7. Comme toutes les voitures de course, la S7 peut compter sur une direction exceptionnellement précise. Ceux qui en prennent le volant pour la première fois doivent apprendre à maîtriser leur moindre mouvement, car le plus petit geste entraîne immédiatement la voiture dans un changement de direction proportionnel. Pour quelqu'un qui en a l'habitude, cette précision chirurgicale est un cadeau du ciel puisqu'elle permet le maintien d'une trajectoire parfaite. En contrepartie, il faut savoir qu'elle répond aussi aux moindres changements dans la chaussée, et qu'une bonne prise est nécessaire pour maintenir le cap.

Évidemment, il faut aussi parler du cockpit, dénudé mais efficace, des commandes placées en mode course étant donné que la position de conduite elle-même est prévue pour ce mode. En fait, si vous le souhaitez Saleen personnalisera les sièges, les pédales et la position du volant en fonction de chacun des acheteurs. Unique, c'est vrai. Mais à plus de 550 000 $ US l'unité, il faut qu'elle en propose plus. Beaucoup plus.

Bertrand Godin

Photos: Saleen

DONNÉES TECHNIQUES

Modèle à l'essai:	version unique
Prix du modèle à l'essai:	400 000 $ (US)
Échelle de prix:	400 000 $ (US)
Garanties:	2 ans/km illimité, 2 ans/km illimité
Catégorie:	GT
Emp./Lon./Lar./Haut.(cm):	270/477,5/199/104
Poids:	1 250 kg
Coffre/Réservoir:	150 litres / 72 litres
Coussins de sécurité:	frontaux
Suspension avant:	indépendante, bras inégaux
Suspension arrière:	indépendante, multibras
Freins av./arr.:	disque
Antipatinage/Contrôle de stabilité:	oui/non
Direction:	à crémaillère, assistance variable
Diamètre de braquage:	13,5 m
Pneus av./arr.:	P235/30ZR19 / P255/20ZR20
Capacité de remorquage:	non recommandé

GROUPE MOTOPROPULSEUR

Moteur:	V8 de 7,0 litres 16s biturbo
Alésage et course	104,6 mm x 101,6 mm
Puissance:	750 ch (559 kW) à 6 300 tr/min
Couple:	700 lb-pi (949 Nm) à 4 800 tr/min
Rapport Poids/Puissance:	1,67 kg/ch (2,26 kg/kW)
Moteur électrique:	aucun
Autre(s) moteur(s):	seul moteur offert
Transmission:	propulsion, manuelle 6 rapports
Autre(s) transmission(s):	aucune
Accélération 0-100 km/h:	3,5 s
Reprises 80-120 km/h:	3,0 s (estimé)
Freinage 100-0 km/h:	37,0 m
Vitesse maximale:	321 km/h
Consommation (100 km):	super, 25,0 litres
Autonomie (approximative):	288 km
Émissions de CO2:	n.d.

DANS LA MÊME CATÉGORIE

Ferrari 575 Maranello - Lamborghini Murcielago

DU NOUVEAU EN 2006

Pas de changement majeur

HISTORIQUE DU MODÈLE

1ière génération

NOS IMPRESSIONS

Agrément de conduite:	🚗🚗🚗🚗🚗
Fiabilité:	🚗🚗🚗½
Sécurité:	🚗🚗🚗🚗
Qualités hivernales:	nulles
Espace intérieur:	🚗🚗½
Confort:	🚗🚗🚗

LE CHOIX DE L'ÉQUIPE

Version unique

SATURN ION

ENTRE DEUX CHAISES

Quand on s'appelle Ion, on cherche quelque chose de plus pour attirer l'attention. Car ce n'est pas avec un tel patronyme que l'on deviendra une vedette, c'est certain! On a donc pensé la munir de portes suicides, comme dans la version Quad, mais sans succès. On lui a insufflé un petit peu de vitamines, comme dans la version Red Line, mais la Ion n'est toujours pas au sommet du palmarès. Alors, on a choisi de miser davantage sur la variété, en offrant trois moteurs, trois versions, mais invariablement la même vision familiale.

C'est donc ainsi que se poursuit la carrière de la Saturn Ion 2006 qui dans sa version coupé Quad était particulièrement intéressante, surtout en raison de son prix. Mais attention, intéressante comme dans «la conversation avec mon voisin est intéressante», et pas comme dans «la jolie fille rencontrée hier était particulièrement intéressante», c'est-à-dire que sans être éblouissante, la petite Saturn permet de passer de bons moments.

RIEN DANS L'EXCÈS

Concrètement, la Ion est une voiture honnête aux performances honnêtes, sans plus. Concernant le moteur, la version de base comme le coupé se contente du moteur Ecotec, déjà éprouvé et fiable. Un moteur de 2,2 litres qui développe 140 chevaux, soit l'équivalent d'un modèle comme la Cobalt ou la Pursuit par exemple.

Pour partager encore plus avec les Cobalt et Pursuit, en 2006 on dotera les Ion 3 qui le voudront du même moteur Ecotec de 2,4 litres qui développera cette fois 170 chevaux. Et parce que le partage, c'est la santé, le modèle coupé a fait Red Line, apparu en 2004, est muni d'un moteur suralimenté de 205 chevaux qui se taille aussi une place sous le capot de la Cobalt SS.

Cette petite bombe est certainement plus puissante, mais a la fâcheuse réputation d'avoir une fiabilité pour le moins douteuse. Du moins, si l'on en juge par les commentaires, de plus en plus nombreux, des (autrefois) heureux propriétaires de Ion Red Line qui doivent désormais fréquenter plus souvent que voulu leur concessionnaire.

La grande force de la Saturn Ion, c'est sa maniabilité hors du commun. Peu importe le modèle, elle se conduit en douceur et répond au doigt et à l'oeil au moindre désir du conducteur. La direction assistée électriquement absorbe peut-être un peu trop les plaisirs de la route, mais réagit efficacement aux commandes. On l'a heureusement calibrée un peu différemment, ce qui améliore les sensations, mais il y a toujours place à l'amélioration.

De plus, le tout petit rayon de braquage de la voiture lui permet de se faufiler dans toutes les situations, ce qui constitue un atout remarquable lorsqu'on circule en ville. Car, rappelons-le, la Saturn Ion est d'abord et avant tout une voiture très urbaine.

La preuve en est certainement que l'on a choisi de maintenir les panneaux de polymère qui ont rendu la marque célèbre. On évite ainsi les petites

FEU VERT

Moteurs variés et agréables
Panneaux latéraux en polymère
Maniabilité remarquable
Vaste coffre arrière

FEU ROUGE

Freins peu efficaces
Places arrière peu pratiques (Quad)
Silhouette décevante
Fiabilité à revoir (Red Line)

bosses qui ont la fâcheuse tendance à se multiplier dès que l'on gare sa voiture dans un stationnement citadin où les espaces sont un peu trop étroits. La suspension répond aussi aux exigences, même si elle n'offre aucun attrait remarquable. En fait, au contraire, elle contribue peut-être un peu trop au roulis que l'on ressent en virage, mais sans excès.

Par contre, la faiblesse de l'ensemble provient certainement du freinage qui, en situation d'urgence, n'est pas tout à fait à la hauteur. Face à la concurrence, la distance de freinage est un peu plus longue, et le comportement de la voiture un peu moins stable qu'on le souhaiterait, sauf dans le cas de la haut de gamme Red Line.

BIEN PENSÉE… À L'AVANT

Dans l'habitacle, la petite Saturn est confortable et efficace. Les sièges moulent bien le conducteur et son passager, et lui assurent un soutien plein et entier. En revanche, les places arrière de la Quad sont un peu étriquées, accessibles grâce aux portes papillons (ou suicides), mais pas nécessairement d'un grand confort.

Le tableau de bord est d'une grande sobriété, même s'il est relativement bien équipé. Les commandes sont faciles d'accès, et l'instrumentation centrale agréable à regarder comme à utiliser, surtout qu'elle profite d'un nouveau design en 2006. Il s'agit d'ailleurs du plus important changement à survenir sur la Ion cette année, si on excepte l'installation de série du système On Star. La qualité de finition est suffisante, bien que laissant parfois à désirer. La qualité des tissus utilisés pour les sièges remporte tout juste la note d'acceptable. Notez que la version Red Line dispose d'un design de cadrans uniques et de sièges plus enveloppants. Enfin, détail non négligeable, la Saturn a un coffre grand comme une caverne, assurément le plus vaste de sa catégorie, ce qui lui confère un petit côté pratique intéressant.

La Saturn Ion ne fera certainement pas tourner les têtes. Pas plus d'ailleurs qu'elle n'impressionnera ceux et celles qui sont à la recherche de grandes sensations. En fait, on ne sait trop si elle veut être une berline sport (avec la Red Line) ou une simple voiture familiale. Un peu comme si la Ion était assise entre deux chaises. Mais pour ceux qui ont besoin d'une voiture fiable et honnête, à utiliser quotidiennement sans se poser trop de questions, elle est certainement dans le lot à considérer.

Marc Bouchard

Photos: Saturn

DONNÉES TECHNIQUES

Modèle à l'essai:	Red Line
Prix du modèle à l'essai:	23 995 $
Échelle de prix:	15 495 $ à 23 995 $
Garanties:	3 ans/60 000 km, 5 ans/100 000 km
Catégorie:	berline compacte/coupé
Emp./Lon./Lar./Haut.(cm):	263/470/172,5/141
Poids:	1 336 kg
Coffre/Réservoir:	402 litres / 50 litres
Coussins de sécurité:	frontaux
Suspension avant:	indépendante, jambes de force
Suspension arrière:	demi-ind., poutre déformante
Freins av./arr.:	disque (ABS)
Antipatinage/Contrôle de stabilité:	non/non
Direction:	à crémaillère, assistance variable électrique
Diamètre de braquage:	10,8 m
Pneus av./arr.:	P215/45ZR17
Capacité de remorquage:	non recommandé

GROUPE MOTOPROPULSEUR

Moteur:	4L de 2,0 litres 16s surcompressé
Alésage et course	86,0 mm x 86,0 mm
Puissance:	205 ch (153 kW) à 5 600 tr/min
Couple:	200 lb-pi (271 Nm) à 4 400 tr/min
Rapport Poids/Puissance:	6,52 kg/ch (8,73 kg/kW)
Moteur électrique:	aucun
Autre(s) moteur(s):	4L 2,2 l 140ch à 5 800tr/mn et 145lb-pi à 4 400tr/mn, 4L 2,4 l 170ch à 6 200tr/mn et 162lb-pi à 5 000tr/mn
Transmission:	traction, manuelle 5 rapports
Autre(s) transmission(s):	automatique 5 rapports
Accélération 0-100 km/h:	8,9 s
Reprises 80-120 km/h:	8,4 s
Freinage 100-0 km/h:	35,8 m
Vitesse maximale:	195 km/h
Consommation (100 km):	super, 11,3 litres
Autonomie (approximative):	442 km
Émissions de CO2:	4031 kg/an

DANS LA MÊME CATÉGORIE

Honda Civic SiR - Ford Focus ST - Nissan Sentra SE-R

DU NOUVEAU EN 2006

Nouveau moteur 170 ch., roues en alliage redessinnées, nouvelles couleurs

HISTORIQUE DU MODÈLE

1[ière] génération

NOS IMPRESSIONS

Agrément de conduite:	4
Fiabilité:	4
Sécurité:	4
Qualités hivernales:	2 ½
Espace intérieur:	3 ½
Confort:	3 ½

LE CHOIX DE L'ÉQUIPE

Berline «3»

RE «VUE» ET POUR LE MIEUX!

La marque Saturn, après avoir connu un succès d'estime qui lui avait permis de se placer en orbite dès ses débuts, connaissait une rentrée dans l'atmosphère plutôt difficile. Et juste avant que l'aventure n'explose, GM a décidé de lui donner plus d'autonomie. Après le Saturn Relay (une fourgonnette s'apparentant beaucoup à la Buick Terraza), c'est le VUS VUE qui subit sa part de changements, esthétiques pour la plupart. Mais puisque ces changements sont les bienvenus et que la base était déjà bien née, sa popularité ne devrait qu'augmenter.

On remarque facilement que le faciès est considérablement remanié, ce dont personne ne se plaindra même si d'aucuns trouvent que le design de l'avant est un peu trop chargé. Notre véhicule d'essai confirme le retour en force du chrome et GM a résisté à la tentation d'en mettre plein la vue. Tant mieux! À l'arrière, les transformations sont beaucoup plus discrètes et se limitent surtout au niveau du pare-choc. Le tableau de bord aussi a connu sa part d'améliorations qui, sans se révéler draconiennes, n'en sont pas moins fort appréciées.

Malgré ces modifications, le VUE conserve les mêmes configurations que par les années passées. Il y a tout d'abord le VUE traction (roues avant motrices) et le VUE AWD (transmission intégrale). Ces deux configurations s'offrent aussi dans le VUE Red Line, une livrée plus sportive. On retrouve deux moteurs, dont un quatre cylindres Ecotec 2,2 litres, offert seulement en version traction et un V6 de 3,5 litres équipant tous les autres modèles. Au chapitre des transmissions, le modèle de base reçoit une manuelle à cinq rapports et une automatique à quatre rapports en option. Toutes les autres livrées transigent avec une automatique à cinq rapports des plus douces. La transmission CVT n'est plus au catalogue.

Pour les besoins de cet essai, nous avons pu mettre la main sur un modèle de préproduction du VUE 2006. Il s'agit d'un modèle V6 AWD. Ce moteur de 3,5 litres est à la fois puissant (250 chevaux et 242 livres-pied de couple) et doux. L'intégrale ajoute quelque 70 kilos à l'ensemble du véhicule mais son apport en vaut la peine. Il imprime au VUE un comportement routier équilibré plus en accord avec les prétentions sportives du véhicule. Certes, on le voit mal tenter de suivre un Jeep Liberty dans 30 cm de boue, mais durant la blanche saison et chaussé correctement, un VUE AWD saura faire son chemin. Le quatre cylindres, lui, ne fait que 143 chevaux et 152 livres-pied de couple mais c'est suffisant dans la plupart des cas, à moins que vous n'ayez à tirer une remorque avec freins de plus de 680 kilos. Alors il vous faudra obligatoirement le V6. La sonorité de ce quatre en ligne rappelle plus le milieu agricole que celui de l'automobile, ce qui ne l'empêche pas d'offrir des performances acceptables. Il ne vient qu'avec la livrée de base et en mode traction uniquement.

Avec le VUE, on ne parle pas de conduite sportive. Tout d'abord, la direction est trop vague et surassistée pour permettre une conduite très précise. Mais le véhicule s'accroche au bitume avec l'énergie du désespoir même si on dénote un certain roulis. On peut certes créditer

FEU VERT

Carrosserie en polymère
V6 performant
Espaces de rangement bien pensés
Habitacle silencieux
Red Line sportif

FEU ROUGE

Intégrale «de ville»
Suspension avant talonne facilement
Direction hyperassistée
Odomètre difficile à lire
Certains plastiques désolants

les pneus Bridgestone Dueller d'une bonne partie de ce comportement. Par contre, la suspension avant a tendance à talonner trop facilement au passage de trous et bosses. Quant à la version Red Line, son caractère sportif, accentué par des touches esthétiques, n'est pas seulement de la frime. Si la mécanique demeure inchangée par rapport au V6 habituel, plusieurs modifications lui donnent une meilleure tenue de route sans trop affecter le confort.

Dans l'habitacle de notre véhicule d'essai, les plastiques de couleur crème et noir, le cuir noir du volant, les appliques de bois, de chrome et d'imitation de titane offraient au regard une combinaison un tantinet baroque. S'il s'agit ici d'une simple question de goût (et des goûts on ne discute pas: j'ai raison, point à la ligne...), l'absence de poignées de maintien m'apparaît comme une plus grave erreur. Les sièges se révèlent confortables à défaut d'offrir un bon support latéral et le cuir pâle qui les recouvre se salira vite. Au moins, la texture de cuir faisait moins vinyle que sur d'autres créations du même constructeur. Une constante cependant chez GM: la qualité de certains plastiques fait franchement Chevrolet '78. Peut-être qu'une erreur d'approvisionnement cette année-là a donné des stocks infinis à GM... La soute à bagages est loin d'être la plus logeable de la catégorie mais les dossiers des sièges arrière s'abaissent de façon 60/40 pour lui venir en aide. Sous le plancher, un ingénieux, mais d'apparence fragile, système de retenue des sacs d'épicerie (ou autre) évitera qu'ils se promènent de gauche à droite à tout moment.

Même si notre VUE en était un de préproduction, la qualité de l'assemblage était surprenante. Outre le recouvrement intérieur du toit qui faisait preuve de laxisme, nous avons bien peu à redire. Bien entendu, polymère oblige, les interstices entre les différents panneaux de carrosserie seraient assez larges pour y faire passer le Queen Mary II mais nous n'en ferons pas un plat!

Visiblement, le VUE s'améliore constamment. Nul doute que les modifications apportées cette année lui permettront d'augmenter ses ventes. Ou, au moins, de figurer sur la liste des gens qui magasinent un VUS urbain. Il vaut désormais le détour.

Alain Morin

Photos: Alain Morin

DONNÉES TECHNIQUES

Modèle à l'essai:	V6 AWD
Prix du modèle à l'essai:	31 495$
Échelle de prix:	24 495$ à 31 495$
Garanties:	3 ans/60000 km, 5 ans/100000 km
Catégorie:	utilitaire sport compact
Emp./Long./Larg./Haut.(cm):	271/460,5/182/169
Poids:	1 650 kg
Coffre/Réservoir:	972 litres / 62 litres
Coussins de sécurité:	frontaux et latéraux (av.)
Suspension avant:	indépendante, jambes de force
Suspension arrière:	indépendante, multibras
Freins av./arr.:	disque/tambour (ABS)
Antipatinage/Contrôle de stabilité:	oui/non
Direction:	à crémaillère, assistance variable électrique
Diamètre de braquage:	12,0 m
Pneus av./arr.:	P245/50R18
Capacité de remorquage:	1 587 kg

GROUPE MOTOPROPULSEUR

Moteur:	V6 de 3,5 litres 24s atmosphérique
Alésage et course	89,0 mm x 93,0 mm
Puissance:	250 ch (186 kW) à 5800 tr/min
Couple:	242 lb-pi (328 Nm) à 4500 tr/min
Rapport Poids/Puissance:	6,60 kg/ch (8,87 kg/kW)
Moteur électrique:	aucun
Autre(s) moteur(s):	4L 2,2 l 143ch à 5400tr/mn et 152lb-pi à 4000tr/mn
Transmission:	intégrale, automatique 5 rapports
Autre(s) transmission(s):	traction, manuelle 5 rapports / automatique 4 rapports
Accélération 0-100 km/h:	9,0 s
Reprises 80-120 km/h:	6,5 s
Freinage 100-0 km/h:	42,2 m
Vitesse maximale:	195 km/h
Consommation (100 km):	super, 13,4 litres
Autonomie (approximative):	463 km
Émissions de CO2:	5076 kg/an

DANS LA MÊME CATÉGORIE

Ford Escape - Honda CR-V - Jeep Liberty - Mazda Tribute - Nissan X-Trail - Subaru Forester - Toyota Rav4

DU NOUVEAU EN 2006

Carrosserie et tableau de bord révisés, nouveau système audio

HISTORIQUE DU MODÈLE

1ière génération

NOS IMPRESSIONS

Agrément de conduite:	3½
Fiabilité:	3
Sécurité:	4
Qualités hivernales:	4
Espace intérieur:	3½
Confort:	3½

LE CHOIX DE L'ÉQUIPE

V6 AWD

ADORABLE PETITE BIBITTE DE VILLE

Le métier de chroniqueur automobile, comme tous les autres métiers d'ailleurs, apporte son lot d'émotions. Entre la frustration d'un test d'accélération raté et la détresse de payer le plein d'un Hummer, il arrive qu'un événement nous marque de façon plus positive. L'essai d'une Smart, malgré une foule d'irritants, fait partie de ces moments magiques. Gros comme une puce sur roues, ce biplace ne cesse d'attirer les regards amusés des badauds. En ces temps de voitures hybrides, la question qui revient le plus souvent est: «C'tu un char à batterie, ça?»

Et bien non, monsieur, ce n'est pas un «char à batterie». C'est un «char à diesel»! Nous y reviendrons. Pour l'instant, rappelons que la Smart a entamé sa carrière en 1998 en Europe. Le succès fulgurant des débuts s'est cependant lentement transformé en cauchemar pour DaimlerChrysler qui perd, avec sa division Smart, des millions de dollars. Ce qui a incité la direction à éliminer les modèles Coupe et Roadster tandis que le projet d'utilitaire sport Formore est envoyé aux oubliettes... Quand ça va mal, ça va mal! Le marché des États-Unis s'est lui aussi refermé et les Smart n'y rouleront pas. Mais au Canada le ciel est beau et les Smart Fortwo répandent le bonheur aussi bien qu'Amélie Poulain.

Certes, avec un physique aussi particulier, la Smart ne s'attire pas que des compliments. Une de mes amies la considère au même rang que les coquerelles tandis que ma sœur ne jure plus que par cette mignonne petite création. Quoi qu'il en soit, il faut, pour être propriétaire d'une Smart, répondre à trois critères cruciaux: 1) habiter un centre-ville ou vraiment pas loin 2) ne pas être plus que deux dans la famille 3) être très, très social.

DÉCORTIQUONS UN PEU...

1) Lorsque nous parlons de centre-ville, nous ne parlons pas du centre-ville d'Asbestos. Ceux de Montréal et Québec, Sherbrooke à la limite, peuvent faire l'affaire. La Smart se faufile partout, se stationne pratiquement dans un espace réservé à un vélo tout en ne consommant que très peu de diesel. En ville, on peut facilement en arriver à une moyenne d'environ 5,0 litres aux 100 km. Pour vous situer, une Honda Civic fait plus ou moins 9,0 litres aux 100 km dans les mêmes conditions. Sur les voies rapides uniquement, la Smart peut même voir sa consommation descendre à 3,5 litres aux 100 km comme nous l'avons si bien démontré dans le Guide de l'auto 2005, lors d'une confrontation entre petites voitures. Mais il y a plus... Si la Smart se révèle aussi à l'aise dans un centre-ville bondé que les milliers de pissenlits ayant trouvé refuge sur ma pelouse, il en est autrement dès qu'on s'aventure hors de la jungle urbaine. Le moteur diesel trois cylindres de 0,8 litre (vous avez bien lu: zéro virgule huit!) fait un gros 40,2 chevaux (des fois, les dixièmes sont importants) et 73,8 livres-pied de couple, disponibles très bas, soit à 1 800 tours/minute. Le 0-100 et le passage entre 80 et 120 kilomètres/heure requièrent non pas un chronomètre, mais plutôt un calendrier et il est inutile de triturer la transmission séquentielle à six rapports. Cette dernière se montre d'une lenteur désespérante, le passage entre les rapports est saccadé, et la sixième est tellement démultipliée qu'elle est inefficace dès qu'une côte se présente. On a fait grand cas de l'instabilité de la Smart par

FEU VERT
Binette sympathique
Consommation d'anorexique
Habitacle spacieux
Finition sérieuse
Conduite hivernale «pas si pire que ça»

FEU ROUGE
Comportement routier fantaisiste
Transmission déroutante
Moteur impuissant
Prix assez corsés
Avenir plutôt sombre

grands vents. Disons que sa tendance à osciller est plus dérangeante que dangereuse mais il faut tout de même conserver ses deux mains sur le volant.

2) Ne pas être plus de deux dans la famille. Cette condition n'exige pas beaucoup d'explications lorsqu'on sait que la Smart est un biplace! Le coffre, malgré les apparences, peut contenir quatre sacs d'épicerie et l'habitacle regorge de petits espaces de rangement. Par contre, il n'y a pas de coffre à gants. Lorsque deux personnes montent à bord une première fois, elles sont habituellement très surprises de la généreuse habitabilité. Le tableau de bord minimaliste est fonctionnel et la visibilité ne cause absolument aucun problème.

3) Oui, pour avoir conduit une Smart pendant une semaine, je peux attester qu'il s'agit d'un véhicule aux tendances sociales très développées. Il faut souvent plus de temps pour expliquer aux curieux la provenance du véhicule, ses caractéristiques techniques et son comportement routier que pour faire le plein! À ce sujet, bien que la Smart ne consomme que très peu, il faut noter que le réservoir ne contient que 22 litres, et que son autonomie n'est que d'environ 500 kilomètres. Et comme on ne retrouve pas de diesel partout, il faut être prévoyant...

Autre source de soucis, l'hiver. Franchement, ce n'est pas «si tant pire que ça» comme le dirait un de mes amis. Certes, le système de ventilation n'est pas assez puissant pour être efficace et le moteur peine pour se mettre en marche à –16 °C. Pour ce qui est de la conduite sur des routes enneigées, la Smart peut compter sur un contrôle de traction et de stabilité extrêmement intrusif qui n'arrête jamais la voiture mais qui sait la ralentir avec une autorité rarement vue. Lors d'un essai organisé par Mercedes-Benz l'hiver dernier, nous avons pu constater que dans la neige, la Smart se comportait comme le petit train... celui qui va loin. Naturellement, quatre bons pneus à neige sont impératifs et sont disponibles chez les concessionnaires. Leur coût (818,00$ plus taxes) se montre fort raisonnable d'autant plus qu'il inclut les roues. Le plus gros problème hivernal se situe au niveau du liquide de lave-glace. À –20 °C, remplir le contenant relève de l'exploit!

J'en aurais encore pour deux autres pages à vous raconter la Smart! Mais rien ne vaut un essai.

Alain Morin

Photos: Alain Morin

DONNÉES TECHNIQUES

Modèle à l'essai:	Passion
Prix du modèle à l'essai:	19650$ - 2005
Échelle de prix:	16700$ à 19650$ - 2005
Garanties:	4 ans/80000 km, 4 ans/80000 km
Catégorie:	sous-compacte
Emp./Lon./Lar./Haut.(cm):	181/250/151,5/155
Poids:	730 kg
Coffre/Réservoir:	260 litres / 22 litres
Coussins de sécurité:	frontaux et latéraux (av.)
Suspension avant:	indépendante, jambes de force
Suspension arrière:	indépendante, multibras
Freins av./arr.:	disque/tambour (ABS)
Antipatinage/Contrôle de stabilité:	oui/oui
Direction:	à crémaillère, assistance variable
Diamètre de braquage:	8,7 m
Pneus av./arr.:	P145/65R15 / P175/55R15
Capacité de remorquage:	non recommandé

GROUPE MOTOPROPULSEUR

Moteur:	3L de 0,8 litre 6s turbodiesel
Alésage et course	65,5 mm x 79,0 mm
Puissance:	40,2 ch (30 kW) à 4200 tr/min
Couple:	73,8 lb-pi (100 Nm) de 1800 à 2800 tr/min
Rapport Poids/Puissance:	18,16 kg/ch (24,33 kg/kW)
Moteur électrique:	aucun
Autre(s) moteur(s):	seul moteur offert
Transmission:	propulsion, séquentielle 6 rapports
Autre(s) transmission(s):	aucune
Accélération 0-100 km/h:	21,8 s
Reprises 80-120 km/h:	19,9 s (4ième... et 5ième!)
Freinage 100-0 km/h:	42,0 m
Vitesse maximale:	135 km/h
Consommation (100 km):	diesel, 4,5 litres
Autonomie (approximative):	489 km
Émissions de CO2:	n.d.

DANS LA MÊME CATÉGORIE

Chevrolet Aveo - Toyota Yaris

DU NOUVEAU EN 2006

Pas de changement majeur

HISTORIQUE DU MODÈLE

1ière génération

NOS IMPRESSIONS

Agrément de conduite:	4
Fiabilité:	4
Sécurité:	4
Qualités hivernales:	2½
Espace intérieur:	3½
Confort:	3½

LE CHOIX DE L'ÉQUIPE

Passion, cabriolet

OPTION AVENIR

Si on vous demandait de décrire les véhicules de la marque Subaru, vous mentionneriez que leur mécanique est solide comme le roc, mais que leur stylisme est très conservateur, tout comme leur habitacle. Pour compenser, vous allez également souligner leur moteur horizontal de type boxer et leur rouage intégral très efficace. De cette description très honnête soit dit en passant, nous conserverons les éléments positifs que sont la fiabilité, les composantes mécaniques ainsi que la transmission intégrale, et remplacerons le stylisme. Le résultat ? La nouvelle B9 Tribeca !

Avec ce nouveau modèle, Fuji Heavy Industries, le propriétaire de Subaru tourne le dos à sa tradition pour nous proposer un véhicule utilitaire sport compact et urbain, dont le design n'a pas fini de faire jaser. Lors du dévoilement de la Tribeca au Salon de l'auto de Detroit en janvier 2005, tous appréciaient la partie arrière qui affichait une étroite ressemblance avec l'Alfa Romeo 156 Sportwagon. Mais ce fut toute autre chose pour l'avant, la calandre notamment. J'ai même été témoin d'une engueulade en règle entre deux journalistes à ce propos ! Spécifions au passage que cette grille est inspirée des entrées d'air des moteurs d'avion, et les deux ouvertures horizontales placées de chaque côté soulignent elles aussi le volet aéronautique de Fuji Heavy Industries, l'entité industrielle derrière la marque Subaru. Quoi qu'il en soit, cette nouvelle venue ne laisse personne indifférent. Je dois avouer que si j'ai été pris par surprise au tout début, j'apprécie de plus en plus cette approche qui n'a rien en commun avec ce que la marque nous a proposé par le passé.

L'arrivée du styliste Andreas Zapatinas (un grec de 48 ans) a donc porté fruit puisque la nouvelle B9 Tribeca fait tourner les têtes. Et si vous vous demandez où la direction est allée chercher un tel nom, il y a sans doute plusieurs explications possibles. Chez Subaru, on nous explique que B9 est le nom de code de cette plate-forme. Quant à Tribeca, il s'agit d'un quartier de New York, tout près de Soho et de la Petite Italie. Tribeca est également le coin de pays de Robert DeNiro qui y possède d'ailleurs un restaurant fort prisé des gourmets. Les responsables du marketing ont voulu ainsi l'associer avec les gens branchés et le jet-set d'Hollywood, même si on est à New York.

Sur le marché depuis quelques mois déjà, la B9 Tribeca s'est attiré plus de commentaires positifs que négatifs. La plupart trouvent la silhouette équilibrée et élégante tout en ayant quelques réserves quant à son museau.

Avant l'arrivée de la B9 Tribeca, tous les habitacles de ce constructeur étaient d'un grand conservatisme et le demeurent toujours. Comme c'est le cas pour la carrosserie, l'habitacle de cette nouvelle venue se démarque de beaucoup. Le tableau de bord est en forme d'un « Y » dont la base serait la console centrale. Ce concept est censé fournir une sensation d'espace et de dégagement pour les occupants des places avant. Toutefois, comme plusieurs de mes confrères, c'est le contraire qui se passe. L'habitabilité des places avant est très bonne, mais une fois bien assis, on se sent quelque peu pris à l'étroit, entre cette large console et les deux branches du tableau de bord.

Une chose est certaine, ce tableau de bord est passablement complet. Au milieu se trouve un écran LCD de grande dimension qui domine le centre des commandes du système audio et de la climatisation. S'y logent également un lecteur de CD ainsi que deux buses de ventilation qui encadrent à leur tour le bouton central du volume ainsi que les touches de commandes. Les buses sont mal orientés et envoient de l'air sur nos mains ou sur nos genoux. De même, il faut ajouter que les commandes de la climatisation sont constituées de trois gros boutons dont le centre est formé d'un petit écran LCD affichant les pictogrammes de réglage. C'est impressionnant et efficace le soir, mais difficile de consultation de jour.

Toutes les commandes sont rétroéclairées d'une lumière rouge du plus bel effet. Les deux principaux cadrans indicateurs sont entassés dans deux écrins circulaires, emprisonnés à leur tour dans un module ovoïde. C'est pas mal réussi. Par contre, la jauge de carburant et le thermomètre du moteur, respectivement placés à droite et à gauche du module, ne sont pas de consultation facile. Mais pour une fois que Subaru ose sortir des sentiers battus, leur faute est pardonnée.

En comparaison des autres mastodontes de la catégorie, la B9 Tribeca semble être de très petite taille. Pourtant, les places arrière conviennent aux occupants de toutes les tailles. De plus, cette banquette glisse sur des rails et peut être avancée ou reculée de quelques centimètres, pour assurer plus de confort aux passagers, et pour permettre de transporter plus de bagages en certains cas. Il est également possible de commander une version à sept places équipée d'une troisième banquette. Comme tous les modèles du genre, elle est réservée à des enfants et encore faut-il que ces derniers ne soient pas trop difficiles. Et n'oubliez pas que ce siège additionnel, une fois déployé, gruge presque tout l'espace de la soute à bagages...

Une chose n'a pas changé par rapport aux autres modèles de cette marque : la finition est impeccable de même que le choix des matériaux.

TOUJOURS LE BOXER

Compte tenu des ressources techniques tout de même assez modestes de Subaru, du moins en comparaison avec Nissan et Toyota, il n'est pas surprenant d'apprendre que le nouveau porte-étendard de la marque emprunte sa plate-forme aux modèles Legacy/Outback. Remarquez qu'il ne s'agit pas ici d'une mauvaise nouvelle ! La plate-forme du Tribeca est une version plus rigide et plus sophistiquée que celle de la Legacy lancée au printemps 2004. L'empattement a été allongé, la voie élargie et la rigidité tant en flexion qu'en torsion augmentée. La suspension est également modifiée. La géométrie a été revue et corrigée tandis que certains éléments sont plus robustes.

Compte tenu du caractère luxueux de la B9 Tribeca, c'est le moteur six cylindres qui a été privilégié par rapport au quatre cylindres turbo de 2,5 litres qui produit une puissance similaire. Le H6 offre une accélération linéaire qui ressemble davantage à celle d'un moteur V8. Dans la version Tribeca de ce moteur, plusieurs améliorations internes ont été apportées. Elles sont davantage adoptées en fonction de la douceur et de la fiabilité puisque la puissance demeure inchangée. Il est couplé à la boite automatique à cinq rapports Sportshift qui permet au pilote de passer les rapports manuellement s'il le désire. En mode Sportshift, il suffit de déplacer le levier de vitesse vers l'avant ou vers l'arrière pour accélérer ou rétrograder. Ajoutons par la même occasion que cette boîte automatique accomplit du bon boulot. Les passages d'un rapport à l'autre sont doux, bien que la réaction de la boîte soit parfois hésitante à basse vitesse. Les ingénieurs ont également renoncé au programme de rétrogradation en certaines conditions. Une idée qui présentait plus d'inconvénients que d'avantages. Et la pédale de frein n'est pas spongieuse, une ancienne caractéristique des Subaru qui semble avoir été corrigée depuis le lancement de la Legacy/Outback l'an dernier.

UNE AGRÉABLE SURPRISE !

Avec sa silhouette hors-norme qui répudie le design des autres Subaru, nous étions en droit de nous attendre à ce que le comportement routier soit également différent. Et c'est vrai, il diffère de celui de la

FEU VERT
- Mécanique fiable
- Transmission intégrale
- Finition sérieuse
- Agréable à conduire
- Performances correctes

FEU ROUGE
- Partie avant controversée
- Tableau de bord intrusif
- Version sept places inutile
- Bouches de ventillation mal placées
- Performances moyennes

nouvelle Outback par exemple, mais en mieux. En effet, non seulement la suspension est plus confortable, mais le véhicule se révèle très neutre en virage. Lors du lancement, j'ai conduit sur des routes très sinueuses et parsemées de virages serrés, la B9 Tribeca s'acquittait de sa tâche avec aplomb. Pas de roulis prononcé, pas de sous-virage et j'avais l'impression d'être en pleine maîtrise. Il faut également préciser que la rigidité de la plate-forme est exemplaire.

Même si les changements sont à peine perceptibles au chapitre de la conduite, la transmission intégrale a été révisée pour être encore plus efficace et plus transparente. En raison du moteur à cylindres opposés dont le centre de gravité est très bas, il est possible aux ingénieurs d'utiliser un arbre de couche qui est pratiquement horizontal par rapport à la voiture. De plus, l'embrayage à commande électronique réagit beaucoup plus rapidement. De plus, la Tribeca est dotée d'un système de stabilité latérale qui répond efficacement.

Agile sur la route, ce véhicule est capable de passer pratiquement partout. Sa garde au sol permet de rouler en terrain moyennement accidenté tandis que le rouage intégral optimise la traction. Par contre, il faut toujours se souvenir de l'absence de plaques de protection sous le véhicule si jamais on décide de jouer les aventuriers. Mais avec un peu de doigté et de jugement, le B9 Tribeca devrait vous permettre d'aller en forêt dans la journée et à une réception de gens branchés dans un quartier chic le soir. Un bémol par exemple, les performances ne sont pas électrisantes. Mieux vaut les qualifier d'adéquates sans plus.

Certains vont sans doute trouver que c'est cher que de payer entre 42500$ et 53000$ pour un véhicule Subaru. Ces gens-là devraient prendre le temps de passer l'auto au crible. Une fois que vous aurez enlevé vos lunettes de snob, vous découvrirez un véhicule qui vaut le prix demandé.

Denis Duquet

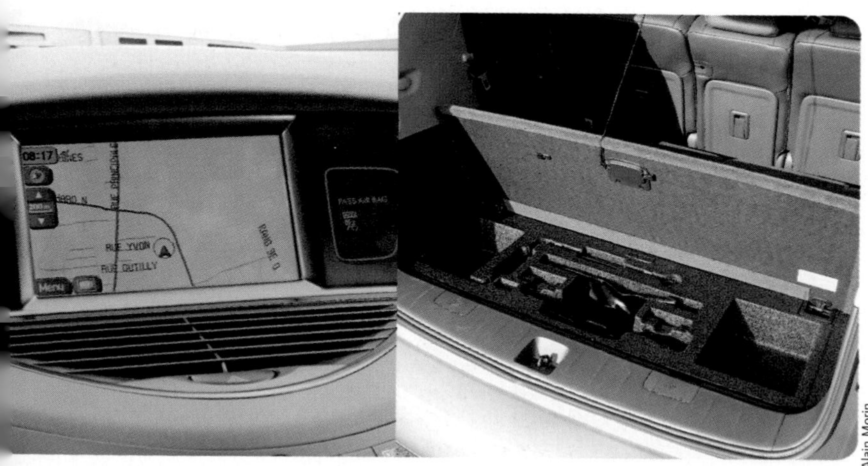

Photos: Alain Morin

SUBARU B9 TRIBECA

DONNÉES TECHNIQUES

Modèle à l'essai:	Limited Navi
Prix du modèle à l'essai:	52995$
Échelle de prix:	41995$ à 52495$
Garanties:	3 ans/60000 km, 5 ans/100000 km
Catégorie:	multisegment
Emp./Lon./Lar./Haut.(cm):	275/482/188/169
Poids:	1925 kg
Coffre/Réservoir:	235 à 2106 litres / 64 litres
Coussins de sécurité:	frontaux, latéraux (av.), rideaux
Suspension avant:	indépendante, jambes de force
Suspension arrière:	indépendante, leviers triangulés
Freins av./arr.:	disque (ABS)
Antipatinage/Contrôle de stabilité:	oui/oui
Direction:	à crémaillère, assistance variable
Diamètre de braquage:	n.d.
Pneus av./arr.:	P255/55R18
Capacité de remorquage:	906 kg

GROUPE MOTOPROPULSEUR

Moteur:	H6 de 3,5 litres 24s atmosphérique
Alésage et course	89,2 mm x 80,0 mm
Puissance:	250 ch (186 kW) à 6600 tr/min
Couple:	219 lb-pi (297 Nm) à 4200 tr/min
Rapport Poids/Puissance:	7,70 kg/ch (10,35 kg/kW)
Moteur électrique:	aucun
Autre(s) moteur(s):	seul moteur offert
Transmission:	intégrale, auto. mode man. 5 rapports
Autre(s) transmission(s):	aucune
Accélération 0-100 km/h:	8,5 s
Reprises 80-120 km/h:	7,1 s
Freinage 100-0 km/h:	44,0 m
Vitesse maximale:	225 km/h
Consommation (100 km):	super, 13,2 litres
Autonomie (approximative):	485 km
Émissions de CO2:	n.d.

DANS LA MÊME CATÉGORIE

Acura MDX - Honda Pilot - Lexus RX330 - Nissan Murano - Toyota Highlander

DU NOUVEAU EN 2006

Nouveau modèle

HISTORIQUE DU MODÈLE

1ère génération

NOS IMPRESSIONS

Agrément de conduite:	🚗🚗🚗🚗
Fiabilité:	nouveau modèle
Sécurité:	🚗🚗🚗🚗½
Qualités hivernales:	🚗🚗🚗🚗🚗
Espace intérieur:	🚗🚗🚗🚗🚗
Confort:	🚗🚗🚗🚗½

LE CHOIX DE L'ÉQUIPE

5 Places Ltd

UN COUTEAU SUISSE SUR ROUES !

L'appellation n'est certainement pas très séduisante, mais la notion de voiture multisegment fait désormais partie du vocabulaire indispensable à tout amateur d'automobile. Les multisegments, ce sont ces véhicules polyvalents qui s'adressent aux amateurs de voiture de plusieurs catégories confondues, tout en se servant comme origine d'une plate-forme de voiture. Relativement récente, l'appellation regroupe par exemple des automobiles aux capacités d'une familiale ou d'une minifourgonnette, avec la tenue de route et le comportement d'un utilitaire, doublés depuis peu des performances d'une voiture plus sportive.

Même si au cours des dernières années, la plupart des grands constructeurs ont finalement lancé leur propre modèle multisegment, il faut quand même rendre à César ce qui appartient à César. Le patriarche de ces modèles est probablement la Subaru Forester qui a vu le jour en 1998. Mais malgré son âge, elle a su vieillir avec élégance, aidée de la technologie la plus moderne.

À LA HAUTEUR DES PRÉTENTIONS

Redessinée l'année dernière, et retouchée esthétiquement cette année surtout à la calandre, la Forester a manifestement la prétention des utilitaires. Munie d'un système de traction intégrale éprouvé (comme tous les modèles de la gamme Subaru d'ailleurs), elle a une tenue de route quasi irréprochable et une stabilité peu commune. La traction intégrale réussit en effet le transfert de la puissance aux roues avec aisance et peut même transférer 100 % du couple aux seules roues avant, ce qui constitue presque une exception dans ce champ spécialisé. Bref, le comportement du petit utilitaire est une belle réussite chez Subaru.

Au sujet de l'espace, la Forester répond bien à la demande. Plus haut qu'une familiale traditionnelle, l'habitacle permet d'accueillir sans difficulté des passagers de différentes corpulences. Même ceux qui éprouvent un peu de difficulté à se glisser dans l'habitacle d'une berline. Les passagers arrière sont aussi choyés avec un dégagement relativement impressionnant pour la tête et les jambes, compte tenu des dimensions somme toute réduites de la voiture.

Tant à l'avant qu'à l'arrière, les sièges sont confortables, mais sans excès. Le siège du conducteur s'ajuste aisément et permet de trouver une position de conduite stable et efficace, sans trop de difficultés. Quant aux commandes du tableau de bord, elles sont judicieusement situées. Les boutons pour la ventilation sont installés dans la console centrale et sont suffisamment imposants pour être visibles et accessibles. En revanche, ils ne sont pas très précis.. Pas plus d'ailleurs que les commandes du système audio, dont la sonorité est, de surcroît, un peu ténue pour l'ampleur de l'habitacle.

Mais, car il y a aussi un mais, il faut admettre que l'intérieur est d'une sobriété proche de l'ennui, malgré ses qualités ergonomiques. Les matériaux sont de bonne qualité, tout comme la finition, mais c'est plutôt le design qui rend le tout trop fade, même si on a là aussi fait un effort pour 2006.

FEU VERT

Système de traction intégrale impeccable
Moteur puissant et efficace
Beaucoup d'espace de rangement
Freinage agréable

FEU ROUGE

Prix plus élevé que la compétition
Silhouette anonyme
Commandes de ventilation approximatives
Forte consommation (XT)

Question chargement, la Subaru Forester est intéressante. Déjà qu'elle dispose d'un bon espace à l'arrière (qui s'apparente à celui d'une familiale surélevée), la banquette rabattable 60/40 permet d'agrandir encore ces disponibilités. Le résultat est une belle réussite, sans compromis pour le confort.

RALLYE SUR ROUTE

Mais c'est sous le capot que les qualités sont les plus évidentes. Avec le turbo rendu disponible il y a deux ans, le Subaru Forester dispose désormais d'une puissance digne de mention, à faire pâlir de nombreux VUS actuellement sur le marché... Sans se comparer à son frère rebelle, le WRX STi évidemment. Il faut dire que le constructeur japonais jouit d'une expertise peu commune en matière de turbo, lui qui concourt depuis des années au sein du Championnat du monde de rallye. On a donc pu mettre au point des moteurs turbocompressés d'une grande précision et douceur, et ce sont ces développements que l'on a appliqués au Forester XT.

Le résultat est étonnant. Le nouveau Forester peut désormais faire rugir 230 chevaux sous son capot, soit 20 de mieux que l'année dernière. Mais ce qui est encore plus exceptionnel, c'est le couple, 235 livres-pied, qui est présent à un aussi bas régime que 3600 tours/minute (rappelons simplement que plus le couple maximal est disponible à bas régime, plus la puissance se fait sentir en accélération et au démarrage). Tout cela, avec un temps de réponse du turbo passablement court. Ajoutez à cette puissance une direction précise, un maniement hors pair et vous obtiendrez un mini-utilitaire de grande qualité. La Forester se conduit en effet comme une berline, mais avec les capacités de tenue de route que lui confère la traction intégrale. On peut donc parler d'une réussite presque sur tous les points.

Presque... car la Forester est victime de sa bannière. Subaru dispose d'une bien petite part de marché et même si les clients de la compagnie sont fidèles et convaincus de la valeur de leur voiture, ils continuent d'être relativement peu nombreux. La silhouette plutôt fade des modèles Subaru et le prix un peu plus élevé que la moyenne (la Forester XT de base vaut plus de 37000$) n'ont rien pour attirer les foules. Dommage, car ce sont véritablement des voitures de grande qualité, et dont la fiabilité est depuis longtemps éprouvée, même dans un climat difficile comme le nôtre. Pourvu qu'on prenne juste la peine de les essayer.

Marc Bouchard

Photos: Alain Morin

DONNÉES TECHNIQUES

Modèle à l'essai:	2,5XT
Prix du modèle à l'essai:	38995$
Échelle de prix:	27995$ à 38695$
Garanties:	3 ans/60000 km, 5 ans/100000 km
Catégorie:	utilitaire sport compact
Emp./Lon./Lar./Haut.(cm):	252,5/445/173.5/158
Poids:	1960 kg
Coffre/Réservoir:	838 à 1775 litres / 60 litres
Coussins de sécurité:	frontaux et latéraux (av.)
Suspension avant:	indépendante, jambes de force
Suspension arrière:	indépendante, multibras
Freins av./arr.:	disque (ABS)
Antipatinage/Contrôle de stabilité:	non/non
Direction:	à crémaillère, assistance variable
Diamètre de braquage:	10,6 m
Pneus av./arr.:	P215/60R16
Capacité de remorquage:	990 kg

GROUPE MOTOPROPULSEUR

Moteur:	H2,5 de 4 litres 16s atmosphérique
Alésage et course	99,5 mm x 79,0 mm
Puissance:	230 ch (172 kW) à 5600 tr/min
Couple:	235 lb-pi (319 Nm) à 3600 tr/min
Rapport Poids/Puissance:	8,52 kg/ch (11,40 kg/kW)
Moteur électrique:	aucun
Autre(s) moteur(s):	H4 2,5 l 173ch à 5600tr/mn et 166lb-pi à 4000tr/mn
Transmission:	intégrale, manuelle 5 rapports
Autre(s) transmission(s):	automatique 4 rapports
Accélération 0-100 km/h:	6,3 s
Reprises 80-120 km/h:	5,7 s
Freinage 100-0 km/h:	39,8 m
Vitesse maximale:	210 km/h
Consommation (100 km):	ordinaire, 11,2 litres
Autonomie (approximative):	536 km
Émissions de CO2:	4320 kg/an

DANS LA MÊME CATÉGORIE

Ford Escape - Honda CR-V - Jeep Liberty - Land Rover Freelander - Mazda Tribute - Mitsubishi Outlander - Nissan X-Trail - Saturn Vue - Suzuki Grand Vitara - Toyota Rav4

DU NOUVEAU EN 2006

Moteur plus puissant, calandre modifiée

HISTORIQUE DU MODÈLE

1[ière] génération

NOS IMPRESSIONS

Agrément de conduite:	4
Fiabilité:	4
Sécurité:	4
Qualités hivernales:	5
Espace intérieur:	3½
Confort:	3½

LE CHOIX DE L'ÉQUIPE

2,5 XT

LE NEZ DE CLÉOPÂTRE

Vous vous demandez bien ce que ce personnage coloré de l'histoire de l'antiquité vient faire dans un guide automobile. C'est tout simplement que cette reine égyptienne avait un nez pour le moins caractéristique et c'était un point important à ses yeux. Il semble que les stylistes de Subaru aient développé à leur tour une sorte de fétichisme pour le nez de toutes les Subaru puisqu'ils se sont donné pour tâche de les remplacer par une version similaire à celui du Tribeca. L'Impreza vient d'y goûter!

De là à affirmer que les stylites maison ont du pif, il y a un pas que nous ne voulons pas franchir. Quoi qu'il en soit, la famille Impreza, de la berline 2.5i à la tonitruante WRX STI, est dorénavant dotée d'un museau arborant deux ouvertures latérales encadrant une grille de calandre trapézoïdale qui n'est pas sans nous rappeler celles des Alfa Romeo. Encore une fois, répétons que ces changements ont pour but de souligner le fait que Subaru est un important producteur dans le domaine de l'aéronautique.

TOUJOURS LE BOXER

Si plusieurs constructeurs ont changé leur philosophie en fait de technologie, Subaru demeure fidèle à son moteur à plat à cylindres horizontal. Ce moteur H4 est unique à plus d'un point de vue. Pour les ingénieurs de la firme, son centre de gravité très bas convient à la perfection au rouage intégral. Cette caractéristique est aussi un bonus en fait de tenue de route. Comme sur la plupart des modèles de cette marque, le moteur boxer est un quatre cylindres à plat de 2.5 litres dont la puissance a été portée à 173 chevaux. Ce n'est pas spectaculaire comme hausse puisque le modèle 2005 en comptait 165. Malgré tout, en conduite, ces équidés font tout de même sentir leur présence, surtout lors des reprises, une faiblesse caractérielle de l'ancienne Impreza. De plus, l'utilisation d'un système de calage infiniment variable des soupapes influence positivement le couple à bas régime. Un autre élément qui contribue à améliorer les accélérations et les dépassements.

Ce moteur quatre cylindres est couplé de série à une boîte de vitesses manuelle à cinq rapports tandis que l'automatique à quatre rapports est offerte en option. L'arrivée d'une boîte automatique à cinq vitesses aurait été la bienvenue. Par contre, cette unité à quatre rapports est robuste et performe très bien. Bien entendu, qui dit Subaru dit transmission intégrale et toutes les Impreza bénéficient de ce système de traction intégrale symétrique, l'un des plus efficaces qui soient. Mais il existe des variantes d'un modèle à l'autre. Les modèles à transmission manuelle sont équipées d'un différentiel central autobloquant à viscocoupleur. Les versions 2.5i et Outback Sport équipées de la boîte automatique sont pourvues d'un embrayage à disques multiples à commande électronique. L'espace nous manquant pour vanter les mérites d'un système ou de l'autre, contentons-nous donc de souligner que les deux versions sont efficaces. Soulignons d'ailleurs au passage que les prix de l'Impreza sont toujours très compétitifs compte tenu que tous les modèles sont équipés de série de la transmission intégrale, de la climatisation, des vitres électriques et la télécommande d'ouverture des portes.

FEU VERT

Moteur robuste
Traction intégrale efficace
Finition exemplaire
Prix alléchant
Équipement complet

FEU ROUGE

Calandre controversée
Habitabilité moyenne
Version Outback onéreuse
Tissus des sièges

Encore au sujet de la fiche mécanique, cette nouvelle génération propose toujours une suspension indépendante aux quatre roues et des freins à disque à l'avant comme à l'arrière. Autre bonne nouvelle, le système ABS est de série, peu importe le modèle choisi tout comme le mécanisme de distribution électronique de la force de freinage. Les nouvelles Impreza ont peut être un museau controversé, mais la qualité de l'équipement de série devrait réussir à convaincre les personnes qui ne seraient pas d'accord avec le bureau de design. De toute façon, ce constructeur n'a jamais attiré les acheteurs avec des voitures coup de cœur.

L'OMBRAGE DE LA WRX

Il est quelque peu dommage que l'Impreza normale ou régulière soit relégué au second rang derrière la WRX et sa version encore plus musclée, la WRX Sti. Ces bolides inspirés des voitures de compétition se vendent assez peu tandis que les modèles réguliers font les beaux jours des concessionnaires. Et il ne faut pas ignorer le fait que l'Impreza 2.5 Si se décline en berline, en familiale et en Outback Sport. Comme précédemment, cette dernière est une version de la familiale dotée d'une suspension surélevée, décorée de bas de caisse distinctifs et des jantes exclusives à la Outback. Soulignons également que tous les modèles roulent sur des pneus de 16 pouces. Un détail au passage, la familiale vous propose la même mécanique pour beaucoup moins cher et elle demeure une intégrale.

Le tableau de bord n'a pas tellement changé. Il est un peu plus stylisé, les concepteurs ont joué davantage sur les agencements des couleurs, mais c'est sensiblement le même pattern de présentation que précédemment. À défaut d'exotisme, tout est à la bonne place et la finition est impeccable tandis que les matériaux sont de bonne qualité pour une voiture de ce prix. Un peu plus longue, un peu plus bourgeoise, mais toujours aussi équilibrée, l'Impreza ne vous laissera jamais tomber. Et les ingénieurs nous ont affirmé que si elle avait pris quelques kilos en plus, elle consommait un peu moins. Mais si dans leur bouche «un peu» semblait énorme, il ne s'agit en réalité que de quelques décilitres au 100 km. Mais c'est toujours cela de pris.

Somme toute, compte tenu que les prix ont peu progressé, la famille Impreza demeure toujours l'un des bons achats de sa catégorie. Et si vous avez les ressources financières et le goût de vous impressionner à haute vitesse, la gamme WRX vous attend.

Denis Duquet

Photos: Subaru

SUBARU IMPREZA / OUTBACK SPORT

DONNÉES TECHNIQUES

Modèle à l'essai:	2.5i berline
Prix du modèle à l'essai:	23495$
Échelle de prix:	23495$ à 27895$
Garanties:	3 ans/60000 km, 5 ans/100000 km
Catégorie:	berline compacte/familiale
Emp./Lon./Lar./Haut.(cm):	252,5/446,5/208/144
Poids:	1368 kg
Coffre/Réservoir:	311 litres / 60 litres
Coussins de sécurité:	frontaux
Suspension avant:	indépendante, jambes de force
Suspension arrière:	indépendante, jambes de force
Freins av./arr.:	disque (ABS)
Antipatinage/Contrôle de stabilité:	non/non
Direction:	à crémaillère, assistée
Diamètre de braquage:	10,8 m
Pneus av./arr.:	P205/55R16
Capacité de remorquage:	906 kg

GROUPE MOTOPROPULSEUR

Moteur:	H4 de 2,5 litres 16s atmosphérique
Alésage et course	99,5 mm x 79,0 mm
Puissance:	173 ch (129 kW) à 6000 tr/min
Couple:	166 lb-pi (225 Nm) à 4400 tr/min
Rapport Poids/Puissance:	7,91 kg/ch (10,77 kg/kW)
Moteur électrique:	aucun
Autre(s) moteur(s):	seul moteur offert
Transmission:	intégrale, manuelle 5 rapports
Autre(s) transmission(s):	automatique 4 rapports
Accélération 0-100 km/h:	8,9 s (estimé)
Reprises 80-120 km/h:	7,3 s (estimé)
Freinage 100-0 km/h:	41,0 m
Vitesse maximale:	190 km/h
Consommation (100 km):	ordinaire, 9,4 litres (estimé)
Autonomie (approximative):	638 km
Émissions de CO2:	4272 kg/an

DANS LA MÊME CATÉGORIE

Chevrolet Optra - Suzuki Aerio - Volkswagen Jetta

DU NOUVEAU EN 2006

Changements esthétiques, moteur plus puissant, roues 16 pouces, équipement plus complet

HISTORIQUE DU MODÈLE

3ième génération

NOS IMPRESSIONS

Agrément de conduite:	🚗🚗🚗🚗
Fiabilité:	🚗🚗🚗🚗½
Sécurité:	🚗🚗🚗🚗
Qualités hivernales:	🚗🚗🚗🚗½
Espace intérieur:	🚗🚗🚗
Confort:	🚗🚗🚗½

LE CHOIX DE L'ÉQUIPE

2,5i familiale

LA NOUVELLE GUEULE

La récente refonte de la Subaru Impreza a également affecté le style de ses variantes WRX et STi (pour Subaru Tecnica International) qui reprennent elles aussi le nouveau langage visuel de la marque initié avec le sport utilitaire B9 Tribeca. C'est donc avec une calandre grillagée en trois sections que les WRX et STi adoptent le millésime 2006, mais les changements apportés à ces deux voitures ne se limitent pas à un simple déridage, puisque la cylindrée du moteur de la WRX a été portée à 2,5 litres, alors que plusieurs améliorations ont été apportées à la STi en vue d'élever son niveau de performances à un nouveau sommet.

Autant le préciser d'emblée, même si la WRX et la STi partagent la même plate-forme et plusieurs éléments, la personnalité de ces deux voitures est très différente et les performances de la STi sont beaucoup plus impressionnantes, comme j'ai pu le constater en roulant au volant de ces deux voitures sur le circuit du Mont-Tremblant. Sur le plan de la carrosserie, la STi adopte de nouveaux phares, la prise d'air sur le capot avant (maintenant fait d'aluminium plutôt que d'acier) est moins élevée, les roues sont plus larges, un petit aileron a été greffé au sommet de la lunette arrière et l'aileron arrière est d'un nouveau design. Voilà pour les éléments que l'on peut facilement remarquer, mais les ingénieurs de Subaru ont également intégré un diffuseur sous l'arrière de la voiture pour parfaire sa stabilité à haute vitesse et la lunette arrière est plus mince qu'auparavant, histoire de réduire le poids de la voiture.

Sur le plan technique, un capteur mesurant l'angle du volant a été ajouté à la voiture. Ce capteur relaie ses informations au différentiel central contrôlé par le conducteur (DCCD – Driver Controlled Center Differential) afin d'améliorer la performance du différentiel central qui a comme rôle de varier la répartition du couple entre les trains avant et arrière. Sur le circuit du Mont-Tremblant, j'ai noté que la nouvelle STi sous-virait beaucoup moins que le modèle précédent en entrée de courbe, et que le survirage en sortie de courbe était moins prononcé, ce qui indique que l'ajout du capteur d'angle de volant était judicieux. Sur la piste, la STi est une véritable machine à rouler avec son moteur turbocompressé de 300 chevaux. Les pneus d'origine (Bridgestone Potenza RE070) sont très performants, tout comme les freins développés par Brembo, et la STi tient la route avec une ténacité absolument remarquable. Même si j'ai eu l'occasion de rouler sur le circuit du Mont-Tremblant avec des Ferrari F430, Lamborghini Gallardo, Porsche 911 Turbo, et plusieurs autres voitures de haute performance, les tours bouclés avec la STi ont été tout aussi agréables. Il faut cependant composer avec une tendance plus marquée au roulis en virage au volant de la STi qu'au volant des supervoitures mentionnées ci-haut, en raison du débattement allongé des suspensions de la plus performante des Subaru. L'autre bémol que l'on peut émettre au sujet de la STi concerne sa boîte manuelle à six vitesses qui demeure récalcitrante, même si les ingénieurs ont choisi d'adopter des synchros recouverts de carbone pour les rapports de boîte supérieurs (4,5 et 6).

Le design de l'habitacle représente l'un des points faibles des WRX et STi puisque l'agencement ressemble presque en tous points à celui que

FEU VERT

Performances exceptionnelles (STI)
Rouage intégral perfectionné
Freins performants (STI)
Sièges bien formés

FEU ROUGE

Prix élevés
Design de l'habitacle
Style discutable
Boîte manuelle récalcitrante

l'on retrouve dans une simple Impreza, quoique la STi adopte des sièges très moulants qui maintiennent solidement en place, même lorsque l'on roule rapidement en virage. Pour ce qui est de la qualité des matériaux utilisés pour la réalisation de la planche de bord, précisons que conducteur et passager font toujours face à un océan de plastique, et c'est ce qui fait que ça accroche un peu quand on tient compte du prix demandé pour la WRX et, à plus forte raison, pour la STi. Quant à la WRX, disons que ses performances sont nettement moins élevées que celles livrées par la STi dans le contexte particulier du pilotage sur circuit, mais qu'elle se défend remarquablement bien sur la route où il est parfois impossible d'exploiter tout le potentiel de la STi. Parmi les changements apportés à la WRX cette année, on note l'adoption du moteur turbocompressé de 2,5 litres, qui remplace le 2,0 litres turbo du modèle précédent, ce qui fait que la puissance a été augmentée à 230 chevaux et le couple est maintenant porté à 236 livres-pied, soit une augmentation d'environ huit pour cent. De plus, le diamètre des roues est de 17 pouces et les freins sont plus performants, la WRX faisant appel à des disques ventilés aux quatre roues. Alors que la STi est vendue exclusivement en berline, la WRX est également proposée en version familiale qui s'ajoute à la berline, et qui permet d'augmenter la capacité de chargement jusqu'à 1 744 litres en rabattant la banquette arrière.

Lorsqu'on achète une WRX ou à plus forte raison une STI, il faut être conscient du fait que l'on achète d'abord et avant tout un moteur performant doublé d'un rouage intégral efficace, ces deux éléments étant recouverts d'une carrosserie au style discutable. Bref, on paye ici une somme importante pour une voiture qui n'a pas l'air de coûter cinquante mille dollars (dans le cas de la STI), ce qui en fait véritablement une voiture de connaisseurs. Personnellement, mon choix serait porté sur la STi qui est beaucoup plus performante que la WRX, mais je retirerais l'aileron arrière surdimensionné de la STi pour le remplacer par celui moins typé de la WRX, histoire de lui donner un look un peu moins « boy-racer ».

Gabriel Gélinas

Photos : Subaru

DONNÉES TECHNIQUES

Modèle à l'essai :	STi
Prix du modèle à l'essai :	48 995 $
Échelle de prix :	35 495 $ à 48 995 $
Garanties :	3 ans/60 000 km, 5 ans/100 000 km
Catégorie :	berline sport
Emp./Lon./Lar./Haut.(cm) :	254/446,5/208/143
Poids :	1 399 kg
Coffre/Réservoir :	311 litres / 60 litres
Coussins de sécurité :	frontaux et latéraux (av./arr.)
Suspension avant :	indépendante, jambes de force
Suspension arrière :	indépendante, jambes de force
Freins av./arr. :	disque (ABS)
Antipatinage/Contrôle de stabilité :	non/non
Direction :	à crémaillère, assistance variable
Diamètre de braquage :	11,4 m
Pneus av./arr. :	P225/45R17
Capacité de remorquage :	906 kg

GROUPE MOTOPROPULSEUR

Moteur :	H4 de 2,5 litres 16s turbocompressé
Alésage et course	n.d.
Puissance :	300 ch (224 kW) à 6 000 tr/min
Couple :	300 lb-pi (407 Nm) à 4 000 tr/min
Rapport Poids/Puissance :	4,66 kg/ch (6,33 kg/kW)
Moteur électrique :	aucun
Autre(s) moteur(s) :	H4 2,5 l 230ch à 5 600tr/mn et 235lb-pi à 3 600tr/mn (turbocompressé)
Transmission :	intégrale, manuelle 6 rapports
Autre(s) transmission(s) :	manuelle 5 rapports / automatique 4 rapports
Accélération 0-100 km/h :	4,8 s
Reprises 80-120 km/h :	3,9 s
Freinage 100-0 km/h :	39,9 m
Vitesse maximale :	240 km/h
Consommation (100 km) :	super, 12,8 litres
Autonomie (approximative) :	469 km
Émissions de CO2 :	5 520 kg/an

DANS LA MÊME CATÉGORIE

Acura RSX - Audi A4 / S4 - Mazda RX-8 - BMW Série 3 - Nissan 350Z - Infiniti G35 / G35x

DU NOUVEAU EN 2006

Évolution aérodynamique, moteur WRX passe de 2,0 à 2,5 litres

HISTORIQUE DU MODÈLE

2ième génération

NOS IMPRESSIONS

Agrément de conduite :	4½
Fiabilité :	4
Sécurité :	4
Qualités hivernales :	4
Espace intérieur :	3
Confort :	4

LE CHOIX DE L'ÉQUIPE

STi

LE PLAISIR DANS LA SOBRIÉTÉ

Les gens qui ont connu l'enfer de la drogue, de la boisson ou du jeu vous le garantiront: après avoir connu les affres de la surconsommation, la sobriété a bien meilleur goût! Pour un journaliste automobile qui a conduit une Subaru Legacy ou Outback la semaine après avoir piloté une diminutive Smart, la comparaison s'applique parfaitement! Tandis que l'une fait se dévisser les têtes, l'autre, même renouvelée, ne suscite aucune passion. Triste sort? Aucunement, puisque les acheteurs type de Subaru n'aiment généralement pas être le point de mire!

Le duo Legacy / Outback a été revu de fond en comble l'an dernier. Si nous parlons de duo alors qu'il s'agit de deux voitures différentes, c'est que leur carrosserie ne diffère guère et la Outback est fréquemment considérée, à tort, comme une Legacy jackée! Quoi qu'il en soit, la Legacy est disponible en livrées berline et familiale, tandis que la Outback ne se pointe le pare-chocs avant qu'en version familiale. Ce dernier modèle, destiné aux gens actifs et effectuant plus souvent des randonnées hors des sentiers balisés, a droit à une garde au sol plus élevée (213mm contre 150), à des freins de plus grandes dimensions et à un poids plus élevé. Les suspensions se montrent plus souples et plus confortables, mais il faut vraiment pousser pour connaître les limites de la tenue de route de la Outback. Trois moteurs sont proposés, soit le quatre cylindres opposés (en H ou Boxer) de 2,5 litres de 168 chevaux. On retrouve le même moteur, mais turbocompressé, qui crache 250 chevaux et un H6 de 3,0 litres qui produit le même nombre de chevaux, soit 250. Le couple de ce dernier moteur est moins élevé que celui du 2,5 turbo (219 contre 250), mais sa courbe de puissance est plus linéaire. Seule la transmission automatique à cinq rapports peut se marier à ce moteur et son fonctionnement ne s'attire aucune critique. Quant au moteur de 2,5 litres atmosphérique (lire non turbocompressé), il devrait être arrêté pour cruauté envers ses 168 chevaux! Ses accélérations sont plus déplaisantes et on doit jouer fort de la transmission manuelle à cinq rapports, au demeurant fort agréable à manipuler même si la marche arrière est quelquefois pénible à enclencher, et on sent qu'il doit toujours donner le maximum de lui-même surtout lorsque la voiture est chargée (c'est une familiale, n'oubliez pas!), c'est encore pire. Le moteur de 2,5 litres de 250 chevaux s'avère le mieux adapté et ses performances, sans être qualifiées de sportives, n'en sont pas moins éblouissantes. À l'accélération, le turbo émet un sifflement très perceptible mais c'est davantage le temps de réponse pratiquement inexistant qui impressionne. De plus, il faut mentionner que la puissance du turbo est facilement exploitable et n'arrive jamais brusquement. Aussi, les suspensions du modèle turbo (2,5XT) semblent un peu plus fermes tout en ne pénalisant pas le confort. Avec son rouage intégral sophistiqué symétrique et sa garde au sol plus élevée, la Outback est l'outil rêvé pour affronter de la neige ou de la boue. Prière, cependant, de ne pas tenter de suivre un Jeep TJ Rubicon dans la forêt!

AU TOUR DE LA LEGACY MAINTENANT

À la limite, la Legacy pourrait être considérée comme une Outback sage. Elle n'a pas droit au moteur six cylindres et les deux moteurs proposés

FEU VERT

Sportivité insoupçonnée
Solidité impressionnante
Rouage intégral sophistiqué
Moteur 2,5 turbo efficace
Équipement complet

FEU ROUGE

Moteur de 168 chevaux chétif
Carrosserie peu enthousiasmante
Prix un peu élevé
Direction déconnectée
Trappe à skis seulement (berline)

sont les quatre cylindres, atmosphérique ou turbocompressé. Ce dernier moulin est confié à la livrée GT, facilement identifiable grâce à son imposante prise d'air sur le capot. Les quelques kilos sauvés par rapport à la Outback, le centre de gravité moins élevé et des suspensions légèrement plus rigides lui confèrent une agréable sportivité. Lancer la Legacy dans les courbes devient rapidement une source de plaisir et si jamais ledit plaisir se transformait en sueurs froides à la suite d'une erreur de jugement ou de pilotage, le contrôle de traction se chargera de replacer la masse dans la bonne direction. Il s'agit d'un des meilleurs mécanismes de ce type, aussi doux qu'efficace, et il faut vraiment le faire exprès pour dépasser ses limites.

Qu'il s'agisse de la Legacy ou de la Outback, la finition de la carrosserie ou de l'habitacle fait preuve d'un professionnalisme de haut niveau. Les gens assis à l'avant ont droit à des sièges très confortables même si je les trouve un peu trop durs. Les deux passagers montant à l'arrière sont aussi choyés. Il y a certes trois places mais la troisième personne risque de se sentir de trop. Parmi les accessoires qui méritent notre attention, mentionnons les six coussins gonflables, les freins ABS et un immense toit ouvrant en deux parties sur les livrées familiales. Ces dernières versions proposent un vaste espace de chargement et la présence d'un recouvrement de caoutchouc, en équipement standard, est toujours appréciée des propriétaires.

Dès que le contact est tourné, la sonorité un peu « tracteur » du moteur surprend et la légèreté de la direction déçoit. Même s'il s'agit d'un détail anodin, je tiens à souligner la beauté du couvre-moteur utilisé par Subaru. Cette considération esthétique étant, finalement de bien peu d'importance, il faut mentionner que les prix de la gamme Legacy - Outback vont de 33 000 $ à 45 000 $. Pour le même prix, plusieurs consommateurs vont leur préférer quelque chose de plus gros, plus «truck». C'est dommage puisque l'équipement de série est fort relevé et le dossier de fiabilité de Subaru demeure dans la bonne moyenne malgré des éléments mécaniques très sophistiqués.

Alain Morin

Photos : Alain Morin

DONNÉES TECHNIQUES

Modèle à l'essai :	Legacy GT LTD familiale
Prix du modèle à l'essai :	40 295 $
Échelle de prix :	21 695 $ à 35 695 $
Garanties :	3 ans/60 000 km, 5 ans/100 000 km
Catégorie :	berline intermédiaire/familiale
Emp./Lon./Lar./Haut.(cm) :	267/479,5/173/147,5
Poids :	1,525 kg
Coffre/Réservoir :	909 à 1 747 litres / 64 litres
Coussins de sécurité :	frontaux, latéraux (av.), rideaux
Suspension avant :	indépendante, jambes de force
Suspension arrière :	indépendante, multibras
Freins av./arr. :	disque (ABS)
Antipatinage/Contrôle de stabilité :	oui/oui
Direction :	à crémaillère, assistance variable
Diamètre de braquage :	10,8 m
Pneus av./arr. :	P215/45ZR17
Capacité de remorquage :	1 224 kg

GROUPE MOTOPROPULSEUR

Moteur :	H4 de 2,5 litres 16s turbocompressé
Alésage et course	92,0 mm x 75,0 mm
Puissance :	250 ch (186 kW) à 6 000 tr/min
Couple :	250 lb-pi (339 Nm) à 3 600 tr/min
Rapport Poids/Puissance :	6,10 kg/ch (8,20 kg/kW)
Moteur électrique :	aucun
Autre(s) moteur(s) :	H4 2,5 l 175ch à 5600tr/mn et 169lb-pi à 4000tr/mn, H6 3,0 l 250ch à 6600tr/mn et 219lb-pi à 4200tr/mn
Transmission :	intégrale, manuelle 5 rapports
Autre(s) transmission(s) :	automatique 5 rapports / automatique 4 rapports
Accélération 0-100 km/h :	7,6 s
Reprises 80-120 km/h :	6,0 s
Freinage 100-0 km/h :	39,0 m
Vitesse maximale :	210 km/h
Consommation (100 km) :	super, 11,8 litres
Autonomie (approximative) :	542 km
Émissions de CO2 :	4512 kg/an

DANS LA MÊME CATÉGORIE

Audi A4 Avant - BMW 325 Touring - Saab 9-5 - Volkswagen Passat familiale - Volvo V70

DU NOUVEAU EN 2006

Moteur 2,5 atmosphérique plus puissant, pneus 17" standard pour Outback, édition L.L.Bean disponible avec Outback

HISTORIQUE DU MODÈLE

3ième génération

NOS IMPRESSIONS

Agrément de conduite :	4
Fiabilité :	4½
Sécurité :	4½
Qualités hivernales :	5
Espace intérieur :	4
Confort :	4

LE CHOIX DE L'ÉQUIPE

Outback XT

ESSAYEZ-LA AVANT DE LA JUGER !

C'est connu, les plus ardents pourfendeurs de films ou de romans sont généralement des gens qui n'ont pas vu ou lu le sujet en question. Dans le domaine de l'automobile, la Suzuki Aerio fait souvent l'objet de critiques, de railleries même. Son allure sans doute, mais plus probablement le nom Suzuki, terni par plusieurs créations plus ou moins songées (X90 et Esteem, entre autres !), semblent être les principaux responsables de son manque de popularité.

Et pourtant, avant de critiquer, il faut voir le film ou essayer la voiture, c'est selon. La Suzuki Aerio, lancée en 2003, a reçu sa part de critiques. Le moteur proposé au début aurait à peine pu traîner un panier d'épicerie, il y avait autant de matériel insonore que dans une discothèque, et le tableau de bord avait de quoi dégoûter n'importe qui de l'électronique. Malgré ces irritants, la petite voiture avait beaucoup à offrir et sans doute que si elle avait porté le sigle Honda ou Toyota sur sa calandre, elle aurait connu plus de succès. Maintenant que les principaux problèmes ont été corrigés, il est de plus en plus difficile de comprendre pourquoi elle demeure toujours aussi impopulaire.

PERFORMANCES DÉCEVANTES

Lors de son lancement, le moteur 2,0 litres de l'Aerio faisait 145 chevaux, mais ce chiffre semblait très optimiste compte tenu des performances. En 2004, la cylindrée était portée à 2,3 litres pour 155 chevaux et c'est encore ce moteur que l'on retrouve sous le capot de l'Aerio. Encore une fois, on est porté à croire que les gens du département de marketing y ont été un peu fort sur le crayon. Certes, les accélérations ne sont pas pénibles mais lorsqu'on regarde le rapport poids/puissance (chaque cheval doit traîner 7,8 kilos, un peu comme la Mazda3 Sport) on pourrait espérer des accélérations et des reprises plus convaincantes. Malgré tout, ce n'est pas la misère totale et un test d'accélération avec une Smart nous fait apprécier les 9,9 secondes requises par l'Aerio berline pour accomplir le 0-100 ! Il faut ajouter que la livrée intégrale, offerte uniquement avec la familiale, demande environ une seconde supplémentaire. La transmission automatique peut être pointée du doigt pour expliquer ces performances plus ou moins adéquates. Elle se montre quelquefois lente à réagir, même si le passage entre les rapports se fait généralement de façon plutôt transparente. La boîte manuelle, absente sur les versions intégrales, est agréable à manipuler et s'avère un choix judicieux. Peu importe que le moteur soit associé à une transmission automatique ou manuelle, son niveau sonore en accélération demeure toujours trop élevé, et s'immisce dans la conversation des passagers comme un vieil oncle paqueté qui s'invite pour dîner un dimanche jusque-là tranquille.

Au chapitre de la conduite, l'Aerio est la voiture compacte typique. Aucunement sportive, elle jouit par contre d'une tenue de route saine malgré un sous-virage évident (l'avant cherche à aller tout droit dans les courbes prises trop rapidement). Ce sous-virage est moins marqué en version intégrale. Parlant d'intégrale, il ne faudrait pas surestimer l'Aerio et tenter de suivre une Subaru dont le rouage intégral est fort sophistiqué et totalement différent de celui de la petite Suzuki. Certes, l'Aerio AWD

FEU VERT
- Suspensions confortables
- Habitacle de type cathédrale
- Tableau de bord esthétique
- Fiabilité intéressante
- Visibilité sans reproche

FEU ROUGE
- Prix de l'intégrale un peu élevé
- Puissance trop juste
- Insonorisation pauvre
- Direction peu communicative
- Faible valeur de revente

passera mieux dans la neige que l'Aerio tout court, mais le bouclier sous le pare-chocs avant, très bas, ne peut en aucun cas jouer au chasse-neige. La direction communique bien peu avec le conducteur, mais s'avère d'une belle précision tandis que les freins pourraient démontrer un peu plus de conviction dans l'accomplissement de leur tâche.

L'Aerio se décline en versions berline et Fastback, une curieuse appellation pour une familiale. Si la ligne de la berline laisse indifférent, la familiale procure un peu plus de sensations à la rétine. Depuis l'an dernier, les groupes d'options ou les ensembles ont été réduits au minimum, et même l'Aerio berline reçoit sa part d'accessoires standards, allant des freins ABS au chauffe-moteur en passant par le système audio AM/FM/CD à six haut-parleurs et le volant inclinable. Seule la climatisation est offerte en option. La Fastback offre encore plus d'accessoires et propose, elle aussi, une seule option, soit la traction intégrale qui ajoute 1 800 $ à la facture ainsi que 90 kilos sur la balance. Ces kilos, combinés au rouage intégral, gobent un litre de plus tous les cent kilomètres.

HABITACLE DE PREMIÈRE CLASSE... OU PRESQUE

L'an dernier, Suzuki a revu le tableau de bord de l'Aerio. Autant il était repoussant auparavant, autant il est agréable à vivre aujourd'hui ! Les jauges sont faciles à consulter, le design de la partie centrale qui descend jusqu'à la console se montre aussi élégant que fonctionnel et toutes les commandes tombent bien sous la main. La plupart des plastiques sont de belle qualité et le sérieux de l'assemblage ne fait pas de doute. On peut cependant déplorer que le chauffage soit si difficile à doser. On gèle ou on crève ! Au moins, les boutons de réglage se manipulent aisément, même avec de gros gants. Ajoutons également que la climatisation est efficace par temps de canicule. Qui dit Aerio dit espace et les occupants en ont en masse, surtout en hauteur. Même la banquette arrière est invitante et la place centrale, aussi incroyable que cela puisse paraître, se révèle confortable ! Les dossiers peuvent être abaissés en deux sections pour agrandir l'espace de chargement, impressionnant dans la berline et encore plus dans la familiale.

Avec l'Aerio, Suzuki propose une voiture honnête, bien fignolée et généralement fiable. On peut certes lui reprocher quelques irritants mais, dans l'ensemble, elle se compare à ce qu'offre la concurrence. Seule objection, la version intégrale dont les 23 995 $ nous semblent exagérés.

Alain Morin

Photos : Alain Morin

SUZUKI AERIO

DONNÉES TECHNIQUES

Modèle à l'essai :	SX AWD (hatchback)
Prix du modèle à l'essai :	23 395 $
Échelle de prix :	17 995 $ à 23 395 $
Garanties :	3 ans/60 000 km, 5 ans/100 000 km
Catégorie :	berline compacte/hatchback
Emp./Lon./Lar./Haut.(cm) :	248/435/172/155
Poids :	1 330 kg
Coffre/Réservoir :	288 litres / 50 litres
Coussins de sécurité :	frontaux
Suspension avant :	indépendante, jambes de force
Suspension arrière :	indépendante, jambes de force
Freins av./arr. :	disque/tambour (ABS)
Antipatinage/Contrôle de stabilité :	non/non
Direction :	à crémaillère, assistée
Diamètre de braquage :	10,7 m
Pneus av./arr. :	P195/55R15
Capacité de remorquage :	n.d.

GROUPE MOTOPROPULSEUR

Moteur :	4L de 2,3 litres 16s atmosphérique
Alésage et course	90,0 mm x 90,0 mm
Puissance :	155 ch (116 kW) à 5 400 tr/min
Couple :	152 lb-pi (206 Nm) à 3 000 tr/min
Rapport Poids/Puissance :	8,58 kg/ch (11,47 kg/kW)
Moteur électrique :	aucun
Autre(s) moteur(s) :	seul moteur offert
Transmission :	traction, manuelle 5 rapports
Autre(s) transmission(s) :	automatique 4 rapports / intégrale, automatique 4 rapports
Accélération 0-100 km/h :	9,9 s
Reprises 80-120 km/h :	7,2 s
Freinage 100-0 km/h :	44,0 m
Vitesse maximale :	185 km/h
Consommation (100 km) :	ordinaire, 10,0 litres
Autonomie (approximative) :	500 km
Émissions de CO_2 :	4184 kg/an

DANS LA MÊME CATÉGORIE

Chevrolet Optra - Ford Focus - Honda Civic - Hyundai Elantra - Mazda 3 - Mitsubishi Lancer

DU NOUVEAU EN 2006

Serrures électriques standard sur SE

HISTORIQUE DU MODÈLE

1[ière] génération

NOS IMPRESSIONS

Agrément de conduite :	3
Fiabilité :	3
Sécurité :	3
Qualités hivernales :	3½
Espace intérieur :	3½
Confort :	3

LE CHOIX DE L'ÉQUIPE

SX AWD hatchback

LA RÉPLIQUE

Le succès que remporte Suzuki mondialement ne fait plus aucun doute. Suzuki est d'ailleurs la seule compagnie automobile ayant rapporté un bilan financier positif pour l'année fiscale en cours. Toutefois, les acheteurs canadiens et américains ne présentent malheureusement pas le même enthousiasme que le reste de la planète pour les véhicules du géant japonais. Voilà pourquoi les dirigeants ont décidé, cette année, de lancer une campagne publicitaire nord-américaine d'envergure afin de redorer le blason de Suzuki. Fer de lance de cette publicité: le tout nouveau Grand Vitara 2006.

Quatre ans de travail auront été nécessaires afin de mettre au monde la nouvelle génération du Grand Vitara et c'est sous le concept de «sportif et robuste» que son élaboration s'est effectuée. À en juger par les résultats, rien n'a été ménagé afin de livrer un véhicule bien au dessus de la moyenne, confirmant par le fait même le sérieux de la marque et le savoir-faire du constructeur dans ce créneau.

VOEUX EXAUCÉS

Suzuki a effectivement bien répondu à la demande générale en proposant un véhicule aux dimensions agrandies. En plus d'avoir ajouté tout près de 30 cm en longueur, la largeur du véhicule a été accrue de 3 cm afin de proposer un comportement plus stable et des dimensions intérieures améliorées, ce que la majorité des propriétaires souhaitaient. Et bien que la largeur du véhicule n'ait été augmentée que de 3 cm, l'intérieur affiche désormais un bon 12 cm de plus que sur l'ancien modèle. En outre, l'addition d'ailes proéminentes et exagérées permet au véhicule de donner l'illusion d'être beaucoup plus large qu'il ne l'est en réalité, accentuant par le fait même l'impression de solidité. La partie avant présente un look agressif avec ses phares avant de type projecteur et son capot plongeant. À l'opposé, la partie arrière rappelle étrangement un certain RAV4. Unanimement, l'allure extérieure du véhicule a séduit tous les chroniqueurs automobiles présents au lancement et tous se sont entendus pour dire que le véhicule fera fureur!

Monter à bord du Grand Vitara est un charme. Les sièges avant se sont avérés extrêmement confortables et procurent un excellent soutien latéral. L'appuie-tête est très bien conçu et la position de conduite se trouve facilement. Le tableau de bord présente trois cadrans ronds et la console centrale se voit affublée de deux montants en aluminium brossé d'un effet réussi. La climatisation est efficace et la radio a une sonorité dans la moyenne avec un son plutôt renfermé. Les passagers arrière sont choyés eux aussi alors que le dégagement pour les jambes s'est vu augmenté de plus de 12 cm. Le coffre arrière a également bénéficié de cette cure en gagnant du volume.

AUX GRANDS MAUX, LES GRANDS MOYENS

Pour répondre mécaniquement au concept «sportif et robuste», les ingénieurs de Suzuki ont conçu un tout nouveau châssis de type échelle permettant au véhicule de présenter une solidité accrue, de diminuer l'effet de torsion et de réduire par le fait même les bruits de caisse. Autre belle addition également cette année pour ce petit VUS, la toute nouvelle suspension arrière indépendante qui procure au véhicule une

FEU VERT

Design extérieur réussi
Sièges avant
Excellent rapport qualité/prix
Capacité hors route
Espace intérieur

FEU ROUGE

Transmission manuelle
Freins arrière à tambour
Fiabilité inconnue
Réputation à bâtir

excellente tenue de route sur le bitume et qui étonne par son débattement en situation hors route. Pour déplacer le Grand Vitara, Suzuki a fait appel au moteur qui équipe le XL-7, mais auquel quelques modifications techniques ont cependant été apportées. Entre autres, une meilleure gestion des soupapes d'admission du moteur et un réajustement de la courroie d'entraînement permettent au moteur du Grand Vitara de présenter une puissance de 185 chevaux.

PASSE-PARTOUT

Avec une garde au sol améliorée, une distribution des masses de 50/50 et des angles de départ et d'approche respectivement de 29 et 27 degrés, le Grand Vitara n'a rien à envier à la concurrence. À l'essai dans les conditions extrêmes des sentiers de Cougar Mountain tout près de Whistler en Colombie-Britannique, le véhicule n'a démontré aucun signe d'essoufflement et aucun bruit de caisse ne s'est fait entendre. Le chemin du retour a également prouvé que ce véhicule n'a pas seulement été conçu pour les sentiers battus. Et quelle meilleure route que celle entre Whistler et Vancouver pour en faire l'expérience! La route 99 présente un paysage à couper le souffle et des courbes à faire rêver un propriétaire de voiture sport. Le véhicule surprend tellement par sa souplesse, son insonorisation et sa direction qu'il donne l'impression d'être assis au volant d'une berline. Si bien, qu'une collègue s'est permis un petit excès de vitesse, aussitôt constaté par la force policière! Dommage que le véhicule n'ait pas été disponible pour notre match comparatif des VUS urbains, il aurait sûrement volé la vedette!

UNE BONNE NOTE

En plus de vouloir se montrer plus entreprenant dans les prochains mois, Suzuki nous démontre aujourd'hui son professionnalisme avec la nouvelle version du Grand Vitara. En visant directement des modèles comme le CRV de Honda, le Sportage de Kia et le RAV4 de Toyota, ce constructeur nippon s'attaque aux gros joueurs de la catégorie. Proposant un 6 cylindres amélioré affichant la meilleure puissance du lot, une boîte automatique 5 rapports, un vrai système 4 roues motrices, le meilleur empattement de la catégorie, une excellente consommation d'essence et un prix extrêmement compétitif, le Grand Vitara est voué à un succès commercial. Souhaitons que la campagne de marketing soit à la hauteur de ce nouveau samouraï. Et croyez-moi, mon enthousiasme pour ce Suzuki est bien fondé.

Guy Desjardins

Photos: Suzuki

SUZUKI GRAND VITARA

DONNÉES TECHNIQUES

Modèle à l'essai:	JLX groupe cuir
Prix du modèle à l'essai:	29995$
Échelle de prix:	24495$ à 29995$
Garanties:	3 ans/60000 km, 5 ans/100000 km
Catégorie:	utilitaire sport compact
Emp./Lon./Lar./Haut.(cm):	264/447/181/169,5
Poids:	1680 kg
Coffre/Réservoir:	758 litres / 66 litres
Coussins de sécurité:	frontaux, latéraux (av.), rideaux
Suspension avant:	indépendante, jambes de force
Suspension arrière:	indépendante, multibras
Freins av./arr.:	disque/tambour (ABS)
Antipatinage/Contrôle de stabilité:	oui/oui
Direction:	à crémaillère, assistée
Diamètre de braquage:	11,2 m
Pneus av./arr.:	P225/65R17
Capacité de remorquage:	1361 kg

GROUPE MOTOPROPULSEUR

Moteur:	V6 de 2,7 litres 24s atmosphérique
Alésage et course	88,0 mm x 75,0 mm
Puissance:	185 ch (138 kW) à 6000 tr/min
Couple:	184 lb-pi (250 Nm) à 4500 tr/min
Rapport Poids/Puissance:	9,08 kg/ch (12,17 kg/kW)
Moteur électrique:	aucun
Autre(s) moteur(s):	seul moteur offert
Transmission:	4X4, automatique 5 rapports
Autre(s) transmission(s):	manuelle 5 rapports
Accélération 0-100 km/h:	9,5 s (estimé)
Reprises 80-120 km/h:	9,4 s (estimé)
Freinage 100-0 km/h:	n.d.
Vitesse maximale:	182 km/h
Consommation (100 km):	ordinaire, 12,4 litres (constructeur)
Autonomie (approximative):	532 km
Émissions de CO2:	n.d.

DANS LA MÊME CATÉGORIE

Ford Escape - Honda CR-V - Hyundai Tucson - Jeep Liberty - Kia Sportage - Toyota Rav4

DU NOUVEAU EN 2006

Nouveau modèle

HISTORIQUE DU MODÈLE

4ième génération

NOS IMPRESSIONS

Agrément de conduite:	🚗🚗🚗🚗
Fiabilité:	nouveau modèle
Sécurité:	🚗🚗🚗½
Qualités hivernales:	🚗🚗🚗🚗
Espace intérieur:	🚗🚗🚗½
Confort:	🚗🚗🚗🚗

LE CHOIX DE L'ÉQUIPE

JLX

PORTEUSE D'UN NOM POPULAIRE

Swift, c'est bien plus qu'un simple nom de voiture. Les amateurs de course automobile connaissent bien les châssis Swift, les informaticiens, les produits Swift et les voyageurs la ville de Swift Current en Saskatchewan. C'est un certain Jonathan Swift de Dublin en Irlande qui a écrit, en 1726, les voyages de Gulliver. Mais si Suzuki a choisi le nom Swift, c'est sans doute parce qu'il veut dire, en anglais, réaction rapide. Imaginez quand on ajoute un «+» après cette réaction rapide! Mais n'en déplaise aux gens de Suzuki, Swift, avec ou sans «+», n'est qu'un nom...

En fait, le sigle «+» joue tout de même un rôle important en indiquant au «gars ou à la fille des pièces» que vous avez la plus récente version de la Swift et évitant ainsi de vous refiler la mauvaise pièce. Car il y a eu une autre Swift auparavant et elle fut en vente de 1989 à 2000. La Swift + est, somme toute, une Daewoo. Lorsque la firme coréenne a déclaré faillite, General Motors s'est empressé de s'emplir les poches avec ses restes et Suzuki, depuis longtemps affilié à GM dans le secteur des petites voitures, a vu une belle occasion de se procurer une nouvelle bagnole à peu de frais. Il n'est donc pas surprenant que la Chevrolet Aveo, la Pontiac Wave et cette Swift + soient de vraies jumelles! Par contre, autant Chevrolet que Pontiac proposent, en plus, une version berline de leur petite économique tandis que Suzuki se contente du seul modèle hatchback.

BIEN PEU SPORTIVE

Tout comme sa sœur de chez Chevrolet, c'est un quatre cylindres de 1,6 litre qui officie sous le capot. Ce modeste moteur, bruyant en accélération (ici, il faut blâmer le manque d'isolant et non le moteur) fait très bien l'affaire. Ses 105 chevaux trimballent la Swift + avec une certaine vélocité. Ce moteur ne semble pas travailler très fort et, à vitesse légale sur une autoroute, il ne tourne qu'à 2700 tours/minute, ce qui est bien peu pour un 1,6 litre. Ceci diminue autant la consommation d'essence que le niveau sonore dans l'habitacle. Bien entendu, avec quatre personnes à bord (et en admettant qu'elles n'aient pas toutes une corpulence de type «boutons de chemise sur le point d'arracher»...), les côtes deviennent franchement pénibles. La transmission automatique à quatre rapports optionnelle effectue du bon boulot en passant les rapports avec une certaine fluidité. La manuelle à cinq rapports s'avère un peu moins agréable à manipuler à cause de son imprécision et de la longueur de la course du levier, mais la pédale d'embrayage fait preuve de progressivité.

Plus citadine qu'autoroutière, la Swift + n'est quand même pas nulle dès qu'on sort du centre-ville. Même qu'elle se débrouille passablement bien! Ses suspensions, axées sur le confort plus que sur la tenue de route, tiennent leurs promesses et procurent aux occupants une douceur de roulement surprenante. Bon, ce n'est pas une Mercedes-Benz mais pour un prix de base de 13595$, le comportement routier est très satisfaisant. Il arrive cependant que les suspensions réagissent un peu brutalement dans les trous et bosses semés chaque année sur notre réseau routier par la bonne fée Dégelle (dont le nom de famille est «Pirgèle»). Les freins à disque à l'avant et à tambour à l'arrière ne

FEU VERT

- Très bon rapport qualité/prix
- Moteur économique
- Habitacle spacieux
- Comportement routier correct
- Maniabilité en ville

FEU ROUGE

- Berline non offerte
- Freinage décevant
- Insonorisation déficiente (en accélération)
- Banquette arrière pas terrible
- Concessionnaires peu nombreux

mériteront jamais d'accolades pour leur bon travail puisque les distances d'arrêt sont indûment longues, mais il faut ici pointer du doigt les pneus de base qui auraient de la peine à justifier leur existence même en tant que balançoire pour enfant. De plus, l'ABS n'est pas offert, même en option, une omission qu'ont su éviter Chevrolet et Pontiac... L'indicateur de vitesse est gradué jusqu'à 200 km/h mais la vitesse maximum de 170 km/h satisfera amplement les plus téméraires. Le rayon de braquage incroyablement court et la visibilité sans reproches nous amènent cependant à confirmer que la Swift + est plus douée pour la ville que pour la campagne.

BIEN PEU LUXUEUSE

Dans l'habitacle, on ne peut pas dire que c'est très jojo. Les plastiques ne sont pas d'une qualité extraordinaire et vous ne risquez pas de perdre trop d'effets personnels dans les espaces de rangement... il y en a si peu! Les sièges sont un peu mous mais confortables. Si l'accès aux places avant est relativement aisé, on souhaiterait que les portières arrière s'ouvrent plus grand. Elles donnent sur une banquette trop dure et la place centrale ne doit être utilisée qu'en cas de terribles représailles envers un vieil ennemi. Les dossiers s'abaissent de façon 60/40 pour former un fond presque plat et ainsi créer un espace de chargement étonnant.

La Swift + est offerte en deux livrées, base et S. Si la première ne propose que très peu d'accessoires (à une exception près: un chauffe-moteur, de série!), la S s'avère mieux équipée: radio AM/FM/CD MP3, climatiseur, glaces et serrures électriques et, nouveauté cette année, un régulateur de vitesse et des rétroviseurs chauffants, le tout pour un prix vraiment compétitif.

À n'en pas douter, le nom Swift réussit bien à Suzuki. Mais il n'existe pas assez de différences entre cette voiture et les Aveo et Wave pour que chacune trouve sa propre niche. En fait, c'est l'étude de la liste des équipements standard qui éclairera le mieux le consommateur. Et l'attitude du représentant pourrait aussi jouer son rôle!

Alain Morin

Photos: Alain Morin

DONNÉES TECHNIQUES

Modèle à l'essai:	S
Prix du modèle à l'essai:	16695$ - 2005
Échelle de prix:	13595$ à 17995$ - 2005
Garanties:	3 ans/60000 km, 5 ans/100000 km
Catégorie:	sous-compacte
Emp./Lon./Lar./Haut.(cm):	248/388/167/149,5
Poids:	1070 kg
Coffre/Réservoir:	200 à 1190 litres / 45 litres
Coussins de sécurité:	frontaux
Suspension avant:	indépendante, jambes de force
Suspension arrière:	demi-ind., poutre déformante
Freins av./arr.:	disque/tambour
Antipatinage/Contrôle de stabilité:	non/non
Direction:	à crémaillère, assistée
Diamètre de braquage:	9,8 m
Pneus av./arr.:	P185/60R14
Capacité de remorquage:	n.d.

GROUPE MOTOPROPULSEUR

Moteur:	4L de 1,6 litre 16s atmosphérique
Alésage et course:	74,0 mm x 75,5 mm
Puissance:	103 ch (77 kW) à 6000 tr/min
Couple:	107 lb-pi (145 Nm) à 3600 tr/min
Rapport Poids/Puissance:	10,39 kg/ch (13,90 kg/kW)
Moteur électrique:	aucun
Autre(s) moteur(s):	seul moteur offert
Transmission:	traction, automatique 4 rapports
Autre(s) transmission(s):	manuelle 5 rapports
Accélération 0-100 km/h:	11,0 s
Reprises 80-120 km/h:	8,5 s
Freinage 100-0 km/h:	44,0 m
Vitesse maximale:	170 km/h
Consommation (100 km):	ordinaire, 8,0 litres
Autonomie (approximative):	563 km
Émissions de CO2:	n.d.

DANS LA MÊME CATÉGORIE

Chevrolet Aveo - Hyundai Accent - Kia Rio - Toyota Yaris

DU NOUVEAU EN 2006

Régulateur de vitesse et rétroviseurs chauffants standards sur S

HISTORIQUE DU MODÈLE

1ière génération

NOS IMPRESSIONS

Agrément de conduite:	🚗🚗🚗
Fiabilité:	🚗🚗🚗🚗
Sécurité:	🚗🚗🚗
Qualités hivernales:	🚗🚗🚗
Espace intérieur:	🚗🚗🚗½
Confort:	🚗🚗🚗

LE CHOIX DE L'ÉQUIPE

S

UNE FIGURANTE QUI MÉRITE MIEUX

Vérone, ville italienne d'un romantisme incontournable. C'est à Vérone que s'est vécue la plus grande des histoires d'amour de la littérature, avec Roméo et Juliette. Et Vérone a aussi inspiré les fabricants de la Suzuki Verona, qui ont créé une petite voiture qui a du charme, mais peu de qualités de grande routière. Il faut quand même savoir que l'origine réelle de la voiture est un peu plus complexe que son nom l'indique. En fait, elle est avant tout une création de Daewoo, un fabricant coréen en faillite racheté par GM.

En Europe, elle a d'abord été vendue sous cette bannière, sous l'appellation Magnus. Au Canada et aux États-Unis, elle fait toutefois partie de deux écuries distinctes : Chevrolet, qui l'a nommée Epica, et bien sûr, Verona de Suzuki. Cette origine un peu entremêlée n'enlève cependant rien aux qualités d'une berline abordable, mais dont les performances ne lui confèrent qu'une position de figurante dans sa catégorie.

UNE ALLURE D'ITALIENNE

Pour la silhouette, on a réellement fait appel aux spécialistes du design italien, et c'est Italdesign, une entreprise de Moncalieri, qui a créé cette Verona. Que l'on aime ou pas le style, il faut admettre que la Verona est nettement plus réussie que ne l'étaient les anciens modèles de la défunte firme Daewoo. Des lignes fluides, une calandre qui n'est pas sans rappeler certains de ses compétiteurs dans la catégorie (notamment les Honda ou les Mazda 6), même si les dimensions totales sont un peu plus petites que les autres.

L'habitacle est vaste et aménagé avec un soin que l'on ne connaissait pas aux voitures Suzuki. On a réussi à lui donner un style tout à fait particulier, et les ingénieurs de Suzuki, bien qu'associés à ceux de GM, ont insisté pour créer de nouveaux modes de contrôle de qualité. Le résultat est impressionnant de finesse et de qualité pour ce genre de voiture. Mais il y a aussi de bien vilains défauts...

Le plus agaçant, même s'il est mineur, est le vacarme infernal du clignotant qui n'en finit plus de faire du bruit quand on l'actionne. Un bruit qui ressemble d'ailleurs davantage aux jouets téléguidés de mon fils qu'à ceux d'une voiture de classe. De quoi décourager n'importe qui de l'utiliser.

Les commandes de radio sont bien positionnées sur le volant, et sont faciles d'accès. En revanche, il était inutile, voire dérangeant, d'y insérer un bouton de mise en marche de la radio puisqu'au moindre faux mouvement, votre pouce l'effleure et la radio se tait. Rien de majeur, mais de petits détails de débutants.

Pour le reste cependant, on a bien fait le travail. Les sièges sont confortables et aisément ajustables pour fournir une position de conduite conforme aux besoins d'une berline de cette classe. La visibilité est excellente et ne souffre d'aucun blocage qui pourrait empêcher une utilisation sécuritaire. Par contre, certaines commandes sont à réviser.

FEU VERT

Silhouette élégante
Finition impeccable
Bonne tenue de route
Espace arrière étonnant

FEU ROUGE

Moteur un peu juste
Contrôles mal situés
Systèmes de sécurité bruyants
Très faible diffusion

À l'arrière, la banquette offre un confort relatif, mais largement suffisant (tout comme le dégagement d'ailleurs) pour contenter les passagers.

BEAUCOUP POUR PAS CHER

Sur la route, la Verona a un comportement digne de mention. Le moteur de 155 chevaux de 6 cylindres en ligne est parfois un peu juste et a tendance à s'essouffler lors d'un effort trop soutenu, mais il est cependant réputé pour être increvable. Par contre, il est moins puissant que la plupart de ses compétiteurs, y compris quelques quatre cylindres. J'aurais bien aimé pouvoir tester la Verona avec une transmission manuelle plutôt qu'avec une transmission automatique à quatre rapports, mais elle n'est malheureusement pas offerte. Ce qui, il faut l'admettre, est un peu dommage puisqu'une telle transmission permettrait sans doute de rendre davantage justice au moteur.

En matière de sécurité, la Verona est équipée d'un système de freins ABS de série et d'un système de contrôle de traction TCS sur la version GLX. Dans les deux cas, sur des chaussées glacées, les technologies se sont montrées efficaces, empêchant notamment des dérapages impromptus. Mais dans les deux cas aussi (c'est-à-dire ABS et TCS), les systèmes sont excessivement bruyants au point de se demander - lors des premières utilisations - s'ils sont parfaitement fonctionnels.

La Verona est proposée en deux versions, le modèle GL, la version de base qui comprend tout de même un bon équipement. En fait, il n'y a que les freins ABS, les jantes en aluminium de 16 pouces et le toit ouvrant qui font la différence. Chez GM, on offre aussi deux versions, La Epica LS et la LT, toutes deux légèrement plus dispendieuses que les Suzuki, mais vendues avec un peu plus d'équipement.

Les grandes marques japonaises que sont Toyota, Honda et Mazda ne trembleront peut-être pas devant la Verona, puisque Camry, Accord et Mazda6 disposent déjà d'une renommée impressionnante. Mais ceux qui feront l'essai routier de la nouvelle coréenne pourraient bien être surpris. La Verona offre beaucoup pour le prix, et mérite mieux que d'être simplement reléguée loin derrière, malgré la féroce compétition.

Marc Bouchard

Photos : Suzuki

SUZUKI VERONA

DONNÉES TECHNIQUES

Modèle à l'essai :	GLX
Prix du modèle à l'essai :	26 495 $ - 2005
Échelle de prix :	22 995 $ à 26 495 $ - 2005
Garanties :	3 ans/60 000 km, 5 ans/100 000 km
Catégorie :	berline intermédiaire
Emp./Lon./Lar./Haut.(cm) :	270/477/181,5/145
Poids :	1 533 kg
Coffre/Réservoir :	380 litres / 65 litres
Coussins de sécurité :	frontaux
Suspension avant :	indépendante, jambes de force
Suspension arrière :	indépendante, multibras
Freins av./arr. :	disque (ABS (GLX))
Antipatinage/Contrôle de stabilité :	oui (GLX)/non
Direction :	à crémaillère, assistance variable
Diamètre de braquage :	10,4 m
Pneus av./arr. :	P205/60R16
Capacité de remorquage :	n.d.

GROUPE MOTOPROPULSEUR

Moteur :	6L de 2,5 litres 24s atmosphérique
Alésage et course	77,0 mm x 89,2 mm
Puissance :	155 ch (116 kW) à 5 800 tr/min
Couple :	177 lb-pi (240 Nm) à 4 000 tr/min
Rapport Poids/Puissance :	9,89 kg/ch (13,22 kg/kW)
Moteur électrique :	aucun
Autre(s) moteur(s) :	seul moteur offert
Transmission :	traction, automatique 4 rapports
Autre(s) transmission(s) :	aucune
Accélération 0-100 km/h :	9,6 s
Reprises 80-120 km/h :	8,5 s
Freinage 100-0 km/h :	42,7 m
Vitesse maximale :	180 km/h
Consommation (100 km) :	ordinaire, 10,1 litres
Autonomie (approximative) :	644 km
Émissions de CO2 :	4 560 kg/an

DANS LA MÊME CATÉGORIE

Chevrolet Epica - Chrysler Sebring - Honda Accord - Kia Magentis - Mazda 6 - Mitsubishi Galant

DU NOUVEAU EN 2006

Pas de changement majeur

HISTORIQUE DU MODÈLE

1ière génération

NOS IMPRESSIONS

Agrément de conduite :	🚗🚗½
Fiabilité :	🚗🚗🚗½
Sécurité :	🚗🚗🚗
Qualités hivernales :	🚗🚗½
Espace intérieur :	🚗🚗🚗½
Confort :	🚗🚗🚗½

LE CHOIX DE L'ÉQUIPE

GLX

VIVEMENT LES RENFORTS !

Apparu en 2001 pour donner à Suzuki la chance de participer à la vague des VUS (Véhicules Utilitaires Sport), le XL-7 n'a jamais vraiment été de la fête. Les ventes sont toujours demeurées confidentielles et, si ce n'était du joli sourire et du talent de Véronique Cloutier, sans doute qu'on en verrait encore moins sur nos routes. Pourtant, le XL-7 n'est pas un mauvais véhicule, mais sa dernière année sur le marché ne risque pas d'en faire une vedette dont on s'ennuiera. L'an prochain, il cédera sa place à une nouvelle création, basée sur le Concept X, dévoilée à Détroit en janvier 2005.

Le XL-7 est dérivé du Grand Vitara, qui, lui, est tout nouveau cette année. En 2001, pour les besoins de la cause VUS, les ingénieurs ont allongé le Grand Vitara jusqu'à pouvoir greffer une troisième banquette aux versions les plus cossues du XL-7. Ainsi, les consommateurs à la recherche d'un véhicule quatre roues motrices en quête de beaucoup d'espace et ne voulant pas d'une fourgonnette et d'un prix d'achat trop élevé avaient enfin une solution de rechange. Sauf que dans les faits, accéder à la troisième rangée demande des talents d'alpiniste professionnel et lorsqu'on y est rendu, il faut un sens aigu du masochisme pour l'apprécier. De plus, en se basant sur le Grand Vitara, il était impossible pour les ingénieurs d'augmenter la largeur du XL-7. On se retrouve donc avec un véhicule long et étroit, ce qui donne l'impression de voyager dans une boîte de chaussures.

ON SE REMETTRA DE TON DÉPART, XL-7...

Pour l'instant, le XL-7 poursuit son petit bonhomme de chemin sans faire plus de bruit qu'avant. La mécanique demeure la même qu'à ses débuts, soit un V6 de 2,7 litres de 185 chevaux. C'est peu, vous en conviendrez, mais c'est déjà une amélioration par rapport à 2001 alors qu'il ne faisait appel qu'à 170 équidés! Le couple aussi a progressé... mais si peu. Au fil des années, il est passé de 178 à 180! Sans être particulièrement lourd, le XL-7 n'est pas non plus un poids plume (1680 kilos) et son rapport poids/puissance peut difficilement supporter la comparaison avec ses concurrents. C'est probablement la raison pour laquelle il m'a été impossible d'effectuer l'incontournable 0-100 en moins de 11 secondes. D'ailleurs, il faut noter que même si le XL-7 démarre sur les chapeaux de roues, le moteur semble s'essouffler rapidement. Les reprises, heureusement, démontrent un peu plus d'enthousiasme mais, encore là, rien pour épater le beau-frère. D'un autre côté, la transmission automatique à cinq rapports effectue les changements doucement et sans hésitations.

Au chapitre de la conduite, ce n'est pas non plus le Pérou. Le moindre excès d'optimisme dans une courbe fait drôlement pencher la caisse et le roulis impressionnerait le capitaine du Queen Mary II. De plus, les sièges n'offrent à peu près aucun support latéral. À tout le moins, les suspensions, un peu molles, proposent un confort assez relevé jusqu'à ce qu'elles aient à affronter une route en mauvais état. À ce moment, leurs réactions deviennent imprévisibles et, si la vitesse n'est pas ajustée à la condition de la chaussée, prière de tenir le volant à deux mains. Volant qui, en passant, n'offre que bien peu de feedback de la route. Ce type de comportement routier n'inspire sans doute pas de grands élans

FEU VERT
Sièges confortables
Système 4RM efficace
Tableau de bord moderne
Équipement de base intéressant
Visibilité sans faille

FEU ROUGE
Modèle déjà démodé
Sportivité nulle
3e banquette risible
Chauffage peu efficace
Valeur de revente faible

de passion, mais puisque ses réactions s'avèrent généralement prévisibles, il fait l'affaire de bien des consommateurs. Les autres se tournent vers les Escape, CR-V ou X-Trail qui, toutefois, ne proposent pas de troisième banquette.

Le XL-7 bénéficie d'un système quatre roues motrices plutôt efficace. Il n'a certes pas les capacités d'un Jeep TJ – sa longueur le handicape un peu - mais puisqu'il s'agit d'un système avec boîtier de transfert et deux modes de traction (Hi et Lo), on peut compter sur lui pour se sortir d'à peu près toutes les situations difficiles. L'hiver, cependant, il faut impérativement le chausser de quatre bons pneus à neige et rouler en version «quatre pattes» dès qu'il y a un peu de neige sous peine de sentir l'arrière danser comme l'auteur de ces lignes après quelques consommations...

... MAIS ON S'ENNUIERA DE TON TABLEAU DE BORD

C'est en 2003 que le XL-7 a connu son plus important et bénéfique changement. Le tableau de bord autrefois d'une profonde insignifiance a alors fait place à une unité infiniment plus esthétique, plus pratique et bien assemblée, du moins dans notre véhicule d'essai. Quant aux plastiques, ils ne démontrent pas un gros penchant pour la qualité. Les gros boutons du système de chauffage se manipulent même avec de gros gants mais la chaleur, par temps très froid, n'arrive pas assez rapidement. Un bref essai durant une journée estivale ne nous a pas permis de prendre le climatiseur en défaut. Le système audio offre une sonorité correcte pour ce type de véhicule et pour mon type d'oreille (qui réussissait à apprécier la radio AM dans son Nova 1977!) Les sièges sont confortables même si l'assise pourrait être plus longue, et le fait qu'ils soient ancrés plutôt haut améliore une visibilité déjà excellente.

Le XL-7 (eXtra Long 7 passagers) arrive – enfin, diront certains! - au bout de son rouleau. Malgré ses nombreuses qualités, il lui était devenu impossible de soutenir la comparaison avec les autres véhicules offerts dans ce créneau très achalandé. Espérons que son remplaçant conserve certains éléments qui donnent de la gueule au prototype. Mais, finalement, peu importe le résultat, il y a fort à parier que le XL-7 sera oublié dès que la relève se pointera.

Alain Morin

Photos: Alain Morin

SUZUKI XL-7

DONNÉES TECHNIQUES

Modèle à l'essai:	JLX
Prix du modèle à l'essai:	30795$ - 2005
Échelle de prix:	29495$ à 33495$ - 2005
Garanties:	3 ans/60000 km, 5 ans/100000 km
Catégorie:	utilitaire sport compact
Emp./Lon./Lar./Haut.(cm):	280/476/178/174
Poids:	1725 kg
Coffre/Réservoir:	187 à 2067 litres / 64 litres
Coussins de sécurité:	frontaux
Suspension avant:	indépendante, jambes de force
Suspension arrière:	essieu rigide, ressorts hélicoïdaux
Freins av./arr.:	disque/tambour
Antipatinage/Contrôle de stabilité:	non/non
Direction:	à crémaillère, assistée
Diamètre de braquage:	11,8 m
Pneus av./arr.:	P235/60R16
Capacité de remorquage:	1360 kg

GROUPE MOTOPROPULSEUR

Moteur:	V6 de 2,7 litres 24s atmosphérique
Alésage et course	88,0 mm x 75,0 mm
Puissance:	185 ch (138 kW) à 6000 tr/min
Couple:	180 lb-pi (244 Nm) à 4000 tr/min
Rapport Poids/Puissance:	9,32 kg/ch (12,50 kg/kW)
Moteur électrique:	aucun
Autre(s) moteur(s):	seul moteur offert
Transmission:	4X4, automatique 4 rapports
Autre(s) transmission(s):	aucune
Accélération 0-100 km/h:	11,4 s
Reprises 80-120 km/h:	10,0 s
Freinage 100-0 km/h:	40,4 m
Vitesse maximale:	180 km/h
Consommation (100 km):	ordinaire, 15,7 litres
Autonomie (approximative):	408 km
Émissions de CO2:	5612 kg/an

DANS LA MÊME CATÉGORIE

Ford Escape - Honda CR-V - Hyundai Santa Fe - Jeep Liberty - Kia Sorento - Mazda Tribute

DU NOUVEAU EN 2006

Modèle JX Plus 7 places ajouté

HISTORIQUE DU MODÈLE

1ière génération

NOS IMPRESSIONS

Agrément de conduite:	🚗🚗½
Fiabilité:	🚗🚗🚗
Sécurité:	🚗🚗🚗
Qualités hivernales:	🚗🚗🚗½
Espace intérieur:	🚗🚗🚗
Confort:	🚗🚗🚗½

LE CHOIX DE L'ÉQUIPE

JLX

TRADITIONNELLEMENT MODERNE

La gamme de VUS de Toyota est plutôt particulière. Le 4Runner, par exemple, vient s'insérer entre l'ennuyeux mais adulé Highlander et l'immense Sequoia. Il y a aussi le petit et mignon Rav4. Du côté de Lexus, la marque de prestige de Toyota, on retrouve le GX 470 qui est fortement inspiré du 4Runner, le très classe RX 330 sans oublier le LX 470 qui n'est rien d'autre qu'un Toyota Land Cruiser plus luxueux. Le Land Cruiser n'est d'ailleurs offert qu'aux États-Unis. Toute cette nomenclature pour situer un peu le portrait aux tendances abstraites pour qui n'est pas familier avec cette gamme de produits.

Le 4Runner ne donne pas nécessairement dans la dentelle même si sa carrosserie, très imposante, fait preuve d'une certaine finesse. Les lignes sont sobres et ne seront pas démodées pas demain matin. C'est surtout au niveau de la motorisation que les choses se précipitent. Deux moteurs sont proposés. Un V6 de 4,0 litres, qui libère 245 chevaux et un couple de 283 livres-pied de couple, se retrouve d'office dans les versions de base (en fait, la nomenclature de la gamme 4Runner n'est guère compliquée : à la base il y a le SR5 V6 puis le LTD V6. Pour les versions V8, on retrouve les mêmes dénominations sauf qu'on change le 6 pour un 8 !) Associé à une transmission automatique à cinq rapports, ce V6, de conception moderne, répond présent à la moindre sollicitation de l'accélérateur. Sa consommation est, bien entendu, moindre que celle du V8 et si vous n'avez pas à tirer souvent une charge, il s'avère sans doute le choix le plus judicieux. Quant au V8 de 4,7 litres, son excellent couple à bas régime (330 livres/pied à 3 400 tours/minute) et sa puissance de 270 chevaux l'autorisent à remorquer jusqu'à 2 268 kilos (5 000 livres). Mais c'est surtout sa souplesse qui impressionne. Jamais on ne le sent fatigué de déménager les 2 700 kilos du 4Runner et les accélérations et reprises, sans établir de nouvelles marques, sont franchement étonnantes. Une médaille ayant toujours deux côtés, précisons que nous n'avons pu faire mieux que 16,1 litres aux cent kilomètres en moyenne lors de notre essai, et ce, malgré une transmission automatique à cinq rapports bien étagée.

Du côté rouage d'entraînement, le 4Runner est équipé pour veiller tard. Construit sur un châssis à longerons comme les camionnettes, il propose, comme ces dernières, une suspension arrière à essieu rigide. Qu'il s'agisse des versions V6 ou V8, les aides électroniques sont nombreuses (commande d'assistance en descente et de démarrage en pente et régulateur de traction) et des plaques de métal protègent le dessous du véhicule. Les V6 reçoivent un rouage intégral tandis que les V8 profitent d'un vrai mode quatre roues motrices permanent dérivé de celui du Sequoia. Un bouton au tableau de bord permet de choisir le rapport du boîtier de transfert. Notre V8 LTD bénéficiait de la suspension pneumatique « sportive » X-REAS qui permet de soulever ou d'abaisser l'arrière du véhicule. Une petite virée dans un sentier boueux nous a permis de constater que ses prestations en dehors de la route ne sont pas de la frime, mais aussi qu'il aurait de la difficulté à suivre un Land Rover ou un Jeep. Pour des travaux légers ou moyens (c'est-à-dire plus que ce dont le commun des mortels a vraiment besoin !), le 4Runner ne donne pas sa place.

FEU VERT

Confort appréciable
Moteur V8 souple
Rouage 4X4 efficace
Fiabilité légendaire
Lignes sobres

FEU ROUGE

Consommation exagérée (V8)
Direction peu communicative
Sportivité à peu près nulle
Certaines commandes complexes
Hayon difficile à refermer

Sur la route, le comportement du 4Runner est à l'image de sa carrosserie, c'est-à-dire bien peu inspirant! Certes, le confort est relevé malgré la présence d'un essieu rigide à l'arrière et l'habitacle fait preuve d'un silence quasiment religieux peu importe les conditions. Mais d'un autre côté, la direction plutôt vague et bien peu communicatrice vient gommer toute sensation. Sur une route asphaltée en mauvais état (il faut chercher longtemps mais ça se trouve...), les suspensions ne sautillent pas impunément. Dans les courbes, par contre, ça se gâte un peu! La caisse penche beaucoup et le système de contrôle de stabilité intervient assez tôt, quoique de façon transparente. Heureusement, car les sièges n'offrent à peu près aucun support latéral, vous obligeant ainsi à vous cramponner au volant ou aux poignées de soutien pour ne pas trop glisser. Lors de freinages d'urgence, les freins n'ont pas démontré de talents particuliers. Même qu'ils semblent toujours peiner à stopper le véhicule. Mais n'ayez crainte, on finit par s'habituer à cette sensation atypique, pas dangereuse pour deux sous.

Comme sur tout produit Toyota, la qualité de la finition est tout simplement extraordinaire, autant à l'extérieur qu'à l'intérieur. Dans l'habitacle, les plastiques sont de qualité, les espaces de rangement sont nombreux et toutes les commandes sont à portée de la main. Dommage que celles du système de chauffage/climatisation soient aussi difficiles à comprendre que le plus que-parfait du subjonctif! Dans un autre ordre d'idées, les tiges servant à faire descendre le pneu de secours sont absolument inutilisables. Le 4Runner se fait cependant pardonner par des petites gâteries comme la vitre électrique du hayon, des places arrière très accueillantes et un espace de chargement à la fois imposant et ingénieux avec sa tablette amovible qui permet de créer ainsi deux niveaux.

La réputation enviable du 4Runner n'est pas surfaite. Les gens apprécient l'excellent compromis route/4X4 qu'il procure tandis que sa fiabilité n'a d'égal que son confort. Il n'est certes pas donné mais il vaut certainement le moindre dollar investi.

Alain Morin

Photos: Alain Morin

TOYOTA 4RUNNER

DONNÉES TECHNIQUES

Modèle à l'essai:	SR5 V8
Prix du modèle à l'essai:	42 840$
Échelle de prix:	39 960$ à 52 585$
Garanties:	3 ans/60 000 km, 5 ans/100 000 km
Catégorie:	utilitaire sport intermédiaire
Emp./Lon./Lar./Haut.(cm):	279/480,5/191/180
Poids:	2 043 kg
Coffre/Réservoir:	1 189 à 2 124 litres / 87 litres
Coussins de sécurité:	frontaux et latéraux (av.)
Suspension avant:	indépendante, leviers triangulés
Suspension arrière:	essieu rigide, ressorts elliptiques
Freins av./arr.:	disque (ABS)
Antipatinage/Contrôle de stabilité:	oui/oui
Direction:	à crémaillère, assistance variable
Diamètre de braquage:	11,7 m
Pneus av./arr.:	P265/70R16
Capacité de remorquage:	2 268 kg

GROUPE MOTOPROPULSEUR

Pneus d'origine MICHELIN

Moteur:	V8 de 4,7 litres 32s atmosphérique
Alésage et course:	90,5 mm x 83,0 mm
Puissance:	260 ch (194 kW) à 5 400 tr/min
Couple:	306 lb-pi (415 Nm) à 3 400 tr/min
Rapport Poids/Puissance:	7,86 kg/ch (10,53 kg/kW)
Moteur électrique:	aucun
Autre(s) moteur(s):	V6 4,0 l 236ch à 5 200tr/mn et 266lb-pi à 4 000tr/mn
Transmission:	intégrale, automatique 5 rapports
Autre(s) transmission(s):	aucune
Accélération 0-100 km/h:	9,6 s
Reprises 80-120 km/h:	7,9 s
Freinage 100-0 km/h:	42,0 m
Vitesse maximale:	190 km/h
Consommation (100 km):	ordinaire, 16,0 litres
Autonomie (approximative):	544 km
Émissions de CO2:	6 466 kg/an

DANS LA MÊME CATÉGORIE

Dodge Durango - Ford Explorer - GMC Envoy - Honda Pilot - Jeep Grand Cherokee - Kia Sorento

DU NOUVEAU EN 2006

Partie avant et feux arrière redessinés, roues 18" pour Limited, mini-fiche et lecteur MP3

HISTORIQUE DU MODÈLE

4ième génération

NOS IMPRESSIONS

Agrément de conduite:	4½
Fiabilité:	5
Sécurité:	4½
Qualités hivernales:	5
Espace intérieur:	4½
Confort:	4

LE CHOIX DE L'ÉQUIPE

SR5 V8

SORTIE DU PLACARD

Il n'y a pas si longtemps, la Toyota Avalon était aussi extrovertie qu'un caméléon timide. J'ai même déjà conversé avec des connaisseurs de Toyota qui ne se rappelaient que vaguement son existence ! C'est tout dire. Mais les choses risquent de changer avec la nouvelle version dévoilée il y a déjà plusieurs mois. Tirant son nom de la légende (Avalon serait l'île sur laquelle le roi Arthur aurait reçu l'Excalibur, une épée magique lui permettant de combattre sans jamais perdre de sang), l'Avalon nouvelle n'a plus rien à voir avec l'ancien modèle. Hourra et vive le roi Toyota !

La nouvelle venue est, comme le veut la tendance, plus grande, plus spacieuse, plus efficace, plus confortable et plus accessible que sa prédécesseure. Elle est plus tout, en un mot. Voyons-y de plus près. Le style, tout d'abord, est à des années lumières du modèle précédent. Désormais jolie, l'Avalon se permet même de présenter une partie arrière qui n'est pas sans rappeler les récentes créations de BMW, la controverse en moins. Les lignes sont fluides, en accord avec les normes actuelles et très bien équilibrées. L'habitacle a, bien entendu, suivi la même tendance. Nous y reviendrons.

L'Avalon repose sur une nouvelle plate-forme qui servira de base pour la future Camry alors que c'était l'inverse pour la génération précédente. Il s'agit toujours d'une traction (roues avant motrices) offerte en deux niveaux (XLS et Touring, cette dernière étant plus sportive) et un seul ensemble moteur/transmission est proposé. Il s'agit d'un V6 tout nouveau de 3,5 litres. Réalisé en aluminium, il extirpe pas moins de 280 chevaux de ses entrailles, gracieuseté du système de gestion des soupapes (VVT-i, Variable Valve Timing with intelligence) qui agit autant au niveau de l'admission que de l'échappement. On a associé à ce moteur performant, souple, propre et frugal une transmission automatique à cinq rapports avec mode manuel. Même si la presse n'a cessé d'encenser cette boîte pour sa douceur, celle qui équipait notre voiture d'essai passait quelquefois ses rapports un peu brutalement. Mais dans l'ensemble, nous avons bien peu à lui reprocher. Les suspensions, indépendantes aux quatre roues, font des merveilles pour assurer un confort toujours adéquat aux occupants mais s'avèrent peu sportives, même dans la livrée Touring. Un coin de rue tourné un peu vite replace les perspectives ! On décèle beaucoup de roulis et, erreur monumentale selon mon humble avis, le contrôle de traction et celui de stabilité latérale ne sont livrables, EN OPTION UNIQUEMENT, que dans la version XLS. D'ailleurs, lors de départs sur les chapeaux de roues, les pneus avant de l'Avalon patinent à qui mieux mieux et on découvre rapidement un effet de couple très important. De plus, la direction n'est pas vraiment précise et le volant ne procure que très peu de feedback. Si jamais le besoin s'en faisait sentir, l'Avalon peut compter sur quatre freins à disque avec ABS. Les distances d'arrêt semblent dans la norme, ni plus ni moins, et l'ABS se montre très discret.

Si les Américains ont droit à une gamme plus étendue que nous (XL, XLS, Touring et Limited), il ne faut pas crier tout de suite au génocide. La XLS nous arrive avec des sièges recouverts de cuir (et pas de la « cuirette » !) et chauffants, un système audio de qualité avec chargeur

FEU VERT

Moteur performant
Finition maniaque
Fiabilité bienfaitrice
Habitacle spacieux
Excellent rapport qualité/prix

FEU ROUGE

Effet de couple important
Contrôle de traction optionnel
Direction légère
Freins un peu justes
Comportement hyper placide

six CD, la climatisation bizone et une foule d'autres accessoires, le tout pour 39 900 $. Divers groupes d'options (Groupes B et C) s'offrent au consommateur et incluent quelques accessoires très intéressants comme le système audio JBL ou la navigation par satellite. Même avec le groupe C, qui comprend les deux derniers éléments, la facture ne monte pas plus haut que 46 825 $. Mais il y a toujours la possibilité de faire grimper la facture en choisissant certains accessoires installés par le concessionnaire. La livrée Touring est un peu moins bien nantie au chapitre des accessoires de base (mais si peu). Par contre, on a droit à des garnitures intérieures métallisées au lieu de bois comme dans la XLS, ce que plusieurs apprécieront! C'est notamment au niveau des suspensions qu'on retrouve le plus de différences, celles de la Touring étant légèrement plus dures.

Les gens qui songent à l'Avalon comme prochaine voiture ne sont pas nécessairement amateurs de conduite sportive. Heureusement! Le confort de l'habitacle les intéresse assurément bien davantage. L'accès à bord est facile, surtout à l'arrière où les portes ouvrent très grand. Le confort des sièges impressionne même s'ils retiennent peu en virage. La banquette arrière propose énormément d'espace pour les jambes et, bonheur suprême, les dossiers s'inclinent. Je peux témoigner qu'ils autorisent un excellent sommeil. Même la place centrale se montre confortable, une rareté dans l'industrie! Le système audio satisfera la majorité des oreilles mais il faut être patient pour monter ou diminuer le volume en actionnant la commande sur le volant. C'est beaucoup trop long et on finit toujours par tourner le bouton de la radio. Au chapitre de l'ergonomie, c'est généralement très bien réussi, mais si les boutons qui commandent l'ouverture de la trappe à essence ou du coffre étaient éclairés la nuit, personne ne s'en plaindrait... Idem pour le bouton servant à activer/désactiver l'écran central, placé beaucoup trop loin du conducteur.

À n'en pas douter, l'Avalon 2006 est infiniment plus intéressante que la version 2005. La qualité de la finition, autant à l'intérieur qu'à l'extérieur, le confort, la puissance, la fiabilité légendaire des produits Toyota et la valeur de revente sont autant de points en sa faveur. Et je serais même tenté de vous dire qu'elle possède un bien meilleur rapport qualité/prix que la triste Lexus ES300 qui affiche à peu près les mêmes dimensions!

Alain Morin

Photos: Alain Morin

TOYOTA AVALON

DONNÉES TECHNIQUES

Modèle à l'essai:	Touring
Prix du modèle à l'essai:	41 800 $
Échelle de prix:	39 900 $ à 46 825 $
Garanties:	3 ans/60 000 km, 5 ans/100 000 km
Catégorie:	berline grand format
Emp./Lon./Lar./Haut.(cm):	282/501/185/148.5
Poids:	1 583 kg
Coffre/Réservoir:	408 litres / 70 litres
Coussins de sécurité:	front., latéraux, rideaux, genoux
Suspension avant:	indépendante, jambes de force
Suspension arrière:	indépendante, jambes de force
Freins av./arr.:	disque (ABS)
Antipatinage/Contrôle de stabilité:	opt./opt.
Direction:	à crémaillère, assistance variable
Diamètre de braquage:	11,5 m
Pneus av./arr.:	P215/55R17
Capacité de remorquage:	454 kg

GROUPE MOTOPROPULSEUR

Pneus d'origine MICHELIN

Moteur:	V6 de 3,5 litres 24s atmosphérique
Alésage et course	87,4 mm x 83,1 mm
Puissance:	280 ch (209 kW) à 6200 tr/min
Couple:	260 lb-pi (353 Nm) à 4700 tr/min
Rapport Poids/Puissance:	5,65 kg/ch (7,57 kg/kW)
Moteur électrique:	aucun
Autre(s) moteur(s):	seul moteur offert
Transmission:	traction, automatique 5 rapports
Autre(s) transmission(s):	aucune
Accélération 0-100 km/h:	7,4 s
Reprises 80-120 km/h:	5,3 s
Freinage 100-0 km/h:	40,0 m
Vitesse maximale:	220 km/h (estimé)
Consommation (100 km):	ordinaire, 10,3 litres
Autonomie (approximative):	680 km
Émissions de CO2:	n.d.

DANS LA MÊME CATÉGORIE

Buick Allure - Ford 500 - Kia Amanti - Mercury Grand Marquis

DU NOUVEAU EN 2006

Pas de changement majeur

HISTORIQUE DU MODÈLE

2ième génération

NOS IMPRESSIONS

Agrément de conduite:	🚗 🚗 🚗
Fiabilité:	nouveau modèle
Sécurité:	🚗 🚗 🚗 ½
Qualités hivernales:	🚗 🚗 🚗
Espace intérieur:	🚗 🚗 🚗 🚗 ½
Confort:	🚗 🚗 🚗 🚗 ½

LE CHOIX DE L'ÉQUIPE

XLS avec contrôle de traction (optionnel)

LA SAGESSE INCARNÉE

Il y a des gens qui ne vivent que pour prendre des risques. Ils seront les premiers à se précipiter en bas des rapides en rafting, à tenter le grand saut en bungee, ou tout simplement à essayer de pousser une voiture aussi loin que possible, lorsque les conditions le permettent. Toutes des expériences que, traditionnellement, les conducteurs de Toyota Camry ne feront jamais. Car pour les conducteurs de cette trop tranquille berline japonaise, la notion de vivre dangereusement se résume à boire trois tasses de café par jour: attention danger pour le cœur!

C'est dans cet esprit, et pour des gens comme eux que Toyota a construit la Camry: une voiture fiable et confortable, mais qui procure autant d'agrément de conduite que mes chaises de cuisine. Bref une berline destinée spécifiquement à ceux pour qui la conduite automobile n'est qu'un moyen de transport n'apportant aucun plaisir. Étrangement, il semble que ces conducteurs soient particulièrement nombreux, puisque la Camry est la plus vendue des Toyota en Amérique du Nord depuis six ans, et semble continuer sur sa lancée. Elle domine même, aux États-Unis, dans le segment des berlines de moins de 30 000 $.

TOUT EST PARFAIT

Au volant d'une Camry, on n'a vraiment rien à redire. Les versions de base sont équipées d'un moteur quatre cylindres de 2,4 litres qui développe 157 chevaux. Rien pour écrire à sa mère, mais une puissance suffisante pour les quelques déplacements urbains du traditionnel acheteur de Camry.

On peut aussi se tourner vers les versions LE et XLE équipées d'un V6 de 3,3 litres qui génère 210 chevaux. Ou encore on peut toujours se rabattre sur la version SE, la petite «sportive» de la famille, avec son moteur de 6 cylindres et de 235 chevaux. Tout cela est parfait. Les moteurs sont silencieux, leur puissance est bien étagée à tous les régimes, et la voiture se déménage sans trop de difficulté.

Peu importe les circonstances, la randonnée sera toujours agréable. La direction est un peu engourdie, mais pas trop, les suspensions offrent beaucoup de débattement, suffisamment pour absorber les hasards de la route, mais pas assez pour rendre instable ou inconfortable l'usage de la voiture en virage. Notre modèle d'essai, la XLE, abordait avec enthousiasme les trajectoires, même si on avait parfois l'impression qu'elle s'endormait en pleine courbe tellement elle répondait avec lenteur aux sollicitations brusques. En réalité, le véritable trait de caractère de la Camry, c'est justement son absence de caractère... S'il fallait nommer la plus neutre des voitures, la berline Toyota aurait de bonnes chances de mériter le titre. Mais voilà, ce qui pour un maniaque de conduite peut ressembler à un défaut est en fait une qualité pour la majorité des conducteurs. Car, notons-le, la plupart des automobilistes prennent le volant pour assurer leurs déplacements, simplement. Le fait que la Camry ne procure que peu de sensations de conduite est, pour eux, un gage de qualité. Ils peuvent alors se concentrer sur autre chose, et se rendre efficacement, et sécuritairement vers leur destination.

FEU VERT
Silhouette indémodable
Fiabilité éprouvée
Confort relevé
Transmission automatique exemplaire

FEU ROUGE
Sensation de conduite absente
Direction engourdie
Dégagement arrière
Ensemble sans personnalité

Pour obtenir cette discrète efficacité, la Camry fait tout de même appel aux plus hautes technologies. L'accélération par exemple, est contrôlée par un système appelé « by wire » ou par câble. En appuyant sur la pédale, on active un capteur qui transmet informatiquement la puissance exacte au moteur. Cette méthode permet un usage précis de la puissance, un meilleur contrôle de la consommation, mais favorise aussi la sécurité puisque l'ordinateur de bord peut littéralement agir lui-même sur l'accélérateur lorsque le système de contrôle de traction, livrable en option, prend le relais.

La transmission de la Camry est à l'avenant. La version manuelle 5 rapports appliquée à la SE remplit bien sa tâche, offrant une grande souplesse mécanique, et une bonne précision. Mais la version automatique, que l'on retrouve sur toutes les autres déclinaisons, est davantage un modèle du genre. Comme le reste de la voiture, elle est discrète et sans heurts, fournissant un effort louable au bon moment. La technologie ECTi (une boîte de vitesse intelligente) permet même à la voiture de modifier la longueur des rapports afin de maximiser l'économie d'essence, lorsque la berline sent qu'elle monte une côte abrupte par exemple. Tout cela se fait sans aucune intervention du conducteur, et pour l'avoir testé sur les sinueux chemins des Cantons de l'est, avec la plus grande transparence.

GAGE D'ANONYMAT

Acheter une Camry, c'est donc s'assurer d'avoir l'anonymat le plus absolu. Mais malgré ce peu de personnalité affirmée, il ne faut pas négliger les qualités de cette berline. La première, et non la moindre, c'est le confort de l'habitacle, bien équipé, approchant même le niveau d'équipement des berlines nettement plus luxueuses dans les versions haut de gamme. L'espace y est aussi suffisant, même si le dégagement pour la tête est un peu serré aux places arrière pour ceux dont les mesures sont un peu au-deçà de la moyenne. Comme ce n'est pas mon cas, je dois avouer avoir fait une brève promenade, confortablement assis sur cette banquette. Autre qualité pour certains, la silhouette est sobre et sans les lignes audacieuses des compétiteurs. Elle devrait par conséquent vieillir avec élégance, sans trop de difficulté, même si on la retouche petit à petit chaque année.

La Camry s'avère donc l'outil idéal pour ceux qui désirent se rendre de la maison au travail, ou en vacances, sans se soucier de la fiabilité ou d'autres problèmes indésirables. Malheureusement, ils devront aussi se rendre sans véritable passion.

Marc Bouchard

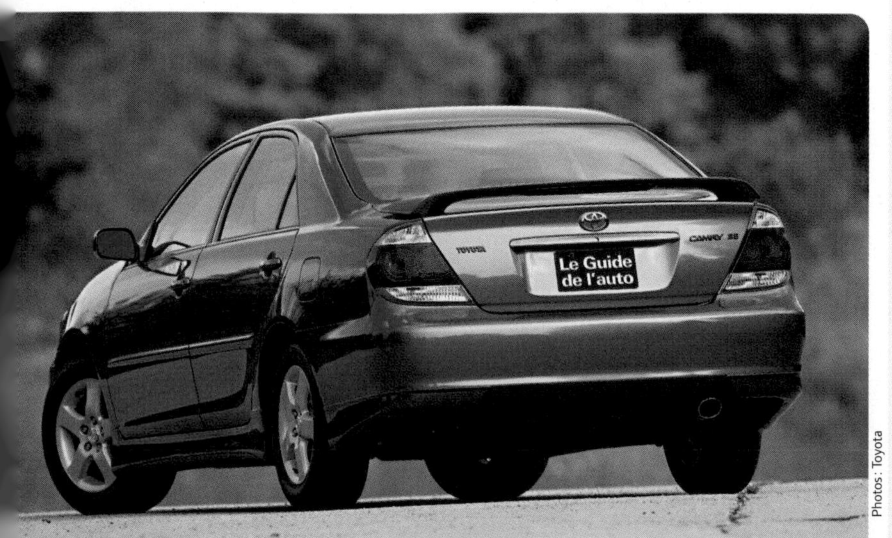

Photos: Toyota

DONNÉES TECHNIQUES

Modèle à l'essai:	LE V6
Prix du modèle à l'essai:	29340$
Échelle de prix:	24990$ à 36835$
Garanties:	3 ans/60000 km, 5 ans/100000 km
Catégorie:	berline intermédiaire
Emp./Lon./Lar./Haut.(cm):	272/480,5/179,5/149
Poids:	1985 kg
Coffre/Réservoir:	472 litres / 70 litres
Coussins de sécurité:	frontaux et latéraux (av.)
Suspension avant:	indépendante, jambes de force
Suspension arrière:	indépendante, jambes de force
Freins av./arr.:	disque (ABS)
Antipatinage/Contrôle de stabilité:	opt /opt.
Direction:	à crémaillère, assistée
Diamètre de braquage:	11,1 m
Pneus av./arr.:	P215/60R15
Capacité de remorquage:	990 kg

Pneus d'origine MICHELIN

GROUPE MOTOPROPULSEUR

Moteur:	V6 de 3,0 litres 24s atmosphérique
Alésage et course:	91,0 mm x 83,0 mm
Puissance:	190 ch (142 kW) à 5800 tr/min
Couple:	197 lb-pi (267 Nm) à 4400 tr/min
Rapport Poids/Puissance:	10,45 kg/ch (13,98 kg/kW)
Moteur électrique:	aucun
Autre(s) moteur(s):	4L 2,4 l 154ch à 5700tr/mn et 160lb-pi à 4000tr/mn, V6 3,3 l 210ch à 5600tr/mn et 220lb-pi à 3600tr/mn
Transmission:	traction, automatique 5 rapports
Autre(s) transmission(s):	manuelle 5 rapports
Accélération 0-100 km/h:	9,4 s
Reprises 80-120 km/h:	6,2 s
Freinage 100-0 km/h:	41,5 m
Vitesse maximale:	220 km/h
Consommation (100 km):	ordinaire, 11,4 litres
Autonomie (approximative):	854 km
Émissions de CO_2:	4609 kg/an

DANS LA MÊME CATÉGORIE

Honda Accord - Mazda 6 - Mitsubishi Galant - Nissan Altima - Pontiac G6 - Subaru Legacy

DU NOUVEAU EN 2006

Pas de changement majeur

HISTORIQUE DU MODÈLE

5ième génération

NOS IMPRESSIONS

Agrément de conduite:	3½
Fiabilité:	4½
Sécurité:	4
Qualités hivernales:	4
Espace intérieur:	3½
Confort:	4

LE CHOIX DE L'ÉQUIPE

SE V6

LA SOBRIÉTÉ DANS L'EXALTATION

La Toyota Solara fait quelquefois penser à un Jeep TJ. Surpris de la comparaison ? En fait, il s'agit de deux véhicules plutôt spécialisés. Le TJ se sent dans la boue et le gravier comme un poisson dans l'eau tandis que sur une autoroute il se révèle maladroit et difficile à conduire. De même, la Toyota Solara n'est pas vraiment faite pour l'autoroute où elle endort ses occupants. Mais faites-là rouler paisiblement le long d'une rivière par une belle journée d'été et vous lui découvrirez un nouveau visage. Et ce visage devient carrément radieux s'il s'agit du cabriolet !

La Camry Solara est sans doute la voiture la plus bizarre de Toyota, depuis que la Celica nous a quittés. Non pas qu'elle soit laide. La partie avant présente des phares allongés vers le haut qui rappellent immanquablement les yeux bridés des enfants imitant un Asiatique. La partie arrière, très arrondie, affiche en son milieu un petit renflement qui vient, heureusement, couper cet interminable rayon. Mais, encore une fois, ce sont les feux, allongés, qui attirent l'œil. La ligne de toit, très arquée et les flancs lisses donnent au coupé une allure très particulière, sans doute à cause des proportions plus ou moins heureuses. Le cabriolet, lancé au printemps 2004, affiche les mêmes lignes mais l'absence de toit améliore considérablement le coup d'œil... sauf lorsque le toit de toile est relevé, mais ça, c'est une autre histoire et nous y reviendrons!

La version coupé nous arrive en trois niveaux de présentation, soit SE quatre cylindres, SE V6 et SLE V6 tandis que le cabriolet se présente en livrées SE V6 et SLE V6. La SE V6 est nouvelle cette année du fait que, jusqu'à l'an dernier, le cabriolet n'était vendu que dans la version la plus luxueuse. La décision de Toyota d'offrir un niveau d'accessoires un peu moindre pour son cabriolet permettra de rejoindre plus de consommateurs. Consommateurs aux cheveux grisonnants pour la plupart puisque le comportement routier de la Solara n'a rien de très sportif malgré les prétentions de la carrosserie.

La Solara de base (SE) est mue par le quatre cylindres de 2,4 litres de la Camry (en fait, si on parle d'une Camry Solara, c'est que tous les éléments mécaniques de la Solara proviennent de la Camry). Ce moteur développe 157 chevaux et 163 livres-pied de couple. Même si cette puissance se montre un peu juste par rapport au poids de la voiture, on ne peut pas accuser ce moteur de ne pas travailler fort. Mais les performances sont en deçà des standards de l'industrie et une Honda Accord Coupé munie du quatre cylindres aura tôt fait de distancer la pauvre Solara lorsque le feu passera au vert! Bonne nouvelle cependant, la transmission automatique gagne un rapport cette année. Exit la quatre rapports et bienvenue à la boîte cinq rapports qui équipe déjà les autres modèles de la gamme! Cette version de base roule sur des pneus de 16″ qui cachent des freins à disque avec ABS.

Toutes les autres versions du coupé et du cabriolet sont propulsées par l'autre moteur de la Camry, soit un V6 de 3,3 litres, fort de ses 225 chevaux et de son couple à l'avenant. Ce moteur assure des performances enjouées mais l'effet de couple est assez important. Il

FEU VERT
- Finition exemplaire
- Fiabilité irréprochable
- Habitacle spacieux
- Confort assuré
- V6 souple et puissant

FEU ROUGE
- Lignes maladroites
- Châssis flexible (cabriolet)
- Automatique quelquefois lente
- Direction engourdie
- Suspensions guimauves

s'agit d'une traction, il ne faut pas l'oublier et, en accélération vive, les roues avant ont tendance à perdre contact avec le sol. Dans ces conditions, une bosse peut faire patiner les roues et occasionner, dans des cas extrêmes, une perte de maîtrise.

Tenter de conduire sportivement une Solara tient plus de la témérité que des connaissances en pilotage. À cause d'un châssis manquant de rigidité (pourtant, la Camry est élaborée sur ce même cadre et sa rigidité n'est jamais mise en cause...) et de suspensions résolument axées sur le confort, la caisse penche passablement en virage et sous-vire joyeusement. La réaction première est la bonne... on relâche l'accélérateur et on se promet d'être plus tranquille à l'avenir! Comme si ce n'était pas assez, la direction se montre d'une irréductible insensibilité. Par contre, le confort est préservé et le silence dans l'habitacle est impressionnant.

Si le coupé ne comble pas les attentes, on serait porté à croire que le cabriolet soit du même type. Malgré un châssis encore moins rigide qui affecte encore davantage la tenue de route et le confort, il n'en est rien. Pour se faire sécher les cheveux en plein mois de juillet sur la rue Principale, on n'a pas besoin d'un comportement sportif à tout crin. En fait, la voiture est tellement placide qu'on n'a tout simplement pas envie de conduire sportivement! Même si les photos montrent rarement la capote de ce cabriolet, nous pouvons affirmer qu'il en possède bien une, qu'elle affecte dangereusement la visibilité arrière et qu'elle est source de bruits aérodynamiques agaçants. Mais une fois abaissée (une opération électrique d'à peine 11 secondes, ce qui est remarquable), c'est comme si un nouveau monde s'offrait à nous! Par contre, la visibilité arrière continue d'être problématique.

Peu importe le modèle, l'espace habitable est surprenant et la qualité de la finition force le respect. Néanmoins, monter à l'arrière et en sortir demande une longue planification physique... Le beau tableau de bord exige au moins un essai de nuit: les jauges, toutes de bleu parées, impressionnent.

En améliorant son offre pour le cabriolet, Toyota semble vouloir dire que la Solara n'est pas prête à disparaître. En fait, il ne faut pas qu'elle parte. Il faudrait juste que Toyota avise les acheteurs qu'ils ont entre les mains une voiture archipaisible, plus à l'aise sur un beau boulevard bien pavé que sur une autoroute québécoise bien bosselée.

Alain Morin

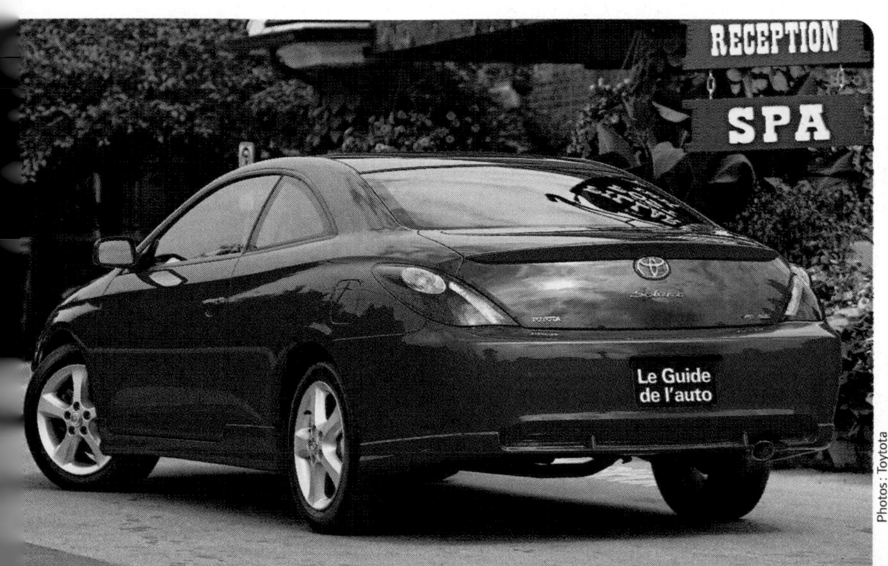

Photos: Toyota

DONNÉES TECHNIQUES

Modèle à l'essai:	SE V6
Prix du modèle à l'essai:	32850$
Échelle de prix:	27545$ à 39200$
Garanties:	3 ans/60000 km, 5 ans/100000 km
Catégorie:	coupé/cabriolet
Emp./Lon./Lar./Haut.(cm):	272/489/181,5/142,5
Poids:	1550 kg
Coffre/Réservoir:	390 litres / 70 litres
Coussins de sécurité:	frontaux et latéraux (av.)
Suspension avant:	indépendante, jambes de force
Suspension arrière:	indépendante, multibras
Freins av./arr.:	disque (ABS)
Antipatinage/Contrôle de stabilité:	oui/oui
Direction:	à crémaillère, assistance variable
Diamètre de braquage:	11,1 m
Pneus av./arr.:	P215/55R17
Capacité de remorquage:	n.d.

Pneus d'origine MICHELIN

GROUPE MOTOPROPULSEUR

Moteur:	V6 de 3,3 litres 24s atmosphérique
Alésage et course	88,4 mm x 96,0 mm
Puissance:	225 ch (168 kW) à 5600 tr/min
Couple:	240 lb-pi (325 Nm) à 3600 tr/min
Rapport Poids/Puissance:	6,89 kg/ch (9,23 kg/kW)
Moteur électrique:	aucun
Autre(s) moteur(s):	4L 2,4 l 157ch à 5700tr/mn et 163lb-pi à 4000tr/mn
Transmission:	traction, automatique 5 rapports
Autre(s) transmission(s):	aucune
Accélération 0-100 km/h:	8,4 s
Reprises 80-120 km/h:	6,3 s
Freinage 100-0 km/h:	41,7 m
Vitesse maximale:	220 km/h
Consommation (100 km):	ordinaire, 11,4 litres
Autonomie (approximative):	614 km
Émissions de CO2:	4609 kg/an

DANS LA MÊME CATÉGORIE

Chevrolet Monte-Carlo - Chrysler Sebring - Honda Accord - Mitsubishi Eclipse

DU NOUVEAU EN 2006

SE avec automatique 5 rapports et groupe Sport standard, cabriolet offert en version SE

HISTORIQUE DU MODÈLE

2ième génération

NOS IMPRESSIONS

Agrément de conduite:	3
Fiabilité:	4
Sécurité:	3½
Qualités hivernales:	3
Espace intérieur:	3½
Confort:	3½

LE CHOIX DE L'ÉQUIPE

SE V6

L'AUTO DE PLACIDE BEAULAC

Les Québécois de plus de quarante ans se souviennent tous de Symphorien, une émission présentée à Télé-Métropole, devenue TVA depuis que les propriétaires ont des ambitions outre-Montréal. De tous les personnages de la maison de chambres tenue par Mme Sylvain (Juliette Huot), c'est le sympathique policier Placide Beaulac qui m'intriguait le plus. Imaginez… Comment être délirant quand on porte des noms comme Placide et Beaulac ? Lors de ma dernière prise en main de la Toyota Corolla, je me suis rappelé le personnage joué par Yves Létourneau. La Corolla serait-elle aussi placide ?

Il ne faut surtout pas oublier que la Toyota Corolla est une des voitures les plus vendues de l'histoire de l'automobile. C'est donc dire qu'elle rejoint une majorité de gens. Une carrosserie le moindrement bizarre (regardez ce qui est arrivé à la Pontiac Aztek pourtant fort agréable à conduire), un comportement routier un tantinet trop sportif ou une fiabilité juste en deçà des normes et le titre de voiture des plus populaires de la planète irait irrémédiablement à une autre candidate. La Corolla présente donc une carrosserie tout ce qu'il y a de plus banal tout en demeurant très esthétique, et en ayant un comportement routier bien peu sportif mais prévisible. Puisque les gens qui sont attirés par cette combinaison détestent généralement les problèmes, la Corolla jouit d'une fiabilité bien au-dessus des standards de l'industrie.

Redessinée un peu l'an dernier, la Corolla 2006 ne jouit d'aucune modification notable. Tout au plus, la couleur Cactus Mica prend le bord et des essuie-glace intermittents font désormais partie de l'équipement de base des versions Corolla Sport, XRS et LE. La version Sport hérite aussi de glaces à commandes électriques. Encore une fois cette année, toutes les Toyota, sauf la XRS, sont propulsées (le mot est un peu fort, je sais) par un quatre cylindres de 1,8 litre de 130 chevaux et 125 livres-pied de couple. On lui a assigné une transmission manuelle à cinq rapports pour passer la « puissance » aux roues avant. Mais une automatique à quatre rapports, au fonctionnement sans reproches, est aussi proposée, moyennant supplément. Accrochées à un châssis rigide, les suspensions, indépendante à l'avant et à poutre de torsion à l'arrière, font de leur mieux pour amortir les chocs et aider la voiture à négocier les virages. Et admettons que c'est réussi dans la mesure où l'on ne dépasse pas trop les limites de vitesse et les limites des pneus d'origine, bien peu brillants. Dans une courbe, la Corolla génère passablement de roulis mais l'avant ne décroche pas facilement. On parle donc de suspensions axées sur le confort plus que sur la tenue de route. La direction s'est améliorée avec les années mais elle demeure toujours un peu vague et, surtout, légèrement déconnectée du travail de la timonerie. Les freins, à disque à l'avant et à tambour à l'arrière, effectuent du bon boulot et les arrêts d'urgence sont généralement courts et rectilignes.

Pour les amateurs de sensations fortes (de sensations plus fortes devrions nous écrire…), Toyota a concocté, l'an dernier, la XRS. Le moteur est toujours le 1,8 litre mais poussé à 170 chevaux. Mais comme le couple n'est pas nécessairement très élevé (à peine 127 livres-pied) et que la puissance est à son maximum à 7 600 tours/minute, il faut toujours garder les révolutions du moteur très élevées pour pouvoir

FEU VERT
- Fiabilité incroyable
- Comportement très correct
- Habitacle spacieux
- Consommation comptée
- Valeur de revente assurée

FEU ROUGE
- Moteurs très « sonores »
- Lignes banales
- Comportement pointu (XRS)
- Direction peu sensible
- Roulis prononcé

bénéficier de performances correctes. Mais un moteur qui tourne vite consomme plus et fait plus de bruit. Et comme l'insonorisation n'est pas le point fort de la Corolla, je vous laisse imaginer le tintamarre! Certains peuvent adorer... Seule une transmission manuelle à six rapports peut être jumelée à ce moteur et l'imprécision du guidage est en train de devenir légendaire dans le milieu automobile. Les suspensions ont été abaissées de 1,5 cm et, chaussée de pneus de 16″ d'excellente qualité, la Corolla XRS s'accroche avec une belle ténacité dans les virages. De plus, son bel équilibre lui permet même d'être agréable à conduire rapidement, une chose que l'on croyait impossible avec une Corolla il n'y a pas si longtemps. Quatre freins à disque avec ABS ralentissent avec autorité les 1 625 kilos de la bagnole.

Comme tout bon produit Toyota qui se respecte, la qualité du travail des employés se reflète partout. Les pièces sont très bien agencées et on n'entend aucun bruit de caisse. La qualité des matériaux n'est pas toujours au rendez-vous mais on a déjà vu pire sur des voitures plus dispendieuses! Les sièges, recouverts de tissu (les «z'amaricains» ont droit, en option, à du cuir) sont confortables même si j'ai eu quelques difficultés à trouver une bonne position de conduite. La banquette arrière peut accueillir deux adultes sans problèmes. Mais forcer une troisième personne à s'y asseoir pourrait entraîner une poursuite au civil, sinon au criminel... Les dossiers des sièges arrière s'abaissent (sauf dans le cas de la XRS) pour agrandir un coffre déjà bien nanti au niveau des dimensions. Mais l'ouverture de ce dernier demeure un peu trop petite à mon goût. La visibilité ne cause aucun problème et les «oublieux» de mon genre devront absolument tenir un registre de leurs objets et de l'endroit où ils ont été placés tellement il y a d'espaces de rangement!

Autrefois la rivale directe de la Honda Civic, la Toyota Corolla est devenue meilleure à bien des niveaux. Mais Honda prépare sa réplique et Mazda propose, avec sa série 3, des voitures plus agréables à conduire que la Corolla. Il ne faudrait pas oublier les Chevrolet Cobalt, Ford Focus, Hyundai Elantra, Kia Spectra et autres qui s'améliorent constamment. Malgré cette concurrence, la Corolla est assurément une voiture à considérer.

Alain Morin

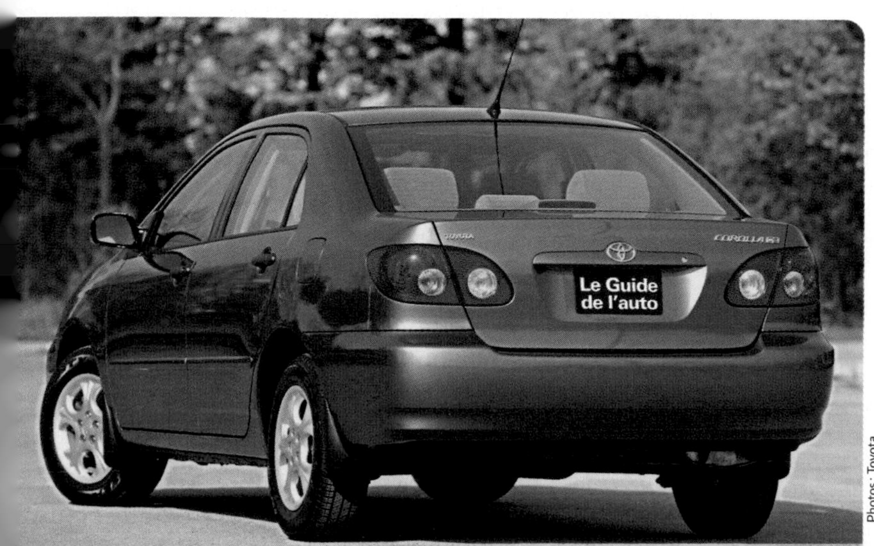

Photos: Toyota

TOYOTA COROLLA

DONNÉES TECHNIQUES

Modèle à l'essai:	LE
Prix du modèle à l'essai:	24945$
Échelle de prix:	15715$ à 24945$
Garanties:	3 ans/60000 km, 5 ans/100000 km
Catégorie:	berline compacte
Emp./Lon./Lar./Haut.(cm):	260/453/170/148
Poids:	1185 kg
Coffre/Réservoir:	385 litres / 50 litres
Coussins de sécurité:	frontaux et latéraux (av.)
Suspension avant:	indépendante, jambes de force
Suspension arrière:	demi-ind., poutre déformante
Freins av./arr.:	disque/tambour (ABS)
Antipatinage/Contrôle de stabilité:	non/non
Direction:	à crémaillère, assistée
Diamètre de braquage:	10,7 m
Pneus av./arr.:	P195/65R15
Capacité de remorquage:	680 kg

Pneus d'origine MICHELIN

GROUPE MOTOPROPULSEUR

Moteur:	4L de 1,8 litre 16s atmosphérique
Alésage et course	79,0 mm x 81,5 mm
Puissance:	130 ch (97 kW) à 6000 tr/min
Couple:	125 lb-pi (170 Nm) à 4200 tr/min
Rapport Poids/Puissance:	9,12 kg/ch (12,22 kg/kW)
Moteur électrique:	aucun
Autre(s) moteur(s):	4L 1,8 l 170ch à 7600tr/mn et 127lb-pi à 4400tr/mn (XRS)
Transmission:	traction, manuelle 5 rapports
Autre(s) transmission(s):	manuelle 6 rapports / automatique 4 rapports
Accélération 0-100 km/h:	8,2 s
Reprises 80-120 km/h:	7,0 s
Freinage 100-0 km/h:	41,0 m
Vitesse maximale:	190 km/h
Consommation (100 km):	ordinaire, 7,2 litres
Autonomie (approximative):	694 km
Émissions de CO2:	2969 kg/an

DANS LA MÊME CATÉGORIE

Chevrolet Cobalt - Ford Focus - Honda Civic - Hyundai Elantra - Kia Spectra - Mazda 3

DU NOUVEAU EN 2006

Couleur Cactus Mica abandonnée (CE et LE), essuie-glaces intermittent variable ajoutés (Sport, XRS et LE)

HISTORIQUE DU MODÈLE

10ième génération

NOS IMPRESSIONS

Agrément de conduite:	2½
Fiabilité:	3½
Sécurité:	2½
Qualités hivernales:	2½
Espace intérieur:	2½
Confort:	2½

LE CHOIX DE L'ÉQUIPE

LE

RAISON SANS PASSION

Il n'est ni flamboyant, ni tape-à-l'oeil, mais le Toyota Highlander est certainement l'un des plus efficaces véhicules familiaux de sa catégorie actuellement en vente au Québec. Dans ce genre d'affirmation cependant, la prudence est de mise. Oui, le Highlander est indéniablement un véhicule familial de grande qualité. Mais c'est d'abord comme véhicule utilitaire sport qu'il est vendu et de ce point de vue, certains aspects sont moins bien réussis. Heureusement cependant, 2006 marque l'arrivée d'une version hybride, ce qui est un attrait certain pour ce véhicule raisonnable mais, disons-le, moins passionnant.

Malgré la traction intégrale de notre modèle d'essai, pas question d'explorer les longs sentiers boisés des grandes forêts québécoises. Le véhicule a une garde au sol un peu trop basse pour y être réellement intéressant.

Mais soyons honnêtes, jamais Toyota n'a véritablement voulu faire un VUS de son Highlander. Il vise plutôt les conducteurs urbains, soucieux de leur sécurité et de leur confort, mais pour qui les gros 4X4 sont trop : trop gros, trop cher, et trop utilitaire, tout simplement.

SORTIE EN VILLE

Ce genre d'utilitaire est d'abord un véritable véhicule de ville. Et le Highlander, qui occupe le créneau entre le RAV 4 et le 4 Runner de Toyota, a vraiment tout pour plaire aux aventuriers de la grande ville

Il faut dire que pour l'essai, je me suis gâté. J'ai eu le plaisir de rouler durant quelques jours avec la livrée munie du moteur V6 de 3,3 litres, développant 230 chevaux. Bref, un moteur avec juste assez de puissance pour être amusant et pour remplir la commande dès que le pied s'enfonce sur la pédale d'accélération. Sur l'autoroute, les reprises sont intéressantes et permettent un parfait contrôle.

Il est aussi possible d'opter pour une version équipée d'un moteur de 2,4 litres 4 cylindres, mais il faut se contenter de deux roues motrices… et d'un léger 160 chevaux sous le capot.

La transmission automatique à quatre rapports est sans souci, tout comme la direction qui, bien que légèrement imprécise, permet de supporter sans désagrément les hasards de la route. Cette même direction est cependant, comme c'est souvent le cas chez Toyota, tellement peu bavarde qu'elle en devient ennuyante à diriger.

La suspension est aussi ajustée un peu plus mollement que sur les utilitaires plus sportifs, histoire d'assurer un plus grand confort aux usagers. Ce trop grand débattement peut cependant provoquer parfois des mouvements brusques de la caisse si on circule à plus grande vitesse.

Notons que pour 2006, l'utilitaire intermédiaire nippon deviendra le premier véhicule au monde ayant sept places et équipé d'un groupe motopropulseur hybride alliant la puissance traditionnelle du moteur à essence à celle, ajoutée, du moteur électrique. Le Highlander Hybrid utilise la dernière version du système Hybrid Synergy Drive de Toyota, qui combine un moteur V6 à essence de 3,3 litres avec un puissant moteur

FEU VERT
- Confort routier intéressant
- Stabilité en virage
- Insonorisation et finition excellente
- Rouage hybride haut de gamme

FEU ROUGE
- Prix des options trop élevé
- Certaines commandes difficiles d'accès
- Direction anonyme
- Suspension trop souple

assurant la traction sur l'essieu avant et un autre pour l'essieu arrière. La puissance totale du Highlander Hybrid est de 268 chevaux, ce qui permet d'envisager des accélérations assez vigoureuses pour réaliser un 0-100 km/h en moins de 7 secondes, tout en conservant une consommation moyenne de 7,l litres aux 100 kilomètres.

Au volant de l'hybride, la puissance se maîtrise sans peine, même si elle se fait sentir lorsqu'on le souhaite. Les transitions pour passer du moteur électrique au moteur à essence sont transparentes, et nul ne peut affirmer que la puissance provienne de l'un ou l'autre des rouages, si ce n'est en regardant le petit tableau d'affichage qui orne la console centrale.

BEAU PAR L'INTÉRIEUR

Comme toutes les Toyota, le Higlander est soigneusement assemblé et propose une finition digne de mention. L'intérieur est agréable, et le tableau de bord a sa propre personnalité. Des cadrans ni ovales ni trop ronds, un fini simili quelque chose (on ne sait trop ce que c'est, mais c'est esthétiquement une belle réussite) et une grande facilité d'utilisation des contrôles permettent de se sentir agréablement confortable.

La transmission n'est située ni au plancher, ni au tableau. Elle loge dans un petit module en V localisé à la base de la console centrale, ce qui la rend aisément accessible. Malheureusement, ce module a tendance à bloquer l'accès aux boutons placés juste derrière et qui commandent les sièges chauffants.

À l'arrière, la banquette rabattable 60/40 est, ô surprise, presque aussi confortable que les sièges avant et le grand espace disponible ne pénalise pas injustement ceux dont les proportions excèdent un peu la moyenne.

Et pour ceux que la chose intéresse (lire tout le monde!), le prix d'achat du Highlander est tout à fait compétitif avec ses rivaux de même catégorie. Mais là où le bât blesse, c'est quand on choisit d'y installer de nouveaux accessoires. Le prix augmente alors en flèche, ce qui devient probablement, le pire handicap du Highlander.

Marc Bouchard

Photos: Toyota

DONNÉES TECHNIQUES

Modèle à l'essai:	Hybrid Limited
Prix du modèle à l'essai:	53145$ - 2005
Échelle de prix:	32900$ à 53145$ - 2005
Garanties:	3 ans/60000 km, 5 ans/100000 km
Catégorie:	utilitaire sport intermédiaire
Emp./Lon./Lar./Haut.(cm):	271,5/471/182,5/174,5
Poids:	2018 kg
Coffre/Réservoir:	909 à 2304 litres / 65 litres
Coussins de sécurité:	frontaux, latéraux (av.), rideaux
Suspension avant:	indépendante, jambes de force
Suspension arrière:	indépendante, jambes de force
Freins av./arr.:	disque (ABS)
Antipatinage/Contrôle de stabilité:	oui/oui
Direction:	à crémaillère, assistance variable
Diamètre de braquage:	11,4 m
Pneus av./arr.:	P225/70R16
Capacité de remorquage:	1587 kg

Pneus d'origine MICHELIN

GROUPE MOTOPROPULSEUR

Moteur:	V6 de 3,3 litres 24s atmosphérique
Alésage et course	91,9 mm x 83,1 mm
Puissance:	208 ch (155 kW) à 5600 tr/min
Couple:	212 lb-pi (287 Nm) à 4400 tr/min
Rapport Poids/Puissance:	9,70 kg/ch (13,02 kg/kW)
Moteur électrique:	68 ch (51kW) et 96 lb-pi (130Nm)
Autre(s) moteur(s):	4L 2,4 l 160ch à 5700tr/mn et 165lb-pi à 4000tr/mn, V6 3,3 l 230ch à 5600tr/mn et 242lb-pi à 3600tr/mn
Transmission:	intégrale, CVT
Autre(s) transmission(s):	automatique 5 rapports / traction, automatique 4 rapports
Accélération 0-100 km/h:	8,6 s
Reprises 80-120 km/h:	7,9 s
Freinage 100-0 km/h:	39,6 m
Vitesse maximale:	180 km/h
Consommation (100 km):	ordinaire, 8,1 litres
Autonomie (approximative):	802 km
Émissions de CO2:	n.d.

DANS LA MÊME CATÉGORIE

Lexus RX400H - Ford Escape Hybride

DU NOUVEAU EN 2006

Nouveau modèle hybride

HISTORIQUE DU MODÈLE

1[ière] génération

NOS IMPRESSIONS

Agrément de conduite:	🚗🚗🚗½
Fiabilité:	🚗🚗🚗🚗½
Sécurité:	🚗🚗🚗½
Qualités hivernales:	🚗🚗🚗🚗
Espace intérieur:	🚗🚗🚗🚗
Confort:	🚗🚗🚗🚗

LE CHOIX DE L'ÉQUIPE

Hybride de base

CONFUSION DES GENRES

Modifiée l'an dernier, la Matrix nous revient pratiquement inchangée en 2006. D'autant plus que les chiffres des ventes sont toujours rassurants. Le public s'est graduellement adapté à ce véhicule capable de faire un peu de tout. Ce n'est pas une familiale au sens propre de la catégorie, pas plus qu'il ne s'agit d'une fourgonnette. Pourtant, il suffirait de lui greffer des portes coulissantes pour qu'elle vienne inquiéter la nouvelle Mazda 5. Véhicule polyvalent et tout de même assez agréable à conduire, la Matrix a connu une révision d'importance en 2005.

Si les modifications sont relativement subtiles, plusieurs changements apportés à la carrosserie et à la structure ont permis d'améliorer la tenue de route, de réduire le niveau sonore et d'ajouter à sa fiabilité. Et il faut avoir l'œil exercé pour différencier les variations effectuées à la calandre et aux feux arrière par rapport à la première génération.

Je suis certain que les automobilistes sont beaucoup plus intrigués par le fait que les Pontiac Vibes et la Matrix se partagent les mêmes organes mécaniques, la même plate-forme ainsi qu'une carrosserie similaire. Le hic, c'est que la Pontiac est assemblée à l'usine NUMI de Californie et la Matrix à l'usine de Toyota à Cambridge en Ontario. Selon certains, la Pontiac est moins bien assemblée et plus chère à l'achat. Si cette dernière affirmation est vraie, c'est tout simplement parce que les responsables du marketing de Pontiac ont décidé d'ajouter un équipement plus complet, ce qui a une incidence sur le prix de vente. Il semble à ce jour que la fiabilité des deux voitures soit identique. Par contre, la silhouette de la Vibe est jugée plus élégante que celle de sa rivale nippone. Il est toutefois certain qu'un produit Toyota aura une meilleure valeur de revente, même si la mécanique est pareille.

CHOIX DIFFICILE

Nous allons revenir un peu plus tard aux qualités routières de la Matrix et de sa polyvalence. Avant tout, il est important de tenter de cerner la version qui est la plus intéressante. Dans les deux cas, le modèle de base est doté d'un moteur quatre cylindres de 1,8 litre produisant 130 chevaux. Il est associé à une boîte manuelle à cinq rapports tandis que l'automatique à 4 rapports est disponible en option sur les modèles deux roues motrices.

Compte tenu de sa configuration de caisse, cette Toyota multifonction semble être le compromis idéal puisqu'elle est également disponible en version à rouage intégral. Mieux encore, la suspension arrière est indépendante. Mais le prix à payer est le fait que le moteur 1,8 litre affiche une puissance de 123 chevaux seulement, et qu'il ne peut être livré qu'avec la transmission automatique. Il en résulte des performances quelque peu en retrait par rapport à la traction. Par contre, l'essieu rigide de cette dernière ne fait pas toujours bon ménage avec nos routes en mauvais état.

Il reste une troisième version au catalogue: la XRS. Propulsée par un moteur 1,8 litre très pointu produisant 170 chevaux et couplé à une

FEU VERT
Mécanique fiable
Concept polyvalent
Transmission intégrale
Caisse très rigide
Sièges avant confortables

FEU ROUGE
Moteur bruyant
Suspension arrière ferme
Embrayage délicat (XRS)
Moteur 123 chevaux (AWD)
Cache-bagages symbolique

transmission manuelle à six rapports, elle pourrait être la solution pour les conducteurs sportifs obligés de transporter des objets plus encombrants que la moyenne ou que les devoir familiaux exigent à adopter une carrosserie multifonction. Malheureusement, cette équation comporte plusieurs bémols puisque l'essieu arrière est à poutre déformante comme sur le modèle le plus économique de la gamme. Mais ce serait acceptable si ce moteur quatre cylindres survitaminé n'était pas associé à un embrayage aussi délicat. Le point de contact est très haut et il est facile de faire patiner l'embrayage qui chauffe rapidement et perd de son efficacité. Et c'est d'autant plus regrettable que la bande de puissance de ce moteur est très mince. Il faut vraiment utiliser les hauts régimes pour tirer tout le potentiel de ces 170 chevaux. Pas besoin d'insister sur le fait que cette version ne convient pas à la conduite urbaine de tous les jours.

ILLUSION D'OPTIQUE

Il faut se méfier des apparences dans le cas de la Matrix puisque ce véhicule semble petit au premier coup d'œil, mais ses dimensions ne sont quand même pas aussi petites qu'il y paraît. Il est plus gros qu'un Chrysler PT-Cruiser, plus haut et plus large qu'une Ford Focus familiale, tandis que son coffre est plus spacieux que celui d'un Subaru Outback, la banquette arrière en place. Bref, vous pouvez transporter pratiquement tout ce que vous voulez. Et le dossier de la banquette arrière est également inclinable. Cette dernière caractéristique a obligé les ingénieurs à concevoir un cache-bagages qui tient plus du bricolage qu'autre chose.

Si vous remplissez à bloc la soute à bagages et invitez votre fils ainsi que deux de ses copains ados pesant plus de 90 kg, il est certain que le petit moteur de 1,8 litre devra travailler très fort, et le niveau sonore dans l'habitacle grimpera de quelques décibels. Par contre, ce moteur est conçu pour cet usage et sa fiabilité de même que sa longévité ne sont pas à craindre. Mais ce «buzz» incessant provenant de sous le capot est suffisant pour agacer.

En utilisation normale avec la version équipée du moteur de 130 chevaux, cette Toyota n'est pas un bolide de course mais se tire très bien d'affaire. Le hic, c'est de choisir le modèle qui convient le plus à nos besoins. Et il est important de souligner que TRD, la division des accessoires de Toyota, a des accessoires songés qui sont fort bien adaptés.

Denis Duquet

Photos: Alain Morin

DONNÉES TECHNIQUES

Modèle à l'essai:	XR traction
Prix du modèle à l'essai:	21 465 $
Échelle de prix:	17 200 $ à 26 895 $
Garanties:	3 ans/60 000 km, 5 ans/100 000 km
Catégorie:	familiale
Emp./Lon./Lar./Haut.(cm):	260/435/177,5/155
Poids:	1 211 kg
Coffre/Réservoir:	428 à 1 506 litres / 50 litres
Coussins de sécurité:	frontaux
Suspension avant:	indépendante, jambes de force
Suspension arrière:	indépendante, poutre de torsion
Freins av./arr.:	disque (ABS)
Antipatinage/Contrôle de stabilité:	non/non
Direction:	à crémaillère, assistée
Diamètre de braquage:	10,8 m
Pneus av./arr.:	P205/55R16
Capacité de remorquage:	680 kg

GROUPE MOTOPROPULSEUR

Moteur:	4L de 1,8 litres 16s atmosphérique
Alésage et course	79,0 mm x 91,5 mm
Puissance:	126 ch (94 kW) à 6 000 tr/min
Couple:	122 lb-pi (165 Nm) à 4 200 tr/min
Rapport Poids/Puissance:	9,61 kg/ch (12,88 kg/kW)
Moteur électrique:	aucun
Autre(s) moteur(s):	4L 1,8 l 118ch à 6000tr/mn et 115lb-pi à 4200tr/mn (TI), 4L 1,8 l 164ch à 7600tr/mn et 125lb-pi à 4400tr/mn (XRS)
Transmission:	traction, manuelle 5 rapports
Autre(s) transmission(s):	manuelle 6 rapports (XRS) / intégrale, automatique 4 rapports
Accélération 0-100 km/h:	10,5 s
Reprises 80-120 km/h:	9,8 s
Freinage 100-0 km/h:	39,0 m
Vitesse maximale:	180 km/h
Consommation (100 km):	ordinaire, 7,7 litres
Autonomie (approximative):	649 km
Émissions de CO2:	3 273 kg/an

DANS LA MÊME CATÉGORIE

Chevrolet HHR - Chrysler PTCruiser - Ford Focus - Mazda 3 Sport - Pontiac Vibe - Suzuki Aerio

DU NOUVEAU EN 2006

Aucun changement majeur

HISTORIQUE DU MODÈLE

1ère génération

NOS IMPRESSIONS

Agrément de conduite:	🚗🚗🚗½
Fiabilité:	🚗🚗🚗🚗
Sécurité:	🚗🚗🚗
Qualités hivernales:	🚗🚗🚗🚗
Espace intérieur:	🚗🚗🚗½
Confort:	🚗🚗🚗½

LE CHOIX DE L'ÉQUIPE

XR traction

LA CHAMPIONNE À REVOIR

Les véhicules hybrides sont de plus en plus courants. On a beau croire qu'ils ne sont qu'une solution temporaire en attendant la véritable commercialisation des voitures à hydrogène, il n'en demeure pas moins que la plupart des grands manufacturiers ont soit déjà un modèle, soit des plans précis pour offrir au moins un, sinon plusieurs véhicules alliant essence et électricité. Mais le précurseur de tout ce mouvement, et toujours chef de file dans le domaine, c'est Toyota qui, avec sa Prius, domine outrageusement le marché, vendant trois fois de plus véhicules que ses concurrents réunis.

Dans les faits par contre, la différence n'est pas aussi remarquable puisqu'on vend moins de 3 000 véhicules hybrides, toutes bannières confondues, au Canada. Un chiffre qui devrait cependant se multiplier de façon exponentielle au cours des dix prochaines années.

UNE AFFIRMATION DE SOI

Les raisons sont multiples pour acheter un véhicule hybride. L'économie d'essence, qui frôle les 25 %, est en soi un bon motif, même si la différence entre le coût d'achat d'une voiture hybride et son modèle régulier excède largement l'économie réelle obtenue. En fait, acheter un véhicule hybride, c'est d'abord une affirmation de sa personnalité. Sensible à la préservation de l'environnement, féru de nouvelle technologie, l'acheteur d'hybride est à l'affût des nouveautés et ne se gêne pas pour clamer haut et fort ses convictions. Ce qui explique sans doute, du moins en partie, le succès de la Prius. Car d'un simple coup d'œil, on se rend tout de suite compte qu'on n'a pas affaire à une voiture ordinaire. Son design très allongé, à l'aérodynamique étudiée, la distingue clairement parmi la masse des véhicules. Ce qui comble tout à fait les désirs de ceux qui veulent faire savoir à tout leur entourage et un peu plus qu'ils sont de véritables citoyens exemplaires, soucieux de leur environnement.

Même l'intérieur n'a que peu en commun avec les autres voitures. Oui, l'habitacle est vaste et aussi spacieux que celui d'une Camry (et les sièges aussi peu confortables, du moins à l'arrière). Mais quand le conducteur s'assoit derrière le volant, il est dépaysé. Dès le départ d'ailleurs, c'est la science-fiction. Il faut insérer la clé, un bloc carré, dans un trou prévu à cet effet, puis appuyer du bout du doigt sur un bouton. Comme la Prius démarre d'abord avec son moteur électrique, même une fois le contact mis, aucun son ne se fait entendre, et on doit regarder les lumières illuminer le tableau de bord pour se convaincre qu'on est prêt à prendre la route. Auparavant, il est nécessaire d'engager les rapports. Cette fois, c'est un tout petit bâtonnet, gros comme un doigt enflé, qui sert de bras de transmission. Logé directement dans la planche de bord, il se déplace aisément… et ne demande pas une grande compréhension : D-R-N. Une simple poussée engage le bon rapport, et c'est un départ !

Au centre de la planche de bord, un écran sert, le cas échéant, d'affichage au système audio, mais permet aussi de suivre la progression de la consommation d'essence en indiquant à l'aide de schémas simples le tracé de l'énergie et sa provenance : essence ou électrique. Il indique aussi la moyenne de consommation, et plusieurs autres informations provenant du véhicule.

FEU VERT

- Rouage hybride efficace
- Économie appréciable en ville
- Coefficient aérodynamique ridicule
- Espace intérieur appréciable

FEU ROUGE

- Freinage peu orthodoxe
- Design extraterrestre
- Coût d'achat prohibitif
- Commandes complexes

BATTERIE À GOGO

Le plus grand reproche fait depuis l'arrivée de la deuxième génération de la Prius, c'était la présence envahissante du système de récupération de l'énergie au freinage. Car, rappelons-le, même si la Prius est propulsée par un moteur électrique, ses batteries n'ont pas besoin d'être branchées pour se recharger. Elles le sont par le moteur à essence qui actionne une génératrice. De plus, l'énergie et la chaleur du freinage sont récupérées et transformées en électricité de recharge. Avec la version de l'année dernière, ce système intervenait avec promptitude, et un peu trop d'enthousiasme, dès que l'on freinait. Le résultat devenait parfois surprenant. Il m'est arrivé par exemple, à 110 kilomètres, d'appuyer sur le frein en courbe et de sentir l'arrière de la voiture faire une légère embardée. Cette année, on a corrigé le tout, équilibrant mieux l'effort sur les toutes les roues, ce qui limite considérablement les déviations, sans pour autant les éliminer complètement.

Outre cette récupération, il faut savoir que la Prius fonctionne mieux, et plus économiquement, en zone urbaine puisqu'elle peut rouler uniquement à l'aide de son moteur électrique à aimant permanent. On affirme même que la nouvelle génération de ce moteur permet d'accélérer jusqu'à 50 kilomètres à l'heure sans intervention du moteur à essence. Ce qui est peut-être vrai, mais à condition d'appuyer avec tellement de douceur sur l'accélérateur qu'on franchit le double de la distance en moins de temps en marchant. Dès que l'on sollicite un peu le tout, le moteur à essence, un petit 4 cylindres de 1,5 litre, se met en marche et vient seconder le système électrique. Ce qui garantit tout de même une économie remarquable.

En matière de tenue de route ou de sensation de conduite, la Prius n'a rien à envier aux autres Toyota, c'est-à-dire qu'elles sont quasi absentes. La voiture manque aussi un peu de puissance parfois, mais cela n'a rien à voir avec le système hybride. C'est la conception même de la voiture qui est ainsi faite, se réservant surtout pour la ville et non la route.

C'est vrai que la Prius a été le premier véhicule hybride commercialisé au Canada. Et c'est aussi vrai qu'il est encore le plus populaire. Mais avec le recul, et devant la compétition de plus en plus féroce dans ce créneau des voitures écologiques, on peut certainement se demander si elle a encore de quoi survivre longtemps sans être profondément repensée.

Marc Bouchard

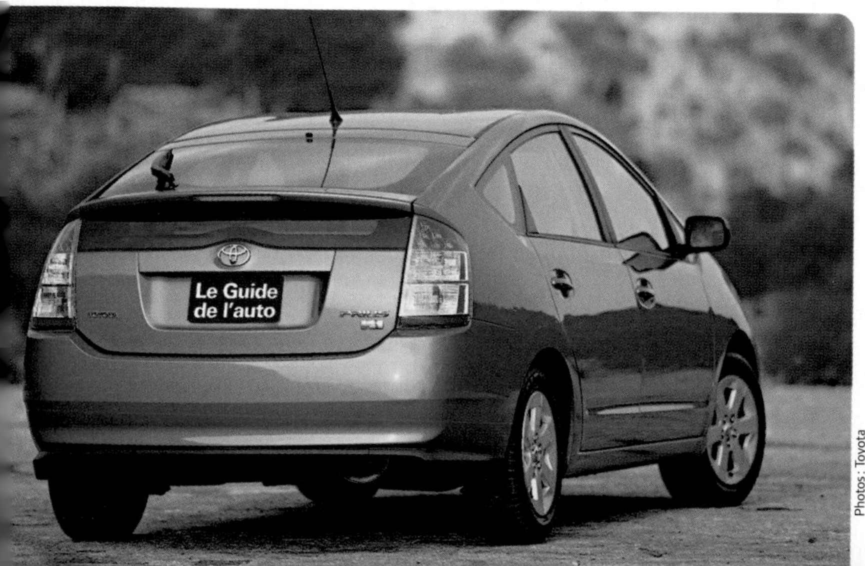

Photos: Toyota

TOYOTA PRIUS

DONNÉES TECHNIQUES

Modèle à l'essai:	Premium
Prix du modèle à l'essai:	34595$ - 2005
Échelle de prix:	30730$ à 38145$ - 2005
Garanties:	3 ans/60000 km, 5 ans/100000 km
Catégorie:	berline compacte
Emp./Lon./Lar./Haut.(cm):	270/445/172,5/147,5
Poids:	1335 kg
Coffre/Réservoir:	456 litres / 45 litres
Coussins de sécurité:	frontaux, latéraux (av.), rideaux
Suspension avant:	indépendante, jambes de force
Suspension arrière:	demi-ind., poutre déformante
Freins av./arr.:	disque (ABS)
Antipatinage/Contrôle de stabilité:	oui/opt.
Direction:	à crémaillère, assistance variable
Diamètre de braquage:	10,2 m
Pneus av./arr.:	P185/65R15
Capacité de remorquage:	non recommandé

GROUPE MOTOPROPULSEUR

Moteur:	4L de 1,5 litres 16s hybride
Alésage et course	75,0 mm x 84,7 mm
Puissance:	76 ch (57 kW) à 5000 tr/min
Couple:	82 lb-pi (111 Nm) à 1200 tr/min
Rapport Poids/Puissance:	17,57 kg/ch (23,42 kg/kW)
Moteur électrique:	67ch (50kW) et 295lb-pi (400Nm)
Autre(s) moteur(s):	seul moteur offert
Transmission:	traction, CVT
Autre(s) transmission(s):	aucune
Accélération 0-100 km/h:	10,9 s
Reprises 80-120 km/h:	8,1 s
Freinage 100-0 km/h:	44,4 m
Vitesse maximale:	170 km/h
Consommation (100 km):	essence/élect., 5,0 litres
Autonomie (approximative):	900 km
Émissions de CO2:	1969 kg/an

DANS LA MÊME CATÉGORIE

Honda Civic hybride - Honda Accord hybride

DU NOUVEAU EN 2006

Pas de changement majeur

HISTORIQUE DU MODÈLE

2ième génération

NOS IMPRESSIONS

Agrément de conduite:	3½
Fiabilité:	4½
Sécurité:	4
Qualités hivernales:	3
Espace intérieur:	4
Confort:	3½

LE CHOIX DE L'ÉQUIPE

Premium

PLUS INTÉRESSANT QU'IL N'Y PARAÎT

Avec son air mignon et sa transmission intégrale, le Toyota RAV4, malgré peu de changements au fil des années, continue à attirer les foules. Un peu comme la Corolla, il fait tout ce qu'il faut, ni plus ni moins, pour ainsi connaître un succès considérable. Le juste milieu qu'il préconise est exactement ce qu'il faut à une majorité de gens qui ont besoin d'un peu plus d'adhérence au sol durant la blanche saison, mais qui ne veulent pas être pénalisés par la consommation d'essence d'un gros VUS à quatre roues motrices.

En plus d'offrir une transmission intégrale qui est amplement suffisante dans la majorité des cas, le RAV4 possède aussi plus d'espace de chargement qu'une automobile traditionnelle. Le bonheur total ? Presque ! Car le RAV4 ne fait rien de parfaitement bien mais il ne fait rien de parfaitement mal non plus ! Malgré tout, et contrairement à plusieurs produits Toyota/Lexus, il s'avère plutôt agréable à conduire.

Le RAV4 ne compte que sur un seul moteur pour l'arracher à sa position stationnaire. Il s'agit d'un quatre cylindres de 2,4 litres qui développe 161 chevaux et 165 livres-pied de couple. Ces chiffres semblent bien petits en comparaison de ceux alignés par la concurrence. Par exemple, pour un poids bien inférieur, le nouveau Kia Sportage affiche 12 chevaux supplémentaires. Malgré tout, les performances ne sont pas «si tant pires que ça» pour reprendre l'expression populaire québécoise. Les accélérations sont vives et les reprises ne vous laissent pas tomber lorsque vient le temps de dépasser un retardataire. De plus, il s'agit d'un des moteurs les plus économiques de sa catégorie. Si seulement il était juste un peu moins grognon en accélération... Deux transmissions sont proposées par Toyota. La boîte manuelle à cinq rapports arrive d'office. Bien étagé, le maniement du levier de vitesse se révèle agréable et précis. L'automatique à quatre rapports fonctionne, elle aussi, très bien. Par contre, dans les deux cas, les capacités de remorquage sont peu élevées (680 kilos ou 1 500 livres, selon votre humeur).

URBAIN DES BOIS

Le système intégral du RAV4 est de type permanent. C'est-à-dire que même en conduite sur chaussée sèche, toutes les roues sont également motrices. Si un besoin supplémentaire de traction se fait sentir ou si une roue veut patiner, le différentiel central à viscocoupleur distribue la puissance nécessaire aux différentiels avant ou arrière, selon le cas, et ce, de façon tout à fait transparente pour le conducteur. Même s'il peut passer là ou bien des voitures s'enliseraient, il ne faudrait surtout pas considérer le RAV4 comme un Jeep. Le retour à la réalité pourrait se présenter sous forme de dépanneuse et de fous rires de la part des copains... S'il se débrouille bien (enfin, passablement bien) à côté de la route, le RAV4 représente une belle surprise sur celle-ci. Certes, le volant ne transmet que très peu les informations récoltées par la direction et les suspensions sont un peu trop sautillantes à mon goût mais dans l'ensemble, le comportement routier plaît à la majorité des gens. La tenue de route n'est pas vilaine si on respecte les lois de la physique, surtout grâce au centre de gravité moins élevé que bien d'autres véhicules de

FEU VERT

Silhouette agréable
Comportement sain
Finition impressionnante
Intégrale correcte
Fiabilité incroyable

FEU ROUGE

Capacités hors route relatives
Qualité des matériaux décevante
Freins insipides
Groupes d'options complexes
Piètre capacité de remorquage

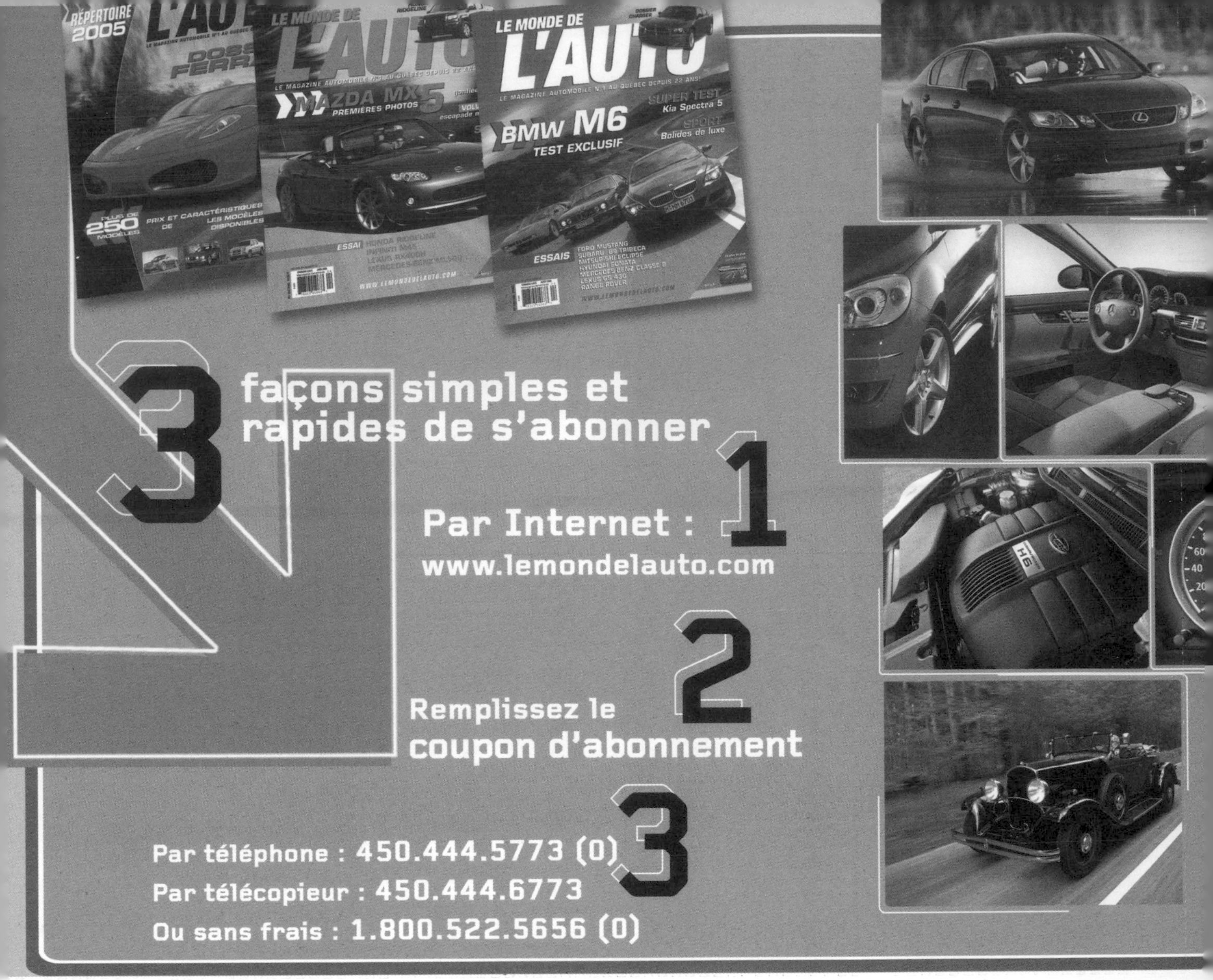

Port payé si posté au Canada
Postage paid if mailed in Canada
Correspondance-réponse d'affaires
Business Reply Mail
7026579 01

1000057474-J4Y2P4-CR01

LC MÉDIA INC
4105G BOUL MATTE
BROSSARD QC J4Y 9Z9

cette catégorie. Par contre, l'avant a tendance à s'écraser dans les courbes prises avec trop d'euphorie. Pour sauver la situation, il ne faut pas trop se fier aux freins qui, bien qu'adéquats en temps normal, ne peuvent stopper le véhicule en un temps record. Le duo disques/tambours n'a d'ailleurs droit à l'ABS que moyennant un supplément.

Si les lignes du RAV4 sont très jolies, l'habitacle aussi sait se démarquer. Le tableau de bord, sans crier au génie, démontre une certaine classe. Les jauges se consultent aisément et tous les boutons et commandes sont à portée de la main. L'assemblage des différents éléments, comme dans tout Toyota qui se respecte, fait preuve de professionnalisme. Mais bon sang que la qualité des matériaux fait pitié! De son côté, la sonorité de la radio est correcte, sans plus. Les sièges sont confortables et la position de conduite idéale se trouve en un rien de temps mais le support latéral en virage n'est pas fameux. Quant à la banquette arrière, elle ne se retrouvera sans doute jamais au Musée des Beaux-Arts même si elle se montre relativement confortable. Par contre, le dégagement pour les jambes n'est pas assez important. Le coffre n'est pas très grand mais les dossiers des sièges arrière se rabattent 50/50 (60/40 aurait été préférable) pour former un fond plat. La porte arrière s'ouvre sur des pentures situées à gauche, ce qui n'est pas toujours commode lorsqu'on est stationné parallèlement au trottoir, et la vitre ne s'ouvre pas indépendamment.

Si le RAV4 ne se décline que dans une seule configuration, il est possible d'y ajouter un des cinq groupes d'options. Je n'ai pas très bien compris les différences entre tous ces groupes mais un représentant Toyota se fera un plaisir de vous les décortiquer pour moi. Ce que je sais, par contre, c'est que la version de base (un peu plus de 24000$) est très basique... Un RAV4 Limited à transmission automatique vaut environ 33000$, ce qui équivaut, loi de la concurrence oblige, au prix d'une Honda CRV EX-L. Dans ce créneau aussi achalandé que lucratif des VUS urbains, il faut obligatoirement établir ses besoins et priorités avant de commencer à magasiner. Le RAV4, pour sa part, ne plaira pas à tous. Mais sa jolie frimousse et son comportement routier parlent en sa faveur.

Alain Morin

Photos: Toyota

DONNÉES TECHNIQUES

Modèle à l'essai:	Chili
Prix du modèle à l'essai:	28320$ - 2005
Échelle de prix:	24735$ à 33580$ - 2005
Garanties:	3 ans/60000 km, 5 ans/100000 km
Catégorie:	utilitaire sport compact
Emp./Long./Larg./Haut.(cm):	249/419/173/168
Poids:	1305 kg
Coffre/Réservoir:	678 à 1909 litres / 56 litres
Coussins de sécurité:	frontaux
Suspension avant:	indépendante, jambes de force
Suspension arrière:	indépendante, multibras
Freins av./arr.:	disque/tambour (ABS opt.)
Antipatinage/Contrôle de stabilité:	non/non
Direction:	à crémaillère, assistance variable
Diamètre de braquage:	10,7 m
Pneus av./arr.:	P215/70R16
Capacité de remorquage:	680 kg

GROUPE MOTOPROPULSEUR

Moteur:	4L de 2,4 litres 16s atmosphérique
Alésage et course	88,9 mm x 96,5 mm
Puissance:	161 ch (120 kW) à 5700 tr/min
Couple:	165 lb-pi (224 Nm) à 4000 tr/min
Rapport Poids/Puissance:	8,11 kg/ch (10,88 kg/kW)
Moteur électrique:	aucun
Autre(s) moteur(s):	seul moteur offert
Transmission:	intégrale, manuelle 5 rapports
Autre(s) transmission(s):	automatique 4 rapports
Accélération 0-100 km/h:	9,2 s
Reprises 80-120 km/h:	7,5 s
Freinage 100-0 km/h:	42,0 m
Vitesse maximale:	185 km/h
Consommation (100 km):	ordinaire, 10,1 litres
Autonomie (approximative):	554 km
Émissions de CO2:	4498 kg/an

DANS LA MÊME CATÉGORIE

Chevrolet Equinox - Ford Escape - Honda CR-V - Jeep Liberty - Land Rover Freelander - Mazda Tribute

DU NOUVEAU EN 2006

Pas de changement majeur, nouveau modèle dévoilé cet automne

HISTORIQUE DU MODÈLE

2ième génération

NOS IMPRESSIONS

Agrément de conduite:	3½
Fiabilité:	4½
Sécurité:	3½
Qualités hivernales:	4½
Espace intérieur:	3½
Confort:	3½

LE CHOIX DE L'ÉQUIPE

Chili, boîte manuelle

RAMBO EN COMPLET CRAVATE

Le séquoia est le plus grand arbre au monde. On l'appelle aussi Redwood et cette espèce est présentement en danger. Cette arboricole entrée en matière nous amène au Toyota Sequoia qui n'est pas le plus grand VUS au monde. Les Hummer et autres Chevrolet Suburban lui volent cet insigne honneur. Et non, cette espèce mécanique n'est pas en danger! Au contraire. Malgré les cours du pétrole qui montent sans cesse, malgré les écologistes qu'il faudrait commencer à écouter, malgré la logique pure et simple, le Sequoia et compagnie se vend très bien.

Au Canada, le Sequoia est le plus gros véhicule offert par Toyota. Au sud du 45e parallèle, le Sequoia s'insère entre l'immense Land Cruiser, qui s'appelle Lexus LX470 ici, et le «petit» 4Runner. En 2001, lorsque vint le temps de créer un gros VUS, Toyota n'a pas eu à chercher bien loin. Le châssis provient de la camionnette Tundra et les deux véhicules se partagent la même mécanique. Mais le Tundra de l'époque n'était pas aussi imposant qu'aujourd'hui, et son châssis moins large donne au Sequoia des allures de chapelle ambulante (il est à peine plus large que haut!) Cette étroitesse réduit nécessairement l'espace pour les occupants, mais ils ont suffisamment de dégagement sur les autres axes pour ne pas se plaindre! Et le véhicule se fait imposant, surtout dans la circulation urbaine. C'est tout ce que les Américains désirent et ce que les Américains désirent, les Canadiens l'obtiennent... qu'ils le veuillent ou non! D'ailleurs, il est bon de préciser que le Sequoia est conçu pour les Américains par des Américains à Princeton en Indiana.

Sur le marché depuis six années, Toyota n'a jamais oublié de peaufiner son Sequoia. L'an dernier, il recevait un nouveau moteur, un V8 de 4,7 litres pompant 282 chevaux et un couple de 325 livres-pied de couple. Ce moteur, très raffiné, propose des accélérations musclées et ne s'essouffle jamais. On peut cependant lui reprocher ses 14,5 litres aux cent kilomètres (si on demeure poli avec l'accélérateur), mais il ne faut pas oublier qu'il doit traîner une carcasse de plus de 2400 kilos dans le cas du modèle Limited. La transmission automatique égrène ses cinq rapports avec une douceur émouvante. Les aventuriers seront ravis d'apprendre que ses capacités hors route sont carrément surprenantes. Cette propulsion se transforme en quatre roues motrices sans même avoir besoin d'être stoppée. De plus, on retrouve les modes 4hi et 4lo si chers aux grands explorateurs. Comme si ce n'était pas assez, le différentiel central peut être verrouillé et une panoplie d'aides électroniques ajoute au potentiel du Sequoia. Mentionnons enfin la garde au sol très élevée (21,6 cm). Mais puisque 95% (estimation personnelle mais sans doute pas loin de la vérité) des quelques Sequoia vendus ne mettront jamais le pneu ailleurs que sur le bitume, on se demande à quoi servent ces capacités herculéennes. C'est comme si on me donnait l'ordinateur le plus puissant de la NASA pour écrire mes textes sur Word! Enfin, précisons que le Sequoia peut remorquer jusqu'à 2812 kilos (6200 livres), ce qui le place dans la catégorie des Monsieurs avec un «M» majuscule!

C'est sur la route que le Sequoia se démarque le plus. La souplesse de son moteur, la solidité méga cubique (une expression entendue dans

FEU VERT

- Moteur moderne et performant
- Châssis très robuste
- Capacités hors route étonnantes
- Assemblage parfait
- Confort assuré

FEU ROUGE

- Consommation d'alcoolique
- Siège de 3e rangée incompétent
- Prix élevé
- Conduite sportive à éviter
- Dimensions importantes

une conversation d'ados!) du châssis et le silence de l'habitacle impressionnent à coup sûr. Bien entendu, les aptitudes sportives sont nulles et la première courbe négociée un tantinet rapidement devrait ralentir les ardeurs des plus irréductibles. Le poids imposant de l'arbre de Toyota se ressent surtout lors d'un freinage énergique. Ça freine bien malgré tout mais on sent que ça pousse. Bien que le Sequoia soit bâti sur le châssis d'une camionnette, les ingénieurs de Toyota ont réussi à lui donner une suspension arrière indépendante, beaucoup plus stable lorsque la chaussée se dégrade. Cette attention est particulièrement appréciée ici au Québec...

Le confort est tout simplement royal pour les huit occupants du modèle SR5 et pour les sept du Limited. Cette différence s'explique par le fait que la banquette de deuxième rangée du SR5 est remplacée par des sièges-capitaine et une console très pratique dans la version Limited. Dans les deux cas, l'accès aux places de la troisième rangée relève de l'escalade pure et simple et cette banquette ne doit servir qu'en situation de dépannage. Le tableau de bord, avec des commandes regroupées dans un module de forme ovoïde, est d'un terne rarement égalé dans l'industrie automobile. Mais comme sur tout produit Toyota qui se respecte, les différentes commandes tombent sous la main et ne sont pas complexes à comprendre ou à manipuler tandis que les jauges se consultent aisément. Bien entendu, la qualité de la finition et de l'assemblage ferait rougir un moine et les craquements sont inexistants, même après plusieurs dizaines de milliers de kilomètres. Remarquez que c'est la moindre des choses dans un véhicule dont le prix de base se situe aux alentours de 60000$! La livrée Limited, elle se détaille environ 66000$. Mais il faut admettre que la compétition est féroce et que les prix s'« équipollent » comme disait mon grand-père.

Aussi inutile puisse-t-il paraître, le Sequoia répond à une demande. Les gens presque fortunés à la recherche d'un véhicule fiable, capable de tirer une maison ou d'affronter les situations routières les plus pénibles dans un confort relevé doivent impérativement se tourner vers le Sequoia. Pour ces consommateurs, la consommation d'essence vient sans doute en 87e position dans leur échelle des valeurs! Parlant de valeur, celle de revente pour le Sequoia est passablement élevée, ce qui justifie amplement son achat.

Alain Morin

Photos: Toyota

DONNÉES TECHNIQUES

Modèle à l'essai:	SR5
Prix du modèle à l'essai:	58210$
Échelle de prix:	58210$ à 66100$
Garanties:	3 ans/60000 km, 5 ans/100000 km
Catégorie:	utilitaire sport grand format
Emp./Lon./Lar./Haut.(cm):	300/518/200,5/192,5
Poids:	2395 kg
Coffre/Réservoir:	787 à 2084 litres / 100 litres
Coussins de sécurité:	frontaux et latéraux (av.)
Suspension avant:	indépendante, bras inégaux
Suspension arrière:	indépendante, multibras
Freins av./arr.:	disque (ABS)
Antipatinage/Contrôle de stabilité:	oui/oui
Direction:	à crémaillère, assistance variable
Diamètre de braquage:	12,9 m
Pneus av./arr.:	P265/70R16
Capacité de remorquage:	2812 kg

GROUPE MOTOPROPULSEUR

Moteur:	V8 de 4,7 litres 32s atmosphérique
Alésage et course:	94,0 mm x 84,0 mm
Puissance:	282 ch (210 kW) à 5400 tr/min
Couple:	325 lb-pi (441 Nm) à 3400 tr/min
Rapport Poids/Puissance:	8,49 kg/ch (11,40 kg/kW)
Moteur électrique:	aucun
Autre(s) moteur(s):	seul moteur offert
Transmission:	intégrale, automatique 5 rapports
Autre(s) transmission(s):	aucune
Accélération 0-100 km/h:	7,6 s
Reprises 80-120 km/h:	7,4 s
Freinage 100-0 km/h:	43,0 m
Vitesse maximale:	195 km/h
Consommation (100 km):	ordinaire, 14,5 litres
Autonomie (approximative):	690 km
Émissions de CO2:	7063 kg/an

DANS LA MÊME CATÉGORIE

Chevrolet Tahoe - Dodge Durango - Ford Expedition - GMC Yukon - Hummer H3

DU NOUVEAU EN 2006

Trois nouvelles couleurs (SR5), groupe OffRoad abandonné (TRD), détails de présentation

HISTORIQUE DU MODÈLE

1[ière] génération

NOS IMPRESSIONS

Agrément de conduite:	🚗🚗🚗½
Fiabilité:	🚗🚗🚗🚗🚗
Sécurité:	🚗🚗🚗🚗🚗
Qualités hivernales:	🚗🚗🚗🚗🚗
Espace intérieur:	🚗🚗🚗🚗½
Confort:	🚗🚗🚗🚗

LE CHOIX DE L'ÉQUIPE

SR5

BONHEUR TRANQUILLE

Le marché des fourgonnettes a beau ne plus être ce qu'il était, il demeure toujours très important pour les manufacturiers. Désormais, pratiquement tout le monde propose sa vision de la fourgonnette et il faut souligner que Toyota, avec sa Sienna, occupe une place de choix parmi la pléthore de modèles proposés. Seule Honda et sa Odyssey viennent taquiner les grands bonzes de Toyota. Bah, ça met un peu de piquant dans une lutte à finir entre véhicules définitivement axés sur le confort et la sécurité.

Toyota, réputé pour la fiabilité de ses véhicules, est présentement investi d'une mission quasiment divine: devenir le plus grand constructeur mondial. En Amérique, on le retrouve dans à peu près tous les marchés et la Sienna représente parfaitement la philosophie de Toyota. En fait, nous serions portés à écrire que la Sienna est parfaite comme elle est... enfin presque. Comme tous les autres produits Toyota, sa conception fait preuve d'une rigueur et d'un sérieux rarement égalés. Lors de sa refonte, en 2004, les ingénieurs ont vu à lui administrer ce qui lui manquait le plus, de la personnalité. Désormais, on peut regarder une Sienna sans attraper «l'endormitoire»! Sans se réveiller non plus, remarquez...

DES OPTIONS, ÇA COÛTE CHER

La version de base, CE à 7 places, porte mal son nom de «base» puisque l'équipement y est tout de même assez complet. La XLE se retrouve sur le plus haut barreau de l'échelle sociale, et il serait plus facile de nommer les accessoires qui n'en font pas partie que le contraire! Bien entendu, le prix d'achat est ajusté en conséquence. Comme c'est devenu la norme, la Sienna propose deux portes coulissantes (assistées sur les modèles les plus huppés) dont les vitres s'abaissent - pas complètement cependant - électriquement. Dans l'habitacle, on retrouve trois rangées de sièges, et celle du centre peut être constituée de deux sièges-capitaine pour un total de sept places ou d'une banquette, ce qui autorise huit personnes à monter à bord. On peut replier les sièges-capitaine pour accroître l'espace de chargement ou on peut les enlever, une opération assez facile mais il faut se fier davantage à sa débrouillardise plutôt qu'au manuel du propriétaire pour y parvenir! De plus, l'ouverture des portes latérales n'étant pas tout à fait assez large, on s'accroche les jointures ou les coudes, au choix, dans l'opération. La rangée située à l'arrière se replie facilement dans le plancher en deux parties 60/40 et forme ainsi un plancher plat.

Qui dit fourgonnette dit véhicule familial et la Sienna est équipée pour veiller tard sur ce point. Du coffre à gants en deux parties aux quatorze (oui, 14!) porte-verres en passant par les trois prises auxiliaires pour accessoires, tout est pensé en fonction de longs voyages avec des enfants. Cependant, pourquoi faut-il que le DVD ne vienne qu'avec les versions les plus luxueuses? Les espaces de rangement sont nombreux et des crochets sont prévus dans la soute à bagages pour retenir les objets qui, sinon, seraient en perdition dans ce grand espace. Les différentes commandes du tableau de bord tombent sous la main sauf

FEU VERT

Intégrale disponible sur toutes les versions
Fiabilité au-dessus de la moyenne
Valeur de revente élevée
Performances surprenantes
Confort assuré

FEU ROUGE

Pneus «Run Flat» obligatoires sur intégrale
Certaines options dispendieuses
Sportivité nulle
Direction déconnectée
Poids considérable

celles de la radio qui sont trop éloignées du conducteur. De moi en tout cas! Heureusement que ces commandes sont dupliquées sur le volant.

PARLONS BOULONS

Peu importe le modèle retenu, un seul moteur est offert. Il s'agit d'un très moderne V6 de 3,3 litres de 230 chevaux et 242 livres-pied de couple. Malgré une masse de près de 1 900 kilos, il réussit à déplacer la Sienna avec une étonnante célérité. Le 0-100 est l'affaire de 9,8 secondes et une reprise entre 80 et 120 km/h ne dure que 8,1 secondes. De plus, sa consommation se montre respectueuse du portefeuille qui la nourrit avec 12,9 litres aux cent kilomètres, ce qui se situe dans la bonne moyenne pour la catégorie. Au chapitre des transmissions, on en retrouve, là encore, une seule, soit une automatique à cinq rapports dont le principal avantage est de se faire oublier. C'est lorsqu'on aborde le mode de propulsion que la Sienna nous réserve une surprise. Deux modes sont proposés, soit la traction (les roues avant motrices) ou l'intégrale. Et, contrairement à la pratique habituelle, il n'est pas nécessaire de choisir le modèle haut de gamme pour pouvoir profiter de l'intégrale. Cette dernière est offerte sur tous les modèles sept places, même la CE, ce qui contraste joyeusement avec la plupart des autres manufacturiers qui ne l'offrent même plus!

La conduite d'une Sienna traction ou intégrale ne diffère guère. Par contre, on peut dire que l'intégrale bouffe un litre de plus tous les cent kilomètres et qu'on n'y retrouve pas de pneu de secours. Les pneus sont de type «Run Flat», ce qui ajoute encore quelques sous lors de leur remplacement. Idem pour les pneus d'hiver. Certes, durant cette blanche saison, la Sienna intégrale peut affronter des routes plus difficiles que la Sienna régulière, mais il ne faudrait pas se prendre pour le «king» du 4X4 sous peine d'être durement ramené à la triste réalité. Le comportement routier de la Sienna est tout ce qu'il y a de plus placide. Prenez une courbe trop rapidement et vous m'en donnerez des nouvelles! Heureusement, les freins se montrent solides en toute occasion.

En fait, la Sienna ne fait rien parfaitement, mais elle ne fait rien de travers non plus. Mais à force de regarder comment se débrouille la Honda Odyssey, elle pourrait finir par perdre sa place au soleil. Malgré tout, la Sienna demeure agréable à conduire. Et à conduire sur de longues distances, ce qui n'est pas rien!

Alain Morin

Photos: Denis Duquet

DONNÉES TECHNIQUES

Modèle à l'essai:	CE AWD
Prix du modèle à l'essai:	36700$
Échelle de prix:	30800$ à 44630$
Garanties:	3 ans/60000 km, 5 ans/100000 km
Catégorie:	fourgonnette
Emp./Lon./Lar./Haut.(cm):	303/510,5/196/176
Poids:	1955 kg
Coffre/Réservoir:	1234 à 4219 litres / 79 litres
Coussins de sécurité:	frontaux, latéraux (av.), rideaux
Suspension avant:	indépendante, jambes de force
Suspension arrière:	demi-ind., poutre déformante
Freins av./arr.:	disque/tambour (ABS)
Antipatinage/Contrôle de stabilité:	oui/oui
Direction:	à crémaillère, assistée
Diamètre de braquage:	11,2 m
Pneus av./arr.:	P225/60R17
Capacité de remorquage:	1587 kg

Pneus d'origine MICHELIN

GROUPE MOTOPROPULSEUR

Moteur:	V6 de 3,3 litres 24s atmosphérique
Alésage et course	91,9 mm x 83,1 mm
Puissance:	215 ch (160 kW) à 5600 tr/min
Couple:	222 lb-pi (301 Nm) à 3600 tr/min
Rapport Poids/Puissance:	9,09 kg/ch (12,22 kg/kW)
Moteur électrique:	aucun
Autre(s) moteur(s):	seul moteur offert
Transmission:	traction, automatique 5 rapports
Autre(s) transmission(s):	intégrale, automatique 5 rapports
Accélération 0-100 km/h:	9,8 s
Reprises 80-120 km/h:	8,1 s
Freinage 100-0 km/h:	43,7 m
Vitesse maximale:	200 km/h
Consommation (100 km):	ordinaire, 12,9 litres
Autonomie (approximative):	612 km
Émissions de CO2.	5312 kg/an

DANS LA MÊME CATÉGORIE

Buick Terraza - Chevrolet Uplander - Ford Freestar - Honda Odyssey - Kia Sedona - Mazda MPV

DU NOUVEAU EN 2006

Pare-chocs avant et phares modifiés, feux arrière nouveaux, quelques nouvelles couleurs, MP3 remplace lecteur cassettes

HISTORIQUE DU MODÈLE

2ième génération

NOS IMPRESSIONS

Agrément de conduite:	🚗🚗🚗🚗
Fiabilité:	🚗🚗🚗🚗½
Sécurité:	🚗🚗🚗🚗
Qualités hivernales:	🚗🚗🚗🚗
Espace intérieur:	🚗🚗🚗🚗
Confort:	🚗🚗🚗🚗

LE CHOIX DE L'ÉQUIPE

LE, traction 7 places

QUAND LA ECHO DEVIENT GLOBALE

La Toyota Echo Hatchback c'est le success-story des dernières années, du moins au Québec. On en a tellement vendu qu'il est désormais presque impossible de faire une randonnée sans en apercevoir quelques-unes ! Ce temps est révolu puisque la petite Echo tirera sa révérence au cours des prochaines semaines pour céder sa place à la nouvelle Toyota Yaris. Avec cette arrivée, l'Amérique du Nord fait son entrée dans le grand marché global étant donné que la Yaris, ou Vitz au Japon, est déjà un succès retentissant sur les autres continents.

Évidemment, sa taille et son look unique la destinent une fois de plus au marché québécois qui accueillait à lui seul 60 % des ventes des Echo canadiennes. On le sait, notre inspiration européenne nous fait plus apprécier les petites voitures économiques et fiables, alors que les Canadiens anglais opteront davantage pour une berline confortable. Quant à nos voisins du Sud... « bigger is better » !

UNE VEDETTE INTERNATIONALE

La Yaris, c'est déjà une vedette partout où elle est passée. À sa première année d'existence, en 2000, elle a été choisi voiture de l'année dans plusieurs pays. C'est cette réputation que Toyota a voulu amener jusqu'ici pour permettre l'introduction du petit modèle. Mais attention la tâche est lourde puisque la Yaris devra remplacer la très populaire Echo Hatchback.

Pour y arriver, on compte principalement sur les grandes qualités ajoutées à la Yaris et qui, avouons-le, faisaient parfois cruellement défaut sur la petite Echo. Du nombre, on a notamment modifié les accessoires de sécurité, agrandi l'espace dans l'habitacle pour le porter au sommet de la catégorie des sous-compactes, mais surtout, on a concocté une personnalité marketing incroyablement attirante à la Yaris. Et je ne parle pas ici uniquement de ses courbes.

C'est vrai que lors de la présentation, tous les porte-parole de Toyota présents n'en avaient que pour la silhouette de la petite voiture, inspirée disaient-ils du principe de Clarté vibrante. Une notion un peu abstraite (qui regroupe aussi le facteur J), qui n'est en fait qu'un ensemble de noms de code utilisés par les ingénieurs pour parler de la silhouette de la nouvelle Yaris. C'est vrai, ses lignes sont étonnantes, lui donnant une allure de plus forte taille qu'elle ne l'est en réalité. Les portières, dessinées en forme de S, sont aussi un succès de fabrication puisqu'elles sont parmi les pièces les plus complexes à produire, inspirée elle aussi de cette clarté toute nippone.

Ce design s'est aussi inspiré des normes de sécurité, car pour construire la voiture on a fait appel à un principe appelé «Système d'intrusion minimale dans l'habitacle». Ce principe, que l'on retrouve à peu de choses près aussi dans la Smart, permet de répartir les chocs dans la coquille du châssis plutôt que de repousser le pare-choc vers l'intérieur. De cette façon, les passagers sont épargnés par les pièces qui pourraient les écraser. On a même songé aux piétons avec ce système, puisqu'il permet des formes plus arrondies, une position de moteur extrêmement basse dans le châssis et un pare-choc avant arrondi. Le résultat : si vous frappez un piéton, ses blessures seront minimisées et limitées aux jambes uniquement. Mais, conseil d'ami, c'est le genre de principe que l'on veut bien croire sur parole, sans avoir à le tester dans la vraie vie !

UN ESPACE VIVANT

L'habitacle de cette minuscule nipponne est plus intéressant que celui de son prédécesseur. On a conservé les cadrans à la droite du conducteur, au centre de la planche de bord comme c'était le cas sur l'ancienne Echo. On a cependant laissé ces cadrans dans un angle tout à fait parallèle aux sièges. Le passager peut ainsi voir aussi bien les cadrans que le conducteur. Mais celui-ci doit parfois se tourner un peu trop pour avoir une bonne idée de ce que les compteurs indiquent. Un point faible pour la Yaris.

Les matériaux utilisés, notamment un plastique à petits carreaux, rappellent sans hésitation l'intérieur de la Echo. En revanche, on a vraiment mis beaucoup d'effort à concevoir un design moderne, et pratique. Par exemple, les boutons de contrôle de la ventilation sont installés au centre de la console. Mais au lieu d'être de gauche à droite, comme c'est toujours le cas, ils ont été disposés de haut en bas. On a ainsi pu limiter la largeur de la console, et consacrer cet espace aux jambes des occupants.

Malgré les dimensions du véhicule, ou peut-être à cause d'elles, on a voulu maximiser l'utilisation de tous les recoins. On a donc mis plus d'une douzaine de coffrets de rangement un peu partout dans l'habitacle, dont trois dans la seule planche de bord. Design oblige, on a aussi inséré des porte-verres pour passager et conducteur, mais ils sont situés aux deux extrémités de la planche, à l'avant, un endroit plutôt inhabituel et pas nécessairement ergonomique pour les placer.

Les sièges sont confortables et présentent une assise courte mais offrent un bon support. En revanche, leur tissu respire mal, et en moins de quelques minutes conducteur et passager avaient le dos moite.

Les places arrière sont évidemment limitées en espace, mais pas inconfortables pour autant. Elles pourraient aisément servir pour une randonnée d'une heure ou deux sans créer de paralysie chez ceux qui les utilisent. Bien sûr, l'espace de chargement arrière est de petite taille, mais on peut heureusement l'agrandir en abaissant les banquettes, une opération relativement facile et qui permet de porter à près de 1 000 litres la capacité de chargement.

PLEINE D'ÉNERGIE

Pour propulser le petit modèle, un moteur 4 cylindres de 1,5 litre ce qui, avouons-le, peut sembler bien peu. Pourtant, parce que l'on a bien su doser le calage variable des soupapes, il présente une accélération comparable aux rivales de même catégorie et même, légèrement supérieures. Ce qui ne signifie pas pour autant que vous serez décoiffé au départ! Le système VVT-i permet d'offrir une distribution variable en continu (et non par paliers) de la distribution en jouant sur la fermeture et l'ouverture des soupapes en fonction des conditions de conduite. Résultat : le moteur est plus disponible à tous les régimes, mais également plus propre. Développant 106 chevaux à 6000 tr/min, il offre un couple maximum de 107 livres-pied à 4200 tours. Le constructeur annonce 190 km/h en vitesse de pointe et un 0 à 100 en 9 secondes environ, tout en ayant une cote qui répond aux normes ULEV 2 en matière d'émissions polluantes.

Pour transmettre la puissance aux roues, une transmission automatique à 4 rapports à commande électronique est offerte en option. Une option cependant coûteuse pour un système dont les réactions un peu lentes handicapent sérieusement la puissance de la voiture.

En revanche, la transmission manuelle à 5 rapports est plus agréable. La course est assez courte pour être facile à manier, et on a bien étagé la puissance de façon à tirer le maximum du petit bolide. Elle s'avère donc un meilleur choix, même si elle est plus exigeante en milieu urbain, le milieu d'appartenance naturel de la Yaris.

Ce qui étonne cependant, c'est la grande manœuvrabilité et la maniabilité du petit modèle. La suspension avant à jambe de force MacPherson se marie avec la suspension arrière à poutre de torsion rigide pour faciliter la randonnée. Le résultat en slalom ou en changement brusque de trajectoire est surprenant, l'opération pouvant se faire à des vitesses de

FEU VERT

Look nouveau genre
Maniabilité dynamique
Consommation de chameau
Moteur bien adapté

FEU ROUGE

Transmission automatique lente
Coffre arrière de faible taille
Cadrans mal orientés
Freinage moyen

plus de 50 kilomètres à l'heure sans trop de roulis. On a aussi utilisé une géométrie anti-affaissement pour la disposition des suspensions, ce qui évite les transferts de poids trop brusques vers l'avant en cas de freinage d'urgence. Un freinage qui d'ailleurs est relativement court et rectiligne, malgré l'absence de système ABS de série.

Pour s'assurer de plaire à tous les styles de jeunes conducteurs, la Yaris sera offerte en version 3 et 5 portes, avec des déclinaisons CE, LE et RS, la version sportive de la famille. Les trois versions disposent d'une liste d'accessoires différente, mais ont toutes la même mécanique et les mêmes transmissions proposées.

UNE YARIS VIRTUELLE

Les gens de Toyota le disent, ce sont les jeunes qui sont visés avec la Yaris. Et surtout les jeunes Québécois, eux qui sont d'ailleurs friands de la Echo Hatchback. En octobre, dès le lancement, pour rendre l'achat encore plus attrayant, on permettra aux jeunes consommateurs de configurer eux-mêmes leur voiture via Internet. Dans les faits, plus d'une cinquantaine d'accessoires peuvent être ajoutés au véhicule.

Ainsi, par le biais du site web de Toyota, les jeunes pourront obtenir une vue en trois dimensions de leur futur véhicule, en connaître le prix détaillé, faire imprimer le tout et le porter chez le concessionnaire pour la commande. Un gadget qui démontre bien la cible visée par Toyota avec ce nouveau véhicule.

On ne peut pas vraiment parler de révolution avec la Yaris, même si le design est particulièrement réussi. Tout au plus parlera-t-on d'une évolution importante de la Echo. En revanche, elle constitue un véritable pas en avant et devrait laisser loin derrière toutes les concurrentes.

Marc Bouchard
Bertrand Godin

Photos: Toyota

TOYOTA YARIS

DONNÉES TECHNIQUES

Modèle à l'essai:	RS
Prix du modèle à l'essai:	n.d.
Échelle de prix:	n.d.
Garanties:	3 ans/60000 km, 5 ans/100000 km
Catégorie:	hatchback
Emp./Lon./Lar./Haut.(cm):	246/382,5/169,5/152,5
Poids:	950 kg
Coffre/Réservoir:	205 à 950 litres / 45 litres
Coussins de sécurité:	frontaux et latéraux (av.)
Suspension avant:	indépendante, jambes de force
Suspension arrière:	demi-ind., poutre déformante
Freins av./arr.:	disque (ABS opt.)
Antipatinage/Contrôle de stabilité:	non/non
Direction:	à crémaillère, assistée
Diamètre de braquage:	n.d.
Pneus av./arr.:	P175/65R14
Capacité de remorquage:	n.d.

GROUPE MOTOPROPULSEUR

Moteur:	4L de 1,5 litres 16s atmosphérique
Alésage et course	75,0 mm x 84,7 mm
Puissance:	106 ch (79 kW) à 6000 tr/min
Couple:	106 lb-pi (143 Nm) à 4200 tr/min
Rapport Poids/Puissance:	8,96 kg/ch (12,18 kg/kW)
Moteur électrique:	aucun
Autre(s) moteur(s):	seul moteur offert
Transmission:	traction, manuelle 5 rapports
Autre(s) transmission(s):	automatique 4 rapports
Accélération 0-100 km/h:	9,0 s (estimé)
Reprises 80-120 km/h:	8,0 s (estimé)
Freinage 100-0 km/h:	40,0 m (estimé)
Vitesse maximale:	180 km/h
Consommation (100 km):	ordinaire, 6,1 litres (estimé)
Autonomie (approximative):	738 km
Émissions de CO2:	n.d.

DANS LA MÊME CATÉGORIE

Chevrolet Aveo - Hyundai Accent - Kia Rio - Pontiac Wave - Suzuki Swift+

DU NOUVEAU EN 2006

Nouveau modèle

HISTORIQUE DU MODÈLE

1ière génération

NOS IMPRESSIONS

Agrément de conduite:	3½
Fiabilité:	nouveau modèle
Sécurité:	3
Qualités hivernales:	3½
Espace intérieur:	3½
Confort:	3

LE CHOIX DE L'ÉQUIPE

RS hatchback 5 portes

J'ATTENDRAI...

C'est cette chanson de Dalida que se chantent les inconditionnels de ce modèle qui désespèrent de voir la nouvelle Golf V débarquer un jour sur nos rives. Celle-ci est commercialisée en Europe depuis plusieurs mois alors qu'elle se fait attendre sur notre continent. Pire encore, la Jetta est arrivée sur notre marché depuis le printemps 2005. La raison de ces délais est bien simple : ce sont les Américains qui décident.

Et si vous voulez savoir, ceux-ci n'ont que faire de la Golf. Autant ce modèle est populaire au Québec, autant il joue les seconds violons au pays de l'oncle Sam. Comme le dirait Elvis Gratton : « Les Ameuricains, y s'en câl... de la Golf ». Ceux-ci n'ont que de faire d'un hatchback. D'ailleurs, lors de la présentation officielle de la Golf IV il y a quelques années, seuls les journalistes canadiens s'y intéressaient alors que nos collègues des États-Unis n'avaient d'yeux que pour la Jetta.

Depuis l'an dernier que Volkswagen nous annonce que la « V » sera commercialisée bientôt au Canada, mais c'est la seule donnée précise. Bref, votre estimation est aussi bonne que la nôtre. Au moment d'aller sous presse, nous sommes tous dans le brouillard. Nous savons cependant que la Golf IV sera toujours commercialisée cette année et qu'à part la délétion d'une couleur, tout demeure identique à l'offre de 2005. Ce qui est, soit dit en passant, un signe quasi certain que la relève est en route. Celle-ci sera d'ailleurs plus longue, plus large et plus haute tandis que la suspension arrière indépendante multibras devrait améliorer le confort et la tenue de route. Les places arrière seront également plus confortables en raison d'un empattement plus long. Bref, une voiture plus sophistiquée.

LA PETITE MEXICAINE

Puisque c'est la Golf IV qui est toujours commercialisée, mieux vaut revenir à celle-ci. Fabriquée à l'usine de Pueblo au Mexique, cette Volkswagen a déjà été l'une des chouchoutes de notre marché. Sa conception pratique, sa silhouette à part, son habitacle plus cossu que la moyenne et un agrément de conduite vraiment intéressant lui ont permis de se tailler une place enviable sur notre marché. Mais les choses ont changé au cours des dernières années alors que sa popularité a sérieusement décliné, essentiellement en raison d'un manque de fiabilité ou d'un produit vieillissant. Mais la fiabilité inférieure à la moyenne de plusieurs produits Volkswagen a irrité plusieurs propriétaires. D'ailleurs, à quelques reprises, certains essais routiers de produits de cette marque ont du être annulés en raison d'une voiture qui avait des ennuis mécaniques... Le pire dans cette situation, c'est que la plupart de ces inconvénients étaient causés par des capteurs fautifs ou quelque broutille du genre. D'ailleurs, au cours de la dernière année, les choses semblent s'être améliorées.

Malgré tout, alors que presque tous les autres manufacturiers assemblent des véhicules au Mexique sans que personne ne vienne mettre en doute leur qualité ou leur fiabilité, les petites allemandes « Made in Mexico » ont

FEU VERT

Agrément de conduite
Moteur 1,9 TDi
Sièges avant confortables
Bonne tenue de route

FEU ROUGE

Modèle en fin de série
Fiabilité problématique
Moteur 2 litres bruyant
Prix élevés (GTi)

toujours une réputation trouble. Il semble toutefois que ce ne soit pas les origines mexicaines elles-mêmes des voitures qui soient la cause des ennuis mécaniques qui ont amené cette réputation, mais les fournisseurs de pièces surtout. Et celles-ci ne sont pas nécessairement «Hecho in Mexico».

GOLF OU GTI

Lorsque vous parlez à quelqu'un de la Golf, celle-ci s'exclame presque spontanément: «Mais elle est trop chère!» Ce qui n'est pas nécessairement vrai. La gamme de ce hatchback est en fait divisée en deux familles, la Golf proprement dite et celle de la GTi. Cette dernière est le modèle le plus luxueux et le plus onéreux de la famille. Il peut être livré avec le moteur quatre cylindres de 1,8 litre turbo de 180 chevaux ou encore le moteur V6 2,8 litres de 200 chevaux. Des deux, le quatre cylindres est plus intéressant en étant plus léger et permettant à la voiture de conserver son agilité. Le V6 bénéficie d'un avantage de 20 chevaux et d'un couple supérieur, ce qui peut plaire à certains. Mais il faut s'attendre à payer environ 30000$. Étant donné que l'arrivée de la nouvelle génération, il faut être optimiste, aura un effet négatif sur la valeur de revente de la Golf, il sera sans doute plus avantageux de se tourner vers les modèles plus économiques que sont les CL, GL et GLS. Elles se vendent entre 20000$ et 24000$, ce qui est déjà pas mal compte tenu des capacités routières de cette voiture. Deux moteurs sont au programme, l'incontournable moteur 2,0 litres qui est probablement l'équivalent chez Volkswagen du moteur V6 3,8 litres chez Buick. Plus rugueux que la moyenne, il est tout de même robuste et ses 115 chevaux font sentir leur présence même si la plupart des modèles concurrents ont une motorisation beaucoup plus musclée. Mais Volkswagen détient un as dans sa manche avec le moteur turbodiesel 1,9 litre TDI de 100 chevaux. Non seulement sa consommation de gazole est faible, mais ses prestations sont loin d'être anémiques. Si jamais vous désirez combiner économie de carburant à une conduite vraiment agréable, la Golf TDi est sur mesure pour vous. Avec une consommation moyenne de moins de 5,0 litres aux 100 km, vous ferez des envieux. Et ce modèle a de meilleures chances de conserver sa valeur si le prix de l'essence continue de faire des siennes.

En terminant, peu importe le modèle choisi, vous ne pourrez que louanger la tenue de route, le plaisir de conduire et un habitacle bien pensé et confortable. Dommage que des peccadilles aient entaché sa réputation.

Denis Duquet

Photos: Volkswagen

DONNÉES TECHNIQUES

Modèle à l'essai:	GL TDI
Prix du modèle à l'essai:	24995$
Échelle de prix:	18995$ à 36000$
Garanties:	4 ans/80000 km, 5 ans/100000 km
Catégorie:	hatchback
Emp./Lon./Lar./Haut.(cm):	251/419/173,5/144
Poids:	1331 kg
Coffre/Réservoir:	500 à 1180 litres / 55 litres
Coussins de sécurité:	frontaux et latéraux (av.)
Suspension avant:	indépendante, jambes de force
Suspension arrière:	indépendante, poutre de torsion
Freins av./arr.:	disque (ABS)
Antipatinage/Contrôle de stabilité:	opt./opt.
Direction:	à crémaillère, assistée
Diamètre de braquage:	10,9 m
Pneus av./arr.:	P195/65R15
Capacité de remorquage:	454 kg

GROUPE MOTOPROPULSEUR

Moteur:	4L de 1,9 litres 8s turbodiesel
Alésage et course	79,5 mm x 95,5 mm
Puissance:	100 ch (75 kW) à 4000 tr/min
Couple:	177 lb-pi (240 Nm) à 2400 tr/min
Rapport Poids/Puissance:	13,31 kg/ch (17,75 kg/kW)
Moteur électrique:	aucun
Autre(s) moteur(s):	4L 1,8 l 180ch à 5500tr/mn et 173lb-pi à 3200tr/mn (turbo), 4L 2,0 l 115ch à 5200tr/mn et 122lb-pi à 2600tr/mn
Transmission:	traction, manuelle 5 rapports
Autre(s) transmission(s):	manuelle 6 rapports (GTI) / semi-auto. 5 rapports
Accélération 0-100 km/h:	13,0 s
Reprises 80-120 km/h:	10,7 s
Freinage 100-0 km/h:	40,2 m
Vitesse maximale:	185 km/h
Consommation (100 km):	diesel, 6,2 litres
Autonomie (approximative):	887 km
Émissions de CO2:	2992 kg/an

DANS LA MÊME CATÉGORIE

Chevrolet Cobalt - Ford Focus - Honda Civic - Hyundai Elantra - Mazda 3 - Mitsubishi Lancer - Nissan Sentra - Ponriac Pursuit - Toyota Corolla

DU NOUVEAU EN 2006

Aucun changement majeur, abandon de certaines couleurs

HISTORIQUE DU MODÈLE

4ème génération

NOS IMPRESSIONS

Agrément de conduite:	🚗🚗🚗½
Fiabilité:	🚗🚗🚗
Sécurité:	🚗🚗🚗½
Qualités hivernales:	🚗🚗🚗½
Espace intérieur:	🚗🚗🚗½
Confort:	🚗🚗🚗½

LE CHOIX DE L'ÉQUIPE

GL TDI

À LA RECHERCHE DU TEMPS PERDU

La nouvelle Jetta a comme mission de renverser la vapeur et d'endiguer la perte de vitesse connue par Volkswagen, dont les ventes en Amérique du Nord ont chuté de plus de 18 pour cent dans les quatre premiers mois de 2005. Cette contre-performance s'ajoute à la perte de 1 milliard d'euros enregistrée sur les opérations de la marque allemande en Amérique du Nord en 2004, situation qui a été qualifiée de « catastrophe » par Bernd Pischetsrieder, président et chef de la direction du groupe Volkswagen.

C'est donc toute une mission qui attend la nouvelle Jetta qui jouit toujours d'une belle cote de popularité au Québec où la marque compte de nombreux fidèles, et ce, malgré son dossier mitigé en ce qui a trait à la fiabilité. Pour l'heure, la Jetta ne se décline qu'en berline, le lancement d'un modèle de type familial sport à traction intégrale, qui ne portera probablement pas le même nom, n'étant prévu qu'en 2007. Par ailleurs, Volkswagen prévoit lancer un total de neuf véhicules, dont certains seront des variantes ou des déclinaisons de modèles connus, dans les dix-huit prochains mois.

Assemblé à l'usine de Puebla au Mexique, le modèle de cinquième génération présente des dimensions qui ont considérablement augmenté en longueur, en largeur ainsi qu'en hauteur, et l'empattement a également progressé ce qui permet à la nouvelle Jetta de proposer plus de dégagement pour les jambes des passagers qui montent à l'arrière, bien qu'elle ne soit pas aussi spacieuse à cet endroit qu'une Mazda 3. Avec son nouveau gabarit, le nouveau modèle s'inscrit en concurrence directe avec les rivales établies, mais il rejoint également un plateau plus élargi attendu que sa mission consiste maintenant à affronter les Honda Accord et Toyota Camry. Le volume du coffre est aussi en hausse puisqu'il atteint presque la barre des 460 litres, ce qui est énorme, mais rehausse son côté pratique. Sur le plan technique, la Jetta de cinquième génération a été élaborée sur une plate-forme qui est plus rigide de 15 pour cent par rapport à celle utilisée pour l'ancien modèle. Cependant, cette rigidité accrue est accompagnée d'un poids qui est maintenant plus élevé d'environ 150 kilos, ce qui a une incidence directe sur l'agilité de la voiture, sans parler de la consommation de carburant, en hausse de 1,2 litre aux 100 kilomètres dans le cas du modèle animé par le nouveau moteur à essence de 5 cylindres, selon Transports Canada.

La motorisation de la Jetta a donc été modernisée en faisant appel à l'une des célèbres marques récemment intégrées dans le giron du groupe Volkswagen, puisque le désuet quatre cylindres de 2,0 litres fait désormais place à un moteur cinq cylindres dérivé de celui qui équipe la Lamborghini Gallardo. Avant de vous emballer à la seule pensée de disposer d'une Jetta armée d'un moteur de 250 chevaux (le V10 de la Gallardo en développe 500), précisons que la puissance du nouveau moteur cinq cylindres de 2,5 litres n'atteint que 150 chevaux et que les similitudes entre ces deux moteurs se limitent à la course et l'alésage qui sont identiques, de même qu'à la culasse de 20 soupapes à calage variable qui est faite en aluminium.

FEU VERT

Rigidité du châssis
Nouveau moteur de 150 chevaux
Voiture plus spacieuse
Volume du coffre

FEU ROUGE

Poids élevé
Pneus d'origine pas très performants
Fiabilité inconnue
Version familiale en 2007 seulement

Comme le poids de la voiture est en hausse, les performances en accélération ne sont pas spectaculaires malgré le fait que le nouveau moteur développe 40 chevaux de plus que l'ancien. Cependant, la nouvelle Jetta est très agréable à conduire en raison de la souplesse de ce nouveau moteur dont la plage de couple est élargie par rapport à celle du moteur de l'ancien modèle. Au volant de la nouvelle Jetta, on perçoit moins l'agilité et la tenue de route sportive qui a fait la marque des générations précédentes puisque le comportement routier du modèle actuel s'approche plus de celui d'une berline compacte de luxe. En effet, lorsque l'on pousse un peu dans les virages, on atteint rapidement la limite de la monte pneumatique d'origine dont l'adhérence laisse un peu à désirer. La nouvelle Jetta est donc plus lourde, plus bourgeoise, et un peu moins sportive en raison notamment d'une direction qui communique moins directement les sensations de la route.

Ceux et celles qui sont à la recherche de performances plus relevées devront donc se rabattre sur les modèles animés par le moteur 4 cylindres de 2,0 litres avec turbocompresseur qui développe 200 chevaux, alors que les adeptes de l'économie de carburant sont toujours servis par le 4 cylindres turbodiésel de 1,9 litre dont la consommation est très frugale ce qui autorise une autonomie frisant les mille kilomètres sur la grand-route avec un seul plein.

Pour ce qui est du style, la nouvelle Jetta affiche une nouvelle calandre ornée d'une bande de chrome, ce qui lui donne une présence plus assurée, mais il est toutefois regrettable que les feux arrière ressemblent à ce point à ceux d'une Toyota Corolla. Du côté de l'habitacle et de la présentation intérieure, précisons que la qualité des matériaux et de l'assemblage est en hausse et que l'ergonomie ne prête pas flanc à la critique, les principales commandes et les indicateurs étant disposés logiquement. Aussi, une touche de luxe est ajoutée par les compteurs cerclés d'argent qui demeurent illuminés de bleu la nuit.

La nouvelle Jetta a beau posséder de nombreuses qualités, est-ce que ce sera suffisant pour convaincre les acheteurs de délaisser les valeurs sûres de la catégorie pour tenter l'aventure en Volkswagen? Une chose est certaine, la Jetta de cinquième génération devra faire preuve d'un bilan de fiabilité sans tache, c'est donc une histoire à suivre.

Gabriel Gélinas

Photos: Alain Morin

VOLKSWAGEN JETTA

DONNÉES TECHNIQUES

Modèle à l'essai:	2,5 berline
Prix du modèle à l'essai:	24975$
Échelle de prix:	24975$ à 28800$
Garanties:	4 ans/80000 km, 5 ans/100000 km
Catégorie:	berline compacte/familiale
Emp./Lon./Lar./Haut.(cm):	258/455/176/146
Poids:	1490 kg
Coffre/Réservoir:	460 litres / 55 litres
Coussins de sécurité:	frontaux et latéraux (av.)
Suspension avant:	indépendante, jambes de force
Suspension arrière:	indépendante, multibras
Freins av./arr.:	disque (ABS)
Antipatinage/Contrôle de stabilité:	opt. / opt.
Direction:	à crémaillère, assistance variable électrique
Diamètre de braquage:	10,9 m
Pneus av./arr.:	P205/55R16
Capacité de remorquage:	n.d.

Pneus d'origine MICHELIN

GROUPE MOTOPROPULSEUR

Moteur:	5L de 2,5 litres 20s atmosphérique
Alésage et course	82.5 mm x 92.8 mm
Puissance:	150 ch (112 kW) à 5,000 tr/min
Couple:	170 lb-pi (231 Nm) à 3,750 tr/min
Rapport Poids/Puissance:	9.93 kg/ch (13.55 kg/kW)
Moteur électrique:	aucun
Autre(s) moteur(s):	4L 2,0 l 200ch à 5500tr/mn et 207lb-pi à 1800 à 4700tr/mn (turbo Jetta GLI), 4L 1,9 l 100ch à 4000tr/mn et 177lb-pi à 1800 à 2400tr/mn (TDI)
Transmission:	traction, manuelle 5 rapports
Autre(s) transmission(s):	semi-auto. 6 rapports
Accélération 0-100 km/h:	9,4 s
Reprises 80-120 km/h:	6,7 s
Freinage 100-0 km/h:	38,5 m
Vitesse maximale:	190 km/h (estimé)
Consommation (100 km):	ordinaire, 9,5 litres
Autonomie (approximative):	579 km
Émissions de CO2:	4080 kg/an

DANS LA MÊME CATÉGORIE

Chevrolet Cobalt - Ford Focus - Honda Civic - Mazda 3 - Mitsubishi Lancer - Nissan Sentra

DU NOUVEAU EN 2006

Tout nouveau modèle

HISTORIQUE DU MODÈLE

5ième génération

NOS IMPRESSIONS

Agrément de conduite:	4
Fiabilité:	nouveau modèle
Sécurité:	4
Qualités hivernales:	4
Espace intérieur:	3½
Confort:	3½

LE CHOIX DE L'ÉQUIPE

Jetta 2,5

LA COCCINELLE ET LE CHAT

Mon chat aime les coccinelles. Dès qu'il le peut, il abat une de ses pattes (je n'ai jamais pu déterminer s'il était gaucher ou droitier) sur une de ces mignonnes bestioles. L'étourdie bibitte se retrouve alors dans sa gueule où elle se fait mâcher le popotin. Mais comme il en a déjà beaucoup mangé, il n'aime plus le goût de la «coccinellus maisonnus». Il la recrache, joue avec un peu et la laisse là, morte et pleine de bave. Remplacez le chat par l'attrait de la nouveauté et vous aurez l'histoire de la New Beetle…

Si en Amérique les gens ne se sont pas encore trop lassés de la New Beetle, il en va autrement en Europe où ses ventes périclitent à vue d'œil. Pour contrer cette tendance, Volkswagen nous arrive avec une New Beetle très légèrement révisée. La «new New Beetle» 2006 reprend des éléments vus sur le prototype Ragster dévoilé au Salon de l'auto de Detroit en janvier 2005. À vrai dire, ce prototype affichant une ligne de toit résolument différente se voulait infiniment plus intéressant que les quelques menues modifications apportées à la voiture de production. Mais on peut comprendre que Volkswagen s'est un peu peinturé dans le coin en créant une voiture aussi typée et reprenant autant d'éléments visuels à la Beetle originale. Apporter des modifications à la récente Coccinelle équivaut à renier le design original, ce que ne pardonneraient jamais les vrais amateurs de Beetle. C'est donc au Salon de l'auto de Francfort que la «nouvelle» Beetle de production fait son apparition.

Au moment d'écrire ces lignes, fin août, nous ne savons donc pas grand-chose de la Beetle en devenir. On remarque des contours de passages de roue plus équarris, de nouveaux pare-chocs avant et arrière, des phares plus ovoïdes et des feux arrière modifiés. L'habitacle reçoit des jauges différentes et les accents de chrome sont plus nombreux. C'est cependant au niveau de la motorisation que les choses se précipitent. Le moteur de base, très moderne cinq cylindres 2,5 litres qui officie dans la nouvelle Jetta remplacerait l'ignominieux 2,0 litres. On chuchote, dans les conversations hautement édifiantes de journalistes automobiles, que le 1,8 Turbo laisserait sa place au 2,0 litres turbo qui se retrouve déjà dans les Jetta ainsi que Audi A3 et A4. Le 1,9 TDI (turbo diesel) continuerait son petit, mais apprécié, bonhomme de chemin.

LA JETTA PAR EXEMPLE

Mais qu'est-ce que tout cela donnera sur la route? Prophètes nous ne sommes pas, mais nous pouvons tout de même extrapoler un peu… Le moteur cinq cylindres de 2,5 litres qui anime les versions de base de la nouvelle Jetta nous permet de constater qu'il s'agit d'une très nette amélioration par rapport au 2,0 litres. Ce 2,5 litres n'est pas une bombe, n'est pas le plus doux et émet à froid un son de boîte de conserve mais ses 150 chevaux assurent des accélérations correctes. La New Beetle, notamment en version cabriolet, étant généralement un peu plus lourde que la Jetta, on peut s'attendre à quelques dixièmes de moins. C'est surtout au chapitre des reprises que ce moteur se démarque puisque son couple de 170 livres-pied est présent dès 3750 tours/minute. De plus,

FEU VERT

Moteurs mieux adaptés
Moteur 1,9 TDI
Cabriolet soigneusement construit
Comportement routier agréable
Silhouette intacte

FEU ROUGE

Changements trop mineurs
Coffre arrière ridicule
Places arrière infimes
Fiabilité encore problématique
Finition peu professionnelle

sa consommation d'essence ordinaire ne nous a pas impressionnés, ni en bien ni en mal. Mais, je le répète encore une fois, nous parlons ici de la Jetta.

Le quatre cylindres de 2,0 litres turbo développe, lui, pas moins de 200 chevaux. Plaisir en perspective! Dire que l'an dernier le moteur le plus puissant faisait à peine 150 chevaux. Pour ceux qui trouvent inconcevable de donner leur paie aux pétrolières, il y a aussi le quatre cylindres 1,9 TDI dont la moyenne se situe aux alentours de 5,5 litres aux cent kilomètres. Les performances se calculent avec une horloge plutôt qu'avec un chronomètre, mais on a de moins en moins les moyens d'avoir du fun... Ce moteur était auparavant réservé au coupé. Le demeurera-t-il? Remarquez que son côté économique ne rime pas nécessairement avec la jolie frimousse du cabriolet. Nous verrons bien!

Le comportement routier ne devrait pas changer du tout au tout. Au châssis rigide sont accrochées des suspensions axées plus vers la tenue de route que sur le confort. Les pneus de 17" de l'actuelle version turbo ne font d'ailleurs rien pour aider la situation. Les pneus de 16" des autres livrées sont mieux adaptés à notre superbe réseau routier... La direction est précise et son feedback demeure l'un des mieux sentis sur le marché. Quant aux freins, ils se montrent à la hauteur, peu importe les circonstances.

Nouvelle ou pas, la New Beetle ne gâte pas toujours ses occupants. Les places arrière, entre autres, sont pratiquement inexistantes et le coffre à gants est sans doute plus grand que le coffre arrière! Le cabriolet demeure inlassablement populaire auprès de la gent féminine, mais je parierais que la personne la plus douce sur terre perdra patience et sacrera comme un bûcheron lorsqu'elle tentera d'installer le couvre-capote... Mentionnons par contre que ce toit en toile est très bien exécuté et que son étanchéité a fait ses preuves. Pour la visibilité arrière, cependant, on repassera...

En attendant un tout nouveau modèle d'ici deux ou trois ans, ou tout simplement son retrait, Volkswagen nous fait patienter avec cette minirévision. Souhaitons que cela fonctionne et que la fiabilité soit au rendez-vous, ce qui n'a pas toujours été le cas chez Volkswagen...

Alain Morin

Photos: Volkswagen

DONNÉES TECHNIQUES

Modèle à l'essai:	1,8T cabriolet (2005)
Prix du modèle à l'essai:	38420$ - 2005
Échelle de prix:	23910$ à 38420$ - 2005
Garanties:	4 ans/80000 km, 5 ans/100000 km
Catégorie:	coupé/cabriolet
Emp./Lon./Lar./Haut.(cm):	251/408/172/150
Poids:	1439 kg
Coffre/Réservoir:	201 litres / 55 litres
Coussins de sécurité:	frontaux et latéraux (av.)
Suspension avant:	indépendante, jambes de force
Suspension arrière:	demi-ind., poutre déformante
Freins av./arr.:	disque (ABS)
Antipatinage/Contrôle de stabilité:	oui/opt.
Direction:	à crémaillère, assistée
Diamètre de braquage:	10,9 m
Pneus av./arr.:	P225/45R17
Capacité de remorquage:	non recommandé

Pneus d'origine MICHELIN

GROUPE MOTOPROPULSEUR

Moteur:	4L de 1,8 litre 20s turbocompressé
Alésage et course	81,0 mm x 86,4 mm
Puissance:	150 ch (112 kW) à 5800 tr/min
Couple:	162 lb-pi (220 Nm) de 2200 à 4200 tr/min
Rapport Poids/Puissance:	9,59 kg/ch (12,85 kg/kW)
Moteur électrique:	aucun
Autre(s) moteur(s):	4L 1,9 l 100ch à 4000tr/mn et 177lb-pi à 2400tr/mn (2005), 4L 2,0 l 115ch à 5200tr/mn et 122lb-pi à 2600tr/mn (2005), 5L 2,5 l 150ch à 5000tr/mn et 170lb-pi à 3750tr/mn (à venir)
Transmission:	traction, automatique 6 rapports
Autre(s) transmission(s):	manuelle 5 rapports
Accélération 0-100 km/h:	9,4 s
Reprises 80-120 km/h:	6,8 s
Freinage 100-0 km/h:	38,7 m
Vitesse maximale:	210 km/h
Consommation (100 km):	ordinaire, 10,3 litres
Autonomie (approximative):	534 km
Émissions de CO2:	3974 kg/an

DANS LA MÊME CATÉGORIE

Chrysler PT Cruiser - Mini Cooper

DU NOUVEAU EN 2006

Parties avant et arrière redessinées, moteurs 2,0 et 1,8T abandonnés, nouveau moteur 5 cyl 2,5 litres

HISTORIQUE DU MODÈLE

1[ière] génération

NOS IMPRESSIONS

Agrément de conduite:	3½
Fiabilité:	2
Sécurité:	4
Qualités hivernales:	3½
Espace intérieur:	2
Confort:	3½

LE CHOIX DE L'ÉQUIPE

Coupé 2,5 litres

GROSSE JETTA OU PETITE PHAETON ?

Si le dessin de la dernière Jetta ne passe pas la rampe, que dire de celui du modèle au-dessus dans la gamme Volkswagen, la Passat ? Entièrement remaniée pour 2006, cette dernière reprend le look familial instauré par la luxueuse Phaeton mais, pour une raison qui nous échappe, cette ligne sied mieux à une voiture grand format. Tant pour la Jetta que la Passat, l'arrière gêne par sa ressemblance avec l'ennuyeuse Toyota Corolla, l'antithèse du plaisir de conduire. Quant à l'avant, la calandre bourrée de chrome est particulièrement vulnérable aux plus petites touchettes. Mais qu'en est-il du reste ?

Revue de fond en comble, la Passat de nouvelle génération bénéficie de motorisations différentes (à l'exception du TDI) et d'un châssis modifié de Golf / Jetta plutôt que d'une base Audi. Même si l'appellation 4Motion continuera à être utilisée plus tard, le système sera différent et fera appel à une traction intégrale Haldex de fabrication suédoise en raison de la présence d'un moteur transversal au lieu de longitudinal. On a affaire à un 4 cylindres de 2 litres et 200 chevaux qui, dans ma voiture d'essai, livrait sa puissance aux roues avant via une transmission automatique à six rapports, le même nombre que la boîte manuelle également offerte. VW garde en réserve un nouveau VR6 3,6 litres de 280 chevaux qui viendra éventuellement transformer la Passat en une authentique berline sport.

Si cette récente Passat dégage une certaine opulence, c'est qu'elle a pris du gallon avec des dimensions accrues dans tout les sens et un équipement optionnel capable d'en faire une intermédiaire de luxe. Elle entend d'ailleurs se mesurer à des concurrentes bien nanties comme la Toyota Avalon et la Nissan Maxima, s'il faut en croire les communiqués de VW. Fort heureusement, le modèle essayé était plus modeste dans ses prétentions.

UN COUPLE EN BAGARRE

En changeant de châssis, la Passat a aussi troqué sa suspension un peu désuète pour un système multi-bras à l'arrière et des jambes de force MacPherson à l'avant. Ces dernières n'arrivent pas cependant à éliminer complètement l'effet de couple ressenti dans le volant lors d'une solide accélération. À ce propos, la voiture s'acquitte du 0-100 km/h en 8,1 secondes et ne met pas plus de 6,3 secondes à rallier les 120 km/h à partir de 80 km/h. Malgré la présence d'un turbocompresseur, le temps de réponse (délai entre l'enfoncement de l'accélérateur et l'application de la puissance) est quasi inexistant. La suralimentation n'a pas non plus d'effet négatif sur la consommation qui demeure très raisonnable pour une voiture qui a tout de même beaucoup grandi. Comptez sur une moyenne de 9 litres aux 100 km avec des pointes à 10,5 en ville et un rassurant 7,8 litres aux 100 km à une vitesse respectueuse sur autoroute.

J'avais toujours trouvé la suspension de la Passat un peu flasque pour pouvoir se prêter à une conduite sportive mais, la version 2006 offre la juste combinaison entre une tenue de route sûre et un confort pratiquement irréprochable. L'impression de solidité que confère un châssis parfaitement rigide (57 % plus qu'avant, selon VW) est belle et bien présente, quoique certains petits bruits provenant de l'assemblage des garnitures intérieures

FEU VERT

Tenue de route soignée
Moteur agréable
Consommation raisonnable
Confort appréciable
Habitabilité exceptionnelle

FEU ROUGE

Effet de couple
Calandre vulnérable
Réception radio médiocre
Fiabilité inconnue

viennent occasionnellement rompre le silence dans l'habitacle. Celui-ci est on ne plus vaste et il suffira de s'installer sur la banquette arrière pour avoir l'impression de prendre place dans une limousine tellement l'espace pour les jambes est généreux. Et que dire de l'immense coffre à bagages (avec un sac à skis) dont le volume dépasse celui d'une Mercedes de Classe E ou une BMW de Série 5. Il s'agrémente aussi de casiers de rangement placés dans les ailes dans lesquels on peut déposer de petits objets sans s'exposer à les voir jouer à cache-cache dans le coffre au premier virage. Le dessin des sièges mérite aussi une mention spéciale grâce à ce coussin qui se prolonge vers l'avant pour mieux supporter les cuisses.

BIEN ET MOINS BIEN

Si la nouvelle Passat veut graduer dans une catégorie supérieure, elle devra accorder un peu plus d'attention à certains détails comme l'appareil de radio souvent envahi par les parasites dans la voiture mise à l'essai. En plus, le plastique gris aluminium qui habille la console centrale n'est pas d'une très grande qualité pour une automobile qui entend faire carrière dans le haut de gamme. Heureusement, la grille chromée qui accueille le levier de vitesses apporte une touche de luxe qui est une vraie bouffée de fraîcheur. En plus, la marque allemande a su résister à la tendance courante d'inonder la radio et la climatisation d'une nuée de commandes pas toujours faciles à identifier ou à régler. On note aussi la présence d'un profond vide-poche central et de nombreux autres espaces de rangement très utiles.

Une des caractéristiques de cette nouvelle Volkswagen est sa clef électronique qu'il suffit d'avoir dans ses poches ou son sac à main pour déverrouiller la portière du conducteur. Il ne reste plus qu'à l'insérer dans le contact et de la pousser vers le fond pour que le moteur s'anime. Finalement, si vous angoissez chaque fois que vous devez immobiliser votre véhicule en haut d'une pente en attendant le feu vert, vous apprécierez le frein d'urgence de la Passat qui se limite à un petit bouton qu'il suffit d'enfoncer pour mettre la voiture en mode «Auto hold». Ce n'est pas nouveau mais fort pratique.

En dépit des apparences, la Passat 2.0 T 2006 n'a rien d'une Phaeton et ressemble davantage à une Jetta qui aurait quitté l'adolescence pour passer à l'âge adulte. En admettant qu'elle soit plus grande, plus confortable et plus raffinée, il ne reste plus qu'à espérer qu'elle saura vieillir en beauté.

Jacques Duval

Photos : Volkswagen

DONNÉES TECHNIQUES

Modèle à l'essai :	Berline 2,0T
Prix du modèle à l'essai :	n.d.
Échelle de prix :	30190$ à 45650$ - 2005
Garanties :	4 ans/80000 km, 5 ans/100000 km
Catégorie :	berline intermédiaire/familiale
Emp./Lon./Lar./Haut.(cm) :	271/478/182/147
Poids :	1517 kg
Coffre/Réservoir :	402 litres / 70 litres
Coussins de sécurité :	frontaux, latéraux (av.), rideaux
Suspension avant :	indépendante, jambes de force
Suspension arrière :	indépendante, multibras
Freins av./arr. :	disque (ABS)
Antipatinage/Contrôle de stabilité :	oui/opt.
Direction :	à crémaillère, assistance variable
Diamètre de braquage :	10,9 m
Pneus av./arr. :	P215/55R16
Capacité de remorquage :	n.d.

GROUPE MOTOPROPULSEUR

Moteur :	4L de 2,0 litres 16s turbocompressé
Alésage et course	82,5 mm x 92,8 mm
Puissance :	200 ch (149 kW) à 5100 tr/min
Couple :	207 lb-pi de 1800 à 5000 tr/min
Rapport Poids/Puissance :	7,59 kg/ch (10,32 kg/kW)
Moteur électrique :	aucun
Autre(s) moteur(s) :	V6 3,6 l 280ch à 6200tr/mn et 265lb-pi à 2750tr/mn (à venir)
Transmission :	traction, automatique 6 rapports
Autre(s) transmission(s) :	manuelle 6 rapports / intégrale, automatique 6 rapports
Accélération 0-100 km/h :	8,1 s
Reprises 80-120 km/h :	6,3 s
Freinage 100-0 km/h :	41,3 m (estimé)
Vitesse maximale :	210 km/h (estimé)
Consommation (100 km) :	super, 9,0 litres
Autonomie (approximative) :	778 km
Émissions de CO2 :	5184 kg/an

DANS LA MÊME CATÉGORIE

Audi A4 - BMW Série 3 - Honda Accord - Mazda 6 - Nissan Altima - Toyota Camry

DU NOUVEAU EN 2006

Nouveau modèle

HISTORIQUE DU MODÈLE

5ième génération

NOS IMPRESSIONS

Agrément de conduite :	
Fiabilité :	nouveau modèle
Sécurité :	
Qualités hivernales :	
Espace intérieur :	
Confort :	

LE CHOIX DE L'ÉQUIPE

Berline 2,0

L'IMPORTANCE DES MARQUES

La fille d'une de mes amies vous le confirmera. Si ce n'est pas du Hugo Boss ou, au moins une griffe reconnue, ça ne vaut même pas la peine d'envisager l'achat d'un produit, point à la ligne. Volkswagen a mis sur le marché, en 2003, une des meilleures voitures de prestige qui soient. Mais voilà que, pour la grande majorité des gens ayant les moyens de s'acheter une telle voiture, Volkswagen n'est pas une marque de prestige. D'ailleurs, en français, Volkswagen veut dire «voiture du peuple». Aussi bien apposer une étiquette du Tigre Géant sur des pantalons achetés chez Armani...

Axel Mees, le responsable du groupe Volkswagen/Audi aux États-Unis l'avait dit clairement: «La Phaeton est une erreur». Malencontreusement, et tout à fait par hasard, il perdait son emploi quelques jours plus tard. Mais, mince consolation pour ce bon vieux Axel, lors du dernier Salon de l'auto de Detroit, Bernd Pischetsrieder, désormais grand patron de Volkswagen l'a confirmé, la Phaeton résulte d'un manque de jugement. Qu'une entreprise se lance à l'assaut d'un créneau lucratif qu'elle n'avait jusqu'alors jamais exploré, soit. Mais qu'elle concurrence un des produits d'une entreprise à laquelle elle est intimement liée, c'est une autre histoire! Cette autre voiture, c'est la Audi A8. Certes, les différences entre les deux modèles sont nombreuses, à commencer par le châssis et la carrosserie tout alu de la Audi alors que ces mêmes éléments sont en acier sur la Phaeton, lui imposant ainsi un poids supplémentaire. Quoiqu'il en soit, et même si la Phaeton respire le prestige et le luxe, il lui manquera toujours quatre anneaux sur le coffre arrière pour faire vraiment bonne impression.

Quoi qu'on en dise, la Phaeton est toute une bagnole! Premièrement, elle en impose par ses dimensions extérieures et le classique de ses lignes. Je ne sais pas si ce sont ces attributs ou son histoire pour le moins pathétique, mais durant notre semaine d'essai les gens se retournaient sur notre passage ou n'hésitaient pas à se pencher pour regarder à l'intérieur. Parlant d'intérieur, mentionnons que l'habitacle étonne par sa sobriété, son luxe, son confort et son raffinement. Les bois véritables, les cuirs fins parfaitement reliés entre eux, les quelques plastiques d'une qualité rarement vue et l'assemblage rien de moins que parfait épatent l'œil qui prend le temps de s'y arrêter. Tous les sièges de notre Phaeton d'essai étaient, bien entendu, réglables électriquement dans une infinité (enfin presque!) de positions et possédaient le chauffage, la climatisation et l'intéressante fonction «massage». Le soutien lombaire, l'appuie-tête et la hauteur des ceintures étaient réglables électriquement. Les deux places arrière, elles, méritaient à peu près les mêmes éléments en plus de présenter un dégagement pour les jambes suffisant pour y placer une paire de béquilles si jamais le président de la compagnie se cassait une jambe. Cependant, le dossier de cette banquette ne se replie pas pour agrandir le volume du coffre, au demeurant peu profond mais d'excellentes dimensions tout de même. On ne retrouve entre les deux volumes qu'une trappe à skis munie d'un grand sac pour que lesdits skis ne s'égouttent pas dans l'habitacle.

Outre ces considérations bassement techniques, il faut entendre la superbe chaîne stéréo... après avoir compris comment elle fonctionne.

FEU VERT

Élégance classique
Habitacle sobre et luxueux
Confort royal
Moteurs puissants
Stabilité rassurante

FEU ROUGE

Prestige déficient
Agrément de conduite mitigé
Faible valeur de revente
Certains accessoires complexes
Poids important

Le centre d'information gère aussi une foule de paramètres grâce à un bouton placé au centre du panneau central. Ce n'est certes pas aussi complexe que le démoniaque i-drive de BMW, mais il faut s'asseoir avec son représentant (avec la commission réalisée, il doit bien avoir du temps pour ça...), question de bien assimiler toutes les subtilités du système. En passant, l'interface du système GPS n'est pas digne du prix de la voiture et les graphiques font un peu enfantins. De plus, il devient tout à fait inutile dès qu'on s'éloigne un peu trop des grands centres.

Cet ensemble de luxe possède aussi un moteur. Deux en fait. Un V8 de 4,2 litres de 335 chevaux et un fabuleux W12 de 6,0 litres de 420 purs-sangs. Si le premier assure des accélérations franches, le deuxième est carrément démentiel. Sa puissance n'arrive jamais brusquement mais elle vous colle à votre siège. Notre essai s'est déroulé avec le V8 qui, selon moi, est amplement suffisant. La sonorité qu'il émet lorsqu'il est sollicité fait plaisir à entendre et son appétit en carburant n'est, curieusement, pas très grand, compte tenu des 2500 kilos à traîner. Nous avons même réussi une moyenne de 13,0 litres aux cent kilomètres. Bien entendu, un pied droit plus lourd aurait fait augmenter ce chiffre de façon exponentielle. Le conducteur peut régler la fermeté des amortisseurs en quatre positions allant de confort à sport. En mode confort, on sent la caisse valser un peu au passage des trous et bosses qui parsèment notre réseau routier tandis que la suspension devient un peu trop ferme en mode sport. Par contre, la tenue de route est nettement rehaussée. Le compromis idéal se situe entre ces deux extrêmes.

Le poids, encore une fois, se remarque lorsqu'on aborde une courbe trop rapidement. Mais les innombrables aides électroniques, la traction intégrale et un châssis d'une rigidité exemplaire font de la Phaeton une voiture très sûre et, surtout, impériale de stabilité. Malheureusement, la direction est beaucoup trop assistée et gomme les quelques sensations qui parviennent à se frayer un chemin à travers l'insonorisation extrême du véhicule. Dommage aussi que le rayon de braquage soit si grand.

La Phaeton, malgré tous les «qu'en-dira-t-on», demeurera en production tant que sa remplaçante ne sera pas dévoilée, sans doute l'an prochain. Et on dit que, cette fois, les stylistes seront beaucoup moins conservateurs. Ils n'ont qu'à regarder ce que leurs collègues de chez Bentley ont fait avec la Continental GT!

Alain Morin

Photos: Alain Morin

DONNÉES TECHNIQUES

Modèle à l'essai:	V8
Prix du modèle à l'essai:	99600$ - 2005
Échelle de prix:	99600$ à 136520$ - 2005
Garanties:	4 ans/80000 km, 5 ans/100000 km
Catégorie:	berline de luxe
Emp./Lon./Lar./Haut.(cm):	300/517,5/190/145
Poids:	2356 kg
Coffre/Réservoir:	368 litres / 90 litres
Coussins de sécurité:	front., latéraux (av./arr.), rideaux
Suspension avant:	indépendante, bras inégaux
Suspension arrière:	indépendante, multibras
Freins av./arr.:	disque (ABS)
Antipatinage/Contrôle de stabilité:	oui/oui
Direction:	à crémaillère, assistance variable
Diamètre de braquage:	12,0 m
Pneus av./arr.:	P235/55R17
Capacité de remorquage:	n.d.

GROUPE MOTOPROPULSEUR

Moteur:	V8 de 4,2 litres 32s atmosphérique
Alésage et course	84,5 mm x 93,0 mm
Puissance:	335 ch (250 kW) à 6500 tr/min
Couple:	317 lb-pi (430 Nm) à 3500 tr/min
Rapport Poids/Puissance:	7,03 kg/ch (9,42 kg/kW)
Moteur électrique:	aucun
Autre(s) moteur(s):	W12 6,0 l 444ch à 6000tr/mn et 406lb-pi à 3250 à 4250tr/mn
Transmission:	intégrale, automatique 6 rapports
Autre(s) transmission(s):	aucune
Accélération 0-100 km/h:	7,7 s
Reprises 80-120 km/h:	5,5 s
Freinage 100-0 km/h:	33,3 m
Vitesse maximale:	206 km/h
Consommation (100 km):	super, 14,0 litres
Autonomie (approximative):	643 km
Émissions de CO_2:	6110 kg/an

DANS LA MÊME CATÉGORIE

Audi A8 - BMW Série 7 - Infiniti Q45 - Jaguar XJ8 - Lexus LS 430 - Mercedes-Benz Classe S

DU NOUVEAU EN 2006

W12 plus puissant... comme s'il ne l'était pas assez avant!, téléphonie accepte téléphones Nokia

HISTORIQUE DU MODÈLE

1ère génération

NOS IMPRESSIONS

Agrément de conduite:	4
Fiabilité:	3½
Sécurité:	4½
Qualités hivernales:	4½
Espace intérieur:	4½
Confort:	4½

LE CHOIX DE L'ÉQUIPE

W12

HISTOIRE DE MARQUE

Il est tout de même curieux de constater que nous rencontrons presque davantage de Porsche Cayenne sur nos routes que de Touareg. Pourtant, ce dernier est dérivé de la même plate-forme, se vend beaucoup moins cher et partage même son moteur V6 avec le Cayenne. Cette discrétion des ventes du Touareg, Volkswagen en est en partie responsable à la suite de sa chute libre sur le marché. Non seulement la fiabilité de la marque en a pris un coup au cours des cinq dernières années, mais ce constructeur semble toujours faire peu de cas de sa clientèle. Seule la compagnie sait faire et les autres doivent suivre le défilé... Mais le hic, c'est que le défilé est de plus en plus ténu.

Ce gros VUS a beau posséder une silhouette beaucoup plus élégante que celle du Cayenne, les gens s'en foutent un peu, car ils devront subir la compagnie et c'est de moins en moins une référence par les temps qui courent. Cela ne signifie pas pour autant que la qualité des produits en fait de conception et de comportement ne soit pas de première qualité. Mais c'est tout le reste qui fait fuir la clientèle. Nous en avons eu un autre exemple avec le Touareg qui a été offert pendant quelques mois avec un moteur turbodiesel V10 5,0 litres de 310 chevaux. Ce moteur est fabuleux et aurait probablement doute contribué à placer cette version du Touareg dans une classe à part. Malheureusement pour nous, les grands penseurs ont décidé qu'un véhicule de cette qualité devait se vendre plus de 100000$. Il est facile de deviner la suite. Les clients ont boudé le Touareg et se sont sans doute tournés vers Porsche, BMW, Cadillac ou Mercedes, si ce n'est pas Lexus ou Infiniti, alors que le prestige de ces marques va de pair avec le prix demandé.

Toujours au chapitre des moteurs, ce Volkswagen tout usage peut être équipé d'un moteur V6 dans la version moins luxueuse et d'un V8 avec la version toute garnie. Compte tenu du prix de l'essence prohibitif, plusieurs s'intéresseront au moteur V6. Heureusement, cette année, le moteur V6 voit sa puissance portée à 273 chevaux. C'est maintenant suffisant pour les deux tonnes et demie du véhicule ou ses 2404 kg. Mais en tonne ou en kilogramme, c'est lourd. La boîte est moins occupée qu'avec la version à 220 chevaux mais les passages des rapports ne s'effectuent pas tout le temps en douceur. La même chose en accélération alors que la montée de la quatrième à la cinquième est invariablement marquée par un temps d'hésitation. Enfin, ce V6 consomme plus que le moteur V8 et il exige de l'essence super! Et contrairement à Porsche, VW ne propose pas de boîte manuelle avec ce moteur. Par ailleurs, il est difficile de trouver à redire à propos du moteur V8 4,2 litres de 310 chevaux. Comme le moteur V6, il est associé à une boîte automatique à six rapports et il ne lui faut que 7,5 secondes pour réaliser le 0-100 km/h. Les reprises sont à l'avenant, ce qui en fait l'un des VUS les plus agréables sur la route et les plus performants hors route. Malheureusement, ce moteur V8 consomme environ 15 litres aux 100 km et s'abreuve de super. Reste à savoir si vous avez le caractère assez trempé et le porte-monnaie assez épais pour visiter les pompes à essence afin de ravitailler votre passe-partout germanique!

Partageant sa plate-forme avec le Porsche Cayenne, le Touareg est assez bien nanti à ce chapitre et se tire très bien d'affaire sur la route, mais il est également équipé pour passer partout ou presque. Et cette fois,

FEU VERT

Transmission intégrale efficace
Finition sérieuse
Soute à bagages géante
Efficace en hors route
Bonne tenue de route

FEU ROUGE

Moteur V6
Consommation élevée
Poids élevé
Faible diffusion
Absence de boîte manuelle

Volkswagen y est allé de son cru pour la conception de la transmission intégrale. Ce système 4Motion exclusif répartit la puissance de façon égale entre les deux essieux, tandis qu'une seconde gamme de rapports courts permet au pilote de s'aventurer sans appréhension sur les routes jugées impraticables. Puisqu'il s'agit d'un authentique VUS, les différentiels central et arrière peuvent être verrouillés. Ce système est offert en option. Mais les ingénieurs ne se sont pas arrêtés là étant donné que l'antipatinage est dédié à chaque roue alors qu'un système de retenue moteur assisté ajoute à la polyvalence. Le système de stabilité électronique est également de la partie. Autre astuce électronique facilitant les randonnées hors des sentiers, le Touareg est équipé de série d'une fonction qui limite la vitesse en descendant les côtes, et qui empêche le recul du véhicule lorsqu'on lâche la pédale de frein à l'arrêt dans une montée. Avec toute cette assistance électronique au pilotage, pas surprenant que cette Volkswagen aux larges épaules passe vraiment partout ou presque! Mais il faut également souligner que si les obstacles de la forêt ne l'effraient pas, c'est en tout confort qu'on circule.

HABITACLE RÉUSSI

Le Touareg ne surclasse pas uniquement le Porsche Cayenne par ses lignes extérieures, son habitacle est également mieux réussi. Le tableau de bord est plus sobre et moins tape-à-l'oeil tandis que la texture des plastiques est mieux choisie. En fait, la planche de bord pourrait se retrouver dans la Phaeton tant elle est BCBG. Ici, l'aluminium brossé est vraiment de l'aluminium brossé et pas du plastoc, et la finition est impeccable. En contrepartie, certaines appliques de bois m'ont paru fragiles. Une bonne note également aux sièges avant qui offrent un bon support latéral en plus d'être confortables. Par contre, la banquette arrière est trop basse de sorte que les gens de grande taille ont la tête entre les genoux. Toute cette harmonie entre les éléments est rompue avec un système de navigation par satellite et une chaîne audio qui sont complexes et pas du tout intuitifs. Comble de tout, il faut aller dans le coffre arrière, très vaste soit dit en passant, pour aller remplacer les CD dans le lecteur placé dans la soute à bagages. Allez Messieurs de Wolfsburg, nous ne sommes plus en 1996!

En résumé, le Touareg est un véhicule intéressant, vendu moins cher que le Porsche Cayenne mais qui est victime de la réputation de son constructeur.

Denis Duquet

Photos: Volkswagen

DONNÉES TECHNIQUES

Modèle à l'essai:	V8
Prix du modèle à l'essai:	69995$
Échelle de prix:	55100$ à 80185$
Garanties:	4 ans/80000 km, 5 ans/100000 km
Catégorie:	utilitaire sport intermédiaire
Emp./Lon./Lar./Haut.(cm):	285,5/475/193/173
Poids:	2404 kg
Coffre/Réservoir:	878 à 2010 litres / 100 litres
Coussins de sécurité:	frontaux, latéraux (av.), rideaux
Suspension avant:	indépendante, jambes de force
Suspension arrière:	indépendante, multibras
Freins av./arr.:	disque (ABS opt.)
Antipatinage/Contrôle de stabilité:	oui/oui
Direction:	à crémaillère, assistée
Diamètre de braquage:	11,6 m
Pneus av./arr.:	P255/55R18
Capacité de remorquage:	3500 kg

GROUPE MOTOPROPULSEUR

Moteur:	V8 de 4,2 litres 32s atmosphérique
Alésage et course	84,5 mm x 93,0 mm
Puissance:	310 ch (231 kW) à 6200 tr/min
Couple:	302 lb-pi (410 Nm) de 3,000 à 4000 tr/min
Rapport Poids/Puissance:	7,75 kg/ch (10,41 kg/kW)
Moteur électrique:	aucun
Autre(s) moteur(s):	V6 3,2 l 276ch à 5400tr/mn et n.d. lb-pi à 3200tr/mn
Transmission:	intégrale, séquentielle 6 rapports
Autre(s) transmission(s):	aucune
Accélération 0-100 km/h:	7,6 s
Reprises 80-120 km/h:	6,6 s
Freinage 100-0 km/h:	37,0 m
Vitesse maximale:	210 km/h
Consommation (100 km):	super, 15,6 litres
Autonomie (approximative):	641 km
Émissions de CO2:	6997 kg/an

DANS LA MÊME CATÉGORIE

Acura MDX - BMW X5 - Land Rover LR3 - Lexus RX 330/400h - Mercedes-Benz Classe M

DU NOUVEAU EN 2006

Abandon moteur V10, moteur V6 plus puissant, nouveaux aménagements intérieurs

HISTORIQUE DU MODÈLE

1[ière] génération

NOS IMPRESSIONS

Agrément de conduite:	🚗🚗🚗🚗
Fiabilité:	🚗🚗🚗½
Sécurité:	🚗🚗🚗🚗½
Qualités hivernales:	🚗🚗🚗🚗½
Espace intérieur:	🚗🚗🚗🚗
Confort:	🚗🚗🚗½

LE CHOIX DE L'ÉQUIPE

V8

PETITE VOITURE, GRANDE CLASSE

Les voitures du constructeur suédois Volvo ont beau être toutes semblables, elles ont un air distingué qui leur concède une certaine personnalité, impossible à négliger. On lui a pourtant souvent reproché ce petit air hautain et parfois ennuyeux. Qu'à cela ne tienne, on a voulu, en recréant la S40 l'année dernière, conserver le style Volvo mais en le rendant un peu plus moderne.

Cette fois, c'est mieux réussi, même si pour ce faire, le fabricant a complètement redessiné son petit modèle d'entrée de gamme. Rares sont ceux qui s'en plaindront.

En fait, bien que la S40 ait conservé son air distinctif, elle possède désormais un petit quelque chose de plus dans la silhouette qui la rend différente. Une Volvo nouveau genre quoi…

SPORTIVE AUSSI

Pour cette deuxième génération de sa berline d'entrée de gamme dévoilée l'an dernier (la première a été un échec), Volvo avait tout remis sur la table à dessin. On le sent dès le premier regard. Le capot avant conserve l'allure suédoise, mais les lignes plus arrondies, et la taille relativement petite de la S40 la rendent plus sympathique, moins froide que ses prédécesseures.

Sous ce capot arrondi, on retrouve au choix un moteur cinq cylindres de 2,4 litres qui livre 168 chevaux, ou un cinq cylindres turbocompressé de 2,5 litres et 218 chevaux, selon que l'on opte pour la version 2.4 ou la version T5. Ces deux voitures sont dotées, de série, d'une boîte manuelle à 5 rapports ou d'une boîte automatique optionnelle à 5 rapports avec mode manumatique Geartronic.

Dans les deux cas, le moteur réagit avec rapidité et précision, même si, jumelé à la transmission automatique, le 2,4 litres semble éprouver un peu plus de difficulté à trouver son envol. En fait, la transmission est tout simplement mieux exploitée par la version turbo que par le moteur habituel. Un phénomène plutôt rare puisque les turbo ont tendance à décoller avec un certain retard, ce que l'on ne retrouve qu'en petite dose sur cette Volvo.

AU NOM DE LA SÉCURITÉ

Champion toute catégorie de la sécurité - Volvo en fait presque sa marque de commerce - le constructeur suédois ne néglige rien non plus, même sur son modèle le moins dispendieux. Ainsi, en version T5, on peut obtenir la S40 équipée d'une traction intégrale de type Haldex, qui peut transmettre jusqu'à 95 % de la puissance aux roues avant ou arrière, selon l'adhérence de la chaussée. Le résultat est sans équivoque : la voiture offre une traction constante, peu importe les conditions.

Pour un modèle comme pour l'autre, l'équipement de sécurité comprend aussi des coussins gonflables frontaux et latéraux avant, des rideaux gonflables, des poutrelles de renforcement tubulaires entre les montants avant, des poutrelles diagonales en acier dans les portières et des

FEU VERT

Moteurs intéressants
Châssis de grande rigidité
Design intérieur innovateur
Sécurité omniprésente

FEU ROUGE

Freinage longuet
Transmission automatique lente
Peu d'espace à l'arrière
Visibilité latérale parfois ardue

montants centraux renforcés, en plus du système breveté par Volvo qui permet la répartition des forces dans la structure lors d'un impact latéral. La sécurité, en cas de collision arrière, est rehaussée par les appuie-tête «actifs» du système WHIPS qui viennent de remporter un prix pour leur côté innovateur. En matière de confort, Volvo n'a rien à envier à personne. Tout le monde s'entend pour dire que les sièges du constructeur suédois sont parmi les plus confortables à être offerts de série. On s'y enfonce, soutenu de toute part, sans jamais avoir l'impression de devoir sacrifier au confort pour obtenir une bonne position de conduite. Bon point donc pour Volvo.

Le tableau de bord se démarque lui aussi. Les matériaux sont nobles, et le design vraiment différent. Ainsi, dans la console centrale, les commandes sont apposées sur une planchette de métal qui semble flotter entre les deux sièges. On en a profité pour loger derrière un petit bac de rangement.

Sur la route, la S40 est presque sans reproches. On voudrait bien une direction un peu plus communicative, et un peu moins floue en trajectoire rectiligne, mais en général, elle obéit avec grande aisance. Le châssis très rigide, et la carrosserie autoporteuse, rendent la conduite plus facile et sans roulis. Il faut dire que la S40 partage la plate-forme de la Mazda3, et de la Ford Focus de nouvelle génération, une entité déjà éprouvée et reconnue pour ses grandes qualités. Le freinage, malgré de grandes qualités, n'est peut-être pas aussi rapide qu'on le souhaiterait en situation d'urgence, mais encore une fois, c'est plus subtil que dramatique en fait de réponse.

On ne peut parler de la S40, sans parler de sa sœur quasi jumelle, la petite familiale V50 qui partage les composantes mécaniques avec la berline. Les performances générales sont similaires, et ce n'est pas l'espace supplémentaire, rendu possible grâce à l'aménagement en familiale, qui a réellement modifié le comportement de la voiture. Tout au plus, ce nouveau design a-t-il ralenti un peu les ardeurs de la voiture en courbe, mais très légèrement.

Marc Bouchard

Photos: Volvo

DONNÉES TECHNIQUES

Modèle à l'essai:	V50 2.4i
Prix du modèle à l'essai:	34370$
Échelle de prix:	31120$ à 41120$
Garanties:	4 ans/80000 km, 4 ans/80000 km
Catégorie:	berline sport/familiale
Emp./Lon./Lar./Haut.(cm):	264/451/177/145
Poids:	1387 kg
Coffre/Réservoir:	776 à 1772 litres / 62 litres
Coussins de sécurité:	frontaux, latéraux (av.), rideaux
Suspension avant:	indépendante, jambes de force
Suspension arrière:	indépendante, multibras
Freins av./arr.:	disque (ABS)
Antipatinage/Contrôle de stabilité:	opt./opt.
Direction:	à crémaillère, assistance variable
Diamètre de braquage:	10,6 m
Pneus av./arr.:	P205/55R16
Capacité de remorquage:	900 kg

GROUPE MOTOPROPULSEUR

Pneus d'origine MICHELIN

Moteur:	5L de 2,4 litres 20s atmosphérique
Alésage et course	83,0 mm x 90,0 mm
Puissance:	168 ch (125 kW) à 6000 tr/min
Couple:	170 lb-pi (231 Nm) à 4400 tr/min
Rapport Poids/Puissance:	8,26 kg/ch (11,10 kg/kW)
Moteur électrique:	aucun
Autre(s) moteur(s):	5L 2,5 l 218ch à 5000tr/mn et 236lb-pi à 1500tr/mn
Transmission:	traction, manuelle 5 rapports
Autre(s) transmission(s):	intégrale, man. 6 rapports / automatique 5 rapports
Accélération 0-100 km/h:	7,9 s
Reprises 80-120 km/h:	5,8 s
Freinage 100-0 km/h:	38,0 m
Vitesse maximale:	195 km/h
Consommation (100 km):	super, 13,3 litres
Autonomie (approximative):	466 km
Émissions de CO2:	4465 kg/an

DANS LA MÊME CATÉGORIE

Audi A4 - BMW Série 3 - Saab 9-3 - Volkswagen Passat - Acura TL - Mercedes-Benz Classe B

DU NOUVEAU EN 2006

Pas de changement majeur

HISTORIQUE DU MODÈLE

2ième génération

NOS IMPRESSIONS

Agrément de conduite:	🚗🚗🚗🚗
Fiabilité:	🚗🚗🚗🚗
Sécurité:	🚗🚗🚗🚗½
Qualités hivernales:	🚗🚗🚗🚗
Espace intérieur:	🚗🚗🚗🚗
Confort:	🚗🚗🚗🚗

LE CHOIX DE L'ÉQUIPE

V50 T5 AWD

DU NERF ET DU CARACTÈRE

C'est vrai qu'en pensant à Volvo, le premier mot qui nous vient en tête n'est pas conduite sportive. Pourtant, le fabricant suédois a depuis plusieurs années (depuis 1995 en fait) introduit quelques modèles de sa lignée R qui ont des performances dignes des grands frissons. Et la S60 à traction intégrale n'échappe certainement pas à ces frissons. D'ailleurs, elle a été conçue pour ressembler à un coupé sport. Une idée reprise par Mercedes-Benz sur la CLS.

Au premier regard, la S60-R est une Volvo digne de la plus pure tradition suédoise. Ses lignes sont nettement proches des autres, et elle conserve le petit air un peu hautain de la famille Volvo. L'oeil averti aura cependant tôt fait de remarquer les quelques R apposés ça et là et qui définissent le vrai caractère de la voiture.

DU VRAI CARACTÈRE

Car du caractère, la S60-R en a à revendre. Son moteur de 300 chevaux doublé à une transmission manuelle de 6 vitesses permet de tirer des performances du ventre de la voiture, que l'on n'aurait jamais cru possibles d'une voiture issue d'une famille où la sécurité a toujours été la principale priorité. En fait, cette petite délinquante est une des voitures les plus puissantes jamais produites par Volvo. On s'en rend d'ailleurs rapidement compte dès que l'on s'assoit derrière le volant. Habituellement plutôt sobre et sans éclat, le tableau de bord de la S60R brille au contraire par son originalité et sa personnalité. Les cadrans à fond bleu nuit entourés d'un cercle de métal couleur aluminium sont une vraie réussite et donnent le ton à l'ensemble. La console centrale regorge d'accessoires et d'instruments faciles à utiliser dans la plupart des cas. Une seule exception peut-être, il m'a fallu quelques secondes pour comprendre avec précision comment fonctionnaient les commandes de la radio.

Juste en dessous, on retrouve le bras de vitesse de la transmission manuelle à 6 rapports qui équipe la Volvo. Encore une fois, les Suédois innovent puisque l'on a préféré mettre en place une base de levier recouverte de métal au lieu du traditionnel recouvrement de cuir. Le coup d'oeil est fort différent, et rend le tout plus moderne.

Les sièges et les garnitures sont de cuir haut de gamme. Bien que le confort soit de mise, les sièges offrent aussi une position de conduite plus sportive que la moyenne des véhicules. Et avec leurs multiples réglages, impossible de ne pas trouver la bonne façon de se placer.

Petit détail intéressant, les appuie-têtes arrière sont hauts et confortables. Ils peuvent cependant nuire un peu à la visibilité du conducteur. Qu'à cela ne tienne, une seule pression du doigt et ils se pencheront vers l'avant, libérant la vue. Évidemment, les passagers arrière devront les remettre en place quand ils embarqueront, mais ce n'est qu'une formalité. Tous des facteurs qui sont communs à toutes les déclinaisons de la S60.

DES NERFS D'ACIERS

Plusieurs versions du modèle S60 sont proposées. La version 2,5, avec son moteur de 208 chevaux, est offerte en traction ou en traction

FEU VERT

Moteur souple et puissant
Suspension ajustable
Tableau de bord exceptionnel
Sécurité omniprésente

FEU ROUGE

Moteur bruyant à l'arrêt
Grand rayon de braquage
Suspension un peu rigide (T5)
Certains accessoires complexes

intégrale. La T5, plus puissante avec ses 257 chevaux, est aussi au catalogue. De son côté, la S60R est munie d'un moteur monté transversalement, adapté du 2,4 litres des T5 de Volvo. Il est doté des doubles turbo KKK capables de générer jusqu'à 295 livres-pied de couple à seulement 1950 tours/minute. Quant aux 300 chevaux du moteur, ils permettent une accélération foudroyante de 0 à 100 kilomètres à l'heure en moins de 5,7 secondes, selon les données fournies par le fabricant. Je l'avoue, un tel résultat demande cependant une maîtrise exceptionnelle de la transmission à six rapports puisque, même si elle est d'une douceur incroyable, j'ai été incapable de faire mieux que 6,3. Ce moteur est puissant, mais certainement pas aussi silencieux qu'on le souhaiterait à l'arrêt. Et certainement pas aussi musical qu'on le voudrait lorsqu'on le sollicite, ce qui est bien un moindre défaut, il faut l'admettre. Défaut plus important cependant, la direction n'est pas aussi précise qu'on le désirerait sur une voiture d'un tel niveau de performance. Même le rayon de braquage de la voiture est excessif en tenant compte de ses dimensions, ce qui complique un peu la conduite en zone urbaine.

En revanche, les freins Brembo de grandes dimensions, privilège exclusif de la R. sont d'une fiabilité exceptionnelle, tout comme le système de traction intégrale dont la rapidité d'intervention est quasi exemplaire. Le temps de réaction extrêmement court et les nombreuses fonctions de sécurité qui y sont jumelées sont presque un modèle dans le genre.

Pour 2006, toutes les Volvo S60, R ou non, seront équipées d'un nouveau système de traction intégrale. Ce nouveau module, contrôlé électroniquement avec la technologie Instant Traction, garantit un transfert plus rapide de la puissance du moteur aux roues arrière à partir de la position arrêtée.

Par ailleurs, une nouvelle boîte automatique à six rapports sera présente sur les modèles de l'année. Elle remplacera la boîte automatique à cinq rapports de l'an dernier.

Même la suspension du bolide R profite d'un traitement spécial puisqu'elle est ajustable d'une simple pression du doigt lorsque le conducteur le souhaite.

Bref avec une telle voiture, difficile de se tromper!

Bertrand Godin

Photos: Volvo

VOLVO S60 / S60R

DONNÉES TECHNIQUES

Modèle à l'essai:	S60R
Prix du modèle à l'essai:	60620$
Échelle de prix:	40620$ à 60620$
Garanties:	4 ans/80000 km, 4 ans/80000 km
Catégorie:	berline de luxe
Emp./Lon./Lar./Haut.(cm):	271,5/458/180/143
Poids:	1602 kg
Coffre/Réservoir:	394 litres / 70 litres
Coussins de sécurité:	front., latéraux (av./arr.), rideaux
Suspension avant:	indépendante, jambes de force
Suspension arrière:	indépendante, multibras
Freins av./arr.:	disque (ABS)
Antipatinage/Contrôle de stabilité:	oui/oui
Direction:	à crémaillère, assistance variable
Diamètre de braquage:	11,8 m
Pneus av./arr.:	P235/40R18
Capacité de remorquage:	1500 kg

Pneus d'origine MICHELIN

GROUPE MOTOPROPULSEUR

Moteur:	5L de 2,5 litres turbocompressé
Alésage et course	83,0 mm x 93,2 mm
Puissance:	300 ch (224 kW) à 5500 tr/min
Couple:	295 lb-pi (400 Nm) à 1950 tr/min
Rapport Poids/Puissance:	5,34 kg/ch (7,25 kg/kW)
Moteur électrique:	aucun
Autre(s) moteur(s):	5L 2,5 l 208ch (turbo 2,5T, 2,5T AWD), 5L 2,5 l 257ch et 258lb-pi (T5)
Transmission:	intégrale, manuelle 6 rapports
Autre(s) transmission(s):	automatique 6 rapports / traction, automatique 5 rapports
Accélération 0-100 km/h:	5,7 s
Reprises 80-120 km/h:	7,5 s (4ième)
Freinage 100-0 km/h:	36,0 m
Vitesse maximale:	250 km/h
Consommation (100 km):	super, 14,5 litres
Autonomie (approximative):	483 km
Émissions de CO2:	5253 kg/an

DANS LA MÊME CATÉGORIE

Acura TL - Audi A4 - BMW Série 3 - Jaguar X-Type - Lexus IS 300 - Mercedes-Benz C240

DU NOUVEAU EN 2006

nouvelle transmission auto 6 sur R, système AWD nouvelle génération, abandon du moteur 2,4 litres

HISTORIQUE DU MODÈLE

1[ière] génération

NOS IMPRESSIONS

Agrément de conduite:	🚗🚗🚗
Fiabilité:	🚗🚗🚗
Sécurité:	🚗🚗🚗🚗½
Qualités hivernales:	🚗🚗🚗🚗
Espace intérieur:	🚗🚗🚗½
Confort:	🚗🚗🚗½

LE CHOIX DE L'ÉQUIPE

T5 AWD

LE ROI DÉCHU

La réputation de Volvo n'est plus à faire sur le plan de la sécurité. Même si ses modèles se classent tous parmi les meilleurs lors des tests de collisions, le constructeur suédois poursuit constamment ses recherches afin d'améliorer la sécurité de ses passagers. Voilà des faits qui s'appliquent à toute la gamme de véhicules chez Volvo. Cependant, côté style, certains modèles tardent à évoluer et contrairement à Audi et BMW, Volvo ne paraît pas vouloir brusquer les choses de ce côté. Le constructeur suédois aurait-il manqué le bateau cette année avec son vaisseau amiral?

Malgré le vent de renouveau s'opérant chez Volvo avec la S40, la V50 et le XC90, le temps semble s'être arrêté pour la S80. Et à en croire les chiffres de ventes, le vaisseau amiral coule et la bouée de sauvetage tarde à être lancée. Avec une S40 et un XC90 qui frôlent la perfection, la désuète S80 fait vieux jeu aux côtés des nouvelles vedettes de la marque. De plus, selon les dires même de la direction, le XC90 V8 représente désormais le fleuron de la flotte! Tout porte à croire que Volvo aurait avantage à miser sur plus que la sécurité pour rapatrier les acheteurs de la S80.

CONSERVATEUR

Ce n'est pas sa mécanique ou ses prestations dynamiques qui portent ombrage à la S80 mais bien son design extérieur et son manque de prestige. Longtemps, Volvo a été affublé du look de «boîte carrée» qui semblait être un préalable à la sécurité prônée par la marque. Puis vint la refonte de 98 qui venait épurer les lignes et proposer une nouvelle tendance chez le constructeur suédois. Des lignes fluides et courbes apparaissent alors, permettant à Volvo de se détacher de cette image trop «carrée». C'est pourquoi, à la fin des années 90, la S80 représentait un coup de maître pour la marque et ce nouveau design extérieur fut, par la suite, acclamé de tous. Bien sûr aujourd'hui, le style est toujours d'actualité, mais plusieurs modèles concurrents ont évolué depuis et arborent maintenant des lignes plus attrayantes que la S80. Qu'on pense à la A6 d'Audi, à la Série 5 de BMW ou à la GS300 de Lexus, toutes présentent un design renouvelé et audacieux. De plus, il est intéressant de constater que ces voitures, toutes vendues dans la même catégorie de prix, dégagent un réel sentiment de prestige, ce que la S80 n'arrive pas à faire dans sa présente livrée.

ADIEU T6!

À première vue, rien ne semble avoir changé cette année sur le modèle car c'est sous le capot que le ménage s'est effectué. Au grand désarroi de plusieurs, la version T6 a été abandonnée de même que le moteur 6 cylindres à double turbo. Bien que ce moteur affichait des accélérations fabuleuses et une douceur de roulement supérieure à la version 5 cylindres, Volvo l'a rayé du catalogue, conséquence des faibles ventes et d'une fin de carrière imminente. En fait, le moteur de 268 chevaux était superflu pour une voiture à vocation plutôt luxueuse. De plus, les 60 chevaux additionnels devenaient inutiles étant mal exploités et amenant un imprévisible effet de couple lors de fortes accélérations. Quoi qu'il en soit, cette année la S80 est proposée en une seule version, soit celle ayant un 5 cylindres en ligne doté d'un

FEU VERT
Sécurité
Confort
Habitabilité
Traction intégrale

FEU ROUGE
Style vieillot
Manque de prestige
Modèle en fin de carrière
Fiabilité inégale

seul turbo et affichant une puissance de 208 chevaux. Ce qui est bien suffisant et totalement justifié.

IMPRESSIONNANT

Si la vue d'un moteur 5 cylindres peut en effrayer quelques-uns dans une voiture avoisinant les 60 000 $, et bien sachez que vous aurez d'agréables surprises au volant de ce bolide. En effet, grâce à l'apport du turbo, les prestations du 5 cylindres deviennent époustouflantes. Ce n'est pas tant le couple de 236 lb-pi qui impressionne, mais bien la plage sur laquelle on l'obtient. Étalé de 1 500 à 4 500 tr/min, le couple total est presque présent en tout temps, ce qui produit des accélérations très satisfaisantes et des reprises foudroyantes. Volvo propose également cette année un système de traction intégrale de nouvelle génération auquel est greffé un contrôle de la traction qui a la particularité de permettre une meilleure répartition de la puissance aux roues arrière, et ce, dès le départ. Une fois sur la route, la S80 livre tout ce dont on est en mesure d'espérer d'une voiture de cette catégorie. Le confort de roulement est impressionnant et l'insonorisation surprenante. Les sièges avant sont toujours parmi les meilleurs de l'industrie et permettent un excellent soutien latéral en virage. Les appuie-têtes sont également un chef-d'œuvre de confort en plus d'intégrer un système de protection anticontrecoups. Le tableau de bord et la console centrale sont présentés sobrement et toutes les commandes sont à portée de la main, bien que certaines soient de dimensions lilliputiennes. Bref, la présentation intérieure fait très classique tout en étant juste assez originale et diffère des modèles asiatiques ou américains par sa personnalité suédoise.

« VOLVOPHILES » SEULEMENT

À moins d'être un inconditionnel de la marque, il serait très avantageux d'attendre le renouvellement du modèle prévu pour 2007. À la légendaire sécurité des modèles Volvo, s'ajoutera une refonte complète de la carrosserie. Cependant, si vos obligations ou votre conscience vous obligent à changer de voiture cette année, portez plutôt votre choix sur certains modèles concurrents qui sont tout aussi sécuritaires et, pour l'instant, beaucoup plus gracieux !

Guy Desjardins

Photos : Volvo

DONNÉES TECHNIQUES

Modèle à l'essai :	Version unique
Prix du modèle à l'essai :	58 895 $
Échelle de prix :	54 995 $
Garanties :	4 ans/80 000 km, 4 ans/80 000 km
Catégorie :	berline de luxe
Emp./Lon./Lar./Haut.(cm) :	279/485/183,5/145,5
Poids :	1 604 kg
Coffre/Réservoir :	407 litres / 68 litres
Coussins de sécurité :	frontaux, latéraux (av.), rideaux
Suspension avant :	indépendante, jambes de force
Suspension arrière :	indépendante, ressorts hélicoïdaux
Freins av./arr. :	disque (ABS)
Antipatinage/Contrôle de stabilité :	oui/oui
Direction :	à crémaillère, assistée
Diamètre de braquage :	12,0 m
Pneus av./arr. :	P225/50R17
Capacité de remorquage :	1 500 kg

Pneus d'origine MICHELIN

GROUPE MOTOPROPULSEUR

Moteur :	5L de 2,5 litres 20s turbocompressé
Alésage et course	83,0 mm x 93,2 mm
Puissance :	208 ch (155 kW) à 5 000 tr/min
Couple :	236 lb-pi (320 Nm) de 1 500 à 4 500 tr/min
Rapport Poids/Puissance :	7,71 kg/ch (10,35 kg/kW)
Moteur électrique :	aucun
Autre(s) moteur(s) :	seul moteur offert
Transmission :	intégrale, automatique 5 rapports
Autre(s) transmission(s) :	aucune
Accélération 0-100 km/h :	7,9 s
Reprises 80-120 km/h :	5,2 s
Freinage 100-0 km/h :	39,0 m
Vitesse maximale :	210 km/h
Consommation (100 km) :	super, 12,0 litres
Autonomie (approximative) :	567 km
Émissions de CO2 :	5 040 kg/an

DANS LA MÊME CATÉGORIE

Audi A6 - BMW 525xi - Infiniti M35x - Lexus GS300 - Mercedes-Benz C350

DU NOUVEAU EN 2006

Traction intégrale de série, version T6 abandonnée, un seul groupe d'options disponible

HISTORIQUE DU MODÈLE

1ière génération

NOS IMPRESSIONS

Agrément de conduite :	🚗🚗🚗
Fiabilité :	🚗🚗🚗½
Sécurité :	🚗🚗🚗🚗🚗
Qualités hivernales :	🚗🚗🚗🚗½
Espace intérieur :	🚗🚗🚗🚗
Confort :	🚗🚗🚗🚗

LE CHOIX DE L'ÉQUIPE

2,5T AWD sans le groupe Prestige

DES PLAINES AUX ROCHEUSES

«Tant qu'à déménager, aussi bien le faire avec classe», disait une de mes amies tout en sueur, une boîte de carton à moitié déchirée dans les bras et des sandales Gucci aux pieds. Si elle en avait eu les moyens, elle aurait assurément troqué sa Hyundai Accent hatchback contre une toujours très chic Volvo V70! L'an dernier, cette voiture a subi une cure de rajeunissement. Oh, rien de très radical. Juste quelques changements cosmétiques destinés à renforcer l'image de luxe associée à Volvo. Cette année, outre quelques modifications au niveau de la traction intégrale, c'est le statu quo.

Le nom Volvo fait constamment bonne impression. Quelquefois avec raison, d'autres fois sans! La sécurité prime à tous les coups, mais les qualités dynamiques du moteur ou du châssis ne sont pas toujours au rendez-vous. Question de ratisser le plus large possible, le constructeur suédois ne propose, dans sa série 70, rien de moins qu'une paisible familiale (V70), qu'une démoniaque familiale (V70R) et qu'un surprenant utilitaire familial. Il y a aussi le Volvo C70, un joli cabriolet dévoilé au Salon de Francfort, en septembre. Mais il s'agit d'une autre histoire à suivre dans les pages du magazine Le monde de l'auto. Pour l'instant, concentrons-nous sur la gamme familiale.

V70

Bien placide avec son moteur de 2,4 litres atmosphérique, la V70 est loin d'être une sportive à tout crin puisque ses 168 chevaux peinent quelquefois à déplacer les 1 500 kilos de la voiture. Pour un peu de plaisir, il faut opter pour la 2,5T (T pour turbo) avec ses 208 chevaux et son généreux couple disponible à bas régime. Moyennant un léger supplément de 5000$, la traction intégrale fait son entrée en scène. Il s'agit d'un système de nouvelle génération appelé «Instant Traction» déjà offert sur la XC90 et qui garantit un transfert plus rapide de la puissance du moteur aux roues arrière. La transmission automatique à cinq rapports propose, de série cette année, le mode manuel Geartronic. Et pour beaucoup de plaisir, prière de choisir la T5 qui dispose d'un cinq cylindres de 257 chevaux et d'un couple de 258 livres-pied. Épaulé par une transmission manuelle à six rapports au maniement viril, il offre des performances relevées en plus de bénéficier d'un comportement routier plus affûté. En option, la T5 peut même recevoir le châssis «Four-C Active Chassis». Ce châssis est sans doute l'un des plus sophistiqués de l'industrie avec une multitude de capteurs qui évaluent constamment les forces latérales et longitudinales imprimées à la voiture, ainsi que le jeu du volant, de l'accélérateur, des freins et du système ABS. Ces données permettent de modifier la rigidité des amortisseurs selon l'agressivité du conducteur. Conducteur qui doit choisir entre trois modes de suspensions (Confort, Sport et Avancé). Le mode Sport constitue, à mon avis, le compromis idéal, le mode Confort étant trop flasque et le mode Avancé trop dur. Mais il s'agit sans doute d'une question de goût. Dans tous les cas, cependant, la V70 accuse un peu trop de roulis, gracieuseté, sans doute, d'un poids beaucoup plus élevé à l'avant qu'à l'arrière. Quant à la direction, elle est trop légère.

V70R

Chez Volvo, les voitures portant la dénomination «R» (pour Racing) font partie d'une gamme à part. La V70R est surprenante de performances,

FEU VERT

- Lignes intemporelles
- Prestige assuré
- Moteur superbe (V70R)
- Voiture sécuritaire
- Confort relevé

FEU ROUGE

- Comportement routier ordinaire (sauf V70R)
- Fiabilité pas encore parfaite
- Grand diamètre de braquage
- Moteur de base amorphe
- Entretien onéreux

étant donné que les produits Volvo nous ont rarement gâtés à ce chapitre. Le 2,5 litres ne développe pas moins de 300 chevaux et un couple de 295 livres-pied à 1 950 tours/minute seulement. Concrètement, ces chiffres veulent dire que vous serez guère à court de puissance pour dépasser! De plus, une délicieuse transmission manuelle à six rapports (quoique la course de la pédale d'embrayage soit très dure en début de course) relaie tous ces chevaux aux quatre roues. Pourtant, et malgré cette orientation sportive, la V70R affiche toujours un certain roulis, même si la suspension est réglée sur Avancé. Le système de contrôle de stabilité latérale intervient de façon musclée et il faut le débrancher pour s'amuser un peu. Et si jamais un pilote poussait un peu loin sa chance, les freins feraient preuve d'une solidité encourageante.

XC70

La XC70 est un peu à la V70 ce que la Outback est à la Subaru Legacy. La mécanique est la même que sur la 2,5T AWD (2,5 Turbo 208 chevaux) mais les suspensions surélevées lui confèrent une garde au sol de 19,3 cm au lieu de 13,4, augmentant d'autant le centre de gravité. Outre quelques différences esthétiques, il s'agit d'une V70 2,5 T AWD plus dispendieuse!

Peu importe qu'il s'agisse d'une V70, V70R ou XC70, on y retrouve des qualités immuables. Par exemple, les sièges avant qui sont considérés comme les meilleurs de l'industrie même si, pourtant, je n'ai pas trouvé leur maintien latéral parfait. La banquette arrière accueille les occupants avec déférence quoi que l'espace pour les jambes soit compté. Les dossiers se rabattent pour augmenter un volume de chargement qui n'est pas le meilleur de sa catégorie. On regrette aussi que le diamètre de braquage soit si grand lors des manœuvres de stationnement serrées.

À n'en pas douter, les V70 et XC70 répondent à des besoins précis. Leur niveau de sécurité active et passive élevé, leur aura de prestige et leurs lignes plutôt carrées en font des voitures de rêve pour plusieurs. Souhaitons que la fiabilité, quelquefois problématique des Volvo, n'en fasse pas un cauchemar...

Alain Morin

Photos: Volvo

VOLVO V70 / XC70

DONNÉES TECHNIQUES

Modèle à l'essai:	V70R
Prix du modèle à l'essai:	61 620$
Échelle de prix:	39 120$ à 61 620$
Garanties:	4 ans/80 000 km, 4 ans/80 000 km
Catégorie:	familiale
Emp./Lon./Lar./Haut.(cm):	275,5/471/180/146
Poids:	1 677 kg
Coffre/Réservoir:	1 016 à 2 022 litres / 80 litres
Coussins de sécurité:	front., latéraux (av./arr.), rideaux
Suspension avant:	indépendante, jambes de force
Suspension arrière:	indépendante, multibras
Freins av./arr.:	disque (ABS)
Antipatinage/Contrôle de stabilité:	oui/opt.
Direction:	à crémaillère, assistance variable
Diamètre de braquage:	13,2 m
Pneus av./arr.:	P235/45zr17
Capacité de remorquage:	1 500 kg

Pneus d'origine MICHELIN

GROUPE MOTOPROPULSEUR

Moteur:	5L de 2,5 litres 20s turbocompressé
Alésage et course	n/a
Puissance:	300 ch (224 kW) à 5 500 tr/min
Couple:	295 lb-pi (400 Nm) à 1 950 tr/min
Rapport Poids/Puissance:	5,59 kg/ch (7,49 kg/kW)
Moteur électrique:	aucun
Autre(s) moteur(s):	5L 2,4 l 168ch, 166lb-pi, 5L 2,5 l 208ch et 236lb-pi, 5L 2,5 l 257ch et 258lb-pi
Transmission:	intégrale, manuelle 6 rapports
Autre(s) transmission(s):	traction, manuelle 5 rapports / 6 rapports
Accélération 0-100 km/h:	6,5 s
Reprises 80-120 km/h:	6,5 s (4ième)
Freinage 100-0 km/h:	39,6 m
Vitesse maximale:	200 km/h
Consommation (100 km):	super, 11,3 litres
Autonomie (approximative):	708 km
Émissions de CO2:	5 227 kg/an

DANS LA MÊME CATÉGORIE

Audi S4 Avant - BMW 325 Touring - Dodge Magnum - Jaguar X-Type - Saab 9-5 - Subaru Outback

DU NOUVEAU EN 2006

Rouage Instant Traction de série, automatique Geartronic de série (2,5T), roues 17" pour T5

HISTORIQUE DU MODÈLE

1[ière] génération

NOS IMPRESSIONS

Agrément de conduite:	4½
Fiabilité:	3
Sécurité:	4½
Qualités hivernales:	4½
Espace intérieur:	4½
Confort:	3½

LE CHOIX DE L'ÉQUIPE

V70 AWD 2,5T

UN REMÈDE PARFAIT

Ce gros véhicule multifonction en a impressionné plus d'un lors de son lancement en 2002. En plus de nous offrir une silhouette fort bien réussie, cette suédoise à tout faire était équipée de tous les dispositifs de sécurité passive qu'un véhicule de cette catégorie pouvait proposer. Et au catalogue, deux moteurs étaient offerts. Pourtant, curieusement, c'est à ce niveau que les choses se sont gâtées. En effet, le gros moteur six cylindres se faisait faire la barbe par le moteur de moindre cylindrée.

Après m'être assuré que je n'avais pas la berlue, j'ai constaté comme tous mes confrères que la combinaison gagnante sur la XC90 n'était pas la version avec moteur six cylindres de 268 chevaux, mais celle propulsée par le moteur cinq cylindres, lui aussi monté transversalement, mais couplé à une boîte automatique à cinq rapports. Et c'est justement la transmission qui faisait toute la différence. Celle du moteur cinq cylindres tire le plein potentiel des 208 chevaux du moteur cinq cylindres tandis que le moteur six cylindres était étouffé par sa boîte à quatre vitesses. Cette situation était doublement cocasse du fait qu'en plus de devoir patienter avec des performances décevantes, le pilote d'une XC90 T6 devait également payer une facture de carburant plus corsée. Heureusement que Volvo est une compagnie dont les ingénieurs sont en mesure de trouver de brillantes solutions à des problèmes qui seraient endémiques ailleurs! Si un long moteur six cylindres en ligne ne fait pas l'affaire, alors pourquoi ne pas utiliser un moteur V8 fait sur mesure et s'insérant transversalement dans un espace prévu pour un moteur beaucoup plus étroit?

C'est la solution qui a été retenue puisque Volvo a développé en collaboration avec Yamaha un moteur unique en son genre. Alors que la plupart des moteurs V8 utilisent des rangées de cylindres inclinées à un angle de 90 degrés, ceux du 4,4 litres sont d'une configuration en «V» de 60 degrés pour un format plus compact. Ceci engendre généralement des vibrations, mais l'utilisation d'un arbre d'équilibrage tournant dans le sens contraire de rotation du vilebrequin corrige la situation.Toujours pour faire plus compact, l'alternateur est boulonné directement sur le moteur, tandis que le démarreur est installé au-dessus de la transmission pour la même raison. Une autre astuce digne de mention: la rangée gauche des cylindres est décalée d'un demi-cylindre en avant par rapport à la rangée droite. Ce qui permet d'insérer le moteur avec précision entre les longerons structurels. Ce moteur unique en son genre est bien entendu fabriqué en aluminium, ce qui explique pourquoi il ne pèse que 190 kg. Et puisque le constructeur suédois est toujours sensibilisé à l'environnement, ce moteur 4,4 litres est le V8 le plus propre sur le marché car il rencontre les normes américaines ULEV II. L'utilisation de quatre pots catalytiques, d'un système d'échappement et d'admission à distribution variable et d'un mélange pauvre en air et carburant lors des démarrages à froid contribuent à cette «propreté».

Cette fois, pas question d'associer ce moteur à une transmission qui viendrait atténuer les performances. La XC90 V8 étrenne donc une toute nouvelle boîte automatique à six rapports dont les dimensions sont

FEU VERT

Moteur V8
Nouvelle boîte six rapports
Intégrale améliorée
Sécurité poussée
Sièges confortables

FEU ROUGE

Qualités hors route modestes
Dimensions encombrantes
Troisième rangée peu pratique
Prix corsé
Rayon de braquage important

également très compactes afin de pouvoir cohabiter avec le V8 sous le capot. Elle permet d'obtenir une bonne puissance de démarrage et une économie de carburant une fois le véhicule lancé. De plus, les ingénieurs de Volvo ont mis au point un nouveau logiciel de gestion du moteur et de la transmission qui traite ces deux composantes comme une seule et même unité. Pour compléter le portrait, la transmission intégrale Haldex est toujours utilisée sur le modèle à moteur V8, mais elle bénéficie de plusieurs modifications internes. Elle est en fait dotée d'un mécanisme de traction instantanée qui est une première mondiale selon Volvo. Une soupape de retenue permet de maintenir un couple préchargé dans le système, ce qui assure une réaction immédiate lorsqu'on frappe soudainement une surface de faible adhérence.

ET ÇA FONCTIONNE!

Toute cette description de mécanique sophistiquée impressionne, mais encore faut-il que ce soit efficace. Et je vous permets de me croire, ça fonctionne à merveille. Les 315 chevaux font sentir leur présence dès qu'on appuie sur l'accélérateur et il faut moins de huit secondes pour franchir le 0-100 km/h, une amélioration de près de deux secondes par rapport à la version du moteur six cylindres. De plus, avec un couple généreux à bas régime, les reprises sont impressionnantes tandis que la transmission est impeccable.

Et l'autre bonne nouvelle est que ce modèle n'est pas vendu beaucoup plus cher que l'ancienne version T 6 qui nous tire sa révérence. Avec ce V8, le modèle T6 n'avait plus aucune justification sur notre marché. Bien entendu, tous les éléments de sécurité active et passive sont présents. D'ailleurs, toutes les versions sont équipées de sièges confortables, proposent une sécurité passive exemplaire et une qualité d'assemblage qui laisse loin derrière plusieurs concurrentes. Et même si la troisième rangée de sièges n'est pas plus confortable que sur les autres VUS similaires, il est toujours rassurant de savoir que les spécialistes de la sécurité de ce constructeur suédois l'ont rendu très sécuritaire. Il ne faut pas non plus ignorer la XC90 équipée du moteur cinq cylindres qui doit concéder 106 chevaux au moteur V8. Mais il ne faut pas se fier aux chiffres puisque ce moteur et la boîte à cinq rapports nous assurent des performances fort intéressantes.

Ce véhicule multifonction est surtout destiné à un environnement urbain ou à des routes secondaires les week-ends, mais il est devenu un incontournable aux yeux de plusieurs.

Denis Duquet

Photos: Volvo

VOLVO XC90

DONNÉES TECHNIQUES

Modèle à l'essai:	V8
Prix du modèle à l'essai:	77 895 $
Échelle de prix:	49 995 $ à 79 995 $
Garanties:	4 ans/80 000 km, 4 ans/80 000 km
Catégorie:	multisegment
Emp./Lon./Lar./Haut.(cm):	286/480/189/174
Poids:	2 140 kg
Coffre/Réservoir:	1 178 à 2 403 litres / 70 litres
Coussins de sécurité:	front., latéraux (av./arr.), rideaux
Suspension avant:	indépendante, jambes de force
Suspension arrière:	indépendante, multibras
Freins av./arr.:	disque (ABS)
Antipatinage/Contrôle de stabilité:	oui/oui
Direction:	à crémaillère, assistance variable
Diamètre de braquage:	11,9 m
Pneus av./arr.:	P235/65R17
Capacité de remorquage:	2 250 kg

Pneus d'origine MICHELIN

GROUPE MOTOPROPULSEUR

Moteur:	V8 de 4,4 litres 32s atmosphérique
Alésage et course	n.d.
Puissance:	311 ch (232 kW) à 5 850 tr/min
Couple:	325 lb-pi (441 Nm) à 3 900 tr/min
Rapport Poids/Puissance:	6,88 kg/ch (9,22 kg/kW)
Moteur électrique:	aucun
Autre(s) moteur(s):	5L 2,5 l 208ch à 5 000tr/mn et 236lb-pi à 1 500tr/mn (turbocompressé)
Transmission:	intégrale, automatique 6 rapports
Autre(s) transmission(s):	automatique 5 rapports
Accélération 0-100 km/h:	8,7 s
Reprises 80-120 km/h:	7,2 s
Freinage 100-0 km/h:	42,9 m
Vitesse maximale:	200 km/h
Consommation (100 km):	ordinaire, 14,9 litres
Autonomie (approximative):	470 km
Émissions de CO2:	n.d.

DANS LA MÊME CATÉGORIE

Acura MDX - BMW X5 - Cadillac SRX - Infiniti FX35/45 - Lexus RX 330 Mercedes-Benz Classe M

DU NOUVEAU EN 2006

Moteur V8 Yamaha, version améliorée du rouage intégral, boîte auto 6 rapports (V8)

HISTORIQUE DU MODÈLE

1ière génération

NOS IMPRESSIONS

Agrément de conduite:	4
Fiabilité:	3
Sécurité:	5
Qualités hivernales:	4
Espace intérieur:	3½
Confort:	4

LE CHOIX DE L'ÉQUIPE

V8

LES CAMIONNETTES

DOUBLE IDENTITÉ

Introduit en 2002, le concept du Chevrolet Avalanche semble avoir connu du succès auprès de la population car nous en observons plusieurs sur nos routes. Il est apprécié pour ses capacités de nous transporter du point A au point B avec confort, mais il est aussi utile qu'un couteau suisse. Qu'il s'agisse de l'utiliser pour travailler ou pour aller dans une soirée mondaine avec votre douce moitié, ce pick-up, VUS ou véhicule familial, nommez-le comme vous voulez, semble s'adapter avec aisance à toutes les situations. Polyvalent à souhait, si bien sûr vous êtes décidé à en payer le prix.

Il ne faut pas se le cacher, de nos jours avec le prix de l'essence qui ne cesse d'augmenter, il faut avoir un compte bancaire bien garni pour ne pas avoir le vertige lorsqu'on se présente à la station-service avec son gros Avalanche. Il est en effet impossible de ne pas paniquer alors que l'addition grimpe à une vitesse fulgurante. La situation n'a pas de quoi surprendre puisque ce mastodonte est propulsé par un gros V8, 5,3 litres qui produit 295 chevaux et 335 lb-pi de couple.

Avec la version 1 500, vous pouvez facilement tracter un bateau ou une remorque de 3 200 kilos. Pour le commun des mortels, cette dernière version est adéquate dans la plupart des cas. Mais si vos besoins sont supérieurs, il vous sera possible de remorquer une masse totale d'au moins 5440 kilos en optant pour la version 2500 qui est dotée d'un puissant moteur V8 Vortec de 8,1 litres. Il produit 325 ch et 447 lb-pi de couple.

Combinez tous ces éléments et vous aurez en votre possession un camion robuste, qui demeure malgré tout facile à conduire tout en étant capable d'affronter toutes les conditions routières et météorologiques. L'accélération initiale est bonne tandis que la transmission automatique à 4 rapports fait du bon travail. Les changements de vitesse se font avec précision et légèreté. Elle contribue ainsi à la douceur du rouage d'entraînement en général. Cette transmission a fait ses preuves au fil des ans en étant capable de travailler fort et pour longtemps, sans chauffer. En appuyant sur le bouton qui active le mode remorquage, le rapport d'engrenage fait en sorte que le maximum de couple est transmis à bas régime et empêche aussi d'engager la surmultipliée.

Le modèle 4X4 est doté en équipement standard de la boîte de transfert active AutoTrac. Ce mécanisme a pour but de maximiser la conduite selon les conditions routières. Opéré par ordinateur, vous n'avez qu'à choisir le mode désiré grâce aux quatre boutons montés sur le tableau de bord. Vous pouvez opter pour 2HI, AUTO 4WD, 4HI, 4LO. Le mode 4RM Auto a la capacité de transférer le couple moteur, du train arrière au train avant, au besoin, lorsque les roues motrices patinent sur des terrains glissants. Donc, même en période hivernale, on jouit d'un maximum de traction, un élément capable de nous mettre en confiance.

Bien que le Chevrolet Avalanche ait un beau look épuré et moins caricatural que certains de ses compétiteurs, il fait surtout parler de lui pour son côté boy-scout. Vous devez charger la caisse arrière et

FEU VERT

Excellente traction sur chaussée glissante
Grande capacité de remorquage
Confort et finition irréprochables
Véhicule polyvalent

FEU ROUGE

Consommation élevée
Supports des panneaux nuisibles
Accès difficile à la caisse
Direction engourdie

embarquer votre motocross ou votre moto? Eh bien, abaissez les sièges arrière ainsi que la cloison et vous venez de convertir votre Chevrolet en vrai pick-up pleine grandeur. Un panneau en matériau composite très solide recouvre le dos des sièges arrière, ce qui transforme cette aire en espace de chargement supplémentaire. Certains seront anxieux d'abaisser la cloison arrière durant les périodes de grand froid, mais vous serez surpris du peu d'air qui pénètre dans l'habitacle par cette ouverture. Des déflecteurs situés de chaque côté de la cabine éliminent la turbulence et empêchent ou réduisent la proportion d'air qui est aspiré dans l'habitacle. En raison de la hauteur de la caisse, si vous n'êtes pas très grand, vous aurez un peu de difficulté à y entrer pour enlever les 3 panneaux qui la recouvrent. Ceux-ci, soit dit en passant, sont assez lourds. Si vous planifiez embarquer un VTT derrière ou une motoneige, il serait important de bien prendre vos mesures, car bien que le fond de la caisse soit de largeur standard, ce n'est pas le cas avec la partie du haut puisque les supports des panneaux viennent gruger quelques centimètres de largeur.

Le confort est très convenable, surtout si vous optez pour les sièges chauffants recouverts de cuir. Ils procurent un bon support et on peut les ajuster à notre guise. La finition mérite une bonne note et pour ce qui est de l'espace, vous n'aurez aucune difficulté à emmener en tout confort cinq personnes de forte corpulence. Sur la grand-route, on est immédiatement surpris par la douceur de roulement et du peu de talonnage de la suspension arrière. Même lorsque la caisse est vide, la suspension arrière ne sautille pas. De plus, comme le châssis est très rigide, peu de vibrations sont ressenties dans l'habitacle lorsqu'on roule sur une chaussée dégradée. Cela se traduit en un sentiment de confiance qui nous permet de nous aventurer dans les endroits les plus inhospitaliers. Il y a un très bon équilibre au niveau de la suspension entre fermeté et confort et ici GM a fait un excellent travail.

Robert Jetté

Photos: Chevrolet

CHEVROLET AVALANCHE

OnStar de GM Canada

DONNÉES TECHNIQUES

Modèle à l'essai:	1500 LS 4RM
Prix du modèle à l'essai:	42900$
Échelle de prix:	40400$ à 50960$
Garanties:	3 ans/60000 km, 3 ans/60000 km
Catégorie:	camionnette grand format
Emp./Lon./Lar./Haut.(cm):	330/563/202,5/187
Poids:	2466 kg
Long. de caisse/Réservoir:	160 à 247 cm / 117 litres
Coussins de sécurité:	frontaux
Suspension avant:	indépendante, barres de torsion
Suspension arrière:	essieu rigide, ressorts hélicoïdaux
Freins av./arr.:	disque (ABS)
Antipatinage/Contrôle de stabilité:	non/non
Direction:	à billes, assistée
Diamètre de braquage:	13,2 m
Pneus av./arr.:	P265/70R16
Capacité de remorquage:	3583 kg

GROUPE MOTOPROPULSEUR

Moteur:	V8 de 5,3 litres 16s atmosphérique
Alésage et course	96,0 mm x 92,0 mm
Puissance:	295 ch (220 kW) à 5200 tr/min
Couple:	335 lb-pi (454 Nm) à 4000 tr/min
Rapport Poids/Puissance:	8,36 kg/ch (11,21 kg/kW)
Moteur électrique:	aucun
Autre(s) moteur(s):	V8 8,1 l 325ch à 4200tr/mn et 447lb-pi à 3200tr/mn
Transmission:	4RM, automatique 4 rapports
Autre(s) transmission(s):	propulsion, automatique 4 rapports
Accélération 0-100 km/h:	10,8 s
Reprises 80-120 km/h:	7,5 s
Freinage 100-0 km/h:	47,8 m
Vitesse maximale:	180 km/h
Consommation (100 km):	ordinaire, 15,3 litres
Autonomie (approximative):	765 km
Émissions de CO2:	6754 kg/an

DANS LA MÊME CATÉGORIE

Cadillac Escalade EXT - Ford F-150

DU NOUVEAU EN 2006

Convertisseur catalytique relocalisé (1500), rétroviseurs extérieurs extensibles disponible, radio satellite disponible

HISTORIQUE DU MODÈLE

1ière génération

NOS IMPRESSIONS

Agrément de conduite:

Fiabilité:

Sécurité:

Qualités hivernales:

Espace intérieur:

Confort: ½

LE CHOIX DE L'ÉQUIPE

1500 AWD

EN AVOIR POUR SON ARGENT

Enfin, les gens de la General Motors ont été à l'écoute des Nord-Américains en rajeunissant l'an dernier sa gamme de camionnettes de catégorie compacte. Le Chevrolet S-10 était devenu désuet et avait besoin de passer le flambeau à un autre qui pourrait faire face à l'invasion japonaise dans le secteur des camionnettes. Jusqu'à maintenant, la réponse très favorable du public semble indiquer que GM pouvait concocter quelque chose de très intéressant. La théorie du beau bon pas cher s'applique vraiment avec le Colorado ou le Canyon.

Inspirée du Sierra et du Silverado, cette camionnette compacte partage des technologies similaires, comme le châssis de type échelle, dont certaines parties - comme les rails de la portion avant - sont formées par pression hydraulique. Ce système a été développé par GM lors du lancement du Silverado en 1999. Il s'agit d'une technologie très sophistiquée qui permet d'obtenir un châssis structurellement plus rigide, ce qui se traduit par une meilleure stabilité sur la route. Dans le cas du Colorado, son châssis est 2 fois et demie plus rigide que son prédécesseur, le S-10.

Cette camionnette peut être livrée avec un choix de 2 moteurs, soit le 4 cylindres Vortec 2800 de 175 chevaux jumelé à une transmission manuelle à 5 rapports ou bien le 5 cylindres en ligne Vortec qui procure une puissance plus raisonnable de 220 chevaux. Si vous avez besoin du strict minimum, le 4 cylindres est un choix adéquat pour l'économie qu'il représente à l'achat et au chapitre de la consommation. Pour quelques dollars de plus, le moteur 5 cylindres 3,5 litres, dérivé du six cylindres en ligne des Chevrolet TrailBlazer et GMC Envoy, vaut le déboursé supplémentaire. Ce moteur a plus de couple et il est combiné à une transmission automatique à 4 rapports qui vous permettra de remorquer une charge de 1814 kg (4000 lb). Pour ce qui est de la consommation d'essence, le 5 cylindres en ligne est loin d'être un ogre de la pompe avec ses 11,5 litres par 100 km.

Bien qu'une panoplie de versions différentes soit disponible, le modèle 4X4 à cabine allongée est le choix qui s'avère le plus polyvalent. Cette dernière version offre une caisse de 6 pi en longueur et un espace suffisant pour transporter 5 adultes. L'habitacle arbore une finition qui s'entretient assez facilement si vous revenez d'une sortie en motocross ou en VTT et que de la boue provenant de vos bottes souille généreusement l'intérieur. Même si la route est en fort mauvais état, on s'amuse vraiment à brasser le Colorado sur les chemins cahoteux. C'est assez surprenant de voir les regards que cette camionnette attire dans les stationnements de centre d'achats. Ses phares avant épurés et ses lignes modernes ainsi que sa taille moins imposante que ses plus grands frères le rendent très sympathique.

Dès qu'on s'installe aux commandes, on n'a pas trop de difficultés à trouver une bonne position de conduite. Les sièges procurent un bon soutien et un confort notable. Comme il s'agit d'une camionnette de catégorie compacte, le poids est moindre, tandis que les amortisseurs arrière sont calibrés pour rouler avec une charge maximale. Avec la

FEU VERT
Consommation d'essence raisonnable
Bonne capacité de chargement et de remorquage
Style moderne
Intérieur sobre et agréable

FEU ROUGE
Talonnage de la suspension arrière
Pas de transmission manuelle pour le 5 cylindres
Mollesse de la conduite
Tissu des sièges à revoir

version à cabine allongée, dont la capacité de remorquage est de 2336 kg/5150 lb, la suspension arrière talonne et ce phénomène est ressenti dans la cabine. Ce sautillement est doublement présent s'il y a un virage avec une bosse au milieu. À ce moment l'arrière peut chasser vers l'extérieur si vous allez trop vite. En revanche, son long empattement lui permet d'offrir un très bon niveau de confort de roulement sur la grand-route.

Le 4X4 à cabine allongée est le plus apte à affronter les terrains difficiles. Il est équipé de pneus à rainures agressives qui procurent amplement de mordant, tandis que la suspension est calibrée pour la conduite hors route. Ce qui lui permet de bénéficier d'une garde au sol sous le support du moteur de 216 mm ou 8,5 po, donc suffisamment pour rouler dans des ornières de bonne profondeur.

Pour les amateurs du tuning, vous pouvez opter pour la version Xtreme qui a une suspension surbaissée, un tableau de bord avec cadrans blancs plus attrayants et des pneus à profil plus bas. Vous aurez enfin de la place pour vos 16 haut-parleurs et 4 amplificateurs ainsi qu'un PlayStation!

Bref, cette camionnette semble s'adapter tel un caméléon et bien que son confort général soit dans la moyenne, c'est son côté pratique, peu coûteux à l'achat qui accroche. À ce prix, vous aurez une camionnette efficace et capable de s'attaquer à toutes les utilisations. Il faut souligner en outre ses freins ABS, son système antivol et le plus intéressant, sa consommation d'essence raisonnable si on la compare avec les grosses camionnettes. La version Xtreme est un choix attrayant pour celui qui veut un véhicule plus personnalisé. Toutefois, vous devrez endurer une suspension plus sèche qui ne fait pas nécessairement bon ménage avec nos superbes routes du Québec…

Robert Jetté

Photos: Chevrolet

DONNÉES TECHNIQUES

OnStar® de GM Canada

Modèle à l'essai:	4X4 cabine double
Prix du modèle à l'essai:	30545$
Échelle de prix:	19320$ à 30545$
Garanties:	3 ans/60,000 km, 3 ans/60,000 km
Catégorie:	camionnette intermédiaire
Emp./Lon./Lar./Haut.(cm):	319/526/171/164
Poids:	1860 kg
Longueur de caisse/Réservoir:	155 cm / 74 litres
Coussins de sécurité:	frontaux et rideaux
Suspension avant:	indépendante, barres de torsion
Suspension arrière:	essieu rigide, ressorts elliptiques
Freins av./arr.:	disque (ABS)
Antipatinage/Contrôle de stabilité:	non/non
Direction:	à crémaillère, assistée
Diamètre de braquage:	13,5 m
Pneus av./arr.:	P225/70R15
Capacité de remorquage:	1814 kg

GROUPE MOTOPROPULSEUR

Moteur:	5L de 3,5 litres 20s atmosphérique
Alésage et course	93,0 mm x 102,0 mm
Puissance:	220 ch (164 kW) à 5600 tr/min
Couple:	225 lb-pi (305 Nm) à 2800 tr/min
Rapport Poids/Puissance:	8,45 kg/ch (11,34 kg/kW)
Moteur électrique:	aucun
Autre(s) moteur(s):	4L 2,8 l 175ch à 5600tr/mn et 185lb-pi à 2800tr/mn
Transmission:	4X4, manuelle 5 rapports
Autre(s) transmission(s):	automatique 4 rapports / propulsion, manuelle 5 rapports
Accélération 0-100 km/h:	8,7 s
Reprises 80-120 km/h:	7,7 s
Freinage 100-0 km/h:	42,9 m
Vitesse maximale:	185 km/h
Consommation (100 km):	ordinaire, 11,5 litres
Autonomie (approximative):	643 km
Émissions de CO2:	5522 kg/an

DANS LA MÊME CATÉGORIE

Dodge Dakota - Ford Ranger - Mazda Série B - Nissan Frontier - Toyota Tacoma

DU NOUVEAU EN 2006

Une nouvelle couleur (bleu granit), tissu de meilleure qualité pour siège arrière (cabine all.), détecteur pour coussins gonflables

HISTORIQUE DU MODÈLE

1ière génération

NOS IMPRESSIONS

Agrément de conduite:	4
Fiabilité:	3½
Sécurité:	4
Qualités hivernales:	4
Espace intérieur:	4
Confort:	4

LE CHOIX DE L'ÉQUIPE

5L 4X4 cabine allongée

RAFFINEMENT ET EXPÉRIENCE

Il est certain que la concurrence est de plus en plus difficile à affronter pour ce duo quasiment identique. Au cours des trois dernières années Ford, Dodge, et Toyota ont transformé leur grosse camionnette, tandis que Nissan est venu se joindre à cette catégorie. Pour demeurer compétitives, les deux camionnettes de GM sont offertes dans une multitude de configurations, de groupes propulseurs alors que la version hybride est de plus en plus répandue. À défaut d'avoir le dernier cri en fait de stylisme ou la cabine la plus jazzée en ville, vous avez l'embarras du choix.

D'ailleurs, il n'est pas dans mon intention de vous décrire par le menu détail tous les choix de moteurs, de transmission, de configuration de cabine ou de longueur de caisse. La liste est pratiquement sans fin. Je me contente de vous signaler qu'il est dorénavant possible de commander une boîte courte sur le modèle à cabine allongée et équipé du moteur V8 5,3 litres. Le moteur diesel Duramax a connu une foule de modifications pour 2006. Sa puissance a été portée à 360 chevaux et son couple est désormais de 650 lb-pi. Ce moteur est tellement modifié qu'on le qualifie de tout nouveau chez GM. Il est de plus couplé à une nouvelle boîte automatique à six rapports. Avis aux intéressés!

Dans le secteur des camionnettes, l'élégance a son importance de même que le confort de la cabine, mais ce sont les moteurs qui font la différence. Pour influencer les acheteurs, les ingénieurs de la division des groupes propulseurs de GM ont également mis au point une version à haut rendement du moteur V8 Vortex 6000. Ce moteur à essence de 6,0 litres produit 345 chevaux. Les modèles qui en sont équipés sont dotés de roues de 20 pouces. Il s'agit du même moteur qui équipe les versions SS du Chevrolet Silverado. Cette camionnette aux allures sportives sera également offerte en version 4X2 à partir de 2006. Soulignons au passage que le GMC Sierra offre également une version plus sportive, le Denali qui utilise le même moteur. Et toujours pour vous tenir au courant de l'actualité du merveilleux monde des camionnettes, le système de roues arrière articulées Quadrasteer n'est plus au catalogue. Bien qu'efficace, cette option était jugée trop coûteuse par les consommateurs.

TOUJOURS COMPÉTITIFS

Même si la concurrence est plus jeune et très agressive, le tandem de GM demeure toujours dans les premières positions des palmarès de vente. Il est certain que la fidélité des acheteurs est très forte dans le secteur, mais les utilisateurs de camionnettes n'investiraient pas le gros prix si, à la base, le produit n'était pas de qualité. La concurrence a beau dire, mais un fait demeure: sur le plan technique, le châssis du Sierra et du Silverado est toujours digne de mention. Même si ce n'était qu'en raison de sa conception par éléments formés par pression hydraulique qui permet de répartir la rigidité aux endroits cruciaux, tout en offrant un peu de flexibilité en certains endroits.

Comme toute camionnette qui se respecte, le choix des moteurs est en mesure de répondre aux besoins de tous. Le moteur V6 4,3 litres de

FEU VERT

Choix de modèles
Version hybride
Moteurs robustes
Cabine confortable
Bonne valeur de revente

FEU ROUGE

Options quasi illimitées
Version SS inutile
Modèle en sursis
Consommation élevée malgré tout

195 chevaux cible les acheteurs qui n'envisagent pas de trop charger leur « pickuppe » comme on dit dans certaines régions de la Belle Province. Si vous anticipez des travaux un peu plus difficiles, le moteur V8 de 4,8 litres et ses 285 chevaux n'est pas un choix à ignorer. Par contre, le Vortec 5300 d'une cylindrée de 5,3 litres est pratiquement capable d'affronter toutes les situations avec une puissance de 295 chevaux et un couple de 335 lb-pi.

LA RELÈVE S'EN VIENT

Il est pratiquement certain que les modèles de remplacement pour les Silverado et Sierra seront offerts au printemps 2006. En attendant, il faut admettre que la silhouette de ces deux vétérans est toujours en harmonie avec les canons esthétiques du jour. Les stylistes ont continuellement apporté de petites retouches çà et là, et le travail a été bien fait. Certains de mes confrères trouvent que la cabine est démodée. Personnellement, je ne trouve pas cela ringard, mais d'une esthétique inspirée par les exigences du travail. Car il ne faut pas oublier que même si plusieurs utilisent leur camionnette comme moyen de transport familial, la grande majorité l'utilise toujours comme outil de travail. Le tableau de bord est un heureux compromis dans les deux sens. Par contre, cette année, le nouveau tableau de bord du Dodge Ram fera mal paraître celui du Silverado et du Sierra.

Ces quelques détails mis de côté, ces deux modèles proposent une tenue de route sans surprise bien qu'ils aient progressivement rétrogradé de quelques places face aux nouveaux venus. Malgré tout, en fait de comportement routier, de conduite et de capacité de remorquage, ces deux versions sont toujours tout près de la tête. De plus, leur consommation de carburant est invariablement un tantinet inférieure à celle de la concurrence.

En terminant, il ne faut pas passer sous silence les versions à moteur hybride des Silverado et Sierra. Il ne s'agit pas d'un rouage impliquant un moteur électrique et un moteur à essence comme sur certaines automobiles de la catégorie. Par contre, le moteur V8 de 5,3 litres est relié à un démarreur électrique de forte puissance. Sur la route, le moteur est coupé dès qu'on lève le pied, et ce démarreur électrique relance le moteur dès que le pilote appuie à nouveau sur l'accélérateur. Nous avons essayé ces hybrides à plusieurs reprises et nous avons toujours obtenu une diminution de la consommation de carburant d'au moins 10 %. Pas trop mal !

Denis Duquet

Photos : Chevrolet

DONNÉES TECHNIQUES

Modèle à l'essai :	1500 LT
Prix du modèle à l'essai :	46 315 $
Échelle de prix :	22 650 $ à 55 495 $
Garanties :	3 ans/60 000 km, 3 ans/60 000 km
Catégorie :	camionnette grand format
Emp./Lon./Lar./Haut.(cm) :	364/578/199/184
Poids :	2377 kg
Longueur de caisse/Réservoir :	243 cm / 98 litres
Coussins de sécurité :	frontaux et latéraux (av.)
Suspension avant :	indépendante, barres de torsion
Suspension arrière :	essieu rigide, ressorts elliptiques
Freins av./arr. :	disque/tambour (ABS)
Antipatinage/Contrôle de stabilité :	oui/non
Direction :	à crémaillère, assistée
Diamètre de braquage :	14,4 m
Pneus av./arr. :	P275/55R20
Capacité de remorquage :	2500 kg

GROUPE MOTOPROPULSEUR

Moteur :	V8 de 5,3 litres 16s atmosphérique
Alésage et course	96,0 mm x 92,0 mm
Puissance :	295 ch (220 kW) à 5200 tr/min
Couple :	335 lb-pi (454 Nm) à 4000 tr/min
Rapport Poids/Puissance :	8,06 kg/ch (10,80 kg/kW)
Moteur électrique :	aucun
Autre(s) moteur(s) :	V6 4,3 l 195ch à 4600tr/mn et 260lb-pi à 2800tr/mn, V8 4,8 l 285ch à 5200tr/mn et 295lb-pi à 4000tr/mn, V8 5,3 l 310ch à 5200tr/mn et 335lb-pi à 4000tr/mn,
Transmission :	4X4, automatique 4 rapports
Autre(s) transmission(s) :	manuelle 5 rapports
Accélération 0-100 km/h :	9,9 s
Reprises 80-120 km/h :	6,4 s
Freinage 100-0 km/h :	39,9 m
Vitesse maximale :	175 km/h
Consommation (100 km) :	ordinaire, 16,3 litres
Autonomie (approximative) :	601 km
Émissions de CO2 :	6754 kg/an

DANS LA MÊME CATÉGORIE

Dodge Ram - Ford F-150 - Nissan Titan - Toyota Tundra

DU NOUVEAU EN 2006

version SS, partie avant modifiée, version hybride plus répandue, radio satellite offert

HISTORIQUE DU MODÈLE

1ère génération

NOS IMPRESSIONS

Agrément de conduite :	3/5
Fiabilité :	4/5
Sécurité :	4/5
Qualités hivernales :	4/5
Espace intérieur :	3/5
Confort :	4/5

LE CHOIX DE L'ÉQUIPE

1500 Hybride

UN AN PLUS TARD

L'an dernier, le Dodge Dakota était révisé du tout au tout. Nouvelle silhouette, châssis plus moderne, groupes propulseurs plus puissants, bref il semblait que le constructeur américain avait fait l'impossible pour se hisser en tête de la catégorie des camionnettes intermédiaires, un créneau d'ailleurs établi par ce constructeur. Et il est indéniable que ces améliorations en ont fait un meilleur véhicule à tous les points de vue. Par contre, il faut se demander si tous ces efforts ont permis au Dakota de pouvoir bien se défendre contre une concurrence nettement plus relevée que lors de son arrivée sur le marché il y a presque deux décennies maintenant.

D'emblée de jeu, il est certain que le Honda Ridgeline s'est placé dans une situation privilégiée relativement à ses concurrents et le Dakota n'échappe pas à cette comparaison. S'il se défend honorablement au chapitre de la présentation visuelle, de choix de moteurs et de sa capacité de charge, il est clair que son comportement routier est l'élément qui souffre le plus par rapport au Honda. La suspension arrière à essieu rigide et lames de ressorts elliptiques ne se débrouille pas trop mal sur une chaussée uniforme, malheureusement les ruades ne se font pas attendre lorsque les trous et les bosses sont de la partie. Et force est d'admettre que le Nissan Frontier et le Toyota Tacoma font mieux en pareilles circonstances. En contrepartie, certains vous répondront que le Dakota est plus robuste et ils n'ont sans doute pas tort.

STYLISME

En cette époque où les camionnettes ne servent pas uniquement d'outil de travail, le stylisme prend de plus en plus de place. D'ailleurs, le premier Dodge Ram revu et corrigé dévoilé en 1995 a profité de sa silhouette à part pour intéresser les gens. Le premier Dakota comptait surtout sur ses dimensions songées et ses allures de mini Ram pour convaincre les clients. Cette fois, les designers ont opté pour un style extérieur nettement plus angulaire au chapitre des phares avant, du pare-chocs et des ailes arrière. Mais sans vouloir jouer les pseudo-experts, plusieurs spécialistes du design soulignent que l'ensemble manque d'harmonie, que le toit de la cabine est trop arrondi par rapport à la section inférieure, plus anguleuse.

Un détail en passant. Le pare-chocs avant paraît des plus costauds avec ses dimensions imposantes, mais celui-ci devient fragile comme du verre par temps très froid. L'hiver dernier, je me suis retrouvé avec un pare-choc avant en partie désagrégé à la suite, c'est du moins ma déduction, d'une manœuvre de stationnement ratée de la part d'un autre automobiliste. Espérons que les ingénieurs auront su trouver une solution à cette faiblesse au cours des mois qui se sont écoulés depuis.

Puisque cette nouvelle génération du Dakota a était faite sous le signe de la croissance des dimensions extérieures, il est facile de comprendre pourquoi la cabine est plus spacieuse qu'auparavant. Mais je ne crois pas qu'elle soit plus confortable. Mon essai principal s'est effectué sur un modèle à cabine allongée et je devais toujours me contorsionner pour éviter que mon épaule se heurte à l'ancrage supérieur de la ceinture de sécurité. Eh oui, je sais, elle est réglable en hauteur et son réglage était à la position la plus haute! Par contre, il faut accorder de bonnes notes

FEU VERT

Moteur V8 disponible
Habitabilité supérieure
Cabine Quad Cab
Bonne capacité de remorquage
Finition améliorée

FEU ROUGE

Suspension rétive
Dimensions encombrantes
Direction engourdie
Pare-chocs fragiles en hiver
Silhouette controversée

aux panneaux d'accès aux places arrière qui s'ouvrent à un angle de 90 degrés. De plus, l'espace disponible est moyen. Sur une version Club Cab, il faut s'entendre. Si vous aimez prendre vos aises, le Quad Cab est la seule solution avec des places nettement plus généreuses que précédemment et surtout plus confortables. La banquette est plus rembourrée et l'angle du dossier mieux étudié. Le tableau de bord a un air de déjà vu avec ses cadrans circulaires à fond blanc et chiffres noirs. Même si c'est inspiré des Chrysler 300C et Dodge Durango, la planche de bord est exclusive à ce modèle. Et malgré toutes ces astuces de design, le résultat final manque de piquant.

PRÉJUGÉS FAVORABLES

Il a toujours été reconnu par les spécialistes, amateurs de camionnettes et le public en général, que la présence d'un moteur V8 sous le capot est un gage de puissance et de capacité de remorquage. C'est pourquoi plusieurs vont s'intéresser au Dakota puisque depuis l'an dernier il peut être commandé avec un moteur V8 de 4,7 litres produisant 230 chevaux en version de base et 260 dans un modèle à haut rendement. Ce moteur n'est pas un «monsieur gros muscles» comme le légendaire Hemi offert sur le Ram, mais il y en a sous la pédale lorsqu'on tracte une remorque puisque les 290 lb-pi de couple du V8 de base assurent une capacité de remorquage de 7000 livres.

Compte tenu des prix capricieux du carburant, et si vous n'avez pas l'intention d'apporter une partie de votre maison lorsque vous partez en vacances, le moteur V6 3,7 litres de 210 chevaux est à considérer. Par contre, n'allez pas confondre boîte manuelle six rapports avec conduite sportive puisque celle-ci est à vocation industrielle avec course longue et passages des rapports parfois difficiles.

TRADITIONNEL

Malgré son nouveau plumage et une mécanique améliorée, il n'en demeure pas moins que ce Dodge respecte la tradition des camionnettes nord-américaines offrant un habitacle de plus en plus confortable, mais dont la tenue de route n'est pas toujours exemplaire. Comme sur plusieurs de ses rivales, la direction est passablement engourdie, la suspension arrière peu douée pour maîtriser les mauvaises routes tandis que la tenue en virage est correcte sans plus. Par contre, le comportement d'ensemble s'améliore lorsque la caisse est moyennement chargée.

Denis Duquet

Photos: Denis Duquet

DODGE DAKOTA

DONNÉES TECHNIQUES

Modèle à l'essai:	R/T
Prix du modèle à l'essai:	36885$ (estimé)
Échelle de prix:	25995$ à 39995$ (estimé)
Garanties:	3 ans/60000 km, 7 ans/115000 km
Catégorie:	camionnette intermédiaire
Emp./Lon./Lar./Haut.(cm):	333/556/174/182
Poids:	2035 kg
Longueur de caisse/Réservoir:	162,5 cm / 83 litres
Coussins de sécurité:	frontaux, latéraux (av.), rideaux
Suspension avant:	indépendante, bras inégaux
Suspension arrière:	demi-ind., poutre déformante
Freins av./arr.:	disque/tambour (ABS)
Antipatinage/Contrôle de stabilité:	non/non
Direction:	à crémaillère, assistée
Diamètre de braquage:	13,4 m
Pneus av./arr.:	P265/70R16
Capacité de remorquage:	2994 kg

GROUPE MOTOPROPULSEUR

Moteur:	V8 de 4,7 litres 16s atmosphérique
Alésage et course	93,0 mm x 86,5 mm
Puissance:	230 ch (172 kW) à 4600 tr/min
Couple:	290 lb-pi (393 Nm) à 3600 tr/min
Rapport Poids/Puissance:	8,85 kg/ch (11,83 kg/kW)
Moteur électrique:	aucun
Autre(s) moteur(s):	V6 3,7 l 210ch à 5200tr/mn et 235lb-pi à 3600tr/mn, V8 4,7 l 260ch à 5200tr/mn et 310lb-pi à 3600tr/mn
Transmission:	4X4, automatique 5 rapports
Autre(s) transmission(s):	manuelle 6 rapports / automatique 4 rapports
Accélération 0-100 km/h:	7,8 s
Reprises 80-120 km/h:	6,0 s
Freinage 100-0 km/h:	43,5 m
Vitesse maximale:	190 km/h
Consommation (100 km):	ordinaire, 13,9 litres
Autonomie (approximative):	597 km
Émissions de CO2:	6720 kg/an

DANS LA MÊME CATÉGORIE

Chevrolet Colorado - Ford Ranger - Nissan Frontier - Toyota Tacoma

DU NOUVEAU EN 2006

Ajout de nouveaux modèles, toit ouvrant sur Club Cab, portières arrière 180 degrés

HISTORIQUE DU MODÈLE

2ième génération

NOS IMPRESSIONS

Agrément de conduite:	🚗🚗🚗🚗
Fiabilité:	🚗🚗🚗½
Sécurité:	🚗🚗🚗🚗
Qualités hivernales:	🚗🚗🚗
Espace intérieur:	🚗🚗🚗🚗
Confort:	🚗🚗🚗🚗

LE CHOIX DE L'ÉQUIPE

Quad cab AWD

ÇA CONTINUE !

Lancée presque dans un geste de désespoir en 1994, la camionnette Dodge Ram ne cesse de connaître des succès. Sérieusement révisée en 2002, elle a continué d'être le véhicule produit par Chrysler qui se vend le plus. Il faut souligner la capacité de ce constructeur à s'adapter aux conditions du marché afin de pouvoir poursuivre sa croissance. Alors que plusieurs grands noms sur le marché ont un parcours en dent de scie, DaimlerChrysler a connu une progression constante de ses ventes au cours des trois dernières années. La preuve de ce dynamisme est l'arrivée sur le marché pour 2006 d'une version entièrement revue du Doge Ram 1500.

Le prix sans cesse à la hausse du carburant inquiète les acheteurs de camionnettes plein format? Pourquoi ne pas offrir le moteur HEMI de 345 chevaux avec le dispositif de cylindrée modulaire qui permet de réduire la facture de carburant de plus de 15%? Il est alors possible de combiner économie de carburant, c'est du moins la logique de ces gens, et de continuer à rouler avec ce gros moteur V8. Avec ses 345 chevaux, il est le plus puissant de sa catégorie. De quoi atténuer vos remords si vous craquez pour le Ram 1500. Et si vous manquez d'arguments pour vous convaincre, la division Dodge souligne que l'utilisation de ce moteur sur le Ram 1500 permettra d'économiser plus de 220 millions de litres de carburant.

Mais il n'est pas nécessaire de choisir le moteur HEMI pour apprécier le Ram. Si vous n'avez pas besoin d'une telle cavalerie sous le capot, il est toujours possible de commander le moteur V8 de 4,7 litres dont les 235 chevaux devraient suffire dans la majorité des cas. Enfin, pour un usage plus léger et uniquement en version 2X2, il y a le moteur V6 de 215 chevaux. Comme c'est souvent le cas avec les moteurs V6 de camionnettes, leur puissance est respectable, mais leur couple est inférieur. Dans le cas qui nous concerne, le moteur V8 de 4,7 litres produit seulement 20 chevaux de plus que le V6, mais son couple est supérieur de 65 lb-pi. Il est également important de souligner que ces deux moteurs peuvent être commandés avec une boîte manuelle Getrag qui est nettement moins brutale cette année que précédemment.

CHANGEMENTS MAJEURS

L'arrivée de ce nouveau moteur à cylindrée variable sous le capot a incité les ingénieurs à apporter plusieurs modifications majeures au châssis qui comprend maintenant des poutres fermées afin d'obtenir plus de rigidité. La suspension avant à barres de torsion de la version 4X4 a été remplacée par une toute nouvelle unité comprenant deux leviers triangulés et des amortisseurs montés dans les ressorts hélicoïdaux empruntés aux modèles deux roues motrices. La suspension arrière est toujours à essieu rigide et ressorts elliptiques dont la rigidité est spécialement étudiée pour réduire le sautillement. Enfin, les amortisseurs de tous les modèles sont de type monotube, ce qui assure généralement une meilleure tenue de route. Toujours au chapitre de la mécanique, le rouage 4X4 comprend un système de désactivation des essieux avant à commande électronique afin de diminuer la friction lorsque le véhicule est en mode deux roues motrices. De plus, les freins sont dorénavant dotés d'étriers à friction réduite dans le but d'économiser encore plus de carburant.

FEU VERT
Moteur HEMI MDS
Châssis plus rigide
Tableau de bord amélioré
Sièges plus confortables
Tenue de route améliorée

FEU ROUGE
Dimensions encombrantes
Version Mega Cab
Moteur V6 marginal
Consommation élevée

TRÈS BONNE NOUVELLE !

Il est vrai que le moteur HEMI de cylindrée variable ainsi que toutes les modifications apportées au châssis améliorent le Ram 1500, mais je suis persuadé qu'un nombre encore plus important de personnes sera davantage impressionné par la nouvelle cabine qui est nettement plus conviviale que celle de la génération précédente. Sur le modèle essayé, les appliques en bois de la planche de bord, la nouvelle nacelle des cadrans indicateurs, la qualité des sièges ainsi que l'agencement des couleurs des tissus sont autant d'améliorations qui font toute une différence. En passant, le Ram est offert en version cabine régulière, Quad Cab à quatre portières, ainsi qu'en version Mega Cab qui ajoute plusieurs centimètres à la cabine, permettant ainsi aux occupants des places arrière de vraiment prendre leurs aises. Ils pourront même visionner leurs films favoris car un DVD est disponible.

Je ne veux pas tomber dans l'énumération de tous les modèles offerts, mais il ne faut absolument pas oublier la version SRT-10 dont le moteur V10 de 8,3 litres produit 500 chevaux, ce qui en fait la camionnette sport la plus rapide au monde avec un 0-100 km/h de 5,7 secondes. Et pour répondre aux besoins de plusieurs, ce bolide est offert en version Quad Cab à cabine multiplace !

RAFFINÉ

Pas besoin d'être un essayeur chevronné pour percevoir les améliorations apportées à ce camion. Les roues arrière sautillent moins que précédemment, la tenue de route est nettement meilleure en raison d'une plus grande rigidité du châssis, tandis que la réponse du moteur HEMI est instantanée et les accélérations ne se font pas attendre. Mais il y a plus que les accélérations en ligne. Le conducteur a vraiment l'impression d'être le maître à bord alors que la direction est précise et la camionnette stable dans les virages. Malgré tout, ce n'est pas une voiture de course, mais un outil de travail. Finalement, des retouches ont été apportées à la calandre avant tandis que les lentilles des phares de routes laissent passer plus de lumière.

Nonobstant toutes ces améliorations, il faut s'assurer que vos besoins exigent que vous rouliez en camionnette. Faute de quoi c'est consommer beaucoup d'énergie inutilement.

Denis Duquet

Photos : Denis Duquet

DONNÉES TECHNIQUES

Modèle à l'essai :	R/T
Prix du modèle à l'essai :	36 450 $ (estimé)
Échelle de prix :	26 200 $ à 62 000 $ (SRT-10)
Garanties :	3 ans/60 000 km, 7 ans/115 000 km
Catégorie :	camionnette grand format
Emp./Lon./Lar./Haut.(cm) :	304/527/202/187
Poids :	2 125 kg
Longueur de caisse/Réservoir :	190 cm / 98 litres
Coussins de sécurité :	frontaux et rideaux
Suspension avant :	indépendante, bras inégaux
Suspension arrière :	essieu rigide, ressorts elliptiques
Freins av./arr. :	disque (ABS)
Antipatinage/Contrôle de stabilité :	non/non
Direction :	à crémaillère, assistée
Diamètre de braquage :	11,9 m
Pneus av./arr. :	P265/70R16
Capacité de remorquage :	3 590 kg

Pneus d'origine MICHELIN

GROUPE MOTOPROPULSEUR

Moteur :	V8 de 5,7 litres 16s atmosphérique
Alésage et course	99,5 mm x 90,9 mm
Puissance :	345 ch (257 kW) à 5 400 tr/min
Couple :	375 lb-pi (509 Nm) à 4 200 tr/min
Rapport Poids/Puissance :	6,16 kg/ch (8,27 kg/kW)
Moteur électrique :	aucun
Autre(s) moteur(s) :	V6 3,7 l 215ch à 5200tr/mn et 235lb-pi à 4000tr/mn, V8 4,7 l 235ch à 4800tr/mn et 300lb-pi à 3200tr/mn,
Transmission :	propulsion, automatique 4 rapports
Autre(s) transmission(s) :	automatique 5 rapports / manuelle 6 rapports (3,7/4,7L)
Accélération 0-100 km/h :	8,3 s
Reprises 80-120 km/h :	6,8 s
Freinage 100-0 km/h :	46,0 m
Vitesse maximale :	180 km/h
Consommation (100 km) :	ordinaire, 15,0 litres
Autonomie (approximative) :	653 km
Émissions de CO2 :	7 075 kg/an

DANS LA MÊME CATÉGORIE

Chevrolet Silverado - Ford F-150 - GMC Sierra - Nissan Titan - Toyota Tundra

DU NOUVEAU EN 2006

Nouveau tableau de bord, avant redessiné, version Mega Cab (3500), moteur 5,7 l MDS

HISTORIQUE DU MODÈLE

2ième génération

NOS IMPRESSIONS

Agrément de conduite :	4
Fiabilité :	4
Sécurité :	3½
Qualités hivernales :	3
Espace intérieur :	3½
Confort :	4

LE CHOIX DE L'ÉQUIPE

Quad Cab 1500 Hemi

CONGÉ SABBATIQUE

Cette année, pas de Sport Trac dans la gamme Ford. Il s'agit pourtant du modèle qui ressemble de plus près au spectaculaire Honda Ridgeline. Mais les voies de Dieu et celles de Ford sont imprévisibles et ce véhicule multifonction prend une année sabbatique avant de revenir plus ou moins sous la même forme, mais avec une plate-forme et une mécanique nettement plus sophistiquées. Comme le disent souvent les militaires qui battent en retraite, « on recule pour mieux avancer par la suite ».

Et les premières ébauches dévoilées à date par le constructeur nous permettent de croire que ce sera le cas. En effet, le nouveau venu sera plus long, plus large et plus gros que la version 2005. Il faut également ajouter que celle-ci était une version dérivée du défunt Ford Explorer qui était lui-même une concoction de la camionnette Ranger. Bref, comme le dirait notre collègue Alain Morin, la mécanique était « passée date ».

Cette nouvelle génération sera propulsée par un moteur V8, soit l'incontournable V8 4,6 litres à arbre à cames en tête. Et pour tirer parti de cette puissance accrue, les ingénieurs ont opté pour une suspension arrière indépendante. Le Honda Ridgeline ne sera plus la seule camionnette a offrir une telle suspension. Pour l'instant, les stylistes ont opté pour le thème « Hot Rod » et « Voiture Modifiée » devenu très à la mode chez nos voisins du Sud en raison du succès des émissions Rides, Overhaulin et autres. Des roues de 20 pouces installées sur le véhicule concept donnent de la prestance tandis que les parties arrondies de la caisse lui confèrent une silhouette de modèle « fait sur mesure ». La même approche a été adoptée pour l'habitacle alors que les cadrans sont à fond blanc. Le levier de vitesse type aviation est une bonne trouvaille. Mais ce qui sera le plus apprécié est le fait que la cabine est plus longue et plus large, ce sont les occupants des places arrière qui seront contents.

Reste à savoir à quoi ressemblera le modèle de production qui devrait être dévoilé en cours d'année afin d'arriver sur notre marché à l'automne 2006. Les dimensions et la mécanique devraient être conservés de même que la silhouette. Par contre, je suis prêt à parier que l'habitacle sera plus sobre et moins luxueux.

DE BEAUX RESTES

En attendant, plusieurs concessionnaires devraient liquider leur Sport Trac 2005 à des prix intéressants. Voici donc un résumé de l'essai de la version 2005, juste au cas ou elle vous serait offerte à prix d'aubaine. Et vous pouvez même vous vanter de vous procurer un véhicule hybride puisque le terme « hybride » servait à identifier des véhicules comportant plusieurs éléments de diverses provenances avant d'être utilisé pour désigner les voitures propulsées par un moteur hybride mi-essence/ mi-électrique. Le Sport Trac répond à ces critères à la perfection. En effet, son châssis autonome est celui de la camionnette Ranger, sa carrosserie est celle de l'ancien Ford Explorer tandis que la boîte de chargement est fabriquée à partir d'un matériau composite. Il s'agit donc d'une solution

FEU VERT
Moteur efficace
Places arrière confortables
Boîte de chargement en composite
Finition soignée
Tenue de route saine

FEU ROUGE
Modèle discontinué
Suspension ferme
Consommation élevée
4X4 à temps partiel
Prix élevé

de compromis qui a des limites plus importantes qu'une vraie camionnette ou un vrai VUS. Le Sport Trac est une camionnette qui tente de jouer les VUS. Il est donc pénalisé par une caisse de chargement moins longue que celle du Ranger. Il doit en effet concéder 56 cm à la vraie « camionnette » et malgré qu'il soit possible de commander une rallonge de caisse de 61 cm, il faut aussi se dire que cet accessoire est également offert sur le Ranger.

Malgré cette crise des dimensions, le Sport Trac devrait répondre aux besoins de la plupart des campeurs, bricoleurs et adeptes de toute autre activité se terminant par «eur». Compte tenu de l'utilisation anticipée de ce véhicule multifonction, ses concepteurs l'ont équipée d'une caisse de chargement fabriquée à partir d'un matériau composite résistant aux chocs et à la rouille tout en étant nettement plus léger que l'acier. Cette caisse quasiment futuriste est en net contraste avec la suspension arrière qui est carrément rétro avec son essieu rigide et ses ressorts elliptiques. Pour terminer ce chapitre sur la caisse de chargement, celle-ci est recouverte d'un couvercle rigide comprenant trois panneaux articulés. Vous pouvez donc cacher vos bagages et tout équipement de valeur dans la boîte puisque celle-ci est fermée et même verrouillée. Par contre, la serrure est non seulement mal située, mais elle est pratiquement toujours recouverte de neige en hiver.

La motorisation se résume à sa plus simple expression puisqu'un seul moteur et une seule transmission sont disponibles. Le moteur V6 4,0 litres est le même que celui utilisé sur la camionnette Ranger. Sur le Sport Trac, sa puissance est de 210 chevaux, trois de plus que sur la camionnette en raison d'une admission d'air plus généreuse. Il est couplé à une boîte automatique à cinq rapports, ce qui démarque ce VUS de bien d'autres de la catégorie pourtant vendus beaucoup plus chers.

A part un volant plus sportif et quelques boutons placés différemment, l'habitacle est similaire à celui du Ranger. Les sièges avant sont donc moyennement confortables.

Sur la route, le moteur V6 est bruyant, mais il est robuste, capable de tracter une remorque de 2 404 kg et ses années de service nous permettent de pouvoir compter sur une rassurante fiabilité du groupe propulseur. Par contre, plusieurs ennuis mécaniques de nature secondaire sont venus entacher le dossier de fiabilité global du Sport Trac. Mais à prix réduit, il s'agit de beaux restes.

Denis Duquet

Photos: Ford

DONNÉES TECHNIQUES

Modèle à l'essai:	XLT 4X4
Prix du modèle à l'essai:	37445$ - 2005
Échelle de prix:	31295$ à 39795$ - 2005
Garanties:	3 ans/60000 km, 5 ans/100000 km
Catégorie:	camionnette intermédiaire
Emp./Lon./Lar./Haut.(cm):	319/523/182/178
Poids:	1975 kg
Longueur de caisse/Réservoir:	127 cm / 85 litres
Coussins de sécurité:	frontaux et rideaux
Suspension avant:	indépendante, bras inégaux
Suspension arrière:	essieu rigide, ressorts elliptiques
Freins av./arr.:	disque (ABS)
Antipatinage/Contrôle de stabilité:	non/non
Direction:	à crémaillère, assistée
Diamètre de braquage:	13,1 m
Pneus av./arr.:	P235/70R16
Capacité de remorquage:	2300 kg

GROUPE MOTOPROPULSEUR

Moteur:	V6 de 4,0 litres 12s atmosphérique
Alésage et course	100,3 mm x 84,3 mm
Puissance:	210 ch (153 kW) à 5500 tr/min
Couple:	240 lb-pi (328 Nm) à 3000 tr/min
Rapport Poids/Puissance:	9,63 kg/ch (12,91 kg/kW)
Moteur électrique:	aucun
Autre(s) moteur(s):	seul moteur offert
Transmission:	4X4, automatique 5 rapports
Autre(s) transmission(s):	aucune
Accélération 0-100 km/h:	9,9 s
Reprises 80-120 km/h:	7,6 s
Freinage 100-0 km/h:	42,3 m
Vitesse maximale:	190 km/h
Consommation (100 km):	ordinaire, 13,5 litres
Autonomie (approximative):	630 km
Émissions de CO2:	6360 kg/an

DANS LA MÊME CATÉGORIE

Dodge Dakota - Nissan Frontier - Toyota Tacoma - Chevrolet Colorado

DU NOUVEAU EN 2006

Dernière année dans sa forme actuelle

HISTORIQUE DU MODÈLE

1[ière] génération

NOS IMPRESSIONS

Agrément de conduite:	3½
Fiabilité:	4
Sécurité:	4
Qualités hivernales:	4
Espace intérieur:	3½
Confort:	3½

LE CHOIX DE L'ÉQUIPE

XLT 4X4 (2005)

FORD F-150 / LINCOLN MARK LT

TOUJOURS EN TÊTE !

Ford jouait gros lorsque le F-150 a été entièrement modifié en 2004. Après tout, il s'agissait non seulement du véhicule le plus vendu de Ford, mais également du plus vendu en Amérique. Et puisque les camionnettes sont très rentables, le F contribuait pour une large part aux profits de ce constructeur. Même un léger recul des ventes aurait été catastrophique. Et la partie s'annonçait difficile alors que Nissan dévoilait son premier gros camion et que Toyota s'apprêtait à dépoussiérer le Tundra. Et cela, sans oublier les Dodge Ram et le duo Silverado / Sierra de GM.

La table était mise pour un affrontement majeur et c'est encore une fois Ford qui s'en tire avec les honneurs. En effet, la domination du F-150 s'est maintenue pour une 39e année, bien que la concurrence soit plus forte que jamais. Et la raison est bien simple, Ford connaît le marché des camionnettes comme pas un. Ses dirigeants savent quels sont les besoins des consommateurs, qu'il s'agisse d'utilisateurs familiaux ou encore industriels. Pour le commun des mortels, les rapports de pont sont du chinois, mais pour un acheteur de camionnette cela peut faire toute la différence. En outre, ce constructeur semble posséder un catalogue de choix et d'options encore plus épais que celui des autres. D'ailleurs, plus d'un néophyte du monde des camionnettes a eu la surprise de sa vie en prenant connaissance du nombre presque incalculable de variantes offertes aux acheteurs de camionnettes.

Ceci explique sans doute pourquoi le F-150 est offert avec une variation de trois tableaux de bord en fonction de la catégorie et de l'utilisation anticipée. Je croyais personnellement que ces choix multiples auraient pour but de confondre les acheteurs et de rendre la gestion des inventaires plus que difficile. À la lueur des chiffres de ventes, il faut conclure que les planificateurs de Ford avaient vu juste. Jadis exclusivement outils de travail, les camionnettes sont de plus en plus utilisées comme véhicules personnels. Les utilisateurs exigent donc plus de luxe et de confort et Ford répond à leur demande. La planche de bord n'a rien à envier en esthétique à celle des berlines de la compagnie et les éclipse parfois. Cette approche semble faire boule de neige chez la concurrence. D'ailleurs, pendant des années, la cabine du Dodge Ram était très spartiate et exclusivement pratique. En 2006, la planche de bord a été redessinée et comprend même des appliques en bois sur certains modèles. C'est la tendance actuelle et le constructeur de Dearborn a montré la voie. Il faut également mentionner qu'il est possible de commander un lecteur DVD, tandis que des modules de rangement mobiles fixés sur des rails au pavillon augmentent la polyvalence. Ajoutons à cette liste un pédalier réglable et une lunette arrière à ouverture à commande électrique.

Trois cabines sont au catalogue, une cabine ordinaire dotée de panneaux d'accès à un espace de rangement derrière les sièges avant, une version « Super Cab » à cabine allongée et finalement la cabine « Super Crew » quatre portes. Les modèles à cabine ordinaire peuvent être livrés avec une caisse de 6,5 pieds ou 8 pieds tandis que et les Super Cab offrent le choix entre une caisse de 5,5 pieds ou 6,5 pieds. Enfin, le Super Crew n'est livré qu'avec une caisse de 5,5 pieds.

FEU VERT

Liste d'options complète
Moteurs bien adaptés
Cabine confortable
Capacité de remorquage
Valeur de revente

FEU ROUGE

Peu agile en ville
Consommation élevée
Suspension ferme
Absence de boîte auto 5 rapports

DE TOUT POUR TOUS

La camionnette ayant été initialement lancée sans moteur V6 au catalogue, cette lacune a été comblée l'an dernier avec l'introduction du moteur V6 4,2 litres de 202 chevaux. Il s'agit du même moteur V6 que celui offert sur la fourgonnette Freestar. Et il faut souligner son couple de 225 lb-pi qui justifie sa présence sous le capot d'une camionnette de cette catégorie. De plus, offert avec la boîte manuelle à cinq rapports, sa consommation de carburant est la plus raisonnable. Malgré tout, celles et ceux qui choisiront ce moteur devront avoir des besoins de remorquage plutôt limités. Sinon, ils devront se tourner vers les moteurs V8. Pour la majorité des gens, le V8 4,6 litres de 231 chevaux devrait répondre à leurs exigences. Mais si vous voulez profiter de la capacité maximale de remorquage qui est de 9900 livres ou 4490 kg, il est alors impératif de commander le moteur V8 de 5,4 litres dont les 300 chevaux et les 365 lb-pi de couple sont en mesure de remplir la commande. Il faut toutefois déplorer le fait que seule une boîte automatique à quatre rapports soit offerte avec le F-150. Soulignons également que les modèles de la série Super Duty sont livrés avec une transmission automatique à cinq rapports. Espérons que ce soit pour l'an prochain.

Il est normal de s'attendre à conduire quelque chose de gros lorsqu'on opte pour une camionnette de cette catégorie. Malgré tout, il faut admettre que la conduite d'un F-150 nous donne l'impression d'être au volant d'un véhicule beaucoup plus gros qu'il ne l'est en réalité. En dépit de ses dimensions imposantes, le Nissan Titan par exemple nous a paru plus agile tandis que le Dodge Ram, un costaud s'il en est un, nous donne l'impression d'être plus petit que le F-150. Il s'agit toutefois d'impressions puisque tous ont des mensurations qui s'apparentent.

Si jamais vous êtes un néophyte de la catégorie, vous devrez planifier vos manœuvres de stationnement lorsque vous vous aventurerez au centre-ville. Le F-150 n'est pas le plus agile qui soit. Mais à constater le nombre d'unités vendues chaque année, il faut croire que cet inconvénient est balayé par l'insonorisation, le confort de la cabine, la silhouette et surtout son comportement en fait de camion. Ford semble avoir la meilleure recette aux yeux des acheteurs.

Denis Duquet

Photos: Ford

DONNÉES TECHNIQUES

Modèle à l'essai:	XLT
Prix du modèle à l'essai:	43395$
Échelle de prix:	25250$ à 52250$
Garanties:	3 ans/60000 km, 5 ans/100000 km
Catégorie:	camionnette grand format
Emp./Lon./Lar./Haut.(cm):	414/583/200/186
Poids:	2344 kg
Longueur de caisse/Réservoir:	183 cm / 102 litres
Coussins de sécurité:	frontaux
Suspension avant:	indépendante, bras inégaux
Suspension arrière:	essieu rigide, ressorts elliptiques
Freins av./arr.:	disque (ABS)
Antipatinage/Contrôle de stabilité:	non/non
Direction:	à crémaillère, assistée
Diamètre de braquage:	14,1 m
Pneus av./arr.:	P235/70R17
Capacité de remorquage:	2858 kg

GROUPE MOTOPROPULSEUR

Pneus d'origine MICHELIN

Moteur:	V8 de 5,4 litres 16s atmosphérique
Alésage et course	90,1 mm x 105,6 mm
Puissance:	300 ch (224 kW) à 5000 tr/min
Couple:	365 lb-pi (495 Nm) à 3750 tr/min
Rapport Poids/Puissance:	7,81 kg/ch (10,46 kg/kW)
Moteur électrique:	aucun
Autre(s) moteur(s):	V6 4,2 l 202ch à 4800tr/mn et 225lb-pi à 4000tr/mn, V8 4,6 l 231ch à 4750tr/mn et 293lb-pi à 3500tr/mn
Transmission:	propulsion, automatique 4 rapports
Autre(s) transmission(s):	manuelle 5 rapports (V6) / 4X4, automatique 4 rapports
Accélération 0-100 km/h:	8,5 s
Reprises 80-120 km/h:	7,2 s
Freinage 100-0 km/h:	43,4 m
Vitesse maximale:	190 km/h
Consommation (100 km):	ordinaire, 15,8 litres
Autonomie (approximative):	646 km
Émissions de CO2:	6529 kg/an

DANS LA MÊME CATÉGORIE

Chevrolet Silverado - Dodge Ram - GMC Sierra - Nissan Titan - Toyota Tundra

DU NOUVEAU EN 2006

Version Harley Davidson, version SuperCrew avec boîte 198 cm, antipatinage sur version 4X2 V8

HISTORIQUE DU MODÈLE

7ième génération

NOS IMPRESSIONS

Agrément de conduite:	4/5
Fiabilité:	4/5
Sécurité:	4/5
Qualités hivernales:	3/5
Espace intérieur:	4/5
Confort:	4/5

LE CHOIX DE L'ÉQUIPE

XL Super cab 4X2, caisse 368 cm

PETIT MALIN

Après 18 ans d'existence, le Ford Ranger fait encore parler de lui et figure avantageusement au palmarès des meilleurs achats parmi les camionnettes compactes. Et son vis-à-vis chez Mazda, le camion de Série B, est presque une copie conforme. Leur look ne semble pas se démoder, ce qui leur confère une bonne valeur de revente. Ils sont relativement petits, mais très robustes et « capables d'en prendre », surtout si vous devez quitter la voie rapide pour emprunter un chemin forestier cahoteux, boueux et exigeant pour la suspension.

Parmi la gamme qu'offre Ford avec son Ranger, la version la plus intéressante est sans aucun doute le Ranger FX4 2e niveau qui est muni d'amortisseurs Bilstein à haut rendement, ainsi que de pneus offrant plus de mordant pour la conduite hors route : des BF Goodrich 31X10.50 T/A® KO. Grâce à son différentiel à glissement limité TORSEN, cette version ne craint pas de circuler sur les pires routes, tout en étant capable de tracter une remorque chargée d'un VTT ou d'une motoneige. De plus, il est muni d'un protecteur ventral en acier sous le moteur, protégeant ainsi les composantes mécaniques en cas de rencontre brutale avec un rocher ou une souche. Il se débrouille aussi très bien quand sa caisse est remplie de terre ou de matériaux de construction. En conduite hors route, si un obstacle ou un trou de boue se présente, vous n'avez qu'à actionner le mode 4RM à la volée, en utilisant la commande sur le tableau de bord.

Le moteur V6 de 4,0 litres est bien adapté avec ses 207 chevaux et son couple de 238 lb-pi. Combiné à la transmission automatique à 5 rapports, c'est le modèle que nous vous recommandons en raison de sa conception mécanique plus moderne et de son moteur souple et puissant. Il est également plus apte à satisfaire les besoins de ceux qui utilisent cette camionnette pour des travaux commerciaux. Si c'est l'économie qui prime, alors vous pouvez opter pour le 4 cylindres de 2,3 litres à SACT, de 148 chevaux jumelé à une transmission manuelle à 5 rapports. Toutefois, si vous choisissez cette transmission, vous devrez vivre avec un levier de vitesse qui n'est pas un exemple en matière de précision. Il faut ajouter que ce moteur 4 cylindres offre une performance honnête pour les travaux légers. Finalement, un V6 de 3,0 litres de 148 chevaux est disponible. Sa puissance est similaire au moteur 2,3 litres, mais son couple plus élevé facilite le remorquage. Malgré tout, ce n'est pas le meilleur choix.

La fondation de cette camionnette est son robuste châssis autonome de type échelle. Il est rigide et résiste aussi bien en flexion qu'en torsion. Mais, il y a un bémol. Si vous optez pour la caisse de six pieds, vous subirez de violentes secousses sur une chaussée cahoteuse. La suspension est très ferme à l'arrière et le rebond des amortisseurs provoque un sautillement du train arrière. Un conseil en passant : votre café est mieux de ne pas être trop chaud ou empressez-vous de le boire avant de vouloir suivre ce petit sentier qui semble ne mener nulle part !

En 2006, Ford a effectué quelques modifications au niveau esthétique en proposant des pare-chocs de couleur, une grille de calandre redessinée

FEU VERT

Bonne capacité de remorquage
Très bonne valeur de revente
Moteur 4,0 litres bien adapté
Mécanique robuste

FEU ROUGE

Sièges arrière symboliques
Moteur V6 de 3,0 litres
Talonnage du train arrière
Finition perfectible

ainsi que des phares antibrouillard et quelques petites retouches ici et là. De nouvelles couleurs sont aussi proposées, comme le jaune criant et le rouge feu qui illuminent joyeusement cette camionnette. Ces retouches lui donnent un look qui s'apparente maintenant au F-150.

Si vous aimez vous faire remarquer, le groupe d'accessoires TREMOR est pour vous. Cet ensemble comprend des roues de 16 pouces en aluminium d'un design exclusif et un système audio Pioneer à vous défoncer les tympans. À cause de cet amplificateur multicanaux de 510 watts, son haut-parleur de graves de 10 pouces ainsi que quatre haut-parleurs situés aux quatre coins du Ranger, il est certain que votre rétroviseur sera inutile tellement il vibrera si vous poussez le volume au maximum.

Une caisse de 7 pieds ou 2,13 mètres est disponible et elle a une capacité de charge de 1 200 lb. Ce qui est donc amplement suffisant dans la plupart des cas. Comme cette boîte est utilisée sur la version à empattement allongé, la conduite est plus souple sur les routes bosselées. On ressent moins l'effet de l'essieu rigide. Pour ce qui est de la capacité de remorquage, si vous avez choisi le moteur de 4 litres, vous pourrez aisément tirer une remorque chargée de 3 000 lbs, ce qui n'est pas si mal pour une camionnette compacte.

La version Super Cab peut accueillir deux occupants aux places arrière, mais ne pensez pas pouvoir effectuer de longs trajets avec vos passagers arrière. Sinon, ils ne sentiront plus leurs jambes puisque les strapontins arrière sont assez étroits et peu confortables. Ils sont plus adaptés pour des enfants. En général, la finition est sobre, le volant à quatre rayons se prend bien en main tandis que les sièges avant offrent un bon support.

La série Ranger est là depuis 18 ans et pour cause. Ce véhicule a une allure agréable, surtout cette année avec sa petite chirurgie esthétique. Son prix est raisonnable et ses capacités à travailler surprennent. Pour ce qui est de la fiabilité, nous lui donnons une très bonne note, en fait, il a atteint une bonne maturité. Et le même verdict s'adresse à la Mazda Série B qui est un Ford Ranger revu et corrigé par le constructeur d'Hiroshima.

Robert Jetté

Photos: Mazda

DONNÉES TECHNIQUES

Modèle à l'essai:	4X4 XLT
Prix du modèle à l'essai:	27 020$ - 2005
Échelle de prix:	18 010$ à 29 420$ - 2005
Garanties:	3 ans/60 000 km, 5 ans/100 000 km
Catégorie:	camionnette intermédiaire
Emp./Lon./Lar./Haut.(cm):	319/515/178,5/176
Poids:	1 680 kg
Longueur de caisse/Réservoir:	183 cm / 74 litres
Coussins de sécurité:	frontaux
Suspension avant:	indépendante, barres de torsion
Suspension arrière:	essieu rigide, ressorts elliptiques
Freins av./arr.:	disque (ABS)
Antipatinage/Contrôle de stabilité:	non/non
Direction:	à crémaillère, assistée
Diamètre de braquage:	12,4 m
Pneus av./arr.:	P225/70R15
Capacité de remorquage:	1 406 kg

GROUPE MOTOPROPULSEUR

Moteur:	V6 de 4,0 litres 12s atmosphérique
Alésage et course	85,0 mm x 84,3 mm
Puissance:	207 ch (154 kW) à 5 250 tr/min
Couple:	238 lb-pi (323 Nm) à 3 000 tr/min
Rapport Poids/Puissance:	8,12 kg/ch (10,91 kg/kW)
Moteur électrique:	aucun
Autre(s) moteur(s):	V6 3,0 l 148ch à 5 000tr/mn et 180lb-pi à 3 950tr/mn, 4L 2,3 l 148ch à 5 250tr/mn et 154lb-pi à 3 750tr/mn
Transmission:	4X4, automatique 5 rapports
Autre(s) transmission(s):	manuelle 5 rapports / propulsion, manuelle 5 rapports
Accélération 0-100 km/h:	9,2 s
Reprises 80-120 km/h:	8,4 s
Freinage 100-0 km/h:	44,0 m
Vitesse maximale:	175 km/h
Consommation (100 km):	ordinaire, 13,5 litres
Autonomie (approximative):	548 km
Émissions de CO2:	6 509 kg/an

DANS LA MÊME CATÉGORIE

Chevrolet Colorado - Dodge Dakota - GMC Canyon - Mazda Série B - Nissan Frontier - Toyota Tacoma

DU NOUVEAU EN 2006

Quelques modifications esthétiques, nouvelles options, modèle Edge changé pour Sport, nouvelles couleurs

HISTORIQUE DU MODÈLE

2ième génération

NOS IMPRESSIONS

Agrément de conduite:	🚗🚗🚗
Fiabilité:	🚗🚗🚗🚗
Sécurité:	🚗🚗🚗
Qualités hivernales:	🚗🚗🚗½
Espace intérieur:	🚗🚗🚗
Confort:	🚗🚗🚗

LE CHOIX DE L'ÉQUIPE

Sport Super Cab 4X4

Photo: Alain Morin

PAUVRES CONCURRENTS !

Plusieurs se sont demandé ce qu'avaient fumé les dirigeants de Honda quand ceux-ci ont annoncé que la compagnie allait se lancer sur le marché des camionnettes. Pour plusieurs, cette initiative était vouée à un échec certain. Pourtant, nous avons tous eu droit à une agréable surprise lorsque le Ridgeline fut dévoilé en janvier 2005. Non seulement la conception et l'exécution étaient impressionnantes, mais cette camionnette venait remettre en question tout ce qui avait été fait avant depuis le début de la première camionnette.

J'admets que, pour certains, sa silhouette est trop ceci ou pas assez cela. Il n'en demeure pas moins que cette approche stylistique devrait être la bonne pendant plusieurs années. Il est vrai que la grille de calandre fait quelque peu science-fiction et que les angles de la caisse sont très carrés, mais c'est bien équilibré, à mon avis. Il est important de souligner que la caisse est partie intégrante de la carrosserie, ce qui contribue également à la grande rigidité de l'ensemble. Et tant qu'à parler de la caisse de chargement, précisons qu'elle est en composite afin d'obtenir plus de légèreté, une meilleure résistance aux chocs tout en n'étant nullement affectée par la corrosion. Mais les ingénieurs ne se sont pas arrêtés là. Ils ont fait preuve d'astuce en plaçant un coffre de rangement verrouillable sous le plancher. Pourquoi personne n'y a pensé avant? C'est tout simplement qu'il fallait une suspension arrière indépendante pour gagner suffisamment d'espace pour créer ce petit truc. Et parlant de truc, la porte arrière peut s'ouvrir de façon habituelle ou de droite à gauche. Pour en terminer avec la caisse, il y a des rainures en sa partie avant pour y placer la roue avant d'une moto. Et les amateurs de VTT pourront y loger leur bolide sans aucun problème. Dois-je vous rappeler que Honda est le leader mondial de la moto?

La caisse de chargement a beau être tout ce qu'il y a de mieux, vous serez donc content d'apprendre que la cabine est fort bien fignolée. Le tableau de bord ne «fait pas camion» avec sa présentation équilibrée, aérée où tout est à sa place et facile d'accès. À l'exception des cadrans indicateurs des commandes de la climatisation placés tout en bas de la planche de bord et difficiles à lire en plein jour, le tout est supérieur à la moyenne. Tiens, pour faire la fine bouche, mentionnons que les sièges avant et arrière sont confortables certes, mais le soutient pour les cuisses est perfectible tandis le support latéral est juste bon. En contrepartie, la banquette arrière est bien rembourrée et l'angle de son dossier correct, les grosses pointures n'y seront pas à l'étroit.

TRADITION À LA MODERNE

Pour assurer toute la robustesse voulue, le châssis autonome est constitué de poutres longitudinales fermées et plus grosses que la moyenne. Il est renforcé par sept poutres transversales, également fermées. La rigidité en torsion est donc 20 fois supérieure à la moyenne. Et au lieu de boulonner la carrosserie à ce châssis, elle y est soudée.

Les camionnettes à moteur transversal sont rarissimes. Pourtant, le Ridgeline fait partie de ce club exclusif avec son moteur V6 3,5 litres

FEU VERT

Agrément de conduite
Tenue de route
Coffre à bagages ingénieux
Freins puissants
Rouage intégral

FEU ROUGE

Certaines versions coûteuses
Boîte courte
Cadrans de la climatisation à revoir
Certains aimeraient un moteur V8
Silhouette controversée

Photo: Honda

monté en position est-ouest. Et pour faire encore plus original, la transmission intégrale est de série. Toujours excentrique, le Ridgeline est une traction qui se transforme en intégrale imperceptiblement. Le rouage intégral VTM-4 permet de répartir le couple de façon indépendante à chaque roue arrière et est étroitement dérivé de celui utilisé sur le Pilot et l'Acura MDX.

Il est certain que plusieurs auraient espéré la présence d'un moteur V8 sous le capot. Ce n'est toutefois pas nécessaire puisque ce moteur V6 3,5 litres produit une puissance de 255 chevaux. Il n'y a pas si longtemps, même certains V8 à soupape en tête n'offraient pas tant. En plus d'avoir suffisamment de puissance, ce moteur V6 est passablement frugal avec une consommation de 14,8 l/100 km en ville et de 10,6 l/100 km sur l'autoroute. Il est certain que la boîte automatique à cinq rapports y est pour quelque chose. Malgré tout, la capacité de remorquage est de 5000 lb (2268 kg) et la charge utile de 1550 lb (703 kg).

Pour terminer la fiche technique, la suspension arrière est à liens multiples et à bras oscillant, le tout relié à un renfort transversal très costaud. Cette conception empêche l'affaissement de la suspension arrière lorsque le véhicule est lourdement chargé.

LA JOIE DANS LE TRAVAIL

Ce vieux dicton s'appliquera à la lettre si vous utilisez le Ridgeline pour le travail. Non seulement sa stabilité impressionne lors des remorquages, mais ses accélérations et son freinage sont rassurants. Et ce, même avec une lourde charge. Bref, malgré sa silhouette branchée et sa cabine de limousine, ce Honda est capable de travailler.

Mais le plus intéressant dans tout cela, c'est que son comportement routier laisse tous ses concurrents dans la poussière. Lorsque comparée au Ridgeline en fait de tenue de route et d'agrément de conduite, aucune camionnette de la catégorie n'est à la hauteur. Leur suspension sautille trop ou est inconfortable, tandis que la tenue de route devient parfois aléatoire. Et si vous croyez que la direction d'une camionnette est automatiquement floue et trop assistée, vous serez étonné de constater que celle du Ridgeline est presque digne d'une berline sport. Bref, Honda vient de jeter un pavé dans la paisible mare du créneau des camionnettes intermédiaires.

Denis Duquet

Photo: Alain Morin

HONDA RIDGELINE

DONNÉES TECHNIQUES

Modèle à l'essai:	EX-L
Prix du modèle à l'essai:	39200$
Échelle de prix:	34800$ à 43900$
Garanties:	3 ans/60000 km, 5 ans/100000 km
Catégorie:	camionnette intermédiaire
Emp./Lon./Lar./Haut.(cm):	310/525/194/179
Poids:	2045 kg
Longueur de caisse/Réservoir:	201 cm / 83 litres
Coussins de sécurité:	frontaux, latéraux (av.), rideaux
Suspension avant:	indépendante, jambes de force
Suspension arrière:	indépendante, multibras
Freins av./arr.:	disque (ABS)
Antipatinage/Contrôle de stabilité:	oui/oui
Direction:	à crémaillère, assistance variable
Diamètre de braquage:	12,9 m
Pneus av./arr.:	P245/65R17
Capacité de remorquage:	2268 kg

Pneus d'origine MICHELIN

GROUPE MOTOPROPULSEUR

Moteur:	V6 de 3,5 litres 24s atmosphérique
Alésage et course	89,0 mm x 93,0 mm
Puissance:	255 ch (190 kW) à 5750 tr/min
Couple:	252 lb-pi (342 Nm) à 4500 tr/min
Rapport Poids/Puissance:	8,02 kg/ch (10,76 kg/kW)
Moteur électrique:	aucun
Autre(s) moteur(s):	seul moteur offert
Transmission:	intégrale, automatique 5
Autre(s) transmission(s):	aucune
Accélération 0-100 km/h:	10,8 s
Reprises 80-120 km/h:	9,1 s
Freinage 100-0 km/h:	42,0 m
Vitesse maximale:	193 km/h
Consommation (100 km):	ordinaire, 13,3 litres
Autonomie (approximative):	624 km
Émissions de CO2:	n.d.

DANS LA MÊME CATÉGORIE

Chevrolet Colorado - Dodge Dakota - Ford F-150 - Nissan Frontier - Toyota Tacoma

DU NOUVEAU EN 2006

Nouveau modèle

HISTORIQUE DU MODÈLE

1ière génération

NOS IMPRESSIONS

Agrément de conduite:	4
Fiabilité:	nouveau modèle
Sécurité:	4½
Qualités hivernales:	4½
Espace intérieur:	4½
Confort:	4

LE CHOIX DE L'ÉQUIPE

EX-L

REPOUSSER LES FRONTIÈRES

Il n'y a pas si longtemps, rien n'était compliqué. On avait le choix entre Crest ou Colgate pour le dentifrice, Molson, Labatt ou O'keefe pour la bière et il y avait des gros pick-up et des petits pick-up. Le marché des camionnettes 1/2 tonne de format intermédiaire se limitait à Ford et ses F-100 puis F-150, à Chevrolet avec sa Serie 10 et aux Dodge D-100. On y retrouvait une seule banquette et une seule longueur de caisse, point. Quant au confort, il ne figurait pas sur la liste des options.

Les temps, on le sait, ont bien changé ! Simplement choisir un dentifrice relève maintenant de la haute voltige émotive. Dans le domaine des camionnettes, ce n'est guère mieux. La camionnette Nissan Frontier, par exemple, se décline en versions King Cab et cabine double, chacune de ces versions pouvant se déplacer au moyen des seules roues arrière ou des quatre roues. Pour chacune de ces dernières versions, il existe une variante sportive appelée Nismo. Ah oui, j'oubliais le choix, tout de même restreint, entre le quatre et le six cylindres. Et dites-vous que les concurrents que sont les Chevrolet Colorado, Ford Ranger et Dodge Dakota proposent encore plus de variations avec différentes longueurs de boîte.

Pour l'élaboration de son Frontier, entièrement renouvelé l'an dernier, Nissan a décidé de jouer sûr et dur en modifiant le châssis du redoutable et énorme Titan. Cependant, le Frontier est passablement plus petit, toutes proportions gardées et est vendu en livrées XE, SE, LE et Nismo. Seul le XE, avec son quatre cylindres, n'a pas droit à la configuration cabine double et aux quatre roues motrices. À l'autre bout de la hiérarchie, le Nismo Off Road n'est offert qu'en version quatre roues motrices. Ce dernier, à qui la génétique semble avoir tout donné, présente une fiche technique qui fait foi de prétentions à la fois sportives (Nismo représente Nissan Motorsport) et tout-terrain (off road). Ces deux extrêmes paraissent bien peu conciliables et il faut admettre que le Nismo fait preuve de beaucoup plus d'agilité dans un champ labouré que sur une piste de course. Par exemple, il est le seul membre de la famille à avoir droit à des plaques de métal protégeant certaines de ses parties vitales.

Quoi qu'il en soit, tous les Frontier possèdent quatre portières. La version King Cab présente des portes arrière de type suicide qui donnent sur de très inconfortables strapontins. Ces sièges peuvent intéresser uniquement les jeunes enfants mais pendant un certain temps seulement. Après quelques minutes, il se peut qu'ils renient leurs parents pour le reste de leurs jours. La livrée Cabine Double (Crew Cab) offre des portières arrière plus habituelles, et les sièges auxquels elles donnent accès sont infiniment plus spacieux et confortables que les galettes précitées, même s'ils sont un peu durs.

Puisque le châssis provient du Titan, on peut affirmer qu'il ne s'en laisse pas imposer lorsque vient le temps de travailler fort. D'ailleurs, ce n'est pas pour rien si Nissan a choisi ce même châssis pour son gros VUS Xterra. Même le système quatre roues motrices est fait pour les gros

FEU VERT

Moteur V6 impressionnant
Solidité du châssis certifiée
Système Utili-Track génial
Système 4x4 efficace
Prix compétitifs

FEU ROUGE

Étiquette sportive abusive
Quelques bruits de caisse
Habitacle très « plastique »
Marche arrière difficile à trouver
Panneau arrière lourd

travaux et on retrouve un boîtier de transfert avec des gammes 4hi et 4lo. Le Frontier peut se sortir de bien des impasses grâce, entre autres, à plusieurs modes électroniques, offerts de série sur les Nismo et LE. Cependant, seul le Nismo hérite du différentiel arrière bloquant. La version 4X4 peut remorquer jusqu'à 6300 livres, ce qui n'est pas rien, tandis que le XE, avec ses roues arrière motrices peut remorquer 3500 livres.

Les Frontier Nismo et LE proposent le système Utili-Track qui comprend des rails de fixation au plancher et sur trois côtés de la boîte. Malheureusement, il n'est pas offert sur les autres modèles, même en option. La porte donnant accès à la boîte se barre mais elle est lourde, et on se demande si Nissan ne pourrait pas imiter Ford qui installe une barre de torsion sur les panneaux arrière de ses F150, ce qui facilite beaucoup leur manipulation.

DU MOTEUR

Le V6 de 4,0 litres fait un boulot très honnête et nul doute qu'il sera largement préféré au maigrichon quatre cylindres. Ses 265 chevaux combinés à son couple de 284 livres-pied assurent des performances très correctes. Une transmission manuelle à six rapports arrive d'office sur les Nismo et SE. Dans le style imprécis, c'est assez réussi. Trouver la marche arrière sur notre véhicule d'essai était un geste toujours accompagné de quelques mots religieux... La transmission automatique, au fonctionnement transparent, lui est préférable. Peu importe la livrée choisie, le Frontier n'a rien de sportif. Si vous outrepassez ses limites d'adhérence (ce qui arrive plus rapidement qu'on le croit), l'antipatinage, de série sur tous les modèles 4X4, viendra vite ralentir vos ardeurs. D'ailleurs, votre corps aura déjà, à ce moment, commencé à glisser latéralement sur le siège. Curieusement, le feedback du volant est bien dosé. Quant aux suspensions, elles font montre d'un confort somme toute très acceptable pour une camionnette et on est à des lieux de l'arrière sautillant de l'ancien Frontier.

Le Nissan Frontier n'a plus rien à voir avec le modèle antérieur. La verve de son V6, ses capacités hors route, son habitacle fonctionnel mais moins agréable que celui du Toyota Tacoma lancé en même temps et le système Utili-Track représentent ses atouts majeurs. Reste que l'image de sportif qu'on tente de lui accoler tient plus de la fausse représentation que de la réalité.

Alain Morin

Photos: Alain Morin

NISSAN FRONTIER

DONNÉES TECHNIQUES

Modèle à l'essai:	Nismo cabine double 4X4
Prix du modèle à l'essai:	31598$ - 2005
Échelle de prix:	23198$ à 37898$ - 2005
Garanties:	3 ans/60000 km, 5 ans/100000 km
Catégorie:	camionnette intermédiaire
Emp./Lon./Lar./Haut.(cm):	320/522/185/178
Poids:	2013 kg
Longueur de caisse/Réservoir:	149 cm / 80 litres
Coussins de sécurité:	frontaux
Suspension avant:	indépendante, multibras
Suspension arrière:	essieu rigide, ressorts elliptiques
Freins av./arr.:	disque (ABS)
Antipatinage/Contrôle de stabilité:	oui/non
Direction:	à crémaillère, assistance variable
Diamètre de braquage:	n.d.
Pneus av./arr.:	P265/75R16
Capacité de remorquage:	2767 kg

GROUPE MOTOPROPULSEUR

Moteur:	V6 de 4,0 litres 24s atmosphérique
Alésage et course	95,5 mm x 92,0 mm
Puissance:	265 ch (186 kW) à 5600 tr/min
Couple:	284 lb-pi (400 Nm) à 4400 tr/min
Rapport Poids/Puissance:	8,05 kg/ch (10,82 kg/kW)
Moteur électrique:	aucun
Autre(s) moteur(s):	4L 2,5 l 154ch à 5200tr/mn et 173lb-pi à 4400tr/mn
Transmission:	propulsion, manuelle 6 rapports
Autre(s) transmission(s):	automatique 5 rapports / 4X4, manuelle 6 rapports
Accélération 0-100 km/h:	8,9 s
Reprises 80-120 km/h:	9,0 s (4ième)
Freinage 100-0 km/h:	41,0 m
Vitesse maximale:	195 km/h
Consommation (100 km):	ordinaire, 13,5 litres
Autonomie (approximative):	593 km
Émissions de CO2:	n.d.

DANS LA MÊME CATÉGORIE

Chevrolet Colorado - Dodge Dakota - Ford Ranger - GMC Canyon - Mazda Série B - Toyota Tacoma

DU NOUVEAU EN 2006

Quelques changements mineurs à l'intérieur, nouvelles couleurs

HISTORIQUE DU MODÈLE

3ième génération

NOS IMPRESSIONS

Agrément de conduite:	4
Fiabilité:	4
Sécurité:	4
Qualités hivernales:	3½
Espace intérieur:	3½
Confort:	3½

LE CHOIX DE L'ÉQUIPE

4x4 Crew Cab

LES GROS BRAS

Certains constructeurs japonais l'ont appris à leurs dépens, les acheteurs de grosses camionnettes apprécient ces dernières justement pour leurs dimensions et souvent pour leur apparence intimidante. Ceux qui ont essayé dans la demi-mesure ont été contraints à réviser leurs plans. Par exemple, lorsque Ford a renouvelé sa camionnette F-150, la plus populaire sur le marché, elle était plus grosse que la précédente et ce modèle est aujourd'hui plus en vogue que jamais. Il faut donc penser gros et grand. C'est cette philosophie qui a prévalu lors de la conception de la camionnette Titan de Nissan. D'ailleurs, cette appellation explique le programme à lui seul!

Il faut de plus ajouter que l'incursion de Nissan dans le domaine des camionnettes intermédiaires, le modèle le plus populaire sur notre continent, n'est pas une affaire improvisée. Les ingénieurs ont travaillé pour développer une camionnette capable d'en découdre avec les meilleures américaines tout en possédant certaines caractéristiques exclusives. Par exemple, le Titan est la camionnette dotée de la cabine multiplace la plus spacieuse et la mieux équipée. Elle a également été la première à être dôtée de série d'un revêtement protecteur de caisse appelé Durabed. Cette approche prévient les intrusions d'eau et la rouille provoquée par les doublures de caisse en plastique. De plus, celles-ci, en raison de leur micro mouvement finissent par user la peinture et favoriser la corrosion. Très robuste, l'enduit Durabed résiste aux éraflures et sert également d'antidérapant. Il est également possible de commander un système d'ancrage comprenant des anneaux d'arrimage qui permettent de modifier la configuration de retenue en un tournemain. Les ingénieurs se sont même payé une petite fantaisie en plaçant un espace de rangement dans le bas de la caisse, juste derrière l'ouverture de la roue.

Toujours dans le but d'avoir une présence soutenue dans ce créneau du marché, Nissan a construit une gigantesque usine d'assemblage à Canton dans le Mississipi. Cette usine a un mille de long et produit aussi les modèles Quest, Armada de même que l'Infiniti QX56. Bref, on était prêt pour la guerre.

OOOPS!

Ce plan audacieux comprenait également une camionnette dont la silhouette était de nature à en imposer en fait de look ravageur. De plus, le Titan était doté dès son arrivée sur le marché d'un puissant moteur V8 de 5,6 litres d'une puissance de 305 chevaux et couplé à une boîte automatique à cinq rapports. C'était cinq chevaux de plus que le gros moteur V8 du Ford F-150 et un rapport de plus que la boîte automatique du Chevrolet Silverado.

Bref, tout était prêt pour une offensive en règle contre la chasse gardée des constructeurs nord-américains. Pourtant, il y a eu des os dans la soupe puisque le Titan a été affligé de plusieurs problèmes durant les premiers mois de sa commercialisation. Rien de bien grave, mais assez dérangeant pour inciter les amateurs de gros camions à retarder leur achat ou même demeurer fidèles à leur marque traditionnelle. Il faut d'ailleurs souligner au passage que les acheteurs de camions sont les plus constants de l'industrie. Contrairement au secteur de l'automobile,

FEU VERT

Silhouette dynamique
Moteur puissant
Boîte automatique cinq rapports
Cabine spacieuse
Bonne capacité de remorquage

FEU ROUGE

Moteur gourmand
Absence de caisse longue
Finition parfois inégale
Absence de moteur V6
Boîte manuelle espérée

un acheteur de Ford ou de Chevrolet devra se faire violence pour aller voir chez Dodge, Toyota ou Nissan. Quoi qu'il en soit, les premiers exemplaires sur le marché étaient d'une finition douteuse et inégale, tandis que plusieurs petits éléments dans la cabine se rompaient aisément. Le couvercle du coffre à gants par exemple avait une apparence bon marché et son ajustement était loin d'être parfait. La situation était suffisamment grave pour que Carlos Ghosn envoie une équipe tactique au Mississipi pour remédier à la situation. Selon plusieurs observateurs, cela a été corrigé en grande partie.

PAS DE CABINE SIMPLE

Les visées de la direction de la compagnie a naturellement fait fi des modèles à cabine simple, une espèce pratiquement en voie de disparition. Le modèle le plus petit est appelé contradictoirement King Cab. Il s'agit en fait d'un modèle à cabine allongée dont les panneaux d'accès s'ouvrent à 180 degrés. Ce qui facilite l'accès à bord et constitue un autre argument en sa faveur. Les places arrière sont confortables et spacieuses pour une camionnette de ce genre. Il faut également avouer que le tableau de bord est plus convivial que ceux de la concurrence. Chez plusieurs, les designers ont associé outil de travail à austérité. Avec le Ford F150, le Titan fait bande à part avec une planche de bord qui pourrait être utilisée dans une berline. Le volant à trois branches notamment est presque trop élégant pour une camionnette. À la gauche du volant, un bouton de commande permet de passer en mode Auto, 4X4, 4X2 et Lo, du moins sur les modèles quatre roues motrices.

Sur la route, ce costaud nous surprend par son agilité, le confort de sa suspension et son comportement routier en général. Pour un mastodonte, il est agile comme un chat. Un peu comme si Shaquille O'Neil avait la délicatesse d'un danseur de ballet. Pas mal pour une camionnette capable de remorquer 9400 livres (4263 kg)! Par contre, il faut déplorer le fait que la caisse de chargement ne soit pas offerte en version longue comme sur la plupart de ses concurrentes. Le King Cab est doté d'une caisse de 200,5 cm tandis que le modèle à cabine multiplace doit se contenter de 170,5 cm. Une différence qui pourrait faire la différence, comme le dirait sans doute Yogi Berra.

Et il ne faut pas oublier en terminant de souligner l'appétit en hydrocarbure du V8 dont la moyenne peut grimper jusqu'à 20 litres aux 100 km en certaines circonstances. Sur le Titan, tout est gros, même la consommation!

Denis Duquet

Photos: Nissan

NISSAN TITAN

DONNÉES TECHNIQUES

Modèle à l'essai:	SE Crew Cab
Prix du modèle à l'essai:	35900$
Échelle de prix:	32200$ à 51495$
Garanties:	3 ans/60000 km, 5 ans/100000 km
Catégorie:	camionnette grand format
Emp./Lon./Lar./Haut.(cm):	355/569/200/194
Poids:	2252 kg
Longueur de caisse/Réservoir:	198 cm / 106 litres
Coussins de sécurité:	frontaux, latéraux (av.), rideaux
Suspension avant:	indépendante, jambes de force
Suspension arrière:	essieu rigide, ressorts elliptiques
Freins av./arr.:	disque (ABS)
Antipatinage/Contrôle de stabilité:	non/non
Direction:	à crémaillère, assistance variable
Diamètre de braquage:	14,0 m
Pneus av./arr.:	P265/70R18
Capacité de remorquage:	4218 kg

GROUPE MOTOPROPULSEUR

Moteur:	V8 de 5,6 litres 32s atmosphérique
Alésage et course	98,0 mm x 92,0 mm
Puissance:	305 ch (227 kW) à 4900 tr/min
Couple:	379 lb-pi (514 Nm) à 3600 tr/min
Rapport Poids/Puissance:	7.38 kg/ch (9.92 kg/kW)
Moteur électrique:	aucun
Autre(s) moteur(s):	seul moteur offert
Transmission:	propulsion, automatique 5 rapports
Autre(s) transmission(s):	aucune
Accélération 0 100 km/h:	7,8 s
Reprises 80-120 km/h:	6,2 s
Freinage 100-0 km/h:	44,2 m
Vitesse maximale:	185 km/h
Consommation (100 km):	ordinaire, 16,8 litres
Autonomie (approximative):	631 km
Émissions de CO2:	7019 kg/an

DANS LA MÊME CATÉGORIE

Chevrolet Silverado - Dodge Ram - Ford F-150 - Toyota Tundra

DU NOUVEAU EN 2006

Aucun changement majeur, toit ouvrant sur SE, cabine multiplace, CD MP3 sur LE

HISTORIQUE DU MODÈLE

1ière génération

NOS IMPRESSIONS

Agrément de conduite:	🚗🚗🚗½
Fiabilité:	🚗🚗🚗½
Sécurité:	🚗🚗🚗🚗
Qualités hivernales:	🚗🚗🚗½
Espace intérieur:	🚗🚗🚗🚗½
Confort:	🚗🚗🚗🚗

LE CHOIX DE L'ÉQUIPE

SE King Cab 4X4

L'EX SOUS-ESTIMÉ

Après plusieurs échecs (ou demi-échecs pour les plus optimistes) dans le domaine des camionnettes, Toyota aurait pu déclarer forfait et se concentrer sur d'autres champs de production qui lui réussissaient mieux. Mais c'est mal connaître l'entreprise japonaise qui veut devenir le numéro 1 mondial, rien de moins. Et pour cela, il faut absolument percer le marché de la camionnette aux États-Unis, marché lucratif s'il en est. L'ancien Tacoma n'était pas vilain mais il souffrait d'un problème de crédibilité, chez les Américains surtout, qui le considéraient un peu comme une mobylette parmi leurs Harley-Davidson!

Quoi qu'il en soit, le Tacoma est offert en configurations «Accès» et «Cabine double». La première propose des portes arrière de type suicide, c'est-à-dire qu'elles ouvrent vers l'arrière. Ces petites portes donnent accès (c'est le cas de le dire!) à des strapontins inconfortables, destinés à de jeunes enfants et sur de courtes distances. La version cabine double propose quatre portes ordinaires ainsi qu'une banquette arrière très confortable. Les sièges situés à l'avant sont très confortables mais ils sont un peu difficiles d'accès si le véhicule n'est pas muni de marchepieds.

L'habitacle se montre accueillant grâce à des appliques métalliques sur le tableau de bord... qui sont optionnelles! Les jauges sont faciles à lire, toutes les commandes sont à portée de la main et les espaces de rangement sont nombreux. Nous passerons sous silence, l'écran LCD de la radio impossible à voir si on porte des verres fumés.

PUISSANT MAIS PAS SPORTIF

Deux moteurs sont au programme. Un quatre cylindres de 2,7 litres est offert sur la version de base, soit 4X2 avec cabine accès. La seule raison de vivre de cette version réside sans doute dans son prix de base d'un peu plus de 22 000 $. Cette camionnette peut très bien faire l'affaire dans le cas d'une utilisation domestique ou pour se faire des amis le premier juillet. Les autres Tacoma sont vendus avec le V6 de 4,0 litres. Ses 245 chevaux et ses 282 livres-pied de couple fournissent des accélérations et des reprises convaincantes. La consommation d'essence se situe dans la bonne moyenne avec ses 13,8 litres aux cent kilomètres. D'ailleurs, à 100 km/h, ce V6 ne «tourne» qu'à 1 900 tours/minute, ce qui améliore la consommation tout en assurant un silence de roulement apprécié. La version de base, encore elle, ne reçoit qu'une transmission manuelle à cinq rapports tandis qu'une automatique à quatre rapports est offerte en option. Les autres versions ont droit à l'automatique à cinq rapports ou à la boîte mécanique à six rapports. L'automatique, très bien étagée, passe les rapports doucement, en général. Quant à la manuelle à six rapports, rattachée au V6, sa course est trop longue pour paraître sportive. Au moins, l'embrayage s'avère d'une belle douceur.

Malgré un essieu arrière rigide, le train arrière du Tacoma ne sautille pas inutilement sur une chaussée bosselée, tandis que la suspension avant contrôle relativement bien les écarts de notre système routier. Le châssis rigide y est sans doute pour quelque chose! Malgré tout, ce dernier n'est pas encore l'égal du Nissan Frontier par exemple. Dans un sentier très accidenté, nous sentions qu'il atteignait assez rapidement ses limites.

FEU VERT
Fiabilité légendaire
Moteur V6 performant
Version de base accessible
Habitacle silencieux
Design musclé

FEU ROUGE
Crédibilité à construire
Modèles luxueux dispendieux
Comportement peu sportif
Jeu des options complexe
Prise d'air capot factice

Mais sur la route, même avec une boîte chargée de vieille tourbe, de roches et de terre, il est demeuré très solide. Même si notre Tacoma d'essai portait les lettres TRD sur ses flancs, cela n'en fait pas nécessairement une bête de course. Malgré des amortisseurs Bilstein, les pneus Bridgestone Dueller font peu pour améliorer la tenue de route. L'avant perd rapidement son adhérence en virage, mais il est possible de faire décrocher l'arrière à l'accélérateur ce qui en ravira certains mais en stressera beaucoup d'autres! Les freins sont impressionnants de solidité et ils seraient parfaits si ce n'était de cet inquiétant bruit de ressort qui se déclenche après un arrêt d'urgence.

PAS TOUT À FAIT UN JEEP!

Le Tacoma 4X4 propose deux modes de traction, soit 4Hi et 4Lo, ce dernier rapport ne devant servir que dans les cas extrêmes. On peut cependant se demander pourquoi Toyota offre le différentiel arrière autobloquant et des plaques de protection uniquement dans le V6 4X4 Access Cab... en option en plus! Quoi qu'il en soit, s'il n'a pas les prétentions du Jeep TJ ou même du Nissan Frontier dans les sentiers peu fréquentables, il n'en demeure pas moins que ses capacités en hors route feront l'affaire la plupart du temps. Tous les Tacoma ont une boîte de chargement de six pieds. Seul le V6 4X4 cabine double reçoit une boîte de cinq pieds. Peu importe le modèle, la boîte est recouverte d'un matériau composite qui la protège des coups bas de la vie tout en étant facile d'entretien. Des crochets de fixation sont inclus et on y retrouve des espaces de rangement. Une prise de courant de 400W (115 volts) optionnelle vient se loger dans la paroi droite de la caisse. Le panneau basculant donnant accès à la boîte ne se barre pas mais fait preuve de légèreté, une caractéristique toujours fort appréciée.

On peut certes reprocher au Tacoma sa fausse prise d'air sur le capot (optionnelle, heureusement), son pneu de secours aussi facile à dégager qu'un tiroir de classeur coincé et une certaine sensibilité aux vents latéraux. Mais on doit féliciter Toyota pour avoir enfin concocté une camionnette solide, puissante, conviviale, pas laide du tout et, surtout, vraiment adaptée au marché nord-américain. De plus, cette année, on retrouve une version sportive, le X-Runner. Ford, Chevrolet et Dodge devraient commencer à avoir peur...

Alain Morin

Photos: Alain Morin

TOYOTA TACOMA

DONNÉES TECHNIQUES

Modèle à l'essai:	PreRunner V6 SR5 TRD propulsion
Prix du modèle à l'essai:	35250$ - 2005
Échelle de prix:	22125$ à 38580$
Garanties:	3 ans/60000 km, 5 ans/100000 km
Catégorie:	camionnette intermédiaire
Emp./Lon./Lar./Haut.(cm):	357/562/189,5/178
Poids:	1767 kg
Longueur de caisse/Réservoir:	187 cm / 80 litres
Coussins de sécurité:	frontaux
Suspension avant:	indépendante, multibras
Suspension arrière:	essieu rigide, ressorts elliptiques
Freins av./arr.:	disque/tambour (ABS)
Antipatinage/Contrôle de stabilité:	non/non
Direction:	à crémaillère, assistée
Diamètre de braquage:	14,2 m
Pneus av./arr.:	P265/65R17
Capacité de remorquage:	2268 kg

GROUPE MOTOPROPULSEUR

Moteur:	V6 de 4,0 litres 24s atmosphérique
Alésage et course	95,0 mm x 95,0 mm
Puissance:	245 ch (183 kW) à 5200 tr/min
Couple:	282 lb-pi (382 Nm) à 3800 tr/min
Rapport Poids/Puissance:	7,21 kg/ch (9,66 kg/kW)
Moteur électrique:	aucun
Autre(s) moteur(s):	4L 2,7 l 164ch à 5200tr/mn et 183lb-pi à 3800tr/mn
Transmission:	propulsion, manuelle 5 rapports
Autre(s) transmission(s):	automatique 5 rapports / 4X4, manuelle 6 rapports
Accélération 0-100 km/h:	7,9 s
Reprises 80-120 km/h:	6,1 s
Freinage 100-0 km/h:	39,4 m
Vitesse maximale:	175 km/h
Consommation (100 km):	ordinaire, 13,8 litres
Autonomie (approximative):	580 km
Émissions de CO2:	n.d.

DANS LA MÊME CATÉGORIE

Dodge Dakota - Ford Ranger - GMC Canyon - Nissan Frontier

DU NOUVEAU EN 2006

Modèle X-Runner, quelques modifications à l'équipement standard et optionnel

HISTORIQUE DU MODÈLE

3ième génération

NOS IMPRESSIONS

Agrément de conduite:	4
Fiabilité:	4½
Sécurité:	4
Qualités hivernales:	3
Espace intérieur:	4
Confort:	4

LE CHOIX DE L'ÉQUIPE

Double Cab SR5

LE GRAND DES GRANDS

Les Japonais tentent vraiment par tous les moyens de dominer les Américains. Dans le milieu automobile s'entend. L'an passé, après avoir fait une incursion encore plus remarquée dans le créneau des camionnettes en modifiant complètement son Tacoma et en élargissant les dimensions du Tundra, voilà que pour 2006, le constructeur nippon veut s'étendre au domaine de la performance en proposant une version préparée par TRD de son modèle de camionnette grand format. Ça ne vous rappelle pas un certain Ram SRT, par hasard ?

Mais attention, dans ce domaine, Toyota ne fait que la moitié du chemin puisque l'édition spéciale TRD (pour Toyota Racing Development) n'est en fait qu'esthétique, et bien peu mécanique. Ce ne sont que des modifications de couleurs et de finis, à l'exception d'un double tuyau d'échappement

BÊTE DE SOMME

C'est vrai, en théorie du moins, que le Tundra est d'abord et avant tout un outil de travail. Ce genre de camionnettes grand format est en effet surtout utile lorsque les charges à transporter sont lourdes, ou que les choses à tracter sont imposantes. De ce point de vue, rien à redire puisque le gros Tundra peut aisément transporter plus de 700 kilos (une donnée qui varie un peu selon la version choisie), ou tracter rien de moins que 3000 kilos. Mais attention, le Tundra, à l'instar de toutes les autres camionnettes, est devenu une bête réellement civilisée. Au point où, sans aucune hésitation et malgré ses imposantes dimensions, il devient de plus en plus souvent le véhicule que l'on utilise dans la vie quotidienne.

Pour animer la bête, on optera sans doute en usage quotidien pour le moteur V6 de 4,0 litres qui, avec ses 236 chevaux, mais surtout son couple de 266 livres-pied, est amplement suffisant. Pour transmettre sa puissance aux roues, il est marié à une transmission automatique (dont le levier est placé sur la colonne de direction) à cinq rapports. Malheureusement, pour ce genre d'option, il faudra se limiter au Tundra à deux roues motrices, une version également proposée avec le moteur V8 de 4,7 litres. En revanche, pour de plus gros travaux, la version à quatre roues motrices s'impose. Le gros moteur V8 qui s'agite sous le capot développe à lui seul 271 chevaux, ce qui n'est pas trop mal, mais impressionne surtout par son couple abondant de 313 livres-pied, disponible à un régime aussi bas que 3400 tours/minute. Il est lui aussi jumelé à la transmission automatique à 5 rapports à commande électronique, développée spécifiquement pour le Tundra, qui réagit elle aussi au quart de tour.

Aspect intéressant de cette dernière version, le mode quatre roues motrices peut être actionné à la volée, sur simple pression d'un bouton et sans même avoir besoin d'immobiliser le véhicule. Mais si jamais le besoin vous prenait de vous arrêter (ce qui devient nécessaire à un moment ou l'autre), vous pourrez toujours compter sur des freins aux disques surdimensionnés de 319 millimètres à l'avant, munis d'étriers à quatre pistons. À l'arrière cependant, on conserve l'ancienne technologie et on préserve les freins à tambour.

FEU VERT

Configurations multiples
Finition sans reproche
Douceur mécanique impressionnante
Couple imposant (V8)

FEU ROUGE

Silhouette peu distinctive
Position de conduite inconfortable
Ergonomie parfois déficiente
Modèle 4X4 V8 seulement

Au-delà de ces considérations techniques, ce qui distingue le Tundra de la concurrence, c'est l'exceptionnelle douceur de la mécanique Toyota. Peu importe le niveau de sollicitation, le moteur réagit sans hésiter, la transmission répond avec célérité, et la direction, d'une grande précision pour une camionnette, est même capable de transmettre au conducteur la réalité des conditions routières. Presque un exploit dans ce créneau ! Pour solidifier le tout et garantir un bon maintien, on a construit la camionnette de forte taille sur des longerons monopièces forgés d'acier à haute résistance, assurant une rigidité exceptionnelle et capable de supporter une charge plus lourde.

EN DEHORS DES SENTIERS BATTUS

Avec son gros Tundra, Toyota n'a certes pas renouvelé le genre, mais elle offre une gamme tellement étendue de modèles qu'il est difficile ne pas trouver chaussure à son pied. Bien sûr, il y a la version TRD, qui se retrouve sur le Tundra à cabine Accès 4X4 V8 ou Double Cab V8.

Mais en fait, le Tundra se décline au total en cinq versions, de la cabine Double Cab à Access, deux motorisations, deux rouages, et, selon les options choisies, les modèles destinés au travail ou même, ceux prévus pour le hors route. On installe alors des amortisseurs Bilstein, des sièges de cuir, une gamme d'accessoires supplémentaires, et voilà votre grosse camionnette prête à sortir des sentiers. Mais ce ne sont là que quelques-uns des équipements qui ornent le gros Tundra. Pour le reste, le choix dépend évidemment de l'usage que l'on veut en faire. On peut simplement opter pour un habitacle sobre et sans sophistication ou se tourner vers le luxueux aménagement du 4x4 Limited, qui ajoute des sièges capitaines, des commandes audio montees au volant, des roues en alliage de 17 pouces et un bloc central multifonction. Peu importe le niveau d'équipements, ou la version, il faudra tout de même faire quelques sacrifices au volant des Tundra. Les accessoires sont situés hors de portée, les places arrière sont peu confortables et les sièges mal orientés, avec une position de conduite peu facile à maîtriser.

En revanche, il faut l'admettre, la qualité de finition est indéniablement celle d'une Toyota. Tout comme la silhouette anonyme de la camionnette d'ailleurs. Mais c'est un bien petit prix à payer pour obtenir une des plus efficaces camionnettes grand format actuellement sur le marché.

Marc Bouchard

Photos: Bertrand Godin

TOYOTA TUNDRA

DONNÉES TECHNIQUES

Modèle à l'essai:	4X4 double cab
Prix du modèle à l'essai:	40380$
Échelle de prix:	26010$ à 48015$
Garanties:	3 ans/60000 km, 5 ans/100000 km
Catégorie:	camionnette grand format
Emp./Lon./Lar./Haut.(cm):	357/584,5/201,5/190
Poids:	2993 kg
Longueur de caisse/Réservoir:	189 cm / 100 litres
Coussins de sécurité:	frontaux
Suspension avant:	indépendante, bras inégaux
Suspension arrière:	essieu rigide, ressorts elliptiques
Freins av./arr.:	disque/tambour (ABS)
Antipatinage/Contrôle de stabilité:	non/non
Direction:	à crémaillère, assistée
Diamètre de braquage:	13,4 m
Pneus av./arr.:	P265/70R16
Capacité de remorquage:	3039 kg

GROUPE MOTOPROPULSEUR

Moteur:	V8 de 4,7 litres 32s atmosphérique
Alésage et course	n.d.
Puissance:	271 ch (202 kW) à 5400 tr/min
Couple:	313 lb-pi (424 Nm) à 3400 tr/min
Rapport Poids/Puissance:	11,04 kg/ch (14,82 kg/kW)
Moteur électrique:	aucun
Autre(s) moteur(s):	V6 4,0 l 236ch à 5200tr/mn et 266lb-pi à 3400tr/mn
Transmission:	4X4, automatique 5 rapports
Autre(s) transmission(s):	propulsion, automatique 5 rapports
Accélération 0-100 km/h:	8,1 s
Reprises 80-120 km/h:	7,0 s
Freinage 100-0 km/h:	40,2 m
Vitesse maximale:	190 km/h
Consommation (100 km):	ordinaire, 15,7 litres
Autonomie (approximative):	637 km
Émissions de CO2:	6817 kg/an

DANS LA MÊME CATÉGORIE

Chevrolet Silverado - Dodge Ram - Ford F-150 - GMC Sierra - Nissan Titan

DU NOUVEAU EN 2006

Nouvelle édition spéciale TRD, nouveau système antivol

HISTORIQUE DU MODÈLE

3ième génération

NOS IMPRESSIONS

Agrément de conduite:	4/4
Fiabilité:	4/4
Sécurité:	4/4
Qualités hivernales:	4/4
Espace intérieur:	3/4
Confort:	3/4

LE CHOIX DE L'ÉQUIPE

4X4 Double Cab V8

RD-X ACURA

Ce véhicule multifonction est appelé à cibler une clientèle plus jeune que celle qui est visée par l'actuelle MDX. Sa silhouette est plus agressive tandis que ses dimensions sont plus petites. Mais ce qui distingue ce modèle, ce sont surtout les rumeurs qui circulent quant à sa motorisation. Un moteur quatre cylindres de 2.4 litres serait chargé d'animer les roues avant tandis que deux petits moteurs électriques feraient tourner les roues arrière et assurer ainsi une véritable transmission intégrale. De plus, le tableau de bord et l'agencement intérieur sont très audacieux. Incidemment, les balais des essuie-glaces sont remplacés par un jet d'air.

AUDI Q7

La Audi Allroad était un véhicule multisegment efficace et agréable à conduire, mais son prix et ses dimensions un peu justes l'ont condamnée à la retraite. Mais la bonne nouvelle est que sa remplaçante est encore plus spectaculaire. La nouvelle Q7 est plus grosse que le Porsche Cayenne ou le Volkswagen Touareg avec qui elle partage plusieurs composantes. Le moteur de base sera le moteur V6 de 3.2 litres ou encore le V8 de 4.2 litres.

Elle est toujours à l'état de voiture concept, mais son arrivée sur le marché a été confirmée. Elle est appelée à remplacer la Neon aux États-Unis et la SX 2.0 qui ont tiré leur révérence pour 2006. Contrairement à la berline qu'elle remplace, la Caliber est un cinq portes dont la silhouette ressemble un peu à celle de la Mercedes Classe B. Reste à savoir si ce hatchback sera bien accueilli aux USA. Heureusement, il sera également commercialisé en Europe.

CALIBER DODGE

Il est certain qu'avec sa silhouette inspirée de la RX 8, la Mazda CX7 est l'un des véhicules multisegment les plus élégants qui soit. Présenté au Salon de l'auto de Detroit en janvier 2005 en tant que véhicule concept appelé MX Crossport, il a reçu un tel accueil du public que la direction de Mazda a décidé de le commercialiser. Il sera sans doute équipé d'un moteur V6 et son rouage intégral serait très sophistiqué. Il est certain que les stylistes de Mazda ont encore une fois frappé dans le mille.

MAZDA CX7

CLASSE S MERCEDES-BENZ

Le modèle le plus exclusif de la gamme Mercedes-Benz sera entièrement transformé en 2006. La voiture est non seulement dotée d'une nouvelle silhouette, mais l'empattement a été allongé de sept centimètres. Parmi les nouveautés mécaniques, il faut souligner l'utilisation d'une nouvelle famille de moteurs V8 qui sont plus propres, plus puissants tout en consommant moins. Dans un autre registre, on parle d'un nouveau système infrarouge de visibilité de nuit. En outre, l'habitacle est plus luxueux que celui de la version actuelle qui sera remplacée par cette nouvelle génération au printemps 2006 en tant que modèle 2007.

PORSCHE CAYMAN

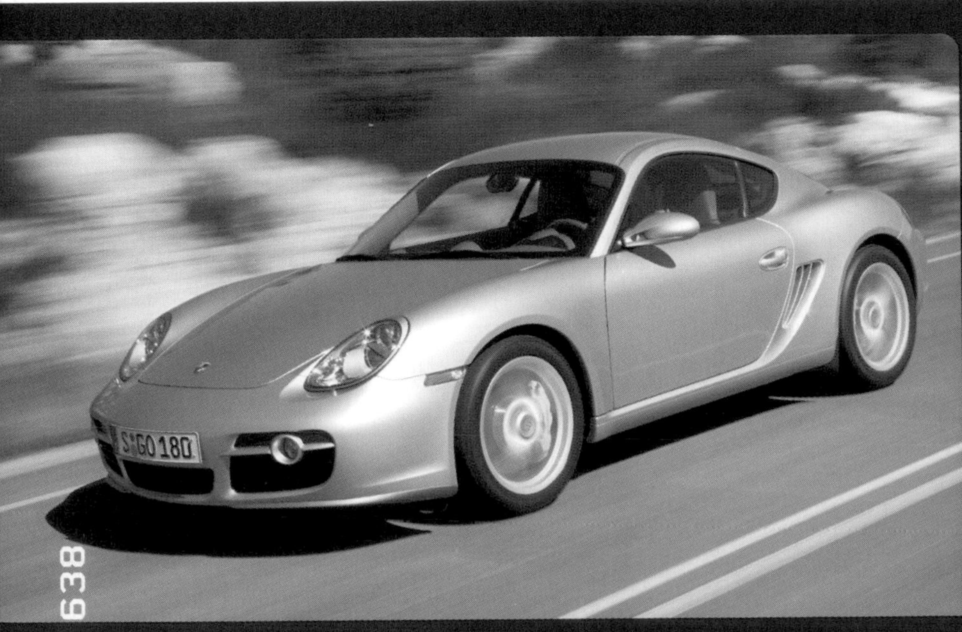

Depuis des années, les rumeurs circulaient à propos d'une version coupé de la Boxster Cabriolet. Voilà qui est fait. Cette nouvelle venue aura du mordant comme le démontre son nom! Plus trapue que la 911, elle a une apparence plus moderne qui devrait plaire. Elle sera propulsée par l'incontournable moteur six cylindres à plat qui a fait la réputation de ce constructeur. Ce moteur a une cylindrée de 3.4 litres d'une puissance de 295 chevaux. Le 0-100 km/h est une affaire de moins de six secondes.

De l'avis de tous, la Sky est une plus belle voiture que la Pontiac Solstice pourtant reconnue pour la beauté de ses lignes. Cette fois, les stylistes de la division Saturn ont eu le coup de crayon heureux en dessinant une partie avant qui fait l'unanimité. Comme la Pontiac, elle est basée sur l'architecture Kappa et cette propulsion est équipée d'un moteur quatre cylindres de 2.4 litres d'une puissance de 177 chevaux. L'arrivée de ce cabriolet devrait donner une image plus jeune à la division Saturn qui en a besoin.

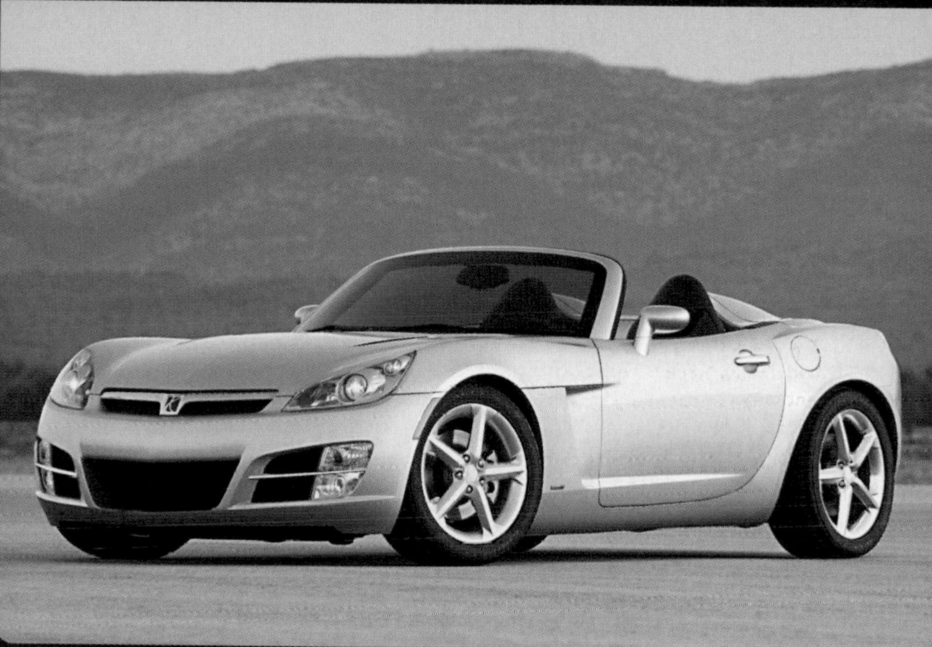

SKY SATURN

Volvo récidive avec un nouveau cabriolet. Cette fois, il est développé à partir de la plate-forme de la S40/V50. De plus, le toit souple sera remplacé par un toit amovible et rigide comme sur la Mercedes SLK. Le moteur de base sera un moteur quatre cylindres de 168 chevaux tandis qu'une version turbo permettra de pouvoir compter sur une cavalerie de 218 chevaux. Il s'agit d'une voiture quatre places et les spécialistes en sécurité du constructeur suédois se sont assurés que ce cabriolet offre une protection inégalée.

VOLVO C70

Achevé d'imprimer au Canada
sur les presses de l'imprimerie Québécor World St-Jean Inc.